여러분의 합격을 응원하는

해커스공무원의 특별 혜택

FREE 공무원 컴퓨터일반 **동영상강의**

해커스공무원(gosi.Hackers.com) 접속 후 로그인 ▶ 상단의 [무료강좌] 클릭 ▶
좌측의 [교재 무료특강] 클릭

해커스공무원 온라인 단과강의 **20% 할인쿠폰**

C979DBA4857CDFL2

해커스공무원(gosi.Hackers.com) 접속 후 로그인 ▶ 상단의 [나의 강의실] 클릭 ▶
좌측의 [쿠폰등록] 클릭 ▶ 위 쿠폰번호 입력 후 이용

* 쿠폰 등록 후 7일간 사용 가능

합격예측 **모의고사 응시권+해설강의 수강권**

5DC8F3A37DA9CJBU

해커스공무원(gosi.Hackers.com) 접속 후 로그인 ▶ 상단의 [나의 강의실] 클릭 ▶
좌측의 [쿠폰등록] 클릭 ▶ 위 쿠폰번호 입력 후 이용

* 쿠폰 등록 후 7일간 사용 가능

쿠폰 이용 관련 문의 **1588-4055**

단기 합격을 위한

해커스 커리큘럼

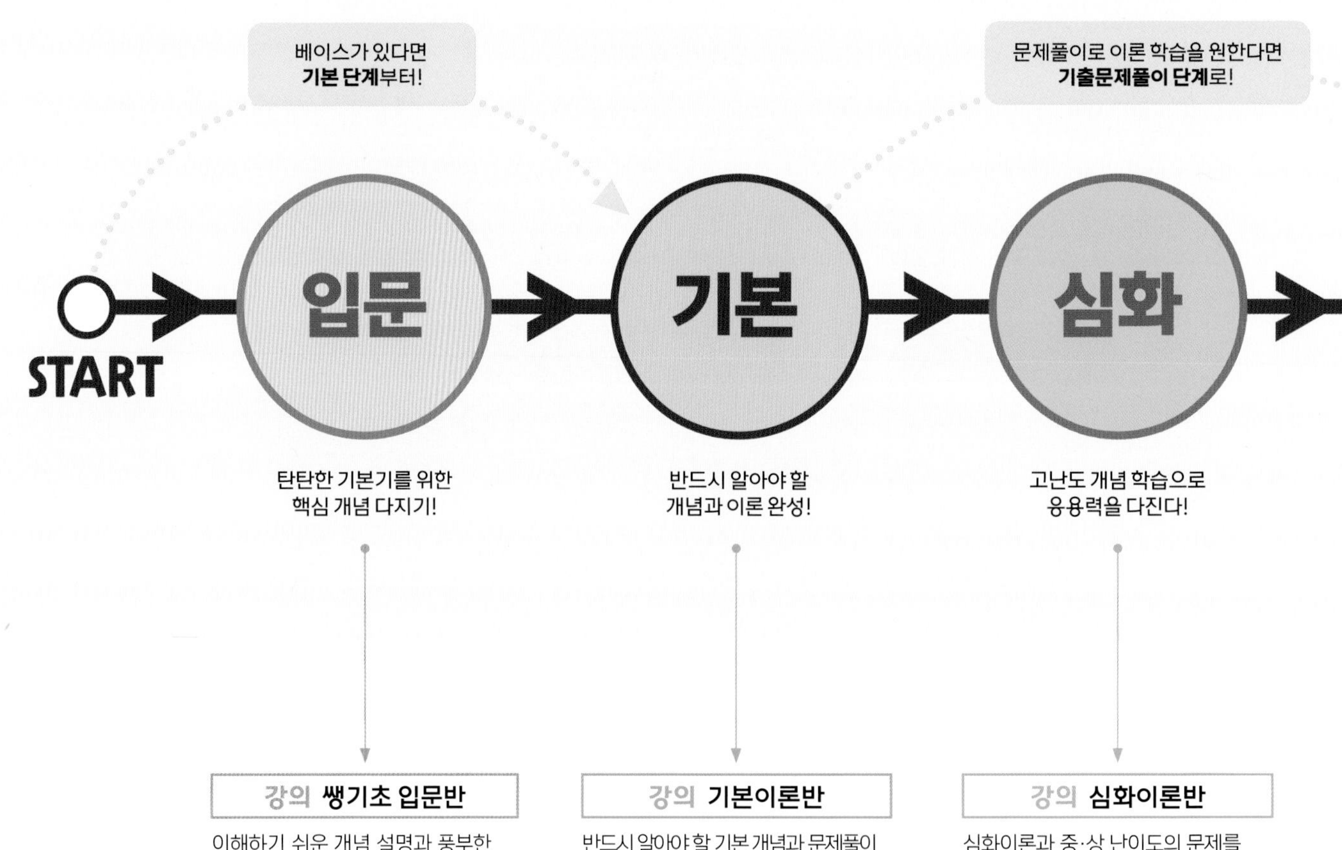

강의 쌩기초 입문반

이해하기 쉬운 개념 설명과 풍부한 연습문제 풀이로 부담 없이 기초를 다질 수 있는 강의

강의 기본이론반

반드시 알아야 할 기본 개념과 문제풀이 전략을 학습하여 핵심 개념 정리를 완성하는 강의

강의 심화이론반

심화이론과 중·상 난이도의 문제를 함께 학습하여 고득점을 위한 발판을 마련하는 강의

단계별 교재 확인 및
수강신청은 여기서!

gosi.Hackers.com

* 커리큘럼은 과목별·선생님별로 상이할 수 있으며, 자세한 내용은 해커스공무원 사이트에서 확인하세요.

기출문제 → 예상문제 → 마무리 → PASS

기출문제

기출문제풀이 훈련으로
취약영역을 보완한다!

강의 기출문제 풀이반

기출문제의 유형과 출제 의도를 이해하고, 본인의 취약영역을 파악 및 보완하는 강의

예상문제

예상문제풀이로
실전력을 강화한다!

강의 예상문제 풀이반

최신 출제경향을 반영한 예상 문제들을 풀어보며 실전력을 강화하는 강의

마무리

시험 직전 반드시
확인할 내용만 엄선한다!

강의 실전동형모의고사반

최신 출제경향을 완벽하게 반영한 모의고사를 풀어보며 실전 감각을 극대화하는 강의

강의 봉투모의고사반

시험 직전에 실제 시험과 동일한 형태의 모의고사를 풀어보며 실전력을 완성하는 강의

해커스공무원

곽후근 컴퓨터일반

기본서 | 1권

해커스공무원

곽후근

약력

숭실대학교 공학박사
현 | 해커스공무원 컴퓨터일반, 정보보호론 강의
전 | 대방고시 전산직, 군무원, 계리직 전임교수
전 | 숭실대학교, 세종대학교, 가톨릭대학교 겸임교수 및 강사
전 | 펌킨네트웍스 기술이사
전 | 한국소프트스페이스 고문

저서

해커스공무원 곽후근 컴퓨터일반 기본서, 해커스패스
해커스공무원 곽후근 정보보호론 기본서, 해커스패스
곽후근 컴퓨터일반, 하이앤북
곽후근 컴퓨터일반 기출문제풀이, 하이앤북
곽후근 정보보호론, 하이앤북
곽후근 정보보호론 기출문제풀이, 하이앤북
임베디드 리눅스 시스템 구축 및 응용, 그린(윤덕우)

공무원 시험
합격을 위한 필수 기본서!

컴퓨터일반의 모든 과목(디지털공학, 컴퓨터구조, 데이터통신, 운영체제, 프로그래밍 언어, 자료구조, 데이터베이스, 소프트웨어 공학, 인터넷)은 모두 컴퓨터를 만들기 위한 것입니다. 디지털공학은 컴퓨터를 만들 때 작은 관점(Gate, Register 등)에서 바라본 것이고, 컴퓨터구조는 컴퓨터를 만들 때 큰 관점(CPU, 주기억장치 등)에서 바라본 것입니다. 데이터통신은 컴퓨터 간의 통신을 의미하고, 프로그래밍 언어는 컴퓨터에서 동작하는 응용 소프트웨어를 만들기 위한 것입니다. 자료구조는 컴퓨터에서 응용 소프트웨어를 만들기 위한 자료(데이터)의 형태(스택, 큐 등)를 의미하고, 데이터베이스는 컴퓨터의 자료(데이터)를 저장하기 위한 것입니다. 그리고 소프트웨어공학은 컴퓨터 소프트웨어 제품 개발을 위한 효율적인 방법을 의미하고, 인터넷은 컴퓨터 관련 최신 기술 등을 의미합니다.

현재 컴퓨터일반 과목은 단순 암기 보다는 이해를 위주로 한 다양한 문제들이 출제되고 있으므로, **『해커스공무원 곽후근 컴퓨터일반 기본서』**는 이해를 기반으로 내용을 학습할 수 있도록 구성하였습니다. 고득점을 위해서는 기본 이론에 대한 제대로 된 학습이 필요하며, 본 교재가 이를 확실하고 정확하게 도와줄 것입니다.

『해커스공무원 곽후근 컴퓨터일반 기본서』의 특징은 다음과 같습니다.

첫째, 2014년 이후의 국가직, 지방직, 서울시, 지방교행, 국회직 최신 기출문제와 선제적 공부를 위한 예상문제를 단원별로 수록하여 이론뿐만 아니라 문제 응용력까지 함께 키울 수 있습니다.

둘째, 복잡한 이론을 따로 정리한 '요약정리', 스스로 학습한 내용을 점검해볼 수 있는 '주요개념 셀프체크', 학습의 이해를 돕는 '개념PLUS+' 등 다양한 학습장치를 수록하여 효과적인 학습이 가능하도록 하였습니다.

셋째, 가능한 많은 그림과 표를 수록하여 컴퓨터일반의 주요 내용을 명확하게 이해하고, 핵심 내용 중심으로 효과적인 학습이 가능하도록 하였습니다.

더불어, 공무원 시험 전문 사이트 해커스공무원(gosi.Hackers.com)에서 교재 학습 중 궁금한 점을 나누고 다양한 무료 학습 자료를 함께 이용하여 학습 효과를 극대화할 수 있습니다.

『해커스공무원 곽후근 컴퓨터일반 기본서』가 공무원 합격을 꿈꾸는 모든 수험생 여러분에게 훌륭한 길잡이가 되기를 바랍니다.

곽후근

목차

1권

PART 1 | 디지털공학

PART 2 | 컴퓨터구조

PART 3 | 데이터통신

PART 4 | 운영체제

PART 5 | 프로그래밍 언어

목차

2권

PART 6 자료구조

PART 7 데이터베이스

PART 8 | 소프트웨어공학

PART 9 | 인터넷

이 책의 구성

『해커스공무원 곽후근 컴퓨터일반 기본서』는 수험생 여러분들이 컴퓨터일반 과목을 효율적으로 정확하게 학습할 수 있도록 상세한 내용과 다양한 학습장치를 수록하였습니다. 다음의 내용을 참고하여 본인의 학습 과정에 맞게 체계적으로 학습 선략을 세워 학습하기 바랍니다.

01 이론의 세부적인 내용을 정확하게 이해하기

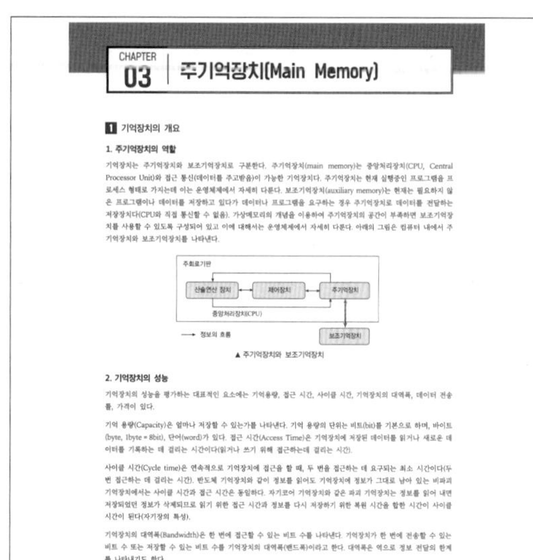

CHAPTER 03 주기억장치(Main Memory)

1 기억장치의 개요

1. 주기억장치의 역할

기억장치는 주기억장치와 보조기억장치로 구분한다. 주기억장치(main memory)는 중앙처리장치(CPU, Central Processor Unit)와 접근 통신(데이터를 주고받음)이 가능한 기억장치다. 주기억장치는 현재 실행중인 프로그램을 프로세스 형태로 가지는데 이는 운영체제에서 자세히 다룬다. 보조기억장치(auxiliary memory)는 현재는 필요하지 않은 프로그램이나 데이터를 저장하고 있다가 데이터나 프로그램을 요구하는 경우 주기억장치로 데이터를 전달하는 저장장치다(CPU와 직접 통신할 수 없음). 가상메모리의 개념을 이용하여 주기억장치의 공간이 부족하면 보조기억장치를 사용할 수 있도록 구성되어 있고 이에 대해서는 운영체제에서 자세히 다룬다. 아래의 그림은 컴퓨터 내에서 주기억장치와 보조기억장치를 나타낸다.

▲ 주기억장치와 보조기억장치

2. 기억장치의 성능

기억장치의 성능을 평가하는 대표적인 요소에는 기억용량, 접근 시간, 사이클 시간, 기억장치의 대역폭, 데이터 전송률, 가격이 있다.

기억 용량(Capacity)은 얼마나 저장할 수 있는가를 나타낸다. 기억 용량의 단위는 비트(bit)를 기본으로 하며, 바이트(byte, 1byte = 8bit), 단어(word)가 있다. 접근 시간(Access Time)은 기억장치에 저장된 데이터를 읽거나 새로운 데이터를 기록하는 데 걸리는 시간이다(읽거나 쓰기 위해 접근하는데 걸리는 시간).

사이클 시간(Cycle time)은 연속적으로 기억장치에 접근을 할 때, 두 번을 접근하는 데 요구되는 최소 시간이다(두 번 접근하는 데 걸리는 시간). 반도체 기억장치와 같이 정보를 읽어도 기억장치에 정보가 그대로 남아 있는 비파괴 기억장치에서는 사이클 시간과 접근 시간은 동일하다. 자기코어 기억장치와 같은 파괴 기억장치는 정보를 읽어 내면 저장되었던 정보가 삭제되므로 읽기 위한 접근 시간과 정보를 다시 저장하기 위한 복원 시간을 합한 시간이 사이클 시간이 된다(자기장의 특성).

기억장치의 대역폭(Bandwidth)은 한 번에 접근할 수 있는 비트 수를 나타낸다. 기억장치가 한 번에 전송할 수 있는 비트 수 또는 저장할 수 있는 비트 수를 기억장치의 대역폭(밴드폭)이라고 한다. 대역폭은 역으로 정보 전달의 한계를 나타내기도 한다.

컴퓨터일반의 핵심 내용을 체계적으로 구성한 이론

1. 최신 출제경향 반영

철저한 기출분석으로 도출한 최신 출제경향을 바탕으로 자주 출제되거나 출제가 예상되는 내용 등을 엄선하여 교재 내의 이론에 반영 · 수록하였습니다. 이를 통해 방대한 컴퓨터일반 과목의 내용 중 시험에 나오는 이론만을 효과적으로 학습할 수 있습니다.

2. 상세한 이론 설명

복잡하고 어려운 컴퓨터일반 이론을 이해하기 쉽도록 요약식이 아닌 풀어쓰는 구성으로 수록하였습니다. 상세한 설명을 통해 이론에 대한 이해를 기반으로 학습하여, 시험에 빈틈없이 대비할 수 있습니다.

02 다양한 학습장치를 활용하여 이론 완성하기

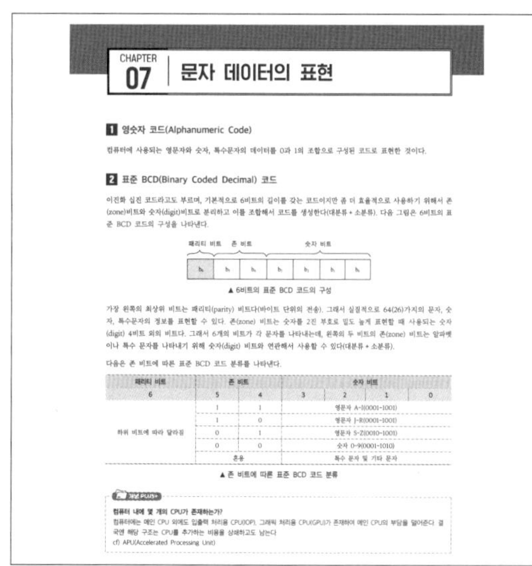

CHAPTER 07 문자 데이터의 표현

1 영숫자 코드(Alphanumeric Code)

컴퓨터에 사용되는 영문자와 숫자, 특수문자의 데이터를 0과 1의 조합으로 구성된 코드로 표현한 것이다.

2 표준 BCD(Binary Coded Decimal) 코드

이진화 십진 코드라고도 부르며, 기본적으로 6비트의 길이를 갖는 코드이지만 좀 더 효율적으로 사용하기 위해서 존(zone)비트와 숫자(digit)비트로 분리하고 이를 조합해서 코드를 생성한다(대분류 + 소분류). 다음 그림은 6비트의 표준 BCD 코드의 구성을 나타낸다.

▲ 6비트의 표준 BCD 코드의 구성

가장 왼쪽의 최상위 비트는 패리티(parity) 비트다(바이트 단위의 전송). 그래서 실질적으로 64(2^6)가지의 문자, 숫자, 특수문자의 정보를 표현할 수 있다. 존(zone) 비트는 숫자를 2진 부호로 밀도 높게 표현할 때 사용되는 숫자(digit) 4비트 외의 비트다. 그래서 6개의 비트가 각 문자를 나타내는데, 왼쪽의 두 비트의 존(zone) 비트는 알파벳이나 특수 문자를 나타내기 위해 숫자(digit) 비트와 연관해서 사용할 수 있다(대분류 + 소분류).

다음은 존 비트에 따른 표준 BCD 코드 분류를 나타낸다.

패리티 비트	존 비트		숫자 비트			
6	5	4	3	2	1	0
하위 비트에 따라 달라짐	1	1	영문자 A-I(0001-1001)			
	1	0	영문자 J-R(0001-1001)			
	0	1	영문자 S-Z(0010-1001)			
	0	0	숫자 0-9(0001-1010)			
	혼용		특수 문자 및 기타 문자			

▲ 존 비트에 따른 표준 BCD 코드 분류

개념PLUS+

컴퓨터 내에 몇 개의 CPU가 존재하는가?

컴퓨터에는 메인 CPU 외에도 입출력 처리용 CPU(IOP), 그래픽 처리용 CPU(GPU)가 존재하여 메인 CPU의 부담을 덜어준다. 결국엔 해당 구조는 CPU를 추가하는 비용을 상쇄하고도 남는다

cf) APU(Accelerated Processing Unit)

한 단계 실력 향상을 위한 다양한 학습장치

1. 이해를 돕는 다양한 그림과 표

컴퓨터일반 내용을 쉽게 이해할 수 있도록 이론과 관련된 그림과 표를 함께 수록하였습니다. 이를 통해 주요 내용을 명확하게 이해하고, 핵심 내용 중심으로 효과적인 학습이 가능합니다.

2. 개념PLUS+

학습의 이해를 도울 수 있도록 더 알아두면 좋을 내용을 '개념PLUS+'에 정리하였습니다. '개념PLUS+'를 학습하면서 본문만으로는 이해가 어려웠던 부분의 학습을 보충하고, 심화된 내용까지 이해할 수 있습니다.

03 마무리 학습을 통해 다시 한번 이론 정리하기

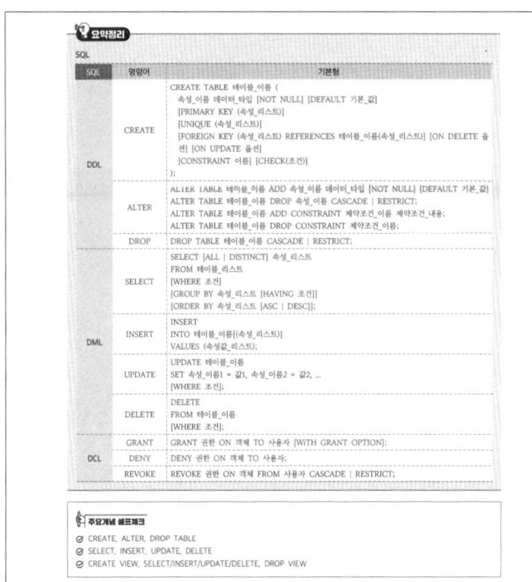

요약정리

SQL

SQL	명령어	기본형
DDL	CREATE	CREATE TABLE 테이블_이름 (속성_이름 데이터_타입 [NOT NULL] [DEFAULT 기본_값] [PRIMARY KEY (속성_리스트)] [UNIQUE (속성_리스트)] [FOREIGN KEY (속성_리스트) REFERENCES 테이블_이름(속성_리스트)] [ON DELETE 옵션] [ON UPDATE 옵션] [CONSTRAINT 이름] [CHECK(조건)]);
	ALTER	ALTER TABLE 테이블_이름 ADD 속성_이름 데이터_타입 [NOT NULL] [DEFAULT 기본_값] ALTER TABLE 테이블_이름 DROP 속성_이름 CASCADE | RESTRICT; ALTER TABLE 테이블_이름 ADD CONSTRAINT 제약조건_이름 제약조건_내용; ALTER TABLE 테이블_이름 DROP CONSTRAINT 제약조건_이름;
	DROP	DROP TABLE 테이블_이름 CASCADE | RESTRICT;
DML	SELECT	SELECT [ALL | DISTINCT] 속성_리스트 FROM 테이블_리스트 [WHERE 조건] [GROUP BY 속성_리스트 [HAVING 조건]] [ORDER BY 속성_리스트 [ASC | DESC]];
	INSERT	INSERT INTO 테이블_이름[(속성_리스트)] VALUES (속성값_리스트);
	UPDATE	UPDATE 테이블_이름 SET 속성_이름1 = 값1, 속성_이름2 = 값2, ... [WHERE 조건];
	DELETE	DELETE FROM 테이블_이름 [WHERE 조건];
DCL	GRANT	GRANT 권한 ON 객체 TO 사용자 [WITH GRANT OPTION];
	DENY	DENY 권한 ON 객체 TO 사용자;
	REVOKE	REVOKE 권한 ON 객체 FROM 사용자 CASCADE | RESTRICT;

주요개념 셀프체크

- CREATE, ALTER, DROP TABLE
- SELECT, INSERT, UPDATE, DELETE
- CREATE VIEW, SELECT/INSERT/UPDATE/DELETE, DROP VIEW

학습 내용 점검을 위한 마무리 학습

1. 요약정리

시험에 자주 출제되거나 출제가능성이 높은 핵심 이론을 따로 정리하여 수록하였습니다. 다회독 시, '요약정리' 위주로 학습함으로써 학습한 이론을 다시 상기시키고, 시험 출제포인트 부분만을 전략적으로 학습할 수 있습니다.

2. 주요개념 셀프체크

각 CHAPTER의 주요개념을 선별하여 '주요개념 셀프체크'에 수록하였습니다. 주요개념을 확인하면서 학습한 내용을 정확하게 숙지하였는지 스스로 점검할 수 있으며, 어떤 내용이 문제로 출제될 수 있는지 확인함으로써 효율적으로 학습할 수 있습니다.

04 기출문제로 실전 감각 높이기

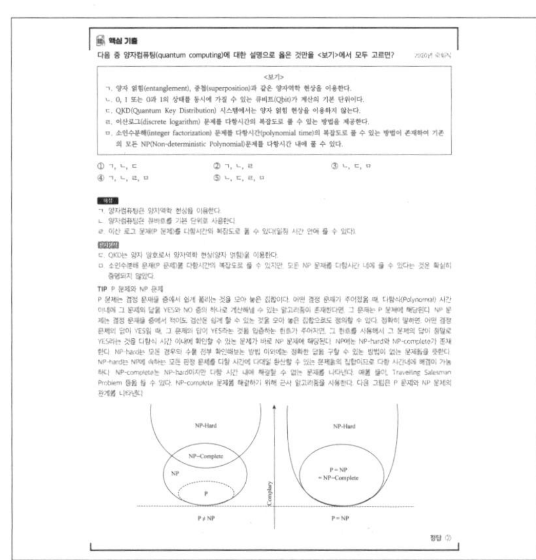

핵심 기출

다음 중 양자컴퓨팅(quantum computing)에 대한 설명으로 옳은 것만을 <보기>에서 모두 고르면? 2020년 국회직

<보기>

ㄱ. 양자 얽힘(entanglement), 중첩(superposition)과 같은 양자역학 현상을 이용한다.
ㄴ. 0, 1 또는 0과 1의 상태를 동시에 가질 수 있는 큐비트(Qbit)가 계산의 기본 단위이다.
ㄷ. QKD(Quantum Key Distribution) 시스템에서는 양자 얽힘 현상을 이용하지 않는다.
ㄹ. 이산로그(discrete logarithm) 문제를 다항시간의 복잡도로 풀 수 있는 방법을 제공한다.
ㅁ. 소인수분해(integer factorization) 문제를 다항시간(polynomial time)의 복잡도로 풀 수 있는 방법이 존재하여 기존의 모든 NP(Non-deterministic Polynomial)문제를 다항시간 내에 풀 수 있다.

① ㄱ, ㄴ, ㄷ　② ㄱ, ㄴ, ㄹ　③ ㄴ, ㄷ, ㅁ
④ ㄱ, ㄴ, ㄹ, ㅁ　⑤ ㄴ, ㄷ, ㄹ, ㅁ

해설
ㄱ. 양자컴퓨팅은 양자역학 현상을 이용한다.
ㄴ. 양자컴퓨팅은 큐비트를 기본 단위로 사용한다.
ㄹ. 이산 로그 문제(P 문제)를 다항시간의 복잡도로 풀 수 있다(일정 시간 안에 풀 수 있다).

오답분석
ㄷ. QKD는 양자 암호로서 양자역학 현상(양자 얽힘)을 이용한다.
ㅁ. 소인수분해 문제(P 문제)를 다항시간의 복잡도로 풀 수 있지만, 모든 NP 문제를 다항시간 내에 풀 수 있다는 것은 확실히 증명되지 않았다.

TIP P 문제와 NP 문제
P 문제는 결정 문제들 중에서 쉽게 풀리는 것을 모아 놓은 집합이다. 어떤 결정 문제가 주어졌을 때, 다항식(Polynomial) 시간 이내에 그 문제의 답을 YES와 NO 중의 하나로 계산해낼 수 있는 알고리즘이 존재한다면, 그 문제는 P 문제에 해당된다. NP 문제는 결정 문제들 중에서 적어도 검산은 쉽게 할 수 있는 것을 모아 놓은 집합으로도 정의할 수 있다. 정확히 말하면, 어떤 결정 문제의 답이 YES일 때, 그 문제의 답이 YES라는 것을 입증하는 힌트가 주어지면, 그 힌트를 사용해서 그 문제의 답이 정말로 YES라는 것을 다항식 시간 이내에 확인할 수 있는 문제가 바로 NP 문제에 해당된다. NP에는 NP-hard와 NP-complete가 존재한다. NP-hard는 모든 경우의 수를 전부 확인해보는 방법 이외에는 정확한 답을 구할 수 있는 방법이 없는 문제들을 뜻한다. NP-hard는 NP에 속하는 모든 판정 문제를 다항 시간에 다대일 환산할 수 있는 문제들의 집합이므로 다항 시간내에 해결이 가능하다. NP-complete는 NP-hard이지만 다항 시간 내에 해결할 수 없는 문제를 나타낸다. 예를 들어, Travelling Salesman Problem 등을 들 수 있다. NP-complete 문제를 해결하기 위해 근사 알고리즘을 사용한다. 다음 그림은 P 문제와 NP 문제의 관계를 나타낸다.

정답 ②

실전 대비를 위한 핵심 기출문제와 상세한 해설

1. 핵심 기출

최신 기출문제 중 우수한 퀄리티의 문제만을 엄선하여 CHAPTER마다 수록하였습니다. '핵심 기출'을 통해 실제 시험에 출제되는 문제의 유형을 확인하고, 문제에 대한 응용력을 키우며 학습한 이론을 복습할 수 있습니다.

2. 상세한 해설

교재에 수록된 모든 문제에 상세한 해설을 수록하였습니다. 각 문제의 관련 이론 및 TIP 등을 통해 문제 풀이 과정에서 실력을 한층 향상시킬 수 있습니다. 또한 정답뿐만 아니라 오답에 대한 선지분석까지 수록하여 복습을 하거나 회독을 할 때에도 모든 선지를 바르게 이해할 수 있습니다.

학습 플랜

효율적인 학습을 위하여 DAY별로 권장 학습 분량을 제시하였으며, 이를 바탕으로 본인의 학습 진도나 수준에 따라 조절하여 학습하기 바랍니다. 또한 학습한 날은 표 우측의 각 회독 부분에 형광펜이나 색연필 등으로 표시하며 채워나가기 바랍니다.

* 1, 2회독 때에는 60일 학습 플랜을, 3회독 때에는 30일 학습 플랜을 활용하면 좋습니다.

1권

60일 플랜	30일 플랜	학습 플랜		1회독	2회독	3회독
DAY 1	DAY 1	PART 1	CHAPTER 01 ~ 03	DAY 1	DAY 1	DAY 1
DAY 2			CHAPTER 04 ~ 05	DAY 2	DAY 2	
DAY 3	DAY 2		CHAPTER 06 ~ 07	DAY 3	DAY 3	DAY 2
DAY 4			CHAPTER 08 ~ 09	DAY 4	DAY 4	
DAY 5	DAY 3		CHAPTER 10 ~ 11	DAY 5	DAY 5	DAY 3
DAY 6			PART 1 복습	DAY 6	DAY 6	
DAY 7	DAY 4	PART 2	CHAPTER 01 ~ 02	DAY 7	DAY 7	DAY 4
DAY 8			CHAPTER 03 ~ 04	DAY 8	DAY 8	
DAY 9	DAY 5		CHAPTER 05 ~ 06	DAY 9	DAY 9	DAY 5
DAY 10			CHAPTER 07 ~ 09	DAY 10	DAY 10	
DAY 11	DAY 6		CHAPTER 10 ~ 13	DAY 11	DAY 11	DAY 6
DAY 12			PART 2 복습	DAY 12	DAY 12	
DAY 13	DAY 7	PART 3	CHAPTER 01 ~ 02	DAY 13	DAY 13	DAY 7
DAY 14			CHAPTER 03 ~ 04	DAY 14	DAY 14	
DAY 15	DAY 8		CHAPTER 05 ~ 06	DAY 15	DAY 15	DAY 8
DAY 16			CHAPTER 07 ~ 08	DAY 16	DAY 16	
DAY 17	DAY 9		CHAPTER 09 ~ 12	DAY 17	DAY 17	DAY 9
DAY 18			PART 3 복습	DAY 18	DAY 18	
DAY 19	DAY 10	PART 4	CHAPTER 01 ~ 04	DAY 19	DAY 19	DAY 10
DAY 20			CHAPTER 05 ~ 07	DAY 20	DAY 20	
DAY 21	DAY 11		CHAPTER 08 ~ 13	DAY 21	DAY 21	DAY 11
DAY 22			PART 5 복습	DAY 22	DAY 22	
DAY 23	DAY 12	PART 5	CHAPTER 01 ~ 03	DAY 23	DAY 23	DAY 12
DAY 24			CHAPTER 04 ~ 06	DAY 24	DAY 24	
DAY 25	DAY 13		CHAPTER 07 ~ 09	DAY 25	DAY 25	DAY 13
DAY 26			CHAPTER 10 ~ 11	DAY 26	DAY 26	
DAY 27	DAY 14		CHAPTER 12 ~ 14	DAY 27	DAY 27	DAY 14
DAY 28			PART 5 복습	DAY 28	DAY 28	
DAY 29	DAY 15	1권 전체 복습		DAY 29	DAY 29	DAY 15
DAY 30		1권 전체 복습		DAY 30	DAY 30	

➔ 1회독 때에는 처음부터 완벽하게 학습하려고 욕심을 내는 것보다 전체적인 내용을 가볍게 익힌다는 생각으로 교재를 읽는 것이 좋습니다.
➔ 2회독 때에는 1회독 때 확실히 학습하지 못한 부분을 정독하면서 꼼꼼히 교재의 내용을 익힙니다.
➔ 3회독 때에는 기출 또는 예상 문제를 함께 풀어보며 본인의 취약점을 찾아 보완하면 좋습니다.

2권

60일 플랜	30일 플랜	학습 플랜		1회독	2회독	3회독
DAY 31	DAY 16	PART 6	CHAPTER 01 ~ 02	DAY 31	DAY 31	DAY 16
DAY 32			CHAPTER 03 ~ 04	DAY 32	DAY 32	
DAY 33	DAY 17		CHAPTER 05 ~ 06	DAY 33	DAY 33	DAY 17
DAY 34			CHAPTER 07 ~ 08	DAY 34	DAY 34	
DAY 35	DAY 18		CHAPTER 09 ~ 10	DAY 35	DAY 35	DAY 18
DAY 36			CHAPTER 11 ~ 12	DAY 36	DAY 36	
DAY 37	DAY 19		CHAPTER 13 ~ 14	DAY 37	DAY 37	DAY 19
DAY 38			PART 6 복습	DAY 38	DAY 38	
DAY 39	DAY 20	PART 7	CHAPTER 01 ~ 03	DAY 39	DAY 39	DAY 20
DAY 40			CHAPTER 04 ~ 05	DAY 40	DAY 40	
DAY 41	DAY 21		CHAPTER 06	DAY 41	DAY 41	DAY 21
DAY 42			CHAPTER 07	DAY 42	DAY 42	
DAY 43	DAY 22		CHAPTER 08 ~ 09	DAY 43	DAY 43	DAY 22
DAY 44			CHAPTER 10 ~ 11	DAY 44	DAY 44	
DAY 45	DAY 23		CHAPTER 12 ~ 13	DAY 45	DAY 45	DAY 23
DAY 46			PART 7 복습	DAY 46	DAY 46	
DAY 47	DAY 24	PART 8	CHAPTER 01 ~ 03	DAY 47	DAY 47	DAY 24
DAY 48			CHAPTER 04 ~ 06	DAY 48	DAY 48	
DAY 49	DAY 25		CHAPTER 07 ~ 08	DAY 49	DAY 49	DAY 25
DAY 50			CHAPTER 09 ~ 11	DAY 50	DAY 50	
DAY 51	DAY 26		CHAPTER 12 ~ 16	DAY 51	DAY 51	DAY 26
DAY 52			PART 8 복습	DAY 52	DAY 52	
DAY 53	DAY 27	PART 9	CHAPTER 01 ~ 02 ❶	DAY 53	DAY 53	DAY 27
DAY 54			CHAPTER 02 ❷ ~ 03	DAY 54	DAY 54	
DAY 55	DAY 28		CHAPTER 04 ~ 05	DAY 55	DAY 55	DAY 28
DAY 56			PART 9 복습	DAY 56	DAY 56	
DAY 57	DAY 29	2권 전체 복습		DAY 57	DAY 57	DAY 29
DAY 58		2권 전체 복습		DAY 58	DAY 58	
DAY 59	DAY 30	총 복습		DAY 59	DAY 59	DAY 30
DAY 60		총 복습		DAY 60	DAY 60	

PART 1

디지털공학

CHAPTER 01 | 개요

1 컴퓨터 시스템의 구성 요소

1. 컴퓨터 구성의 분류

컴퓨터는 하드웨어(Hardware)와 소프트웨어(Software)로 구분한다. 하드웨어는 컴퓨터의 기계적인 장치를 의미하고, 소프트웨어는 하드웨어의 동작을 제어하고 지시하는 모든 종류의 프로그램을 의미한다. 이외에도 펌웨어가 있는데 펌웨어는 BIOS 또는 제어장치에 사용된다. 이들은 변경의 유무로 구분할 수 있다. 예를 들어, 하드웨어는 변경할 수 없고, 소프트웨어는 변경할 수 있다. 그리고 펌웨어는 변경할 수 있지만 어렵다.

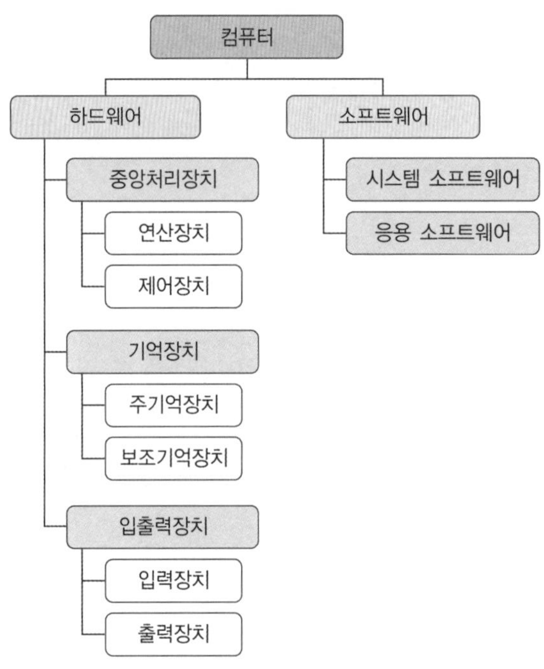

▲ 하드웨어와 소프트웨어

2. 하드웨어(Hardware)

컴퓨터의 하드웨어는 기능에 따라 중앙처리장치, 기억장치, 입력장치, 출력장치로 분류한다.

(1) 중앙처리장치(CPU, Central Processing Unit)

컴퓨터의 두뇌에 해당하는 장치다. 컴퓨터 시스템 전체를 제어하는 장치로서 입력장치에서 데이터를 입력 받아 처리한 후 출력장치와 기억장치로 데이터를 보낸다. 산술논리연산장치(ALU), 제어장치(CU), 레지스터로 구성된다. 산술 · 논리 연산장치(ALU, Arithmetic Logic Unit)는 CPU의 핵심 요소로써 산술 연산(Arithmetic Operation)과 논리 연산(Logic Operation)을 수행하는 장치다. 산술 연산은 주로 덧셈, 뺄셈, 곱셈, 나눗셈 등의 사칙연산을 수행한다. 논리 연산은 참과 거짓을 판결하는 연산으로 대표적으로 AND, OR, NOT, X-OR등의 연산을 수행한다. 제어장치(Control Device or Unit)는 CPU 내부에서 일어나는 모든 작업을 통제하고 관리한다.

적절한 순서로 명령어를 인출하고 그 명령어를 해석한 결과에 따라 컴퓨터 시스템의 필요한 부분으로 제어신호를 전달한다. 제어신호에는 CPU 내부 제어 신호(레지스터 사이에서 데이터가 정해진 시간에 이동하기 위한 제어신호들)와 CPU 외부 제어 신호(기억장치 읽기/쓰기 제어신호)가 존재한다. 레지스터는 고속의 메모리로 명령어, 데이터, 주소를 임시로 저장한다.

(2) 기억장치(Memory Device)

기억장치는 메인 보드를 기준으로 내부 기억장치와 외부 기억장치로 나눌 수 있다. CPU 내의 레지스터와 캐시 기억장치, 주기억장치는 내부 기억장치에 속한다. 보조기억장치(하드 디스크, 플로피 디스크, CD-ROM, DVD)는 외부 기억장치에 해당한다. 현재는 클라우드(iCloud, 네이버클라우드 등)를 사용하는 경우가 많아 외부 기억장치를 클라우드로 확장하여 생각하는 경우도 존재한다.

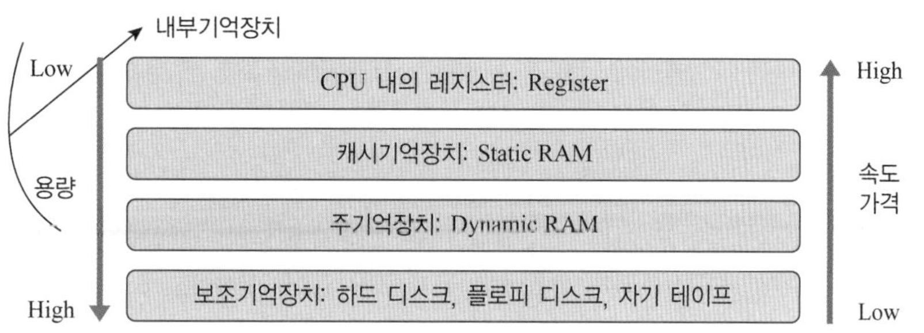

▲ 기억장치 계층구조

주기억장치(Main Memory)는 컴퓨터 시스템에서 수행되고 있는 프로그램과 수행에 필요한 데이터를 기억하고 있는 장치다. CPU에 접근 속도가 빠르며 많은 양의 데이터를 기억할 수 있다. RAM(Random Access Memory)과 ROM(Read Only Memory)을 사용하고 있다.

보조기억장치(Secondary Memory)는 외부 기억장치라고도 하며 반영구적으로 데이터를 저장하고 보존할 수 있다. 보조기억장치에 저장된 데이터는 중앙처리장치와 직접 정보를 교환할 수 없기 때문에 주기억장치로 옮겨진 후 처리된다. 주기억장치에 비해 가격은 저렴하고 저장 용량 또한 크지만 속도가 느리다는 단점이 있다. 자기 테이프, 자기 디스크, 자기 드럼, 플로피 디스크, 하드 디스크, CD-ROM, DVD, 플래시 메모리, 광 디스크, SSD, BD(블루레이 디스크) 등이 있다.

(3) 입력장치(Input Device)

컴퓨터에서 처리할 데이터와 정보를 외부에서 입력해주는 역할을 수행한다. 처리하고자 하는 데이터를 제어장치의 명령에 따라 입력매체에서 읽어서 기억장치로 보낸다(예 마우스, 키보드 등).

(4) 출력장치(Output Device)

컴퓨터 내부에서 처리된 결과를 사용자가 보거나 들을 수 있도록 출력매체를 이용해서 내보낸다(예 모니터, 프린터 등).

3. 소프트웨어(Software)

컴퓨터 프로그램과 그와 관련된 문서들을 총칭하는 용어이다. 정보들이 이동하는 방향과 정보처리의 종류를 지정하고 이러한 동작이 일어나는 시간을 지정하는 명령어의 집합(instruction set)이다. 해당 소프트웨어는 계층 구조를 가지는데 소프트웨어를 나누면 프로그램이 되고, 프로그램을 나누면 명령어가 된다. 또한 명령어를 나누면 마이크로 오퍼레이션(연산)이 되고, 마이크로 오퍼레이션은 1클럭에 수행된다(명령어와 마이크로 오퍼레이션에 대해서는 나중에 사세히 배운다).

소프트웨어는 일반적으로 시스템 소프트웨어와 응용 소프트웨어로 분류한다. 이들은 얼마나 하드웨어와 밀접하게 연관되어 있는가에 따라 구분할 수 있는데 시스템 소프트웨어는 하드웨어와 밀접하게 연관되어 있고, 응용 소프트웨어는 하드웨어랑 밀접하게 연관되어 있지 않다.

하드웨어가 발달하여 가격이 저렴해지고 교체가 잦아짐에 따라 소프트웨어의 중요성은 더욱 높아지고 있다. 소프트웨어로 향상되는 생산성, 바뀐 하드웨어에 적용할 수 있는 소프트웨어의 호환성, 유지보수를 하는 것이 효율적인지 등의 요구 조건이 중요하다. 이에 대해서는 소프트웨어공학이라는 과목에서 자세히 배운다.

(1) 시스템 소프트웨어

시스템 소프트웨어(System Software)는 여러 컴퓨터 시스템에서 공통적으로 필요한 프로그램으로, 사용자가 컴퓨터를 좀 더 효율적으로 사용하기 위해 만들었다. 컴퓨터 시스템을 제어하고 운영하는 프로그램으로 하드웨어랑 밀접하게 연관되어 있다. 예를 들어, 운영체제 프로그램(DOS, UNIX, Windows), 컴파일러(C · FORTRAN 컴파일러 등), 입출력 제어 프로그램 등이 있다.

(2) 응용 소프트웨어

응용 소프트웨어(Application Software)는 시스템 소프트웨어를 기반으로 특정한 응용 분야에서 특수 목적을 위해 사용할 수 있는 프로그램으로 하드웨어랑 밀접하게 연관되어 있지 않다. 예를 들어, 사무 자동화 프로그램, 공학용 계산 프로그램, 인터넷 웹 브라우저, 오피스, 그래픽 프로그램 등이 이에 속한다.

이외에도 일반 목적 소프트웨어와 특수 목적 소프트웨어가 있다. 일반 목적 소프트웨어는 다양한 용도에서 사용할 수 있는 소프트웨어를 의미하고, 특수 목적 소프트웨어는 용도가 정해져 있는 소프트웨어를 의미한다.

2 컴퓨터 구조의 발전 과정

1. 컴퓨터의 발전 과정

최초의 수동식 계산기로서 수판(주판)이 있다. 주판은 기원전 3000~2500년 경 중국에서 개발되어 1980년대까지 사용하였다. 이후에 파스칼라인(톱니바퀴의 원리 이용), 가감승제 계산기, 배비지의 차분기관과 분석기관, 천공카드 도표 작성기(구멍의 유무로 데이터 판별) 등이 개발되었다. 이중 배비지의 분석기관은 자신의 차분기관을 토대로 만든 것으로 컴퓨터 역사에서 가지는 의미는 최초의 컴퓨터 외부구조라는데 있다. 현재 사용하는 컴퓨터의 외부 구조는 CPU, Memory, I/O 등을 들 수 있는데 이러한 기본 개념을 제일 처음 제시한 것이 배비지의 분석기관(분석엔진)이다. 배비지는 여기서 연산, 기억, 입출력 개념을 제시하였다.

전기기계식 계산기로서 최초의 기계식 컴퓨터는 MARK1이 있다. MARK1은 종이 테이프에 천공된 프로그램 명령어들에 의하여 작동되도록 설계되었다. 기계식은 자동차처럼 동력 또는 역학을 이용한 장치를 의미한다. 전자식 계산기로서 최초의 전자식 컴퓨터는 아타나소프 - 베리 컴퓨터(ABC computer)가 있다. ABC 컴퓨터는 순차적 방식과 2진법 체계를 사용하는 진공관 방식이다. 전자식은 냉장고처럼 전자 부품을 이용한 장치를 의미한다. 참고로, 최초의 전자식 컴퓨터를 에니악으로 보는 다른 견해가 존재한다.

2. 전자식 디지털 컴퓨터

ENIAC은 1946년에 나온 최초의 전자식 디지털 컴퓨터이다. 전자적인 가산기를 연산용 기억장치로 사용하고 컴퓨터 내부의 회로 소자로 진공관을 사용하였다(진공관 이전에는 릴레이가 사용되었고 진공관 이후에는 트랜지스터가 사용된다). 프로그램을 작성하려면 컴퓨터 각 부분을 전선으로 연결해야 하고, 프로그램의 수행을 위해서는 6,000여 개의 스위치를 조절해야 한다.

프로그램 내장 방식 컴퓨터를 1945년에 폰 노이만(Von Neumann)이 제안하였다. 컴퓨터에 기억장치를 설치하고, 프로그램과 데이터를 함께 기억장치에 저장했다가, 프로그램에 포함된 명령에 따라 자동으로 작업을 처리하는 방식이다. 오늘날 컴퓨터의 기본 사상이다. EDSAC(Electronic Delay Storage Automatic Calculator)은 1949년 영국에서 최초로 개발된 프로그램 내장 방식의 컴퓨터다. EDVAC(Electronic Discrete Variables Automatic Computer)은 1952년 미국에서 개발한 프로그램 내장 방식을 활용한 컴퓨터이다. 프로그램 내장 방식이 컴퓨터 역사에서 가지는 의미는 최초의 컴퓨터 내부 구조를 만든 것에 있다. 최초의 컴퓨터 내부 구조란 프로그램이 보조기억장치에 설치되고, 이들이 주기억장치에 프로세스 형태로 로딩되면 CPU가 이들을 가져다 실행하는 방식을 의미한다. 해당 개념은 현재의 컴퓨터에서 사용하고 있는 개념이고 이를 폰노이만이 제일 처음에 제안하였다. 참고로 CM(Connection Machine) 컴퓨터와 같은 비폰노이만 구조도 존재한다.

프로그램 내장형 컴퓨터

노이만이 제안한 것은 바로 '프로그램 내장형 컴퓨터'다. 노이만은 1944년 에니악(ENIAC) 개발에 참여하다가 컴퓨터에 다른 일을 시키려면 전기회로를 모두 바꿔줘야 하는 불편함을 발견했다. 이 문제를 해결하기 위해 그는 프로그램 내장방식이란 개념을 제시한 것이다. 프로그램 내장방식은 중앙처리장치(CPU) 옆에 기억장치(memory)를 붙인 것인데, 프로그램과 자료를 기억장치에 저장해 놓았다가 사람이 실행시키는 명령에 따라 작업을 차례로 불러내어 처리하는 방식이다. 기존의 에니악 컴퓨터는 작업을 할 때마다 전기회로를 바꿔 끼워야 했지만 프로그램 내장형 컴퓨터에서는 소프트웨어만 바꿔 끼우면 되는 셈이다.

UNIVAC I(Universal Automatic Computer)는 이전의 특수 목적용이 아닌 순수 데이터 처리용인 최초의 상업용 컴퓨터이다. IBM 701은 1952년에 CRT(cathode-ray-tube)를 주기억장치로 하고, 보조기억장치로서 자기 드럼과 자기 테이프를 채택하였다. 본격적인 상업용 컴퓨터 시대를 열었다.

3. 컴퓨터의 세대별 발전

다음의 표는 컴퓨터의 세대별 발전을 나타낸다. 사용 전자 소자는 릴레이, 진공관, 트랜지스터(TR), 집적회로(IC) 순으로 발전되었다.

세대별	사용 전자 소자	사용 언어	특징 및 응용 분야	대표 기종
1세대 (1946-1956)	• 회로: 진공관 • 기억: 자기 코어, 자기 드럼, 수은 지연회로	• 기계어 • 어셈블리어	• 수명이 짧음 • 부피가 크고 전력 소모 많음 • 냉각장치 필요 • 하드웨어에 중점 • 과학 계산, 통계, 집계	• ENIAC • EDVAC • UNIVAC
2세대 (1957-1964)	• 회로: 트랜지스터 • 기억: 자기 코어, 자기 드럼, 자기 테이프	• FORTRAN • COBOL • ALGOL	• 일괄 처리 • 컴파일러 사용 • 입출력 채널 대두 • 생산 관리, 원가 관리	• IBM 1101 • NCR 304 • Honeywell 800

3세대 (1965-1979)	• 회로: 집적 회로 • 기억: IC 기억장치, 자성망막, 자기 디스크, 자기 테이프	• PASCAL • LISP • 구조화된 언어 • C언어(1972)	• 다중 처리 • 예측, 의사결정 • 운영체제 개발	• UNIVAC 9000 • PDP-11 • CRAY-1 • CYBER-205
4세대 (1980-현재)	• 회로: 고밀도 집적회로, 초고밀도 집적회로 • 기억: LSI, VLSI, 자기 디스크, 자기 테이프	• ADA • 문제중심 언어 • 파이썬(1991) • 자바(1995)	• 네트워크 관리 • 데이터베이스 관리 • 지식정보 처리 • 인공지능 • 로봇	• CRAY • XMP • IBM 308
5세대 (미래)	사용 소자 중심으로 분류하는 세대가 아니라 얼마나 인간다운 컴퓨터가 될 것인가로 세대를 구별		• 인간 지능화 시대 • 사고하는 감각을 지닌 컴퓨터 • 처리 속도의 초고속화(4세대의 약 10~100배 속도) • 바이오칩이나 광소자를 이용한 칩의 실현	

3 컴퓨터의 분류

1. 사용 목적에 따른 분류

전용 컴퓨터(Special Purpose Computer)는 특정한 목적을 위해 설계된 컴퓨터로, 군사용이나 공장의 공정 제어용 등으로 한정된 목적으로 사용한다. 그리고 범용 컴퓨터(General Purpose Computer)는 여러 분야의 다양한 일을 처리할 수 있도록 설계 제작된 컴퓨터다. 다양한 응용 소프트웨어가 여러 분야의 다양한 일 처리를 가능하게 한다.

2. 사용 데이터에 따른 분류

디지털 컴퓨터는 모든 정보를 2진수의 데이터로 부호화하여 사용한다. 대부분의 컴퓨터가 디지털 컴퓨터로서, 아날로그 컴퓨터보다 정밀도가 높은 편이다. 아날로그 컴퓨터는 아날로그 신호를 데이터로 이용하는 컴퓨터다. 신속한 입력과 즉각적인 반응을 얻을 수 있어 제어용 목적에 적합하다. 이들을 결합한 하이브리드 컴퓨터는 아날로그와 디지털의 장점을 취하여 제작한 것으로 어떤 종류의 데이터도 처리할 수 있는 컴퓨터다.

3. 처리 능력에 따른 분류(중앙처리장치와 기억장치의 규모에 따른 분류)

(1) 마이크로 컴퓨터(Micro Computer)

마이크로 컴퓨터(Micro Computer)는 PC를 의미하며 가정용이나 작은 사업의 용도로 사용되는 소형의 컴퓨터다.

(2) 중형 컴퓨터(Mini Computer)

중형 컴퓨터(Mini Computer)는 대용량의 주기억장치와 보조기억장치 그리고 빠른 주변장치들을 가지고 있어 수십 명 또는 수백 병이 쓰기에 적합한 컴퓨터다. 중소기업, 학교, 연구소들에서 주로 사용된다.

(3) 대형 컴퓨터(Mainframe Computer)

대형 컴퓨터(Mainframe Computer)는 대용량의 저장장치를 보유하여 다중 입출력 채널을 이용한 고속의 입출력 처리 능력을 보유한 컴퓨터다. 공공 단체, 대기업, 은행, 병원, 대학 등으로 단말기를 연결시켜 온라인 업무나 분산 처리 업무에 이용된다. 또한 대규모 데이터 베이스 저장 및 관리 용으로 사용한다.

(4) 슈퍼 컴퓨터(Super Computer)

슈퍼 컴퓨터(Super Computer)는 복잡한 계산을 초고속으로 처리하는 초대형 컴퓨터로 가장 빠르고 비싼 컴퓨터다. 원자력 개발, 항공우주, 기상 예측 등의 분야에서 사용한다. 참고로 매년 6월, 11월에 성능을 기준으로 Top 500위의 컴퓨터를 슈퍼 컴퓨터라고 한다.

4. 구조에 따른 분류

파이프라인 슈퍼 컴퓨터(Pipeline Supercomputer)는 하나의 CPU 내에 다수의 연산장치를 포함하고 있는 컴퓨터다. 각 연산장치는 파이프 라이닝 구조를 이용하여 고속 벡터 계산이 가능하다. 여기서 파이프라인은 하드웨어 자원이 겹치지 않게 병렬 수행을 하는 개념으로 나중에 자세하게 언급된다. 대규모 병렬 컴퓨터(Massively Parallel Computer)는 하나의 시스템 내에 상호 연결된 수백 혹은 수천 개 이상의 프로세서들을 포함한다. 프로세서들이 하나의 큰 작업을 나누어서 병렬로 처리하는 구조다.

주요개념 셀프체크

- CPU 구성 요소
- 기억장치 계층구조
- 시스템 vs. 응용 소프트웨어
- 프로그램 내장 방식

핵심 기출

프로그램 내장 방식에 대한 설명으로 옳지 않은 것은? 2019년 지방직

① 프로그램 내장 방식을 사용한 최초의 컴퓨터는 에니악(ENIAC)이다.
② 현재 사용되는 대부분의 컴퓨터는 프로그램 내장 방식을 사용하고 있다.
③ 컴퓨터가 작업을 할 때마다 설치된 스위치를 다시 세팅해야 하는 번거로움을 해결하기 위해 폰 노이만이 제안하였다.
④ 프로그램과 자료를 내부의 기억장치에 저장한 후 프로그램 내의 명령문을 순서대로 꺼내 해독하고 실행하는 개념이다.

해설
EDSAC(Electronic Delay Storage Automatic Calculator, 에드삭)은 1949년 영국에서 최초로 개발된 프로그램 내장 방식의 컴퓨터이다. 참고로, EDVAC(Electronic Discrete Variables Automatic Computer, 에드박)은 1952년 미국에서 개발된 프로그램 내장 방식을 본격적으로 활용한 컴퓨터이다.

선지분석
② 프로그램 내장 방식은 1945년 폰 노이만(Von Neumann)이 제안하였고, 오늘날 컴퓨터의 기본 사상이다.
③ 컴퓨터에 기억장치를 설치하고, 프로그램과 데이터를 함께 기억장치에 저장했다가, 프로그램에 포함된 명령에 따라 자동으로 작업을 처리하는 방식이다. 기존 방식은 운영자가 스위치 다시 세팅하였다.
④ Program이 HDD(보조기억)에 설치되고 실행을 위해 Memory(주기억)에 올라온다. 그리고 CPU가 이를 워드 단위로 가지고 와서 실행하는 구조이다.

TIP 프로그램 내장 방식은 최초의 컴퓨터 내부구조(최초로 내부의 동작 원리를 고안함)이고, 배비지의 분석엔진은 최초의 컴퓨터 외부구조[최초로 컴퓨터의 외형(연산, 저장, 입출력 등)을 고안함]이다.

정답 ①

CHAPTER 02

컴퓨터의 세대별 분류

1 컴퓨터의 세대별 분류

각 세대별 컴퓨터의 특징을 표로 정리하면 다음과 같다. 각 세대별 컴퓨터 회로, 주기억 장치, 사용 언어, 종류 등을 주의 깊게 본다. 앞에 나온 표와 세대별 년도가 다름에 유의한다(다른 해석 방법).

세대별	제1세대	제2세대	제3세대	제4세대	제5세대
연도	1951 - 1958	1958 - 1963	1964 - 1970	1971 - 현재	현재
크기	교실 크기	작은 방 크기	책상 크기	타사기 크기	소형, 초대형
컴퓨터회로	진공관(tube), 계전기(릴레이)	트랜지스터 (transistor)	집적 회로 (IC)	고밀도 집적 회로	초고밀도 집적 회로
주기억장치	자기 코어	자기 코어	자기 코어, IC	LSI, VLSI	ULSI, 광소자
보조기억장치	종이 테이프, 자기 드럼	자기 테이프, 자기 디스크	자기 테이프, 자기 디스크	자기 디스크, 광 디스크	자기 디스크, 광 디스크
입력장치	천공 카드, 종이 테이프	천공 카드	테이프, 디스크	키보드, 마우스, 스캐너	음성 입력, 터치스크린
출력장치	천공 카드, 프린터	천공 카드, 프린터	프린터, 비디오	비디오, 오디오	그래픽, 음성
회로의 구성	1개	수백 개	수천 개	수십만 개	수백만 개
초당 명령처리	수백 개	수천 개	수백만 개	수억 개	수십억 개
기억용량	수천 자	수만 자	수십만 자	수억 자	수십억 자 이상
사용언어	기계어, 어셈블리 언어	FORTRAN, ALGOL, COBOL	BASIC, Lisp, Pascal, PL/1	Ada, 4GL 언어, 객체지향 언어	Prolog, 자연어
컴퓨터	ENIAC, EDVAC, IBM 650	IBM 1404, CDC 3000	IBM S/360, PDP-11, Burroughs	IBM-PC, APPLE Ⅱ, VAX 780	Cray XMP, PDA, A.I 컴퓨터

2 각 세대별 특징

1. 제1세대(1951~1958)

데이터의 저장과 처리에 진공관을 사용하고 주기억장치에 자기드럼(자기는 자화를 이용하여 데이터를 저장했음을 의미하고 드럼은 드럼통을 연상하면 된다)을 사용하였다. 입출력, 보조기억 장치로 천공카드를 사용하고 프로그램은 기계어를 사용하여 작성하였다. 이때 개발된 컴퓨터로 에니악(ENIAC)은 세계 최초의 전자식 컴퓨터로 미국 육군의 탄도 궤도의 수학적 도표를 계산하기 위해 만들어졌다(ABC 컴퓨터를 세계 최초의 전자식 컴퓨터로 보는 견해도 있다).

에드삭(EDSAC)은 폰노이만의 프로그램 내장 방식(최초의 컴퓨터 내부구조)을 최초로 도입한 컴퓨터이고, 에드박(EDVAC)은 프로그램 내장 방식을 활용한 컴퓨터이다. 1세대 범용 컴퓨터로서 IBM사에서 1952년 IBM 701이라는 모델명을 가진 상업용 컴퓨터를 내놓은 데 이어서 1953년에 사무용과 과학 기술용으로 함께 쓸 수 있는 범용적인 컴퓨터 IBM 650을 발표하였다.

2. 제2세대(1958~1963)

회로소자로 트랜지스터(반도체를 세 겹으로 구성하여 전류 또는 전압을 인가하면 증폭기 또는 스위치로 사용할 수 있는 소자)를 사용하고 주기억 장치에는 접근 시간이 짧은 자기코어(자기는 자화를 이용하여 데이터를 저장했음을 의미하고 코어는 원형링을 연상하면 된다)가 이용되었다. 보조기억 장치로 용량이 큰 자기드럼, 자기디스크(자기는 자화를 이용하여 데이터를 저장했음을 의미하고 디스크는 원형판을 여러 개 겹쳐놓은 것을 연상하면 된다)가 사용되고 입출력 장치로는 자기테이프(자기는 자화를 이용하여 데이터를 저장했음을 의미하고 테이프는 아날로그 비디오 테이프를 연상하면 된다)와 종이카드가 사용되었다.

3. 제3세대(1964~1970)

컴퓨터에 IC(집적 회로, Integrated Circuit)를 사용함으로써 중앙처리 장치는 소형화되는 반면 기억 용량은 커졌으며, 다양한 소프트웨어를 구사할 수 있는 기능이 크게 개선되었을 뿐만 아니라 관리 프로그램과 처리 프로그램 및 사용자 프로그램 등의 소프트웨어 체계가 확립되었다. 1971년 인텔사는 최초의 초소형 전자 회로인 Intel 4004 마이크로 프로세서(CPU)를 개발하였다. 한 번에 4 자리 숫자의 정보를 처리할 수 있으며, 손톱만한 크기의 불과 몇 볼트의 전력만을 사용하였다(저전력 특성).

이 세대로 개발된 컴퓨터로 IBM S/360은 메모리의 크기가 16KB에서 1MB까지 범위로 구성된 6대의 컴퓨터로 이루어 졌으며 시분할 방식을 사용하였다. 그리고 PDP-11은 1960년대 말 대형 컴퓨터보다 작으면서도 기술 개발로 인해 성능이 별로 떨어지지 않으며, 대학의 학과용이나 중소기업 업무 처리용으로 애용되었다.

4. 제4세대(1971~현재)

고밀도 집적 회로(LSI)와 초고밀도 집적 회로(VLSI)를 사용하였다. 연산속도는 초대형 컴퓨터인 경우 피코(pico)(10^{-12})초에 이르고 있으며, 크레이(CRAY)란 슈퍼 컴퓨터는 현재 1초에 백억 개 이상의 명령어를 수행할 수 있는 초고성능의 속도로 작동 중이다.

이 세대에 개발된 컴퓨터로 알테어 8800은 최초의 상업적인 마이크로 컴퓨터로서 대기업이나 정부에서만 사용할 수 있었던 컴퓨터를 일반 대중도 구입할 수 있는 길을 열었다(개인용 PC의 시초). 그리고 애플컴퓨터는 1977년 스티브 잡스와 스테픈 워즈니악에 의해 만들어져 널리 시판된 최초의 마이크로 컴퓨터이다(개인용 PC의 부흥). 마지막으로 IBM은 1981년 개인용 컴퓨터(IBM PC)를 발표하였다. 데스크탑 컴퓨팅(개인용 PC에서 수행하는 일련의 작업을 의미하고, 현재의 노트북 또는 스마트폰에서 수행하는 일련의 작업을 모바일 컴퓨팅이라고 함)을 통하여 마이크로 컴퓨터의 표준으로 자리 매김 하였고, 개방화 정책으로 컴퓨터 설계에 대한 모든 사항을 공개함으로 IBM PC는 호환 기종 업체들(써드 파티)이 많이 생기게 되었다. 많은 사람들이 저가격과 고성능의 매력으로 IBM PC를 이용하였다(개인용 PC의 정점).

5. 제5세대

현재 상용화되어 있지는 않지만 앞으로 발전되어 갈 형태의 컴퓨터를 말한다. 컴퓨터 시스템은 하드웨어, 지식중심 언어, 인공지능 소프트웨어(영화 Her 참고), 그리고 코드화된 지식베이스로 구성된다(예 전문가 시스템). 제 5세대 컴퓨터용 하드웨어의 특징은 초고속 장치이고 대규모 병렬처리 시스템의 구조가 필요하다. 그리고 논리적 추론을 지원하는 연산 기능이 필요하고(예 A → B, B → C라는 것을 알려주면 컴퓨터가 A → C라는 것을 추론함), 논리 프로그래밍, 인공지능 기법, 그리고 병렬 처리 개념을 내포하는 추상적인 언어가 제공되어야 한다.

요약정리

컴퓨터의 세대별 분류

세대	년도	컴퓨터	특징
0	1837	배비지의 분석엔진	최초의 컴퓨터 외부 구조
	1937	ABC(아타나소프-베리 컴퓨터)	최초의 전자식 컴퓨터
	1944	MARK1	최초의 기계식 컴퓨터
1	1946	ENIAC	최초의 전자식 컴퓨터(진공관)
	1949	EDSAC	최초의 프로그램 내장 방식(1945, 최초의 컴퓨터 내부 구조) 컴퓨터
	1951	UNIVAC I	최초의 상업용 컴퓨터
	1952	EDVAC	프로그램 내장 방식 활용 컴퓨터
	1952	IBM 701	본격적인 상업용 컴퓨터(CRT)
	1953	IBM 650	자기 드럼
2	1963	UINVAC 1107	Transistor
3	1964	IBM S/360	시분할
	1969	PDP-11	소형화
4	1974	알테어 8800	PC의 시초
	1977	애플 컴퓨터	PC의 부흥
	1981	IBM PC	PC의 정점
5	1991	PIM(Parallel Inference Machines)	비 폰노이만, 병렬처리, 인공지능

핵심 기출

컴퓨터의 발전 과정에 대한 설명으로 옳지 않은 것은? 2017년 국가직

① 포트란, 코볼 같은 고급 언어는 집적 회로(IC)가 적용된 제3세대 컴퓨터부터 사용되었다.
② 애플사는 1970년대에 개인용 컴퓨터를 출시하였다.
③ IBM PC라고 불리는 컴퓨터는 1980년대에 출시되었다.
④ 1990년대에는 월드와이드웹 기술이 적용되면서 인터넷에 연결되는 컴퓨터의 사용자가 폭발적으로 증가하였다.

해설

포트란, 코볼같은 고급 언어는 트랜지스터가 적용된 제2세대 컴퓨터부터 사용되었다.

선지분석

② 애플사는 1977년에 개인용 컴퓨터를 출시하였다.
③ IBM PC라고 불리는 컴퓨터는 1981년에 출시되었다.
④ 1992년에 월드와이드웹 기술이 적용되면서 인터넷에 연결되는 컴퓨터의 사용자가 폭발적으로 증가하였다.

정답 ①

CHAPTER 03

진법 변환

1. 컴퓨터에서 정보의 표현

컴퓨터에서는 데이터 1비트를 기본으로 0, 1 두 개의 숫자를 표시하는 2진법을 사용한다. 컴퓨터에서는 비트(Bit)는 2진수에서 데이터를 표현하는 단위다. 2진수의 조합은 2n만큼의 조합을 가질 수 있고, n은 비트의 수다. 컴퓨터에서 바이트(byte)는 정보처리를 위해 사용되는 비트의 집합으로 8bit를 1byte로 규정한다(다음 그림). 컴퓨터에서 워드(word)는 컴퓨터가 한 번에 처리할 수 있는 데이터의 양이다(CPU가 주기억장치로부터 한번에 가지고 올 수 있는 데이터의 양). 컴퓨터 종류에 따라 2바이트, 4바이트, n바이트 등으로 구성되며, 일반적으로 32비트(4바이트)가 가장 많이 쓰이고 있다. 컴퓨터의 성능이 바뀜에 따라 워드의 단위도 바뀌므로 주의해야 한다. 32비트 컴퓨터에서는 워드가 32비트이고, 64비트 컴퓨터에서는 워드가 64비트이다.

개념 PLUS+

워드

워드(word)는 하나의 기계어 명령어나 연산을 통해 저장된 장치로부터 레지스터에 옮겨 놓을 수 있는 데이터 단위이다. 메모리에서 레지스터로 데이터를 옮기거나, ALU을 통해 데이터를 조작하거나 할 때, 하나의 명령어로 실행될 수 있는 데이터 처리 단위이다. 흔히 사용하는 64비트 CPU(ARM 등)라면 워드는 64비트가 된다. CPU을 개발할 때는 우선 처리단위부터 결정해야 레지스터, ALU등의 하드웨어 설계가 가능하므로 중요한 요소이다.

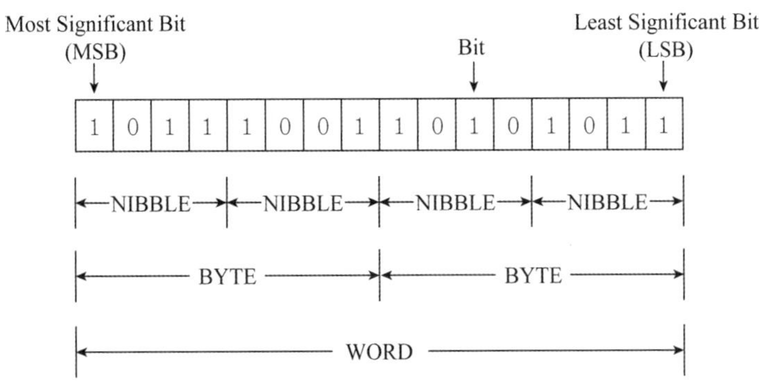

▲ 컴퓨터에서 사용되는 비트, 니블, 바이트, 워드

다음의 표는 비트당 사용 가능한 2진수의 조합을 나타낸다. 비트 수가 n이라면 사용 가능한 2진수의 조합은 2^n이 된다.

비트 수	사용가능한 2진수 조합
1	2
2	4
3	8
4	16

비트 수	사용가능한 2진수 조합
5	32
6	64
7	128
8	256

다음의 표는 디지털 정보의 표현 단위를 비트로 나타낸 것이다. 시험을 위해서는 더 많은 단위를 기억해야 하고 이는 나중에 자세히 배운다.

이름	약어	크기
Kilo	K	2^{10} = 1,024
Mega	M	2^{20} = 1,048,576

이름	약어	크기
Giga	G	2^{30} = 1,073,741,824
Tera	T	2^{40} = 1,099,511,627,776

2. 수의 진법

(1) 10진법(Decimal Notation)

10진법(Decimal Notation)은 인간이 사용하는 수의 체계로 0, 1, 2, 3, 4, 5, 6, 7, 8, 9의 열 가지의 기호를 이용하여 수를 표현한다. 각 자리에서 9 다음에 자리 올림이 발생하고, 이때 자리 올림으로 생성된 각 자리의 단위는 10의 지수 승(10^N)이 된다.

10진수의 표시: $(528)_{10} = 5 \times 10^2 + 2 \times 10^1 + 8 \times 10^0$

(2) 2진법(Binary notation)

2진법(Binary notation)은 컴퓨터에서 사용하는 수 체계로 0과 1만을 가지고 수를 표현한다. 각 자리에서 1 다음에 자리 올림이 발생하고, 이때 자리올림으로 생성되는 각 자리의 단위는 2의 지수 승(2^N)이 된다. 다른 진법과 구별을 하기 위해서 첨자로 2를 표시한다. 2진수 1101은 $(1101)_2$로 표현하고, 2의 지수 승 분해하면 다음과 같다.

2진수의 표시: $(1101)_2 = 1 \times 2^3 + 1 \times 2^2 + 0 \times 2^1 + 1 \times 2^0$

다음의 표는 10진수와 2진수의 비교한 것이다. 이때 2진수의 표현은 가중치가 8421인 코드를 가정한다(다른 가중치도 존재).

10진수	2진수
0	0000
1	0001
2	0010
3	0011
4	0100

10진수	2진수
5	0101
6	0110
7	0111
8	1000
9	1001

(3) 8진법(Octal notation)

8진법(Octal notation)은 숫자들이 0, 1, 2, 3, 4, 5, 6, 7 등 8가지의 문자를 이용하여 구성한다(7이 가장 큰 수이므로 3비트가 사용됨). 각 자리에서 7 다음에 자리 올림이 발생하고, 이때 자리올림으로 생성되는 각 자리의 단위는 8의 지수 승(8^N)이 된다. 8진수의 표현은 8의 아래 첨자를 이용해서 표현한다. 예를 들어, 8진수 27은 $(27)_8$로 표시하고, 8의 지수 승으로 분해하면 다음과 같다.

8진수의 표시: $(27)_8 = 2 \times 8^1 + 7 \times 8^0$

다음의 표는 10진수, 2진수, 8진수와의 관계를 나타낸 것이다.

10진수	2진수(2진화 8진수)	8진수	10진수	2진수(2진화 8진수)	8진수
0	000	0	8	001000	10
1	001	1	9	001001	11
2	010	2	10	001010	12
3	011	3	11	001011	13
4	100	4	12	001100	14
5	101	5	13	001101	15
6	110	6	14	001110	16
7	111	7	15	001111	17

(4) 16진법(Hexadecimal Notation)

16진법(Hexadecimal Notation)은 0, 1, 2, 3, 4, 5, 6, 7, 8, 9와 A, B, C, D, E, F 기호를 사용한다(15가 가장 큰 수이므로 4비트가 사용됨). 10진법의 10~15까지의 수가 16진법에서는 A, B, C, D, E, F로 표현한다. 각 자리에서 15 다음에 자리 올림이 발생하고, 이때 자리올림으로 생성되는 각 자리의 단위는 16의 지수 승(16^N)이 된다. 16진수의 표현은 16의 아래 첨자를 이용해서 표현한다. 예를 들어, 16진수 12FF는 $(12FF)_{16}$로 표현하고, 16의 지수 승으로 분해하면 다음과 같다.

16진수의 표시: $(12FF)_{16} = 1 \times 16^3 + 2 \times 16^2 + F \times 16^1 + F \times 16^0$

다음의 표는 2진수, 10진수, 16진수와의 관계를 나타낸다.

10진수	2진수(2진화16진수)	16진수	10진수	2진수(2진화 16진수)	16진수
0	0000	0	10	1010	A
1	0001	1	11	1011	B
2	0010	2	12	1100	C
3	0011	3	13	1101	D
4	0100	4	14	1110	E
5	0101	5	15	1111	F
6	0110	6	20	00010100	14
7	0111	7	50	00110010	32
8	1000	8	248	11111000	F8
9	1001	9			

3. 진법 변환

각 진법에서 진수를 진법의 지수 승으로 표현하게 되면 $M \times B^E$이 된다. 여기서 M은 가수(significand)로서 10진법에서는 0~9까지의 값, 2진법에서는 0과 1의 값, 8진법에서는 0~7까지의 값, 16진법에서는 0~F까지의 값을 나타낸다. 그리고 B는 기수(base)이고 10진법에서는 10, 2진법에서는 2, 8진법에서는 8, 16진법에서는 16이 된다. 마지막으로 E는 지수(exponent)로서 정수의 값을 나타낸다. 아직 부호(sing)의 개념을 배우지 않았으므로 부호는 없다고 가정한다(양수로 가정).

(1) 10진법과 2진법 간의 변환

2진법에서 10진법으로 변환은 이진수를 2의 지수 승으로 분해하고 그 합을 구하면 10진수가 얻어진다(다른 진법도 모두 동일하다). 예를 들어, $(11001011001)_2$은 다음과 같이 10진법으로 바꿀 수 있다.

$$(11001011001)_2 = 1 \times 2^{10} + 1 \times 2^9 + 0 \times 2^8 + 0 \times 2^7 + 1 \times 2^6 + 0 \times 2^5 + 1 \times 2^4 + 1 \times 2^3 + 0 \times 2^2 + 0 \times 2^1 + 1 \times 2^0 = 1024 + 512 + 64 + 16 + 8 + 1 = (1625)_{10}$$

10진법에서 2진법으로 변환은 2로 나누면 된다(다른 진법도 동일). 이렇게 나누게 되면 $10^n + 10^{n-1} + \cdots + 10^0$로 표현되는 수 체계가 $2^m + 2^{m-1} + \cdots + 2^1 + 2^0$로 표현되는 수 체계로 변환된다. 예를 들어, 10진수 1463은 다음과 같이 2진수로 표현할 수 있다.

$$(1463)_{10} = 1 \times 10^3 + 4 \times 10^2 + 6 \times 10^1 + 3 \times 10^0 = A m \times 2^m + A_{m-1} \times 2^{m-1} + \cdots + A_1 \times 2^1 + A_0 \times 2^0$$

다음과 같이 10진수 1463을 10으로 나누면 10진수가 나오게 되고, 2로 나누면 2진수가 나오게 된다.

$$(1463)_{10} = 1 \times 2^{10} + 0 \times 2^9 + 1 \times 2^8 + 1 \times 2^7 + 0 \times 2^6 + 1 \times 2^5 + 1 \times 2^4 + 0 \times 2^3 + 1 \times 2^2 + 1 \times 2^1 + 1 \times 2^0$$

결과적으로 화살표 방향으로 읽으면 2진수 $(10110110111)_2$를 구할 수 있다.

$$(1463)_{10} = (10110110111)_2$$

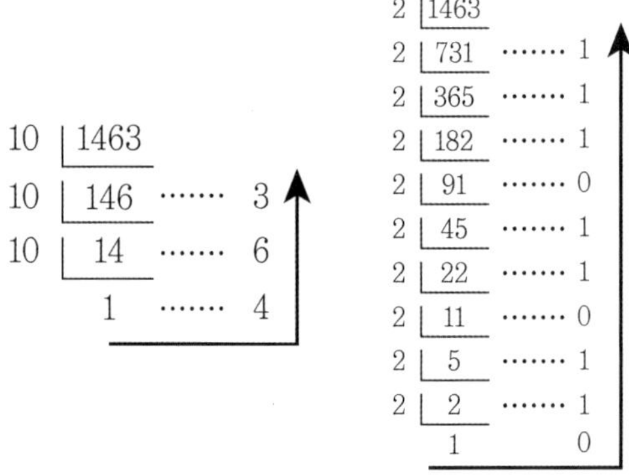

▲ 10진수 1463을 10진수와 2진수로 바꾸는 방법

(2) 10진법과 8진법 간의 변환

8진법에서 10진법으로 변환은 8의 지수승으로 분해하면 된다.

$$(2613)_8 = 2 \times 8^3 + 6 \times 8^2 + 1 \times 8^1 + 3 \times 8^0 = 1024 + 394 + 8 + 3 = (1419)_{10}$$

10진법에서 8진법으로 변환은 8로 나누면 된다(다음의 그림 참고).

$$(314)_{10} = 3 \times 10^2 + 1 \times 10^1 + 4 \times 10^0 = A_m \times 8^m + A_{m-1} \times 8^{m-1} + \cdots + A_1 \times 8^1 + A_0 \times 8^0$$
$$(314)_{10} = 4 \times 8^2 + 7 \times 8^1 + 2 \times 8^0 = (472)_8$$

```
8 | 314
8 | 39 ······· 2
    4  ······· 7
```

▲ 10진수 314를 8진수로 바꾸는 방법

(3) 10진법과 16진법 간의 변환

16진법에서 10진법으로 변환은 16의 지수승으로 분해하면 된다.

$$(12E0)_{16} = 1 \times 16^3 + 2 \times 16^2 + 14 \times 16^1 + 0 \times 16^0 = 4096 + 512 + 224 = (4832)_{10}$$

10진법에서 16진법으로 변환은 16으로 나누면 된다(다음의 그림 참고).

$$(4832)_{10} = 4 \times 10^3 + 8 \times 10^2 + 3 \times 10^1 + 2 \times 10^0 = 1 \times 16^3 + 2 \times 16^2 + 14 \times 16^1 + 0 \times 16^0 = (12E0)_{16}$$
$$(958)_{10} = 9 \times 10^2 + 5 \times 10^1 + 8 \times 10^0 = 3 \times 16^2 + B \times 16^1 + E \times 16^0 = (3BE)_{16}$$

```
16 | 958
16 | 59 ······· E
     3  ······· B
```

▲ 10진수 958을 16진수로 바꾸는 방법

(4) 2진법과 8진법 간의 변환

2진법에서 8진법으로 변환은 다음과 같다. 주어진 이진수는 $(110010111110)_2$이다.

- 1단계: 3비트씩 그룹화한다. $(110\ 010\ 111\ 110)_2$
- 2단계: 각 3비트씩 10진수로 변환한다. $(110\ 010\ 111\ 110)_2 = (6276)_8$

8진법에서 2진법으로 변환은 다음과 같다. 주어진 8진수는 $(1374)_8$이다.

- 1단계: 각 자리별로 3비트씩 2진수로 변환한다. $(1374)_8 = (001\ 011\ 111\ 100)_2$
- 2단계: 3비트씩 구분된 2진수를 하나의 비트열로 만든다. $(001\ 011\ 111\ 100)_2 = (1011111100)_2$

(5) 2진법과 16진법 간의 변환

2진법에서 16진법으로 변환은 다음과 같다. 주어진 이진수는 $(0011001011111000)_2$이다.

- 1단계: 4비트씩 그룹화한다. $(0011\ 0010\ 1111\ 1000)_2$
- 2단계: 4비트 단위로 10진수로 변환한다. $(0011\ 0010\ 1111\ 1000)_2 = (3\ 2\ 15\ 8)_{10}$
- 3단계: 중간 단계의 10진수를 각각 16진수로 변경한다. $(3\ 2\ 15\ 8)_{10} = (3\ 2\ F\ 8)_{16}$

16진법에서 2진법으로 변환은 다음과 같다. 주어진 16진수는 $(C4D2)_{16}$이다.

- 1단계: 각 자리별로 10진수로 변환한다. $(C4D2)_{16} = (12\ 4\ 13\ 2)_{10}$
- 2단계: 변환된 10진수를 각 자리별로 4비트씩 2진수로 변환한다. $(12\ 4\ 13\ 2)_{10} = (1100\ 0100\ 1101\ 0010)_2$
- 3단계: 변환된 2진수를 16비트의 비트열로 만든다. $(1100\ 0100\ 1101\ 0010)_2 = (1100010011010010)_2$

(6) 8진법과 16진법 간의 변환

8진법에서 16진법으로 변환은 다음과 같다. 주어진 8진수는 $(5323)_8$이다.

- 1단계: 8진수의 각 자리별로 3비트의 2진수로 변환한다. $(5323)_8 = (101\ 011\ 010\ 011)_2$
- 2단계: 변환된 2진수를 4비트 단위로 재분활하고 10진수로 변환한다. $(101\ 011\ 010\ 011)_2 = (1010\ 1101\ 0011)_2 = (10\ 13\ 3)_{10}$
- 3단계: 중간 단계의 10진수를 16진수로 변경한다. $(10\ 13\ 3)_{10} = (A\ D\ 3)_{16}$

16진법에서 8진법으로 변환은 다음과 같다. 주어진 16진수는 $(4B2)_{16}$이다.

- 1단계: 각 자리별로 10진수로 변환한다. $(4B2)_{16} = (4\ 11\ 2)_{10}$
- 2단계: 변환된 10진수를 각 자리별로 4비트의 2진수로 변환한다. $(4\ 11\ 2)_{10} = (0100\ 1011\ 0010)_2$
- 3단계: 변환된 2진수를 3비트씩 재분할하고 8진수로 변환한다. $(0100\ 1011\ 0010)_2 = (010\ 010\ 110\ 010)_2 = (2262)_8$

주요개념 셀프체크

- 워드
- 제(10^21)엑페테 - 피팸아젭(10^-21)
- 10진법에서 n진법으로 변환
- 8진법 ↔ 2진법 ↔ 16진법

핵심 기출

1. 8진수 $(56.13)_8$을 16진수로 변환한 값은? 2014년 국가직

① $(2E.0B)_{16}$
② $(2E.2C)_{16}$
③ $(B2.0B)_{16}$
④ $(B2.2C)_{16}$

해설

8진수를 16진수로 바꾸는 가장 나쁜 방법은 8진수를 10진수로 바꾸고 16진수로 다시 바꾸는 것이다. 시간을 절약하기 위해서는 다음의 방법을 사용해야 한다. 1단계는 8진수의 각 자리별로 3비트의 2진수로 변환하고, 2단계는 변환된 2진수를 4비트 단위로 재분할하고 16진수로 변환한다. 해당 방식으로 변환하면 다음과 같다.

$$56.13_{(8)} \rightarrow 101110.001011_{(2)} \rightarrow 2E.2C_{(16)}$$

정답 ②

2. 같은 값을 옳게 나열한 것은? 2021년 지방직

① $(264)_8$, $(181)_{10}$
② $(263)_8$, $(AC)_{16}$
③ $(10100100)_2$, $(265)_8$
④ $(10101101)_2$, $(AD)_{16}$

해설

2진수를 4비트씩 분리하면 AD(16)이 된다.

선지분석

① 8진수를 10진수로 바꾸면 180(10)이 된다.
② 8진수를 2진수로 바꾸고, 4비트씩 분리하면 B3(16)이 된다.
③ 2진수를 3비트씩 분리하면 244(8)가 된다.

TIP 쉽게 변환이 가능한 3번과 4번을 먼저 확인한 후 나머지를 확인하면 된다.

정답 ④

CHAPTER 04

자료의 표현

1 개요

1. 보수의 개념

컴퓨터에서 보수(complement)는 음수를 표현하는 데 사용한다. 그리고 덧셈을 이용해서 뺄셈을 수행하는 데 사용한다. 이에 대해서는 나중에 자세히 다룬다.

2. 보수(補數)의 정의

보수의 어원적 의미는 상호 보완하는 수로, 임의의 수를 보완해주는 다른 임의의 수다. 예를 들어, 4의 10의 보수는 6이다.

r진법에서 정의되는 보수(complementary number)는 (r - 1)의 보수와 진보수라고 하는 r의 보수로 정의된다. 예를 들어, 10진수에서는 9의 보수와 10의 보수가 존재하고, 2진수에서는 1의 보수와 2의 보수가 존재한다.

(1) (r - 1)의 보수

A라는 수에 B라는 수를 더한 결과값의 각 자리가 (r - 1)이 될 때, B를 A에 대한 (r - 1)의 보수라고 정의한다. 예를 들어, 10진수 $(237)_{10}$에 대한 9의 보수를 B라고 하면 다음과 같이 보수가 구해진다.

$$237 + B = 999 \rightarrow 237 + B = (1000 - 1) \rightarrow B = (1000 - 1) - 237 = 762$$

(2) r의 보수

A라는 수에 B라는 수를 더해서 각 자리마다 자리올림이 발생하고 해당 자리는 0이 될 때, B를 A에 대한 r의 보수라고 정의한다. 예를 들어, 10진수 $(237)_{10}$에 대한 10의 보수를 B라고 하면 다음과 같이 보수가 구해진다.

$$237 + B = 1000 \rightarrow B = 1000 - 237 = 763$$

(3) r진수에서 (r - 1)의 보수

r진법에서 임의의 정수 (N)r이 자릿수가 n개로 구성될 때, (r - 1)의 보수 정의를 수식으로 표현하면 다음과 같다(복잡한 방법).

$$(r^n - 1) - N$$

10진수에서 9의 보수는 각 자리의 숫자를 각각의 9에서 뺀 것과 같다(간단한 방법). 예를 들어, $(546700)_{10}$에 대한 9의 보수는 다음과 같이 구해진다.

$$(r^n - 1) - N = (10^6 - 1) - 546700 = 999999 - 546700 = (453299)_{10}$$

2진수에서 1의 보수는 각 자리의 숫자를 각각의 1에서 뺀 것과 같다(간단한 방법). 예를 들어, $(1011001)_2$에 대한 1의 보수는 다음과 같이 구해진다.

$$(r^n - 1) - N = (2^7 - 1) - 1011001 = 1111111 - 1011001 - (0100110)_2$$

(4) r진수에서 r의 보수

r진법에서 임의의 정수 $(N)_r$이 자릿수가 n개로 구성될 때, r의 보수 정의를 수식으로 표현하면 다음과 같다(복잡한 방법). 여기서, N = 0일 경우 0으로 정의한다.

$$r^n - N$$

r의 보수는 다음의 관계에 의해서 (r - 1)보수로부터 쉽게 얻어진다. 즉, r의 보수는 (r - 1)의 보수에 1을 더하면 된다(간단한 방법).

$$r^n - N = [(r^n - 1) - N] + 1$$

예를 들어, $(101100)_2$에 대한 2의 보수는 다음과 같이 구할 수 있다.

- 2진수에 대한 1의 보수: 111111 - 101100 = 010011
- 2진수에 대한 2의 보수: 010011 + 1 = 010100

2 보수의 연산

1. 부호가 없는 10진수에서 보수를 이용한 뺄셈 연산

컴퓨터에서 뺄셈 연산은 보수를 이용하는 것이 효율적이다. 예전에는 비용을 아끼기 위해 보수를 이용했고, 현재는 호환성 때문에 보수를 이용한다(기존 구조가 모두 보수를 이용한 구조이다). 부호를 표시하지 않는 10진수에서 보수를 이용한 뺄셈 연산은 다음과 같다.

- 8 - 6 = 2
  (8은 빼어지는 수로 피감수라하며, 6은 빼는 수로 감수라고 한다. 감수를 10의 보수로 표현하게 된다면 뺄셈연산은 덧셈 연산으로 대체할 수 있다)
- 6일 때 9의 보수: (10 - 1) - 6 = 3
- 6일 때 10의 보수: 3 + 1 = 4

구해진 10의 보수를 피감수 8과 덧셈을 수행하면 다음과 같다.

$$8 + 4 = 12$$

10의 자리는 버리고 1의 자리만 취하면 원하는 값 2를 얻을 수 있다.

또 다른 예는 다음과 같다.

$$2 - 4 = 2(?)$$

감수가 피감수보다 큰 값이므로 결과는 음의 값이다. 부호를 표현할 수 없는 10진수이므로 결과 2는 음의 값으로 간주한다. 감수 7의 9의 보수를 구하고 그 결과로부터 10의 보수를 구하면 다음과 같다.

- 4일 때, 9의 보수: (10 - 1) - 4 = 5
- 4일 때, 10의 보수: 5 + 1 = 6
- 구해진 10의 보수를 피감수와 덧셈을 수행: 2 + 6 = 8
  (얻어진 연산 결과가 음수란 것을 알았기 때문에 10의 보수를 취한다)
- 8의 9의 보수: (10 - 1) - 8 = 1
- 8의 10의 보수: 1 + 1 = 2
  (얻어진 10의 보수 2는 실제적으로는 음수 -2라는 것을 고려하여야 한다)

2. 부호가 없는 2진수에서 보수를 이용한 뺄셈 연산

보수를 이용한 2진수 뺄셈 결과가 최상위 자리에서 자리 올림이 발생하는 경우는 다음과 같다.

1011 - 0100 = 0111

감수 0100의 1의 보수를 구하고 그 결과에 0001을 더해서 2의 보수를 구하면 다음과 같다.

- 0100의 1의 보수: (10000 - 00001) - 0100 = 1111 - 0100 = 1011
- 0100의 2의 보수: 1011 + 0001 = 1100

구해진 2의 보수를 피감수하고 덧셈하면 다음과 같다.

1011 + 1100 = 10111

자리올림으로 발생한 최상위 자리의 값을 버리고 나머지 값들을 취하면 원래의 뺄셈의 결과와 동일한 0111을 얻는다. 보수를 이용한 2진수 뺄셈의 결과가 최상위 자리에서 자리올림이 발생하지 않는 경우는 다음과 같다.

0111 - 1010 = 1101(?)

0111보다 1010이 더 큰 수이므로 연산의 결과 값 1101은 맞지 않는다. 2의 보수를 구하면 다음과 같다.

- 1010의 1의 보수: (10000 - 00001) - 1010 = 1111 - 1010 = 0101
- 1010의 2의 보수: 0101 + 0001 = 0110
- 구해진 2의 보수를 피감수하고 덧셈하면: 0111 + 0110 = 1101

얻어진 결과 1101이 음수란 것을 알았기 때문에 2의 보수를 구하면 다음과 같다.

- 1101의 1의 보수: (10000 - 00001) - 1101 = 1111 - 1101 = 0010
- 1101의 2의 보수: 0010 + 0001 = 0011

연산 결과는 음의 값이나 부호가 없는 2진수이므로 (-)0011의 의미를 갖는다.

해당 결과를 10진수와 비교하면 다음과 같다.

$$(0111 - 1010 = -0011)_2 \Leftrightarrow (7 - 10 = -3)_{10}$$

3. 부호가 없는 2진수의 뺄셈 연산

2진수의 1의 보수는 각 자리마다 0 → 1 또는 1 → 0으로의 비트 반전으로 얻는다. 2진수의 뺄셈 연산 과정을 표로 정리하면 다음과 같다. 결과적으로 2진법의 뺄셈과정에서 보수를 사용하면 덧셈 연산만으로 뺄셈 연산을 수행할 수 있다.

- 감수의 비트 반전을 통한 1의 보수를 구한다.
- 1의 보수에 1을 더해서 2의 보수를 구한다.
- 피감수와 2의 보수를 더한다.
- 최상위 자리에서 자리올림이 발생하면 새로 생긴 최상위 자리를 버리고 나머지 자리의 값을 취한다.
- 최상위 자리에서 자리올림이 발생하지 않으면 덧셈 결과의 2의 보수를 구한다. 그리고 음수의 값으로 간주한다.

주요개념 셀프체크

- 1의 보수
- 2의 보수

CHAPTER 05

데이터의 2진수 표현

1 데이터의 부호 표현

1. 개요

일반적인 디지털 장치에서는 2진수로 양의 정수, 음의 정수, 소수를 표현한다. 2진수는 0, 1, 부호 및 소수점의 기호를 이용하여 수를 표현한다. 다음은 부호가 있고 소수점을 포함하는 동일 값의 10진수와 2진수를 나타낸 예이다.

$$(-13.625)_{10} = (-1101.101)_2$$

2진법으로 부호를 갖는 정수와 소수를 표현하려면 추가적으로 부호와 소수점의 기호를 사용하여야 하므로 단순한 진법 변환으로 해결되지 않는다.

2. 정수의 표현

자연수 또는 양수의 10진수를 2진법으로 변환하여 부호가 없는 2진법으로 표현한다. 10진수를 2진수의 기수 2로 연속해서 나누고 이때 얻어지는 나머지가 2진수의 가수(significand)가 되어 2진수로 표현한다. 10진수 $(53)_{10}$을 부호 없는 2진수로 표현하는 과정은 다음 그림과 같다.

$$(53)_{10} = (110101)_2$$

```
2 | 53
2 | 26  ····· 1 ↑
2 | 13  ····· 0
2 |  6  ····· 1
2 |  3  ····· 0
     1  ····· 1
```

▲ 10진수 $(53)_{10}$을 부호 없는 2진수로 표현하는 과정

다음은 자연수의 10진수들을 부호가 없는 2진수로 표현한 예이다.

$(57)_{10} = (00111001)_2$, $(0)_{10} = (00000000)_2$
$(1)_{10} = (00000001)_2$, $(128)_{10} = (10000000)_2$
$(255)_{10} = (11111111)_2$

3. 부호가 존재하는 2진 정수의 표현

디지털 장치에서는 부호를 구분할 수 있는 (+)와 (-)같은 별도의 기호는 존재하지 않고 최상위 비트 자리를 부호 비트로 할당하고 0이면 양수, 1이면 음수로 표현한다. 컴퓨터 내부에서 음수를 표현하는 방법에는 부호화 - 크기 표현(signed-magnitude representation), 1의 보수 표현(1's complement representation), 2의 보수 표현(2's complement representation)이 존재한다.

(1) 부호화 - 크기 표현

부호화 - 크기 표현은 n비트로 구성된 2진수에서, 최상위 비트는 부호 비트(signed bit)를 나타내고 나머지 n - 1개의 비트들은 수의 절대 크기(magnitude)를 나타낸다. 다음은 부호화 - 크기 표현의 예를 나타낸다.

$(+9)_{10} = (0\ 0001001)_2$	$(+35)_{10} = (0\ 0100011)_2$
$(-9)_{10} = (1\ 0001001)_2$	$(-35)_{10} = (1\ 0100011)_2$

다음은 부호화 - 크기 방법으로 표현된 2진수($a_{n-1}\ a_{n-2}\ \dots\ a_1\ a_0$)를 10진수로 변환하는 방법이다. 부호 비트를 통해서 부호를 결정하고, 크기 비트는 일반적인 10진수 변환방법과 동일하다.

$$A = (-1)^{a_{n-1}}\ (a_{n-2} \times 2^{n-2} + a_{n-3} \times 2^{n-3} + \cdots + a_1 \times 2^1 + a_0 \times 2^0)$$
$$(0\ 0100011)_2 = (-1)^0(0 \times 2^6 + 1 \times 2^5 + 0 \times 2^4 + 0 \times 2^3 + 0 \times 2^2 + 1 \times 2^1 + 1 \times 2^0) = (32 + 2 + 1) = (35)_{10}$$

부호화 - 크기 방법의 장점과 단점은 다음과 같다.

장점	가장 간단한 개념으로 부호를 표현한다.
단점	• 덧셈과 뺄셈 연산을 수행하기 위해서는 부호비트와 크기 부분을 별도로 처리하여야 한다. • 0(zero)의 표현이 두 개 존재하므로 표현할 수 있는 수의 범위가 준다. $(0\ 0000000)_2 = (+0)_{10}$ $(1\ 0000000)_2 = (-0)_{10}$

(2) 1의 보수 표현 및 2의 보수 표현

보수를 이용한 부호를 갖는 2진수의 표현에는 1의 보수와 2의 보수가 존재한다. 1의 보수(1's complement) 표현에서는 모든 비트를 반전하고(0 → 1, 1 → 0), 2의 보수(2's complement) 표현에서는 모든 비트들을 반전하고, 결과값에 1을 더한다. 다음은 보수를 이용한 2진수의 부호 변경을 나타낸다.

$(+9)_{10} = (0\ 0001001)_2$	$(+35)_{10} = (0\ 0100011)_2$
$(-9)_{10} = (1\ 1110110)_2$ (1의 보수)	$(-35)_{10} = (1\ 1011100)_2$ (1의 보수)
$(-9)_{10} = (1\ 1110111)_2$ (2의 보수)	$(-35)_{10} = (1\ 1011101)_2$ (2의 보수)

보수를 이용한 부호를 갖는 2진수 표현의 장점과 단점은 다음과 같다.

장점	• 보수를 이용하면 부호비트가 자연스럽게 변경되고, 그 크기도 적절한 형태로 변경된다. • 2의 보수는 0에 대한 표현이 하나만 있으며, 산술 연산이 용이하다.
단점	1의 보수는 0에 대한 표현이 2개가 있다.

2의 보수는 가장 효율적이기 때문에 컴퓨터를 비롯한 디지털 장치에 부호를 갖는 2진수를 표현하는데 사용한다.

4. 10진수와 2의 보수로 표현된 2진수의 변환

10진수 $(-25)_{10}$를 2의 보수로 표현된 2진수를 변환하는 과정은 다음과 같다.

- 1단계: 10진수를 부호가 없는 2진수로 변환한다.
  $(25)_{10} = (11001)_2$
- 2단계: 부호 비트를 삽입한다(주어진 비트수에 맞춘다).
  $(25)_{10} = (011001)_2$
- 3단계: 1의 보수를 구한다.
  $(011001)2 \Rightarrow (100110)_2$
- 4단계: 2의 보수를 구한다.
  $(100110)2 \Rightarrow (100111)_2$
- 다음 결과를 얻을 수 있다.
  $(-25)_{10} \Rightarrow (100111)_2$

2의 보수로 표현된 양의 정수(최상위 비트: $a_{n-1} = 0$)는 부호 비트를 제외한 크기의 비트들은 실제의 크기를 나타낸다. 부호 없는 2진수를 10진수로 변환하는 방법과 동일하다.

$$A = a_{n-2} \times 2^{n-2} + a_{n-3} \times 2^{n-3} + \ldots + a_1 \times 2^1 + a_0 \times 2^0$$

2의 보수로 표현된 음의 정수(최상위 비트: $a_{n-1} = 1$)를 10진수로 변환하는 방법은 2가지가 존재한다.

(1) 첫 번째 방법

부호 비트의 해당하는 최상위 비트의 자릿수를 2의 승수로 표현하고 (-)를 붙여서 음수가 되도록 한다. 나머지 비트는 양의 정수와 동일하다.

$$A = -2n\text{-}1 + (a_{n-2} \times 2^{n-2} + a_{n-3} \times 2^{n-3} + \cdots + a_1 \times 2^1 + a_0 \times 2^0)$$

예 $(10101110)_2 = -128 + (1 \times 2^5 + 1 \times 2^3 + 1 \times 2^2 + 1 \times 2^1) = (-82)_{10}$

(2) 두 번째 방법

2진수 음의 정수를 보수를 이용하여 양의 정수로 만들고 이것을 10진수로 변환. 그리고 최종 단계에서 (-) 부호를 붙이는 방식이다(역보수).

- 1단계: 2의 보수를 이용하여 음수를 양수로 변환한다.
  (10101110 → 01010010)
- 2단계: $(01010010)_2 = -(1 \times 2^6 + 1 \times 2^4 + 1 \times 2^1) = -(64 + 16 + 2) = (-82)_{10}$

5. 2진수의 표현 범위

2의 보수를 사용한 3비트 이진수 표현의 예는 다음과 같다.

$+3 = (011)_2$	$-1 = (111)_2$
$+2 = (010)_2$	$-2 = (110)_2$
$+1 = (001)_2$	$-3 = (101)_2$
$+0 = (000)_2$	$-4 = (100)_2$

표현할 수 있는 수의 범위는 -4~3이 된다. 이것은 $-2^{3-1} \sim 2^{3-1} - 1$로 표현된다. n비트 데이터의 경우로 일반화해서 수의 범위를 나타내면 다음과 같다.

$$-2^{n-1} \le N \le 2^{n-1}-1$$

다음의 표는 부호가 있는 8비트 이진수의 표현을 나타내고, 이를 정리하면 다음과 같다.

- 부호화 - 크기 표현: $-(2^7 - 1) \sim +(2^7 - 1)$
- 1의 보수: $-(2^7 - 1) \sim +(2^7 - 1)$
- 2의 보수: $-2^7 \sim +(2^7 - 1)$

10진수	부호화 - 크기 표현	1의 보수	2의 보수
127	01111111	01111111	01111111
126	01111110	01111110	01111110
: :	: :	: :	: :
1	00000001	00000001	00000001
+0	00000000	00000000	00000000
-0	10000000	11111111	×
-1	10000001	11111110	11111111

6. 비트 확장(Bit Extension)

부호가 존재하는 데이터의 비트 수를 늘리는 연산을 비트 확장이라고 한다. 부호화 - 크기 표현의 비트확장은 부호 비트를 확장되는 최상위 자리로 이동시키고, 나머지 새로 확장되는 크기 비트들은 0으로 채운다.

$(+21)_{10} = (00010101)_2$ (8비트) → $(+21)_{10} = (0000000000010101)_2$ (16비트)
$(-21)_{10} = (10010101)_2$ (8비트) → $(-21)_{10} = (1000000000010101)_2$ (16비트)

2의 보수로 표현된 2진수의 비트 확장은 2가지 방법이 존재한다.

(1) 첫 번째 방법

확장되는 상위 비트들을 부호 비트와 동일한 값으로 채운다. 부호 비트 확장(sign-bit extension)이라 한다.

$(+21)_{10} = (00010101)_2$ (8 비트) → $(+21)_{10} = (0000000000010101)_2$ (16 비트)
$(-21)_{10} = (11101011)_2$ (8 비트) → $(-21)_{10} = (1111111111101011)_2$ (16 비트)

(2) 두 번째 방법

16비트로 부호 확장된 양의 정수에 대한 2의 보수를 구하여 부호를 변경한다. 구해진 2의 보수는 음의 정수와 동일하므로 부호 비트 확장의 방법이 정당함을 보여준다.

0000000000010101 ⇒ 1111111111101010 ⇒ 1111111111101011

2 데이터의 소수 표현

1. 소수(Decimal Fraction)의 표현

정수와 소수를 포함한 10진수는 다음과 같다.

$$(137.625)_{10} = 137 + 0.625$$

이를 10의 지수 승 형태로 표시하면 다음과 같다.

$$137 + 0.625 = 1 \times 10^2 + 3 \times 10^1 + 7 \times 10^0 + 6 \times 10^{-1} + 2 \times 10^{-2} + 5 \times 10^{-3}$$

정수부분의 가수는 기수 10으로 연속으로 나눗셈을 수행해 얻은 나머지로 구할 수 있다. 소수부분은 지수가 음의 정수이므로 가수는 나눗셈의 반대인 곱셈을 연속적으로 수행하는 것이다. 그리고 정수부분으로 발생하는 자리올림수가 가수가 된다. 즉, 원리는 기수를 소수점 위의 자리에서는 나눗셈하고 소수점 아래 자리에서는 곱셈하는 것이다(다음 그림).

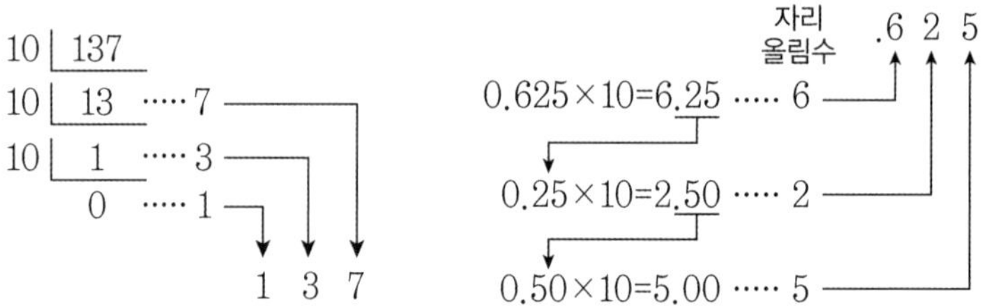

▲ 10진수 기수 나눗셈과 곱셈의 원리

2. 소수점을 포함하는 10진수와 2진수의 변환

소수를 포함하는 10진수의 2진수 표현에서 2진수로 변환하기 위해서는 다음과 같이 2의 지수 승으로 표현해야 한다.

$$\begin{aligned}(137.625)_{10} &= 1 \times 10^2 + 3 \times 10^1 + 7 \times 10^0 + 6 \times 10^{-1} + 2 \times 10^{-2} + 5 \times 10^{-3} \\ &= A_m \times 2^m + \cdots + A_1 \times 2^1 + A_0 \times 2^0 + A_{-1} \times 2^{-1} + A_{-2} \times 2^{-2} + \cdots + A_{-m} \times 2^{-m}\end{aligned}$$

정수부분은 2로 연속적인 나눗셈을 소수부분은 2로 연속적인 곱셈을 수행한다(원리: 기수 나눗셈 & 곱셈). 이를 단계별로 정리하면 다음과 같다.

- 1단계: 정수부분과 소수부분을 분리한다.
- 2단계: 정수부분의 10진수를 2진수로 변환한다.
  $(137)_{10} = (10001001)_2$ (나눈다)
- 3단계: 소수부분의 10진수를 2진수로 변환한다.
  $(0.625)_{10} = (0.101)_2$ (곱한다)
- 4단계: 얻어진 정수와 소수의 2진수를 합한다.
  $(137.625)_{10} = (10001001)_2 + (0.101)_2 = (10001001.101)_2$

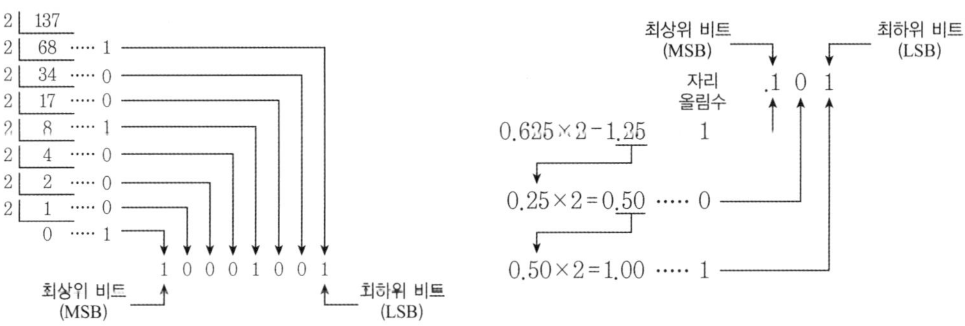

▲ 2진수 기수 나눗셈과 곱셈의 원리

소수점을 포함하고 있는 이진수의 십진수로 변환에서 정수부분은 기존의 방법과 같이 2의 지수 승을 이용하여 분해한다. 그리고 소수점 이하는 2의 (-)지수 승을 사용한다.

$$A = a_{n-1} \times 2n-1 + a_{n-2} \times 2n-2 + \cdots + a_1 \times 21 + a_0 \times 20$$

다음과 같이 소수를 포함하는 이진수 $(1101.101)_2$를 십진수로 변환한다.

$$(1101.101)_2 = 1 \times 2^3 + 1 \times 2^2 + 0 \times 2^1 + 1 \times 2^0 + 1 \times 2^{-1} + 0 \times 2^{-2} + 1 \times 2^{-3}$$
$$= 8 + 4 + 1 + 0.5 + 0.125 = (13.625)_{10}$$

2^3	2^2	2^1	2^0	·	2^{-1}	2^{-2}	2^{-3}
1	1	0	1	·	1	0	1

▲ 2진수 $(1101.101)_2$의 2의 지수 승 표현

3. 부동소수점(Floating-point)의 표현

(1) 고정소수점(fixed-point) 표현

① 소수가 고정된 소수점을 통해서 구분하여 표현된 방식: $(17.60)_{10}$

② 표현 범위의 한계가 있어 아주 큰 값과 매우 작은 값을 표현하는 것이 불가능하다.

(2) 부동소수점(floating-point) 표현

지수를 사용해서 소수점의 위치를 이동하여 수의 표현 범위를 확대한다.

$$(176{,}000)_{10} = 1.76 \times 10^5,\ (0.000176)_{10} = 1.76 \times 10^{-4}$$

다음은 부동소수점 수(Floating-point Number)를 표현하는 일반적인 형식을 나타낸다.

$$\pm M \times B^{\pm E}$$

여기서, ±는 부호로서 +혹은 -을 나타낸다. 그리고 M은 가수(significand), B는 기수(base), E는 지수(exponent)를 나타낸다. 여기서, 가수를 fraction, mantissa이라고도 표현한다.

2진 부동소수점 수(binary floating-point number)는 다음과 같이 표현한다. 여기서, 가수 M은 0과 1로 구성이 되는 2진수이며, 기수 B는 2가 된다.

$$+1.100101 \times 2^3$$

4. 2진 부동소수점 수 표현

단일 - 정밀도(single-precision) 부동소수점 수는 32비트로 표현하고, 복수-정밀도(double-precision) 부동소수점 수는 64비트로 표현한다. 단일-정밀도 부동소수점 수 형식에서는 32비트가 세 개의 필드로 구성된다(표준 형식이 아님). 고정 소수점 수와 비교해서 표현할 수 있는 수의 범위가 훨씬 넓다.

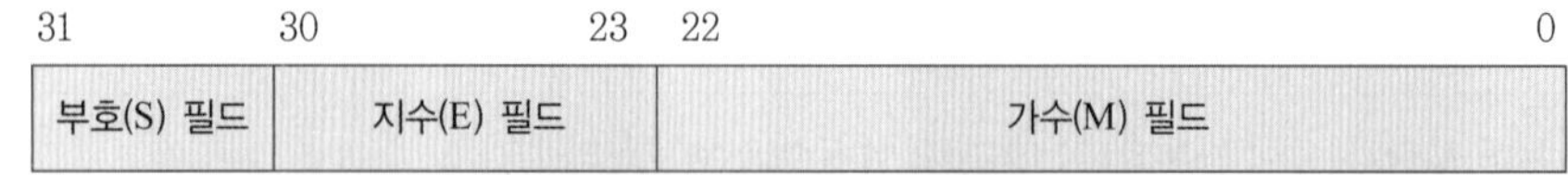

▲ 단일 - 정밀도 부동소수점 수 형식(비표준)

- 부호 필드(S 필드): 1비트로 0이면 양수이고 1이면 음수다.
- 지수 필드: 지수 값을 저장하는 곳이다. 8비트이므로 256(2^8)개를 표현할 수 있다.
- 가수 필드: 23비트이므로 8388608(2^{23})개를 표현할 수 있다.

각 필드의 비트 할당 문제는, 표현하는 수의 범위와 정밀도를 결정한다. 지수(E) 필드의 비트 수가 늘어나면, 표현 가능한 수의 범위가 확장된다. 가수(M) 필드의 비트 수가 늘어나면, 이진수로 표현할 수 있는 수가 많아져서 정밀도가 증가하게 된다. 따라서 적절한 비트할당이 필요하다.

5. 정규화된 표현(Normalized Representation)

부동소수점의 수는 지수의 값에 따라 표현이 여러 가지 존재한다.

$$0.1001 \times 2^5,\ 100.1 \times 2^2,\ 0.01001 \times 2^6$$

정규화된 표현은 다음과 같이 부동소수점 수에 대한 표현을 통일하기 위한 방법이다(결국 수의 표현 범위가 커짐).

$$\pm 0.1bbb \cdots b \times 2^E$$

위의 예에서 정규화된 표현은 0.1001×2^5이 된다.

단일 정밀도 부동소수점의 수에서 정규화된 표현의 예는 다음과 같다(다음 그림). 예를 들어, 0.1001×2^5을 필드 별로 비트로 표현하면 부호(S) 비트는 0이고, 지수(E)는 00000101이다. 그리고 가수(M)는 1001 0000 0000 0000 0000 000이다.

부호(S) 필드	지수(E) 필드	가수(M) 필드
0	00000101	1001 0000 0000 0000 0000 000

▲ 0.1001×2^5을 필드 별로 비트로 표현

정규화된 표현에서 소수점 우측의 첫 번째 비트는 항상 1로 생략 가능하다. 가수 필드 23비트를 이용하여 생략된 소수점 아래 첫 번째 1을 포함하여 24자리의 수까지 표현 가능하게 되어 1비트를 더 표현할 수 있다.

6. 바이어스된 지수값

지수 필드의 지수는 양의 값뿐만 아니라 음의 값을 가지므로 부호에 대한 표현을 가능하게 한다. 음수의 표현뿐만 아니라 0에 대한 표현에서 모든 비트가 0이 된다. 만약 바이어스를 사용하지 않으면 2의 보수를 사용해야 한다.

바이어스된 값은 원래의 지수 비트값에서, 바이어스 값을 더해서 얻는다. 지수값이 4이면 이를 8비트의 이진수로 표현하면 00000100이 된다. 이것을 128로 바이어스된 값을 구하기 위해서는 128의 이진수값 10000000을 더해준다.

- 지수값: $(4)_{10} = (00000100)_2$
- 128로 바이어스 된 지수값: 00000100 + 10000000 = 10000100(절대값 132)

바이어스 조건은 문제의 조건에 주어지거나 외워야 한다.

다음의 표는 지수 비트 패턴과 128로 바이어스된 지수 값을 나타낸다. 실제 사용할 때는 절대값에 - 바이어스(128)을 하면 된다.

지수 비트 패턴	절댓값	128로 바이어스된 지수값
11111111	255	+127
11111110	254	+126
:	:	:
10000100	132	+4
10000011	131	+3
10000010	130	+2
10000001	129	+1
10000000	128	0
01111111	127	-1
01111110	126	-2
:	:	:
00000001	1	-127
00000000	0	-128

바이어스 값이 128일 때, $-(13.625)_{10}$에 대한 부동소수점 수의 표현은 다음과 같다.

$$(13.625)_{10} = (1101.101)_2 = 0.1101101 \times 2_4$$

이것을 필드 별로 비트열로 나타내면 다음과 같다(다음 그림, 표준 형식이 아님에 유의)

- 부호(S) 비트 = 1(-)
- 지수(E) = 00000100 + 10000000 = 10000100 (바이어스 128을 더한다)
- 가수(M) = 1011010000000000000000 (소수점 우측의 첫 번째 1은 제외)

부호(S) 필드	지수(E) 필드	가수(M) 필드
1	10000100	1011 0100 0000 0000 0000 000

▲ 0.1101101×2^4을 필드 별로 비트로 표현(바이어스 값 이용)

7. IEEE 754 표준

다음 표는 IEEE 754 표준을 나타낸다. 국제 표준은 $\pm 1.bbbb \cdots bbb \times 2^{\pm E}$로 정규화가 수행됨에 유의한다.

단일 - 정밀도 형식	복수 - 정밀도 형식
• 지수: 8비트 • 바이어스 = 127 • 가수: 23비트 • 표현 영역: $10^{-38} \sim 10^{38}$	• 지수: 11비트 • 바이어스 = 1023 • 가수: 52비트 • 표현 영역: $10^{-308} \sim 10^{308}$

10진수 $-(13.625)_{10}$의 IEEE 754 표현은 다음과 같다(다음 그림). 표준형을 단일 - 정밀도 형식으로 표시하면 바이어스 값이 127이고 정수 값인 소수점 좌측의 1은 제외된다.

$$-13.625_{10} = -1101.101 = -1.101101 \times 2^3$$

부호(S) = 1(−)
지수(E) = 00000011 + 01111111 = 10000010 바이어스 127을 더한다.
가수(M) = 1011010000000000000000 소수점 좌측의 1은 제외한다.

부호(S) 필드	지수(E) 필드	가수(M) 필드
1	10000010	1011 0100 0000 0000 0000 000

▲ 10진수 $-(13.625)_{10}$의 IEEE 754 표현

참고로, 4배수 정밀도 형식(128비트)은 지수가 15비트이고, 바이어스가 16383이고, 가수가 112비트이다.

주요개념 셀프체크

- 2진수의 표현 범위
- 소수를 n진법으로 변환
- IEEE 754

핵심 기출

1. 음수를 2의 보수로 표현할 때, 십진수 -66을 8비트 이진수로 변환한 값은? 2015년 지방직

① 10111101_2　② 10111110_2
③ 11000010_2　④ 01000001_2

해설

원리는 66을 이진수로 바꾸고(주어진 비트수 조건에 유의한다) 2의 보수로 표현하면 된다.

- 66의 이진수: 1000010
- 8비트: 01000010
- 1의 보수: 10111101
- 2의 보수: 10111110

정답 ②

2. 다음 2진 표현이 나타내는 IEEE 754 표준 단정도(single precision) 부동소수점 수의 값은? 2017년 국가직

11000001110101010000000000000000

① +5.3125(10)　② -26.625(10)
③ +21.25(10)　④ -13.3125(10)

해설

IEEE 754의 조건은 다음과 같다.

$\pm 1.bbbb \cdots bbb \times 2^{\pm E}$
지수(8비트), 바이어스(127), 가수(23비트)

주어진 비트와 IEEE 754의 조건을 적용하면 다음과 같다.

- 부호 = 1 (음수)
- 지수 = 10000011 - 01111111 = 100 (4)
- 가수 = 1010101 → 11010101 (1 생략)
- 결과: $-1.1010101 \times 2^4 = -11010.101 = -26.625$

정답 ②

CHAPTER 06

2진수의 연산

1 2진수의 산술 연산

1. 개요

2진수의 연산에는 덧셈, 뺄셈, 곱셈, 나눗셈 등의 산술 연산과 참, 거짓을 판별하는 논리 연산이 있다. 부호를 갖는 2진 정수의 산술 연산은 2의 보수를 활용하여 수행된다. 그리고 부동소수점의 수에 대한 산술 연산은 지수부분과 가수부분을 분리해서 독립적으로 수행된다. 정수의 산술 연산은 다음과 같다. 단, 여기서 부호변경은 2의 보수를 이용한다고 가정한다($A = A' + 1$, A'는 1의 보수).

- 덧셈: $C = A + B$
- 뺄셈: $C = A - B$
- 곱셈: $C = A \times B$
- 나눗셈: $C = A/B$

다음 그림은 2의 보수를 사용한 부호 변경을 나타낸다. 음의 정수를 2진수로 표현할 때 사용한다.

```
  +19:      00010011
1의 보수:    11101100
          +        1
          ----------
  −19:     −11101101:
```

▲ 2의 보수를 사용한 부호 변경

2. 2진 정수의 덧셈 연산(* 참고)

다음은 오버플로우가 발생하지 않는 덧셈 연산을 나타낸다(최상위 비트에서 자리 올림이 발생하지 않음). 첫 번째는 양수와 양수의 덧셈으로 최상위 비트에서 자리 올림이 발생하지 않아 계산의 결과에서 오류가 발생하지 않고 정확한 답을 출력한다.

$(+2)_{10} + (+3)_{10} = (+5)_{10}$

```
   0010
 + 0011
 ------
   0101
```

최상위 비트에서 자리 올림이 발생하지 않은 음수와 양수의 덧셈은 다음과 같다. 최상위 비트에서 자리 올림수가 발생하지 않는다. 따라서 부호비트가 변경되는 등의 잘못된 계산이 발생하지 않아서 정확한 값을 얻을 수 있다.

$$(-6)_{10} + (+3)_{10} = (-3)_{10}$$

```
  1010
+ 0011
------
  1101
```

다음은 오버플로우가 발생하지 않는 덧셈 연산을 나타낸다(최상위 비트에서 자리 올림이 발생함). 최상위 비트에서 자리 올림이 발생하는 음수와 양수의 덧셈은 덧셈 결과로 발생하는 최상위 비트에서 발생한 자리 올림 수는 버린다. 하지만 연산에는 오류가 없이 올바른 답을 얻을 수 있다.

$$(-3)_{10} + (+5)_{10} = (+2)_{10}$$

```
    1101
+   0101
--------
1   0010
버림
```

음수와 음수의 덧셈은 필연적으로 최상위 비트에서 자리 올림이 발생하고 자리 올림 수는 버림을 통해서 버려진다. 그러나 그 결과는 정확한 값이다.

$$(-2)_{10} + (-4)_{10} = (-6)_{10}$$

```
    1110
+   1100
--------
1   1010
버림
```

다음은 오버플로우가 발생하는 덧셈 연산을 나타낸다. 덧셈 결과가 표현할 수 있는 범위를 초과하여 결과값이 틀리게 되는 상태를 덧셈의 오버플로우 상태라고 한다. 양수와 양수의 덧셈은 자리 올림으로 인해서 부호비트가 변경되어 잘못된 결과가 발생한다.

$$(+4)_{10} + (+5)_{10} = (+9)_{10}$$

```
  0100
+ 0101
------
  1001  = (-7)10
```

음수와 음수의 덧셈은 자리 올림이 발생하고 부호 비트는 변경된다.

$$(-7)_{10} + (-6)_{10} = (-13)_{10}$$

```
  1001
+ 1010
------
1 0011  = (+3)10
```

3. 2진수 정수의 뺄셈 연산(* 참고)

2진수 정수의 뺄셈 연산은 2의 보수를 사용하여 결과적으로 덧셈을 수행한다. 빼지는 수 A를 피감수(minuend)라 하며, 빼는 수 B를 감수(subtrahend)라 한다.

$$A - (+B) = A + (-B),\ A - (-B) = A + (+B)$$

오버플로우가 발생하지 않는 뺄셈 연산은 다음과 같다. 연산 결과가 디지털 장치에서 표현할 수 있는 범위 안에 존재하는 연산의 결과는 정확하다. 최상위 비트에서 자리 올림수가 발생하지 않는 뺄셈은 10진수에서는 감수를 음수화하고, 그 다음 뺄셈을 덧셈으로 고치고 계산을 수행한다.

$$(+2)_{10} - (+5)_{10} = (+2)_{10} + (-5)_{10} = (-3)_{10} \rightarrow 0010+1011=1101$$

최상위 비트에서 자리 올림이 발생하는 뺄셈은 다음과 같다.

$$(+5)_{10} - (+2)_{10} = (+5)_{10} + (-2)_{10} = (+3)_{10}$$

```
    0101
  + 1110
  ------
  1 0011  = (+3)10
버림
```

부호 비트의 변경은 없으나 자림 올림이 발생하였다. 자리 올림 수는 버려지게 되고 나머지를 취하면 올바른 값을 얻을 수 있다.

뺄셈 결과가 그 범위를 초과하여 틀리게 되는 상태를 뺄셈 오버플로우(overflow)라고 한다. 다음은 최상위 비트에서 자리올림이 발생하지 않는 경우이다. 즉, 부호비트가 변경이 발생하지만 자림 올림이 발생하지 않은 경우이다.

$$(+7)_{10} - (-5)_{10} = (+7)_{10} + (+5)_{10} = (+12)_{10}$$

```
    0111
  + 0101
  ------
    1100  = (−4)10 오버플로우
```

부호변경은 오버플로우가 발생한 것으로 답은 정확하지 않다.

다음은 최상위 비트에서 자리 올림이 발생하는 경우이다. 부호비트가 변경되고 또한 최상위 비트에서 자리 올림이 발생한 경우이다.

$$(-6)_{10} - (+4)_{10} = (-6)_{10} + (-4)_{10} = (-10)_{10}$$

```
    1010
  + 1100
  ------
  1 0110  = (+6)10 오버플로우
버림
```

얻어진 결과에서 버림의 과정을 거쳤지만 그래도 뺄셈의 오버플로우가 발생한 경우로 계산 결과는 잘못된 것이다.

4. 2진 정수의 곱셈 연산

2진 정수의 곱셈 연산은 다음과 같이 계산한다. 곱하는 수(B)를 승수(multiplier)라고 하며, 곱하여 지는 수(A)를 피승수(multiplicand)라고 한다.

$$A \times B = C$$

부호가 없는 2진수의 곱셈은 승수의 각 숫자에 대하여 부분 합을 계산한다. 승수의 한 비트가 0이면 부분 합도 0이 된다. 그러나 1이면 부분 합은 피승수와 동일하게 된다. 최종 결과값은 부분 합을 한 자릿수씩 왼쪽으로 이동하고, 더하여 구한다. 참고로, 실제 컴퓨터 내에서의 곱셈은 Booth Algorithm을 사용한다(이에 대해서는 한번 찾아보기 바란다). 다음은 피승수 1101과 승수 1011과의 곱셈 과정을 나타낸다.

				1	1	0	1	피승수(13)
			×	1	0	1	1	승수(11)
				1	1	0	1	
			1	1	0	1		부분합
		0	0	0	0			
	1	1	0	1				
1	0	0	0	1	1	1	1	곱의 결과(143)

4비트의 두 수가 서로 곱셈을 수행하면, 2배인 8비트의 길이의 결과를 출력한다. 일반화하면, 두 N비트 2진 정수를 곱한 결과값의 길이는 2N 비트가 된다.

2의 보수에 의해서 부호를 갖는 2진수의 곱셈은 음수를 양수로 변환하고 부호가 없는 곱셈을 수행하고, 만약 승수와 피승수의 부호가 서로 다르다면, 결과 값에 2의 보수를 취하여 부호를 변경한다.

$$0010 \times 1001$$

부호가 있는 2진수의 곱셈을 수행하기 위해서 음수 1001의 2의 보수를 구한다.

$$1001 \rightarrow 0111$$

부호 없는 2진수의 곱셈을 수행한다.

				0	0	1	0	피승수(2)
			×	0	1	1	1	승수(7)
				0	0	1	0	
			0	0	1	0		부분합
		0	0	1	0			
	0	0	0	0				
0	0	0	0	1	1	1	0	곱의 결과(14)

피승수와 승수의 부호가 서로 다르므로 얻어진 결과를 다시 2의 보수화를 통해서 부호를 변경한다. 결과적으로 $(-14)_{10}$를 얻게 된다(00001110 → 11110010).

5. 2진 정수의 나눗셈 연산

2진 정수의 나눗셈 연산은 다음과 같이 계산된다. 나누어지는 수 D를 피제수(dividend)라고 하며, 나누는 수 V를 제수(divisor)라고 한다. 나눗셈의 결과로 몫(quotient) Q와, 나머지 수(remainder) R을 얻는다.

$$D \div V = Q \cdots R$$

부호 없는 2진 정수의 나눗셈은 10진수의 나눗셈과 동일하다. 10010011÷1011를 계산하는 과정은 다음과 같다.

```
                    00001101     ← 몫
제수 → 1011 | 10010011     ← 피제수
                     1011
부분 나머지 →   01110
                      1011
부분 나버시 →    001111
                         1011
                          100    ← 나머지
```

2의 보수를 사용하여 부호가 표현된 2진 정수의 나눗셈 연산은 다음과 같다. 2의 보수를 통해서 모두 양수로 고친 다음, 부호 없는 2진수의 나눗셈 수행한다. 제수와 피제수의 부호가 다른 경우에는 몫의 부호를 변경한다.

0111 ÷ 1101
1101은 음수이므로 2의 보수화를 통해서 양수를 구한다(0011).
부호가 없는 2진수의 나눗셈을 수행한다.

```
                   0010     ← 몫(2)
제수(3) → 0011 | 0111     ← 피제수(7)
                    011
나머지(1) →      0001
```

제수와 피제수가 동일하지 않으므로, 얻어진 몫을 2의 보수로 표현한다.
0010 → 1110
따라서 몫은 $(-2)_{10}$가 얻어진다.

2 부동소수점 수의 산술 연산

1. 부동소수점 수의 덧셈과 뺄셈

부동소수점 수의 산술 연산은 부동소수점 수의 산술은 가수와 지수의 연산을 분리해서 수행한다. 부동소수점 수의 덧셈과 뺄셈은 지수들이 동일한 값을 갖도록 일치시키기 위해, 가수의 소수점을 좌우로 이동한다. 다음으로 가수들 간의 덧셈과 혹은 뺄셈을 수행한다. 2진수의 경우, 마지막으로 결과를 정규화한다.

10진수의 부동소수점의 수의 덧셈과 뺄셈은 다음과 같다.

- $A = 0.3 \times 10^2$, $B = 0.2 \times 10^3$
- 덧셈 연산: $A + B = 0.3 \times 10^2 + 0.2 \times 10^3 = 0.3 \times 10^2 + 2 \times 10^2 = 2.3 \times 10^2$
- 뺄셈 연산: $A - B = 0.3 \times 10^2 - 0.2 \times 10^3 = 0.3 \times 10^2 - 2 \times 10^2 = -1.7 \times 10^2$

2진수의 부동소수점 수의 덧셈과 뺄셈은 다음과 같다(정규화).

지수 조정

$$
\begin{array}{rcrcr}
0.110010 \times 2^{2} & \rightarrow & 0.011001 \times 2^{3} & & \\
+\ 0.111011 \times 2^{3} & & +\ 0.111011 \times 2^{3} & \text{정규화} & \\
\hline
 & & 1.010100 \times 2^{3} & \rightarrow & 0.101010 \times 2^{4}
\end{array}
$$

2. 부동소수점 수의 곱셈

부동소수점 수의 곱셈은 가수끼리는 곱셈 연산을 수행하고 지수끼리는 덧셈을 수행한다. 10진수의 부동소수점 수의 곱셈은 다음과 같다.

$$A = 0.3 \times 10^{2},\ B = 0.2 \times 10^{3}$$
$$A \times B = (0.3 \times 10^{2}) \times (0.2 \times 10^{3}) = (0.3 \times 0.2) \times 10^{2+3} = 0.06 \times 10^{5}$$

2진수 부동소수점 수의 곱셈 과정은 다음과 같다. 가수들을 곱하는 것과 지수들을 더하는 과정은 동일하며, 결과값을 정규화하는 것이 추가된다.

- $(0.1011 \times 2^{3}) \times (0.1001 \times 2^{5})$
- 가수 곱하기: $1011 \times 1001 = 01100011$
- 지수 더하기: $3 + 5 = 8$
- 정규화: $0.01100011 \times 2^{8} = 0.1100011 \times 2^{7}$

3. 부동소수점 수의 나눗셈

부동소수점 수의 나눗셈은 가수부분은 나눗셈 연산을 수행하고, 지수부분은 뺄셈 연산을 수행한다. 10진수의 부동소수점 수의 나눗셈은 다음과 같다.

$$A \div B = 0.3 \times 10^{2} \div 0.2 \times 10^{3} = (0.3 \div 0.2) \times 10^{2-3} = 1.5 \times 10^{-1}$$

2진수 부동소수점 수의 나눗셈은 다음과 같다. 첫 번째로 가수들을 나눈다. 그리고 피제수의 지수에서 제수의 지수를 뺀다. 그리고 마지막으로 결과값을 정규화하는 과정을 추가 한다.

- $(0.1100 \times 2^{5}) \div (0.1100 \times 2^{3})$
- 가수 나누기: $1100 \div 1100 = 1$
- 지수 뺄셈: $5 - 3 = 2$
- 정규화: 0.1×2^{3}

부동소수점 수의 연산 과정에서 발생 가능한 문제는 부동소수점의 수의 표현 범위에서 오버플로우(overflow)와 언더플로우(underflow)가 발생하는 영역이 존재하고, 연산의 결과가 이런 영역에 포함되면 오류가 발생한다(* 참고).

지수 오버플로우(exponent overflow)는 양의 지수값이 최대 지수값을 초과하여 발생하는 오류다. 수가 너무 커서 표현될 수 없음을 의미하는 것으로 +∞ 또는 -∞로 나타낸다. 지수 언더플로우(exponent underflow)는 음의 지수값이 최대 지수값을 초과하는 경우다. 수가 너무 작아서 표현될 수 없음을 의미하므로 0으로 표시된다. 가수 언더플로우(mantissa underflow)는 가수의 소수점 위치 조정 과정에서 비트들이 가수의 우측 편으로 넘치는 경우로서 반올림(rounding)을 사용해서 문제를 해결한다. 가수 오버플로우(mantissa overflow)는 같은 부호를 가진 두 가수들을 덧셈하였을 때 올림수가 발생하는 경우로, 재조정(realignment) 과정을 통하여 정규화하여서 해결한다(* 참고).

3 2진수의 논리 연산

논리 연산은 주어진 명제에 대하여 참(true)과 거짓(false)를 결정하는 연산이다. 컴퓨터와 같은 디지털 장치에서는 많은 산술 연산뿐만 아니라 다양한 논리 연산을 지원하고 있다. 기본적인 논리 연산은 AND, OR, XOR, NOT이다. AND 연산은 2진수의 모든 입력이 모두 1일 때, 1을 출력하고 나머지의 경우에는 0을 출력한다. OR 연산은 2진수의 입력 중 하나만 1이면, 1을 출력하고, 모든 입력이 0일 때는 0을 출력한다. Exclusive-OR(XOR) 연산은 2진수의 입력이 모두 동일할 경우에는 0이고, 나머지의 경우에는 1이 된다(입력의 1의 개수가 홀수 개일 때 출력이 1). NOT 연산은 입력에 반대를 출력하는 연산이다(입력이 1개).

다음의 표는 기본적인 논리 연산의 진리표를 나타낸다. 표에서 XOR은 보안(암호학) 등에서 많이 사용된다.

입력X	입력Y	X AND Y	X OR Y	X XOR Y	NOT X	NOT Y
0	0	0	0	0	1	1
0	1	0	1	1	1	0
1	0	0	1	1	0	1
1	1	1	1	0	0	0

컴퓨터 응용 논리 연산 중 선택적-세트(Selective-set) 연산은 2진수의 특정 비트를 선택하여서 1로 세트시키는 연산이다. 데이터 A가 1001 0010일 때, 하위 4비트 모두를 1로 세트하려고 한다. 데이터 B를 0000 1111로 하고 A와 OR 연산을 수행한다. 그러면 원하는 결과를 얻는다.

```
A = 1001 0010   연산 전
B = 0000 1111   선택적-세트(OR) 연산
-------------
A = 1001 1111   연산 후
```

컴퓨터 응용 논리 연산 중 선택적-보수(Selective-complement) 연산은 2진수의 특정 비트를 1의 보수로 변경 시키는 연산이다. 즉, 지정된 비트가 반전된다. 데이터 A의 특정 비트들을 1의 보수로 나타내기 위해서, 원하는 특정 비트 위치가 1로 세트된 데이터 B와 XOR 연산을 수행한다. 데이터 A의 하위 4비트를 비트반전 시키기 위해서, 데이터 B를 0000 1111로 하고 데이터 A와 XOR 연산을 수행한다.

```
A = 1001 0010   연산 전
B = 0000 1111   선택적-보수(XOR) 연산
-------------
A = 1001 1101   연산 후
```

컴퓨터 응용 논리 연산 중 마스크(Mask) 연산은 원하는 비트들을 선택적으로 clear(0)하는데 사용하는 연산이다. 데이터 A의 특정 비트들을 0으로 바꾸기 위해서, 원하는 특정 비트위치가 0로 세트된 데이터 B와 AND 연산을 수행한다. 데이터 A의 상위 4비트를 0으로 clear하기 위해서, 데이터 B를 0000 1111로 하고 A 레지스터와 AND 연산을 수행한다.

```
A = 1011 0101   연산 전
B = 0000 1111   마스크(AND) 연산
-------------
A = 0000 0101   연산 후
```

컴퓨터 응용 논리 연산 중 삽입(Insert) 연산은 2진 데이터내의 특정 위치에 새로운 비트 값들을 삽입하는 연산이다. 마스크 연산과 선택적 세트연산을 순차적으로 수행함으로써 완성된다. 삽입할 비트 위치들에 마스크 연산(AND 연산), 새로이 삽입할 비트들과 OR 연산을 수행한다. 데이터 A = 1011 1010의 하위 4비트에 1100을 삽입하는 경우다.

```
  A = 1011 1010
  B = 1111 0000   마스크(AND) 연산
---------------
  A = 1011 0000   마스크 결과
  B = 0000 1100   삽입(OR) 연산
---------------
  A = 1011 1100   최종 삽입 결과
```

컴퓨터 응용 논리 연산 중 비교(compare) 연산은 두 데이터를 비교하는 연산으로 exclusive-OR 연산에 의해서 구현된다. 데이터 A와 B의 내용을 비교 만약 대응되는 비트들의 값이 같으면, 데이터 A의 해당 비트를 0으로 세트 한다. 서로 다르면, 데이터 A의 해당 비트를 1로 세트다. 다음은 A = 1110 0001과 B = 0101 1001과를 비교한다.

```
  A = 1110 0001   연산 전
  B = 0101 1001   비교(XOR) 연산
---------------
  A = 1011 1000   연산 후
```

연산의 결과는 두 데이터가 같으면 0을 출력하고, 다르면 1을 출력한다.

컴퓨터 응용 논리 연산 중 순환 이동(Circular Shift, rotate)는 최상위 혹은 최하위에 있는 비트가 반대편 끝에 있는 비트 위치로 이동해서 비트가 회전한다. 순환 좌측 - 이동(circular shift-left)은 최상위 비트인 D4가 최하위 비트 위치인 D_1으로 이동한다.

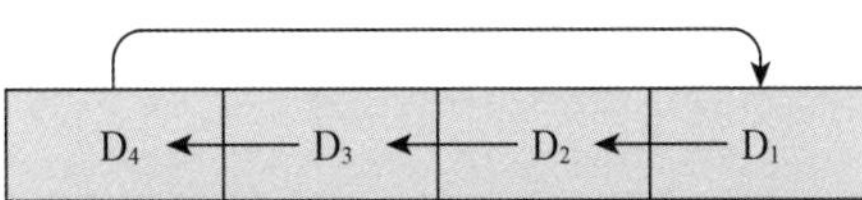

순환 우측-이동(circular shift-right)은 최하위 비트인 D_1이 최상위 비트 위치인 D_4로 이동한다.

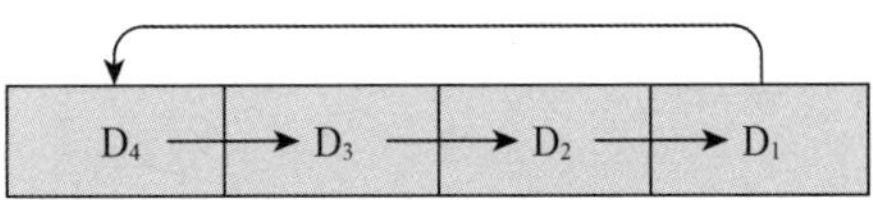

컴퓨터 응용 논리 연산 중 산술적 이동(arithmetic shift)는 이동 과정에서 부호 비트는 유지하고, 수의 크기를 나타내는 비트들만 이동한다. 산술적 좌측-이동(left)은 다음과 같다.

D_4(불변), $D_3 \leftarrow D_2$, $D_2 \leftarrow D_1$, $D_1 \leftarrow 0$

산술적 우측-이동(right)은 다음과 같다.

D_4(불변), $D_4 \rightarrow D_3$, $D_3 \rightarrow D_2$, $D_2 \rightarrow D_1$

산술적 이동 예는 다음과 같다.

- A = 1 0 1 0 1 1 1 0: 초기 상태
- 1 1 0 1 1 1 0 0: A의 산술적 좌측-시프트 결과(left)
- 1 1 0 1 0 1 1 1: A의 산술적 우측-시프트 결과(right)

주요개념 셀프체크

- 부호 - 오버플로우
- 부호 - 곱셈, 나눗셈
- 연산 - and, or, xor

핵심 기출

8비트 데이터 A와 B에 대해 다음 비트(bitwise) 연산을 수행 하였더니, A의 값에 상관없이 연산 결과의 상위(왼쪽) 4비트는 A의 상위 4비트의 1의 보수이고 연산 결과의 하위(오른쪽) 4비트는 A의 하위 4비트와 같다. B의 값을 이진수로 표현한 것은?

2014년 지방직

A XOR B

① 00001111_2
② 11110000_2
③ 10010000_2
④ 00001001_2

해설

1. XOR: 0과 A를 XOR하면 A가 나온다(예 0 XOR 0 = 0, 0 XOR 1 = 1).
2. XOR: 1과 A를 XOR하면 A'가 나온다(예 1 XOR 0 = 1, 1 XOR 1 = 0).

1의 보수(complement)를 얻고 싶으면 1과 XOR하면 되고, 원래의 값을 얻고 싶으면 0과 XOR하면 된다.

정답 ②

CHAPTER 07 문자 데이터의 표현

1 영숫자 코드(Alphanumeric Code)

컴퓨터에 사용되는 영문자와 숫자, 특수문자의 데이터를 0과 1의 조합으로 구성된 코드로 표현한 것이다.

2 표준 BCD(Binary Coded Decimal) 코드

이진화 십진 코드라고도 부르며, 기본적으로 6비트의 길이를 갖는 코드이지만 좀 더 효율적으로 사용하기 위해서 존(zone)비트와 숫자(digit)비트로 분리하고 이를 조합해서 코드를 생성한다(대분류 + 소분류). 다음 그림은 6비트의 표준 BCD 코드의 구성을 나타낸다.

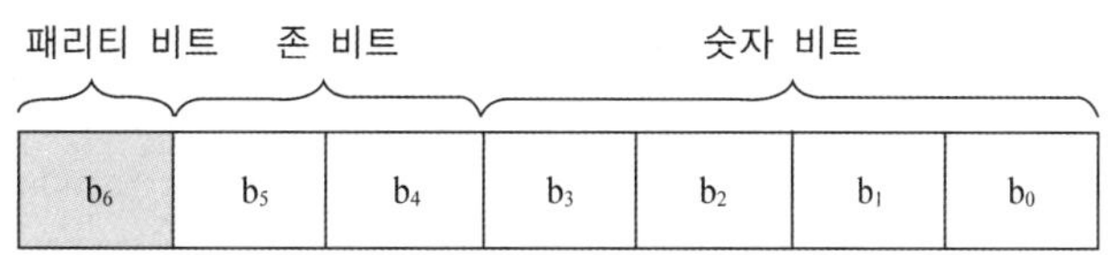

▲ 6비트의 표준 BCD 코드의 구성

가장 왼쪽의 최상위 비트는 패리티(parity) 비트다(바이트 단위의 전송). 그래서 실질적으로 64(2^6)가지의 문자, 숫자, 특수문자의 정보를 표현할 수 있다. 존(zone) 비트는 숫자를 2진 부호로 밀도 높게 표현할 때 사용되는 숫자(digit) 4비트 외의 비트다. 그래서 6개의 비트가 각 문자를 나타내는데, 왼쪽의 두 비트의 존(zone) 비트는 알파벳이나 특수 문자를 나타내기 위해 숫자(digit) 비트와 연관해서 사용할 수 있다(대분류 + 소분류).

다음은 존 비트에 따른 표준 BCD 코드 분류를 나타낸다.

패리티 비트	존 비트		숫자 비트			
6	5	4	3	2	1	0
하위 비트에 따라 달라짐	1	1	영문자 A~I(0001~1001)			
	1	0	영문자 J~R(0001~1001)			
	0	1	영문자 S~Z(0010~1001)			
	0	0	숫자 0~9(0001~1010)			
	혼용		특수 문자 및 기타 문자			

▲ 존 비트에 따른 표준 BCD 코드 분류

다음은 표준 BCD 코드의 표(ZZ8421)를 나타낸다.

문자	P ZZ8421	문자	P ZZ8421	문자	P ZZ8421	문자	P ZZ8421	문자	P ZZ8421
A	0 110001	J	1 100001	S	1 010010	1	0 000001	=	0 001011
B	0 110010	K	1 100010	T	0 010011	2	0 000010	>	1 001100
C	1 110011	L	0 100011	U	1 010100	3	1 000011	+	0 010000
D	0 110100	M	1 100100	V	0 010101	4	0 000100	,	1 011011
E	1 110101	N	0 100101	W	0 010110	5	1 000101	)	0 011100
F	1 110110	O	0 100110	X	1 010111	6	1 000110	%	1 011101
G	0 110111	P	1 100111	Y	1 011000	7	0 000111	?	0 011111
H	0 111000	Q	1 101000	Z	0 011001	8	0 001000	-	1 100001
I	1 111001	R	0 101001			9	1 001001	@	1 111010
						0	1 001010	$	1 111111

▲ 표준 BCD 코드의 표(ZZ8421)

3 ASCII 코드

미국 국립 표준 연구소(ANSI)가 제정한 정보 교환용 미국 표준 코드(American Standard Code for Information Interchange)다. 코드의 길이는 7비트와 패리티 비트가 추가된 두 종류의 8비트 코드가 있으며, 128(= 2^7)가지의 정보를 표현 할 수 있다. ASCII 코드는 128개의 가능한 문자조합을 제공하는 7비트(bit) 부호로, 처음 32개의 부호는 인쇄와 전송 제어용으로 사용한다. 보통 기억장치는 8비트(1바이트, 256조합)를 기본으로 구성되고, ASCII 코드는 단지 7비트의 128개의 문자만 사용하기 때문에, 나머지 하나의 비트를 추가하여 패리티 비트로 사용하거나 특정문자를 표현하는데 사용한다. 이렇게 하나의 비트가 추가되어 8비트의 코드로 특정 문자까지도 표현할 수 있도록 만든 것을 확장 ASCII 코드라고 한다. ASCII 코드의 구성은 다음 그림과 같다(대분류 + 소분류).

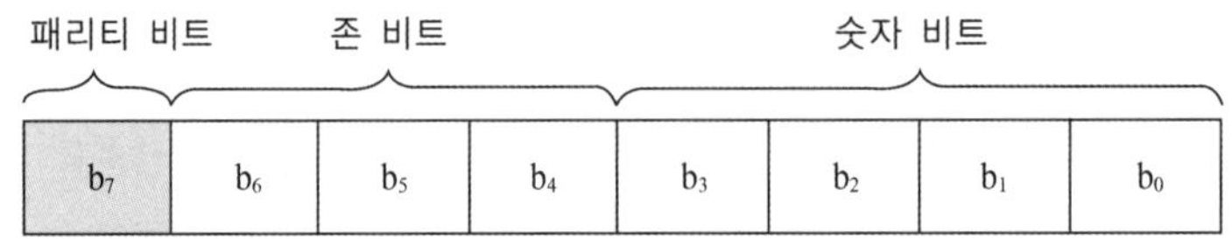

▲ ASCII 코드의 구성

다음은 존 비트에 따른 ASCII 코드의 분류(대분류 + 소분류)를 나타낸다.

패리티 비트	존 비트			숫자 비트			
7	6	5	4	3	2	1	0
C	1	0	0	영문자 A~O(0001~1111)			
	1	0	1	영문자 P~Z(0000~1010)			
	0	1	1	숫자 0~9(0001~1001)			

▲ 존 비트에 따른 ASCII 코드의 분류

다음은 표준 ASCII 코드표(존비트 + 숫자비트)를 나타낸다.

구분	0	1	2	3	4	5	6	7	8	9	A	B	C	D	E	F
0	NUL	SOH	STX	ETX	EOT	ENQ	ACK	BEL	BS	TAB	LF	VT	FF	CR	SO	SI
1	DLE	DC1	DC2	DC3	DC4	NAK	SYN	ETB	CAN	EM	SUB	ESC	FS	GS	RS	US
2		!	"	#	$	%	&	'	(	)	*	+	,	-	.	/
3	0	1	2	3	4	5	6	7	8	9	:	;		=	>	?
4	@	A	B	C	D	E	F	G	H	I	J	K	L	M	N	O
5	P	Q	R	S	T	U	V	W	X	Y	Z	[	₩	]	^	_
6	'	a	b	c	d	e	f	g	h	i	j	k	l	m	n	o
7	p	q	r	s	t	u	v	w	x	y	z	{	|	}	~	

▲ 표준 ASCII 코드표

다음은 확장 ASCII 코드표(패리티 + 존 + 숫자)를 나타낸다.

구분	0	1	2	3	4	5	6	7	8	9	A	B	C	D	E	F
8	Ç	ü	é	â	ä	à	å	ç	ê	ë	è	ï	î	ì	Ä	Å
9	É	æ	Æ	ô	ö	ò	û	ù	ÿ	Ö	Ü	¢	£	¥	Pt	f
A	á	í	ó	ú	ñ	Ñ	a	o	¿	⌐	¬	½	¼	¡	《	》
B	░	▒	▓	│	┤	╡	╢	╖	╕	╣	║	╗	╝	╜	╛	┐
C	└	┴	┬	├	─	┼	╞	╟	╚	╔	╩	╦	╠	═	╬	╧
D	╨	╤	╥	╙	╘	╒	╓	╫	╪	┘	┌	█	▄	▌	▐	▀
E	α	β	Γ	π	Σ	σ	µ	τ	Φ	Θ	Ω	δ	∞	φ	ε	∩
F	≡	±	≥	≤	〔	〕	÷	≈	°	•	·	√	^{n}	^{2}	■	

▲ 확장 ASCII 코드표

4 그 외

EBCDIC는 IBM 메인프레임용 운영체제와 중급 컴퓨터 운용체제에 사용(8비트)되고, 유니코드(unicode)는 각 나라별 언어를 모두 표현하기 위해 나온 코드 체계(2 바이트)이다.

주요개념 셀프체크

- BCD: 'A' - 0110001
- ASCII: 'A' - 11000001
- EBCDIC vs. unicode

CHAPTER 08 디지털 논리

1 논리 게이트

'0'과 '1'만 사용하는 이진 정보는 게이트(gate)라고 하는 논리회로에서 처리한다. 게이트는 전자공학에서 배우는 Transistor를 통해 만들어진다.

1. AND 게이트

논리곱 연산을 수행하는 논리소자다. 모든 입력이 1인 경우에만 1을 출력한다. 나머지의 경우에는 0을 출력한다. 논리식 표현은 X = A · B이다. 다음 그림은 기호와 진리표(True Map)를 나타낸다.

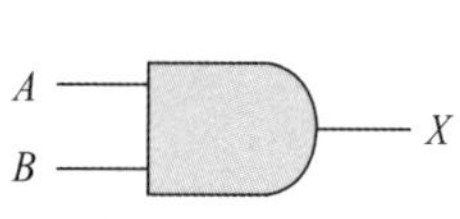

입력(A)	입력(B)	출력(X)
0	0	0
0	1	0
1	0	0
1	1	1

▲ AND 게이트의 기호와 진리표

2. OR 게이트

논리합 연산을 수행하는 논리소자다. 다수의 입력 중 최소한 하나 이상의 입력이 1일 경우 1을 출력한다. 논리식 표현은 X = A + B이다. 다음 그림은 기호와 진리표를 나타낸다.

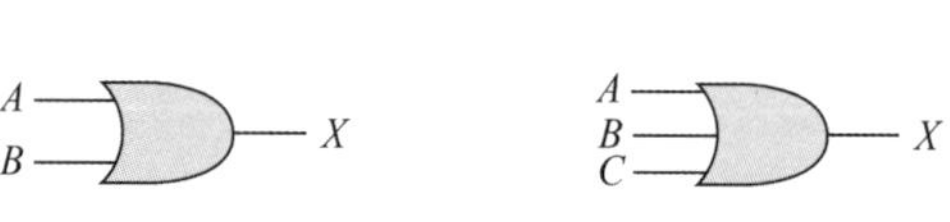

입력(A)	입력(B)	출력(X)
0	0	0
0	1	1
1	0	1
1	1	1

▲ OR 게이트의 기호와 진리표

3. NOT 게이트

한 개의 입력과 한 개의 출력을 갖는 게이트로 논리 부정을 나타낸다. 그래서 입력 값에 대하여 출력 값이 반대가 되도록 한다. 논리식 표현은 X = A′이다. 다음 그림은 기호와 진리표를 나타낸다.

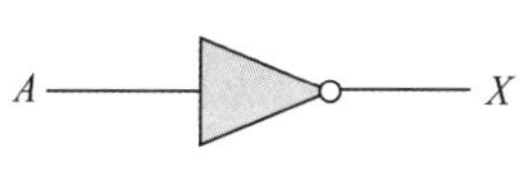

입력(A)	출력(X)
0	1
1	0

▲ NOT 게이트의 기호와 진리표

4. XOR 게이트(Exclusive OR, 배타적 OR)

여러 개의 입력 중에서 1의 개수가 홀수로 입력되면 1을 출력한다. 입력이 2개인 경우에 두 입력 중 하나만 1로 입력되면 1을 출력하고, 둘 모두가 1이거나 0이면 0을 출력한다. 논리식 표현은 X = AB′ + A′B = A⊕B이다. 다음 그림은 기호와 진리표를 나타낸다.

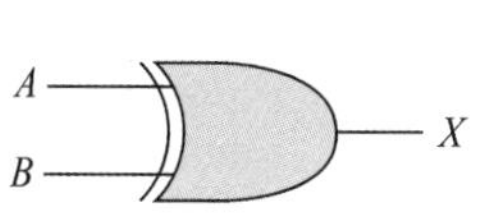

입력(A)	입력(B)	출력(X)
0	0	0
0	1	1
1	0	1
1	1	0

▲ XOR 게이트의 기호와 진리표

5. NAND 게이트

AND 게이트와 NOT 게이트가 결합하여 AND 게이트의 출력과 반대로 출력한다. 모든 입력이 1인 경우에만 출력이 0이고 나머지의 경우는 1을 출력한다. 논리식 표현은 X = (AB)′이다. 다음 그림은 기호와 진리표를 나타낸다.

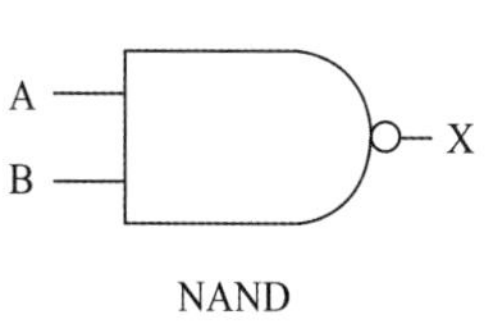

입력(A)	입력(B)	출력(X)
0	0	1
0	1	1
1	0	1
1	1	0

▲ NAND 게이트의 기호와 진리표

6. NOR 게이트

논리합 연산을 수행하는 OR 게이트의 출력에 NOT 게이트를 연결한 개념이다. OR 게이트 출력에 반대로 출력한다. 즉, 다수의 입력 중 최소한 하나 이상의 입력이 1을 갖는 경우 출력은 0이 된다. 논리식 표현은 X = (A+B)′이다. 다음 그림은 기호와 진리표를 나타낸다.

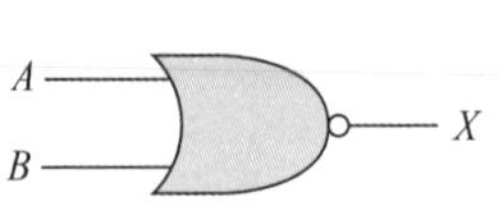

입력(A)	입력(B)	출력(X)
0	0	1
0	1	0
1	0	0
1	1	0

▲ NOR 게이트의 기호와 진리표

7. XNOR 게이트(Exclusive NOR 또는 배타적 NOR)

1의 개수가 짝수 개일 때 출력이 1이다. XOR 게이트와 NOT 게이트의 결합 형태로 XOR 게이트와 반대의 값을 출력한다. 논리식 표현은 X = A′B′ + AB = (A⊕B)′이다. 다음 그림은 기호와 진리표를 나타낸다.

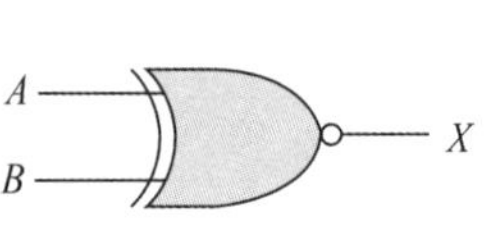

입력(A)	입력(B)	출력(X)
0	0	1
0	1	0
1	0	0
1	1	1

▲ XNOR 게이트의 기호와 진리표

8. 범용 논리 게이트

NAND 게이트와 NOR 게이트는 디지털 시스템에서 사용되는 모든 논리 게이트를 구성할 수 있다. 그래서 유니버셜 게이트(Universal Gate) 또는 범용 게이트라고 한다.

다음 그림은 범용 논리 게이트를 이용한 AND 게이트의 구성을 나타낸다. 이중 NAND를 증명하면 다음과 같다.

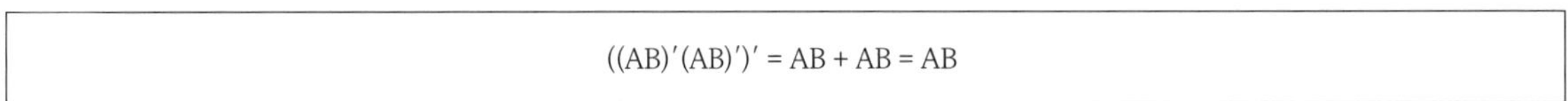

$((AB)'(AB)')' = AB + AB = AB$

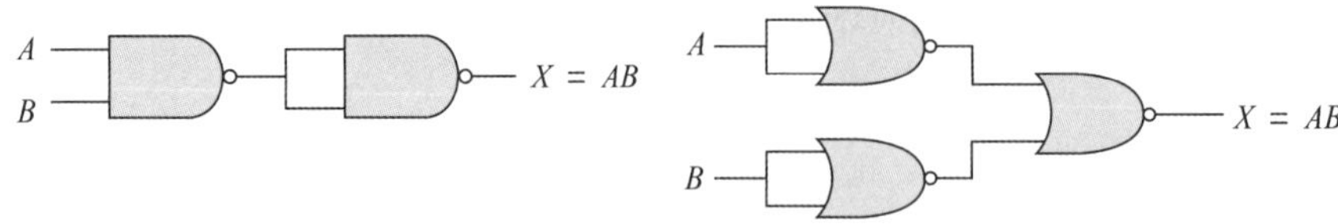

▲ 범용 논리 게이트를 이용한 AND 게이트의 구성

다음 그림은 범용 논리 게이트를 이용한 OR 게이트의 구성을 나타낸다.

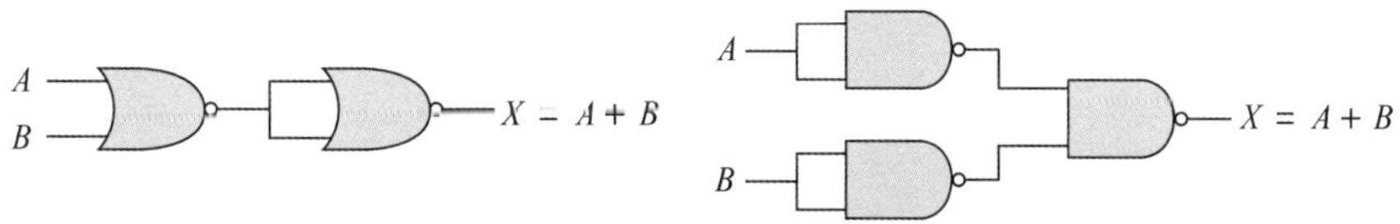

▲ 범용 논리 게이트를 이용한 OR 게이트의 구성

다음 그림은 범용 논리 게이트를 이용한 NOT 게이트의 구성을 나타낸다.

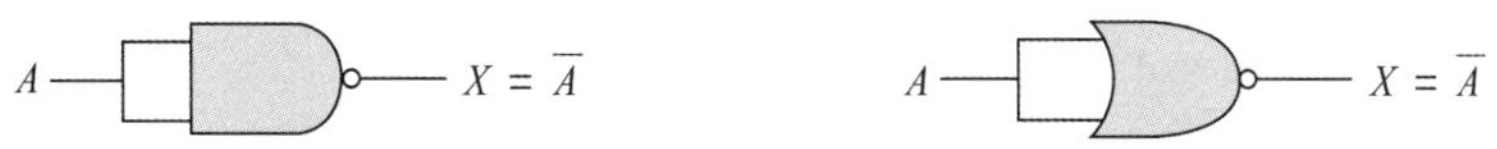

▲ 범용 논리 게이트를 이용한 NOT 게이트의 구성

9. 3상 게이트(Three-state gate)

다음 그림과 같이 3상 게이트는 3가지 상태를 가진다. 그림에서 C가 1일 때는 일반 버퍼와 같은 동작을 수행하고, C가 0일 때는 고 저항(High impedance) 상태가 된다. 여기서, 고 저항 상태란 연결이 끊겼음을 의미한다.

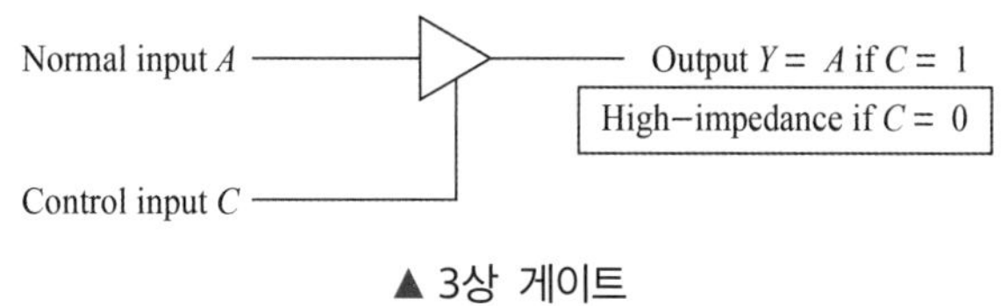

▲ 3상 게이트

2 부울 대수

1. 개요

논리회로 설계 시, 부울 대수를 이용하면 논리회로를 정확하고 간결하게 표현할 수 있다. 부울 대수는 변수들의 진리표 관계를 대수식으로 표현하기에 용이하며 동일한 성능을 갖는 더 간단한 회로를 만들 때 사용한다.

2. 부울 대수의 기본 법칙

일반 대수와 비슷한 것과 비슷하지 않은 것이 있다(주의).

교환법칙(Commutative Law)은 입력들의 순서가 변경되더라도 논리 연산의 결과는 동일하게 출력한다.

$$A \cdot B = B \cdot A, \ A + B = B + A$$

결합법칙(Associative Law)은 세 입력이 동일한 논리 연산을 수행할 때, 입력의 순서가 바뀌어 연산이 수행되어도 결과는 동일하다.

$$A \cdot (B \cdot C) = (A \cdot B) \cdot C, \ (A + B) + C = A + (B + C)$$

분배법칙(Distributive Law)은 세 입력 A, B, C가 있을 때, 두 입력 B, C를 OR 연산을 수행하고 그 결과를 나머지 입력 A와 AND 연산을 수행하는 논리 연산은 B와 C를 각각 A와 AND 연산하고 그 결과들이 다시 OR 연산을 수행하는 것과 결과가 동일하다.

$$A \cdot (B + C) = A \cdot B + A \cdot C$$

제2분배 법칙은 다음과 같다(일반 대수에서는 없는 법칙).

$$A + B \cdot C = (A + B) \cdot (A + C)$$

다중 부정은 다음과 같이 논리 부정이 여러 번 수행되는 것이다.

$$\overline{\overline{A}} = A$$

컨센서스 법칙은 다음과 같다.

$$A \cdot B + A' \cdot C + B \cdot C = A \cdot B + A' \cdot C, \quad (A + B)(A' + C)(B + C) = (A + B)(A' + C)$$

3. 드모르강(De Morgan)의 법칙(부울 대수에 대한 공식)

여러 논리 변수의 논리합 전체를 부정(NOR)하면, 그것은 원래의 논리 변수를 각각 부정한 것을 논리 곱한 것과 같다. 여러 논리 변수의 논리곱 전체를 부정(NAND)하면, 그것은 원래의 논리 변수를 각각 부정한 것을 논리 합한 것과 같다.

$$\overline{A \cdot B} = \overline{A} + \overline{B}$$
$$\overline{A + B} = \overline{A} \cdot \overline{B}$$

다음은 n개의 입력 X를 갖는 드모르강의 일반식이다(드모르강의 정리의 일반화).

$$\overline{X_1 + X_2 + \cdots + X_n} = \overline{X_1}\,\overline{X_2} \cdots \overline{X_n}$$
$$\overline{X_1 X_2 \cdots X_n} = \overline{X_1} + \overline{X_2} + \cdots + \overline{X_n}$$

부울 대수의 기본 정리는 다음의 표와 같다(모든 문제가 이 안에 있음). 정리 중 11번은 제2분배 법칙을 적용하면 쉽게 증명할 수 있다(한번 해보자).

1. $A+0=A$	2. $A+1=1$	3. $A \cdot 0=0$
4. $A \cdot 1=A$	5. $A+A=A$	6. $A+\overline{A}=1$
7. $A \cdot A=A$	8. $A \cdot \overline{A}=0$	9. $\overline{\overline{A}}=A$
10. $A+AB=A$	11. $A+\overline{A}B=A+B$	12. $(A+B) \cdot (A+C)=A+BC$

4. 부울 대수의 표준형

최소항(minterm)은 변수들이 AND로 결합된 것이다. 변수의 값이 참(TRUE)인 '1'의 경우는 정상형태인 A, B, C의 형태를 사용하고, 변수 값이 거짓(FALSE)인 '0'의 경우는 보수형태인 A′, B′, C′의 형태를 사용한다. 표준 곱의 항이라고 한다.

최대항(maxterm)은 변수들이 OR로 연결된 것이다. 변수의 값이 참(TRUE)인 '1'의 경우는 보수형태인 A′, B′, C′의 형태를 사용하고, 변수 값이 거짓(FALSE)인 '0'의 경우는 정상형태인 A, B, C 의 형태를 사용한다. 표준 합의 항이라고 한다.

최소항과 최대항은 보수 관계이다[(A′B′C′)′ = A + B + C].

표준 곱의 항(minterm)과 표준 합의 항(maxterm)에서 표준의 의미는 부울 대수가 모든 변수를 포함하고 있다는 것을 뜻한다.

- 표준 곱의 항: $\overline{A}\cdot\overline{B}\cdot\overline{C}$, $\overline{A}\cdot\overline{B}\cdot C$, $\overline{A}\cdot B\cdot\overline{C}$, $\overline{A}\cdot B\cdot C$, $A\cdot\overline{B}\cdot\overline{C}$, $A\cdot\overline{B}\cdot C$, $A\cdot B\cdot\overline{C}$, $A\cdot B\cdot C$
- 표준 합의 항: $A+B+C$, $A+B+\overline{C}$, $A+\overline{B}+C$, $A+\overline{B}+\overline{C}$, $\overline{A}+B+C$, $\overline{A}+B+\overline{C}$, $\overline{A}+\overline{B}+C$, $\overline{A}+\overline{B}+\overline{C}$

곱의 합(SOP, Sum of Product) 표현은 다음과 같다.

- 1단계: 곱의 항(AND 항)으로 구성한다.
- 2단계: 합의 항(OR 항)으로 만들어진 논리식으로 구성한다. 최소항(minterm)의 합이라고도 한다.

다음의 표는 변수가 3개인 진리표를 나타낸다(임의의 출력 X와 최소항 그리고 별도의 기호 m을 표시).

A	B	C	X	최소항 표현	기호
0	0	0	1	$\overline{A}\cdot\overline{B}\cdot\overline{C}$	m_0
0	0	1	1	$\overline{A}\cdot\overline{B}\cdot C$	m_1
0	1	0	0	$\overline{A}\cdot B\cdot\overline{C}$	m_2
0	1	1	0	$\overline{A}\cdot B\cdot C$	m_3
1	0	0	0	$A\cdot\overline{B}\cdot\overline{C}$	m_4
1	0	1	1	$A\cdot\overline{B}\cdot C$	m_5
1	1	0	0	$A\cdot B\cdot\overline{C}$	m_6
1	1	1	1	$A\cdot B\cdot C$	m_7

곱의 합 표현에서 출력 X가 1이 되는 논리식들의 합이 일반 논리식이다.

$$\begin{aligned} X(A,\ B,\ C) &= \overline{A}\cdot\overline{B}\cdot\overline{C}+\overline{A}\cdot\overline{B}\cdot C+A\cdot\overline{B}\cdot C+A\cdot B\cdot C \\ &= m_0+m_1+m_5+m_7 \\ &= \sum m(0,\ 1,\ 5,\ 7) \end{aligned}$$

합의 곱(POS, Product Of Sum) 표현은 다음과 같다.

- 1단계: 합의 항(OR 항)으로 구성된다.
- 2단계: 곱의 항(AND 항)으로 만들어진 논리식으로 최대항(maxterm)으로 구성된다. 그래서 최대항의 곱이라고도 한다.

다음의 표는 3변수 진리표를 나타낸다(임의의 출력 X와 최대항 그리고 별도의 기호 M을 표시).

A	B	C	X	최소항 표현	기호
0	0	0	1	$A+B+C$	M_0
0	0	1	1	$A+B+\overline{C}$	M_1
0	1	0	0	$A+\overline{B}+C$	M_2
0	1	1	0	$A+\overline{B}+\overline{C}$	M_3
1	0	0	0	$\overline{A}+B+C$	M_4
1	0	1	1	$\overline{A}+B+\overline{C}$	M_5
1	1	0	0	$\overline{A}+\overline{B}+C$	M_6
1	1	1	1	$\overline{A}+\overline{B}+\overline{C}$	M_7

합의 곱 표현에서는 곱의 합과 반대로 출력(보수 관계)이 0이 되는 최대항을 가지고 일반 논리식으로 표현한다.

$$
\begin{aligned}
X(A,B,C) &= (A+\overline{B}+C)\cdot(A+\overline{B}+\overline{C})\cdot(\overline{A}+B+C)\cdot(\overline{A}+\overline{B}+C) \\
&= M_2 \cdot M_3 \cdot M_4 \cdot M_6 \\
&= \prod M(2,\ 3,\ 4,\ 6)
\end{aligned}
$$

3 논리식의 간략화

1. 카르노 도표[카르노 맵(Karnaugh Map)]

조직적인 도표를 사용하여 부울 대수를 최적으로 간략화 할 수 있다. 카르노 도표(Karnaugh Map)는 부울 대수식을 간소화 하기 위한 가장 체계적이고, 간단한 방법이다. 최적의 간략화에 근거한 디지털 회로설계만이 게이트 수를 최소화할 수 있다. 이에 따라 디지털 회로는 회로의 경제성, 소비전력의 효율성, 회로의 신뢰성, 제품의 소형화가 가능해진다. 변수 2개, 변수 3개, 변수 4개, 변수 5개로 이루어진 입력변수에 적용할 수 있고 그 이상의 변수가 존재하는 경우에는 다른 방법을 사용한다.

2. 변수가 2개인 카르노 도표

다음 그림은 변수가 2개인 카르노 도표를 나타낸다. 출력이 0인 경우에는 빈칸으로 표시하지 않고 1인 경우에만 표시한다.

A \ B	0	1
0	$\overline{A}\overline{B}$	$\overline{A}B$
1	$A\overline{B}$	AB

B \ A	0	1
0	$\overline{A}\overline{B}$	$A\overline{B}$
1	$\overline{A}B$	AB

A \ B	0	1
0	1	
1		1

B \ A	0	1
0	1	
1		1

▲ 변수가 2개인 카르노 도표

3. 변수가 3개인 카르노 도표

다음 그림은 변수가 3개인 카르노 도표의 표현한다. 카르노 도표를 가장 간단한 형태로 표현한다. 출력이 0인 경우에는 표시하지 않고, 1인 경우에만 표시한다.

A \ BC	00	01	11	10
0	$\overline{ABC}$	$\overline{AB}C$	$\overline{A}BC$	$\overline{A}B\overline{C}$
1	$A\overline{BC}$	$A\overline{B}C$	ABC	$AB\overline{C}$

C \ AB	00	01	11	10
0	$\overline{ABC}$	$\overline{A}B\overline{C}$	$AB\overline{C}$	$A\overline{BC}$
1	$\overline{AB}C$	ABC	ABC	$A\overline{B}C$

A \ BC	00	01	11	10
0	1	1		
1		1	1	

C \ AB	00	01	11	10
0	1			
1	1		1	1

▲ 변수가 3개인 카르노 도표

4. 변수가 4개인 카르노 도표

다음 그림은 변수가 4개인 카르노 도표의 표현한다. 카르노 도표를 가장 간단한 형태로 표현한다. 출력이 0인 경우에는 표시하지 않고, 1인 경우에만 표시한다.

AB \ CD	00	01	11	10
00	$\overline{ABCD}$	$\overline{ABC}D$	$\overline{AB}CD$	$\overline{AB}C\overline{D}$
01	$A\overline{BCD}$	$A\overline{BC}D$	$A\overline{B}CD$	$A\overline{B}C\overline{D}$
11	$AB\overline{CD}$	$AB\overline{C}D$	$ABCD$	$ABC\overline{D}$
10	$A\overline{BCD}$	$A\overline{BC}D$	$A\overline{B}CD$	$A\overline{B}C\overline{D}$

CD \ AB	00	01	11	10
00	$\overline{ABCD}$	$A\overline{BCD}$	$AB\overline{CD}$	$A\overline{BCD}$
01	$\overline{ABC}D$	$A\overline{BC}D$	$AB\overline{C}D$	$A\overline{BC}D$
11	$\overline{AB}CD$	$A\overline{B}CD$	$ABCD$	$A\overline{B}CD$
10	$\overline{AB}C\overline{D}$	$A\overline{B}C\overline{D}$	$ABC\overline{D}$	$A\overline{B}C\overline{D}$

AB \ CD	00	01	11	10
00	1	1		
01			1	
11		1	1	
10				

CD \ AB	00	01	11	10
00	1			
01	1		1	
11		1	1	
10				

▲ 변수가 4개인 카르노 도표

5. 부울 대수식을 이용한 카르노 도표의 작성

부울 대수식을 이용한 카르노 도표를 작성할 때, 진리표에 근거하여 작성한다. 다음과 같이 변수가 4개인 표준형의 부울 대수식에 대한 카르노 도표의 작성은 다음 그림과 같다.

$$X(A,\ B,\ C,\ D) = \overline{A}\cdot\overline{B}\cdot\overline{C}\cdot\overline{D}+\overline{A}\cdot\overline{B}\cdot\overline{C}\cdot D+\overline{A}\cdot B\cdot C\cdot D+A\cdot B\cdot\overline{C}\cdot D+A\cdot B\cdot C\cdot D$$
$$= m_0+m_1+m_7+m_{13}+m_{15}$$
$$= \sum m(0,\ 1,\ 7,\ 13,\ 15)$$

AB \ CD	00	01	11	10
00	1	1		
01			1	
11		1	1	
10				

▲ 부울 대수식을 이용한 카르노 도표

6. 카르노 도표에서 행과 열의 이웃관계

이웃과의 그룹화는 부울 대수를 간략화하는 방법을 제시한다. 카르노 도표는 평면 형태로 보여지나 이웃 관계는 상하좌우 모두를 포함하므로 실제로는 원통 형태나 구(球) 형태다. 다음 그림은 이를 나타낸다.

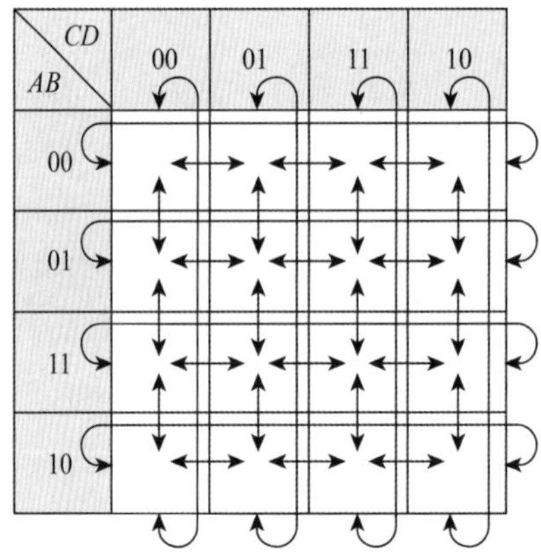

▲ 카르노 도표의 이웃 관계

7. 카르노 도표를 이용하여 간략화

카르노 도표를 이용하여 간략화하는 과정을 단계별 정리하면 다음과 같다.

- 1단계: 주어진 부울식이나 진리표에 근거하여 카르노 도표를 작성한다.
- 2단계: 그룹화를 수행한다. 카르노 도표에서 1로 표시된 이웃들을 1, 2, 4, 8, 16 개씩 그룹화 한다. 가능하면 큰 개수로 그룹화하는 것이 간략화의 효과가 크다. 각각 다른 그룹에 여러 번 중복하여 그룹화 할 수 있다. 그룹화할 이웃이 없는 경우 단독으로 그룹화되고 이것은 간략화 되지는 않는다.
- 3단계: 각 그룹을 간략화 한다.
- 4단계: 각의 간략화된 부울식들끼리 OR 연산을 한다.

8. 카르노 도표의 그룹화

2개항의 그룹화는 다음 그림과 같다.

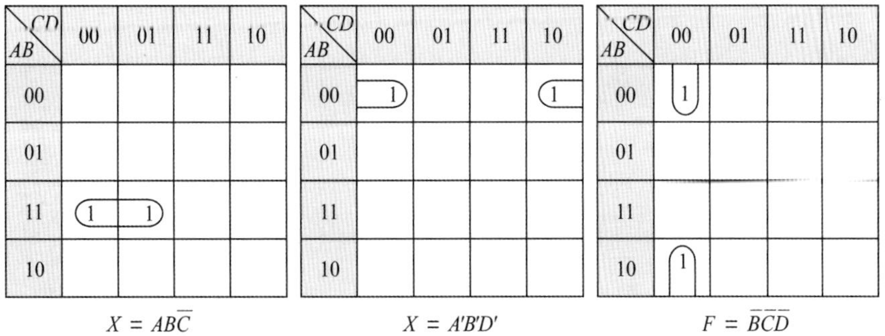

▲ 2개항의 그룹화

4개항의 그룹화는 다음 그림과 같다.

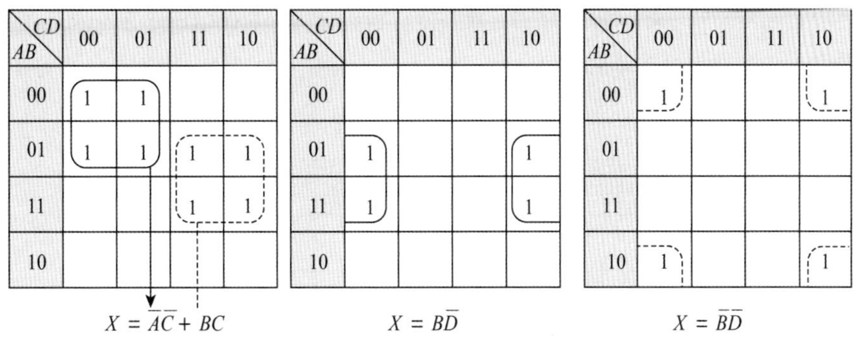

▲ 4개항의 그룹화

8개항의 그룹화는 다음 그림과 같다.

AB \ CD	00	01	11	10
00	1			1
01	1			1
11	1			1
10	1			1

$X = \overline{D}$

AB \ CD	00	01	11	10
00				
01				
11	1	1	1	1
10	1	1	1	1

$X = A$

AB \ CD	00	01	11	10
00	1	1		
01	1	1		
11	1	1		
10	1	1		

$X = \overline{C}$

▲ 8개항의 그룹화

다음 그림은 중복 그룹화를 나타낸다.

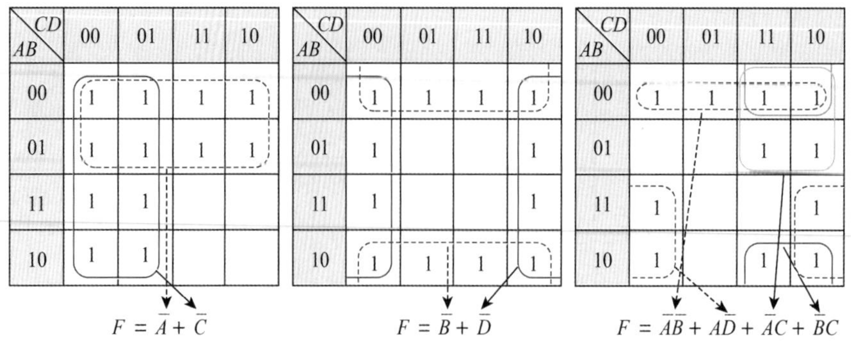

▲ 중복 그룹화

9. 무관 조건

출력에 관여하지 않는 입력이 존재할 수 있다. 이렇게 출력에 관여하지 않는 입력변수를 무관 조건(Don't Care)이라 한다. 무관 조건은 이웃 영역을 그룹화할 때 가장 간단한 표현을 얻기 위해 임의로 채워질 수 있다. 간략화 과정에서 그룹화 할 수도 있고 그룹화 하지 않을 수도 있다. 다음 그림은 무관조건을 활용해서 그룹화하는 방법이다. 무관조건은 카르노 도표에서 x로 표기한다.

AB \ CD	00	01	11	10
00	1			
01	1			
11	1			
10				

(a) 무관 조건을 사용하지 않은 경우

AB \ CD	00	01	11	10
00	1			
01	1	X		
11	1			
10	X			

X: 무관 조건

(b) 무관 조건을 사용한 경우

▲ 무관 조건

주요개념 셀프체크

- universal gate
- A + BC
- (AB)'
- sop vs. pos
- 카르노 맵

핵심 기출

1. 다음 식은 최적화 된 곱의 합 형태이다. 카르노 맵(Karnaugh Map)을 이용하였을 때, 맵에 표시된 함수로 올바른 것은?

2014년 서울시

$$F(A, B, C, D) = A'C' + ABD + AB'C + A'B'D'$$

① F(A, B, C, D) = Σm(0, 1, 3, 4, 5, 9, 10, 14, 15)
② F(A, B, C, D) = Σm(0, 1, 3, 4, 5, 10, 11, 13, 14)
③ F(A, B, C, D) = Σm(0, 1, 2, 4, 5, 9, 11, 14, 15)
④ F(A, B, C, D) = Σm(0, 1, 2, 4, 5, 10, 11, 13, 15)
⑤ F(A, B, C, D) = Σm(0, 1, 4, 5, 6, 10, 11, 12, 15)

해설

곱의 합(Sum of Product)은 출력이 1이 되는 최소항들의 합으로 구성된다. 여기서 최소항은 변수들이 AND로 결합되고, 변수의 값이 참이며 A의 형태로 사용하고 변수의 값이 0이면 A'의 형태로 사용한다. 주어진 조건을 카르노 맵으로 표현하면 다음과 같다.

AB \ CD	00	01	11	10
00	1	1		1
01	1	1		
11		1	1	
10			1	1

TIP 카르노 맵의 ABCD 값에 따라 표기하면 다음과 같다. 0, 1, 2, 3의 순서로 표기되지 않은 이유는 AB, CD의 값이 00, 01, 10, 11로 되지 않고 00, 01, 11, 10으로 되기 때문이다. 이렇게 하는 이유는 이웃과 1비트만 차이가 나야하기 때문이다. 1비트만 차이가 나야만 묶었을 때 간략화를 수행할 수 있다.

AB \ CD	00	01	11	10
00	0	1	3	2
01	4	5	7	6
11	12	13	15	14
10	8	9	11	10

정답 ④

2. 부울(Boolean) 대수식 A + B · C와 진리값이 다른 것은?

2018년 지방교행

① (A + B) · (A + C)
② B · C + A · (A + B)
③ A + A · C + B · C
④ A + B · (B + C)

해설

A + B(B + C) = A + B + BC = A + B(1 + C) = A + B

선지분석

① (A + B)(A + C) = A + AC + AB + BC = A(1 + AC + AB) + BC = A + BC
② BC + A(A + B) = A + AB + BC = A(1 + B) + BC = A + BC
③ A + AC + BC = A(1 + C) + BC = A + BC

정답 ④

CHAPTER 09

플립플롭

1 개요

1. 플립플롭

1비트의 정보를 기억할 수 있는 회로로 컴퓨터의 캐시 메모리와 레지스터를 구성하는 기본 회로이다. 전원이 있을 때만 기억이 유지되며 전원이 차단되면 정보는 사라지는 휘발성 기억소자이다.

2. 래치(Latch)

수동적 또는 전자적 조작으로 상태를 바꾸지 않는 한 그 상태를 유지해 주는 장치 또는 회로를 말한다. 주어진 상태를 보관 유지할 수 있도록 NAND 게이트 또는 NOR 게이트를 이용하여 회로를 구성한다. 논리회로로 구성되었기 때문에 논리회로에 준하는 빠른 동작속도를 얻을 수 있고 플립플롭으로 활용한다.

2 래치

1. NOR 게이트를 이용한 R-S 래치

두 개의 NOR 게이트를 이용하여 R-S 래치를 구성한다. 두 입력으로 R(reset)과 S(set) 단자가 존재한다. R 입력이 존재하는 NOR의 출력으로 Q가 있고, S 입력이 존재하는 NOR 게이트의 출력으로 Q′가 존재한다. Q와 Q′는 NOT 관계 또는 1의 보수 관계다. 다음 그림은 NOR 게이트를 이용한 R-S 래치를 나타낸다.

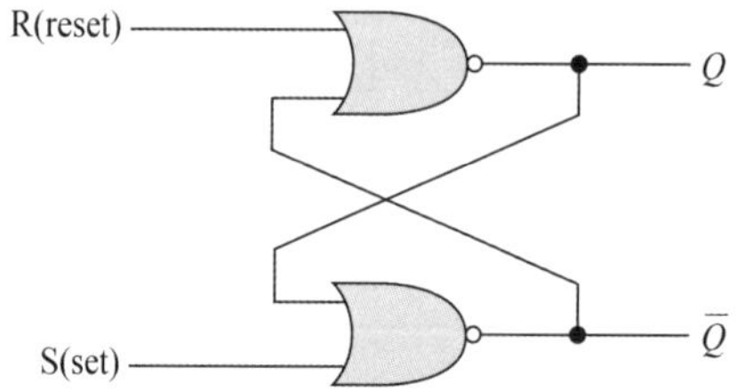

▲ NOR 게이트를 이용한 R-S 래치

다음의 표는 NOR 게이트를 이용한 래치 회로의 진리표를 나타낸다. 출력 Q와 Q′는 항상 보수의 상태가 되어야 하지만, S=1, R=1인 경우는 모두 0을 출력되어 위배된다. 이를 불능이라 한다.

S	R	Q	$\overline{Q}$
0	0	불변	불변
0	1	0	1
1	0	1	0
1	1	불능	불능

2. NAND 게이트를 이용한 R - S 래치(* 참고)

기본적인 동작은 NOR 게이트를 이용한 R - S 래치와 동일하다. NOR 게이트를 이용한 것과의 차이는 S와 R의 입력이 S′와 R′의 형태로 인가된다. 다음 그림은 NAND 게이트를 이용한 R - S 래치를 나타낸다.

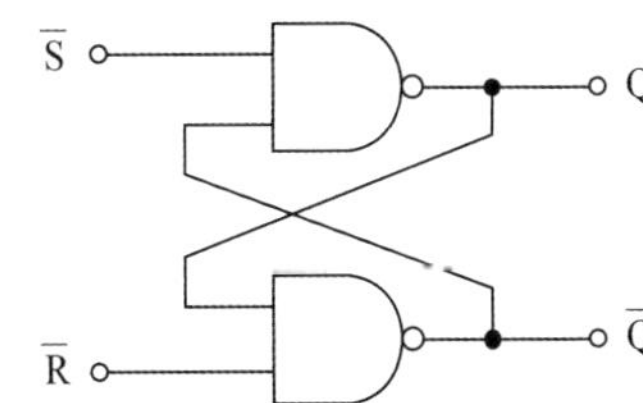

▲ NAND 게이트를 이용한 R - S 래치

다음의 표는 NAND 게이트를 이용한 R - S 래치의 진리표를 나타낸다.

$\overline{S}$	$\overline{R}$	Q	$\overline{Q}$
0	0	불능	불능
0	1	1	0
1	0	0	1
1	1	불변	불변

3 플립플롭

1. R - S 플립플롭

래치에 입력 게이트를 추가하여 플립플롭이 클럭 펄스가 발생하는 동안에만 동작하도록 만든 논리회로다. 입력을 위한 두 개의 AND 게이트와 NOR 게이트를 사용한 R - S 래치로 구성한다. R - S 플립플롭의 회로도와 논리기호는 다음 그림과 같다.

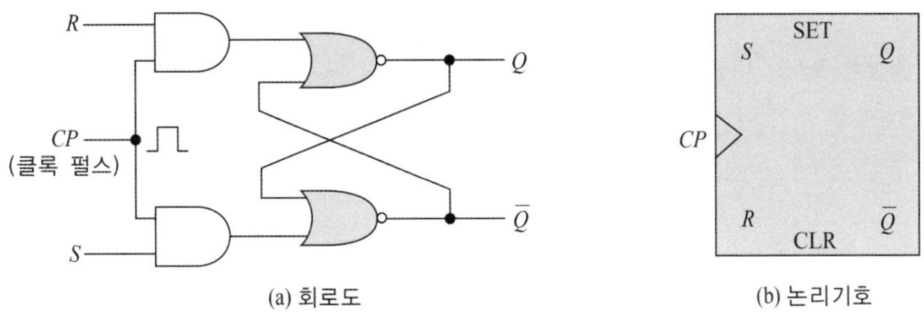

(a) 회로도 (b) 논리기호

▲ R - S 플립플롭의 회로도와 논리기호

R - S 플립플롭의 진리표와 상태도는 다음 그림과 같다.

클록 펄스	R	S	$Q(t+1)$
1	0	0	Q
1	0	1	1
1	1	0	0
1	1	1	불능

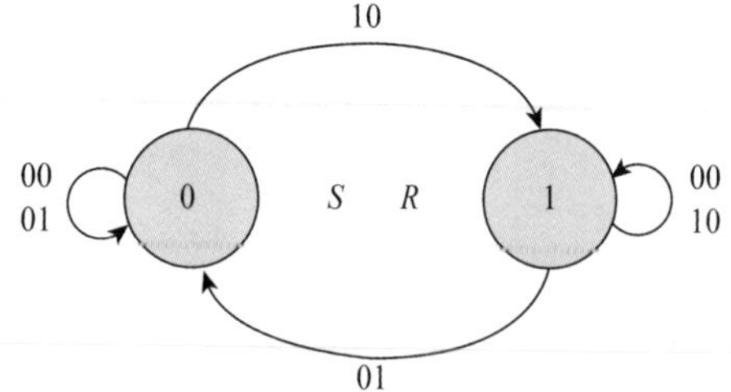

▲ R - S 플립플롭의 진리표와 상태도

2. D 플립플롭

입력 단자 R과 S에 동시에 1이 입력되는 것을 회로적으로 차단한다(불능). 입력신호 D가 클럭펄스에 의해서 변화 없이 그대로 출력에 전달되는 특성을 가지고 있어, 데이터(Data)를 전달하는 것과 지연(Delay)을 의미하는 D 플립플롭이라고 한다. D 플립플롭의 회로도와 논리기호는 다음 그림과 같다.

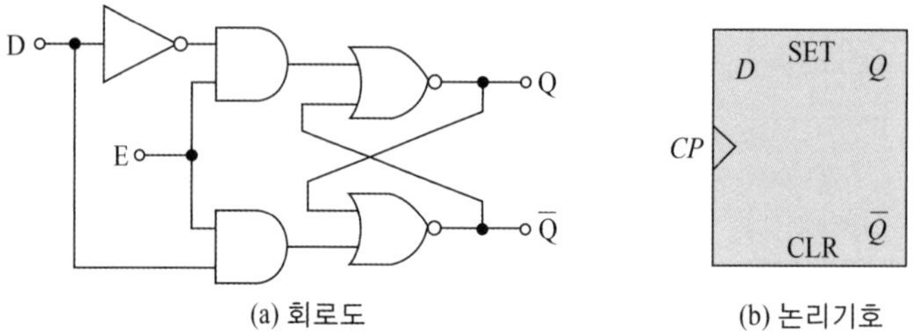

(a) 회로도 (b) 논리기호

▲ D 플립플롭의 회로도와 논리기호

D 플립플롭의 진리표와 상태도는 다음과 같다.

클록 펄스	D	$Q(t+1)$
1	0	0
1	1	1

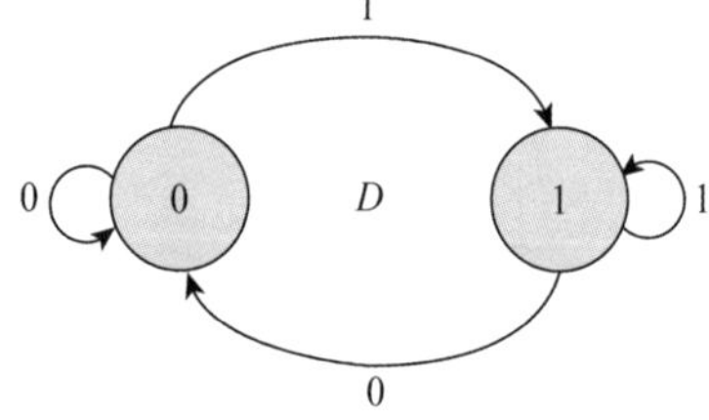

▲ D 플립플롭의 진리표와 상태도

3. J - K 플립플롭

R - S 플립플롭에서 S = 1, R = 1인 경우 불능 상태가 되는 것을 해결한 논리회로다. J는 S(set)에, K는 R(reset)에 대응하는 입력으로 J와 K의 입력이 동시에 1이 입력되면 플립플롭의 출력은 이전 출력의 보수 상태로 변화하게 된다. J - K 플립플롭의 회로도와 논리기호는 다음 그림과 같다.

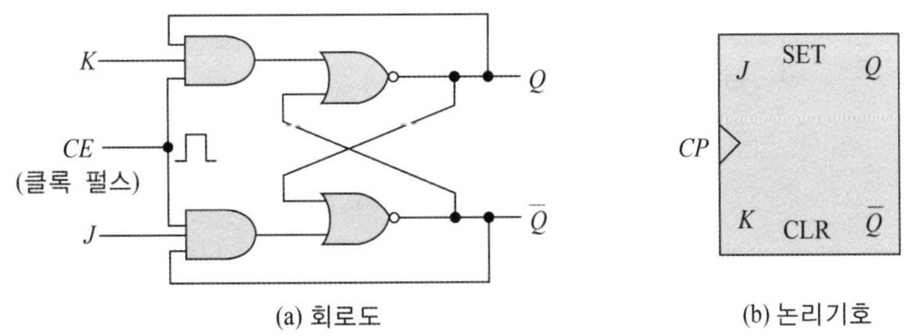

(a) 회로도 (b) 논리기호

▲ J - K 플립플롭의 회로도와 논리기호

J - K 플립플롭의 진리표와 상태도는 다음 그림과 같다.

클록 펄스	J	K	$Q(t+1)$
1	0	0	Q
1	0	1	0
1	1	0	1
1	1	1	$\overline{Q}$

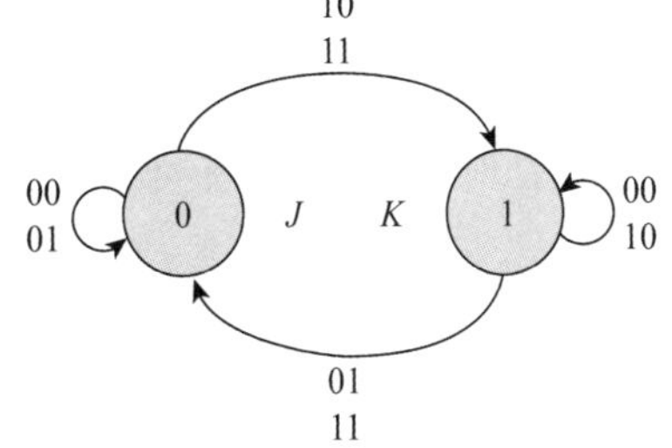

▲ J - K 플립플롭의 진리표와 상태도

4. T 플립플롭

J - K 플립플롭의 J와 K 입력을 묶어서 하나의 입력신호 T로 동작시키는 플립플롭이다. 입력이 0이 되면 이전 상태(Q)의 값이 그대로 출력되고 입력이 1이 되면 이전상태(Q)의 보수 값이 출력되게 되는 플립플롭이다. T 플립플롭의 회로도와 논리기호는 다음 그림과 같다.

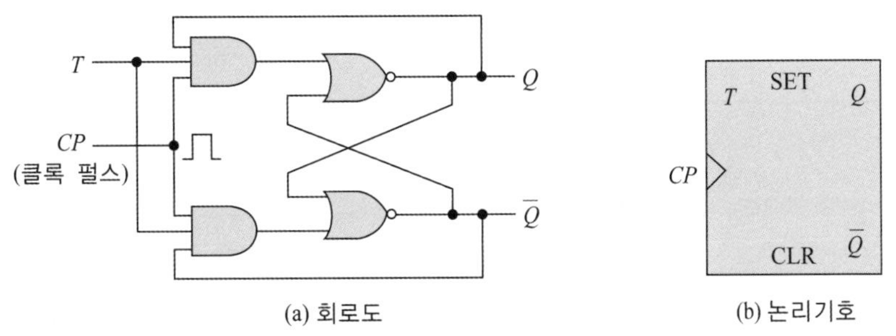

(a) 회로도 (b) 논리기호

▲ T 플립플롭의 회로도와 논리기호

T 플립플롭의 진리표와 회로도는 다음 그림과 같다.

클록 펄스	T	$Q(t+1)$
1	0	Q
1	1	$\overline{Q}$

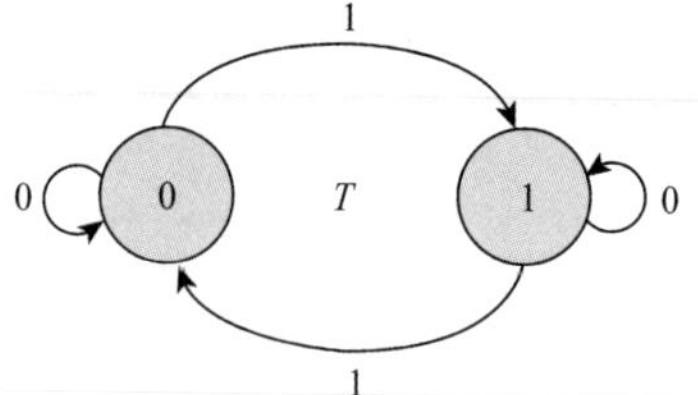

▲ T 플립플롭의 진리표와 상태도

 **주요개념 셀프체크**

- latch vs. flip-flop
- rs, d, jk, t
- rs-f/f truth table

핵심 기출

다음 중 플립플롭(flip-flop)의 용도에 해당하는 것은? 2016년 국회직

① n 비트의 입력에서 1의 개수가 짝수면 1, 홀수면 0을 출력한다.
② 1 비트의 0과 1의 두개의 상태 중 하나를 안정적으로 저장할 수 있다.
③ n 비트의 입력에 따라 2n개의 출력 중 하나만 1을 출력한다.
④ 두 비트의 입력에 대하여 합과 자리 올림(carry)을 출력한다.
⑤ 여러 개의 입력 회선 중 선택된 한 회선의 입력을 출력 회선으로 출력한다.

해설

플립플롭은 1비트를 저장한다.

선지분석

① 홀수 패리티 생성기 또는 XNOR에 대한 설명이다.
③ 원래는 디코더(decoder)에 대한 설명을 하려는 의도였으나 2^n을 2n으로 잘못 표기하였다.
④ 반가산기(half adder)에 대한 설명이다.
⑤ 멀티플렉서(multiplexor)에 대한 설명이다.

정답 ②

CHAPTER 10 조합 논리회로

1 조합 논리회로와 순차 논리회로의 개념

1. 조합 논리회로(combinational logic circuit)

출력신호가 입력신호에 의해서만 결정된다. 기본적인 논리회로인 논리곱(AND), 논리합(OR), 논리부정(NOT) 등의 기본적인 논리소자의 조합으로 만들어 지고 플립플롭과 같은 기억소자는 포함하지 않는다. 다음 그림은 n개의 입력을 받아 m개의 출력을 내는 조합 논리회로의 블록도를 나타낸다. 입력신호가 n개이므로 2^n개의 입력신호 조합을 만들어 낼 수 있다.

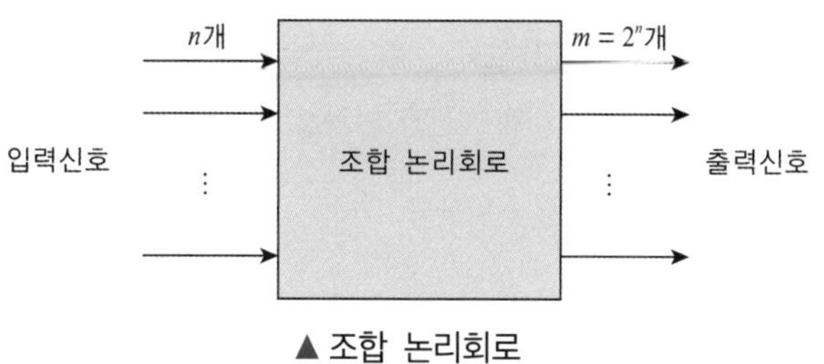

▲ 조합 논리회로

조합 논리회로의 종류는 가산기(Adder), 비교기(Comparator), 디코더(Decoder)와 인코더(Encoder), 멀티플렉서(Multiplexer), 디멀티플렉서(Demultiplexer), 코드변환기(Code converter) 등이 있다(종류를 외우지 말고 개념을 이해해야 함).

2. 순차 논리회로(sequential logic circuit)

출력신호는 입력신호뿐만 아니라 이전 상태의 논리값에 의해 결정된다. 조합 논리회로와 기억소자로 구성되며, 기억소자가 궤환을 형성하고, 기억소자는 2진 정보를 저장할 수 있는 장치로 플립플롭을 사용한다. 다음 그림은 순차 논리회로의 블록도를 나타낸다.

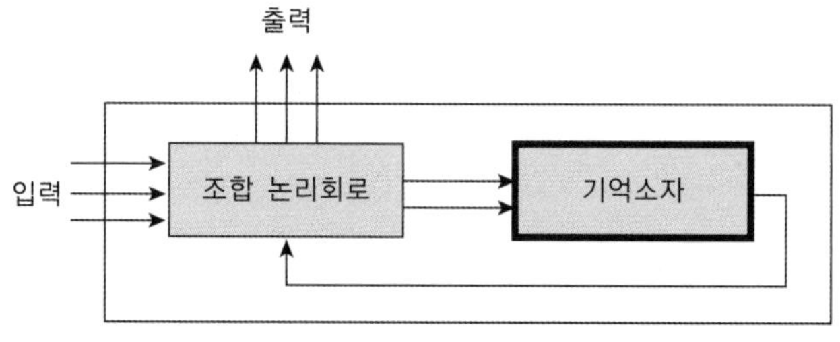

▲ 순차 논리회로의 블록도

순차 논리회로는 동기식과 비동기식이 존재한다. 동기(Synchronous)식 순차 논리회로는 클록 펄스가 들어오는 시점에서 상태가 변화하는 회로다. 그리고 비동기(Asynchronous)식 순차 논리회로는 클록 펄스에 영향을 받지 않고 현재 입력되는 입력 값이 변화하는 순서에 따라 동작하는 논리회로다.

2 조합 논리회로

1. 가산기(Adder)

가산기는 두 개 이상의 입력을 이용하여 이들의 합을 출력하는 조합 논리회로다. 반가산기, 전가산기, 병렬 가산기가 있다. 반가산기(Half Adder)는 1비트씩을 사용하는 두 개의 입력과 두 개의 출력으로 합(sum)과 자리 올림(carry)이 사용된다. 다음 그림은 반가산기의 계산과 반가산기의 진리표를 나타낸다.

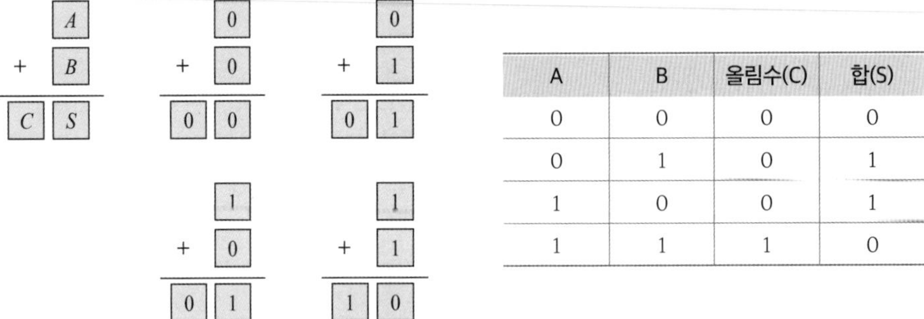

A	B	올림수(C)	합(S)
0	0	0	0
0	1	0	1
1	0	0	1
1	1	1	0

▲ 반가산기의 계산과 반가산기의 진리표

다음 그림은 반가산기의 논리회로와 논리기호를 나타낸다.

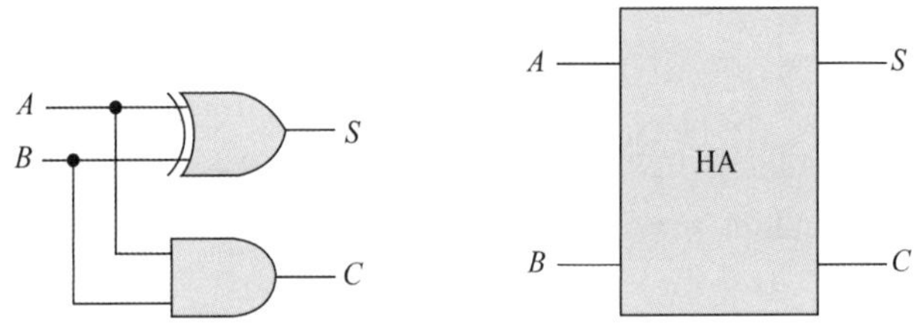

▲ 반가산기의 논리회로와 논리기호

전가산기(Full Adder)는 두 입력, 2진수 A와 B 그리고 하위비트에서 발생한 자리 올림수를 포함하여 2진수 3개를 덧셈 연산하는 조합 논리회로다. 다음 그림은 전가산기의 8종류 계산과 진리표를 나타낸다.

A	B	C_0	올림수(C)	합(S)
0	0	0	0	0
0	0	1	0	1
0	1	0	0	1
0	1	1	1	0
1	0	0	0	1
1	0	1	1	0
1	1	0	1	0
1	1	1	1	1

▲ 전가산기의 8종류 계산과 진리표

다음 그림은 전가산기의 논리회로와 논리기호를 나타낸다. 논리회로가 시험에 출제된 적이 있음에 유의한다.

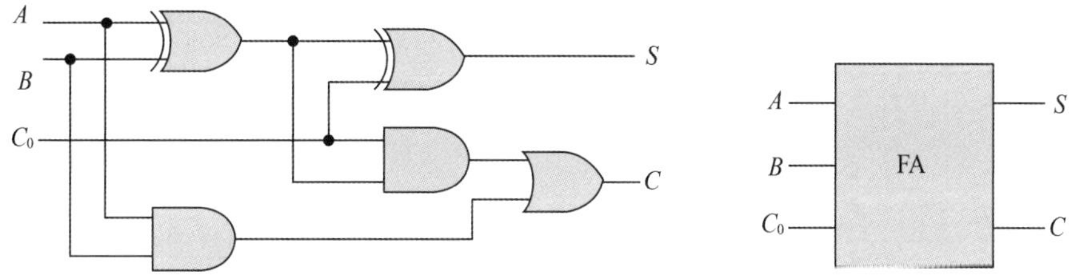

▲ 전가산기의 논리회로와 논리기호

전가산기를 병렬로 연결하면 여러 비트로 구성된 2진수의 덧셈 연산을 수행할 수 있다(병렬 가산기). 4개의 전가산기를 병렬로 연결해서 4비트의 2진수 덧셈을 수행하는 병렬 가산기다. $A = A_3A_2A_1A_0$와 $B = B_3B_2B_1B_0$의 덧셈을 수행하는 것으로 최하위 비트의 덧셈 결과에서 발생한 자리 올림수는 C_1이 된다. 그 다음 비트의 덧셈에서 발생하는 자리 올림수는 C_2다. 상위비트에서의 자리 올림수는 C_3와 C_4가 존재한다. 단점은 S3이 계산되기 위해서는 밑의 자리가 필요하고(지연 발생), 이를 해결하기 위한 것이 자리올림수 예측 가산기(Carry-lookahead adder)이다(한번 찾아보기 바란다). 다음은 병렬 가산기를 나타낸다.

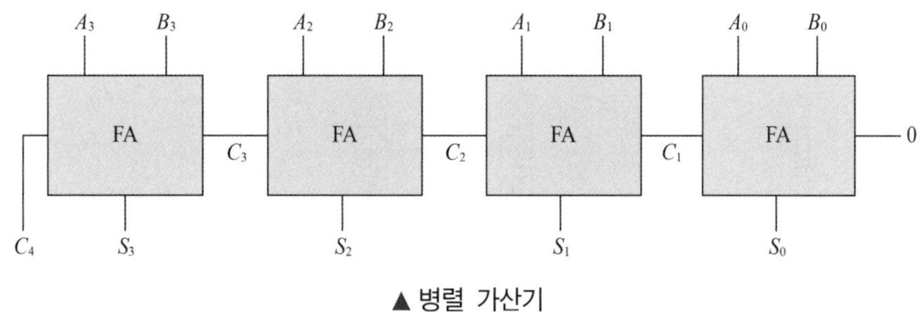

▲ 병렬 가산기

2. 감산기(Subtractor)

감산기는 두 개 이상의 입력에서 하나 입력으로부터 나머지 입력들을 뺄셈해서 그 차를 출력하는 조합 논리회로다. 가산기를 응용한 것으로 가산기에서의 합(sum)은 감산기에서 차(difference)가 되며, 가산기에서는 올림수(carry)가 발생했지만 감산기에서는 빌림수(borrow)가 발생한다.

반감산기(Half Subtractor)는 1비트 길이를 갖는 두 개의 입력과 1비트 길이를 갖는 두 개의 출력으로 차(D)와 빌림수(Br)가 존재한다. 두 입력 간의 뺄셈으로 얻은 결과가 출력에서 차가 되고, 이 차가 음의 값을 갖는 경우 출력에서 빌림수가 활성화된다. 두 개의 입력 변수 A와 B에서 4가지의 뺄셈 계산이 가능하다. 다음 그림은 반감산기의 4가지 뺄셈 계산과 진리표를 나타낸다.

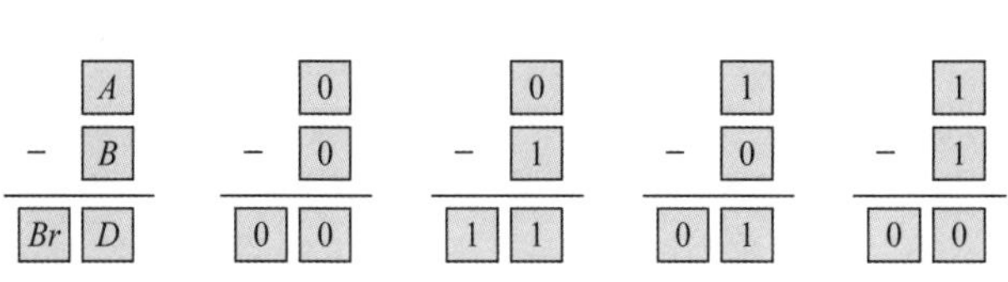

A	B	빌림수(Br)	차(D)
0	0	0	0
0	1	1	1
1	0	0	1
1	1	0	0

▲ 반감산기의 4가지 뺄셈 계산과 진리표

다음 그림은 반감산기의 회로도와 논리기호를 나타낸다.

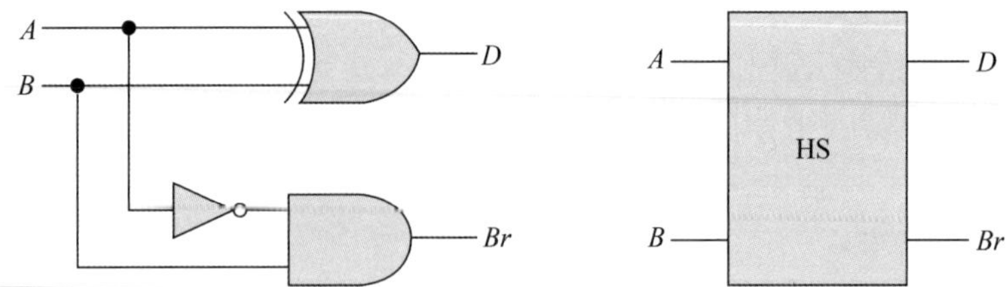

▲ 반감산기의 회로도와 논리기호

반감산기가 단지 두 입력 간의 차이를 구하는 논리회로라면, 전감산기(Full Subtractor)는 추가적으로 아랫자리(하위 비트)에서 요구하는 빌림수에 의한 뺄셈까지도 수행한다. 전감산기에서 수행되는 8가지의 뺄셈 계산과 진리표는 다음과 같다.

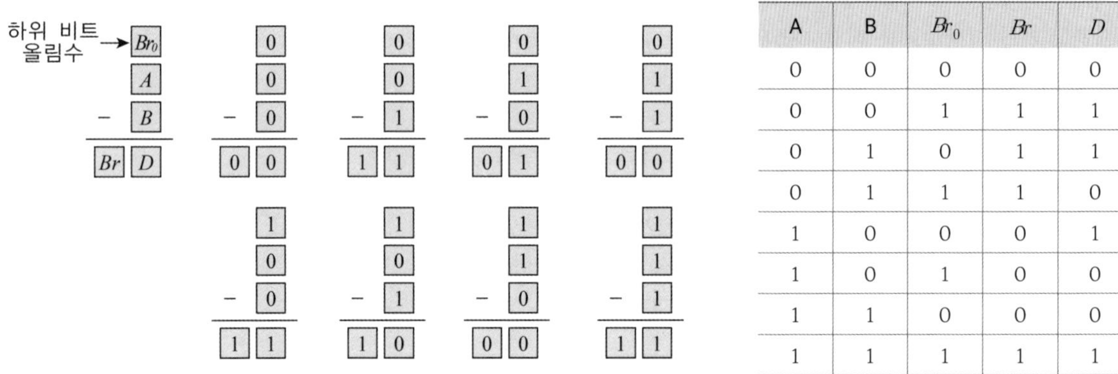

A	B	Br_0	Br	D
0	0	0	0	0
0	0	1	1	1
0	1	0	1	1
0	1	1	1	0
1	0	0	0	1
1	0	1	0	0
1	1	0	0	0
1	1	1	1	1

▲ 전감산기에서 수행되는 8가지의 뺄셈 계산과 진리표

전감산기(Full Subtractor)의 논리회로와 논리기호는 다음과 같다.

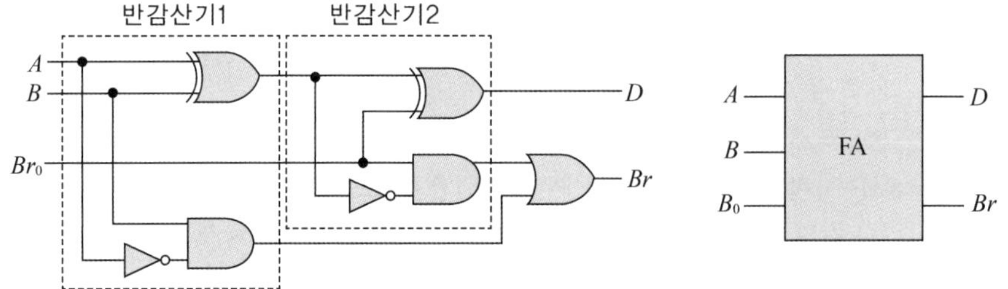

▲ 전감산기의 논리회로와 논리기호

3. 병렬 가감산기

병렬 가감산기는 디지털 장치에서는 별도로 감산기를 사용하지 않고, 가산기에 게이트를 추가해 부호 선택 신호로 뺄셈 연산을 수행한다(보수 이용). 4비트의 병렬 가산기 입력 B에 XOR 게이트를 추가한다. XOR 게이트에 입력되는 부호 선택 신호의 값이 0이면 덧셈 연산을 수행한다. XOR 게이트에 입력되는 부호 선택 신호의 값이 1이면 뺄셈 연산을 수행한다(비트 반전 = 보수).

다음 그림은 병렬 가감산기를 나타낸다.

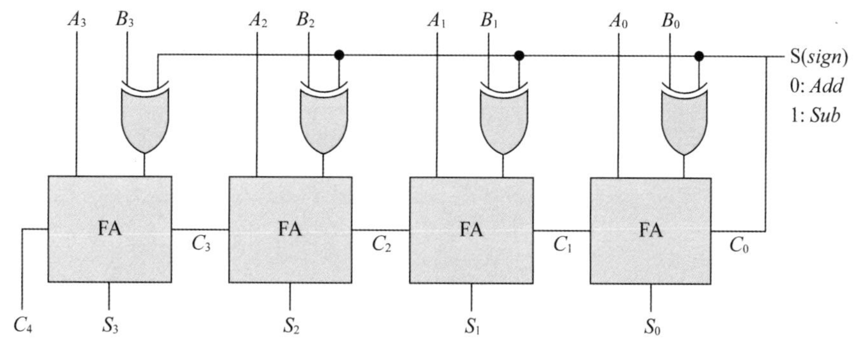

▲ 병렬 가감산기

다음 그림은 4비트 병렬 가감산기를 나타낸다. 부호 있는 숫자의 오버플로우를 감지하기 위해 V를 사용하고, 부호 없는 숫자의 오버플로우를 감지하기 위해 C가 사용됨에 유의한다.

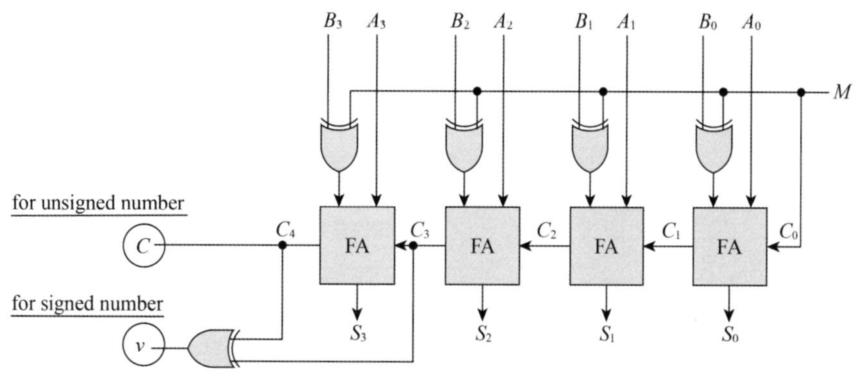

▲ 4비트 병렬 가감산기

이를 정리하면 부호 없는 연산에서는 M = 0, C = 1 또는 M = 1, C = 0에서 오버플로우가 발생하고, 부호 있는 연산에서는 V = 1에 따라 결정된다. 이를 예를 통해 증명하면 다음과 같다(* 참고).

- 1100(12) + 0111(7) = 10011(3) → overflow (M = 0, C = 1)
- 0101(5) - 1100(12) = 0101 + 0100 = 1001(9) → overflow (M = 1, C = 0)
- 부호 있는 숫자에 대해서는 한번 해보기 바란다.

4. 비교기(Comparator)

비교기는 두 2진수의 크기를 비교하는 회로다. 비교를 통해서 생성되는 결과는 A < B, A > B, A = B, A ≠ B의 4가지가 존재한다. 다음은 1비트 비교기의 진리표를 나타낸다.

A	B	$F_1(A=B)$	$F_2(A \neq B)$	$F_3(A>B)$	$F_4(A<B)$
0	0	1	0	0	0
0	1	0	1	0	1
1	0	0	1	1	0
1	1	1	0	0	0

▲ 1비트 비교기의 진리표

다음 그림은 1비트 비교기의 논리회로를 나타낸다.

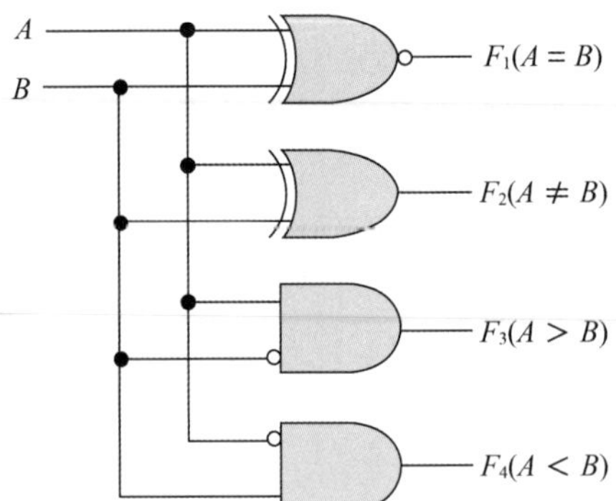

▲ 1비트 비교기의 논리회로

다음은 2비트 비교기의 진리표를 나타낸다(* 참고).

$A = A_1A_2$	$B = B_1B_2$	$F_1(A = B)$	$F_2(A \neq B)$	$F_3(A > B)$	$F_4(A < B)$
00	00	1	0	0	0
	01	0	1	0	1
	10	0	1	0	1
	11	0	1	0	1
01	00	0	1	1	0
	01	1	0	0	0
	10	0	1	0	1
	11	0	1	0	1
10	00	0	1	1	0
	01	0	1	1	0
	10	1	0	0	0
	11	0	1	0	1
11	00	0	1	1	0
	01	0	1	1	0
	10	0	1	1	0
	11	1	0	0	0

▲ 2비트 비교기의 진리표

다음 그림은 2비트 비교기의 논리회로를 나타낸다. 그림에서 A = B가 동작하는지 확인해보자(* 참고).

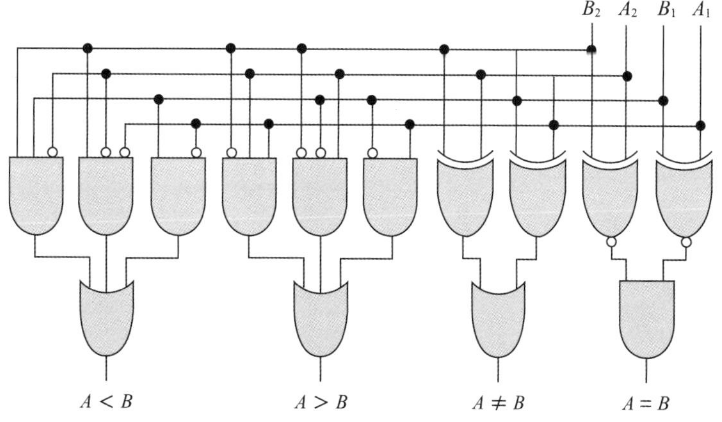

▲ 2비트 비교기의 논리회로

5. 인코더와 디코더

인코딩(encoding)은 정보의 형태나 형식을 표준화, 보안, 처리속도 향상, 저장공간 절약 등의 목적으로 다른 형태나 형식으로 변환하는 방식으로, 부호화라고도 한다. 인코더는 변환장치다. 디코딩(decoding)은 인코딩된 정보를 인코딩되기 전으로 되돌리는 처리 방식을 말한다. 복호기 또는 디코더는 복호화를 수행하는 장치나 회로다.

다음 그림은 디코더와 인코더의 관계도를 나타낸다.

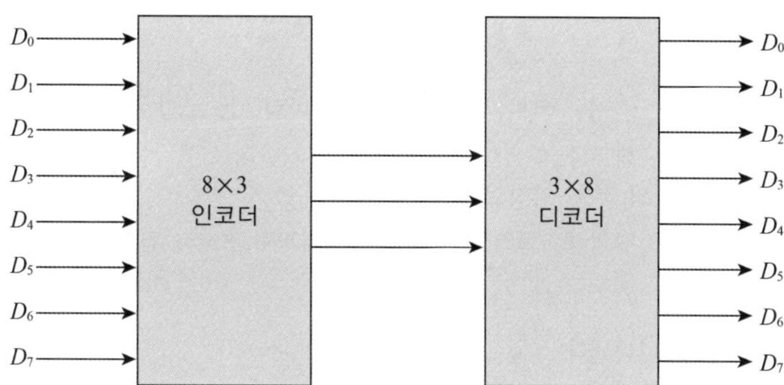

▲ 디코더와 인코더의 관계도

인코더(Encoder)는 외부에서 들어오는 임의의 신호를 부호화된 신호로 변환하여 컴퓨터 내부로 들여보내는 조합 논리회로이다. 원리는 2^n개의 입력신호로부터 n개의 출력신호를 만든다. 오직 한 개의 비트만이 1이고, 나머지 2^n-1개의 비트는 0이 되는 입력 신호가 생성된다. 활성화된 값 1이 몇 번째 위치의 비트인가를 파악해서 2진 정보로 출력한다. 8 × 3 인코더는 8비트의 입력 D 중에서 활성화된 값 1의 위치에 따라서 3비트의 출력 B를 얻는 장치다.

다음은 인코더의 진리표를 나타낸다.

D_7	D_6	D_5	D_4	D_3	D_2	D_1	D_0	B_2	B_1	B_0
0	0	0	0	0	0	0	1	0	0	0
0	0	0	0	0	0	1	0	0	0	1
0	0	0	0	0	1	0	0	0	1	0
0	0	0	0	1	0	0	0	0	1	1
0	0	0	1	0	0	0	0	1	0	0
0	0	1	0	0	0	0	0	1	0	1
0	1	0	0	0	0	0	0	1	1	0
1	0	0	0	0	0	0	0	1	1	1

▲ 인코더의 진리표

다음 그림은 8 × 3 인코더 논리회로를 나타낸다.

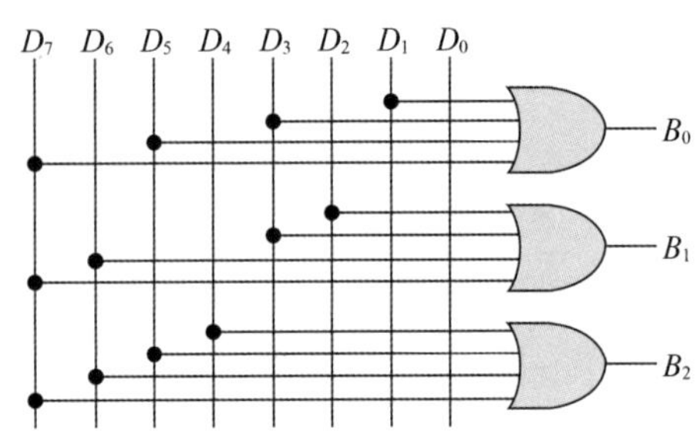

▲ 8 × 3 인코더 논리회로

디코더(Decoder)는 n비트의 이진 코드를 최대 2^n가지의 정보로 바꿔주는 조합 논리회로이다. 디코더는 다수의 입력신호로서 1개의 출력신호를 얻는 회로다. 디코더는 인코더 동작과 반대로 동작하는 회로다(원리는 n의 입력이 2^n의 출력이 됨). 디코더는 기억장치의 주소 지정 회로로 사용된다.

3 × 8 디코더는 3비트의 입력 C, B, A와 8비트의 출력 Y로 이루어지며, 3개의 입력들의 조합으로 8종류의 출력 중 하나의 출력이 선택된다.

다음은 3 × 8 디코더의 진리표를 나타낸다.

C	B	A	Y_7	Y_6	Y_5	Y_4	Y_3	Y_2	Y_1	Y_0
0	0	0	0	0	0	0	0	0	0	1
0	0	1	0	0	0	0	0	0	1	0
0	1	0	0	0	0	0	0	1	0	0
0	1	1	0	0	0	0	1	0	0	0
1	0	0	0	0	0	1	0	0	0	0
1	0	1	0	0	1	0	0	0	0	0
1	1	0	0	1	0	0	0	0	0	0
1	1	1	1	0	0	0	0	0	0	0

▲ 3 × 8 디코더의 진리표

다음 그림은 디코더의 논리회로를 나타낸다. 예를 들어, Y_0가 입력에 따라 맞게 출력되는지 확인해보자.

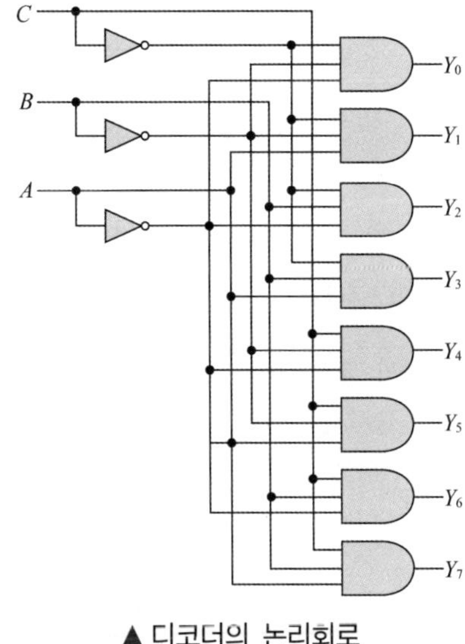

▲ 디코더의 논리회로

6. 멀티플렉서와 디멀티플렉서

멀티플렉서(Multiplexer)는 여러 개의 입력 중 하나의 입력만을 출력에 전달해주는 조합 논리회로다. 선택 신호에 의해 여러 개의 입력 중 하나의 입력만이 선택된다. 디멀티플렉서(Demultiplexer) 한꺼번에 들어온 여러 신호 중에서 하나를 골라서 출력하는 장치다.

다음 그림은 멀티플렉서와 디멀티플렉서의 관계를 나타낸다.

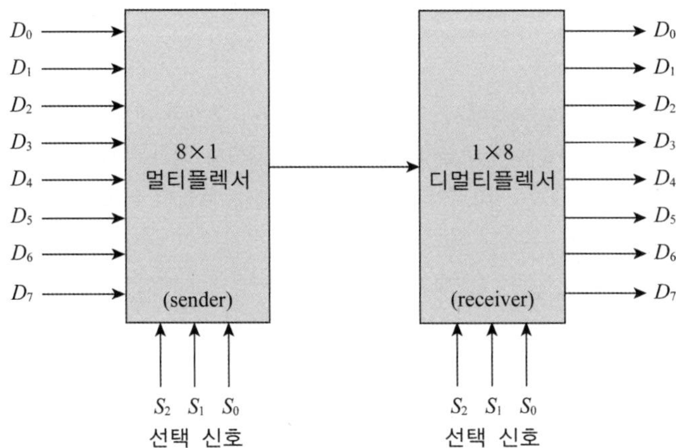

▲ 멀티플렉서와 디멀티플렉서의 관계

멀티플렉서(Multiplexer)는 다중 입력 데이터를 단일 출력하므로 데이터 선택기(data selector)라고도 한다. 원리는 N개의 입력이 있는 경우 $\log_2 N$개 만큼의 선택 신호가 필요하다(출력은 1개임). 다음 그림은 4개의 입력이 존재하는 4×1 멀티플렉서의 진리표, 논리회로, 논리기호를 나타낸다. 4개의 입력(Input 0~Input 3)은 선택선(S_0, S_1)에 의해 입력선 중 하나만이 출력으로 전달된다.

입력이 4개인 멀티플렉서의 진리표

S_0	S_1	출력
0	0	입력 0
0	1	입력 1
1	0	입력 2
1	1	입력 3

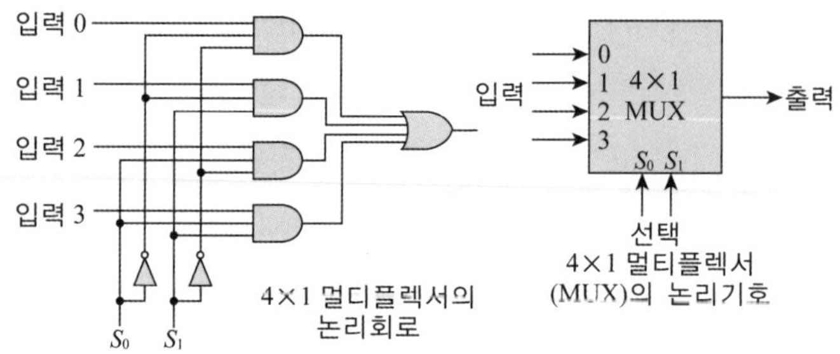

▲ 4 × 1 멀티플렉서의 진리표, 논리회로, 논리기호

디멀티플렉서(Demultiplexer)는 멀티플렉서의 역기능을 수행하는 조합 논리회로이다. 원리는 선택선($\log_2 N$)을 통해 여러 개의 출력선(N) 중 하나의 출력선에만 출력을 전달한다(입력이 1개임). 1 × 4 디멀티플렉서의 진리표, 논리회로, 논리기호를 나타낸다. 두 선택신호의 조합에 의해서 입력신호가 출력될 곳이 결정된다.

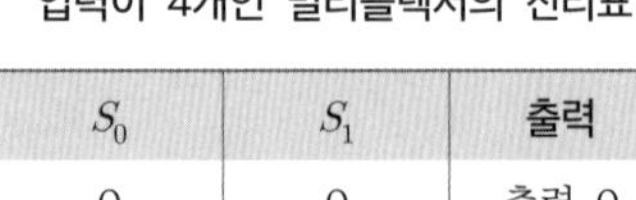
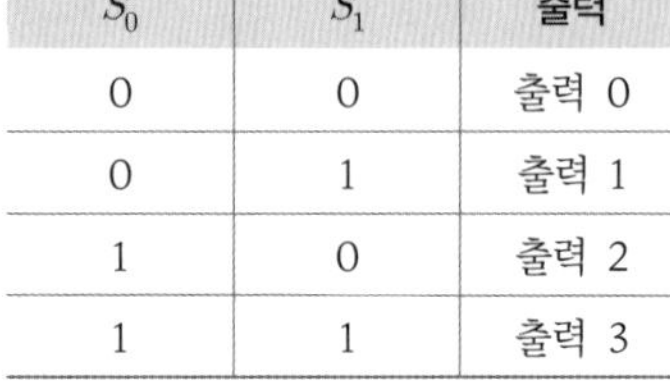

입력이 4개인 멀티플렉서의 진리표

S_0	S_1	출력
0	0	출력 0
0	1	출력 1
1	0	출력 2
1	1	출력 3

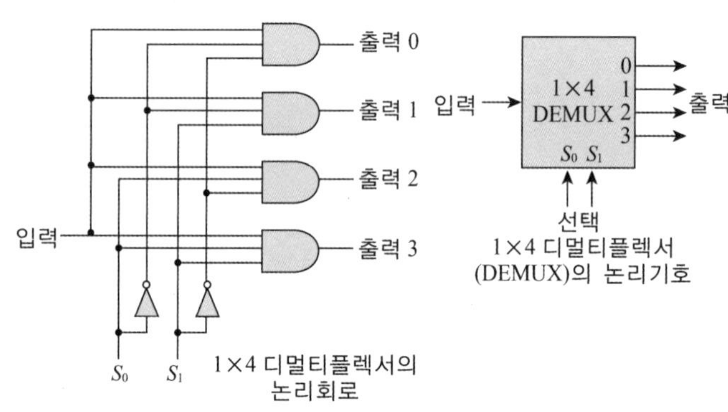

▲ 1 × 4 디멀티플렉서의 진리표, 논리회로, 논리기호

7. 패리티 검사기(* 참고)

패리티 비트(parity bit)는 데이터 전송 과정에서 오류 검사를 위해서 추가한 비트다. 짝수 패리티 비트는 데이터에서 1의 개수를 짝수로 맞추기 위해서 사용하는 비트다. 그리고 홀수 패리티 비트는 데이터에서 1의 개수를 홀수로 맞추기 위해서 사용하는 비트다. 다음의 표는 3비트의 2진수에 대한 홀수 패리티 비트와 짝수 패리티 비트 진리표를 나타낸다.

3비트 입력			홀수 패리티 비트	짝수 패리티 비트
A	B	C	P_0	P_E
0	0	0	1	0
0	0	1	0	1
0	1	0	0	1
0	1	1	1	0
1	0	0	0	1
1	0	1	1	0
1	1	0	1	0
1	1	1	0	1

짝수 패리티 발생기의 진리표를 통해서 부울 대수식을 표현하면 $P_E = A \oplus B \oplus C$와 같고 이에 대한 논리회로는 다음 그림과 같다.

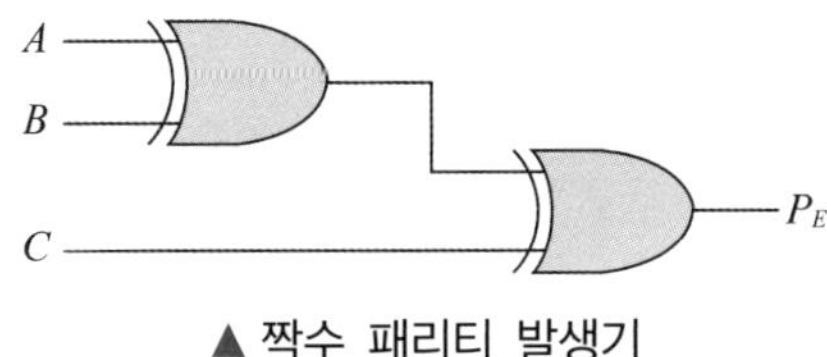

▲ 짝수 패리티 발생기

홀수 패리티 발생기의 진리표를 통해서 부울 대수식을 표현하면 $P_0 = (A \oplus B \oplus C)'$와 같고 이에 대한 논리회로는 다음 그림과 같다.

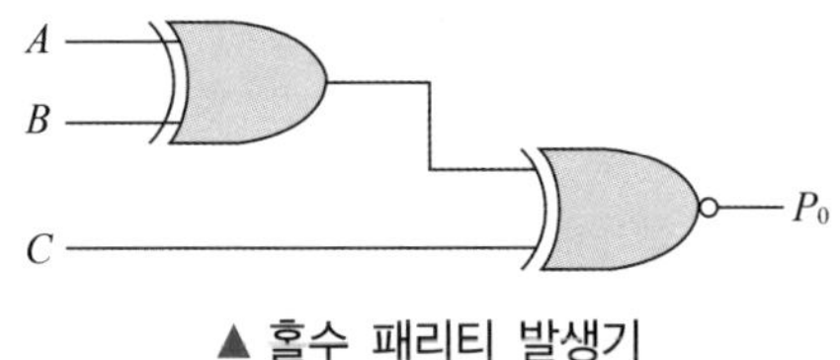

▲ 홀수 패리티 발생기

주요개념 셀프체크

- 반가산기 vs. 전가산기
- 병렬 가감산기
- 인코더 vs. 디코더
- 멀티플렉서 vs. 디멀티플렉서
- 조합 논리 vs. 순차 논리

핵심 기출

다음 전가산기 논리회로에 대한 설명으로 옳지 않은 것은? 2017년 서울시

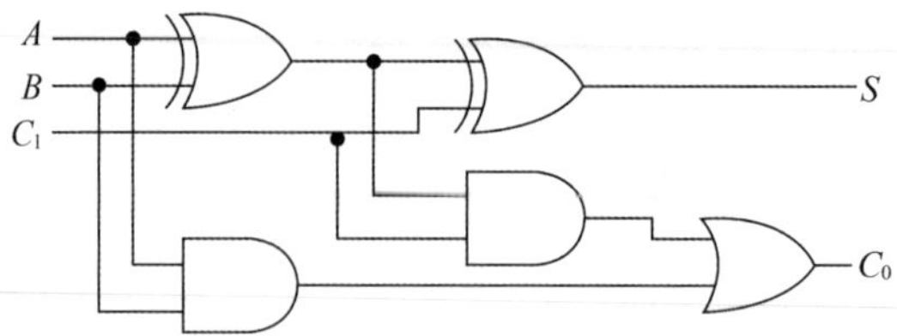

① 전가산기는 캐리를 포함하여 연산처리하기 위해 설계되었다.

② $S=(A \oplus B) \oplus C_i$

③ $C_o = AB + AC_i + BC_i$

④ 전가산기는 두 개의 반가산기만으로 구성할 수 있다.

해설

전가산기는 반가산기 2개와 OR 게이트로 구성된다.

선지분석

① 반가산기는 전단계의 캐리를 포함하지 않고, 전가산기는 전단계의 캐리를 포함하여 덧셈을 수행한다.

② 그림에서 S를 계산하면 $(A \oplus B) \oplus C_i$가 된다.

③ 그림에서 C_0를 계산하면 $(A \oplus B)C_i + AB = (A'B + AB')C_i + AB = A'BC_i + AB'C_i + AB$가 된다. 부울식으로 전개해도 되지만 시간이 오래 걸리므로 다음과 같이 카르노 맵으로 바꾼다. 해당 카르노 맵을 간략화하면 $C_0 = BC_i + AC_i + AB$가 된다.

C \ AB	00	01	11	10
0			1	
1		1	1	1

TIP 부울식을 간략화 하면 다음과 같다.

$$A'BCi + AB'Ci + AB = A'BCi + AB'Ci + AB + ABCi + ABCi = BCi + ACi + AB$$

정답 ④

CHAPTER 11

순차 논리회로

1 레지스터(Register)

1. 개요

레지스터는 플립플롭 여러 개를 일렬로 배열하고 적당히 연결한다. 여러 비트의 2진수를 일시적으로 저장하거나 저장된 비트를 좌측 또는 우측으로 하나씩 이동할 때 사용한다. 이동(shift) 레지스터는 데이터를 좌우로 이동시키는 레지스터다. 직렬 입력, 병렬 출력과 병렬 입력, 직렬 출력 형태를 포함하여 직렬과 병렬의 입출력 조합을 가지고 있다(serial, parallel). 양방향성 이동 레지스터, 순환 레지스터도 있다(shifter, rotator).

병렬 방식(parallel)은 모든 비트의 데이터를 한 번에 전송한다. 하나의 클록 펄스(Clock Pulse) 시간 동안에 전송되므로 전송 속도가 빠르다(장점). 레지스터의 비트 수만큼 데이터 전송 경로를 가지므로 직렬 방식에 비하여 복잡하다(단점). 직렬 방식(serial)은 레지스터에 직렬 입력과 직렬 출력을 연결하여 한 번에 한 비트씩 전송한다. 데이터를 전송할 때 전송 속도가 느리지만(단점) 하드웨어의 규모가 간단하다(장점).

2. 이동 레지스터의 동작 유형에 따른 종류(* 참고)

다음 그림은 이동 레지스터의 동작 유형에 따른 종류를 나타낸다.

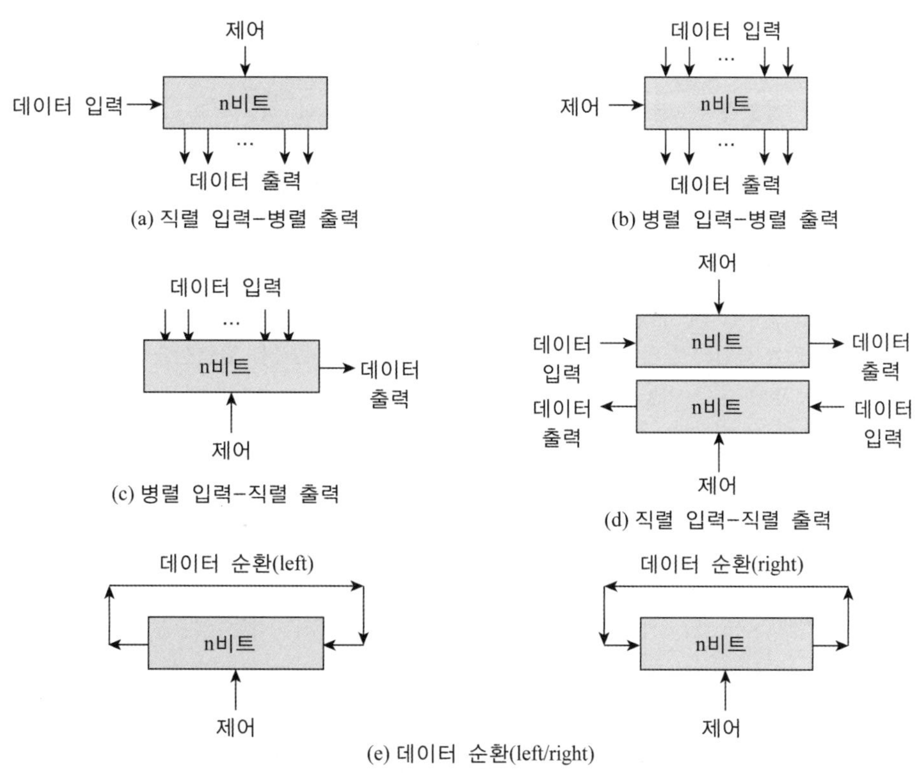

▲ 이동 레지스터의 동작 유형에 따른 종류

3. 직렬 입력, 직렬 출력 이동 레지스터(* 참고)

가장 간단한 종류의 이동 레지스터다. 단일 선으로 한 번에 한 비트씩 데이터를 받아들이고, 저장된 정보를 직렬로 출력한다. 클록 펄스는 데이터를 이동시키는 제어 신호로, 클록 펄스가 이동 레지스터에 입력될 때마다 이동 레지스터에 저장되어 있는 데이터가 출력된다. 다음 그림은 4비트로 구성된 직렬 입력, 직렬 출력의 이동 레지스터를 나타낸다(입력: 1010). 각 플립플롭에 기억된 내용은 왼쪽에서 오른쪽으로 이동한다.

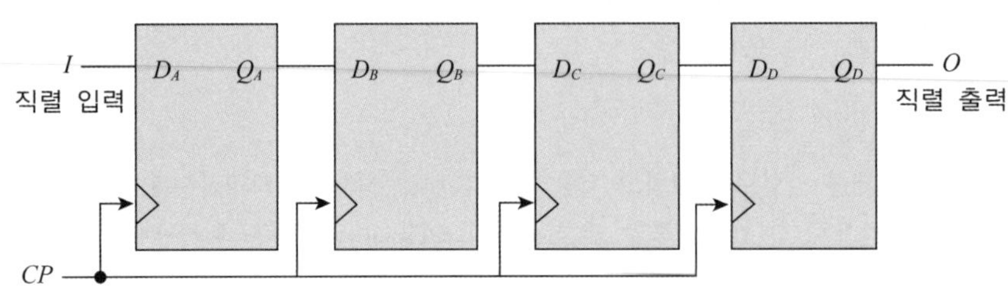

▲ 4비트로 구성된 직렬 입력, 직렬 출력의 이동 레지스터

다음 그림은 4비트의 직렬 입력, 직렬 출력의 이동 레지스터의 이동과정과 타이밍도를 나타낸다(입력: 1010).

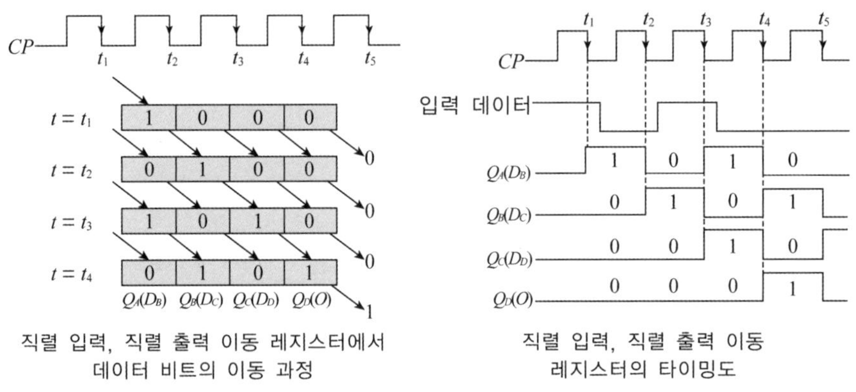

▲ 4비트의 직렬 입력, 직렬 출력의 이동 레지스터의 이동과정과 타이밍도

4. 직렬 입력, 병렬 출력 이동 레지스터(* 참고)

입력 데이터 비트는 직렬로 레지스터 내에 들어가고, 출력 비트들은 레지스터의 각 단에서 출력되어 병렬 형태가 된다. 직렬 출력처럼 한 비트씩 출력되지 않고 모든 비트가 동시에 각각의 플립플롭 출력선을 타고 출력된다. 다음 그림은 4비트의 직렬 입력, 병렬 출력 이동 레지스터 구성을 나타낸다.

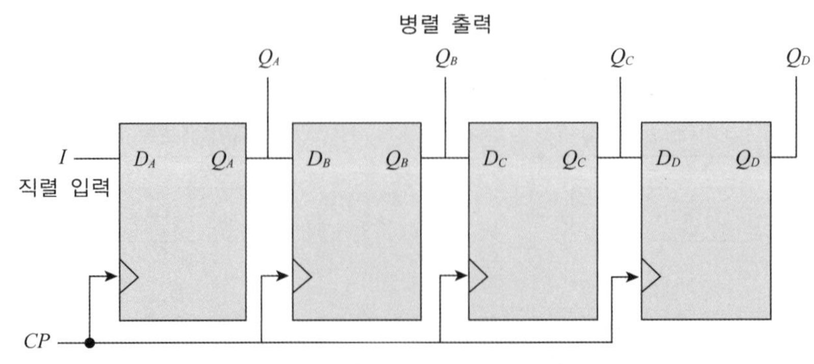

▲ 4비트의 직렬 입력, 병렬 출력 이동 레지스터 구성

다음 그림은 4비트의 직렬 입력, 병렬 출력 이동 레지스터 이동과정, 타이밍도를 나타낸다(입력: 1010).

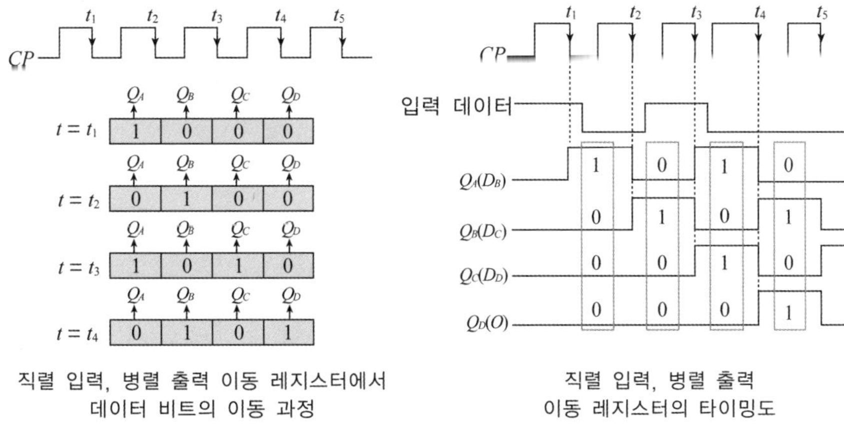

직렬 입력, 병렬 출력 이동 레지스터에서 데이터 비트의 이동 과정

직렬 입력, 병렬 출력 이동 레지스터의 타이밍도

▲ 4비트의 직렬 입력, 병렬 출력 이동 레지스터 이동과정, 타이밍도

5. 병렬 입력, 직렬 출력 이동 레지스터(* 참고)

각 플립플롭 단에 병렬로 동시에 입력된다. 첫 플립플롭에서는 하나의 입력만이 존재하고, 그 이후의 플립플롭에서는 이전 플립플롭의 출력과 새로운 입력이 존재한다. 레지스터는 이 두 종류 입력에 대한 선택적인 판단이 필요한데, 이때 필요한 조합 논리회로는 2×1 멀티플렉서다. 2×1 멀티플렉서는 선택 단자 S에 의해서 입력이 결정된다. 즉, S가 0이면 입력 I가 선택되고 Y로 출력되며, S가 1이면 입력 Q가 선택되고 Y를 통해서 출력된다.

다음 그림은 2×1 멀티플렉서의 논리회로, 진리표, 논리기호를 나타낸다.

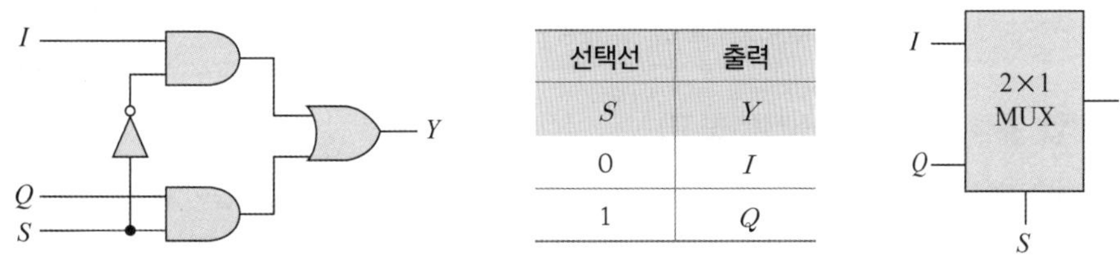

선택선	출력
S	Y
0	I
1	Q

▲ 2 × 1 멀티플렉서의 논리회로, 진리표, 논리기호

다음 그림은 병렬 입력, 직렬 출력 이동 레지스터의 논리회로를 나타낸다(입력: 1010). 각 플립플롭으로 입력되는 4개의 데이터 입력선 I와 이동 레지스터 안으로 데이터를 병렬로 들어가게 하기 위한 *SHIFT*/(*LOAD*)' 입력이 있다. *SHIFT*/(*LOAD*)' 입력은 0이면 새로운 데이터가 레지스터에 입력이 입력되고 클록 펄스에 의해서 마지막 플립플롭에서 한 비트를 출력한다. 1이면 클록 펄스에 의해 한 비트씩 오른쪽으로 이동된다.

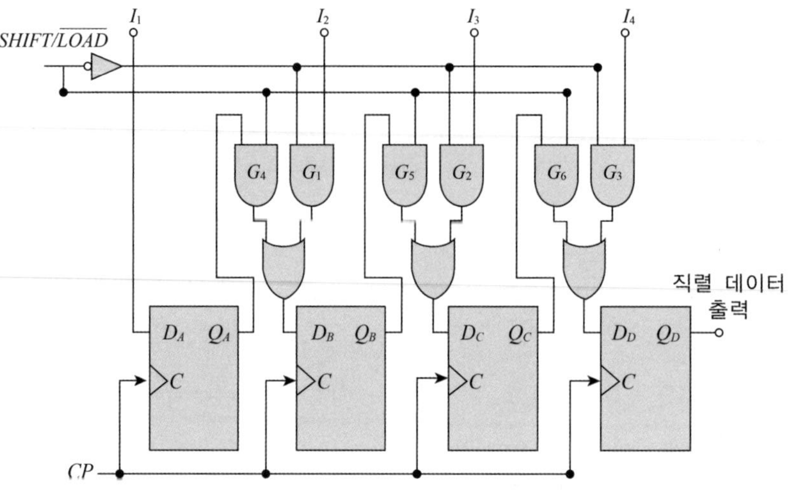

▲ 병렬 입력, 직렬 출력 이동 레지스터의 논리회로

다음 그림은 병렬 입력, 직렬 출력 이동 레지스터의 출력 파형도를 나타낸다.

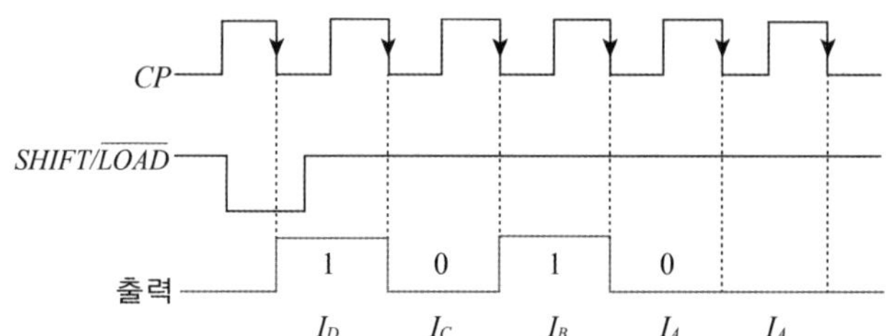

▲ 병렬 입력, 직렬 출력 이동 레지스터의 출력 파형도

6. 병렬 입력, 병렬 출력 이동 레지스터(* 참고)

데이터의 병렬 입력과 병렬 출력의 방법을 결합시킨 이동 레지스터이다. 데이터 비트들이 동시에 입력되면 클록 펄스에 의해서 바로 병렬 출력이 나타난다. 다음 그림은 4비트 병렬 입력, 병렬 출력 이동 레지스터 논리회로를 나타낸다. 4비트의 입력 $D_AD_BD_CD_D$가 각 플립플롭에 입력되고 클록 펄스가 들어오면 각 플립플롭은 즉각적으로 $Q_AQ_BQ_CQ_D$를 출력한다. 병렬 입력, 병렬 출력 이동 레지스터는 다중 비트를 저장하는 기억 장치로도 사용이 가능하다.

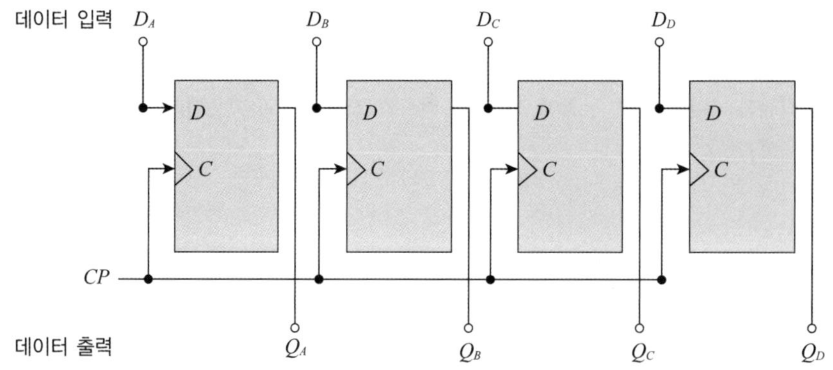

▲ 4비트 병렬 입력, 병렬 출력 이동 레지스터 논리회로

7. 재순환 이동 레지스터(Recirculating Shift Register)(* 참고)

재순환 이동 레지스터는 출력되는 데이터가 다시 처음으로 입력되는 레지스터다. 다음 그림은 4비트의 재순환 이동 레지스터를 나타낸다. 데이터 제어 단자에 1이 입력되면 직렬 데이터가 입력되고, 0이면 이동 동작을 통해서 재순환 데이터가 입력된다.

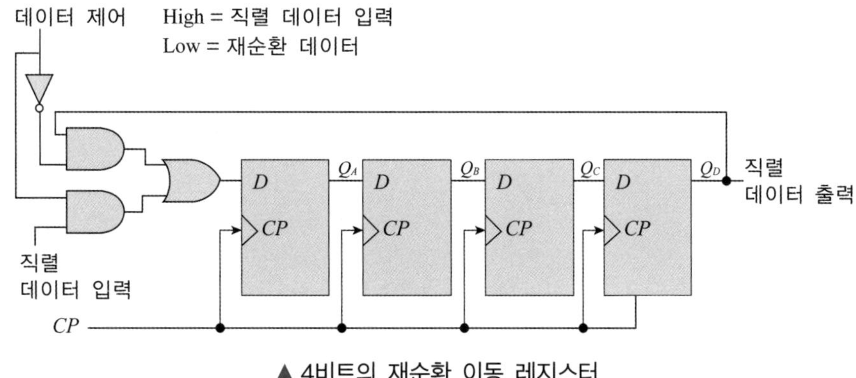

▲ 4비트의 재순환 이동 레지스터

다음 그림은 4비트의 재순환 이동 레지스터에서 입력 데이터 1101가 입력되어 순환되는 과정을 클록 펄스와 상태 파형으로 나타낸 것이다. 데이터 입력은 1101이고, 재순환되어 1101이 1011로 바뀜에 유의한다.

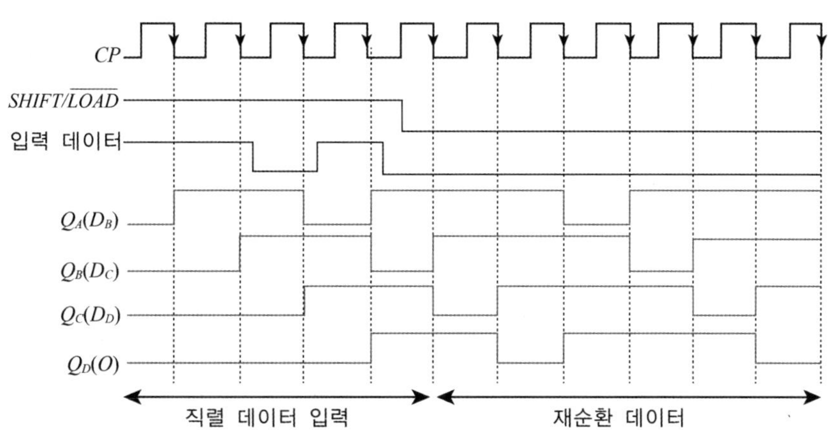

▲ 클록 펄스와 상태 파형(LOAD/SHIFT')

8. 양방향 이동 레지스터(Bidirectional Shift Register)(* 참고)

양방향 이동 레지스터는 좌측과 우측방향으로 데이터를 이동시킬 수 있다. 이동방향을 결정하는 *RIGHT*/(*LEFT*)' 제어입력의 회로는 2×1 멀티플렉서다. 1이면, 우측으로 데이터가 이동되고, 0이면 좌측으로 이동한다. 다음 그림은 2×1 멀티플렉서 논리회로와 논리기호를 나타낸다.

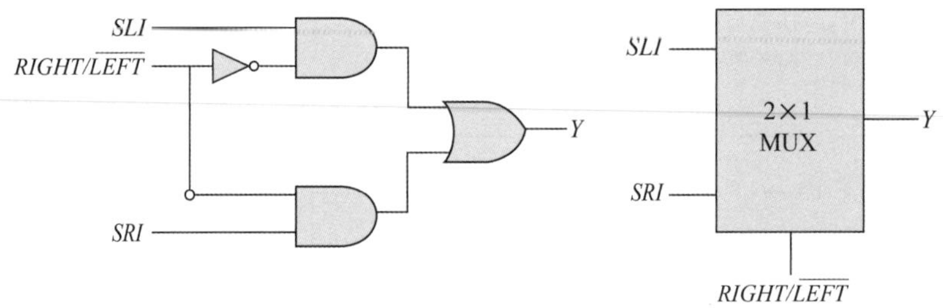

▲ 2 × 1 멀티플렉시 논리회로와 논리기호

논리회로에서 *RIGHT*/(*LEFT*)'가 1이면 데이터가 SRI를 통해서 입력되고 오른쪽으로 이동하면서 SRO(Serial Right Out)에서 출력된다(다음 그림 참고). 그리고 0이면 데이터는 SLI에 입력되고 왼쪽으로 이동하면서 SLO(Serial Left Out)에서 출력된다.

다음 그림은 4비트의 양방향 이동 레지스터의 회로를 나타낸다. 4개의 플립플롭 입력에 2×1 멀티플렉서가 연결되어 있고, 이것에 의해서 이동방향이 결정된다. 우측으로 이동하는 경우에서는 출력 단자는 O_D가 된다(SRO). 좌측으로 이동하는 하는 경우에는 O_A가 된다(SLO). 2진수의 연산에서 비트의 이동은 2배수의 덧셈과 나눗셈 연산을 수행한다. 좌측으로 이동하면 2를 곱한 결과가 되고 우측으로 이동하면 2를 나눈 결과와 같다. 양방향 이동 레지스터는 2진수의 곱셈과 나눗셈 연산기로 사용할 수 있다.

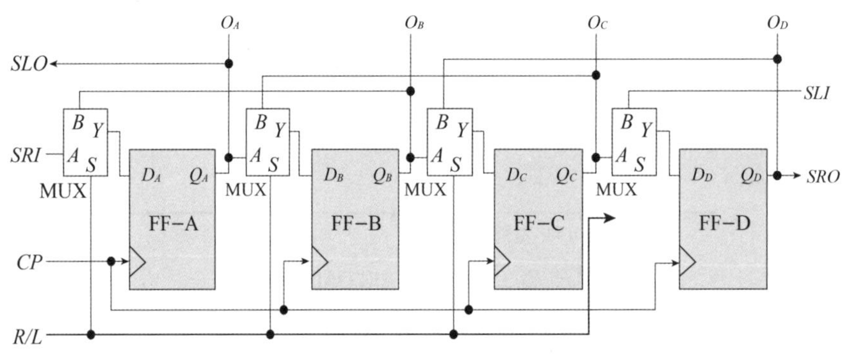

▲ 4비트의 양방향 이동 레지스터의 회로

2 카운터(counter, 계수기)

1. 개요

카운터는 클록 펄스에 따라 수를 세는 계수능력을 갖는 논리회로이다. 컴퓨터가 여러 가지 동작을 수행하는 데에 필요한 타이밍 신호를 제공한다. 카운터는 동기식과 비동기식으로 분류한다. 동기식 카운터는 입력 펄스의 입력 시간에 동기되어 각 플립플롭이 동시에 동작하기 때문에 모든 플립플롭의 단에서 상태 변화가 일어난다. 비동기식 카운터는 앞단의 출력을 받아서 각 플립플롭이 차례로 동작하기 때문에 첫 단에만 클록 펄스가 필요하다. 직렬 카운터 또는 리플(ripple) 카운터라 한다. 카운터는 비트 수에 따라서 최대 카운트가 결정된다.

4비트 카운터의 최대 카운트 범위는 2^4, 즉 0~15(0000~1111)이며, 8비트 카운터의 최대 카운트 범위는 2^8 = 0~255(0000 0000~1111 1111)가 된다. 카운트를 시작해서 카운트를 끝낸 후, 다시 처음 상태로 돌아올 때까지의 상태 수를 카운터 계수(modulus of a count)라고 한다. 10진 카운터는 0~9까지의 10개의 상태가 존재하고 카운터 계수는 10이 된다. 일반화해서 표현하면, 카운터에서 구별되는 상태의 수가 m일 때 modulo-m(간단히 mod-m; m 진)의 카운터라고 한다.

2. 상향 비동기식 카운터(* 참고)

다음 그림은 4비트의 2진 상향 카운터의 상태도를 나타낸다. 0부터 시작해서 클록의 수가 증가하면 15까지 증가, 16개의 상태를 가지므로 mod-16 카운터다.

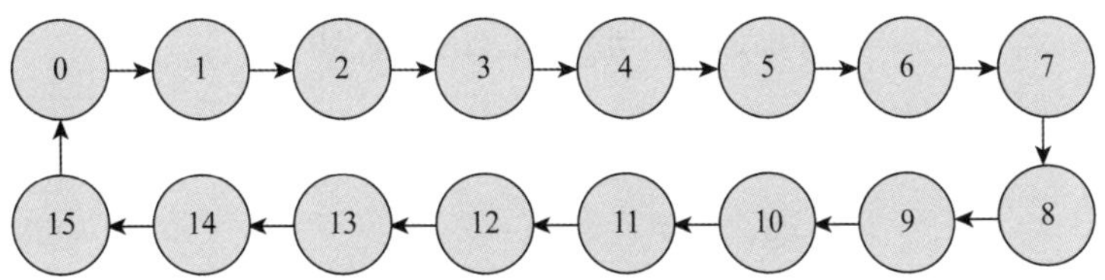

▲ 4비트의 2진 상향 카운터의 상태도

다음 그림은 4비트의 2진 상향 카운터의 논리회로를 나타낸다. 논리회로에서 JK 플립플롭이 사용되었음에 유의한다(JK 플립플롭의 진리표를 다시 찾아보기 바람).

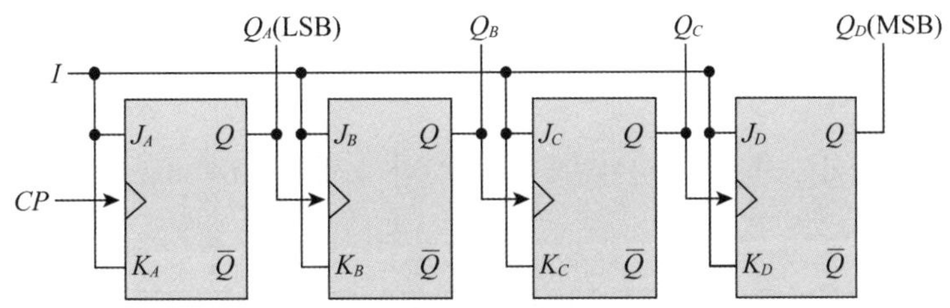

▲ 4비트의 2진 상향 카운터의 논리회로

다음 그림은 4비트의 2진 상향 카운터의 타이밍도를 나타낸다. 논리회로가 falling edge(하강 에지)에서 동작함에 유의한다.

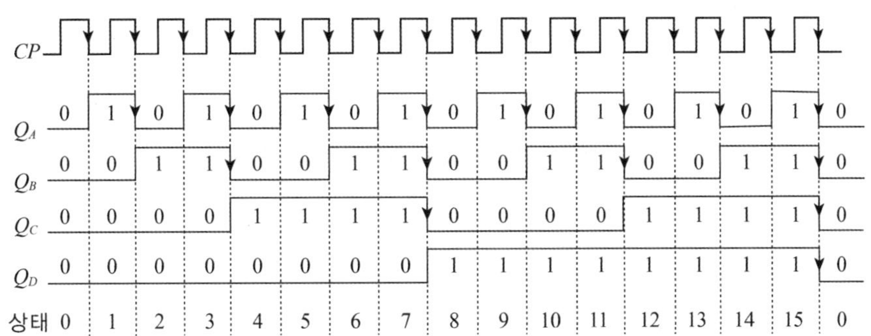

▲ 4비트의 2진 상향 카운터의 타이밍도

3. 하향 비동기식 카운터(* 참고)

하향 비동기식 카운터는 클록 펄스의 수가 증가함에 따라 카운터의 수가 감소하는 카운터다. 4비트 하향 비동기식 카운터는 최대값 15부터 시작해서 클록 펄스의 수가 증가하면서 하나씩 그 값이 감소한다. 그리고 카운터의 값이 0이 면 되면 다시 15부터 시작하게 된다. 다음 그림은 4비트 하향 비동기식 카운터의 상태도를 나타낸다.

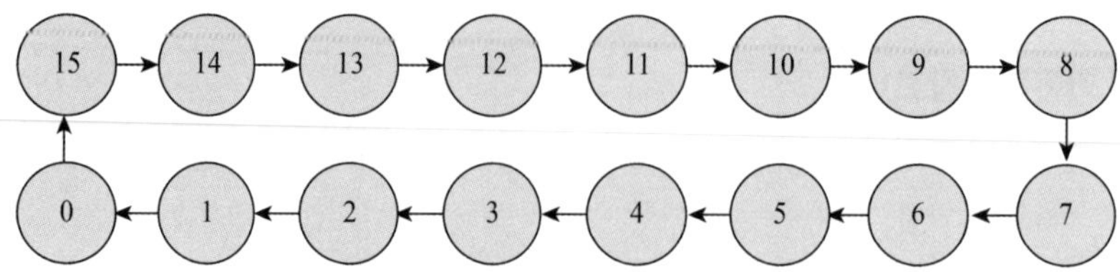

▲ 4비트 하향 비동기식 카운터의 상태도

다음 그림은 4비트 하향 비동기식 카운터의 논리회로를 나타낸다.

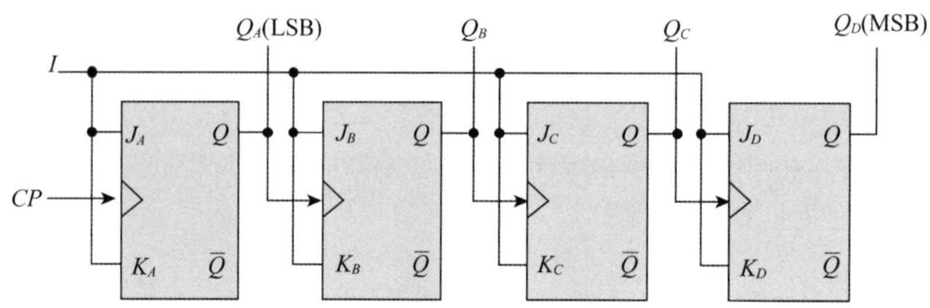

▲ 4비트 하향 비동기식 카운터의 논리회로

다음 그림은 4비트 하향 비동기식 카운터의 타이밍도를 나타낸다. 논리회로가 rising edge(상승 에지)에서 동작함에 유의한다.

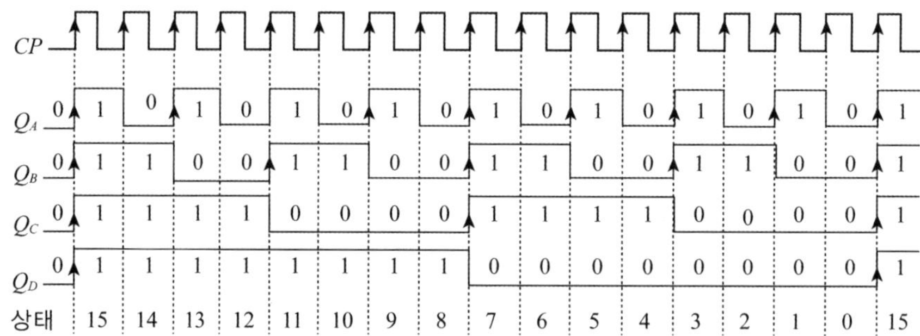

▲ 4비트 하향 비동기식 카운터의 타이밍도

4. 3비트 동기식 2진 카운터(* 참고)

3비트 동기식 2진 카운터는 8개의 순차적인 상태(000, 001, 010, 011, 100, 101, 110, 111)를 갖는다. 다음 그림은 3비트 동기식 2진 카운터의 상태도를 나타낸다.

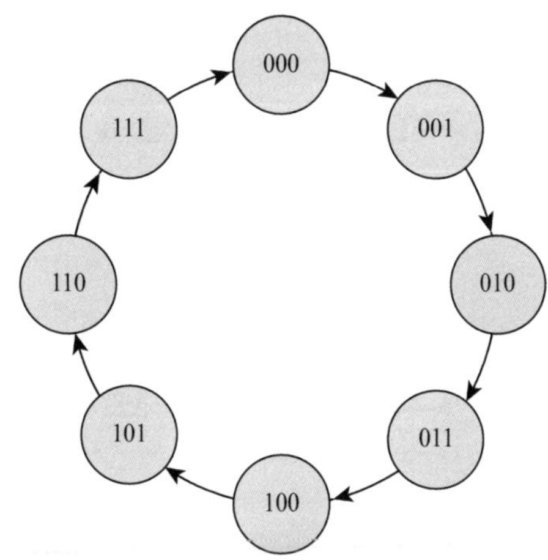

▲ 3비트 동기식 2진 카운터의 상태도

다음 그림은 3비트 동기식 2진 카운터의 논리회로를 나타낸다.

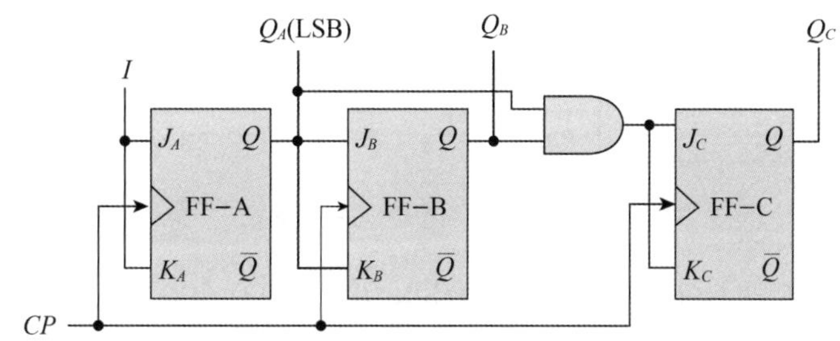

▲ 3비트 동기식 2진 카운터의 논리회로

다음 그림은 3비트 동기식 2진 카운터의 타이밍도를 나타낸다.

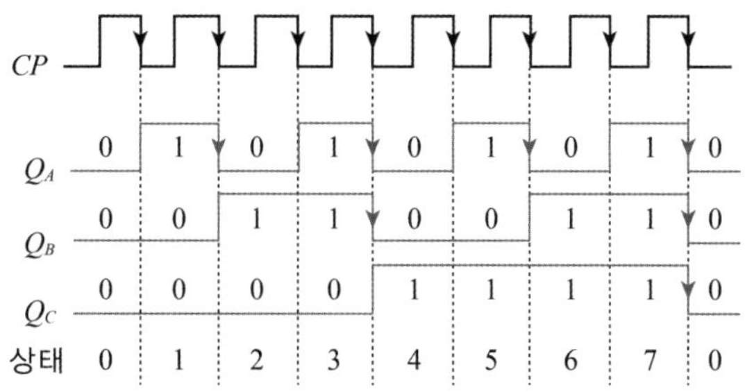

▲ 3비트 동기식 2진 카운터의 타이밍도

5. 링 카운터(Ring Counter)(* 참고)

링 카운터는 플립플롭들이 하나의 고리 모양으로 연결된다. 다음 그림은 4비트 링 카운터의 상태도를 나타낸다. 논리 1의 값이 왼쪽으로 이동하면서 순환된다.

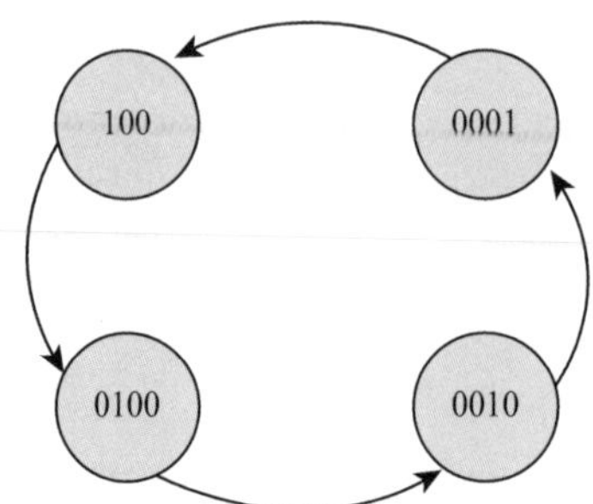

▲ 4비트 링 카운터의 상태도

다음 그림은 4비트 링 카운터의 논리회로를 나타낸다.

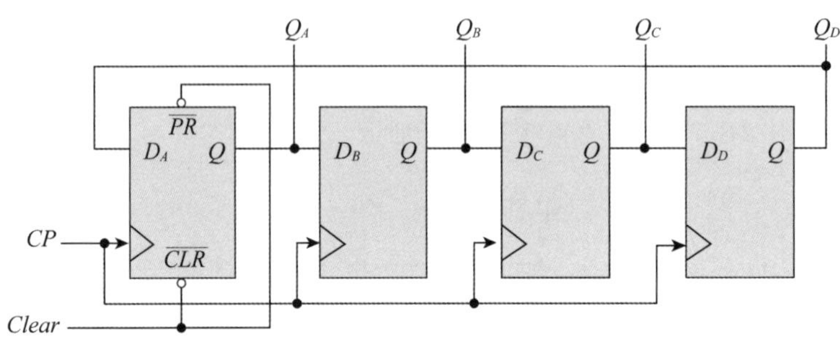

▲ 4비트 링 카운터의 논리회로

다음 그림은 4비트 링 카운터의 타이밍도를 나타낸다(0001, 0010, 0100, 1000, 0001, …).

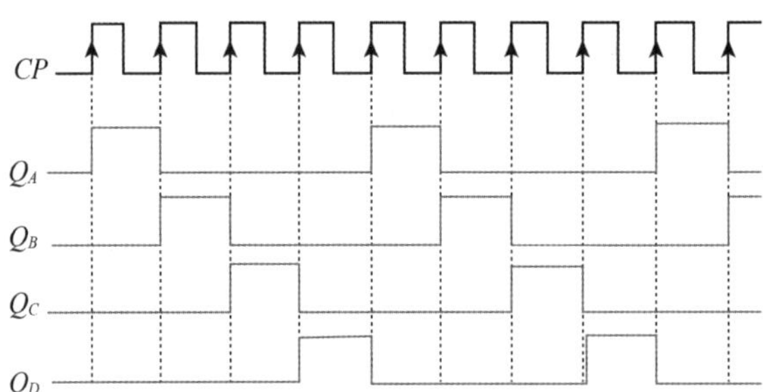

▲ 4비트 링 카운터의 타이밍도

주요개념 셀프체크

- 레지스터
- 카운터: 동기 vs. 비동기
- JK, falling edge - 상향

핵심 기출

순차 논리회로(sequential logic circuit)에 해당하는 것은? 2018년 지방직

① 3-to-8 디코더(decoder)
② 전가산기(full adder)
③ 동기식 카운터(synchronous counter)
④ 4-to-1 멀티플렉서(multiplexer)

해설

동기식 카운터의 경우 현재값이 10이 되려면 과거값 9와 현재값 1이 있어야 하므로 순차 논리회로이다. 여기서 동기식이란 카운터를 구성하는 플립플롭 모두에 클럭이 인가됨을 의미한다. 순차 논리회로와 조합 논리회로는 다음과 같이 구분한다.

1. 순차 논리회로: 현재의 입력과 과거의 출력이 현재의 출력을 결정한다. 즉, 과거의 출력에 영향을 받는다.
2. 조합 논리회로: 현재의 입력이 현재의 출력을 결정한다. 즉, 과거의 출력에 영향을 받지 않는다.

선지분석

① 디코더: 현재의 입력(3)이 현재의 출력(8)을 결정하므로 조합 논리회로이다.
② 전가산기: 현재의 입력(두개의 입력과 전단계의 캐리)이 현재의 출력(합의 결과와 캐리)을 결정하므로 조합 논리회로이다.
④ 멀티플렉서: 현재의 입력(4)이 현재의 출력(1)을 결정하므로 조합 논리회로이다.

정답 ③

PART 2

컴퓨터구조

CHAPTER 01

컴퓨터 시스템의 구성과 기능

1 컴퓨터 분해를 통한 구성장치의 분석

1. 컴퓨터의 구성요소

컴퓨터의 구성 요소는 메인 보드(CPU, 주기억장치), 보조기억(하드 디스크, CD-ROM), 입력장치(키보드, 마우스), 출력장치(모니터, 프린터, 스캐너), 주변장치(그래픽 카드, 랜 카드) 등으로 나뉜다. 집에서 자신의 컴퓨터를 한번 분해해 보면 앞으로 나올 내용을 이해하는데 도움이 될 것이다.

2. 메인 보드

컴퓨터 내부의 주회로기판(Main Board, 마더 보드)에는 주요 하드웨어 구성 요소들이 존재한다. 주회로기판에는 중앙처리장치(CPU), 주기억장치인 RAM, I/O 컨트롤러가 있다. 주변장치들이 연결될 수 있도록 확장슬롯과 각종 포트와 단자가 있다. 전원 공급장치와 중앙처리장치를 위한 냉각 송풍기, 케이블과 전선들이 있다. 각 구성요소들은 버스로 연결되어 데이터를 송수신한다.

(1) 중앙처리장치(CPU; Central Processing Unit)

프로그램(명령어) 실행과 데이터 처리라는 중추적인 기능 수행한다. 제어장치, 연산장치, 레지스터 등으로 구성된다. 다양한 마이크로프로세서(CPU)를 사용한다. 예를 들어 Intel, AMD, Motorola 마이크로프로세서 등이 존재한다.

(2) 주기억장치(Main Memory)

컴퓨터 내에서 명령어와 데이터들을 기억하는 저장장치다. 고속 액세스가 가능하나 가격이 높고 저장 용량의 한계가 있다. 영구 저장 능력이 없어 프로그램 실행 중에 일시적으로만 저장기능을 수행한다. 주기억장치는 RAM, ROM, Cache로 구성된다.

① RAM(Random Access Memory): CPU가 읽기, 쓰기를 위한 기억장치로, 명령어와 데이터를 저장한다. RAM은 휘발성(전원이 나가면 데이터도 지워짐)인데 현재의 최신기술에는 비휘발성인 RAM도 존재한다(MRAM, FRAM, PRAM).

② ROM(Read Only Memory): 읽기전용 기억장치로 부팅(booting)에 필요한 명령어를 내장하고 있거나(BIOS) 제어장치를 만드는데 사용된다(나중에 자세하게 다룬다).

③ 캐시 메모리(Cache Memory): RAM보다 빠른 고속 RAM으로 CPU에 자주 쓰이는 명령어와 데이터를 저장하여 처리 성능을 높이는 역할을 한다. 지역성(Locality)의 원리를 이용한다(나중에 자세하게 다룬다).

3. 보조기억장치

주기억장치를 보조하므로 2차 기억장치(secondary memory)라고 한다. 컴퓨터의 중앙처리장치가 아닌 외부에서 프로그램이나 데이터를 보관하기 위한 기억장치다. 기억장치보다 속도는 느리지만 많은 자료를 영구적으로 보관할 수 있다. 읽기만 가능한 장치와 읽기와 쓰기가 가능한 장치로 구분된다. 재생 및 기록 가능한 보조기억장치는 하드디스크, 플로피디스크, 자기테이프 등이 있다.

(1) 하드디스크(Hard disk)

하드라고 부르는 기억장치다. 현재는 SSD가 사용된다.

(2) 플로피디스크(Floppy disk)

이동성이 가능한 소용량의 기억장치로 저장용량의 부족과 물리적으로 강인하지 못한 이유로 잘 사용이 되지 않고 있다. 현재는 USB 플래시메모리가 사용된다.

(3) 자기테이프(Magnetic tape)

대용량의 데이터를 저장하는 백업장치다. 중대형 컴퓨터에서 사용한다. 재생만 가능한 장치는 CD-ROM, DVD-ROM이 있다(단, DVD-RAM은 기록도 가능). IDE 등의 표준화 연결방식으로 CPU에 연결한다. 현재는 SATA 방식을 사용한다. 오프라인 저장장치에는 외장 HDD, 클라우드 등이 존재한다.

4. 입출력장치(Input Output Device)

(1) 입력장치(Input Device)

컴퓨터가 작업을 수행하기 위해 사용되는 데이터를 입력하는 장치다. 키보드는 데이터를 입력하는 장치로 문자, 숫자, 특수키, 기능키 등으로 구성된나. 마우스는 마우스가 움직이면 그에 따라 화면에 나타난 커서(cursor)가 움직이며, 위에 있는 버튼을 눌러 명령어를 선택하거나 프로그램을 실행한다. 현재는 3D 마우스가 존재한다. 스캐너는 사진 영상을 읽어 들여 기억장치에 디지털 데이터로 저장한다. 현재는 3D 프린터를 위한 3D 스캐너가 존재한다. 비디오 캠코더는 촬영한 동영상을 디지털 데이터로 변환해서 컴퓨터에 입력한다. 그래픽 태블릿(Graphic Tablet)과 디지타이저(Digitizer)는 평판 태블릿, 마우스와 스타일러스(stylus)로 구성된다. 대형 그래픽 도면, 손으로 쓴 글씨 등의 입력에 사용한다. 주로 웹툰 작가 등이 사용한다.

(2) 출력장치(Output Device)

컴퓨터가 수행한 결과를 나타내는 장치다. 모니터(Monitor)는 가장 대표적인 출력장치다. 그래픽 카드의 종류에 따라 다양한 해상도를 지원한다. 해상도는 그래픽 카드가 지니는 VRAM(Video RAM, 비디오 메모리)의 용량에 따라 제한된다. 액정 디스플레이(LCD: Liquid Crystal Display, backlight)의 가격이 하락하고 해상도가 높아져 점차 액정 모니터가 일반화되고 있다. LCD(별도의 광원이 존재)를 개선한 LED는 자체발광으로 점광원을 이용하고, LED를 개선한 OLED는 면광원을 이용한다. OLED를 개선한 QLED는 기존에 비해 4배의 화질을 가진다. 컬러 프린터는 컴퓨터에서 출력되는 결과를 종이로 출력해주는 장치다. 잉크젯(Ink Jet) 프린터와 레이저 프린터가 있다. 프로젝터(Projector)는 출력되는 결과를 확대할 수 있는 장치다. 컴퓨터 모니터 상에 나타나는 출력을 대형 스크린에 디스플레이하는 장비다. 많은 사람에게 동시에 멀티미디어 정보를 제공할 수 있는 외부 출력장치다. HMD(Head Mounted Display)는 머리에 착용해서 화면을 보는 디스플레이 장치다. 부착된 안경을 통해 3차원의 영상을 출력할 수 있다. 가상현실에 많이 사용된다(페이스북에서 많은 공을 들이고 있음).

(3) 입출력 포트

입출력장치를 컴퓨터에 연결해주는 역할을 한다. 예전에는 병렬 포트(Parallel Port), 직렬 포트(Serial Port) 등이 있다. 최근에는 병렬포트와 직렬포트가 USB 포트와 Firewire 포트(apple)로 대체되고 있으며, 또한 블루투스의 무선 연결 방식으로 대체되고 있는 추세다. 그리고 고화질의 동영상을 위한 HDMI도 존재한다.

5. 주변장치(Peripheral Device)

컴퓨터의 외관적인(주변에 있는) 구성장치들을 주변장치(Peripheral Device)라고 한다. 미디어 처리장치는 오디오, 비디오 등의 미디어를 처리해서 컴퓨터로 입출력한다. 사운드 카드는 소리를 컴퓨터에서 처리할 수 있는 디지털 방식으로 변환하고, 소리를 재생하거나 녹음한다. 사운드 카드는 MIDI(전자 악기끼리 디지털 신호를 주고받기 위해 각 신호를 규칙화한 일종의 규약)에 연결되기도 한다. 비디오 카드는 CPU에서 처리한 그래픽 정보를 아날로그 비디오 신호로 변환하여 모니터에 표시하는 장치다. '비디오 어댑터' 또는 '그래픽 카드' 라고도 한다. 그래픽 가속 보드는 3차원 그래픽 등과 같은 고품질의 해상도를 얻거나 렌더링 속도를 향상시키는 데 사용된다. 현재는 비디오 카드에 내장되는 것이 보편화되고 있고, GPU(그래픽 처리용 CPU)가 사용된다.

통신 장치는 데이터 통신과 인터넷을 하기 위해서 사용되는 주변장치다. LAN(Local Area Network) 카드는 NIC(Network Interface Card)라고도 하며 인접 PC들을 LAN에 연결해준다. 모뎀(MODEM: Modulator DeModulator, 변복조기)은 디지털(Digital) 신호를 아날로그(Analog) 신호로, 아날로그 신호를 디지털 신호로 바꾸는 역할을 담당한다. 예전에는 전화를 이용한 통신에 사용되었고, 현재는 케이블 모뎀에 사용된다.

컴퓨터 내에 몇 개의 CPU가 존재하는가?
컴퓨터에는 메인 CPU 외에도 입출력 처리용 CPU(IOP), 그래픽 처리용 CPU(GPU)가 존재하여 메인 CPU의 부담을 덜어준다. 결국엔 해당 구조는 CPU를 추가하는 비용을 상쇄하고도 남는다.
cf) APU(Accelerated Processing Unit)

2 컴퓨터의 구성 요소

컴퓨터를 구성하는 장치인 하드웨어(hardware)는 물리적인 실체로 컴퓨터에서 사용되는 정보들을 처리, 전송, 저장 그리고 전송 통로를 제공한다. 예를 들면, CPU, 레지스터, 버스 등이 하드웨어에 해당한다. 하드웨어가 특정 작업을 수행하도록 제어 신호들을 제공하는 일련의 부호들(codes) 혹은 명령어들(instructions)의 집합을 소프트웨어(Software)라고 부른다. 예를 들면, 시스템, 응용 소프트웨어가 이에 해당한다. 펌웨어(Firmware)는 소프트웨어를 하드웨어화한 것으로 하드웨어와 소프트웨어의 중간단계에 해당되어 미들웨어(Middleware)라고도 한다. 예를 들면, BIOS, 제어장치 등이 이에 해당한다.

다음 그림은 컴퓨터 내의 하드웨어, 소프트웨어, 펌웨어를 나타낸다. 이들은 구분하는 기준은 이전에도 언급했듯이 변경의 유무로 구분지을 수 있다.

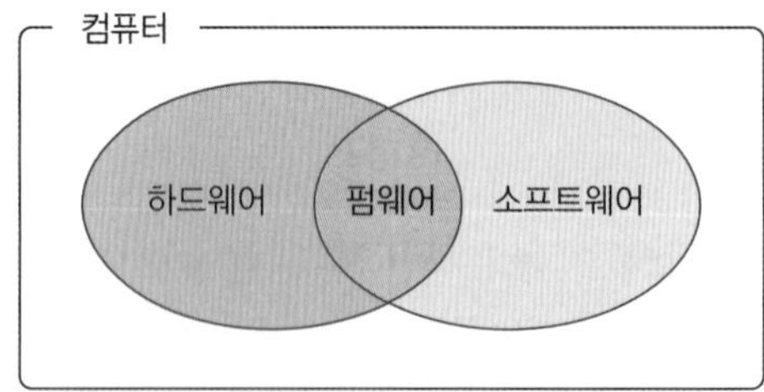

▲ 컴퓨터 내의 하드웨어, 소프트웨어, 펌웨어

1. 하드웨어

(1) 개요

컴퓨터 하드웨어를 분류하면 중앙처리장치, 기억장치, 입력장치, 출력장치 등으로 나눌 수 있다. 중앙처리장치(CPU)는 컴퓨터의 두뇌로서 프로그램(명령어)을 읽고 해석하여 실행하고, 산술논리연산장치(ALU), 제어장치, 레지스터로 구성된다. 기억장치는 컴퓨터에 필요한 정보(명령어)를 저장하는 장치다. CPU가 사용하는 주기억장치와 영구적 저장을 위한 보조기억장치로 구성된다. 입력장치는 컴퓨터 시스템 외부에서 정보를 입력받는 장치이고, 마우스, 키보드, 터치패드, 광학 스캐너 등이 있다. 출력장치는 컴퓨터 시스템에서 처리된 결과물을 외부로 출력해주는 장치이고, 프린터, 스피커, 모니터 등이 있다.

하드웨어를 C 프로그램 관점에서 해석하면 다음과 같다. 입력장치로부터 사용자의 코딩 입력을 받는다. 해당 코딩(프로그램)은 보조기억장치에 저장되었다가 주기억장치로 로딩된다. CPU가 주기억장치로부터 가져와 실행한다. 출력장치가 CPU의 실행 결과를 화면에 보여준다.

(2) 중앙처리장치

① **중앙처리장치의 구성**: CPU를 구성하는 산술논리연산장치(ALU), 레지스터, 제어장치는 논리회로 소자들의 집합이다. CPU 관점에서 컴퓨터를 해석하는 것을 컴퓨터구조(전자계산기구조)라고 하고, CPU를 구성하는 장치의 논리회로 소자 관점에서 컴퓨터를 해석하는 것을 디지털공학이라고 한다. 다음의 그림은 CPU의 구성을 보여준다. CPU 내부에는 시스템 버스가 아닌 내부 CPU 버스가 있음에 유의한다.

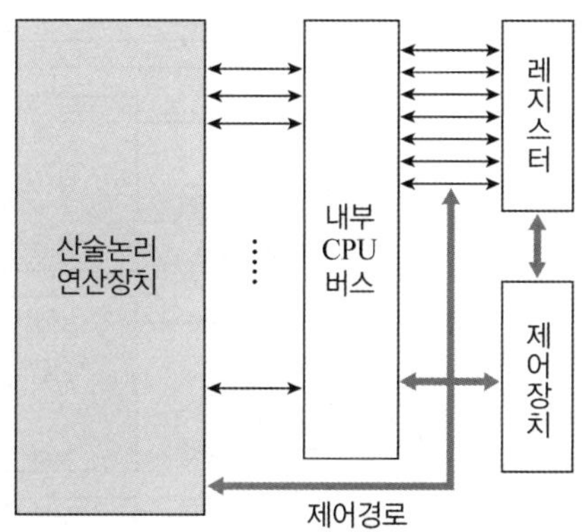

▲ CPU의 구성

② **산술논리연산장치(ALU; Arithmetic and Logical Unit)**: ALU는 컴퓨터에서 수행하는 산술 연산과 논리 연산을 수행하는 장치이다. ALU를 어떻게 설계하느냐에 따라서 연산의 개수가 결정된다. 간단하게 설계된 ALU는 다음 그림과 같다. ALU는 산술 연산을 위한 처리기, 논리 연산을 위한 처리기 그리고 이동 처리를 위한 이동 처리기로 구성된다. 그리고 다음 그림의 (b)는 처리기들이 4×1 멀티플렉서(MUX의 동작에 대해서는 디지털공학에서 배움)를 통해서 연산의 결과를 출력하는 그림 (a)의 우측부분을 확대해서 나타낸 것이다.

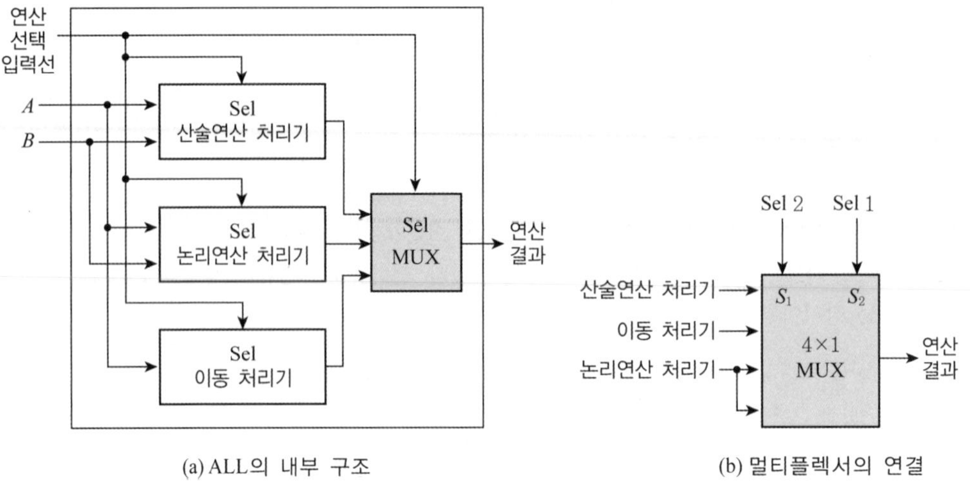

(a) ALL의 내부 구조

(b) 멀티플렉서의 연결

▲ ALU의 구조

㉠ **산술 연산 처리기**: 4비트의 덧셈과 뺄셈 연산을 수행하도록 설계되었다. 참고로, 곱셈과 나눗셈 연산은 Booth 알고리즘에 의해서 처리된다(한번 찾아보기 바란다). 전가산기(full adder, 전단계의 carry를 덧셈에 포함) 4개를 가지고 조합 논리회로(현재출력은 현재입력에 의해 결정)를 구성된다. 다음 그림은 산술 연산 처리기를 나타낸다. 회로 중에 XOR은 보수(덧셈을 이용한 뺄셈)를 만들 때 이용한다.

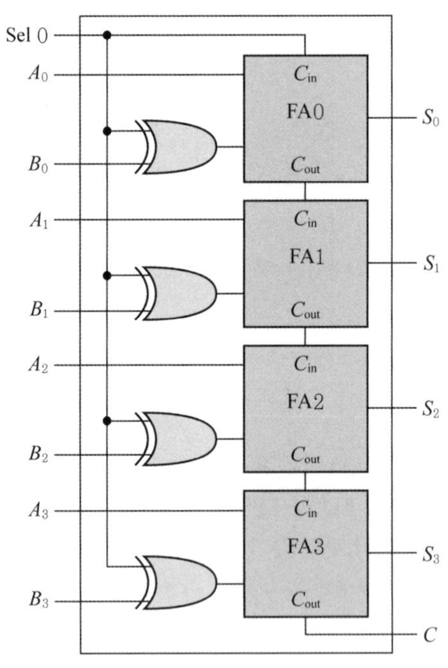

▲ 산술 연산 처리기

㉡ 논리 연산 처리기: AND, OR, XOR, 보수 연산을 수행한다. 각 해당 논리 연산의 논리 게이트가 4 × 1 멀티플렉서(디지털공학에서 자세하게 배움)에 연결된다. 다음 그림은 논리 연산 처리기를 나타낸다.

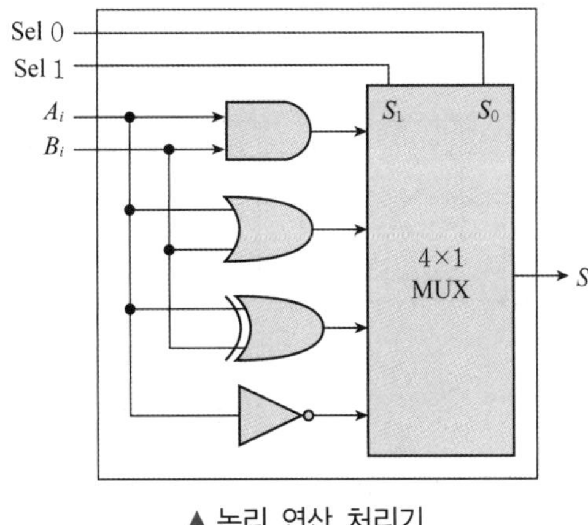

▲ 논리 연산 처리기

㉢ 이동 처리기: 양쪽으로 이동하는 레지스터로 2의 곱셈과 나눗셈 연산을 수행한다. 레지스터는 4개의 D 플립플롭(delay 또는 data 플립플롭, 디지털공학에서 배움)을 가지고 설계된 순차 논리회로(현재출력이 현재입력과 과거출력에 의해 결정)다. 다음 그림은 이동 처리기를 나타낸다.

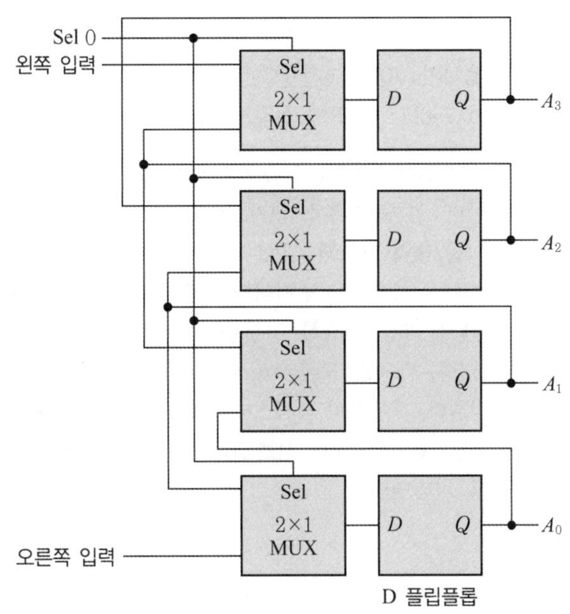

▲ 이동 처리기

③ **레지스터**: CPU에서 사용되는 데이터 정보를 임시적으로 저장하는 장치다. D 플립플롭의 연결을 기본으로 하는 순차 논리회로다. 4비트 데이터를 병렬로 읽기와 쓰기가 가능한 레지스터다. 다음의 그림은 4비트 레지스터를 나타낸다.

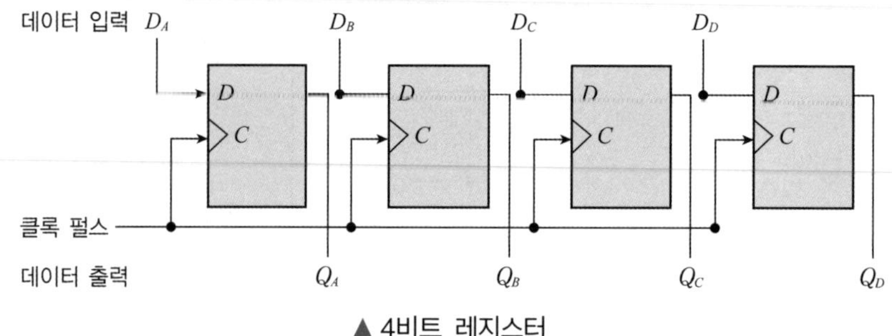

▲ 4비트 레지스터

레지스터의 종류에는 PC, IR, MAR, MBR 등이 존재하고 이는 시험에 자주 출제되므로 아주 중요하다. 프로그램 카운터(PC, Program Counter)는 다음에 실행할 명령어의 주소를 저장하는 레지스터다. PC는 CPU가 주기억장치로부터 명령어를 가지고 오기 위해 꼭 필요한 레지스터이다. 명령어 레지스터(IR, Instruction Register)는 기억장치로부터 읽어온 명령어를 수행하기 위하여 일시적으로 저장한다. 기억장치 주소 레지스터(MAR, Memory Address Register)는 다음에 읽기 동작이나 쓰기 동작을 수행할 기억장소의 주소를 저장하는 주소저장용 레지스터다. 기억장치 버퍼 레지스터(MBR, Memory Buffer Register)는 기억장치에 저장될 데이터 혹은 기억장치로부터 읽은 데이터를 임시로 저장한다. 예를 들어, 주기억장치 300번지에 add 250이라는 명령어가 있다고 가정하자. 300번지가 PC에 있다가 MAR로 이동한다. 주기억장치에서 MAR이 가리키는 300번지의 명령어(add 250)가 MBR에 실리고 이는 다시 IR로 이동된다.

이외에도 입/출력 주소 레지스터(I/O AR: I/O Address Register)와 입/출력 버퍼 레지스터(I/O BR: I/O Buffer Register)가 존재한다. 입/출력 주소 레지스터는 입/출력장치의 주소를 저장하는 주소 레지스터이고, 입/출력 버퍼 레지스터는 입/출력 모듈과 CPU 사이에 교환되는 데이터를 일시적으로 저장한다.

④ **제어장치**: 제어장치는 CPU에서 사용하는 명령어의 실행 과정을 관리하고 제어하는 장치로서 CPU의 핵심이다. 그러므로 컴퓨터 내에서 가장 중요한 부분을 차지한다. 제어장치 내의 구성은 순서제어 논리장치(sequencing logic), 제어장치 레지스터들(control unit registers), 명령어 해독기(decoder), 제어 메모리(control memory)로 구성된다. 제어장치 레지스터들에는 제어 주소 레지스터(control address register), 제어 버퍼 레지스터(control buffer register), 서브루틴 레지스터(subroutine register) 등이 있다. 다음 그림은 CPU와 제어장치의 구성을 나타낸다.

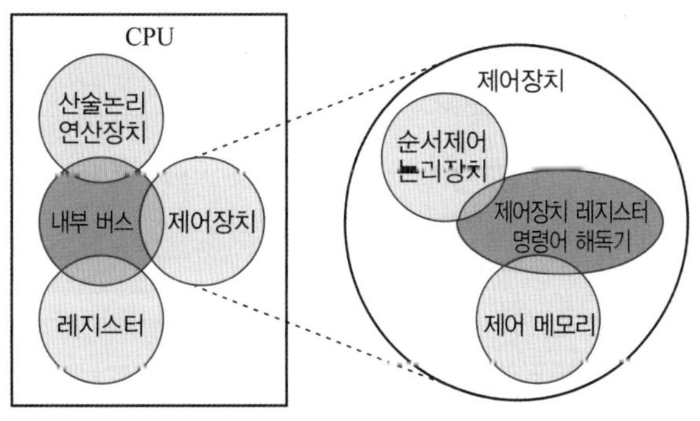

▲ 제어장치의 구성

제어장치의 마이크로 구조는 가장 기본적인 형태로 만들어진 제어장치의 구조로 명령어 해독기(시작 주소), 제어장치 레지스터(CAR, CBR, SBR), 기억장치(마이크로 프로그램 저장), 해독기(제어 신호), 순서제어 모듈(다음 마이크로 명령어의 번지)로 구성 된다. 다음 그림은 제어장치의 마이크로 구조를 나타낸다. 해당 구조에 대해서는 나중에 자세하게 배운다.

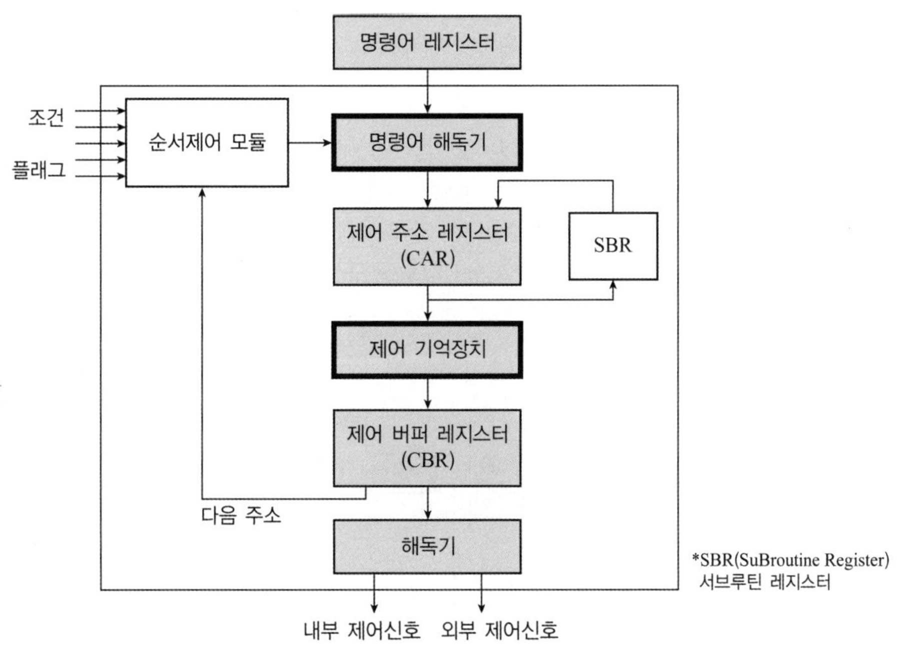

▲ 제어장치의 마이크로 구조

다음 그림은 제어장치의 마이크로 구조에서 사용되는 명령어 해독기와 순서 제어모듈을 더욱 자세하게 나타낸다. 명령어 해독기는 디코더(디지털공학에서 배움)를 사용하여 구현한다. 순서 제어모듈은 멀티플렉서와 주소 선택회로로 구성된다. 순서 제어모듈은 다음 마이크로 명령어의 번지를 지정하기 위해 필요하고 이에 대해서는 나중에 자세하게 배운다.

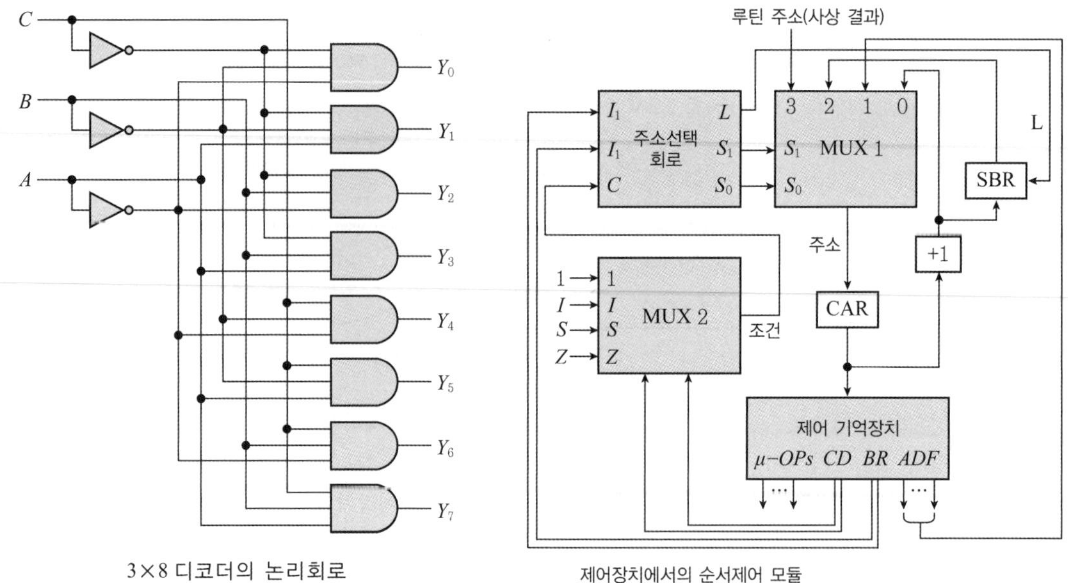

▲ 명령어 해독기와 순서 제어모듈

(3) 기억장치

반도체 기억장치에서 논리회로를 이용하는 기억장치는 RAM의 한 종류인 SRAM이 있다(캐시에 사용). SRAM은 플립플롭을 기본 구성으로 해서 1비트를 저장하는 기억소자를 만든다. 다음 그림은 SRAM 기억소자의 논리회로와 논리기호를 나타낸다. RS 플립플롭(R과 S의 값에 따라 Q, 1, 0, 불능 값을 가지고 이에 대해서는 나중에 자세하게 배움)과 AND 게이트가 조합된 순차 논리회로를 구성한다. 해당 회로는 1비트 소자로서 1 또는 0을 쓰거나 읽는다(Q).

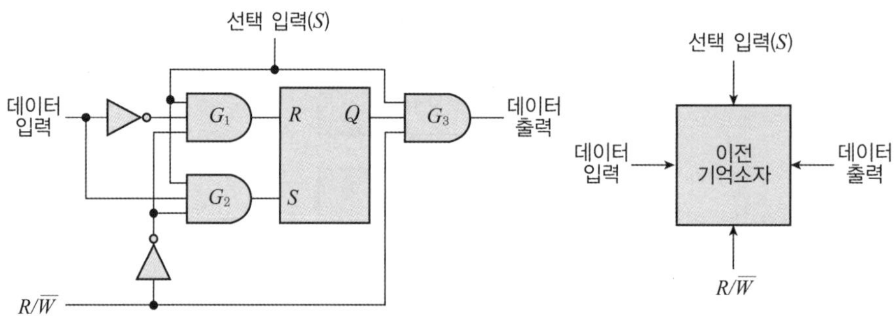

▲ SRAM 기억소자

다음 그림은 4 × 3 SRAM의 기본구조를 나타낸다. 주소 입력을 위해서 2 × 4 디코더(디코더에 의해 SRAM의 한 라인이 선택되고 해당 동작에 대해서는 나중에 자세하게 배움)가 이용되고 출력 단에서는 OR 게이트를 사용한다.

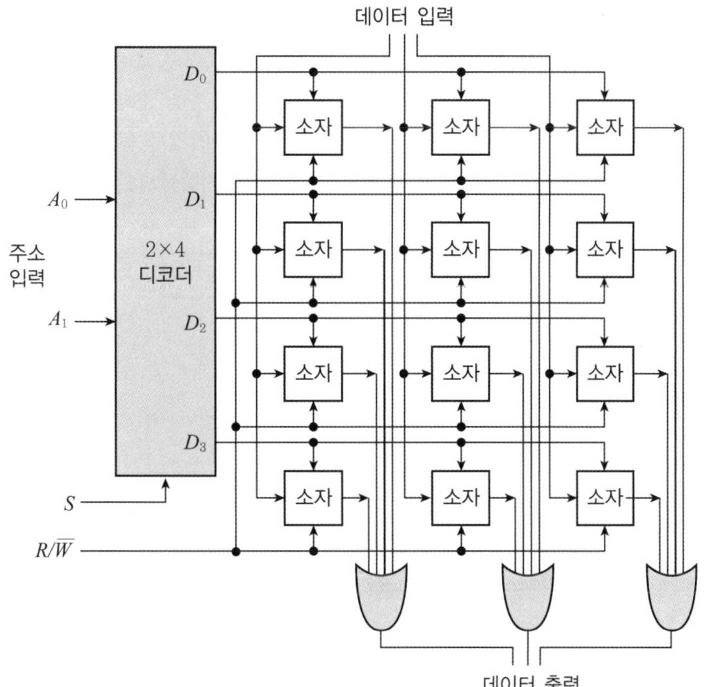

▲ 4 × 3 SRAM 구조

(4) 입출력장치

입출력장치와 CPU와의 처리속도는 그 차이가 너무 커서 직접적으로 데이터를 주고받는 것은 굉장히 비효율적이다. 속도 차이를 극복하기 위한 방법으로 입출력장치 제어기(입출력 모듈)를 사용한다. 처리속도 및 동작 특성이 유사한 입출력장치들을 제어 및 관리한다. 입출력 모듈은 나중에 DMA(DMA 제어기를 사용하는 구조로 나중에 자세하게 배움)와 IOP(입출력을 위한 별도의 CPU로 나중에 자세하게 배움)로 발전한다.

다음 그림은 입출력장치 제어기(입출력 모듈)의 구조를 나타낸다. 레지스터와 주소 디코더는 일반적인 조합 논리회로와 순차 논리회로들을 이용하여 그 기능을 수행할 수 있다. 또한 제어 회로도 마찬가지다. 예를 들어, CPU가 프린터를 통해 데이터를 출력하려고 하려고 한다면 입출력 모듈 왼쪽에 CPU가 있고 오른쪽에 프린터가 있는 구조라고 생각하면 된다. 해당 동작 방식에 대해서는 나중에 자세하게 다룬다.

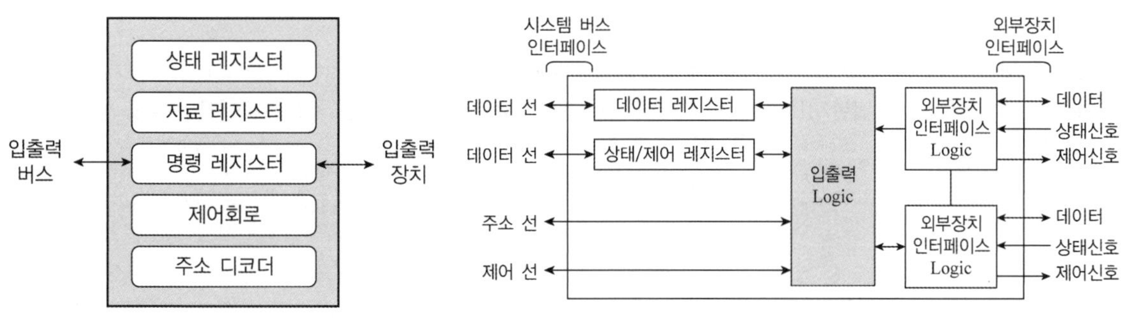

▲ 입출력 모듈의 구조

(5) 버스를 통한 하드웨어의 연결

컴퓨터를 구성하는 하드웨어는 버스를 통해서 연결되고 이를 통해서 데이터와 각종 제어신호를 전달한다. 다음 그림은 버스로 연결된 컴퓨터의 구성 요소와 중앙처리장치를 중심으로 데이터 신호와 명령 신호의 흐름을 나타낸다. 컴퓨터 내의 버스에는 CPU 내부 버스, 시스템 버스, 입출력 버스가 있고, 버스의 종류에는 데이터 버스(명령어/데이터 전송), 주소 버스(주소 전송), 제어 버스(제어 신호 전송)가 있다.

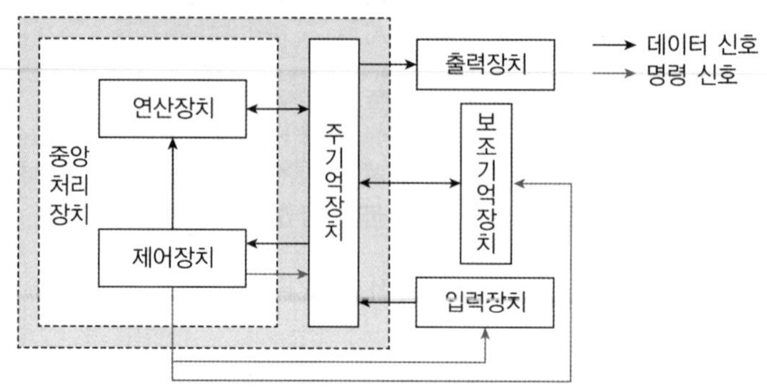

▲ 버스를 통한 데이터와 명령의 흐름

2. 소프트웨어

(1) 개요

컴퓨터 명령(command or instruction)은 정보를 원하는 형태로 처리하고, 목적하는 방향으로 이동시키며, 저장장치에 저장시키는 동작을 수행한다. 예를 들어, 어셈블리어 "add 250"을 컴퓨터에서는 명령어라고 한다. 명령들이 모여서 하나의 프로그램을 형성하며, 프로그램들이 모여서 집합을 형성한 것이 소프트웨어다. 소프트웨어는 컴퓨터 시스템이나 주변기기 등의 하드웨어를 작동시켜 원하는 작업 결과를 얻기 위한 프로그램 또는 명령어의 거대 집합이다.

개념 PLUS+

소프트웨어의 계층 구조

컴퓨터 내의 소프트웨어는 계층 구조를 가진다. 소프트웨어(컴퓨터에서 사용하는 소프트웨어)를 쪼개면 프로그램이 나오고, 프로그램(소프트웨어 중 MS Office)을 쪼개면 명령어가 나온다. 그리고 명령어(MS Office 중 add 250이라는 명령어)를 쪼개면 마이크로 오퍼레이션(연산)이 나온다. 마이크로 오퍼레이션은 1 클럭에 수행되고, 이에 대한 자세한 사항은 나중에 배운다.

소프트웨어는 시스템 소프트웨어(system software), 응용 소프트웨어(application software)로 분류된다. 해당 분류는 하드웨어에 밀접한 정도에 따라 구분된다(이전에 설명). 다음 그림은 소프트웨어의 분류를 나타낸다.

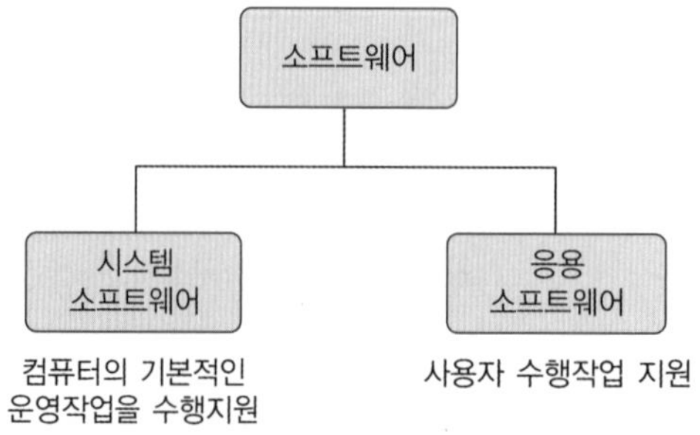

▲ 소프트웨어의 분류

(2) 시스템 소프트웨어

컴퓨터 시스템의 운영을 위한 프로그램으로, 컴퓨터 시스템의 개별 하드웨어 요소들을 직접 제어, 통합, 관리하는 가장 큰 기능을 수행한다. 운영체제, 장치 드라이버, 프로그래밍 도구, 컴파일러, 어셈블러, 유틸리티가 이에 해당한다. 다음 그림은 시스템 소프트웨어의 계층적 분류를 나타낸다.

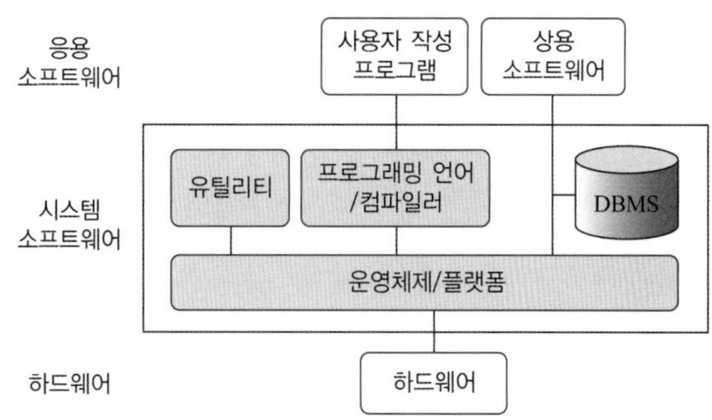

▲ 시스템 소프트웨어의 계층적 분류

① 운영체제(OS; Operating System): 운영체제의 역할은 물리적 장치와 논리적 자원인 파일의 관리 및 제어를 수행한다. 하드웨어를 직접 제어하고 자원을 관리해서 컴퓨터의 시동, 메모리나 파일 관리, 주변기기 관리, 네트워크에 연결 등의 작업을 수행한다. 응용 프로그램들의 실행 환경을 제공하고, 컴퓨터와 사용자 사이의 중재적 역할을 수행한다. 이들을 종합하면 운영체제는 자원 관리와 인터페이스 역할을 수행한다고 할 수 있다. 운영체제 기능은 컴퓨터의 시동(Booting), 사용자 인터페이스 제공, 프로그램 실행관리, 메모리 관리, 파일 관리, 보안(security) 기능, 암호화 및 압축 기능, 인터넷 연결 작업, 네트워크 제어 기능, 성능 모니터링 기능 등을 지원한다.

② 프로그래밍 언어: 컴퓨터가 읽고 사용하는 명령이나 코드의 집합으로, 프로그래머가 의도한 대로 동작하는 프로그램을 개발하는 데 사용한다. 프로그래밍 언어에는 고급, 중급, 저급 언어가 존재한다. 고급(High-level) 언어는 명령어가 인간이 사용하는 일상적인 문장에 가까운 언어다(C언어). 컴퓨터가 사용하는 기계어하고는 차이가 커서, 고급 언어를 기계어로 번역하기 위해서는 복잡한 과정을 거쳐야 한다. 중급 언어는 컴퓨터 고유의 기계어 명령을 사람이 어느 정도 해독할 수 있도록 문자화하거나 기호화한 형태의 중간수준의 언어다(어셈블리어). 저급 언어는 컴퓨터가 사용하는 언어이다(기계어). 데이터 표현에 있어 기본 단위인 비트의 값 0과 1로 그대로 표기하는 언어다.

어셈블리 언어의 경우 2가지 견해가 존재한다. 중급 언어로 보는 견해와 저급 언어로 보는 견해이다. 시험에서는 어셈블리어는 저급 언어로 출제되었으므로 저급 언어로 기억하는 것이 좋다.

개념 PLUS+

미래에는 언어를 배울 필요가 없는가?

언어가 필요한 이유는 컴퓨터가 자연어를 처리하지 못하기 때문이다. 만약, 컴퓨터가 자연어를 처리할 수 있다면 프로그래밍 언어를 배울 필요 없이 자연어로 명령을 내리면 된다. 이때가 되면 자연어를 처리하는 인공 지능 프로그래밍을 제외하곤 프로그래밍이 필요하지 않을지도 모른다.

③ **컴파일과 컴파일러**: 프로그램을 컴퓨터가 이해할 수 있는 언어로 번역하는 과정을 컴파일이라 한다. 일반적으로 모든 프로그램은 컴퓨터가 사용할 수 있는 기계어로 번역되어야 실행이 가능하다. 소스 프로그램(Source Program)을 기계어로 번역하여 오브젝트 코드(Object Code)라 불리는 실행 가능한 프로그램으로 만들어주는 프로그램이 컴파일러다.

컴파일러의 종류에는 컴파일러, 인터프리터, 하이브리드가 존재한다. 컴파일러는 소스 코드를 한번에 모아서 처리하고(C언어), 인터프리터는 한 라인씩 처리한다(파이썬). 그리고 하이브리드는 컴파일 과정을 거친 후에 인터프리터를 돌린다(자바).

④ **데이터베이스 관리시스템(DBMS)**: 응용 소프트웨어와 운영체제 사이에서 대용량 데이터를 효율적으로 관리하기 위한 시스템 소프트웨어로서 기존의 파일 시스템의 단점(중복, 종속)을 극복한다. 데이터베이스의 추가, 수정, 검색 등의 작업을 하기 위한 시스템 인터페이스를 제공하며 관리한다(SQL). 대표적인 예로 오라클, MySQL 등이 존재한다.

데이터베이스 관리 시스템의 특징은 데이터의 효율적 관리, 데이터 접근에 대한 관리, 효율적인 데이터 검색, 원하는 형태의 보고서 즉시 작성, 백업 및 복구 기능 보유, 다양한 인터페이스를 제공한다는 점이다.

⑤ **범용 유틸리티 소프트웨어와 장치 드라이버**: 범용 유틸리티 소프트웨어는 사용자가 컴퓨터를 효율적으로 관리하는데 필요한 다양한 기능을 독립적으로 수행하는 프로그램이다. 파일 관리 기능은 파일의 목록을 보여주고 파일을 복사하거나 이름을 바꾸고 삭제하며 저장한다. 디스크 관리 기능은 불필요한 파일을 삭제하거나 문제점을 해결한다. 그리고 포맷팅 기능도 있다. 디스크 조각 모으기를 통해서 작은 조각들을 모아서 파일 공간으로 사용하기 쉽도록 만들어 주는 기능도 포함한다. 시스템 상태 보기는 컴퓨터 하드웨어, 주변기기나 시스템 소프트웨어의 상태 보기를 통해서, 시스템의 문제를 진단한다.

장치 드라이버(device driver)는 컴퓨터에 연결되는 주변 장치를 제어할 수 있도록 지원하는 소프트웨어다. 마우스를 설치하면 장치 드라이버가 설치되기 전에는 바로 사용할 수 없다.

(3) 응용 소프트웨어

① **개요**: 컴퓨터에게 특정 목적의 작업을 수행하기 위한 프로그램들로서 컴퓨터가 많은 다른 작업을 수행할 수 있도록 하는 소프트웨어다. 예를 들면, 문서 작성을 위해서는 MS Office라는 응용 소프트웨어를 이용한다. 다음 그림은 응용 소프트웨어에 대한 계층적 개념과 분류를 나타낸다.

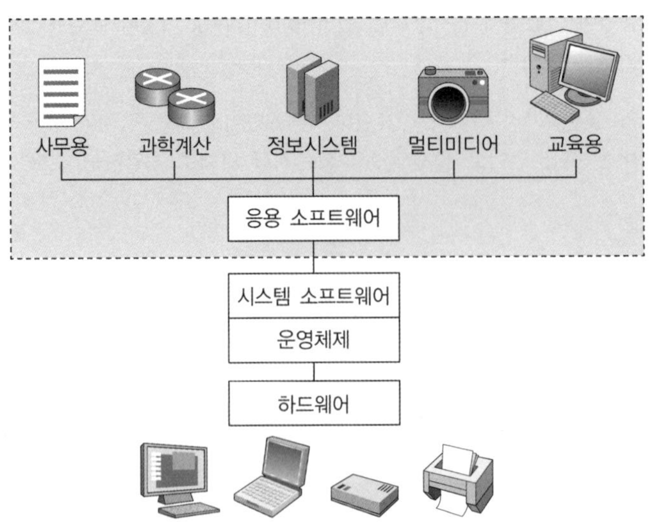

▲ 응용 소프트웨어의 계층적 개념과 분류

② 응용 소프트웨어 종류 및 특성: 다음의 표는 응용 소프트웨어의 종류 및 특성을 나타낸다. 데이터 관리 소프트웨어를 주의 깊게 살펴보기 바란다(시스템 소프트웨어와 헷 갈리지 말기 바란다).

응용 소프트웨어 종류	내용
문서 작성 소프트웨어	문서의 작성, 편집, 설계, 문서 인쇄를 지원하는 응용 소프트웨어다(워드프로세서, 한글 등).
그래픽 소프트웨어	영상을 편집/조작한다. 그리고 3차원 객체, 애니메이션과 비디오 등을 편집/조작한다.
프레젠테이션 소프트웨어	텍스트, 그래픽, 그래프, 애니메이션 및 사운드를 합성하여 디지털 전자 슬라이드를 작성하는 데 필요한 모든 도구를 제공한다(파워포인트 등).
수치 분석 소프트웨어	물리적 시스템과 사회적 시스템의 수치 모델을 만들고, 그 모델의 경향을 예측하고 양식을 이해하도록 분석한다(엑셀, 로터스 등 스프레드시트 프로그램).
정보 및 참조 소프트웨어	정보의 모음과 그 정보에 접근하기 위한 방법을 제공한다.
데이터 관리 소프트웨어	단일 상자에 축적된 가장 큰 참조 데이터의 창고라고 하는 CD-ROM에서 정보 및 참조 소프트웨어를 생각할 수 있다.
연결 소프트웨어	컴퓨터를 지역 컴퓨터 네트워크나 인디넷에 연결해 주는 일을 한다(기본 통신 소프트웨어, 원격 제어 소프트웨어, 전자우편, 웹 브라우저 등이 이에 속한다).
교육 및 훈련 소프트웨어	새로운 기능을 배우고 숙달하는 것을 돕는다. 동일 주제에 대하여 교육 대상과 수준에 따라 다르게 할 수 있는 장점을 갖는 소프트웨어이다.
게임 소프트웨어	취미와 여가 활동을 위해 설계된 소프트웨어이다. 일반적으로 액션, 모험/역할 분담, 클래식, 퍼즐, 시뮬레이션, 전략/전쟁 게임으로 분류된다.
회계 및 재무 소프트웨어	금전 거래와 투자 내역을 유지해주는 프로그램이다.
기업 소프트웨어	조직이 일상적인 작업을 효율적으로 수행하도록 지원한다. 회계 응용, 급여 응용, 의료비와 보험금, 호텔 관리 응용 등에 사용된다.

3. 펌웨어(Firmware)

일반적으로 시스템의 효율을 높이기 위한 ROM에 저장된 하드웨어를 제어하는 마이크로 프로그램을 의미한다. ROM은 프로그램이 고정되어 있기 때문에 하드웨어의 특성도 가지고 있지만 실제로는 소프트웨어에 더 가깝다. 소프트웨어를 하드웨어화 시킨 것으로 소프트웨어와 하드웨어의 중간에 해당한다. 컴퓨터에서 펌웨어는 BIOS와 제어 장치 등에 사용되고, ROM Writer 등을 이용해서 변경이 가능하다.

소프트웨어의 기능을 펌웨어로 변경할 수 있으면 속도가 현저하게 증대하므로 고속 처리가 필요한 프로그램은 펌웨어로 만들어 사용한다. 하드웨어의 기능을 펌웨어로 변경하면 속도는 느려진다(변경 가능). 그러나 논리회로를 설계하여 사용하는 것 보다 저렴하고, 편리하게 구현하여 사용할 수 있는 장점을 가지기도 한다. 제어장치를 만드는 방법에 활용된다.

3 버스와 상호 연결

1. 버스(Bus)

컴퓨터에서 두 개 혹은 그 이상의 장치들을 연결하는 공유 전송 매체이다(shared 구조). 만약, shared 구조(N : N 구조)가 아니라면 dedicated 구조(1 : 1 구조)로 사용해야 하는데 이 경우에는 확장성이 없다.

버스를 통해서 전송되는 데이터의 유형들은 프로세서가 기억장치로부터 명령어와 데이터를 읽는 유형, 프로세서가 기억장치에 데이터를 저장하는 유형, 프로세서는 입출력(Input/Output, I/O) 모듈을 통하여 I/O 장치로부터 데이터를 읽고, 프로세서가 I/O 장치로 데이터를 전송하는 유형, I/O 모듈이 DMA(Direct memory access)를 통하여 기억장치와 직접 데이터를 교환하는 전송 유형 등이 존재한다. DMA는 Polling, Interrupt, IOP 개념과 함께 나중에 자세히 다룬다.

2. 시스템 버스

시스템 버스(system bus)는 프로세서, 기억장치 및 I/O 장치간의 통신을 위해 상호 연결한다. 시스템 버스는 주소 버스, 데이터 버스, 제어 버스로 나눈다. 버스를 나누는 이유는 주소, 데이터, 제어를 분리하기 위한 것이다. 만약, 버스가 하나라면 매 신호마다 주소, 데이터, 제어를 인식하고 분리해서 처리해야 하는 번거로움이 발생한다. 다음 그림은 시스템 버스의 구성을 나타낸다.

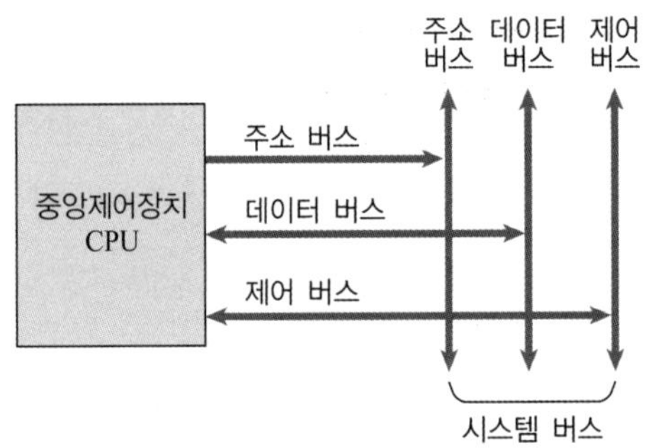

▲ 시스템 버스의 구성

주소 버스(Address Bus)는 단방향으로 데이터가 읽혀지거나 쓰여질 기억장소의 주소를 전송하는 통로다. CPU가 발생하는 주소 정보를 외부로 전송하는 신호 선들의 집합이다. 데이터 버스(Data Bus)는 양방향으로 모듈들 사이로 데이터(명령어)를 전송하는 통로다. CPU가 기억장치와 I/O 장치와의 사이에 데이터를 전송하는 신호 선들의 집합이다. 제어 버스(Control Bus)는 양방향으로 제어신호들을 전송하는 통로다. CPU가 컴퓨터내의 각종 장치들의 동작을 제어하기 위한 신호 선들의 집합이다. 제어 신호에는 기억장치 읽기/쓰기(Memory Read/Write) 신호, 전송 확인(transfer acknowledge), 인터럽트 요구(interrupt request), 인터럽트 확인(interrupt acknowledge), 버스 승인(bus grant, 버스는 아무 때나 쓸 수 없기 때문에 CPU로부터 승인을 받아야 함), I/O 읽기/쓰기(I/O Read/Write) 신호, 버스 요구(bus request), 리셋(reset) 등이 존재한다.

3. 시스템 버스의 방향성과 기억장치 쓰기와 읽기 시간

시스템 버스의 방향성을 정리하면 다음과 같다. 데이터 버스는 읽기와 쓰기 동작을 모두 수행하므로 양방향성을 갖는다. 제어 버스는 요구 제어신호와 확인 제어신호를 사용하므로, 양방향성이다. 주소 버스는 신호가 CPU로부터 기억장치 혹은 I/O 장치들로만 전송되지만 반대로의 전송은 존재하지 않기 때문에 단방향성 버스다.

기억장치 쓰기 동작에서 CPU는 기억장치에 데이터를 전송해서 저장한다. 기억장치 읽기 동작에서 CPU는 기억장치에 저장된 데이터를 가져와 자신의 레지스터에 싣는다. 다음 그림처럼 CPU가 기억장치 읽기와 쓰기 동작을 위해서는 주소, 데이터, 제어 버스가 필요하다.

▲ 기억장치 쓰기와 읽기에서의 주소, 데이터, 제어 버스

기억장치 쓰기 시간(memory write time)은 기억장치 쓰기 동작에서 CPU가 주소와 데이터를 보낸 순간부터 저장이 완료될 때까지의 시간이다. 기억장치 읽기 시간(memory read time, 읽는데 시간이 걸리므로 데이터 버스의 지연이 발생)은 기억장치 읽기 동작에서 주소를 해독(decode)하는 데 걸리는 시간과 선택된 기억 소자들로부터 데이터를 읽는 데 걸리는 시간을 합한 시간이다. 다음 그림은 기억장치 액세스 동작의 시간 흐름도를 나타낸다.

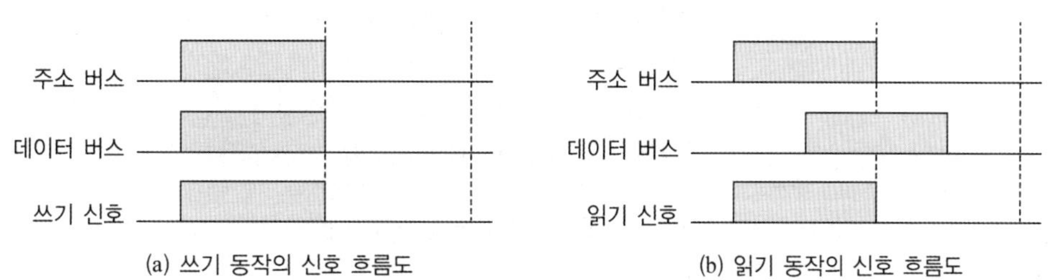

(a) 쓰기 동작의 신호 흐름도 (b) 읽기 동작의 신호 흐름도

▲ 기억장치 액세스 동작의 시간 흐름도

4. CPU와 주변장치와의 데이터 전송

CPU에서 입출력장치로의 데이터 이동에서는 CPU의 속도와 입출력장치의 처리속도의 차이가 커서, 고속으로 전송된 데이터들은 느린 처리속도를 가진 입출력장치가 제대로 처리를 못한다. 속도차를 보완하기 위해 시스템 버스와 입출력장치를 연결하는 입출력장치 제어기(I/O device controller) 또는 입출력 모듈(I/O Module)이 있다. 다음 그림은 CPU와 입출력 장치간의 데이터 흐름을 나타낸다. CPU와 입출력 장치를 연결하기 위해 시스템 버스가 사용되었음을 알 수 있다.

CPU ⟷ 시스템 버스 ⟷ 입출력장치 제어기 ⟷ 입출력장치

▲ CPU와 입출력 장치간의 데이터 흐름

5. 입출력장치 제어기(I/O 모듈)의 역할

I/O 모듈은 CPU로부터 입출력 명령을 받아서, 해당 입출력 장치를 제어하고 데이터를 이동시키는 명령을 수행하는 전자회로 장치이며, 두 개의 레지스터가 존재한다. 상태 레지스터는 입출력장치의 현재 상태를 나타내는 비트들을 저장한 레지스터이다. 준비 상태(RDY) 비트와 데이터 전송확인(ACK) 비트가 해당 상태를 표시한다. 데이터 레지스터는 CPU에서 입출력 장치 간에 이동되는 데이터를 일시적으로 저장하는 레지스터다. 예를 들어, CPU가 프린터에 데이터를 출력한다고 가정하면 상태 레지스터를 통해 프린터의 상태를 확인하고, 데이터 레지스터를 통해 실제 출력할 데이터를 보낸다. 다음 그림은 시스템 버스를 통한 구성장치의 연결을 나타낸다.

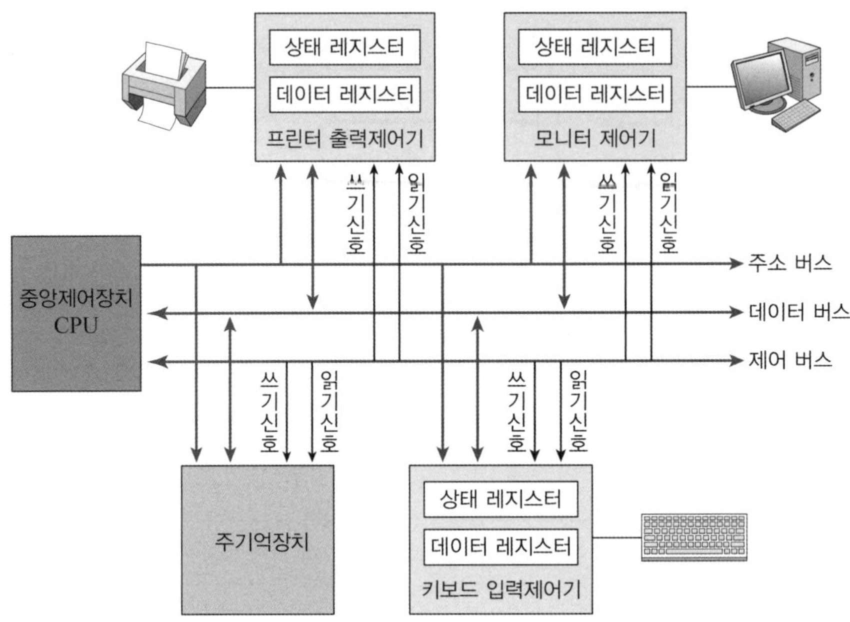

▲ 시스템 버스를 통한 구성장치의 연결

4 컴퓨터의 기능과 동작

1. 컴퓨터의 기능과 특징(* 참고)

(1) 컴퓨터의 특징

① 신속성: 컴퓨터의 처리 속도는 고속이어서 1초에 수억 번의 작업을 수행한다.
② 신뢰성: 입력된 자료를 오류 없이 정확하게 처리해줘서 그 결과를 믿을 수 있다.
③ 정확성: 입력된 자료가 정확하고 사용 방법이 올바르면 처리 결과는 정확하다.
④ 대용량성: 작은 기억장치 하나에 방대한 양의 자료를 저장할 수 있다.
⑤ 공유성: 인터넷에 연결된 컴퓨터는 정보를 많은 사람이 공유하게 한다.

(2) 컴퓨터의 기능

① 입력 기능: 데이터나 프로그램을 컴퓨터 내부로 읽어오는 기능이다.
② 처리 기능: 산술이나 논리 연산 등을 수행한다. 그리고 프로그램을 읽고 해석하여 각 장치에 필요한 지시를 한다.
③ 출력 기능: 처리 결과를 기호, 문자, 그림, 음성 등의 형태로 외부로 보낸다.

④ 기억 기능: 입력된 데이터나 프로그램, 중간 결과 및 처리된 결과를 기억한다.
⑤ 통신 기능: 다른 컴퓨터와 연결하여 자료를 입력 또는 처리하거나 출력한다.

다음 그림은 컴퓨터 기능을 나타낸다. 컴퓨터에서 가장 중요한 기능은 처리 기능이다.

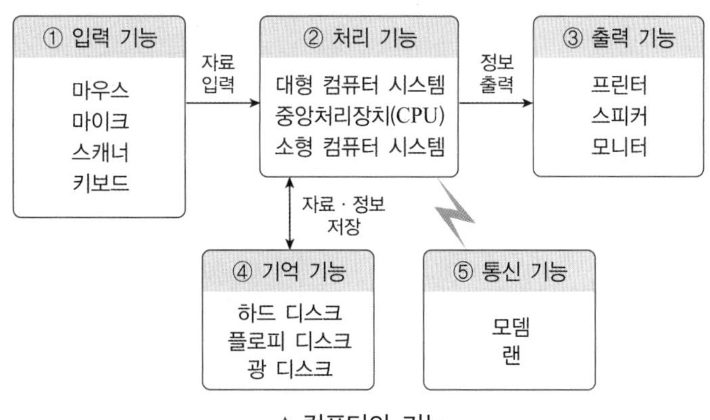

▲ 컴퓨터의 기능

2. 컴퓨터 시스템의 동작

다음 그림은 컴퓨터 시스템의 동작 과정을 나타낸다. 동작 과정 중에 ROM, RAM, HDD(SSD)가 사용된다.

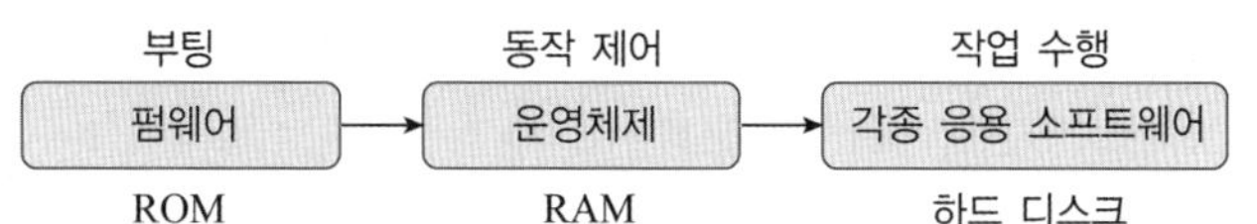

▲ 컴퓨터 시스템의 동작 과정

컴퓨터에서 프로그램이 실행 시, 구성 장치들이 수행하는 동작은 다음과 같다.

- 실행: CPU가 주기억장치에서 프로그램 코드를 읽어서 실행한다.
- 데이터 저장: 프로그램 실행 결과로서 얻어진 데이터를 주기억장치에 저장한다.
- 데이터 이동: 보조기억장치에 저장되어 있는 프로그램과 데이터 블록을 주기억장치로 이동시키는 기능이다.
- 데이터 입력: 사용자가 키보드를 통해 보내는 명령이나 데이터를 읽어 들인다.
- 데이터 출력: CPU가 처리한 결과 값이나 기억장치의 내용을 출력한다(모니터).
- 제어: 프로그램이 순서대로 실행되도록 또는 필요에 따라 실행 순서를 변경하도록 조정하며, 각종 제어 신호들을 발생시킨다.

컴퓨터의 동작은 프로그램내의 명령어를 읽고, 처리하고, 그리고 저장하는 과정을 통해서 정해진 순서대로 프로그램을 실행된다. 프로그램내의 명령어가 수행되는 과정은 다음과 같다. 단, 주기억장치 300번지에서 add 250이라는 명령어가 있다고 가정한다.

- 명령어 인출: 명령어를 읽어가지고 오는 단계다(300번지에서 add 250이라는 명령어를 가지고 온다).
- 명령어 해독: 명령어의 내용을 결정하는 단계다(add 250이라는 명령어를 해석해서 실행한다).
- 명령어 실행: 해독 명령어의 내용을 수행하는 과정으로 처리 결과는 저장한다(add 250을 수행한 결과를 AC에 저장한다).
- 프로그램 카운터 증가 단계: 다음 명령어를 수행하기 위한 단계다(300번지의 명령어를 실행했으므로 301번지로 변경한다).

3. 명령어 사이클(Instruction Cycle)

중앙처리장치가 하나의 명령어를 실행하는데 필요한 전체 처리 과정을 명령어 사이클이라고 한다. 명령어 사이클은 기본적으로 인출 사이클(fetch cycle)과 실행 사이클(execution cycle)의 부 사이클(sub-cycle) 두 개로 구성되어 있다. 나중에 이를 더 세분화한 사이클(인출, 간접, 실행, 인터럽트)을 배운다. 다음 그림은 명령어 사이클을 보여준다.

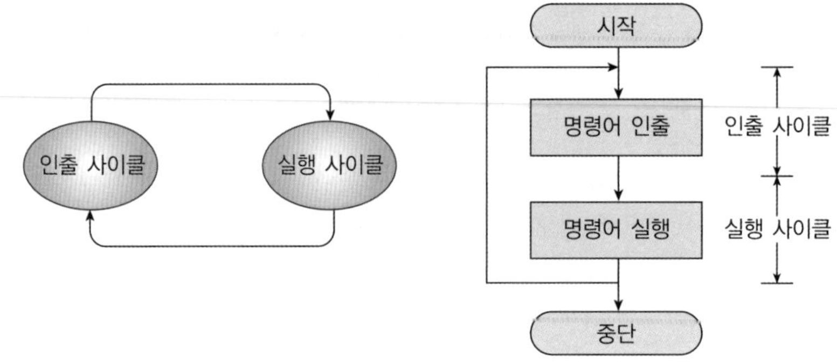

▲ 명령어 사이클

인출 사이클은 CPU가 주기억장치로부터 명령어를 읽어오는 단계다. 실행 사이클은 명령어를 실행하는 단계다. 실행 사이클에서 수행되는 동작은 다음과 같이 분류된다.

- 프로세서와 기억장치 간에 데이터가 전송된다.
- 프로세서와 I/O 모듈 간에 데이터가 전송된다.
- 데이터에 대하여 지정된 산술 혹은 논리 연산이 수행된다.
- 제어(control) 동작은 점프(jump) 같이 실행 명령어의 순서가 변경될 때 사용된다(다음 명령어를 수행하지 않을 수 있다).

명령어 인출 사이클의 3단계 과정(t_0, t_1, t_2라는 clock)은 다음과 같다. 단, 주기억장치 300번지에 add 250이라는 명령어가 있다고 가정한다(해당 단계에 대해서는 나중에 자세하게 배운다).

- t_0: 프로그램 카운터(PC)는 다음에 인출할 명령어의 주소를 가지고 있다. 이것을 MAR에 저장한다(PC의 300이 MAR로 이동한다).
- t_1: 프로세서는 PC가 지정하는 기억장소로부터 명령어를 인출한다. 그리고 PC 내용을 증가시킨다(주기억장치의 300번지에 있던 add 250이라는 명령어가 MBR로 이동하고 다음에 수행할 명령어의 번지를 지정하기 위해 PC의 값이 301로 증가한다).
- t_2: 인출된 명령어가 명령어 레지스터(IR)로 적재된다. 그리고 프로세서는 명령어를 해석하고, 요구된 동작을 수행한다(MBR에 있는 add 250이라는 명령어가 IR로 이동한다).

다음 그림은 인출 사이클에서 주소 및 명령어의 흐름을 나타낸다. t_0, t_1, t_2에 유의한다.

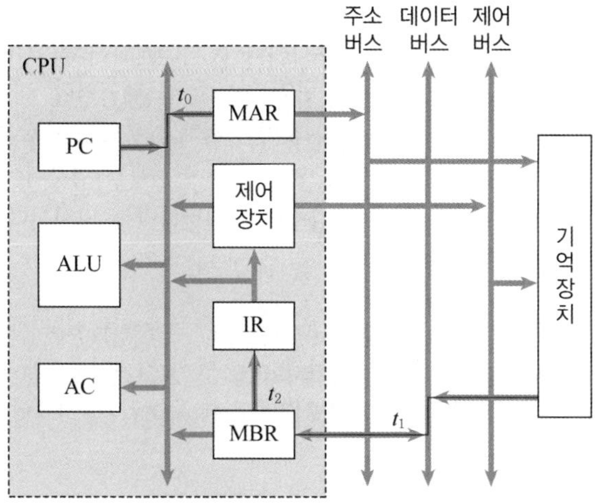

▲ 인출 사이클에서 주소 및 명령어의 흐름

CPU는 실행 사이클 동안에 명령어 코드를 해독(decode)하고, 그 결과에 따라 필요한 연산들을 수행한다. 가지고 온 명령어는 ADD 명령어로서 기억장치에 저장된 데이터를 AC(Accumulator, 누산기)의 내용과 더하고, 그 결과는 다시 AC에 저장하는 명령어다. ADD 명령어 실행 사이클 3단계 과정(t_0, t_1, t_2라는 clock)은 다음과 같다. 단, 주기억장치 250번지에 400이라는 데이터가 있다고 가정한다(해당 단계에 대해서는 나중에 자세하게 배운다).

- t_0: MBR에 저장될 데이터의 기억장치 주소를 MAR로 전송한다(IR에 있는 add 250에서 250을 MAR로 보낸다).
- t_1: 저장할 데이터를 버퍼 레지스터인 MBR로 이동한다(주기억장치에서 250번지가 가리키는 내용인 400을 MBR로 보낸다).
- t_2: MBR 데이터와 AC의 내용을 더하고 결과값을 다시 AC에 저장한다(400을 AC에 더하고 결과를 다시 AC에 저장한다).

다음 그림은 ADD 명령어 실행 사이클 동안의 정보 흐름을 나타낸다. t_0, t_1, t_2에 유의한다.

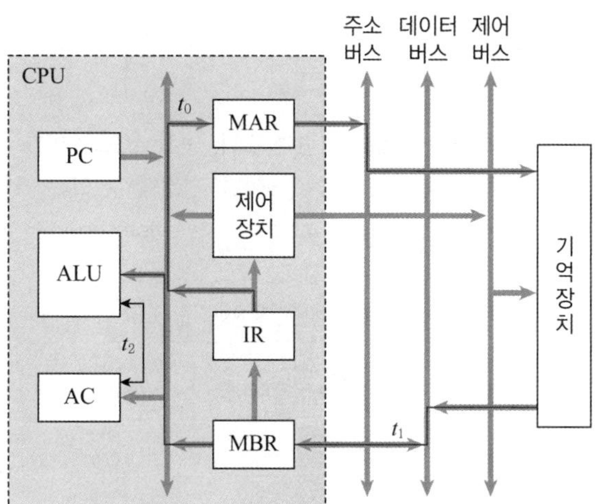

▲ ADD 명령어 실행 사이클에서 정보의 흐름

4. 컴퓨터 언어를 이용한 프로그램의 작성

어셈블리 언어(assembly language)는 어셈블리 코드들의 집합으로, 고급 언어와 기계어 사이의 중간 언어이다(공무원 시험 지문에서는 저급 언어로 보고 있다). 저급 언어인 기계어와 일대일 대응 관계로 기계어로의 변환과정이 쉽다. 어셈블러는 어셈블리 프로그램을 2진수의 기계어로 번역하는 소프트웨어이다. 니모닉스(mnemonics)는 어셈블리 명령어가 지정하는 동작을 개략적으로 짐작할 수 있도록 하기 위해 사용되는 기호이다. 예를 들어, LOAD는 기억장치에 저장된 데이터나 명령어를 명령어 레지스터 IR로 읽어 오는 어셈블리 명령어이고, ADD는 두 레지스터에 저장된 데이터를 산술적으로 덧셈을 수행하고 결과를 레지스터에 저장하라는 명령어다. 그리고 STOR는 처리되거나 계산된 데이터를 기억장치로 저장하는 명령어다.

다음 그림은 덧셈 연산에 대한 고급 언어에서 기계어로 변경되는 과정을 나타낸다. 고급 언어에서 어셈블리어 혹은 기계어로 바뀌는 과정은 컴파일러에서 수행되고(공학), 어셈블리어에서 기계어로 바뀌는 과정은 어셈블러에 의해 수행된다. 기계어에서 어셈블리어로 바뀌는 과정은 역어셈블러에 의해 수행되고, 기계어에서 고급 언어로 바뀌는 과정은 역컴파일러에 의해 수행된다(역공학).

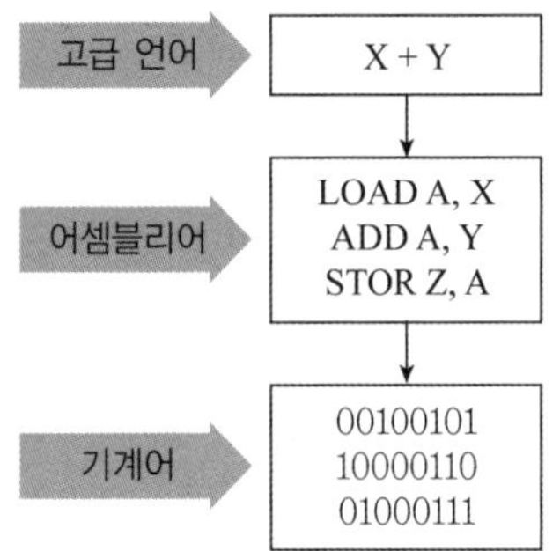

▲ 고급 언어에서 기계어로 변경되는 과정

기계어는 두 개의 필드로 구분된 일정한 형식을 갖는다. 연산 코드(operation code) 필드는 CPU가 수행할 각종 연산을 지정해 주는 비트다(op-code). 오퍼랜드(operand) 필드는 적재될 데이터가 저장되어 있는 기억장치 주소 또는 연산에 바로 사용될 데이터 비트 값을 나타낸다. 예를 들어, add 250이라는 명령어가 있다고 가정하면 add는 연산 코드이고, 250은 오퍼랜드이다.

기계어를 8비트 기계명령어 형식으로 나타내면 다음의 그림과 같다. 연산 코드의 비트 수가 3이면, 지정할 수 있는 연산의 최대 수는 8(= 2^3)이다. 그리고 오퍼랜드의 비트의 수가 5이면, 지정할 수 있는 기억장소의 최대 수는 32(= 2^5)다.

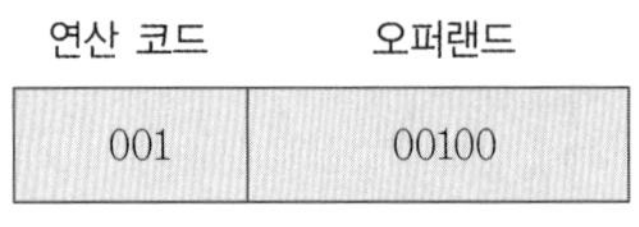

▲ 8비트 명령어 형식

기계어는 기억장치에 저장되는데 단어 단위로 저장된다. 프로그램(명령어)과 데이터가 기억장치에 저장되는 단위를 단어(word)라고 하는데 CPU가 한 번에 처리할 수 있는 비트들의 그룹이다. 32비트 컴퓨터에서 단어는 32비트이고, 64비트 컴퓨터에서 단어는 64비트이다. 다음 그림은 기억장치에 저장된 단어를 보여준다.

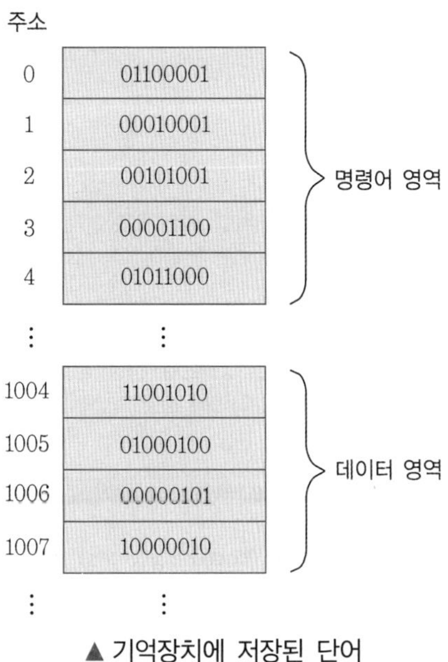

▲ 기억장치에 저장된 단어

주요개념 셀프체크

- 레지스터 종류
- 버스 종류
- 컴파일러 종류
- 인출 사이클, 실행 사이클
- 어셈블리어
- 명령어

핵심 기출

1. 시스템 소프트웨어에 포함되지 않는 것은? 2015년 국가직

① 스프레드시트(spreadsheet)
② 로더(loader)
③ 링커(linker)
④ 운영체제(operating system)

해설

응용 소프트웨어는 컴퓨터에게 특정목적의 작업을 수행하기 위한 프로그램들이다. 컴퓨터가 많은 다른 작업을 수행할 수 있도록 하는 소프트웨어다. 사무용(스프레드시트), 과학계산, 정보시스템, 멀티미디어, 교육용 등이 존재한다(하드웨어랑 밀접한 관련을 가지지 않는다).

선지분석

②③④ 시스템 소프트웨어: 컴퓨터 시스템이 운영을 위한 프로그램으로, 컴퓨터 시스템의 개별 하드웨어 요소들을 직접 제어, 통합, 관리하는 가장 큰 기능을 수행한다. 운영체제, 장치 드라이버, 프로그래밍 도구(로더, 링커), 컴파일러, 어셈블러, 유틸리티 등을 포함한다(하드웨어랑 밀접한 관련을 가진다).

정답 ①

2. GPGPU(General-Purpose computing on Graphics Processing Units) 기술에 대한 설명으로 옳지 않은 것은? 2020년 국회직

① GPU에서 그래픽 연산 이외의 목적을 가진 프로그램을 실행할 수 있도록 해주는 기술을 지칭한다.
② CPU 기기에서의 실행을 위해 컴파일 된 모든 응용 프로그램은 GPGPU 기기에서 실행될 수 있다.
③ 하나의 GPGPU 기기에는 많은 수의 단순 ALU(Arithmetic Logic Unit)가 있어 높은 수준의 병렬처리가 가능하고, 이로 인해 일반 CPU에 비하여 프로그램의 병렬 처리속도가 높아진다.
④ OpenCL(Open Computing Language)을 이용하여 프로그래밍할 경우 다양한 제조사의 GPGPU 기기에서 실행 가능한 프로그램을 작성할 수 있다.
⑤ 병렬처리가 불가능한 어떤 프로그램을 GPGPU에서 실행하려 한다면 성능향상을 기대하기 어렵다.

해설

CPU 기기에서 동작하는 것이 GPGPU에서 동작하지 않는 경우가 존재한다. 예를 들어, 64비트 부동소수점 값은 CPU에서는 일반적이지만 GPGPU 중에는 지원하지 않는 경우가 있다.

선지분석

① 일반적으로 컴퓨터 그래픽스를 위한 계산만 맡았던 그래픽 처리 장치(GPU)를 전통적으로 중앙 처리 장치(CPU)가 맡았던 응용 프로그램들의 계산에 사용하는 기술이다.
③ 일반 CPU에 비해 병렬도가 높다(높은 수준의 병렬 처리가 가능).
④ 개방형 범용 병렬 컴퓨팅 프레임워크로서 CPU, GPU, DSP 등의 프로세서로 이루어진 이종 플랫폼에서 실행되는 프로그램을 작성할 수 있게 해준다.
⑤ ③번과 같은 개념으로 병렬도가 낮은 프로그램은 일반 CPU에 비해 성능향상을 기대하기 어렵다.

정답 ②

CHAPTER 02 중앙처리장치(CPU)

1 CPU와 마이크로프로세서의 이해

1. 마이크로프로세서(microprocessor)와 폰 노이만(von Neumann)

마이크로프로세서는 컴퓨터에서 명령을 수행하고 데이터를 처리하는 중앙처리장치(CPU; Central Processing Unit)를 집적회로(IC, 트랜지스터)의 칩 형태로 만든 것이다.

폰 노이만 컴퓨터 구조는 프로그램 내장 방식이다. 이전 컴퓨터들이 특수 기능만을 수행했다면, 폰 노이만 이후의 컴퓨터는 일반 기능을 수행하게 되었다. 데이터와 명령어가 주기억장치(RAM)에 저장되어 있다가 버스를 통해서 CPU로 전달한다. CPU는 전달되어온 명령어를 이용하여 데이터를 사용자가 원하는 형태로 처리한다. 결과는 다시 데이터 버스를 통해서 주기억장치(RAM)로 보낸다.

2. 머신 사이클(machine cycle)

프로그램을 구성하는 명령어는 4단계의 과정을 통해서 수행한다. 그런데 이 과정은 CPU에서 동작을 하므로 머신 사이클이라고 한다. 각 단계별 사이클의 역할은 다음과 같다. 해독, 실행, 저장을 크게 실행이라고 볼 수도 있다.

- 인출(Fetch) 사이클: 필요한 명령어를 주기억장치에서 불러오는 사이클이다.
- 해독(Decode) 사이클: 호출된 명령어를 해석하는 사이클이다(제어장치에서 수행).
- 실행(Execute) 사이클: 해석된 명령어를 산술논리연산장치를 통하여서 실행한다.
- 저장(Store) 사이클: 수행결과를 주기억장치에 저장하는 사이클이다.

다음 그림은 머신 사이클과 명령어 수행 과정을 나타낸다.

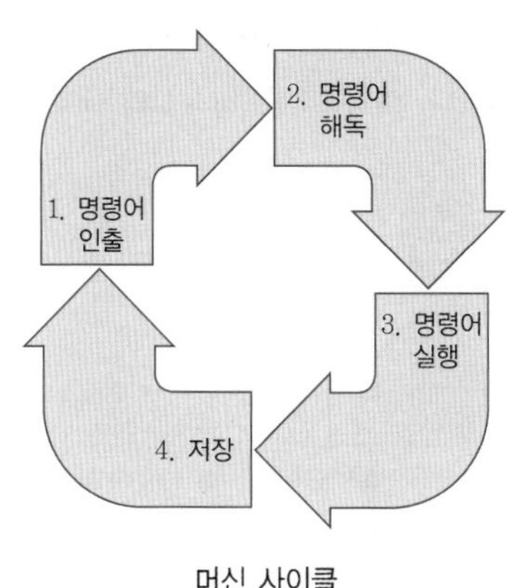

머신 사이클

명령어 레지스터 명령어 1
제어장치
연산장치
레지스터
버스
주기억장치
① 호출 사이클
② 해독 사이클
③ 실행 사이클
④ 저장 사이클

명령어의 수행 과정

▲ 머신 사이클과 명령어의 수행 과정

3. 클록속도와 명령어 처리속도

클록(Clock) 주파수는 CPU는 일정한 속도로 작동하기 위해서 일정한 간격으로 공급되는 전기적 진동(pulse)이다(CPU의 동작 기준 점 또는 논리회로의 동작 기준 점). 1초에 클록이 몇 번 발생하는지를 나타낸 것을 클록 주파수라 하며, 단위는 Hz이다. 1초에 1번 클록이 발생하는 것을 1Hz라고 한다. 1초에 10^6개의 클록 발생하면 클록 주파수의 단위는 MHz로 표현한다. 1초에 10^9의 클록이 발생하면 단위는 GHz로 표현한다. 75MHz라면 초당 7천 5백만 번의 사이클로 0과 1의 디지털 신호를 발생한다. 클록은 주회로기판에 장착되어 있는 클록 발생기가 만들어 내는데, 클록 수가 높을수록 컴퓨터의 처리 속도가 빠르다는 것을 의미한다(발열 주의). 예전에는 오버클록킹을 수행했는데, 현재의 컴퓨터는 클럭 속도를 자동으로 조절한다.

명령어 처리속도는 초당 처리하는 명령어의 개수로 단위는 1초에 100만 개의 명령어 수행을 나타내는 MIPS(Million Instruction Per Second)으로 나타낸다. 처리속도가 18.5MIPS라면 1초 동안에 1,850만 개의 명령을 실행할 수 있다. 현재는 FLOPS(FLoating point Operations Per Second)도 많이 사용된다. FLOPS는 초당 처리하는 부동 소수점 연산의 개수를 의미한다. 부동 소수점 연산을 기준으로 잡은 이유는 부동 소수점 연산 처리가 명령어 중에 가장 오래 걸리기 때문이다.

명령어와 클록

명령어는 다수개의 마이크로 연산으로 이루어져 있고, 마이크로 연산은 1 클록에 수행된다. 그러므로 명령어를 실행하기 위해서는 다수개의 클록이 필요하다. 시험에 자주 나오는 지문이므로 기억해두는 것이 좋다. CPU가 3.0GHz란 초당 클럭이 3×10^9개가 있다는 것을 의미하고, 하나의 명령어에 3개의 클럭이 필요하다면 해당 CPU는 초당 10^9개의 명령어를 처리할 수 있다.

2 CPU의 조직

1. CPU의 내부구조

기본적으로 연산장치(ALU), 제어장치(CU), 레지스터(Register)의 집합으로 구성되며, 이것들은 내부 CPU 버스로 연결되어 있다. 연산장치에서 각종 연산기능을 수행하고, 레지스터에서 데이터를 보관하는 기억기능을 수행한다. 제어장치는 명령을 해독하고 제어신호를 발생하여 제어기능을 수행하고, 버스를 통해서 데이터의 전달기능을 수행한다. 결과적으로 CPU는 기본적으로 연산, 기억, 제어, 전달 등 네 가지 기능을 수행한다. 다음 그림은 CPU의 내부 구조를 나타낸다.

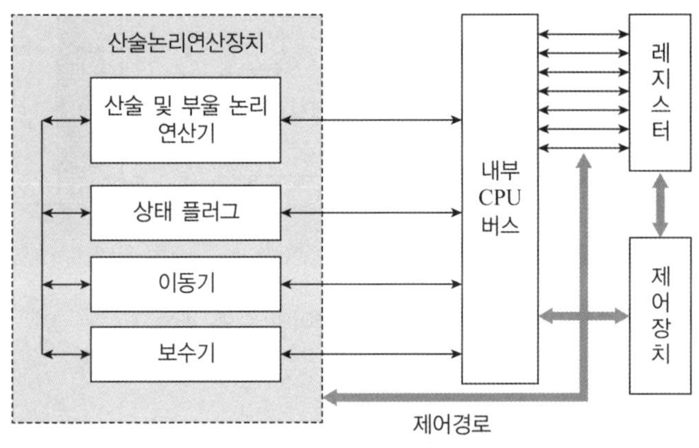

▲ CPU의 내부 구조

2. 연산장치

산술논리연산장치(ALU, Arithmetic and Logic Unit)는 덧셈, 뺄셈과 같은 산술 연산과 AND, OR, XOR 등의 논리 연산을 계산하는 디지털 회로다. ALU의 구성은 산술 및 부울 논리 연산기, 상태 플래그, 이동기, 보수기로 구성된다.

산술 및 부울 논리(Arithmetic and Boolean Logic) 연산기는 실제적인 산술 연산과 논리 연산을 수행하는 회로다. 덧셈, 뺄셈, 곱셈, 나눗셈 등의 산술 연산과 논리 연산으로는 AND, OR, NOT, XOR 등을 수행한다. 이외에 많은 산술, 논리 연산을 수행할 수 있다. 상태 플래그(Status Flags)는 연산중인 ALU 내의 데이터 상태를 표시한다. 음수, 0, 오버플로우(Overflow) 등을 표시한다. 이동기(Shifter)는 데이터 비트를 좌우로 비트 별로 이동(비트의 이동은 2로 곱셈하거나 나눗셈하는 것으로 해석)한다. 보수기(Complementer)는 ALU내의 데이터에 대하여 보수 연산을 수행한다. 컴퓨터에서는 2의 보수를 주로 사용한다. 2의 보수는 덧셈과 뺄셈 계산 장치의 제작을 쉽게 한다(덧셈을 이용해서 뺄셈을 수행).

3. 프로세서 레지스터

프로세서 레지스터는 CPU내에서 데이터를 저장하는 장치로, 간략하게 레지스터라고도 한다. 컴퓨터의 기억장치들 중에서 속도가 가장 빠르다. ALU에서 처리된 결과 데이터를 임시적으로 보관한다(예 AC). 그리고 주기억장치로부터 읽어온 명령어와 데이터를 임시적으로 보관한다(예 MBR).

프로세서 레지스터를 레지스터의 용도별로 분류하면 다음과 같다.

- 데이터 레지스터: 정수 데이터 값을 저장할 수 있는 레지스터다.
- 주소 레지스터: 기억장치 주소를 저장하여 기억장치 액세스에 사용한다.
- 범용 레지스터: 데이터와 주소를 모두 저장할 수 있는 레지스터다.
- 부동 소수점 레지스터: 부동소수점 데이터 값을 저장하기 위해 사용한다.
- 상수 레지스터: 0이나 1 등 고정된 데이터 값을 저장하기 위한 레지스터다.
- 특수 레지스터: 실행 중인 프로그램의 상태(PC, PSW)를 저장하는 레지스터다(PC는 프로그램 카운터를 의미하고, PSW는 상태 레지스터를 의미한다).
- 명령 레지스터: 현재 실행중인 명령어를 저장한다(예 IR).
- 색인(index) 레지스터: 실행 중에 피연산자의 주소를 계산하는데 사용된다(용도: 배열의 인덱스).

4. CPU에 존재하는 레지스터

CPU에 존재하는 레지스터는 사용자에게 보이는 레지스터들과 제어 및 상태 레지스터들로 분류한다. 사용자에게 보이는 레지스터들은 어셈블리 프로그래머가 프로그램에서 사용되는 변수, 데이터 등의 저장을 위해 해당 레지스터를 알고 있어야 한다. 사용하는 목적에 따라 분류하면 다음과 같다.

- 일반목적용 레지스터: 프로그래머에 의해 여러 용도로 사용한다.
- 데이터 레지스터: 데이터 저장에만 사용할 수 있는 레지스터(누산기)다(예 AC).
- 주소 레지스터: 특정 주소지정 방식을 위해 사용하는 레지스터다(예 인덱스 레지스터).
- 스택 포인터(stack pointer): 스택이라는 저장장치의 최상위(top of stack) 주소를 저장하는 레지스터다(자료구조와 연결되는 부분).

그리고 다음과 같은 조건 코드(Condition Codes)는 저장된 데이터의 상태(status)를 표시하는데 사용된다(나중에 조건 코드는 분기를 결정하기 위해 사용된다).

- 부호(sign) 비트: 양수인지 음수인지를 표시한다.
- 영(0) 비트: 해당 데이터가 0이라는 것을 표시한다.
- 오버플로우 비트: 연산의 결과 등에 오버플로우가 발생했다는 것을 표시한다.

제어 및 상태 레지스터들(Control and Status Registers)는 PC, IR, MAR, MBR로 구성된다. 프로그램 카운터(PC; Program Counter)는 주기억장치에 저장된 다음에 인출할 명령어의 주소를 가지고 있는 레지스터다. 명령어 레지스터(IR; Instruction Register)는 가장 최근에 주기억장치인 RAM에서 인출한 명령어를 저장한다. 기억장치 주소 레지스터(MAR; Memory Address Register)는 액세스할 기억장치의 주소가 저장되는 레지스터다. 이 레지스터의 출력이 주소 버스와 직접 연결된다. 기억장치 버퍼 레지스터(MBR; Memory Buffer Register)는 기억장치에 쓰여질 데이터 혹은 가장 최근에 읽은 데이터가 저장된다.

프로그램 상태 단어(Program Status Word)는 저장된 데이터의 상태와 조건을 나타내기 위하여 추가된 조건 코드 비트들이고 정리하면 다음과 같다.

- 부호(sign) 비트: 해당 레지스터내의 데이터의 부호를 표시한다.
- 영(zero) 비트: 레지스터가 0이라는 것을 표시한다.
- 올림수(carry) 비트: 해당 레지스터에서 자리 올림이 발생하였다는 것을 표시한다.
- 동등(equal) 비트: 비교 대상과 해당 레지스터가 동일한 상태임을 표시한다.
- 오버플로우(overflow) 비트: 해당 레지스터의 오버플로우 상태를 표시한다.
- 인터럽트 가능/불가능(interrupt enable/disable) 비트: 인터럽트 가능 여부를 표시한다(interrupt에 대해서는 나중에 배운다).

5. 제어장치

제어장치는 명령어를 해독하는 기능과 제어 신호를 해당 장치에 전달하는 역할을 수행한다. 명령어의 형식은 다음과 같다. 연산 코드필드는 수행되어야 할 연산이 지정되어 있는 필드다. 기억장치의 주소 필드는 해당 연산을 수행할 때 데이터가 저장되어 있는 주소다. 예를 들어, add 250이라는 명령어에서 add는 연산 코드이고, 250은 기억장치 주소이다.

연산 코드	기억장치 주소

▲ 명령어 형식

제어장치의 구성요소는 MBR, IR, 명령어 해독기, MAR, IR이다. 기억장치 버퍼 레지스터(MBR)는 주기억장치에서 읽어온 명령어를 임시적으로 저장하는 곳이다. 명령어 레지스터(IR)은 명령어를 저장하는 곳이다. 명령어 해독기는 IR에 저장된 명령어의 연산 코드 필드를 전달받아서 명령어를 해독하여 수행할 연산을 결정한다(예 해당 명령어는 덧셈). 기억장치 주소 레지스터(MAR)는 명령어 레지스터에 저장된 명령어의 주소 번지를 저장한다. 프로그램 카운터(PC)는 다음에 수행할 명령어의 주소 번지를 저장하고 있는 곳이다.

다음 그림은 제어장치의 구성(큰 관점)을 나타낸다. 주기억장치 300번지에 add 250이라는 명령어가 있다고 가정하면 프로그램 카운터의 300이 기억장치 주소 레지스터로 이동한다. 주기억장치 300번지에서 add 250이라는 명령어가 기억장치 버퍼 레지스터를 통해 명령어 레지스터로 이동한다. 명령어 레지스터로 옮겨진 명령어는 명령어 해독기를 통해 명령이 해석되어 연산장치(ALU) 중에서 해당 연산을 선택하여 실행한다.

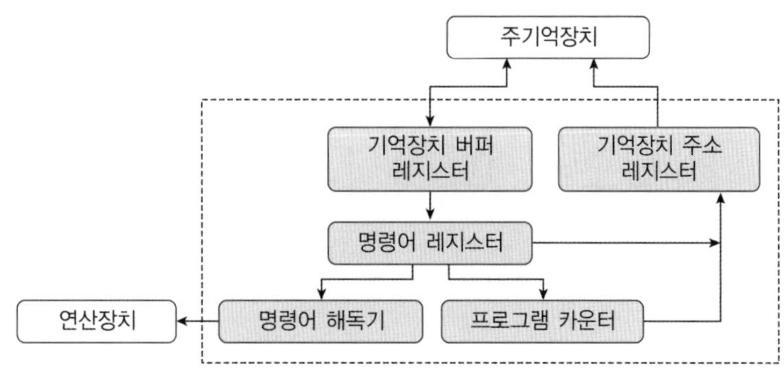

▲ 제어장치의 구성(큰 관점) (작은 관점에 대해서는 나중에 배운다)

6. 내부 CPU 버스(Internal CPU Bus)

CPU 내의 ALU와 레지스터들 간의 데이터 이동과 ALU와 제어장치 간의 데이터 이동 그리고 제어장치와 레지스터들 간의 데이터 이동을 위한 통로다. 실질적인 데이터를 전달하는 데이터 버스와 제어장치에서 발생되는 제어 신호를 전달하는 제어 버스로 구성된다. CPU 밖의 시스템 버스들과는 직접 연결되지 않으며, 반드시 버퍼 레지스터들 혹은 시스템 버스 인터페이스 회로를 통하여 시스템 버스와 접속하는 특징을 가지고 있다. 기억장치 버퍼 레지스터(MBR)와 기억장치 주소 레지스터(MAR)는 CPU내부와 외부 장치 간에 속도 차이를 극복하기 위한 버퍼(buffer) 역할을 수행한다(내부 CPU 버스는 시스템 버스가 아니라는 것에 유의해야 한다).

3 CPU의 논리회로 설계

마이크로프로세서(CPU)는 논리회로로 설계된 중앙처리장치를 하나의 집적 회로 칩으로 만든 것으로 레지스터, 연산장치(ALU), 제어장치(CU)로 구성된다.

1. 레지스터

레지스터는 고속으로 동작할 수 있도록 플립플롭으로 구성된다. 일반적으로 D(delay or data) 플립플롭은 레지스터를 제작하는 구성 요소로 사용된다. 입력신호 D가 클록 펄스에 동기 되어 그대로 출력에 전달되는 특성이 있다. 아래의 그림은 D 플립플롭의 상태도, 진리표, 회로도를 나타낸다.

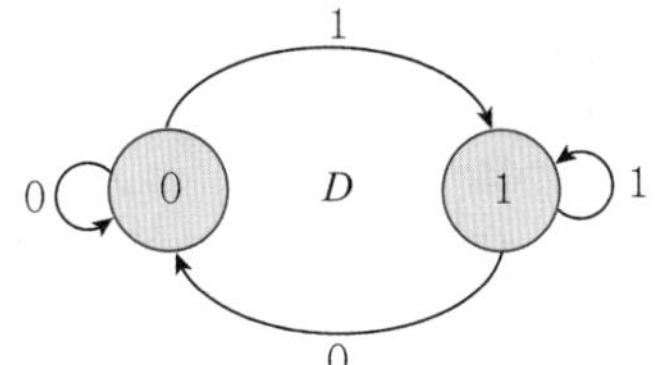

클록	D	$Q(t+1)$
1	0	0
1	1	1

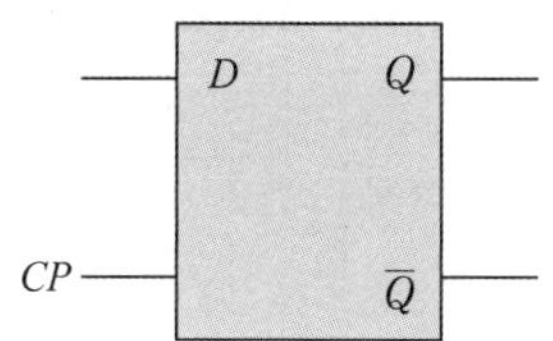

▲ D 플립플롭의 상태도, 진리표, 회로도

다음 그림은 4비트 레지스터의 구성을 나타낸다. 각 플립플롭은 공통의 클록(clock)을 갖고 있다. 클록이 플립플롭에 입력될 때마다, 4비트의 입력 I_0~I_3가 저장된다. 출력 측 A_0~A_3에서는 언제나 저장된 값을 참조할 수 있다. 즉, 병렬 입력과 병렬 출력이다.

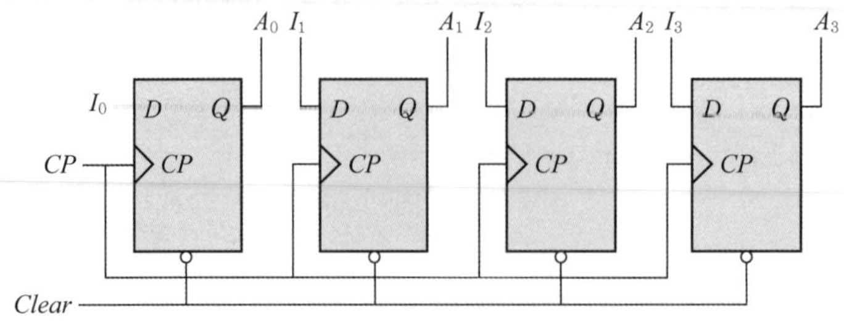

▲ 4비트 레지스터의 구성

2. 연산장치(ALU)

연산장치에는 연산될 데이터와 연산한 결과를 기억시킬 레지스터가 필요하다. 또한 연산의 상태를 나타내기 위한 상태(status) 레지스터들의 연결이 필요하다. 다음 그림은 산술논리연산장치(ALU)를 보여준다. ALU에는 덧셈을 하기 위한 가산기(adder), 연산에 이용되는 데이터나 연산 결과 등을 일시적으로 보관하기 위한 누산기(AC), 데이터를 보관하는 기억장치 버퍼 레지스터(MBR) 등이 필요하다. 그리고 보수를 만들기 위한 보수기(complement), 계산 결과의 상태를 점검하기 위한 상태 레지스터(status register) 등으로 구성된다.

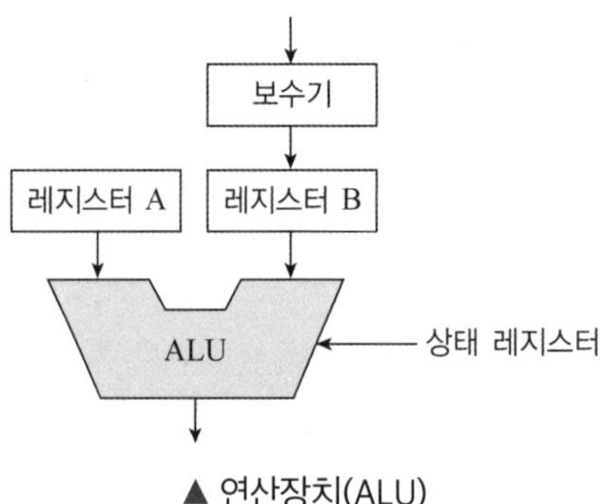

▲ 연산장치(ALU)

ALU에서의 연산회로는 산술 연산회로와 논리 연산회로로 구분된다. 산술 연산회로는 다음 그림과 같이 4비트의 병렬 가산기로 구성된다.

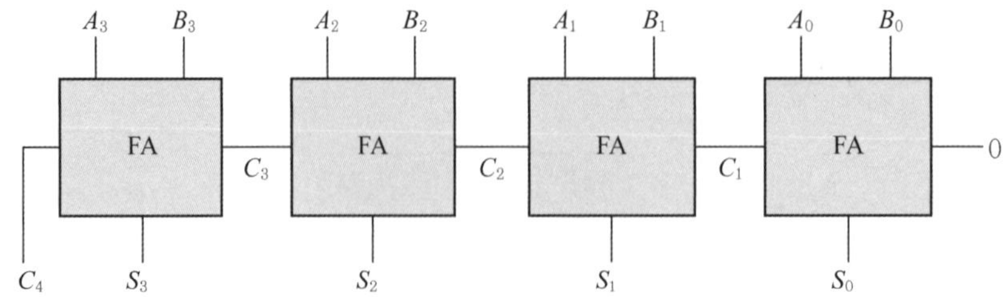

▲ 4비트의 병렬 가산기

병렬 가산기가 단순한 덧셈 기능뿐만 아니라 여러 가지 연산을 수행하기 위해서는 구성요소인 전가산기의 한쪽 입력단자에 논리회로를 추가해야 한다. 다음 그림은 전가산기에 여러 가지의 연산을 위해 논리회로가 추가된 것을 보여준다.

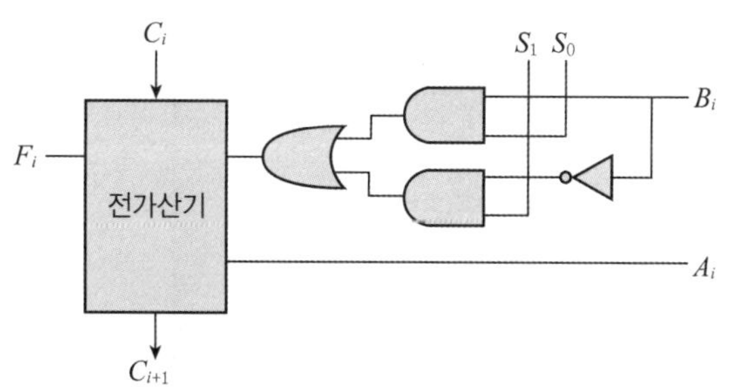

▲ 다양한 연산을 위한 논리회로의 추가

두 개의 선택 신호 S_1과 S_0 그리고 자리올림 C_i에 의해서 8가지 연산을 수행한다. 다음의 표는 산술 연산 논리회로 함수 테이블을 보여준다. 해당 표는 선택 신호를 통해 다양한 연산이 가능함을 나타낸다.

선택 신호와 자리 올림			출력	연산 동작
S_1	S_0	C_i		
0	0	0	$F=A$	A를 전송
0	0	1	$F=A+1$	A의 증가 캐리를 포함한 덧셈
0	1	0	$F=A+B$	A와 B의 가산
0	1	1	$F=A+B+1$	A와 B의 캐리 가진 가산
1	0	0	$F=A+B'$	A와 B의 1의 보수 가산
1	0	1	$F=A+B'+1$	감산(A와 B의 2의 보수 덧셈)
1	1	0	$F=A-1$	A를 1 감소
1	1	1	$F=A$	A를 전송

논리 게이트들을 이용하여 조합 논리회로를 구성하면 다양한 논리 연산을 수행할 수 있다. 데이터 A와 B를 입력하는 회선과 연산의 종류를 선택하는 회선이 존재한다. 입력되는 데이터 A와 B의 내용을 연산 지시에 의해 AND, OR, XOR 및 NOT 연산을 수행한다. 연산 지시 신호는 논리 연산의 선택뿐만 아니라 결과가 기억될 장소를 0으로 지우는 지움선과 NOT 연산으로 1의 보수가 되도록 하는 보수 회선이 존재할 수 있다. 다음 그림은 논리 연산회로의 구성도를 나타낸다.

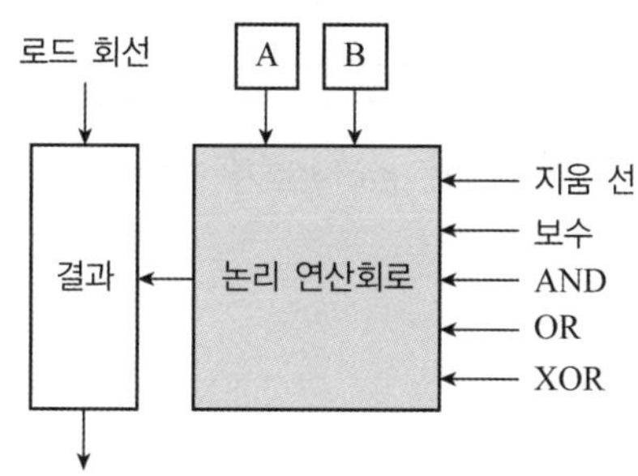

▲ 논리 연산회로의 구성도

논리 연산회로 내부는 논리 게이트의 조합 논리회로와 멀티플렉서로 구성된다. 4개의 논리 연산이 선택신호 S_0와 S_1에 의해서 하나가 선택되고 출력하게 한다. 아래의 그림은 논리 연산회로 내부를 나타낸다.

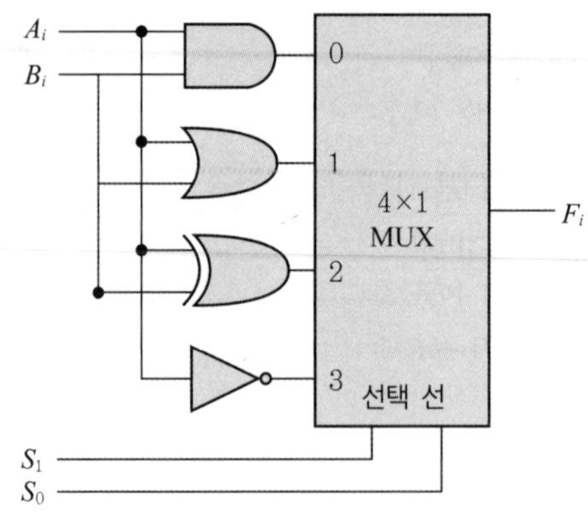

▲ 논리 연산회로 내부

다음의 표는 논리 연산의 함수 테이블을 나타낸다.

S_1	S_0	출력	연산 동작
0	0	$F=A \wedge B$	AND
0	1	$F=A \vee B$	OR
1	0	$F=A \oplus B$	XOR
1	1	$F=A'$	NOT

설계된 산술 연산회로와 논리 연산회로를 조합하면 ALU가 완성된다. 선택선 S_1과 S_0는 산술 연산회로와 논리 연산회로가 공통으로 사용한다. 선택선 S_2는 두 회로 중 하나를 선택하는데 사용된다. S_2가 0이면 산술 연산을, S_2가 1이면 논리 연산을 수행한다. 다음 그림은 산술회로와 논리회로가 조합된 ALU를 나타낸다.

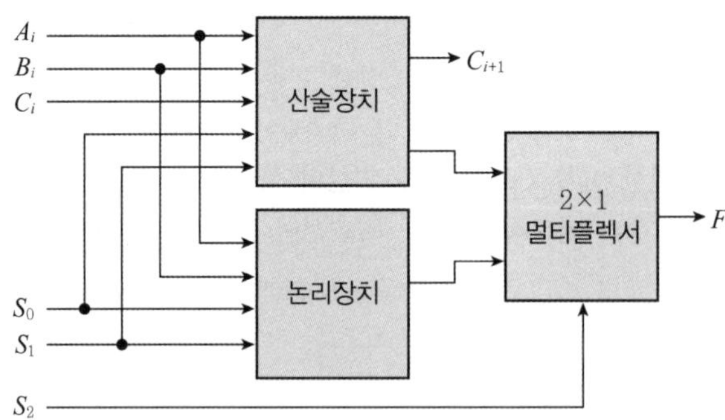

▲ 산술회로와 논리회로가 조합된 ALU

상태 비트는 플래그(flag) 또는 조건 코드(condition code)라고도 불린다. CPU를 설계하는 과정에서 상태 비트는 여러 종류가 존재한다. 이 중 자리올림(Carry; C), 오버플로우(Overflow; V), 제로(Zero; Z), 부호(Sign; S) 4가지는 필수적이다.

- C(Carry): 자리올림 비트가 1이면 자리올림수가 발생한 것을 나타낸다.
- S(Sign): 부호비트가 1이면 음수이고, 0이면 양수 상태를 나타낸다.
- Z(Zero): ALU의 연산결과 모든 비트의 출력이 0이면 제로 비트는 1이 되고, 그렇지 않으면 제로 비트는 0이 된다.
- V(Overflow): ALU의 두 자리올림수 C8, C9를 XOR를 한 결과가 1이면 오버플로우가 발생한 것이고, 그렇지 않고 0이면 오버플로우는 발생하지 않은 상태다(부호가 있는 경우).

아래의 그림에서 보는 바와 같이 오버플로우가 발생하는 경우는 C_8과 C_9이 0, 1 또는 1, 0이 되어야 하므로 오버플로우 비트를 위해서는 XOR 게이트가 필요하다.

carries:	0 1		carries:	1 0	
+70	0	1000110	−70	1	0111010
+80	0	1010000	−80	1	0110000
+150	1	0010110	−150	0	1101010

▲ 오버플로우가 발생하는 경우

또한 제로 비트를 동작하게 하기 위해서는 NOR 게이트(모든 입력이 0이어야 1을 출력)가 필요하다. 아래의 그림은 8비트 ALU와 상태 레지스터를 보여준다.

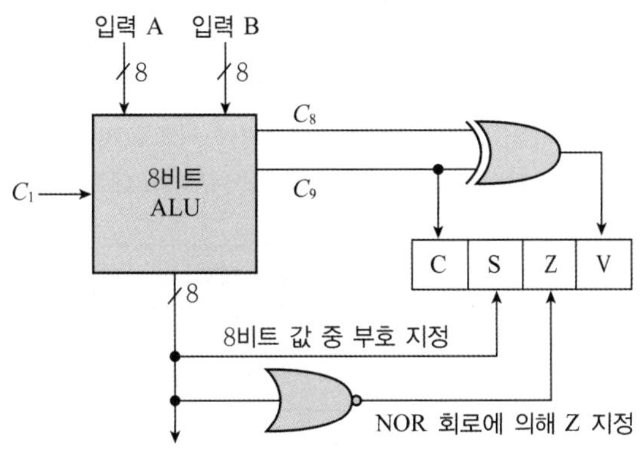

▲ 8비트 ALU와 상태 레지스터

이동기(shifter)에서 이동 방향은 왼쪽과 오른쪽이고, 이동 방향의 마지막 비트 값은 바깥으로 밀려난다(참고로 rotator는 이동 방향의 마지막 비트 값이 제일 처음으로 입력으로 들어옴). 이동 레지스터라고도 한다. 다음 그림은 양방향 이동 레지스터를 보여준다.

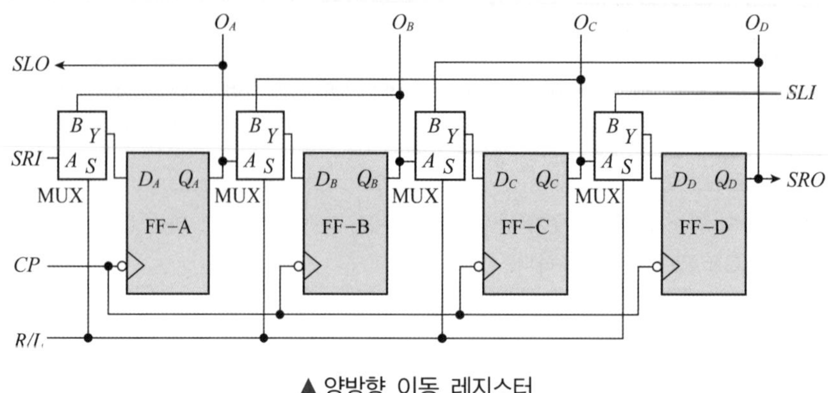

▲ 양방향 이동 레지스터

3. 제어장치

제어장치의 유형은 하드웨어만으로 설계된 하드와이어적 제어장치(hardwired control unit)와 소프트웨어가 포함된 마이크로 프로그램된 제어장치(micro-programmed control unit)가 존재한다. 하드와이어적 제어장치는 하드웨어 방식으로 RISC에서 많이 사용하고, 마이크로 프로그램된 제어장치는 펌웨어 방식으로 CISC에서 많이 사용된다. RISC와 CISC에 대해서는 나중에 자세하게 배운다.

논리회로에 의해 제작된 하드와이어적 제어장치는 제어 신호의 생성과정에서 지연이 매우 작다는 장점을 갖는다. 구현 논리회로는 명령 코드 및 주소 지정 모드 등에 따라 매우 복잡하다는 단점을 갖는다. 결론적으로 속도는 빠르나 융통성이 작고(새로운 명령어를 추가할 수 없음), 가격이 비싸다. 이에 반해, 마이크로 프로그램된 제어장치는 속도는 느리나 융통성이 크고(새로운 명령어를 추가할 수 있음), 가격이 싸므로 많은 컴퓨터에서 이용한다. 아래의 그림은 하드와이어적 제어장치를 나타내고, 마이크로 프로그램된 제어장치에 대해서는 나중에 자세하게 배운다.

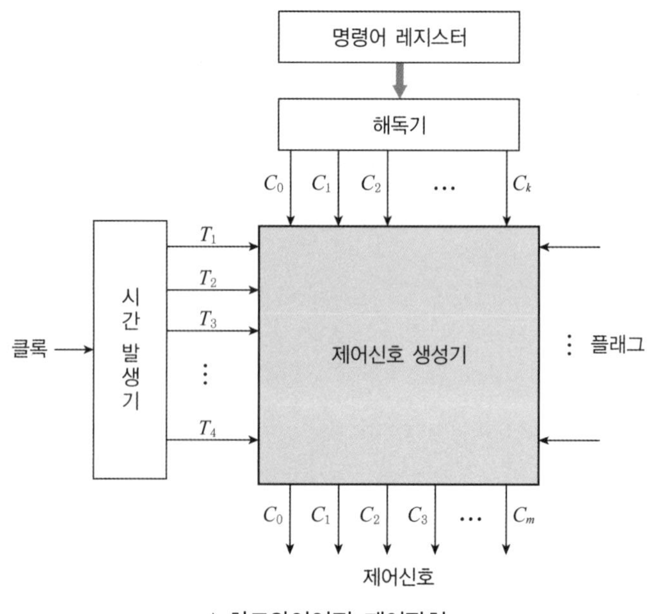

▲ 하드와이어적 제어장치

4 CPU의 기능과 동작 그리고 성능

1. CPU의 기능과 동작

CPU가 모든 명령어들에 대하여 공통적으로 수행되는 기능은 명령어 인출(Instruction Fetch)과 명령어 해독(Instruction Decode)이다. 아래의 표는 추가되는 명령어의 기능들을 나타낸다. 표에서 보면 알 수 있듯이 추가되는 명령어들은 데이터와 관련된 것들이다.

기능	내용
데이터 인출(data fetch)	명령어 실행을 위하여 데이터가 필요한 경우, 기억장치 또는 입출력장치에서 그 데이터를 읽어오는 과정이다. 연산 과정에서 사용하는 데이터를 불러오는 과정이라고 할 수 있다.
데이터 처리(data process)	읽어온 데이터에 대한 산술적 또는 논리적 연산을 수행한다.
데이터 쓰기(data store)	데이터 처리 과정에서의 수행 결과를 저장하는 기능이다.

다음 그림은 CPU와 주기억장치와의 데이터 전송을 나타낸다. CPU에서는 데이터와 명령어를 처리하고, 주기억장치에서는 데이터와 명령어를 저장한다.

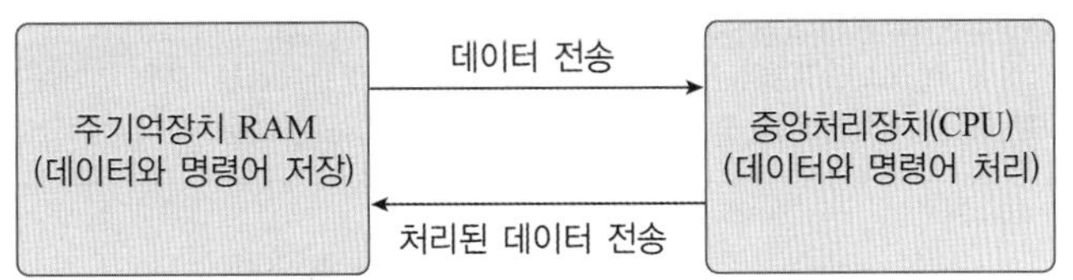

▲ CPU와 주기억장치와의 데이터 전송

CPU는 4단계의 기본 동작으로 구성된다. 아래의 그림은 CPU의 동작을 나타낸다. 누산기(AC; Accumulator)는 데이터 레지스터로 처리 결과를 임시로 보유하는 역할을 수행한다.

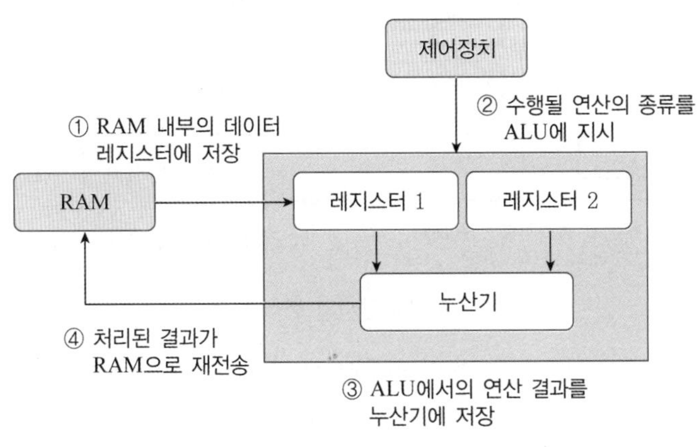

▲ CPU의 동작

CPU의 동작을 설명하기 위해 명령어가 add 250이고, 주기억장치(RAM) 250번지에 400이라는 데이터가 있다고 가정한다.

- 1단계: 처리해야 할 데이터(400)는 주기억장치(RAM)에서 인출되고 외부 시스템 버스를 통해서 레지스터 1번(예 MBR)으로 전달된다.
- 2단계: 제어장치(CU)는 새롭게 저장된 레지스터 1(예 MBR)번 데이터와 이전부터 저장하고 있던 레지스터 2번(예 AC)의 데이디를 덧셈하라는 제어신호를 ALU로 전달된다.
- 3단계: ALU에서는 제어신호에 의해서 덧셈(ADD)을 수행하고 그 결과를 누산기(AC)에 저장한다.
- 4단계: 덧셈의 계산 결과는 외부 시스템 버스를 통해서 다시 주기억장치(RAM)로 전달된다.

2. 제어장치의 기본 동작

다음 그림은 제어장치의 기본 동작 과정을 나타내고 이를 정리하면 다음과 같다. 동작 과정의 해석을 위해 주기억장치 300번지에 add 250이라는 명령어가 있다고 가정한다.

- 1단계: 주기억장치(RAM)에서 명령어(add 250)를 인출해서 제어장치 내에 명령어 레지스터(IR)로 저장된다.
- 2단계: 프로그램 카운터(PC)는 다음에 실행될 명령어의 주소가 저장된다(PC를 하나 증가).
- 3단계: 제어장치(CU)가 명령어 레지스터(IR)의 명령어를 해석한다(add 명령어라는 것을 알게됨).
- 4단계: 해석된 명령어는 해당되는 제어신호를 발생하게 된다(add를 처리하기 위한 제어 신호를 발생).

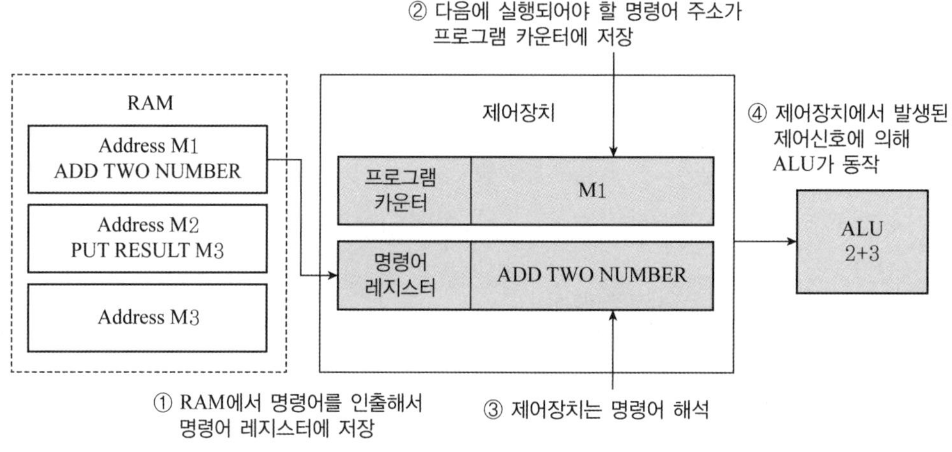

▲ 제어장치의 동작

프로그램 카운터(PC)의 역할은 프로그램에서 항상 앞에서부터 한 명령씩 차례대로 실행되도록 한다. 조건부 분기(예 JUMP)와 같이 그 순서를 바꾸어야 하는 경우, 프로그램 카운터의 내용을 바꿈으로써 분기된 이후부터의 명령들이 새로운 순서에 맞게 실행한다. 아래의 그림은 PC의 동작 과정을 보여준다.

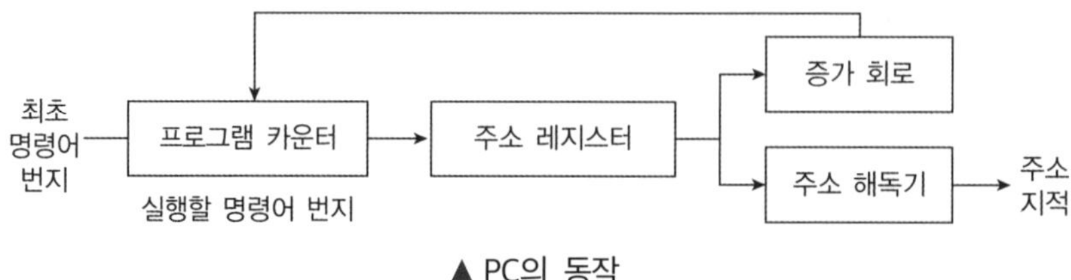

▲ PC의 동작

제어장치의 동작을 포함한 CPU의 동작은 다음 그림과 같다. 해당 동작을 이해하기 위해 300번지에 add 250이라는 명령어가 있고, 250번지에 400이라는 데이터가 있다고 가정한다. 이에 대한 설명한 이전에 설명이 되었고, 앞으로 설명이 될 것이기 때문에 여기서는 생략하도록 한다.

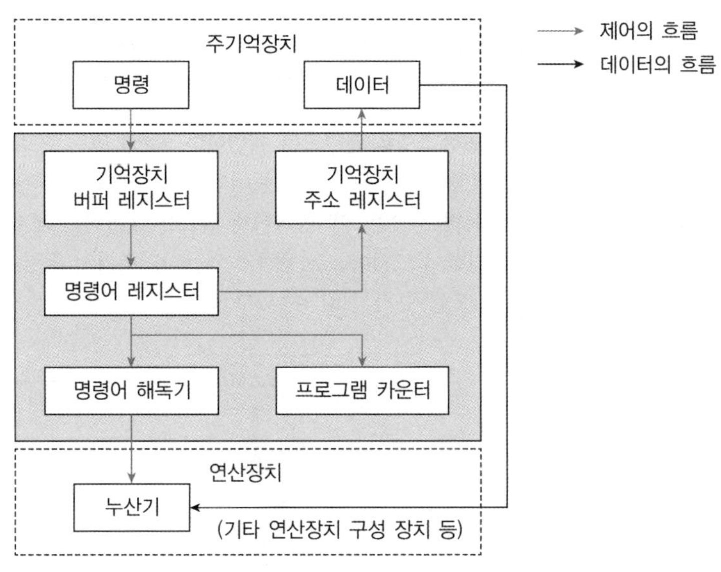

▲ 제어장치를 포함한 CPU의 동작

3. CPU의 성능요소

컴퓨터의 CPU가 데이터를 처리하는 속도는 컴퓨터의 성능을 평가하는 중요한 요인이다. 그런데 CPU가 데이터를 처리하는 속도는 여러 가지 요소들에 의해서 좌우된다. 대표적인 요소들에는 클록(Clock) 주파수, 워드(word) 크기, 캐시 메모리, 명령어 집합의 복잡성(CISC와 RISC), 파이프라이닝(Pipelining), 병렬처리(Parallel Processing)가 있다.

클록 주파수는 컴퓨터에서 수행되는 모든 연산의 타이밍을 맞추기 위해 방출되는 펄스(pulse)이다. 클록 주파수는 컴퓨터가 명령어를 수행하는 속도를 결정한다. 하나의 클록 동안에 명령어 부(sub) 사이클(마이크로 명령어)이 수행된다. 클록의 주기가 길면 그 만큼 처리할 수 있는 명령어 부 사이클의 시간이 지연된다. 클록의 주기는 클록의 주파수와 반비례이므로 짧은 주기는 높은 클록 주파수를 뜻한다(시간과 주파수는 반비례). 결과적으로 클록 주파수는 특정시간 동안에 완수할 수 있는 명령어의 수를 제한한다. 측정 단위는 MHz(megahertz: millions of instructions per second) 또는 GHz이다.

워드 크기는 CPU가 한 번에 읽고(read), 쓸 수(write) 있는 비트 수다. 워드의 크기는 레지스터의 크기와 버스의 데이터 선로 수에 달려 있다. 워드 크기가 큰 컴퓨터는 한 명령어에서 더 많은 데이터를 처리할 수 있다. 32비트 컴퓨터에서는 워드가 32비트이고, 64비트 컴퓨터에서는 워드가 64비트이다.

캐시기억장치는 CPU가 데이터에 빠르게 접근할 수 있는 고속의 기억장치다. 읽기와 쓰기 동작의 속도를 향상시켜서 전체적으로 CPU 속도에 영향을 준다. 캐시의 적중률을 높이는 방법으로 시간과 공간의 지역성을 이용하는데 이에 대해서는 나중에 자세히 배운다.

명령어 집합의 복잡성 중 축소 명령어 집합 컴퓨터(RISC; Reduced Instruction Set Computer)는 연산속도를 향상시키기 위해 제어논리를 단순화하고 단순화된 명령어 구조를 가진다. 축소 명령어 집합 컴퓨터는 CPU에 빠르게 수행되는 제한된 수의 간단한 명령어만이 내재된 컴퓨터다. 결과적으로 특별한 설계 방법을 통해 속도를 최대한 높일 수 있는 컴퓨터다(예 ARM). RISC는 제어장치가 간단하고, 프로그램 길이가 길고(명령어가 간단하므로 프로그램 길이는 상대적으로 길어짐), 레지스터 개수가 많다. 이에 반해 복잡 명령어 집합 컴퓨터(CISC; Complex Instruction Set Computer)는 제어장치가 복잡하고, 프로그램 길이가 짧고, 레지스터 개수가 상대적으로 적다(예 Intel).

파이프라이닝(Pipelining) 기법은 파이프들이 연속적으로 연결되는 개념이다. CPU 또는 프로세서가 이전 명령어의 수행이 완전하게 종료되기 전에 새로운 다음 명령어 수행을 시작하는 기법이다. 아래의 그림은 파이프라이닝의 동작원리를 나타낸다. 제어장치가 3번 명령어를 해독하는 동안 2번 명령어에 필요한 데이터는 레지스터로 가고 1번 명령어는 누산기에서 수행을 마친다(즉, 동시에 동일한 하드웨어를 사용하지 않는다). 따라서 명령어들의 부(sub) 사이클이 동 시간에 처리될 수 있어, CPU의 처리 속도를 증가 시킬 수 있다.

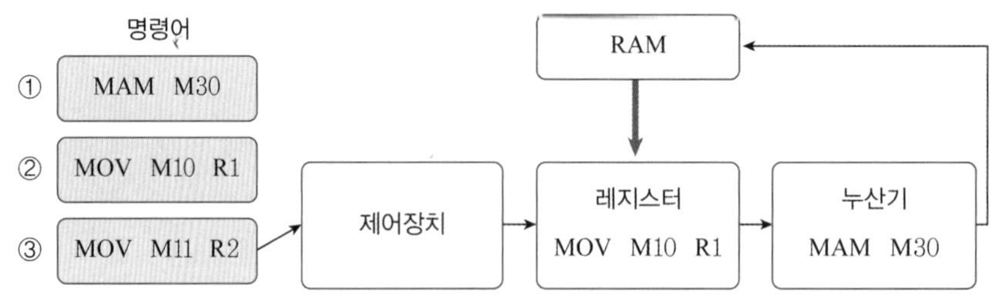

▲ 파이프라이닝의 동작원리

병렬처리(Parallel processing)는 하나 이상의 CPU로 구성된 컴퓨터에서 한 번에 여러 개의 명령어를 동시에 수행시킬 수 있는 방법이다. 아래의 그림은 병렬처리의 동작원리를 나타낸다. 3개의 CPU가 존재한다고 가정하고 명령어가 제어장치로 입력되면 제어장치는 이 명령어가 수행이 가능한 CPU로 보낸다(부하 분산 개념). 여분의 CPU가 다른 명령어를 처리할 수 있으므로 대기하는 시간 없이 바로 처리된다. 그래서 컴퓨터의 처리속도가 증가하게 된다. 여러 개의 CPU가 필요하므로 비용이 상승하지만 그 만큼 컴퓨터가 처리하는 속도는 증가하게 될 것이다. 병렬 처리에서는 Cache coherence(캐시 불일치) 문제가 발생할 수 있고 이에 대해서는 나중에 자세하게 배운다.

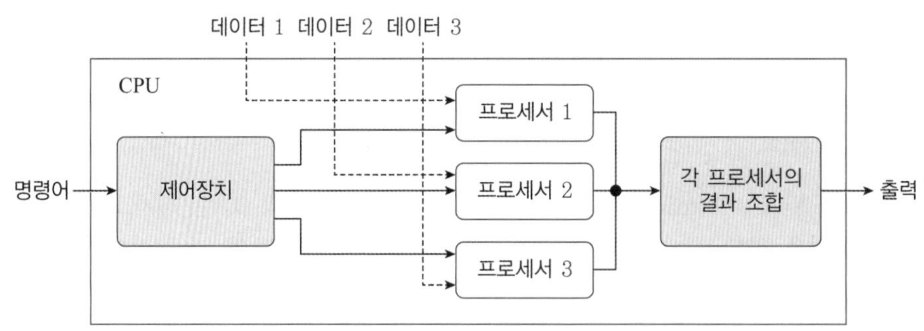

▲ 병렬처리의 동작원리

주요개념 셀프체크

- 클록
- CSZV
- RISC vs. CISC
- 캐시
- 파이프라이닝

핵심 기출

1. 다음에 실행할 명령의 번지를 기억하고 있는 레지스터는? 2014년 서울시

① 프로그램 카운터(Program Counter)
② 누산기(Accumulator)
③ 명령어 레지스터(Instruction Register)
④ 메모리 버퍼 레지스터(Memory Buffer Register)
⑤ 인덱스 레지스터(Index Register)

해설

PC는 주기억장치에 저장된 다음에 인출할 명령어의 주소를 가지고 있는 레지스터다.

선지분석

② AC: 계산에 필요한 오퍼랜드와 계산 결과를 저장하는 임시 레지스터로 사용된다.
③ IR: 가장 최근에 주기억장치인 RAM에서 인출한 명령어를 저장한다.
④ MBR: 기억장치에 쓰여질 데이터 혹은 가장 최근에 읽은 데이터 또는 명령어가 저장된다.
⑤ Index: 인덱스 주소 지정 방식에 사용되며 명령어가 실행될 때마다 인덱스 레지스터의 내용이 자동적으로 증가 혹은 감소한다. 배열의 데이터를 인덱싱할 때 사용한다.

정답 ①

2. RISC(Reduced Instruction Set Computer) 방식 컴퓨터에 대한 설명으로 옳지 않은 것은? 2014년 국회직

① RISC 방식은 CISC(Complex Instruction Set Computer) 방식보다 간단한 명령어 구조를 사용한다.
② RISC 방식은 CISC 방식보다 파이프라이닝 구현이 용이하다.
③ RISC 방식은 CISC 방식보다 주소 지정 방식이 간단하다.
④ RISC 방식은 고정된 길이의 명령어 형식으로 디코딩이 간단하다.
⑤ RISC 방식의 CPU는 CISC 방식보다 상대적으로 적은 수의 레지스터를 사용한다.

해설

레지스터는 많은 수의 레지스터를 사용한다. CISC보다 제어장치를 간단하게 만들 수 있기 때문에 남는 돈으로 레지스터와 캐시 등을 추가하였다.

선지분석

① 명령어 구조: CISC에는 많은 명령어가 존재하지만 자주 사용하는 명령어는 몇 개 안된다는 사실에서 출발하였다. 그러므로 CISC에 비해 적은 수의 명령어와 간단한 명령어 구조를 가진다.
② 파이프라이닝: 명령어 구조가 간단하기 때문에 명령어 단계에 들어가는 시간을 일정하게 맞출 수 있고 이는 파이프라이닝의 성능 개선으로 이어진다. 또한 명령어 연산 코드의 해독과 레지스터 오퍼랜드의 액세스가 동시에 일어나는 게 가능하다.
③ 주소 지정 방식: 주소 지정방식에 있어서도, 단순하게 레지스터 주소 지정 방식을 사용하므로 적은 수의 간단한 주소지정 방식을 사용 할 수 있다.
④ 명령어 형식: 적은 수의 단순한(고정된) 명령어 형식을 사용할 수 있다.

정답 ⑤

CHAPTER 03

주기억장치(Main Memory)

1 기억장치의 개요

1. 주기억장치의 역할

기억장치는 주기억장치와 보조기억장치로 구분한다. 주기억장치(main memory)는 중앙처리장치(CPU, Central Processor Unit)와 접근 통신(데이터를 주고받음)이 가능한 기억장치다. 주기억장치는 현재 실행중인 프로그램을 프로세스 형태로 가지는데 이는 운영체제에서 자세히 다룬다. 보조기억장치(auxiliary memory)는 현재는 필요하지 않은 프로그램이나 데이터를 저장하고 있다가 데이터나 프로그램을 요구하는 경우 주기억장치로 데이터를 전달하는 저장장치다(CPU와 직접 통신할 수 없음). 가상메모리의 개념을 이용하여 주기억장치의 공간이 부족하면 보조기억장치를 사용할 수 있도록 구성되어 있고 이에 대해서는 운영체제에서 자세히 다룬다. 아래의 그림은 컴퓨터 내에서 주기억장치와 보조기억장치를 나타낸다.

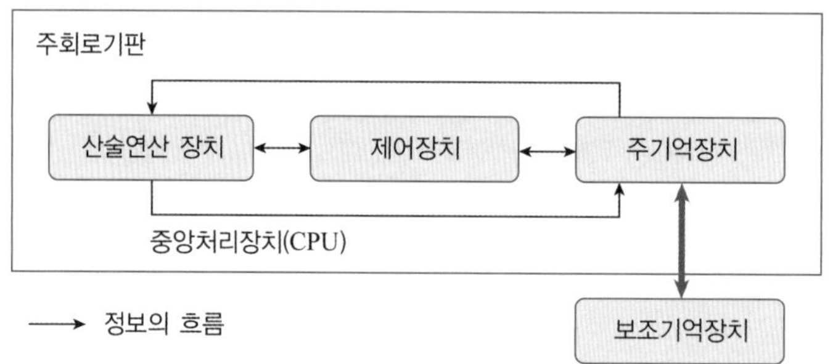

▲ 주기억장치와 보조기억장치

2. 기억장치의 성능

기억장치의 성능을 평가하는 대표적인 요소에는 기억용량, 접근 시간, 사이클 시간, 기억장치의 대역폭, 데이터 전송률, 가격이 있다.

기억 용량(Capacity)은 얼마나 저장할 수 있는가를 나타낸다. 기억 용량의 단위는 비트(bit)를 기본으로 하며, 바이트(byte, 1byte = 8bit), 단어(word)가 있다. 접근 시간(Access Time)은 기억장치에 저장된 데이터를 읽거나 새로운 데이터를 기록하는 데 걸리는 시간이다(읽거나 쓰기 위해 접근하는데 걸리는 시간).

사이클 시간(Cycle time)은 연속적으로 기억장치에 접근을 할 때, 두 번을 접근하는 데 요구되는 최소 시간이다(두 번 접근하는 데 걸리는 시간). 반도체 기억장치와 같이 정보를 읽어도 기억장치에 정보가 그대로 남아 있는 비파괴 기억장치에서는 사이클 시간과 접근 시간은 동일하다. 자기코어 기억장치와 같은 파괴 기억장치는 정보를 읽어 내면 저장되었던 정보가 삭제되므로 읽기 위한 접근 시간과 정보를 다시 저장하기 위한 복원 시간을 합한 시간이 사이클 시간이 된다(자기장의 특성).

기억장치의 대역폭(Bandwidth)은 한 번에 접근할 수 있는 비트 수를 나타낸다. 기억장치가 한 번에 전송할 수 있는 비트 수 또는 저장할 수 있는 비트 수를 기억장치의 대역폭(밴드폭)이라고 한다. 대역폭은 역으로 정보 전달의 한계를 나타내기도 한다.

데이터 전송률(Data Transportation)은 얼마나 빠르게 접근할 수 있는가를 나타낸다. 기억장치에서 데이터를 읽는 과정을 수행할 때, 초(second)당 몇 비트의 데이터가 전송되어서 읽혀지는가를 나타낸 것이 데이터 전송률이다. 대역폭과 전송률은 밀접한 관계를 가진다.

일반적으로 기억장치의 가격은 기억장치의 처리속도와 비례한다. 컴퓨터 내부에서는 CPU의 처리속도와 보조를 맞추기 위해서는 고가의 기억장치를 사용한다. 그러나 비용의 한계로 인해 대용량의 기억장치를 구비할 수 없다.

3. 기억장치의 계층적 구조

기억장치의 성능을 평가하는 요소들은 서로 상관관계를 가진다. 기억장치를 계층적으로 구성한 이유는 적정 비용의 적정 속도라는 경제학 원리 때문이다. 데이터의 읽고, 쓰기 속도를 향상시키기 위해서는 고가의 고속 기억장치가 필요하다. 많은 양의 데이터를 저장하기 위해서는 기억장치의 용량이 커져야 하지만 적정 비용을 위해서는 저가의 기억장치가 필요하다. 저가의 기억장치를 사용하면 기억장치의 접근속도는 그만큼 느려지게 된다. 아래의 그림은 기억장치 계층구조를 나타낸다.

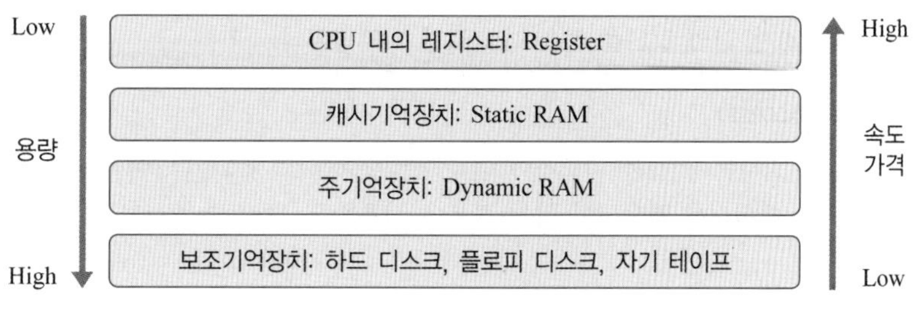

▲ 기억장치 계층구조

4. 기억장치의 분류

기억장치의 제조 재료에 따른 유형은 반도체 기억장치와 자기-표면 기억장치가 있다. 반도체 기억장치(semiconductor memory)는 반도체 물질인 실리콘(Si) 칩을 사용하여 기억장치를 설계한다(현재 사용 방식). 자기-표면 기억장치(magnetic-surface memory)는 자화 물질로 코팅된 표면에 정보를 저장한다(과거 사용 방식).

데이터를 저장하는 성질에 따른 유형에는 휘발성과 비휘발성이 있다. 휘발성(volatile) 기억장치는 일정한 시간이 지나거나 전원 공급이 중단되면 기억장치 내의 기록된 모든 데이터가 지워지는 저장장치다. 예를 들어, RAM이 존재한다. 비휘발성(nonvolatile) 기억장치는 전원 공급이 중단되더라도 기억장치 내의 데이터들은 지워지지 않는 저장장치다. 예를 들어, ROM이 존재한다.

FRAM, PRAM, MRAM

FRAM, PRAM, MRAM은 차세대 RAM으로 RAM이지만 비휘발성인 특징을 가진다. 그러므로 RAM이 휘발성이라는 시험 문제의 지문은 시대에 역행하는 지문이지만 참고로 알아두기 바란다.

5. 기억장치 접근 방법에 따른 유형

기억장치 접근 방법에 따른 유형은 순차 접근, 직접 접근, 임의 접근, 연관 접근이 있다.

(1) 순차 접근(Sequential Access)

기억장치에 데이터가 저장되는 순서에 따라 순차적으로 접근된다. 접근 시간은 원하는 데이터가 저장된 위치에 따라 결정된다. 자기 테이프(tape)가 순차적 접근을 하는 대표적인 장치다.

(2) 직접 접근(Direct Access)

기억장소 근처로 이동한 다음 순차적 검색을 통하여 최종적으로 원하는 데이터에 접근한다. 접근 시간은 원하는 데이터의 위치와 이전 접근위치에 따라 결정된다. 디스크(HDD)가 직접 접근을 하는 대표적인 기억장치다(임의와 순차가 결합된 방식).

(3) 임의 접근(Random Access)

저장된 모든 데이터에 접근하는데 소요되는 시간이 이전의 접근 순서와는 무관하게 항상 일정한 방식이다. 반도체 기억장치(RAM, ROM)가 임의 접근을 하는 대표적인 기억장치다.

(4) 연관 접근(Associative Access)

word 내의 특정 bit들과 원하는 bit들을 비교하여 일치하는 단어를 액세스한다. 이때 다수의 word들에 대해 동시에 실행되어, 고속으로 데이터를 탐색해야 하는 경우에 사용한다. 캐시(Cache)가 연관 접근을 하는 대표적인 기억장치다.

2 주기억장치의 이해

1. 중앙처리장치(CPU)와 주기억장치 간의 관계

주기억장치는 실행할 프로그램(명령어)과 데이터를 저장한다. 예를 들어, 주기억장치 300번지에 add 250이라는 명령어가 있고, 주기억장치 250번지에 400이라는 데이터가 있다고 가정한다. 중앙처리장치는 주기억장치에 저장된 프로그램에서 명령을 하나씩 제어장치로 꺼내서 해독한다. 제어장치는 해독된 결과로 제어신호를 만들어 각 장치로 전달하여 동작되도록 한다(ALU에서 add 연산을 선택). 다음 그림은 CPU와 주기억장치의 관계를 나타낸다.

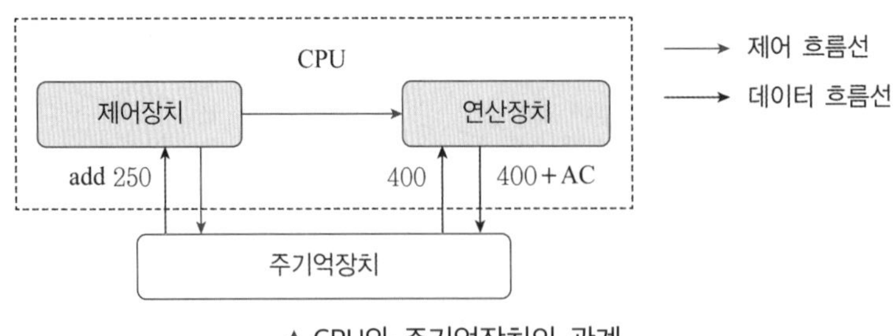

▲ CPU와 주기억장치의 관계

2. 주기억장치의 구조와 동작

다음의 그림은 주기억장치의 구조를 나타낸다. CPU 내의 제어장치는 데이터를 읽거나 쓰기 동작을 수행하도록 제어 신호 발생한다. 쓰기 동작 모드에서는 입력장치나 보조기억장치에서 주기억장치로 입력정보가 전달된다. 기록회로는 입력된 프로그램과 데이터를 임시적으로 저장하였다가 기억매체에 전달한다. 기억 매체는 프로그램 명령과 프로그램에서 사용될 데이터를 실제로 기억하는 기억 소자들로 구성된다. 번지 선택 회로는 데이터가 저장될 기억소자를 선택한다. 반대로 읽기 동작 모드에서는 제어장치는 읽기 제어신호를 발생하고, 인출될 정보가 저장된 기억소자의 위치를 지정한다. 판독회로는 해당 번지에 저장된 내용을 판독하고 외부로 출력하게 된다. 그림에서 판독회로에서 기억회로로 데이터가 이동하는 이유는 DRAM에서 재충전을 하기 위해서이다.

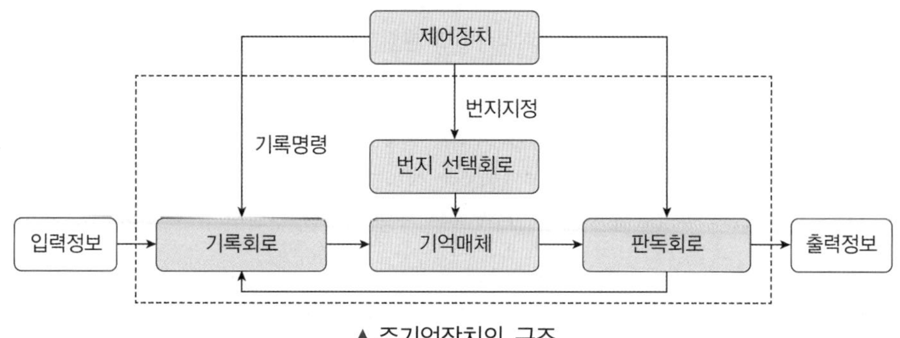

▲ 주기억장치의 구조

3. 명령어 사이클에서 주기억장치의 동작

명령어 사이클은 인출 - 해독 - 실행 - 저장의 4단계를 거친다. 인출(Fetch) 단계는 필요한 명령어를 주기억장치에서 불러오며, 저장(Store) 단계는 수행 결과를 주기억장치에 저장한다. 아래의 그림은 주기억장치와 레지스터의 관계를 나타낸다.

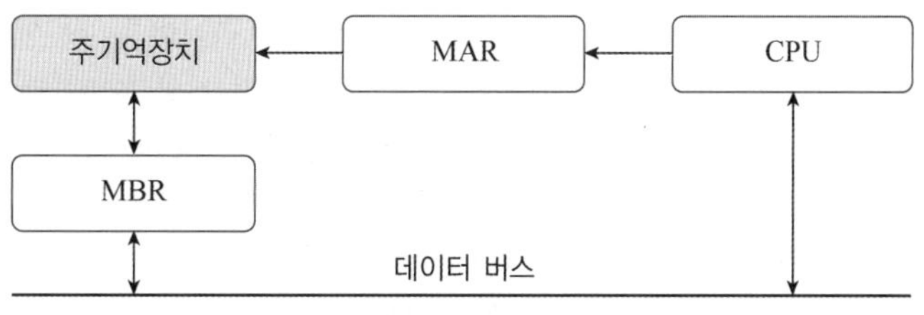

▲ 주기억장치와 레지스터의 관계

주기억장치 300번지에 add 250이라는 명령어가 있다고 가정한다. 인출(fetch) 과정은 MAR이 지시하는 주기억장치의 주소 번지(300)에서 명령어(add 250) 또는 데이터를 읽어 와서, MBR에 저장한다. 저장(store) 과정은 MAR에 저장되어 있는 주소 번지에 해당하는 주기억장치 위치에, MBR에 저장되어 있는 데이터(add 연산 결과)를 저장하게 된다.

4. 주기억장치의 분할

주기억장치에 저장되는 프로그램은 응용 프로그램과 시스템 프로그램으로 구분할 수 있다. 응용(application) 프로그램은 실행될 때만 주기억장치에 저장되었다가 수행이 종료되면 다른 프로그램으로 대체되거나 삭제된다. 그리고 전원이 꺼지면 해당 프로그램은 삭제된다. 시스템(system) 프로그램은 컴퓨터가 구동되기 시작해서부터 종료될 때까지 주기억장치에 유지되어야 한다. 다음 그림은 주기억장치의 분할 구조를 나타낸다.

(운영체제 상주 구역) 비상주 구역	시스템 프로그램 영역
사용자 응용프로그램 1	사용자 응용프로그램 영역
사용자 응용프로그램 2	
사용자 응용프로그램 3	
사용자 응용프로그램 4	

▲ 주기억장치의 분할 구조

시스템 프로그램 영역은 운영체제가 저장되는 곳으로 상주 구역과 비상주 구역으로 분류된다. 상주구역(resident area)은 언제라도 바로 실행 될 수 있는 운영체제의 기본적 기능과 자주 사용되는 프로그램들이 기억되는 곳이다. 비상주 구역(transient area)은 자주 사용되는 프로그램들이 아니고 필요할 때에만 보조기억장치에서 인출된 후, 저장되었다가 처리가 끝나면 다른 프로그램이 다시 그 장소를 사용 가능한 구역이다(예 제어판).

사용자 응용 프로그램 영역은 일반 프로그램이 기억되는 곳이며, 시스템 프로그램의 제어에 의해서 동작한다. 여러 부분으로 분할하고 독립된 프로그램들을 기억시켜, 다중 프로그래밍(multi-programming) 방식(운영체제에서 자세하게 배움)으로 동작하는 것을 가능하게 한다. 운영체제는 사용자 프로그램 각각의 독립된 영역을 보호해주는 기억보호(storage protection)를 수행한다(컴퓨터를 컴퓨터답게 만들어줌).

3 주기억장치 할당 방법

1. 개요

사용자 응용 프로그램 영역을 효율적으로 사용하기 위한 고려사항은 첫째 주기억장치에 한 번에 몇 개의 프로그램을 적재할 것인가에 대한 것이다. 한 개의 프로그램만 가능할 수도 있고, 여러 개의 프로그램을 함께 공존시킬 수도 있다. 둘째는 여러 개의 프로그램을 함께 적재할 때 각 프로그램에 할당되는 공간의 크기를 동일하게 할지 아니면 서로 다르게 할지를 고려해야 한다. 셋째 일정한 크기의 공간이 할당되는 경우 프로그램의 수행이 끝날 때까지 그 크기를 유지할지 아니면 상황에 따라서 할당한 공간의 크기를 변경할지를 고려해야 한다. 넷째 일정한 크기의 공간을 할당하기로 할 때 연속한 작은 공간들을 할당할지, 하나의 덩어리로 된 커다란 공간을 할당할지를 고려해야 한다. 주기억장치를 할당하는 방법에는 단일 사용자 할당 기법, 고정 분할 할당 기법, 가변 분할 할당 기법의 세 가지가 있다.

2. 단일 사용자 할당 기법

운영체제가 차지하는 부분을 제외한 나머지 기억 공간의 부분을 한 사용자가 독점 사용하도록 하는 기법이다. 아래의 그림은 단일 사용자 할당 기법을 나타낸다.

운영체제 영역
사용자 응용프로그램 영역
사용되지 않는 영역

▲ 단일 사용자 할당 기법

단일 사용자 할당 기법의 장점은 사용자에게 융통성을 최대한 제공한다. 최대의 단순성과 최소의 비용을 만족한다. 그리고 특별한 하드웨어가 필요 없으며, 운영체제 소프트웨어도 필요 없다. 단점은 사용자가 사용하는 부분 이외의 부분은 낭비가 될 수 있다. 입력과 출력을 수행하는 동안 주기억장치내의 프로그램은 중앙처리장치를 계속 쓸 수 없기 때문에 유휴 상태가 되므로 활용도가 매우 낮다(다른 방법은 운영체제가 제어해줌). 프로그램이 주기억장치의 용량보다 큰 경우 이를 수행시키기 어렵다.

3. 고정 분할 할당 기법(운영체제에서 페이징 기법으로 언급)

각 프로그램에 고정된 동일 크기의 분할된 구역을 할당하는 방법이다. 장점은 프로그램이 적재되고 남은 공간에 다른 프로그램을 적재하여 수행하므로 프로세서와 기억장치 같은 자원의 활용도를 크게 향상시킨다. 동시에 여러 프로그램을 주기억장치에 적재하여 수행하는 다중 프로그래밍 기법이 가능하다. 단점은 할당되는 저장 공간이 작고 저장될 프로그램이 클 경우에는 프로그램이 작은 단위로 쪼개지는 단편화(fragmentation)의 문제가 발생한다(관리 문제). 프로그램과 할당된 분할 구역의 크기가 일치하지 않으면 프로그램이 점유하고 남은 공간(내부 단편화)이 생기게 된다(단편을 모으는 작업이 때에 따라 필요).

4. 가변 분할 할당 기법(운영체제에서 세그멘테이션 기법으로 언급)

단편화를 해결하기 위하여 각 작업에 대한 필요한 만큼의 공간만을 할당한다. 주기억장치 내에 새로운 프로그램이 들어올 때마다, 그 프로그램의 크기에 맞추어 가변적으로 기억 공간을 분할하여 프로그램에 맞는 공간만을 할당한다. 아래의 그림은 가변 분할 기억장치 구조를 나타낸다.

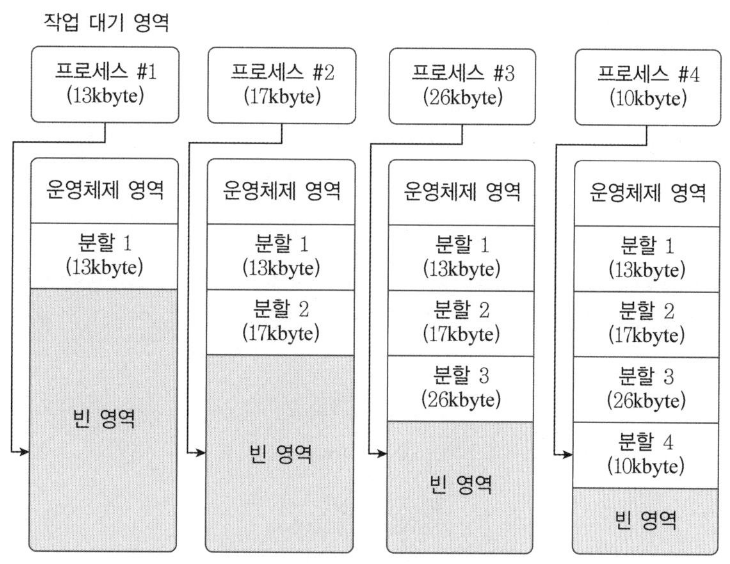

▲ 가변 분할 기억장치 구조

기억 장소의 집약(memory compaction)은 주기억장치를 검사하여 빈 영역을 하나의 커다란 빈 영역으로 만드는 방법이다(HDD의 디스크 조각 모으기와 비슷한 개념). 운영체제는 사용 중인 블록을 한데 모으고, 비어 있는 기억 장소를 하나의 커다란 공백으로 만든다.

다음 그림은 기억 장소의 집약 과정을 나타낸다.

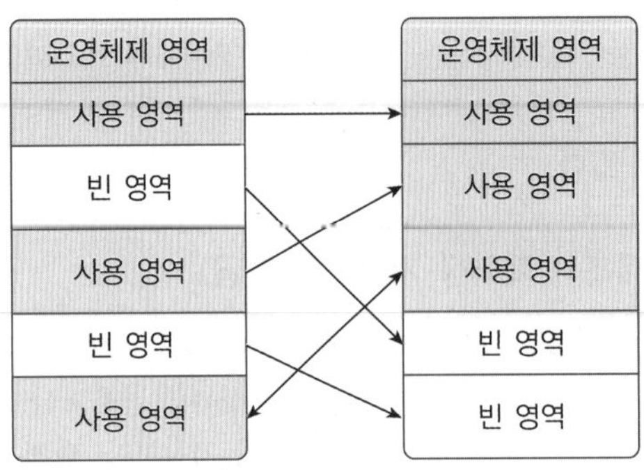

▲ 기억 장소의 집약 과정

기억 장소 집약의 장점은 기억 장소에 분산되었던 공간들을 한 곳에 모음으로써 사용 가능한 큰 영역을 만들 수 있다. 이를 통해 기억 장소의 낭비를 줄일 수 있다. 단점은 기억 장소를 집약하는 동안 전체 시스템은 지금까지 수행해 오던 일들을 일단 중지해야 하며, 집약을 위하여 많은 시간이 소모된다. 그리고 수행 중이던 프로그램과 데이터를 주기억장치 내의 다른 장소로 이동시키기 때문에 각각의 위치 및 이에 관계되는 내용을 수정해야 한다.

5. 가변분할할당기법에서 공백영역탐색 알고리즘

공백영역탐색 알고리즘은 최초, 최적, 최악 적합 방법이 존재한다. 최초 적합 방법은 여러 유휴 공간들을 차례대로 검색해 나가다가 새로운 프로그램을 저장 할 수 있을 만큼의 크기를 가진 부분을 최초로 찾으면 그 곳에 할당하는 방법이다(시간을 절약함). 최적 적합 방법은 여러 공백 중 새로운 프로그램이 요구하는 크기보다 크면서 가장 크기가 비슷한 공간을 채택하여(최적) 할당하는 방법이다. 매우 작은 공백만 생긴다는 장점을 갖는다. 마지막으로 최악 적합 방법은 존재하는 여러 공백 중 가장 큰 부분을 찾아 할당(최악)하는 방법이다. 프로그램이 할당되고 남은 공간이 크다면, 그 나머지 부분을 다른 프로그램에 할당하여 사용할 수 있다(최악이 나쁘다고만 할 수 없다).

공백 영역을 찾는 알고리즘 예는 다음의 그림과 같다. 새로운 17KB의 기억 장소를 필요로 하는 프로그램이 주기억장치로 들어오게 되면 최초 적합 방법의 경우는 ①에 프로그램이 적재되고, 최적 적합 방법의 경우는 ④에 프로그램이 적재된다. 그리고 최악 적합 방법의 경우는 ③에 프로그램이 적재된다.

사용 중
① 30Kbyte
사용 중
② 10Kbyte
사용 중
③ 40Kbyte
사용 중
④ 20Kbyte

▲ 공백 영역을 찾는 알고리즘의 예

4 반도체 기억장치(semiconductor memory)

1. 개요

반도체 기억장치는 디지털 시스템에서 주기억장치로 널리 사용된다. 대부분 어느 저장 위치로도 같은 시간에 접근이 가능한 RA(Random Access, 임의 접근)의 형태이다. 대부분의 경우 휘발성인 read/write RAM과 비휘발성인 ROM(Read Only Memory)으로 분류한다. 아래의 그림은 반도체 기억장치의 분류를 나타낸다. 그림에서 알 수 있듯이 RAM은 DRAM, SRAM이 있고, ROM에는 MROM, PROM, UVEPROM, EEPROM이 있다.

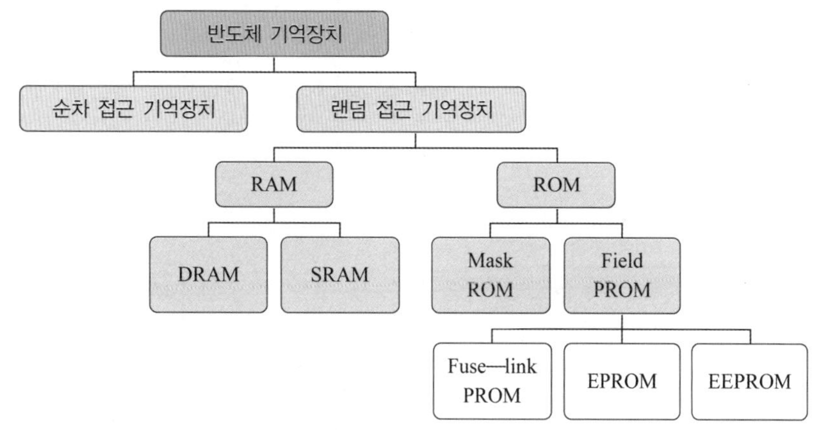

▲ 반도체 기억장치의 분류

2. 반도체 기억장치의 구조

기억장치의 용량은 세로 × 가로 = $2^n \times m$으로 나타낼 수 있다. 기억장치의 가로 길이에 해당하는 것이 워드(m비트), 기억장치의 세로 길이에 해당하는 것이 워드의 개수(2^n)다. 기억장치 주소 레지스터(MAR, Memory Address Register)는 기억장치 접근 시 필요한 워드의 주소를 임시로 저장하는 장치다. 2^n개의 워드의 주소를 표현하기 위해서는 n비트가 필요하다($n \times 2^n$ 디코더를 사용). 기억장치 버퍼 레지스터(MBR; Memory Buffer Register)는 기억장치와 CPU 등의 외부장치 사이에서 전송되는 데이터를 임시로 저장한다. 워드(word) 단위로 데이터를 입출력하므로 m비트가 필요하다. 아래의 그림은 반도체 기억장치의 구조를 나타낸다.

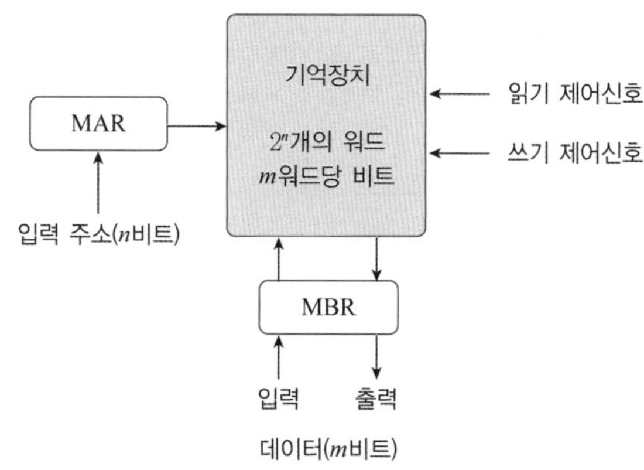

▲ 반도체 기억장치의 구조

3. 반도체 기억장치의 IC 칩

아래의 그림은 반도체 기억장치의 IC 칩을 나타낸다. 여기서, A는 주소, I는 입력, O는 출력이다. 그리고 R/W는 읽기/쓰기, ME는 Memory Enable(해당 칩을 사용하겠다는 신호)을 나타낸다. (a)는 주소가 5비트로서 워드의 개수는 32개(= 2^5)가 되고, 워드의 길이 4비트가 된다. 이들을 종합한 기억용량 128(= 32 × 4 = 2^5 × 4)비트 = 16바이트가 된다. (b)는 주소가 12비트로서 워드의 개수는 4K(= 2^{12})개가 되고, 워드의 길이는 8비트가 된다. 결국, 기억용량 2^{12} × 8 = 4K × 8비트 = 4K바이트가 된다(주어진 조건에 따라 비트, 바이트 주의).

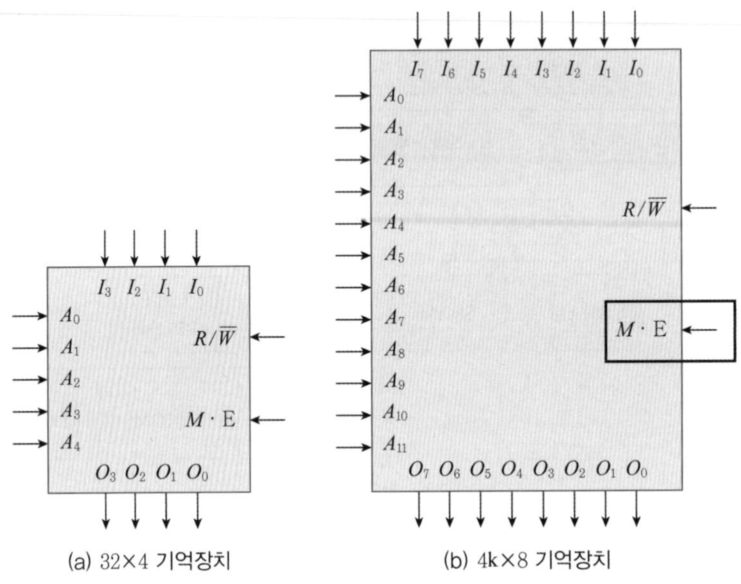

(a) 32×4 기억장치 (b) 4k×8 기억장치

▲ 반도체 기억장치의 IC 칩

4. 반도체 기억장치의 동작

기억장치는 2진수의 데이터를 저장하고, 필요에 따라 이들을 인출한다. 이를 위하여 기억장치는 쓰기(WRITE) 동작, 읽기(READ) 동작, 주소지정(Addressing) 동작이 실행되고, 데이터 버스를 따라 데이터가 이동한다. 아래의 그림은 반도체 기억장치의 동작을 나타낸다.

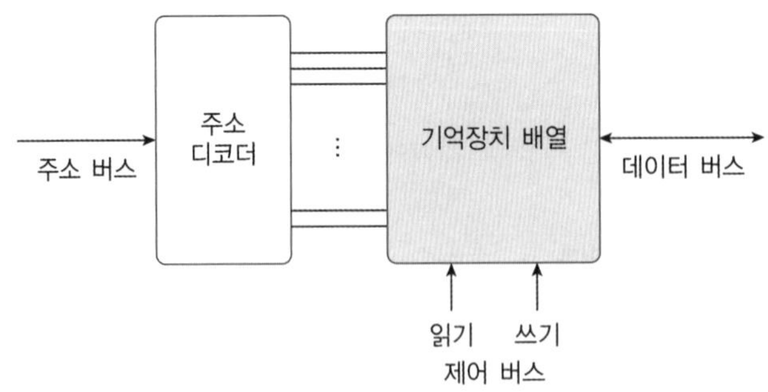

▲ 반도체 기억장치의 동작

5 임의접근 기억장치

1. RAM의 특징과 용도

RAM(Random Access Memory)은 선택된 주소의 데이터를 언제든지 쉽게 쓰고, 읽을 수 있다. RAM은 휘발성 기억장치로 전원 공급이 중지되면 저장된 데이터 모두가 삭제된다(비휘발성 RAM인 MRAM, FRAM, PRAM도 존재). 저장된 모든 데이터에 접근하는데 소요되는 시간이 이전의 접근 순서와는 무관하게 항상 일정하다(Random Access은 임의 접근을 의미).

중앙처리장치와 보조기억장치의 처리속도의 차이를 극복하기 위해서 보조기억장치보다 처리속도가 빠른 DRAM(주기억장치)을 중간에 위치시켜 처리 속도의 차이를 극복한다. 나중에 배울 Cache(SRAM)를 사용하는 이유도 이와 비슷하다(CPU와 주기억장치의 속도차를 개선).

2. RAM의 분류

동적 RAM(DRAM, Dynamic RAM)은 저장하려고 하는 2진 정보를 충전기(콘덴서)에 공급되는 전하의 형태로 보관한다(캐패시터라고 표현하는 것이 일반적). 전력 소비가 적고 단일 메모리 칩 내에 더 많은 정보를 저장할 수 있다. 충전기의 방전 현상으로 인한 정보의 손실을 막기 위해서 재충전(refresh) 회로가 필요하다. 주기억장치(RAM)에 주로 사용한다.

정적 RAM(SRAM, Static RAM)은 주로 2진 정보를 저장하는 내부 회로가 플립플롭으로 구성되고, 저장된 정보는 전원이 공급되는 동안에 그대로 보존된다. 사용하기 쉽고, 읽기와 쓰기 동작 사이클이 동적 RAM보다 짧다. 주로 캐시(Cache)에 사용한다.

반도체 기억장치를 만드는데 사용하는 소자에 따른 분류는 트랜지스터-트랜지스터 논리(TTL, Transistor-Transistor Logic)의 바이폴러(Bipolar) RAM, 금속 산화막 반도체(MOS, Metal-Oxide-Semiconductor) RAM, 바이폴라와 MOS를 조합하여 기억장치 소자를 제작하는 BiMOS RAM이 존재한다(* 참고).

3. 동적 RAM(DRAM)

캐패시터(capacitor)에 전하를 저장하는(charge) 방식이다. 캐패시터에 전하가 존재하는 여부에 따라 2진수의 1과 0 저장을 구분한다(여기서 전하란 전자기장내에서 전기현상을 일으키는 주체적인 원인을 의미). 캐패시터에 충전된 전하는 조금씩 방전되므로 기억된 정보를 잃게 된다. 재충전(refresh)을 위한 제어회로를 탑재해야 한다. 이렇게 동적으로 저장 정보를 재생시키므로 동적(dynamic)이란 명칭이 붙여졌다. DRAM은 고밀도 집적에 유리하며, 전력 소모가 적고, 가격이 낮아 대용량 기억장치에 많이 사용된다(예 주기억장치).

4. 정적 RAM(SRAM)

플립플롭 방식의 기억소자를 가진 임의 접근 기억장치이다. 전원 공급이 계속되는 한 저장된 내용을 계속 기억하고, DRAM과 다르게 복잡한 재생 클록(refresh clock)이 필요 없다. SRAM의 구조는 MOS FET 4~6개로 된 플립플롭 기억소자로 구성되어 있어 집적 밀도가 높아서 가격이 비싸며, 소용량의 메모리에 사용한다. 여기서, FET는 반도체를 이용하여 전자 신호 및 전력을 증폭하거나 스위칭하는데 사용한다. SRAM은 DRAM보다 처리속도가 5배 정도 빨라서 캐시메모리에 주로 사용한다. DRAM에 비해 집적도가 낮고, 전력소모가 크다.

다음 그림은 SRAM의 기억소자(memory cell) 구조를 나타낸다. 그림에서 RS 플립플롭이 사용됨에 유의한다(나중에 자세하게 배움).

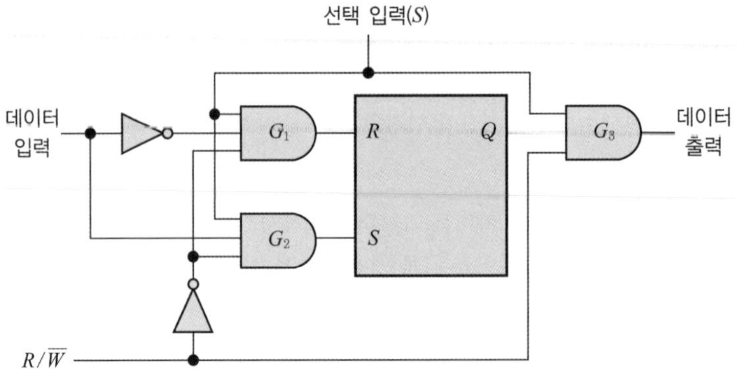

▲ SRAM의 기억소자(memory cell) 구조

5. 칩 논리(Chip Logic)

RAM과 같은 반도체 기억장치는 하나의 IC 칩으로 제공되며, 그리고 이 칩에는 기억소자들의 배열(array of memory cells)을 포함한다. 반도체 기억장치를 설계할 때 한번에 읽고 쓸 수 있는 데이터의 비트 수는 중요한 고려 대상이다(word). 기억소자들의 배열 조직이 B개의 비트(word)들로 이루어진 W개의 단어들로 구성된다고 하면 이것은 W × B bit로 표현한다.

다음과 같은 칩 조직을 예로 들 수 있다.

- 1M × 16bit: 16bit 단어(word)들로 이루어진 1M개의 단어로 구성된다(주소 비트의 수는 20개가 필요).
- 16M × 1bit: 1bit 단어들로 이루어진 16M개의 단어로 구성된다. 칩 1개당 1 비트로 조직되어 있다(one-bit-per-chip). 주소 비트는 24개가 필요하다.
- 4M × 4bit: 4bit 단어들로 이루어진 4M개의 단어로 구성된다. 주소 비트는 22개가 필요하다.

6. RAM의 내부조직

다음 그림은 8 × 8 조직(64-bit)을 나타낸다. A0, A1, A2의 3개의 주소 입력이 필요하다($2^3 = 8$).

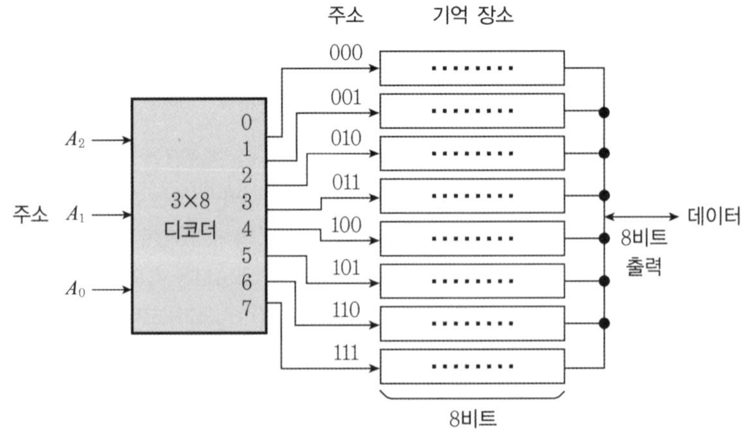

▲ 8 × 8 조직(64-bit)

다음 그림은 16 × 4 조직(64-bit)을 나타낸다. A0, A1, A2, A3의 4개의 주소 입력이 필요하다($2^4 = 16$).

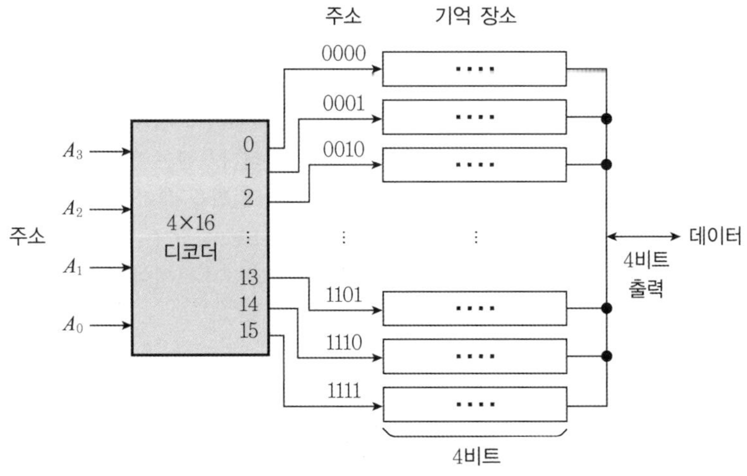

▲ 16 × 4 조직(64-bit)

다음 그림은 64 × 1 조직(64-bit)을 나타낸다. 1bit로 이루어진 64개의 기억장소로 구성된다. 행(row)를 갖는 3개의 주소선과 열(column)의 주소를 갖는 3개의 주소 선이 필요하다. 모두 6개의 주소 선을 사용한다. 6개의 주소의 값을 가질 때 상위 3비트는 행의 배열 위치를 의미하고, 하위 3비트는 열의 배열 위치를 의미한다(3개의 주소선을 사용해도 된다). 3비트를 갖는 행과 열로 구분되는 주소 선을 갖기 때문에 3 × 8 디코더(decoder)가 각 행과 열에 각각 1개씩 모두 2개를 필요로 하게 된다.

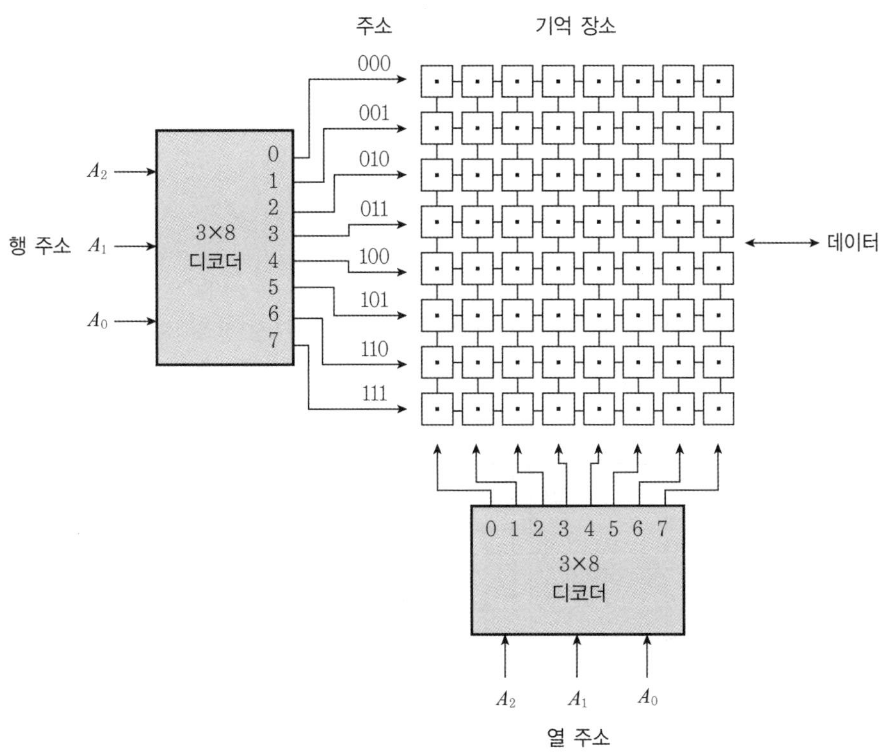

▲ 64 × 1 조직(64-bit)

6 읽기 전용 기억장치

1. 읽기 전용 기억장치(Read Only Memory)

ROM은 저장된 명령이나 데이터를 단지 읽기만 할 수 있는 기억장치로 새롭게 데이터를 추가하거나 재기록하는 쓰기 동작이 불가능하다(어렵지만 재기록도 가능하다). 전원 공급이 중단되어도 저장된 데이터는 지워지지 않고 유지할 수 있기 때문에 비휘발성(non-volatile) 기억장치로 분류한다. 컴퓨터시스템은 전원을 켜면 내장 메모리를 체크하거나 주변장치를 초기화 수행한다. 이와 같은 일을 수행하기 위해서는 전원을 끄더라도 그 내용이 지워지지 않는 기억장치가 필요하다. 그래서 ROM이 사용된다(BIOS). 뿐만 아니라 시스템 동작에 사용되는 표, 변환, 명령어 프로그램 등과 같이 반복적으로 쓰는 데이터를 주로 저장하는데 사용된다(제어장치-마이크로 프로그램).

2. ROM의 구성

주소 입력을 통한 데이터의 읽을 위치를 결정하게 하는 주소 디코더가 존재하고, 이것은 기억장치의 배열과 연결 된다. 다음 그림은 ROM의 구성에 대한 블록도를 나타낸다. N개의 입력선은 디코더(decoder)에 의해서 2^N개의 주소가 존재하고, 이것은 2^N개의 워드가 존재하는 것과 동일한 의미다(MAR). 기억장치 배열에서 워드(word)의 길이는 M 비트이고 이것이 출력 비트가 된다(MBR).

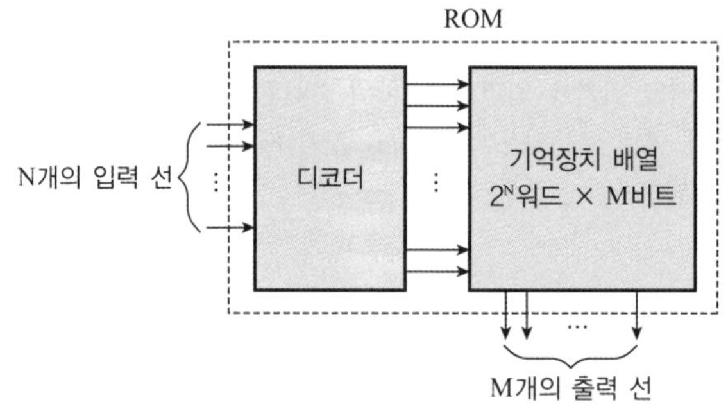

▲ ROM의 구성에 대한 블록도

3. ROM의 회로도

OR 게이트의 연결 관계를 통해서 기억장치 배열을 형성한다. ROM에 저장된 데이터는 OR 게이트의 고정된 연결로 표현되고, 이것의 변경은 불가능해서 항상 동일하게 출력한다(어렵지만 가능). 결과적으로 읽기만 가능하고, 비휘발성인 ROM의 특성을 잘 만족한다. 그리고 OR 게이트의 수는 ROM의 출력선의 수와 동일하다. 다음 그림은 ROM의 회로도를 나타낸다.

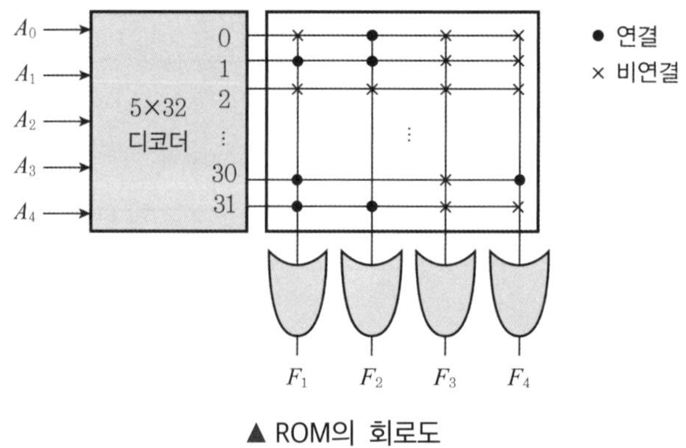

▲ ROM의 회로도

5비트의 주소 입력선이 존재하므로 32(= 2^5)개의 워드가 존재한다. 출력은 4비트의 이진 데이터를 출력한다. 이 때 출력값 F_1, F_2, F_3, F_4는 OR 게이트 입력과 각 워드 간 연결에 따라서 결정된다. ROM에서는 쓰기 동작이 없으므로 입력단자가 존재하지 않는다.

다음 그림은 4 × 3 ROM의 내부조직을 나타낸다. 워드의 길이는 3비트이고 4개의 워드가 존재하고, 출력은 3비트이다.

- A_0A_1 = 00이면 D_0가 선택되고, 출력 $F_0F_1F_2$은 101이 된다.
- A_0A_1 = 01이면 D_1이 선택되고, 출력 $F_0F_1F_2$은 011이 된다.
- A_0A_1 = 10이면 D_2이 선택되고, 출력 $F_0F_1F_2$은 100이 된다.
- A_0A_1 = 11이면 D_3이 선택되고, 출력 $F_0F_1F_2$은 111이 된다.

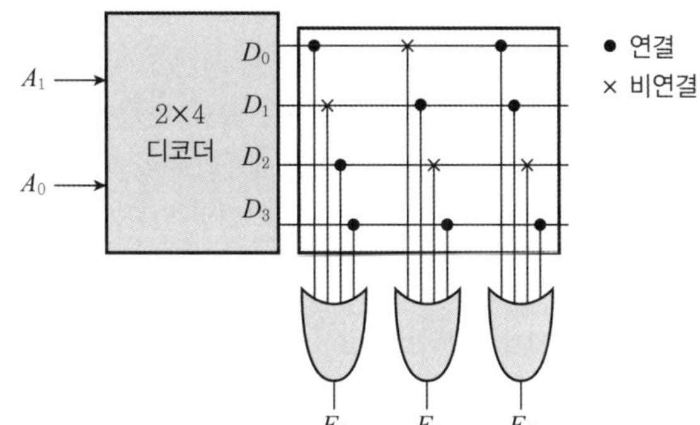

입력		출력		
A_0	A_1	F_0	F_1	F_2
0	0	1	0	1
0	1	0	1	1
1	0	1	0	0
1	1	1	1	1

▲ 4 × 3 ROM의 내부조직

4. Mask ROM과 PROM(Programmable ROM)

Mask ROM(MROM)은 ROM 제작사 측에서 저장 데이터에 맞게 회로를 구성해서 만들어 놓았기 때문에 내용 변경이 불가능하다. Mask ROM에 데이터를 집어넣기 위해서는 반드시 반도체 회사에 주문해 특별히 만들어야 하며, Mask ROM은 한번의 기록으로 더 이상 데이터를 변경할 수 없기 때문에 일반적으로 컴퓨터의 주 메모리로 사용하는 것은 불가능하다.

PROM(Programmable ROM)은 사용자가 특별한 장비인 PROM writer를 사용하여 필요한 논리 기능을 직접 기록할 수 있다. 최초의 PROM은 1회에 한해서 새로운 내용으로 변경할 수 있는 ROM이다. 한 번 기록한 내용을 변경하거나 삭제할 수 없다.

5. EPROM(Erasable PROM)

필요할 때마다 기억된 내용을 지우고 다른 새로운 내용을 기록할 수 있다. 레이저를 이용한 ROM writer를 사용하면 새로운 데이터의 쓰기가 가능하다. 데이터를 입력하는 쓰기 동작은 PROM과 동일하고, 상단의 창에 자외선을 쏘이면 내용이 삭제되므로 새롭게 데이터를 다시 쓸 수 있다.

저장된 데이터들을 삭제하는 방법에 따라서 UVEPROM(Ultra Violate Erasable PROM)과 EEPROM(Electrically Erasable PROM)으로 구분한다. UVEPROM은 칩 중앙부에 동그란 유리창이 놓여있고 이 창을 통해 일정시간 자외선을 쏘여주면 내부에 기록되어 있는 데이터가 삭제된다(EPROM이라고도 한다). EEPROM은 전기적으로만 지울 수 있는 PROM으로 칩의 한 핀에 전기 신호를 가해줌으로써 내부 데이터가 지워지게 된다. 전기 신호를 사용하므로 훨씬 편리한 점이 많지만, 가격이 월등히 비싸며, 쓰기/지우기 속도가 느린 단점이 있다.

7 플래시 메모리(Flash Memory)

1. 개요

EEPROM의 한 종류이지만 EEPROM과는 다르게 블록 단위로 데이터를 입력한다(EEPROM은 워드 단위). 읽기와 쓰기 동작이 자유로운 편이어서 RAM과 ROM의 중간적인 위치이다. 작은 카드 크기의 보조기억장치로 만들어서 하드디스크 대신 사용하며, 접근 속도가 하드디스크보다 훨씬 고속일 뿐만 아니라 반도체 기억장치이기 때문에 외부 충격에 매우 강하다. 데이터를 읽는 과정은 일반 RAM과 비슷하게 설계 할 수 있지만, 데이터를 써넣기 위해서는 시간이 상당히 오래 걸리며, RAM처럼 쉽게 설계할 수 없다(overwrite가 아닌 지우고 다시 써야 함). RAM은 데이터를 읽고 쓸 수 있는 횟수에 거의 제한이 없어서 칩의 수명이 다하는 동안까지 사용할 수 있는 반면, 플래시 메모리는 십만에서 백만 번 이상의 쓰기를 한 후에는 데이터를 더 이상 쓸 수가 없다.

플래시 메모리는 메모리 칩 안에 정보를 유지시키는 데에 전력이 필요 없는 비휘발성 메모리이다. 게다가 플래시 메모리는 읽기 속도가 빠르며(단, 개인용 컴퓨터에서 메인메모리로 쓰이는 DRAM만큼 빠르지는 않고, 순차읽기속도는 하드디스크가 더 빠를 수 있음) 하드 디스크 보다 충격에 강하다. 이러한 특징으로 배터리로 동작하는 장치에서 저장장치로 많이 사용한다. 플래시 메모리의 또 다른 장점은 강한 압력이나 끓는 물에도 견딜 만큼, 물리적인 힘으로 거의 파괴되지 않는다는 점이다.

플래시 메모리는 기록된 내용을 보존한다는 측면에서는 ROM과 유사한 특징이 있지만, 메모리 어드레싱이 아닌 섹터 어드레싱을 한다는 특성으로 인해 주기억 장치로 분류되는 ROM이 아닌 하드디스크와 유사한 보조 기억 장치로 분류된다(블록 단위). 매체의 소재 자체의 한계로 인해 기록 가능 횟수에 한계가 있다. 이 횟수를 넘어가면 내용의 삭제 및 기록이 되지 않는다. 이 상태에 와도 읽기가 바로 안 되지는 않지만 일반적으로 읽기와 쓰기 모두를 해야 하기 때문에 더 이상 이용이 어려워진다.

2. NAND or NOR

플래시 메모리의 단점은 블록 내에서 특정 단위로 읽고 쓸 수 있지만, 블록 단위로 지워야 한다는 것이다. 또한 덮어 쓸 수 없으므로, 모든 블록을 지우기 전까지는 해당 자료를 변경할 수 없다. NOR 플래시의 경우, 임의 접근 방식으로 바이트 또는 워드 단위로 읽기/쓰기 동작이 가능하지만 덮어 쓰기와 지우기 동작은 임의로 접근할 수 없다(NOR 게이트를 사용하는 것이 아니라 NOR의 특성을 가짐). NAND 플래시는 페이지 단위로 읽기/쓰기 동작이 가능하지만 해당 페이지를 덮어 쓰거나 지우려면 모든 블록을 지워야 한다. NAND 플래시는 블록을 여러 페이지로 나누어 사용한다(NAND 게이트를 사용하는 것이 아니라 NAND의 특성을 가짐). 다음의 표는 NAND(블록 또는 페이지)와 NOR(바이트 혹은 워드)의 비교를 나타낸다.

구분	NAND 타입	NOR 타입
용도	USB 메모리, SSD 등 저장 매체	RAM처럼 실행 가능한 코드 저장
읽기	랜덤 엑세스이나 한 블록이 모두 동작함(비교적 느림)	셀 단위 랜덤 액세스(빠름)
쓰기	한 번에 한 블록을 통째로 기록하여 빠름	한 셀씩 기록하여 느림
밀도	고밀도	저밀도
가격(용량 대비)	저가	고가

8 기억장치의 확장

1. 워드 길이의 확장

기억장치 칩들의 주소버스와 제어버스는 공통신호를 사용하고 여러 워드를 순차적으로 연결하여 워드의 용량을 유지하면서 길이를 확장할 수 있다. 다음은 256 × 4bit ROM 두 개를 이용하여 256 × 8bit의 기억장치를 만드는 과정이다. 두 기억장치의 주소버스와 제어버스는 공통 병렬 신호로 사용이 되고 4비트의 길이를 갖는 각 워드들은 연결되어서 8비트의 워드길이가 된다(병렬 연결). 아래의 그림은 워드 길이의 확장을 나타낸다.

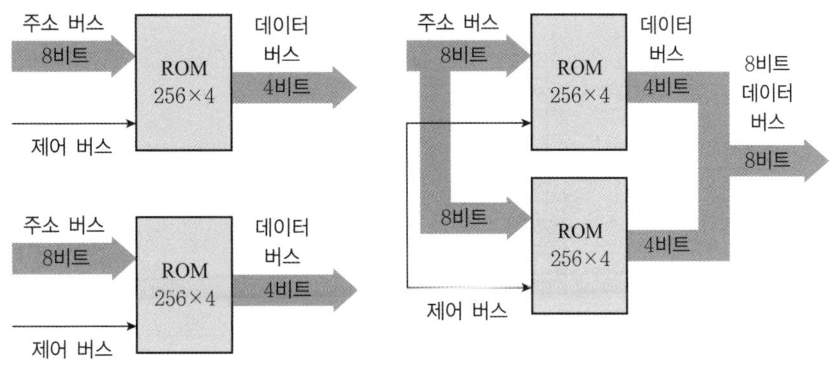

▲ 워드 길이의 확장

2. 워드 용량의 확장

기억장치 칩들의 칩 선택 신호는 제어 버스를 통해 공통으로 연결되고, 각 기억장치 칩의 선택을 통해서 주소를 확장하고 워드의 용량을 확장을 할 수 있다. 다음은 256 × 4bit ROM 두 개를 이용하여 512 × 4bit의 기억장치를 만드는 과정이다. 공통 제어버스의 칩 선택 신호가 첫 번째 ROM을 선택하면 주소 0~255번지 내에 저장된 데이터를 접근하게 된다. 두 번째 ROM을 선택하면 주소 256~511번지 내에 저장된 데이터를 접근할 수 있게 된다(직렬 연결). 다음 그림은 워드 용량의 확장을 나타낸다.

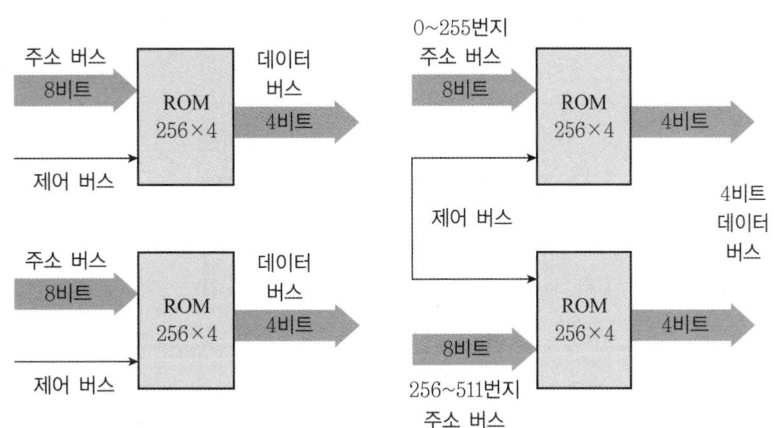

▲ 워드 용량의 확장

3. 직렬 연결의 예

1K × 8bit ROM 칩들을 이용한 4K × 8bit 기억장치 모듈 설계를 생각해보자. 2 × 4 decoder의 입력 비트는 4개의 ROM 중에서 하나를 선택하며, 선택된 ROM의 주소범위를 알맞게 설정한다. 다음 그림은 직렬 연결의 예를 나타낸다.

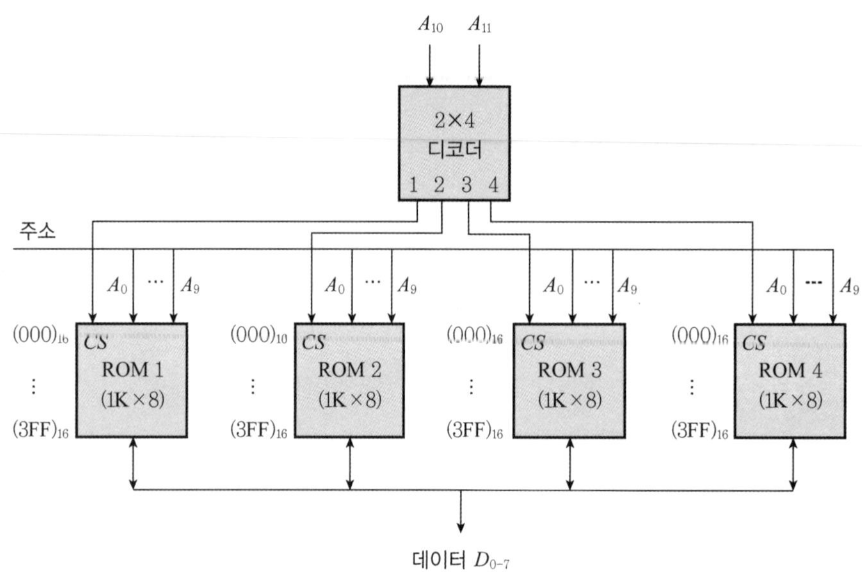

▲ 직렬 연결의 예(ROM 2, 3, 4는 워드의 상위 주소를 나타냄에 유의)

4. 병렬 연결의 예

1K × 8bit ROM 칩들을 이용한 1K × 32bit 기억장치 모듈 설계를 생각해보자. 4개의 1K × 8bit ROM 칩들을 적절하게 설계하면 워드의 길이가 확장되는 (1K × 8bit) × 4 = 1K × 32bit의 기억장치 모듈을 설계할 수 있다. 각각의 1K × 8bit ROM은 A_0~A_9까지 10개의 주소선을 입력선으로 갖게 된다(2^{10} = 1024 = 1K). 주소 영역은 $000_{(16)}$~$3FF_{(16)}$까지 주소를 갖게 된다. 데이터를 저장할 때는 동일한 기억장치의 주소에 대하여 32비트들 중에서 칩 당 8비트씩 분산 저장하게 된다. 다음 그림은 병렬 연결의 예를 나타낸다.

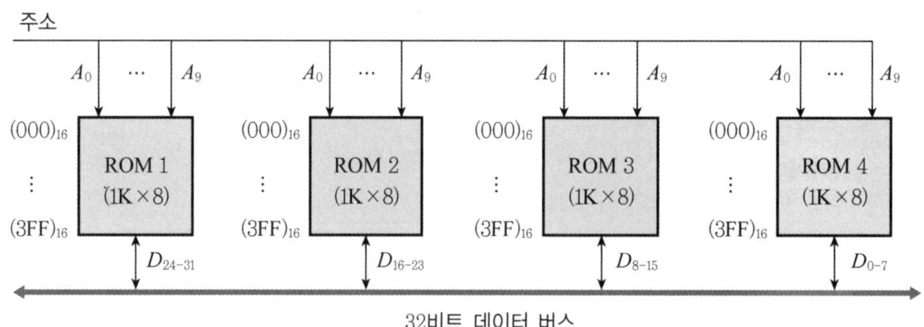

▲ 병렬 연결의 예

주요개념 셀프체크

- 순차/직접/임의/연관 접근
- 페이징 vs. 세그멘테이션
- 최초, 최적, 최악 적합
- 2nxm
- DRAM vs. SRAM
- MROM, PROM, UVEPROM, EEPROM
- NAND vs. NOR 플래시
- 병렬연결 vs. 직렬연결

핵심 기출

1. 열거된 메모리들을 처리 속도가 빠른 순서대로 바르게 나열한 것은? 2014년 국가직

ㄱ. 가상(virtual) 메모리
ㄴ. L1 캐시(Level 1 cache) 메모리
ㄷ. L2 캐시(Level 2 cache) 메모리
ㄹ. 임의 접근 메모리(RAM)

① ㄱ - ㄴ - ㄷ - ㄹ
② ㄴ - ㄷ - ㄹ - ㄱ
③ ㄷ - ㄴ - ㄱ - ㄹ
④ ㄹ - ㄱ - ㄴ - ㄹ

해설

메모리의 처리 속도를 기준으로 나열하면 다음과 같다.

레지스터(Register) > L1 Cache(On-Chip Cache, SRAM) > L2 Cache(Off-Chip Cache, SRAM) > 주기억장치(DRAM) > 보조기억장치(HDD or SSD) > 보조기억장치(CD/DVD or 블루레이) > 클라우드

가장 빠른 메모리는 레지스터이고, 가장 늦은 메모리는 클라우드이다. On-Chip Cache는 캐시가 CPU에 포함되는 것을 의미하고, Off-Chip 캐시는 캐시가 CPU 밖에 있음의 의미한다. 현재 사용하는 컴퓨터는 캐시가 4개 존재하고 L1부터 L3까지가 On-Chip Cache이고, L4가 Off-Chip Cache인데 L1이 가장 빠르고 L4가 가장 느리다(번호 순서대로 기억하면 된다).
따라서 본문의 답은 L1 Cache > L2 Cache > 주기억장치(임의 접근 메모리) > 가상메모리 순이 된다. 가상메모리는 요청을 했을 때 주기억장치에 없으면 보조기억장치에서 가지고 오기 때문에 주기억장치보다 속도가 느리다.

정답 ②

2. RAM 칩을 사용하여 8K × 64비트 기억장치 모듈을 구성하는 방법으로 옳지 않은 것은? 2014년 지방직

① 4개의 2K × 64비트 RAM 칩 사용
② 32개의 1K × 16비트 RAM 칩 사용
③ 8개의 4K × 8비트 RAM 칩 사용
④ 4개의 8K × 16비트 RAM 칩 사용

해설

8개의 4K × 8비트 RAM 칩 사용: 8(= 2 × 4)을 쪼갠다고 하더라도 문제의 조건을 맞출 수 없다.

(4 × 2)K × (8 × 4)

선지분석

① 4개의 2K × 64비트 RAM 칩 사용: (2 × 4)K × 64
② 32개의 1K × 16비트 RAM 칩 사용: 32(= 8 × 4)를 쪼개서 워드 용량과 워드 길이를 곱한다. (1 × 8)K × (16 × 4)
④ 4개의 8K × 16비트 RAM 칩 사용: 8K × (16 × 4)

TIP n개의 워드 용량 × 워드 길이가 있다면 n을 워드 용량을 확장하는데 사용할 수 있고 아니면 n을 워드 길이를 확장하는데 사용할 수 있다. 워드 용량을 확장하게 되면 (워드 용량 × n) × 워드 길이가 되고(직렬 연결), 워드 길이를 확장하게 되면 워드 용량 × (워드 길이 × n)이 된다(병렬 연결). 여기에 주의할 사항이 n이 워드 용량과 워드 길이에 동시에 적용되지는 않는다.

정답 ③

3. 최근 NAND 플래시 메모리를 이용한 저장장치가 모바일 기기를 중심으로 확산되고 있다. 다음 중 NAND 플래시 메모리의 특징이 아닌 것은? 2015년 국회직

① NAND 플래시 메모리는 페이지(page) 단위로 읽기/쓰기가 행해지며, 페이지의 크기는 보통 섹터 크기의 배수로 정해져 있다.
② 데이터를 많이 쓸수록 셀의 수명이 단축된다.
③ 한번 쓴 페이지에 새로운 데이터를 쓰기 위해서는 이전의 데이터를 먼저 지운 후에만 가능하다.
④ DRAM과 같이 데이터의 내용을 보존하기 위해 주기적인 리프레시(refresh)가 필요하다.
⑤ 읽기/쓰기 연산을 하지 않을 때에는 거의 전력을 소모하지 않는다.

해설

캐패시터를 사용하지 않기 때문에 리프레시가 필요 없다. 그리고 메모리 칩 안에 정보를 유지시키는 데에 전력이 필요 없는 비휘발성 메모리이다.

선지분석

① 읽기/쓰기: 페이지 단위로 읽기/쓰기 동작이 가능하다.
② 수명 단축: 매체의 소재 자체의 한계로 인해 기록 가능 횟수에 한계가 있다.
③ 지운 후 쓰기: 덮어 쓸 수 없으므로, 모든 블록을 지우기 전까지는 해당 자료를 변경할 수 없다.
⑤ 전력 소모: 연산을 수행하지 않을 때의 대기 중 전력 소모는 낮다.

정답 ④

CHAPTER 04 캐시기억장치(Cache)

1 캐시기억장치의 원리

1. 개요

중앙처리장치는 그 속도가 저장장치에 비해서 고속이므로 저장장치의 읽기와 쓰기 동작과정 동안 기다려야 하며, 이런 문제를 극복하기 위해서는 중앙처리장치의 처리속도만큼 빠른 저장장치가 필요하다. 주기억장치는 보조기억장치보다 처리속도가 빠르지만, 중앙처리장치의 처리속도와 비교하면 그 차이는 크다. 그래서 주기억장치보다 빠른 저장장치를 생각하게 되었고 이에 따라 캐시기억장치가 등장하였다(지역성). 캐시기억장치는 5~100ns 정도의 빠른 접근시간을 제공하는 기억장치로 수행할 명령어나 피연산자를 주기억장치로부터 가져와 저장하고 있다가 빠른 속도로 중앙처리장치에 제공한다. 다음 그림은 캐시기억장치를 나타낸다.

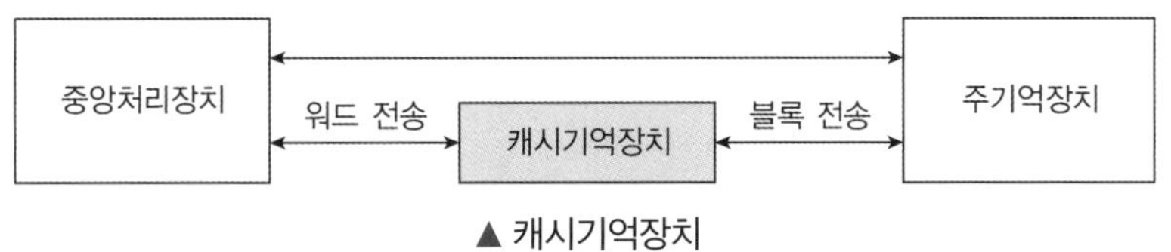

▲ 캐시기억장치

2. 캐시기억장치의 동작

다음 그림은 캐시기억장치가 없는 컴퓨터 시스템의 기억장치 접근을 나타낸다.

- 1단계: CPU가 명령어와 데이터를 인출하기 위해서 주기억장치에 접근한다.
- 2단계: 주기억장치에서 명령어나 필요한 정보를 획득하여 CPU내의 명령어 레지스터 등에 저장한다(너무 느림).

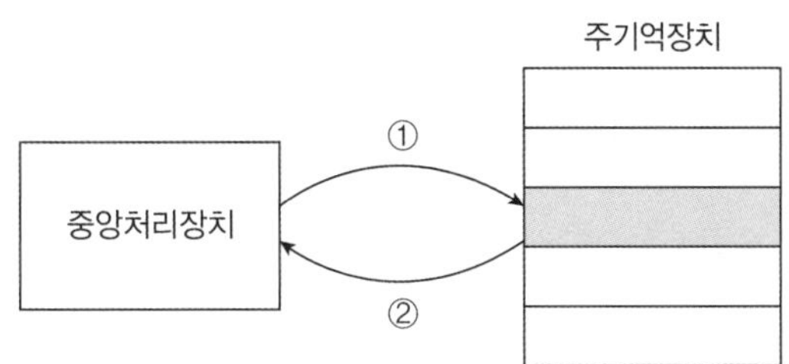

▲ 캐시기억장치가 없는 컴퓨터 시스템의 기억장치 접근

캐시기억장치를 포함하고 있는 컴퓨터 시스템은 CPU가 명령어 또는 데이터를 인출하기 위해 주기억장치보다 캐시기억장치를 먼저 조사한다. CPU가 명령어를 인출하기 위해 캐시기억장치에 접근하여 그 명령어를 찾았을 때를 적중(hit)이라고 하고, 명령어가 존재하지 않아 찾지 못하였을 경우를 실패(miss)라고 한다. Hit가 발생하지 않으면 오히려 손해를 본다.

캐시기억장치를 포함하고 있는 컴퓨터 시스템에서 캐시기억장치의 실패(miss)를 처리하는 과정은 다음과 같다. 중앙처리장치가 1000번지의 워드가 필요하다고 가정한다. 다음 그림과 같이 캐시기억장치가 1000번지의 워드를 저장하고 있는지를 검사하고, 1000번지 워드가 캐시기억장치 내에 존재하지 않는다면 실패 상태가 된다.

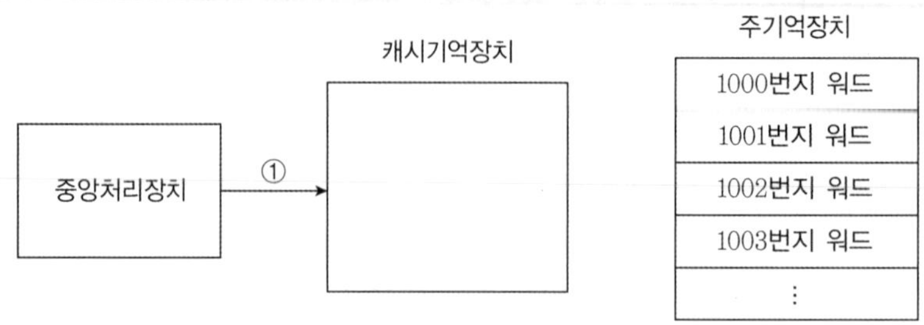

▲ 캐시기억장치가 1000번지의 워드를 저장하고 있는지를 검사

실패인 경우에 원하는 정보를 찾아 CPU로 전달하는 과정은 다음 그림과 같다.

- 1단계: 주기억장치에서 필요한 정보를 획득하여 캐시기억장치에 전송한다(블록, 지역성).
- 2단계: 캐시기억장치는 얻어진 정보를 다시 중앙처리장치로 전송한다(워드).

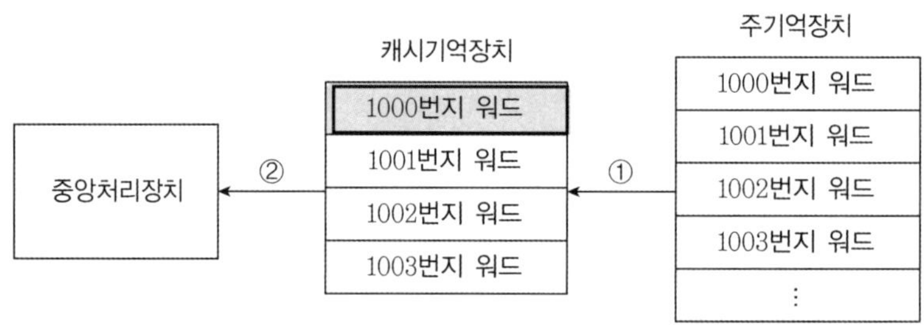

▲ 실패인 경우에 원하는 정보를 찾아 CPU로 전달하는 과정

캐시기억장치를 포함하고 있는 컴퓨터 시스템에서 캐시기억장치의 적중(hit)을 처리하는 과정은 다음 그림과 같다.

CPU가 1002번지의 워드를 필요로 하고 이것이 캐시기억장치에 존재한다고 가정한다.

- 1단계: 캐시기억장치가 1002번지의 워드를 저장하고 있는지를 검사하고, 1002번지 워드가 캐시기억장치 내에 존재 한다면 적중이 된다.
- 2단계: 캐시기억장치에서 얻어진 정보를 중앙처리장치로 직접으로 전송한다. 주기억장치를 거치는 것보다 훨씬 빠른 속도로 원하는 정보를 획득하게 된다.

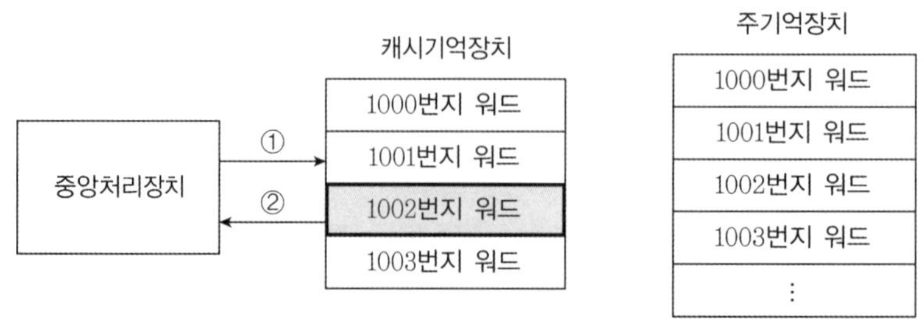

▲ 캐시기억장치의 적중(hit)을 처리하는 과정

캐시기억장치의 동작은 기억장치 참조의 지역성(locality of reference)에 의해 가능하다. 중앙처리장치의 주기억장치 참조는 제한된 영역에서만 이루어지는 현상이다(실제로 실험을 통해 증명됨). 짧은 시간 동안 중앙처리장치가 접근하는 범위는 지역적으로 제한된다. 지역성에는 시간과 공간이 존재한다.

시간적 지역성(Temporal locality)이란 동일 데이터를 다시 사용하려는 성질이다(현재 1000번지를 요청하고 다시 1000번지를 요청하려는 성질). 예를 들면, C언어에서 루프(for, while) 등이 있다.

공간적 지역성(Spatial locality)은 현재 사용한 데이터의 근처의 데이터를 사용하려는 성질이다(현재 1000번지를 요청하고 이후에 1001번지를 요청하려는 성질). 예를 들면, C언어의 순차적 실행 또는 배열 등이 있다.

다음 그림은 캐시기억장치의 동작 순서를 나타낸다.

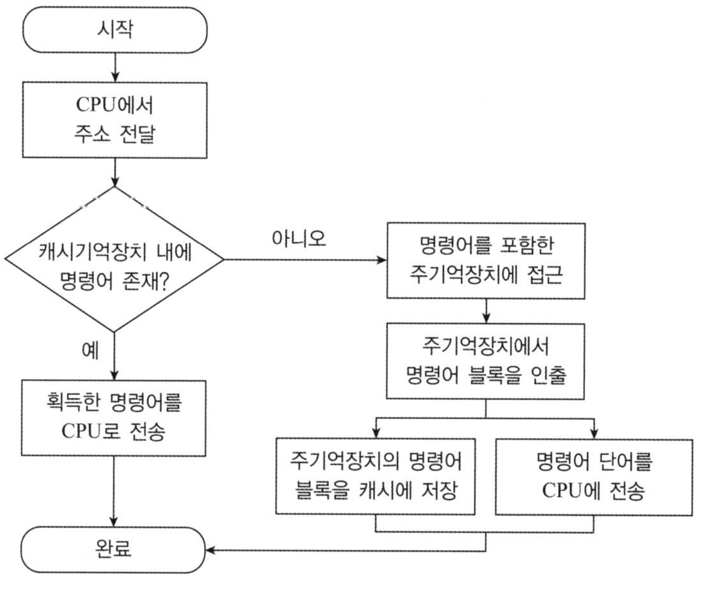

▲ 캐시기억장치의 동작 순서

3. 적중률(Hit Ratio)

적중률은 캐시기억장치를 가진 컴퓨터의 성능을 나타내는 척도로 적중률이 높을수록 속도가 향상된다.

$$\text{적중률} = \frac{\text{적중 수}}{\text{전체 메모리 참조 횟수}}$$

주기억장치와 캐시기억장치에서 데이터를 인출하는 데 소요되는 평균 기억장치 접근시간 $T_{average}$은 다음과 같다. 캐시기억장치 접근시간에 대한 평균과 주기억장치 접근시간에 대한 평균을 합한 것이 평균 기억장치 접근시간이다. 평균 캐시기억장치 접근시간은 캐시기억장치 접근시간 T_{cache}와 적중률 H_{hit_ratio}와의 곱으로 얻어진다. 평균 주기억장치 접근시간은 주기억장치 접근시간 $T_{main\ hit_dfkjsdkfjls}$과 실패율$(1 - H_{hit_ratio})$과의 곱으로 얻어진다. 여기서 실패율은 곧 주기억장치에 접근하는 율을 나타낸다(여기서는 캐시 접근 시간을 포함).

$$T_{average} = H_{hit\_ratio} \times T_{cache} + (1 - H_{hit\_ratio}) \times T_{main}$$

$T_{average}$ = 평균 기억장치 접근 시간
T_{cache} = 캐시기억장치 접근 시간
T_{main} = 주기억장치 접근 시간
H_{hit_ratio} = 적중률

평균 기억장치 접근시간 $T_{average}$ 계산 예는 다음과 같다. T_{cache} = 50ns, T_{main} = 400ns일 때, 적중률을 증가시키면서 기억장치 접근시간을 계산하면 다음과 같다. 캐시기억장치의 적중률이 높아질수록, 평균 기억장치 접근시간은 캐시 기억장치 접근시간에 근접하게 되어, 컴퓨터의 처리 속도의 성능 향상을 가져온다.

- 적중률 70%의 경우: $T_{average}$ = 0.7 × 50ns + 0.3 × 400ns = 155ns
- 적중률 80%의 경우: $T_{average}$ = 0.8 × 50ns + 0.2 × 400ns = 120ns
- 적중률 90%의 경우: $T_{average}$ = 0.9 × 50ns + 0.1 × 400ns = 85ns
- 적중률 95%의 경우: $T_{average}$ = 0.95 × 50ns + 0.05 × 400ns = 67.5ns
- 적중률 99%의 경우: $T_{average}$ = 0.99 × 50ns + 0.01 × 400ns = 53.5ns

개념 PLUS+

CPU와 DRAM 사이에 캐시(cache)가 있는 구조에서, CPU가 캐시와 DRAM을 접근하는 데 각각 1 사이클과 100 사이클이 소요된다고 가정하자. 캐시 적중률(hit ratio)이 90%라고 할 때 평균 메모리 접근 시간은 다음과 같다.

- 0.9 × 1: 90%는 캐시(1 사이클)에서 가져간다.
- 0.1 × 101: 10%는 DRAM에서 가져간다. DRAM(100 사이클)에 바로 가는 것이 아니라 캐시(1 사이클)에서 miss가 발생했을 때 DRAM으로 간다.
- 0.9 × 1 + 0.1 × 101 = 11 사이클 // 10.9 사이클로 계산하면 절대 안 됨에 유의

2 캐시기억장치의 설계

1. 개요

다음 그림은 주기억장치와 캐시기억장치 간의 정보 공유를 나타낸다. 주기억장치에 저장된 데이터의 일부가 블록 단위로 캐시기억장치에 복사되고, 중앙처리장치가 적중된 데이터들을 워드 단위로 캐시기억장치에서 읽어온다.

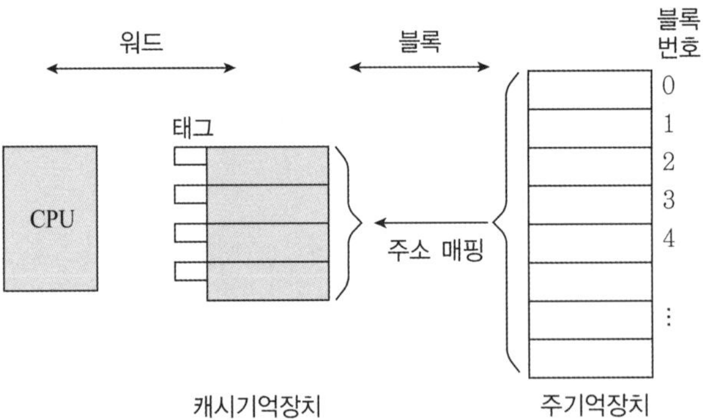

▲ 주기억장치와 캐시기억장치 간의 정보 공유

캐시기억장치 설계 시 고려할 요소는 다음과 같다.

- 캐시기억장치의 크기(Size)
- 인출방식(Fetch algorithm)
- 사상함수(Mapping function)
- 교체 알고리즘(Replacement algorithm)
- 쓰기 정책(Write policy)
- 블록 크기(Block size)
- 캐시기억장치의 수(Number of caches)

2. 캐시기억장치의 크기

캐시기억장치의 크기가 커지면 캐시기억장치의 용량이 주기억장치의 많은 블록을 복사해 저장할 수 있으므로 적중률이 높아진다. 그러나 용량이 커질수록 주소 해독 및 정보 인출을 위한 주변 회로가 더 복잡해지기 때문에, 접근시간이 더 길어진다. 그러므로 용량이 증가한 만큼의 속도 향상을 가져오지는 못한다(이를 보완하기 위해 CAM 사용). 그리고 캐시기억장치는 주기억장치보다는 비용이 고가이므로, 용량의 증가는 비용의 증가로 이어진다.

결과적으로 캐시기억장치의 용량과 주변회로 간의 복잡도 관계를 최적화하여, 적중률을 향상시키고 접근 시간에 대한 저하를 막는 용량을 결정해야 한다. 캐시기억장치의 크기와 비용 간의 조정을 통해 적절한 용량과 비용을 결정해야 한다. 연구 결과에 의하면 1 k~128 k 단어(word)가 최적이라고 알려져 있다(실험을 통해 증명됨).

3. 인출방식

주기억장치에서 캐시기억장치로 명령이나 데이터 블록을 인출해 오는 방식에 따라서, 캐시기억장치의 적중률은 많이 변한다. 인출 방식에는 요구인출과 선인출이 존재한다. 요구인출(Demand Fetch) 방식은 CPU가 현재 필요한 정보만을 주기억장치에서 단어 단위로 인출해 오는 방식이다. 경우에 따라서 매번 주기억장치에서 인출을 수행하므로 실패율이 높아져서, 캐시기억장치의 효과를 얻지 못할 때도 있다(지역성이 높지 않을 때 사용). 선인출(Prefetch) 방식은 CPU가 현재 필요한 정보 외에도 앞으로 필요할 것으로 예측되는 정보를 미리 인출하여, 캐시기억장치에 저장하는 방식이다(블록 단위). 주기억장치에서 명령이나 데이터를 인출할 때 필요한 정보와 이웃한 위치에 있는 정보들을 함께 인출하여, 캐시에 적재하는 방식으로 지역성(locality)이 높은 경우에 효과가 높다.

4. 사상함수

캐시기억장치에서의 인출이 실패하게 되면 캐시기억장치의 일부분은 주기억장치로 옮기고(캐시에 공간이 없는 경우), 주기억장치에서 필요한 정보를 캐시기억장치에 기억시키는 정보 교환이 이루어진다. 이렇게 주기억장치와 캐시기억장치 사이에서 정보를 옮기는 것을 사상(mapping)이라고 한다. 다음 그림은 사상을 나타낸다.

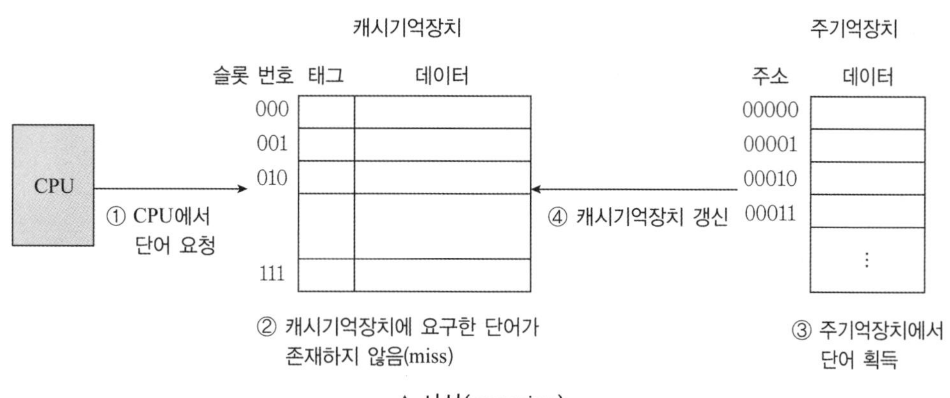

▲ 사상(mapping)

캐시기억장치의 사상방법에는 다음과 같이 대표적인 세 가지 방법이 존재한다.

- 직접 사상(direct mapping)
- 연관 사상(associative mapping)
- 집합 연관 사상(set-associative mapping)

결론부터 정리하면 적중률은 연관 > 집합 연관 > 직접 순서이고, 검색 시간은 직접 >집합 연관 > 연관 순서이다.

다음 그림은 주기억장치의 용량이 128바이트, 블록의 크기가 4바이트일 때와 캐시기억장치의 크기가 32바이트, 캐시 슬롯의 크기가 4바이트일 때, 직접 사상에 의하여 데이터가 캐시기억장치에 저장되는 과정을 나타낸다. 전제 캐시 슬롯의 수는 캐시의 크기 32바이트를 캐시 슬롯의 크기 4바이트로 나눠서 8개로 결정된다. 그리고 블록 내의 단어는 4개의 문자를 가진다. 따라서 단어 필드는 각 문자를 지정하기 위해 2비트를 가진다. 정해진 위치로 사상하므로 교체 알고리즘이 필요 없다.

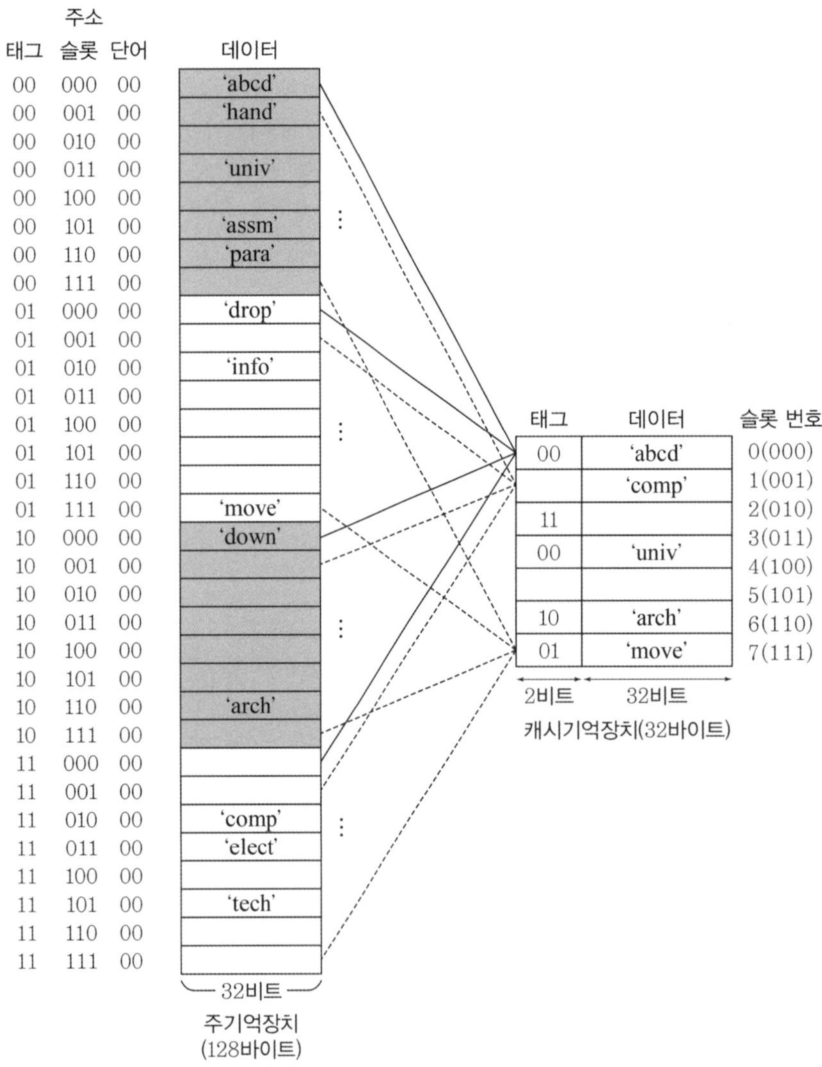

▲ 직접 사상의 동작(슬롯, 태그, 단어가 사용됨에 유의)

다음 그림은 연관 사상의 동작을 나타낸다. 주기억장치에 저장된 단어들은 임의의 위치의 캐시기억장치에 저장한다. 태그 필드는 4비트이고 단어 필드는 2비트이다. 캐시기억장치에서는 태그와 데이터를 저장하고 있는 것을 확인할 수 있다. CPU가 주기억장치에 저장된 단어들을 인출하려면 우선, 캐시기억장치에 대하여 일일이 검색을 수행하고 캐시 적중이 발생하면 인출이 가능하다(CAM). 모든 지역을 검색하여도 원하는 데이터가 존재하지 않을 때는 캐시 실패가 된다. 이 경우 주기억장치에서 원하는 데이터를 얻을 수 있다. 정해진 위치로 사상되지 않으므로 교체 알고리즘이 필요하다.

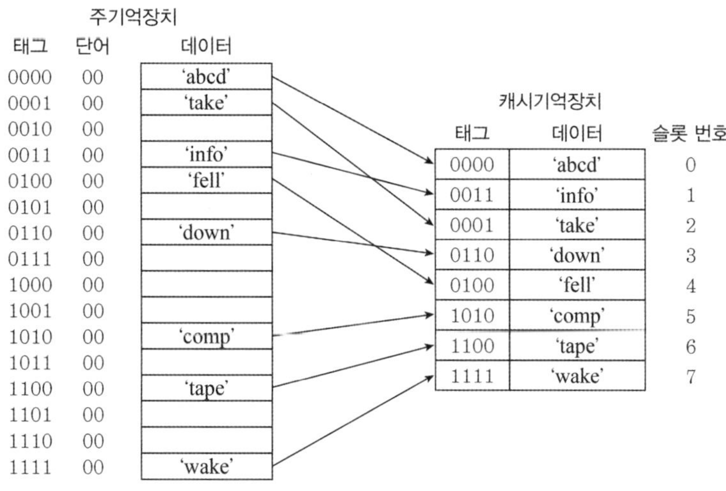

▲ 연관 사상의 동작(태그, 단어만 사용됨에 유의)

다음 그림은 주기억장치의 용량이 128바이트, 블록의 크기가 4바이트, 캐시의 크기는 32바이트, 캐시 슬롯의 크기가 약 8바이트일 때 집합 연관 사상 방법의 예를 나타낸다(그림에서 주기억장치의 태그 비트가 4비트가 아닌 3비트임에 유의). 캐시기억장치는 동일한 집합에 태그 값이 다른 두 종류의 데이터를 저장한다. 주소의 태그 필드 내용과 그 집합 내의 태그들을 비교하여 일치하는 것이 있으면 캐시 적중이 된다. 만약, 일치하는 것이 없다면 캐시 실패가 된다. 실패 시 주기억장치에서 블록을 인출하고, 캐시기억장치의 정해진 집합의 슬롯들 중에서 하나를 선택해서 기존 블록은 제거하고 새로운 블록을 저장한다. 이 과정에서 기존의 슬롯들 중에서 어느 슬롯을 선택하느냐의 교체 알고리즘이 필요하다.

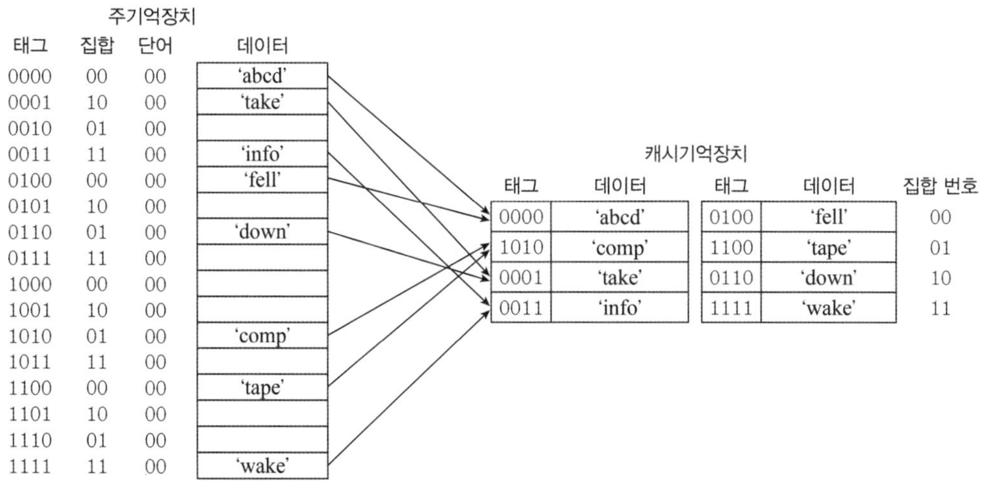

▲ 집합 연관 사상의 동작(집합, 태그, 단어가 사용됨에 유의)

5. 교체 알고리즘(Replacement Algorithms)

캐시기억장치의 모든 슬롯이 데이터로 채워져 있는 상태에서 실패일 때 캐시기억장치의 특정 슬롯에서 데이터를 제거하고, 주기억장치에서 새로운 데이터 블록을 가져와야 한다. 캐시기억장치의 어느 슬롯 데이터를 제거하는가를 결정하는 방식이 교체 알고리즘이다.

직접 사상 방식에서는 주기억장치의 데이터가 캐시기억장치의 동일 슬롯에 저장되기 때문에, 교체 알고리즘을 사용할 필요가 없다. 연관 사상 및 집합 연관 사상 방식의 경우 교체 알고리즘이 필요하다.

교체 알고리즘의 대표적인 종류는 다음과 같다.

- LRU: 최소 최근 사용 알고리즘
- LFU: 최소 사용 빈도 알고리즘
- FIFO: 선입력 선출력 알고리즘
- RANDOM: 랜덤
- RR: 라운드로빈

최소 최근 사용(LRU; Least Recently Used) 알고리즘은 현재까지 알려진 교체 알고리즘 중에서 가장 효과적인 교체 알고리즘으로, 집합 연관 사상에서 사용되는 방식이다. CPU로의 인출이 없는 가장 오래 저장되어 있던 블록을 교체하는 방식이다(지역성).

최소 사용 빈도(LFU, Least Frequently Used) 알고리즘은 적재된 블록들 중에서 인출 횟수가 가장 적은 블록을 교체하는 방식이다. 최소 최근 사용 알고리즘이 시간적으로 오랫동안 사용되지 않은 블록을 교체하는 반면, 최소 사용 빈도 알고리즘은 사용된 횟수가 적은 블록을 교체하는 방식이다(지역성).

선입력 선출력(FIFO, First In First Out) 알고리즘은 가장 먼저 적재된 블록을 우선적으로 캐시기억장치에서 삭제하는 교체 방식이다. 캐시기억장치에 적재된 가장 오래된 블록이 삭제되고, 새로운 블록이 적재된다. 구현이 용이하지만, 시간적으로 오래된 블록을 교체하여 효율성을 보장하지 못한다.

랜덤(Random)은 캐시기억장치에서 임의의 블록을 선택하여 삭제하고, 새로운 블록으로 교체하는 방식이다. 그러나 효율성을 보장하기가 어렵다.

라운드 로빈(Round Robin)은 캐시기억장치의 위치 순서대로 차례로 처리하는 것을 반복하는 것이다(0번지, 1번지, 2번지, ... → 0번지, 1번지, 2번지, → ...).

6. 쓰기 정책(Write Policy)

CPU가 프로그램을 실행하는 동안 연산 결과를 캐시기억장치에 기록하는 경우가 발생한다. 이때 캐시기억장치와 주기억장치에 저장된 데이터가 상이하게 존재하므로, 주기억장치의 데이터를 갱신하는 절차가 필요하다. 쓰기 정책에는 즉시 쓰기와 나중 쓰기가 존재한다.

즉시 쓰기(Write-through) 방식은 CPU의 연산 결과가 기억장치에 저장하는 쓰기 동작은 캐시기억장치뿐만 아니라 주기억장치에서도 동시에 발생하는 것으로, 데이터의 일관성을 쉽게 보장할 수 있다. 매번 쓰기 동작이 발생할 때마다 캐시기억장치와 주기억장치간 접근이 빈번하게 일어나고 쓰기 시간이 길어지게 된다. 즉시 쓰기의 단점을 해결하기 위해 쓰기 버퍼(Write Buffer)를 사용한다.

나중 쓰기(Write-back) 방식은 새롭게 생성된 중앙처리장치의 데이터를 캐시기억장치에만 기록하고 주기억장치는 나중에 기록하는 방식이다. 1비트의 태그를 이용하여 갱신된 캐시기억장치의 블록을 표시하고, 새로운 블록에 의해서 캐시기억장치에서 삭제되는 교체가 이뤄지기 전에 주기억장치로 복사된다. 두 기억장치의 데이터가 서로 일치하지 않아 주기억장치가 무효 상태로 존재하는데, 이 경우에는 주기억장치의 접근은 금지되고 캐시기억장치에만 접근된다. 즉시 쓰기 방식과는 달리 주기억장치에 기록하는 동작을 최소할 수 있다.

다음 그림은 쓰기 정책의 종류를 나타낸다. 즉시 쓰기 방식은 중앙처리장치(CPU)에서 생성되는 데이터를 캐시기억장치와 주기억장치에 동시에 기록한다. 나중 쓰기 방식은 캐시기억장치에 기록한 후, 기록된 블록에 대한 교체가 일어날 때 주기억장치에 기록한다.

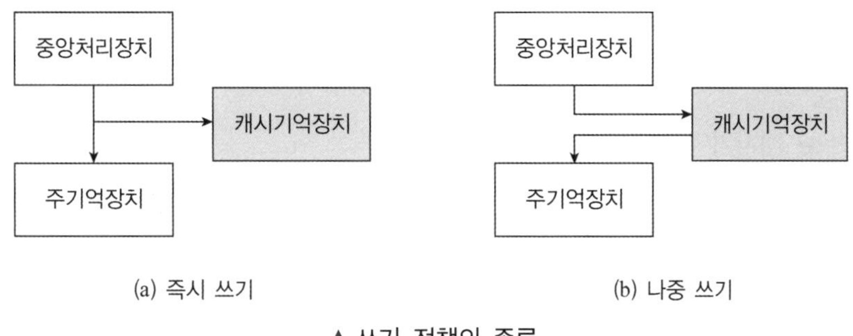

(a) 즉시 쓰기 (b) 나중 쓰기

▲ 쓰기 정책의 종류

7. 블록크기

동시에 인출되는 정보들의 블록이 커지면 한꺼번에 많은 정보를 읽어 올 수 있지만 블록 인출시간이 길어지게 된다. 블록이 커질수록 캐시기억장치에 적재할 수 있는 블록의 수가 감소하기 때문에 블록들이 더 빈번히 교체되며, 블록이 커질수록 멀리 떨어진 단어들도 같이 읽혀오기 때문에 가까운 미래에 사용될 가능성이 낮다(지역성). 일반적인 블록의 크기는 4~8 단어가 적당하다.

8. 캐시의 수(Number of Caches)

일반적인 시스템은 오직 하나의 캐시기억장치를 가지고 있었다. 최근에는 캐시기억장치들이 계층적 구조로 설치되거나, 기능별로 분리된 다수의 캐시기억장치를 사용하는 것이 보편화 되었다. 캐시기억장치를 설계할 때에는 몇 계층으로 할 것인지를 결정하여야 하며, 통합 형태와 분리 형태 중에서 어떤 형태로 구성할 것인지를 결정해야 한다. 설계 과정에서 사용할 캐시의 수가 결정된다.

다음 그림은 다양한 캐시기억장치의 구조를 나타낸다. (a)는 가장 일반적인 구조로 한 개의 캐시기억장치를 사용한다. (b)는 두 개의 캐시기억장치를 이용하여 계층적으로 구성한 구조다. 여기서 캐시 1은 중앙처리장치에 내장되어 있는 경우가 일반적이다. (c)는 캐시기억장치 3개를 이용하여 계층적 구조로 설계한 것이다. (b)와 비교해서 캐시 1에 해당하는 부분이 분리된 형태의 두 개의 캐시로 발전되었다. 그래서 각 기능에 따라서 명령어 캐시와 자료 캐시로 분리되었다(파이프라인에 유리). 하지만 (b)와 마찬가지로 캐시 1에 해당하는 명령어 캐시와 자료 캐시는 CPU에 내장되어 있는 캐시기억장치다.

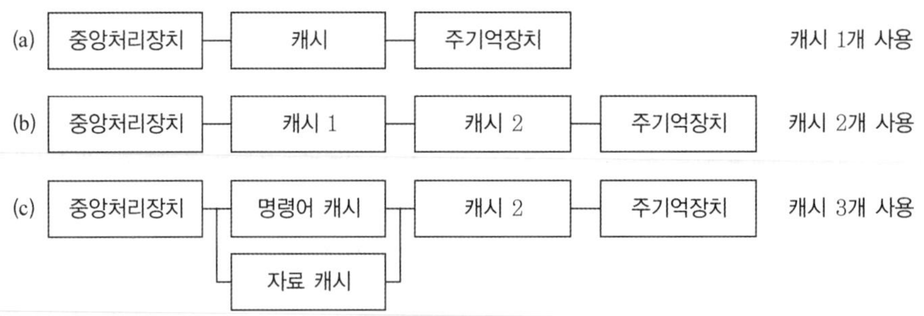

▲ 다양한 캐시기억장치의 구조

3 캐시기억장치의 구조

1. 온 - 칩(On - chip) 캐시기억장치

집적회로(IC, Integrated Circuit)의 기술 발달로 캐시기억장치를 CPU의 내부에 포함시킨 것이다. 내부 동작으로만 CPU에 접근하여 CPU의 외부 활동을 줄이고 실행 시간을 가속시켜 전체 시스템의 성능을 높여준다.

2. 오프 - 칩(Off - Chip) 캐시기억장치 또는 외부 캐시기억장치

일반적인 형태로 캐시기억장치가 CPU 외부에 위치한다. 외부 버스를 사용해서 CPU에 접근한다.

3. 단일 프로세서에서 캐시기억장치의 구조

계층적(Hierarchical) 캐시기억장치를 가진다(경제학의 원리를 적용). 온-칩 캐시를 1차 캐시(L1)로 사용하고 칩 외부에 더 큰 용량의 오프-칩 캐시를 2차 캐시(L2)로 설치하는 방식이다. 현재 컴퓨터는 4개의 캐시가 존재한다. 3개는 온-칩 캐시이고, 나머지 1개는 오프-칩 캐시이다. 다음 그림은 계층적 캐시기억장치를 나타낸다.

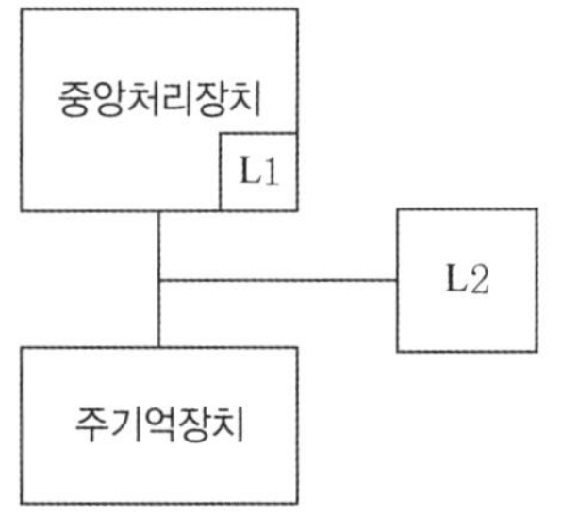

▲ 계층적 캐시기억장치

온 - 칩 캐시기억장치 L1의 크기는 제한될 수 밖에 없다. 하지만 L2의 크기는 상대적으로 L1보다 더 많은 용량을 가질 수 있다. L2는 주기억장치의 일부 내용을 저장하고, L1은 L2 내용의 일부를 저장한다. 따라서 L2는 L1의 모든 정보를 포함한다. 이러한 관계를 슈퍼-세트(super-set)라고 한다. 계층적 캐시기억장치를 조사할 때는 먼저 L1을 검사한다. 그리고 L1에 원하는 정보가 존재하지 않으면 L2를 검사, L2에도 원하는 정보가 존재하지 않으면 주기억장치를 조사한다(L1 → L2 → 주기억장치). L1 캐시의 속도는 빠르지만 용량이 작기 때문에 적중률이 L2에 비해 낮다.

4. 계층적 캐시의 구조에서 평균 기억장치 접근시간

접근시간 $T_{average}$를 계산하면 다음과 같다. 여기서 L1 캐시 적중률보다 L2의 적중률이 더 크다. 수식에서는 H_{L2}는 H_{L1}을 포함하고 있음에 유의한다. 만약, H_{L2}가 H_{L1}을 포함하지 않으면 수식이 바뀐다.

- $T_{average} = H_{L1} \times T_{L1} + (H_{L2} - H_{L1}) \times T_{L2} + (1 - H_{L2}) \times T_{main}$ // H_{L2}가 H_{L1}을 포함하는 경우
- $T_{average} = H_{L1} \times T_{L1} + H_{L2} \times T_{L2} + (1 - H_{L2} - H_{L1}) \times T_{main}$ // H_{L2}가 H_{L1}을 포함하지 않는 경우

여기서, $T_{average}$ = 평균 기억장치 접근시간, T_{main} = 주기억장치 접근시간, T_{L1} = L1 캐시기억장치 접근시간, T_{L2} = L2 캐시기억장치 접근시간, H_{L1} = L1 캐시 적중률, H_{L2} = L2 캐시 적중률이다.

5. 캐시기억장치의 통합과 분리

초창기 온 - 칩 캐시기억장치는 데이터와 명령어를 모두 저장하는 통합 캐시 형태이다. 통합 캐시는 명령어와 데이터 간의 균형을 자동적으로 유지해주기 때문에 분리 캐시보다 적중률이 더 높은 장점이 있다.

분리 캐시는 명령어만 저장하는 명령어 캐시와 데이터만 저장하는 데이터 캐시로 분리하여 두 개의 온-칩 캐시를 두는 형태다. 특히 여러 개의 명령어들이 동시에 실행되는 고성능 프로세서에서는 이러한 경향이 뚜렷하다. 분리 캐시의 장점은 명령어 인출(명령어 캐시)과 명령어 실행(데이터 캐시) 간 캐시의 충돌이 발생하지 않는다는 것이다(파이프라인에 유리).

6. 멀티 프로세서의 캐시기억장치 구조

최신의 컴퓨터 시스템은 여러 개의 중앙처리장치(CPU)를 장착하여 처리 성능을 향상시키고 있는데, 이것을 멀티 프로세서(멀티 코어) 시스템이라 한다. 다음 그림은 시스템 버스에 온-칩 캐시의 CPU 3개가 연결된 멀티 프로세서 시스템을 나타낸다.

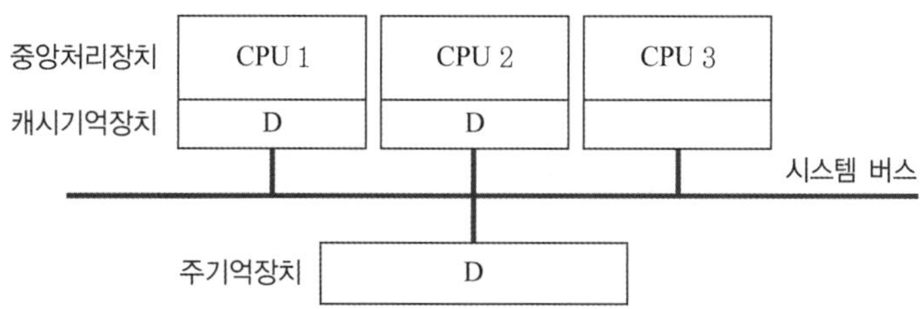

▲ 온 - 칩 캐시의 CPU 3개가 연결된 멀티 프로세서 시스템

멀티 프로세서 시스템에서는 주기억장치와 각 중앙처리장치 내의 캐시기억장치들 사이에서 데이터의 불일치 현상이 발생한다. 데이터의 불일치 현상은 프로그램이 올바르게 동작하지 않는 원인이 된다.

7. 즉시 쓰기 방식에서의 데이터 불일치 상태

CPU 1과 CPU 2는 주기억장치에서 D라는 데이터를 읽어온다. 이렇게 되면 CPU 1, CPU 2, 주기억장치는 D라는 동일한 데이터를 갖게 된다. CPU 1이 프로그램을 실행하여 D라는 데이터를 X로 수정하게 되면 CPU 1에 속한 캐시기억장치는 데이터를 X로 변경하고 즉시 쓰기 정책에 따라 주기억장치에도 수정된 데이터인 X를 저장하게 된다. 이 경우 CPU 1에 속한 캐시기억장치와 주기억장치의 데이터는 X로 수정이 되지만 CPU 2에 속한 캐시기억장치는 D라는 데이터로 남아있게 되기 때문에 데이터의 불일치가 발생하게 된다. 다음 그림은 이를 나타낸다.

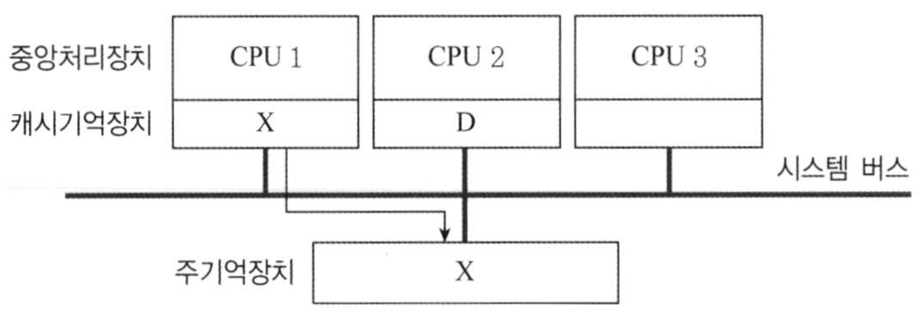

▲ 즉시 쓰기 방식에서의 데이터 불일치 상태

8. 나중 쓰기 방식에서의 데이터 불일치 상태

주기억장치에서 D라는 데이터를 CPU 1과 CPU 2의 캐시가 읽어와서, CPU 1, CPU 2, 주기억장치는 D라는 동일한 데이터를 갖게 된다. CPU 1이 프로그램을 실행하여 D라는 데이터를 X로 수정하게 되면 나중 쓰기 정책에 의해 CPU 1에 속한 캐시기억장치는 수정된 데이터 X가 저장된다. 주기억장치와 CPU 2에 속한 캐시기억장치는 D라는 데이터로 남아있게 되기 때문에 데이터의 불일치가 발생하게 된다. 다음 그림은 이를 나타낸다.

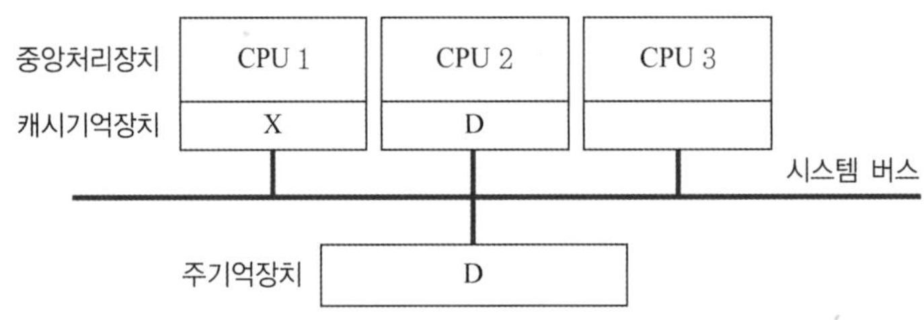

▲ 나중 쓰기 방식에서의 데이터 불일치 상태

9. 캐시기억장치의 데이터 일관성 유지 방법

앞의 문제(데이터의 일관성)를 해결하는 방법은 다음과 같다.

첫째, 공유 캐시기억장치를 사용하는 방법이다. 가장 간단한 방법으로 다수의 프로세서가 하나의 캐시기억장치만을 공유한다(off-chip). 캐시의 데이터들이 항상 일관성 있게 유지하는 장점이 있으나 다중 프로세서가 동시에 캐시에 접근하면 프로세서들 간의 충돌이 발생한다. 또한 온-칩 캐시기억장치의 경우 CPU의 외부 활동을 줄여 실행 시간을 가속시키고 전체 시스템 성능을 높이는 원칙을 가지는데, off-chip의 경우 이에 위배되는 단점을 가지게 된다.

둘째, 캐시기억장치의 데이터 일관성 유지 방법이다. 공유 변수는 캐시기억장치에 저장하지 않는 방법이다. 수정 가능한 데이터는 캐시기억장치에 저장하지 않는 방법이다. 수정될 데이터는 캐시에 저장하지 않고 주기억장치에 바로 저장한다. 캐시기억장치에 저장 가능한지 캐시기억장치에 저장 불가능 한지를 사용자가 선택하여 선언해 주어야 하는 단점이 있다.

셋째, 버스 감시 시스템을 사용하는 방법이다. 감시 기능을 가진 장비를 시스템 버스상에 추가로 설치하는 방법이다. 한 캐시가 데이터를 수정하면 그 정보를 다른 캐시와 주기억장치에 전달한다. 시스템 버스에 통신량이 증가하는 단점이 있다.

10. 캐시 일관성

다음 그림은 캐시 일관성 문제를 나타낸다. 그림에서 Client를 CPU라고 가정하자.

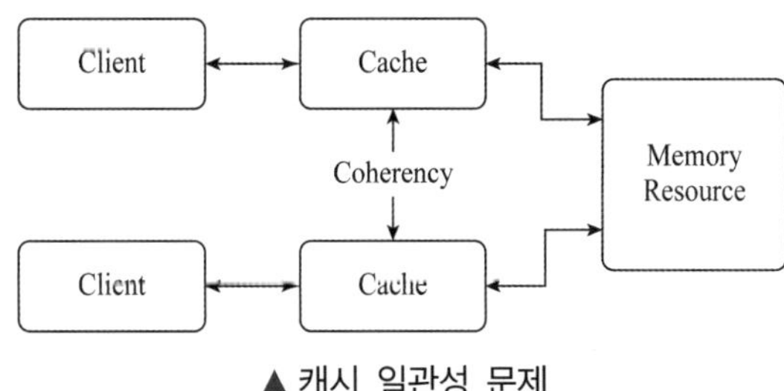

▲ 캐시 일관성 문제

캐시 일관성은 다음과 같은 방법으로도 해결이 가능하다(데이터 일관성 유지 방법과 같이 고려).

- 첫째: 스누핑(snooping)은 주소 버스를 항상 감시하여 캐시 상의 메모리에 대한 접근이 있는지를 감시하는 구조이다. 다른 캐시에서 쓰기가 발생하면 캐시 컨트롤러에 의해서 자신의 캐시 위에 있는 복사본을 무효화시킨다.
- 둘째: MESI 프로토콜은 캐시 메모리의 일관성을 유지하기 위해서 별도의 플래그(flag)를 할당한 후 플래그의 상태를 통해 데이터의 유효성 여부를 판단하는 프로토콜이다.
- 셋째: 디렉터리 기반 일관성 구조는 캐시 블록의 공유 상태, 노드 등을 기록하는 저장 공간인 디렉터리를 이용하여 관리하는 구조이다.

주요개념 셀프체크

- 지역성: 시간 vs. 공간
- 평균 기억장치 접근시간
- 사상함수: 직접, 연관, 집합연관
- 교체: LRU, LFU, FIFO
- 쓰기: 즉시 vs. 나중
- 계층 vs. 분리

핵심 기출

1. 직접 사상(direct mapping) 방식을 사용하는 캐시 메모리와 주기억장치 주소 형식이 다음과 같을 때, 주기억장치 주소 00000011에 사상되는 데이터는? (단, 주기억장치는 바이트 단위로 주소가 지정된다) 2018년 지방교행

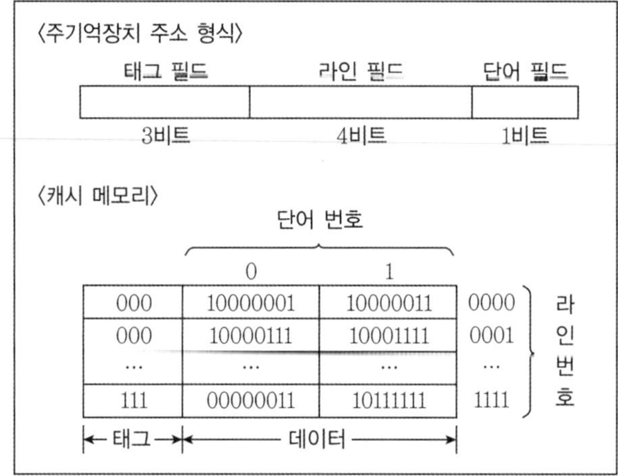

① 00000011 ② 10000011
③ 10000111 ④ 10001111

해설

주어진 조건을 태그, 라인, 단어로 분리하면 다음과 같다.

- 라인: 0001 // 캐시 메모리의 라인 번호에서 0001을 선택한다.
- 단어: 1 // 라인 번호 0001에서 단어 번호 1을 선택한다.
- 태그: 000 // 라인 번호 0001, 단어 번호 1의 태그 번호는 000이다.

정답 ④

2. 캐시(cache)에 대한 설명으로 옳지 않은 것은? 2021년 지방직

① CPU와 인접한 곳에 위치하거나 CPU 내부에 포함되기도 한다.
② CPU와 상대적으로 느린 메인(main) 메모리 사이의 속도 차이를 줄이기 위해 사용된다.
③ 다중프로세서 시스템에서는 write - through 정책을 사용하더라도 데이터 불일치 문제가 발생할 수 있다.
④ 캐시에 쓰기 동작을 수행할 때 메인 메모리에도 동시에 쓰기 동작이 이루어지는 방식을 write - back 정책이라고 한다.

해설

해당 방식은 write-through 정책이고, write-back은 새롭게 생성된 중앙처리장치의 데이터를 캐시기억장치에만 기록하고 주기억장치는 나중에 기록하는 방식이다.

선지분석

① CPU 인접한 곳에 위치한 캐시를 off-chip 캐시라고 하고, CPU 내부에 포함된 캐시를 on-chip 캐시라고 한다.
② 속도차를 개선하기 위해 지역성의 원리를 이용한다.
③ 어떤 정책(write-back 또는 write-through)을 사용하더라도 데이터 불일치 문제가 발생한다.

정답 ④

CHAPTER 05 보조기억장치(Auxiliary Memory)

1 보조기억장치의 개념

1. 개요

주기억장치의 저장용량 부족을 보완하며, 비휘발성 특징을 이용해 데이터를 반영구적으로 저장하는 기억장치다(주기억장치를 보조). 하드 디스크, 플로피디스크, CD, DVD, 플래시(flash) 기억장치 등이 있다.

기억장치의 계층적 구조에서 보조기억장치는 가장 하위 단계에 위치한다(현재는 클라우드를 포함). 동작 속도는 저속이고 가격이 저렴하지만 많은 양의 데이터를 저장한다. 다음 그림은 기억장치 시스템의 계층적 구조를 개념적으로 표현한 것이다.

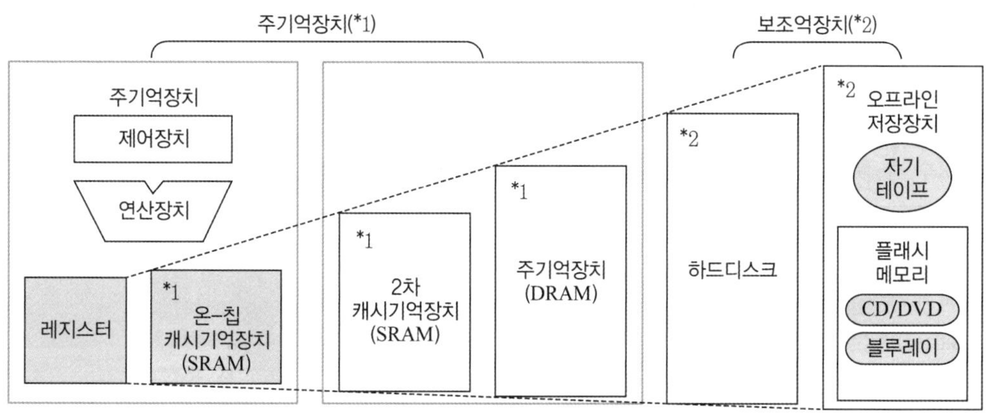

▲ 기억장치 시스템의 계층적 구조

2. CPU, ROM, RAM(주기억장치), 보조기억장치의 관계

다음 그림은 CPU, ROM, RAM(주기억장치), 보조기억장치의 관계를 나타낸다. 이들의 동작 순서를 정리하면 다음과 같다.

- 컴퓨터 전원을 켜면 CPU는 자동적으로 ROM에 저장된 프로그램들을 실행시켜서 부팅을 수행한다(BIOS).
- 완전하게 부팅이 되면, 사용자는 보조기억장치에 저장된 응용 프로그램을 실행시켜서 주기억장치의 RAM에 프로그램 명령들을 적재한다(운영체제와 프로그램).
- CPU는 RAM에서 실행할 명령어 데이터를 가지고 와서 처리를 한다.
- 처리된 결과는 다시 RAM으로 보낸다.
- 모든 처리가 완료가 되면 RAM에 저장된 결과들이 보조기억장치에 저장한다.

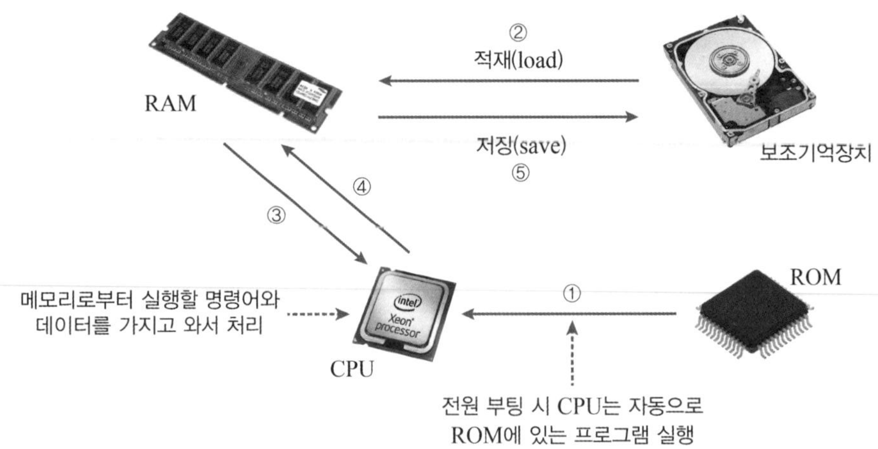

▲ CPU, ROM, RAM(주기억장치), 보조기억장치의 관계

2 광 디스크 기억장치[블루레이(Blu-ray) 디스크]

DVD보다 5배 이상의 데이터 저장이 가능해서, HD 비디오를 저장할 수 있다. 저장된 데이터를 읽기 위해 DVD에 비해 훨씬 짧은 파장의 레이저를 사용한다. 그래서 더 많은 데이터를 담는 것이 가능하다. 단층(싱글 레이어)의 블루레이 디스크는 25GByte 데이터를 기록할 수 있다. 단층에서는 일반영화는 13시간, 고화질(HDTV)은 2시간 분량을 저장할 수 있다. 넷플릭스(OTT)로 인해 시장에서 사라지고 있다. 데이터용 블루레이 디스크, 기록 가능 블루레이 디스크, 재기록 가능 블루레이 디스크 등 여러 종류가 있다. 저작권 보호 및 인증 기능이 추가되어서 무단 복제를 막고 디스크의 무단 제작을 막을 수 있다.

3 RAID

1. 개요

RAID(Redundant Array of Independent Disks)는 저렴하고 크기가 작은 여러 개의 독립된 하드 디스크들을 묶어 하나의 기억장치처럼 사용할 수 있는 방식이다. 여러 개의 독립된 디스크들이 일부 중복된 데이터를 나눠서 저장하고 성능을 향상시키는 기술을 의미한다. 데이터를 나누는 방법들을 레벨이라 하며, 레벨에 따라 신뢰성, 성능 향상이 가능하다. 신뢰도 문제를 해결하기 위해, 여분의 디스크들(redundant disks)에 오류 발생 시 데이터를 복구하기 위한 패리티 정보를 저장한다.

최초에 RAID가 제안되었을 때는 5가지의 레벨이 존재했으며 이후에 다른 레벨들이 추가되었다. 0레벨에서 6레벨까지의 7개 레벨로 구성되고, 레벨에 따라서 서로 다른 신뢰성과 성능 향상을 보여준다. 레벨에서 그룹화 된 디스크들은 하나의 볼륨처럼 사용되기 때문에 RAID 볼륨(volume)이라고 한다.

2. RAID 레벨 0

2개 이상의 디스크를 사용하여 2개 이상의 볼륨을 구성한 구조로 여분(redundancy) 디스크를 포함하지 않아서 오류 검출 기능은 없다. 단순히 볼륨마다 디스크를 나열해 놓았기 때문에 스트라이핑(striping) 모드라고 하며, 높은 신뢰성을 요구하기 보다는 성능과 용량을 중요시하는 시스템에 사용한다. 특정 데이터를 기록할 때는 볼륨의 수만큼 나누어서 각 볼륨 내의 같은 디스크와 같은 섹터에 병렬로 분산 저장한다.

데이터 접근 요구들이 하나의 디스크에 집중되지 않고 분산되며, 검색과 데이터 전송이 병렬로 이루어져 성능이 향상된다. 데이터의 읽기/쓰기 성능이 매우 향상된다. 컴퓨터 시스템에서 초당 수천 개의 입출력 요구가 발생하는 경우 RAID 레벨 0은 여러 디스크에 입출력 요구들을 균등하게 분배함으로써 높은 입출력 처리율을 제공할 수 있다.

4개의 볼륨으로 구성되어 있고 각 볼륨은 4개의 디스크로 구성된다. 각 디스크 스트립(strip)들은 각 볼륨에 순차적으로 배당되어 있어, 저장될 데이터가 라운드 로빈(round robin) 방식으로 분산 저장된다. 다음 그림은 RAID 레벨 0의 구조를 나타낸다.

볼륨 1	볼륨 2	볼륨 3	볼륨 4
디스크 스트립 0	디스크 스트립 1	디스크 스트립 2	디스크 스트립 3
디스크 스트립 4	디스크 스트립 5	디스크 스트립 6	디스크 스트립 7
디스크 스트립 8	디스크 스트립 9	디스크 스트립 10	디스크 스트립 11
디스크 스트립 12	디스크 스트립 13	디스크 스트립 14	디스크 스트립 15

▲ RAID 레벨 0의 구조

오류 검출 기능을 제공하지 않기 때문에 어떠한 오류도 복구하지 못한다. 데이터가 분할되어 있기 때문에 볼륨을 구성하는 디스크 하나만 고장이 나도 데이터를 복구할 수 없다. 빠른 속도가 필요한 시스템에서는 적절한 방법이나 데이터의 안정성이 요구는 시스템에서는 바람직한 방법이 아니다.

3. RAID 레벨 1

여분의 디스크가 포함되지 않지만 동일한 RAID 볼륨을 추가적으로 구성된다. 추가된 볼륨이 원래의 볼륨과 동일하기 때문에 미러링(mirroring) 모드라고 한다. 단순히 모든 데이터들을 반사 디스크에 복사하고 비교를 통해서 오류에 대한 검사와 수정을 할 수 있다. 즉, RAID 레벨 1은 오류에 대해 강인하기 때문에 신뢰성이 높다. 실시간으로 모든 데이터에 대한 복구가 가능하기 때문에 디스크에 오류가 발생 하더라도 중요한 데이터는 즉시 사용이 가능하다는 장점을 가진다.

쓰기 동작은 두 개의 디스크 중 탐색 시간과 회전 지연이 더 긴 디스크에 영향을 받게 되므로 성능 저하가 발생한다. 그리고 동일한 물리적 디스크 공간을 두 배로 사용하기 때문에 시스템을 구성하는 비용이 많이 든다. 따라서 RAID 레벨 1은 시스템 소프트웨어와 데이터 및 중요한 파일을 저장하는 디스크로 사용된다. 시스템이 읽기 동작만 요구한다면 RAID 레벨 1은 RAID 레벨 0에 비해 2배의 성능 향상을 이룰 수 있다. 하지만 시스템이 쓰기 동작만 요구한다면 RAID 레벨 0에 비해 높은 성능을 얻기 어렵다. 다음 그림은 RAID 레벨 1의 구조를 나타낸다. 디스크에 데이터를 읽고 기록할 때마다 동일한 작업이 반사 디스크에도 수행된다. 볼륨 내의 디스크가 고장이나 오류가 발생하면 다른 볼륨의 디스크를 사용하여 정상적으로 읽기와 쓰기 작업이 가능하다.

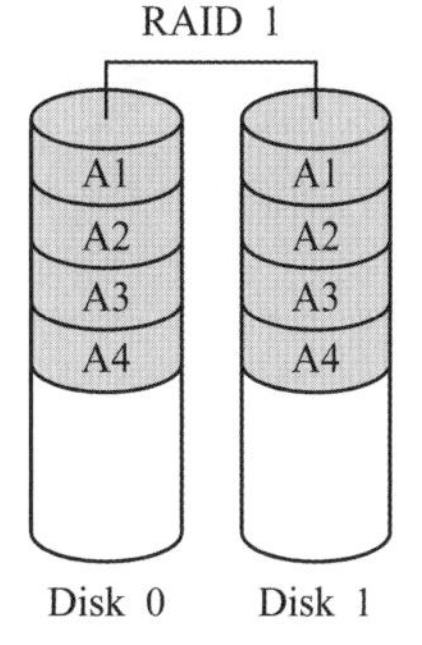

▲ RAID 레벨 1의 구조

4. RAID 레벨 2

레벨 0의 병렬 접속 기술을 사용하며, 여분의 디스크를 추가하여 오류 검사를 통해 신뢰성을 높인 방법이다. 4개의 볼륨 구성에 3개 볼륨을 추가한 구조이다. 3개의 볼륨이 추가된 이유는 패리티 정보가 각 데이터 볼륨에 대응되는 비트에 대해 계산되기 때문이다. 볼륨 0과 볼륨 1, 볼륨 1과 볼륨 2, 그리고 볼륨 2와 볼륨 3간의 패리티를 계산해서 별도로 저장한다. 다음 그림은 RAID 레벨 2를 나타낸다.

볼륨 1	볼륨 2	볼륨 3	볼륨 4	볼륨 1	볼륨 2	볼륨 3
디스크 스트립 0	디스크 스트립 1	디스크 스트립 2	디스크 스트립 3			
디스크 스트립 4	디스크 스트립 5	디스크 스트립 6	디스크 스트립 7			
디스크 스트립 8	디스크 스트립 9	디스크 스트립 10	디스크 스트립 11	p1	p2	p3
디스크 스트립 12	디스크 스트립 13	디스크 스트립 14	디스크 스트립 15			
디스크 스트립 16	디스크 스트립 17	디스크 스트립 18	디스크 스트립 19			
데이터 디스크				검사 디스크(패리티 비트)		

▲ RAID 레벨 2

패리티 정보는 해밍 코드(Hamming Code, 해밍 코드를 만드는 법을 찾아보기 바람)를 사용하기 때문에 단일 비트 오류에 대해 검출과 수정이 가능하고, 두 비트의 오류에 대해서는 검출만 가능하다. 레벨 1에 비해 적은 수의 볼륨을 사용하지만 볼륨에 대한 비용이 많이 들어간다. 추가로 필요한 볼륨의 수는 데이터가 저장되는 볼륨의 수에서 1만큼 작다.

5. RAID 레벨 3

RAID 레벨 2에서 오류검출에 사용할 패리티 정보를 저장하기 위해 필요한 볼륨의 개수는 일반 데이터가 저장되는 볼륨의 개수에서 -1하면 된다. RAID 레벨 3에서는 추가 볼륨의 단점을 조금 더 개선하여, 오직 1개의 볼륨만으로 패리티 정보를 저장할 수 있어 볼륨의 추가 비용이 적게 든다. 만약 각 볼륨의 동일한 위치에서 동시에 오류가 발생하거나 고장이 날 경우 복구하기가 어렵다는 단점이 있지만, 최근 출시되는 디스크의 성능은 우수해서 동시의 오류나 고장이 나는 경우는 아주 드물다. RAID 레벨 3의 구조는 다음과 같다.

▲ RAID 레벨 3

다음 그림은 RAID 레벨 3에서 데이터 볼륨과 검사 볼륨을 나타낸다. 오류가 발생하면, 추가 볼륨에서 패리티 비트와 각 볼륨의 스트립 디스크에 남아 있는 다른 데이터 정보를 사용하여 결함이 발생한 데이터를 복구한다. i번째 비트에 대한 패리티 계산은 다음과 같다(* 참고).

$$P1(i) = D1(i) \oplus D2(i) \oplus D3(i) \oplus D4(i)$$

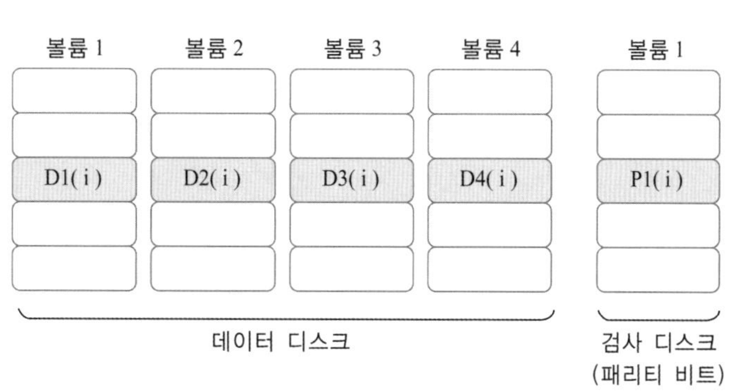

▲ RAID 레벨 3에서 데이터 볼륨과 검사 볼륨

데이터 볼륨 4의 D4(i)에서 오류가 발생하면 다음과 같이 D4(i)를 재구성한다.

$$D4(i) = P1(i) \oplus D1(i) \oplus D2(i) \oplus D3(i)$$

이런 오류에 대한 복구 방식은 RAID 레벨 3에서 RAID 레벨 6까지 사용되고 있다. RAID 레벨 3는 저장된 데이터들이 매우 작은 스트립으로 분산되어 있어, 병렬 전송을 통해서 높은 데이터 전송률을 얻을 수 있다.

6. RAID 레벨 4

레벨 3은 바이트 단위로 데이터를 분할하고 패리티 정보를 계산하지만, 레벨 4는 미리 정해진 블록 단위로 데이터를 분할하고 패리티를 계산한다. 블록 단위로 데이터를 처리하기 때문에 레벨 3보다 좀 더 향상된 성능을 가진다. 독립적인 입출력 요구들을 병렬로 처리할 수 있다. 이 접근 방식은 RAID 레벨 4에서 RAID 레벨 6까지 적용된다. 그러나 RAID 레벨 4는 데이터 볼륨들에서만 독립 접근이 가능하고 패리티 디스크에 대해서는 병목 현상이 발생한다. 다음 그림은 RAID 레벨 4의 구조를 나타낸다.

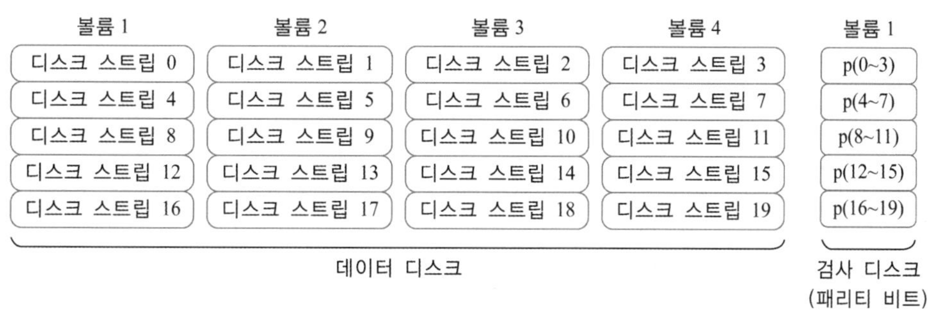

▲ RAID 레벨 4

RAID 레벨 4의 검사 디스크에서 패리티 정보를 구하는 관계식은 다음과 같다(* 참고).

- $P(i) = D1(i) \oplus D2(i) \oplus D3(i) \oplus D4(i)$
  볼륨 2에서 D2(i)가 갱신되어 D2′(i)가 된다면, 갱신된 패리티 정보 P′(i)는 다음과 같다.
- $P'(i) = D1(i) \oplus D2'(i) \oplus D3(i) \oplus D4(i)$
  이 과정에서 읽기 동작이 세 번 발생하고, 두 번의 데이터 쓰기가 발생하므로 성능 저하의 요인이 된다. 따라서 디스크의 읽기와 쓰기를 최소화하는 관계식은 다음과 같다.
- $P'(i) = D1(i) \oplus D2'(i) \oplus D3(i) \oplus D4(i) \oplus (D2(i) \oplus D2(i))$
  $= D1(i) \oplus D2(i) \oplus D3(i) \oplus D4(i) \oplus (D2'(i) \oplus D2(i))$
  $= P(i) \oplus (D2'(i) \oplus D2(i))$

7. RAID 레벨 5

레벨 4에서는 패리티 디스크들이 동일 볼륨에 속해있기 때문에 데이터의 변화가 빈번한 경우 패리티 디스크 볼륨은 큰 부하를 받게 된다. 레벨 5에서는 패리티 비트를 저장하는 볼륨을 별도로 설치하지 않고 데이터를 저장하는 볼륨에 패리티 비트를 분산하여 저장한다. 레벨 4와 동일한 볼륨의 수가 필요하다. 따라서 N개의 데이터 볼륨을 필요로 하는 경우 RAID 레벨 5는 N+1개의 볼륨을 필요로 한다. 다음 그림은 RAID 레벨 5를 나타낸다.

▲ RAID 레벨 5

결과적으로 RAID 레벨 5 방식은 모든 패리티 비트들이 볼륨에 라운드 로빈 방식으로 분산 저장함으로써 패리티 볼륨에 대한 병목 현상을 방지한다. 레벨 5는 용량과 비용을 중요시하는 응용 환경에서 적합하다. 따라서 가격과 성능 측면으로 보면 RAID 레벨 5가 더 우수하다.

8. RAID 레벨 6

신뢰성에 좀 더 기반을 둔 구성이다. 레벨 5에서는 2개의 볼륨에서 동시에 오류가 발생할 경우 복구하기 힘들지만 레벨 6은 패리티 정보를 하나 더 추가해서 동시에 오류가 발생해도 복구가 가능하다. 가로 방향과 세로 방향의 패리티 정보가 생성되고 각각 저장되어서, N개의 데이터 볼륨을 필요로 하는 경우 RAID 레벨 6는 N+2개의 볼륨이 필요하다.

p와 q가 두 종류의 패리티 정보다. 아주 높은 데이터 신뢰성을 제공하는 장점이 있다. 쓰기 동작을 할 때 마다 두 개의 패리티를 갱신해야 하며, 두 종류의 패리티 정보를 저장할 수 있는 추가적인 볼륨이 필요하다는 단점이 있다.

다음 그림은 RAID 레벨 6을 나타낸다.

볼륨 1	볼륨 2	볼륨 3	볼륨 4	볼륨 5	볼륨 6
디스크 스트립 0	디스크 스트립 1	디스크 스트립 2	디스크 스트립 3	p(0~3)	q(0~3)
디스크 스트립 4	디스크 스트립 5	디스크 스트립 6	p(4~7)	q(4~7)	디스크 스트립 7
디스크 스트립 8	디스크 스트립 9	p(8~11)	p(8~11)	디스크 스트립 10	디스크 스트립 11
디스크 스트립 12	p(12~15)	q(12~15)	디스크 스트립 13	디스크 스트립 14	디스크 스트립 15
p(16~19)	q(16~19)	디스크 스트립 16	디스크 스트립 17	디스크 스트립 18	디스크 스트립 19

▲ RAID 레벨 6

9. RAID 결합

RAID 0+1은 먼저 디스크를 스트리핑(RAID 0)하고, 디스크를 미러링(RAID 1) 한다(적어도 4개의 디스크). 디스크가 6개일 경우는 3개씩 스트리핑하고 미러링을 그다음에 수행한다. 다음 그림은 RAID 0 + 1을 나타낸다.

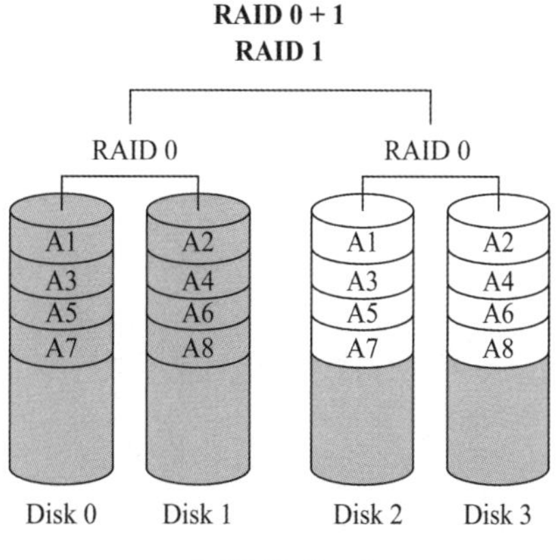

▲ RAID 0 + 1

RAID 10(RAID 1+0)은 먼저 디스크를 미러링(RAID 1)하고, 그 이후 스트리핑(RAID 0) 한다(적어도 4개의 디스크). 디스크가 6개일 경우는 2개씩 미러링을 하고, 미러링된 3개를 스트리핑 한다. 다음 그림은 RAID 1 + 0을 나타낸다.

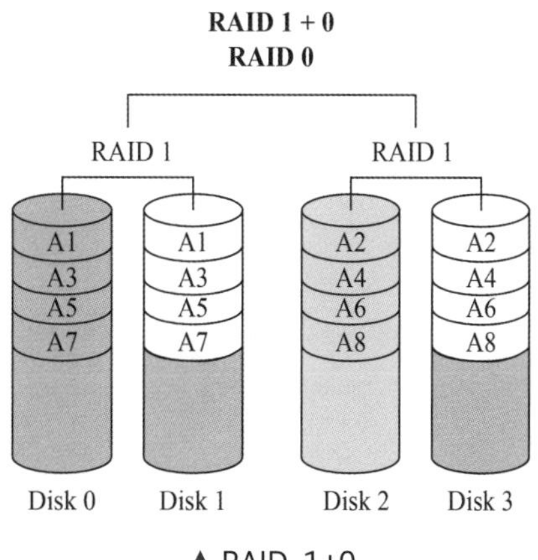

▲ RAID 1+0

RAID 50(RAID 5 + 0)은 패리티가 배분되는(distributed) 스트리핑된 세트(RAID 5)를 다시 스트리핑(RAID 0) 한다(적어도 6개의 디스크). 다음 그림은 RAID 5 + 0을 나타낸다.

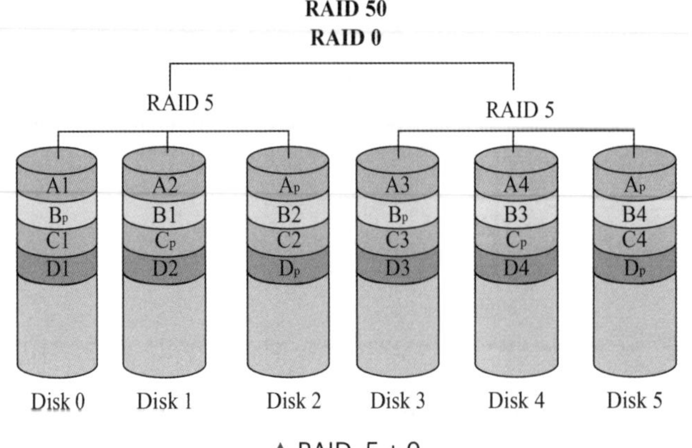

▲ RAID 5 + 0

RAID 1E는 미러링과 데이터 스트라이핑의 결합이다(적어도 3개의 디스크). 다음 그림은 RAID 1E를 나타낸다.

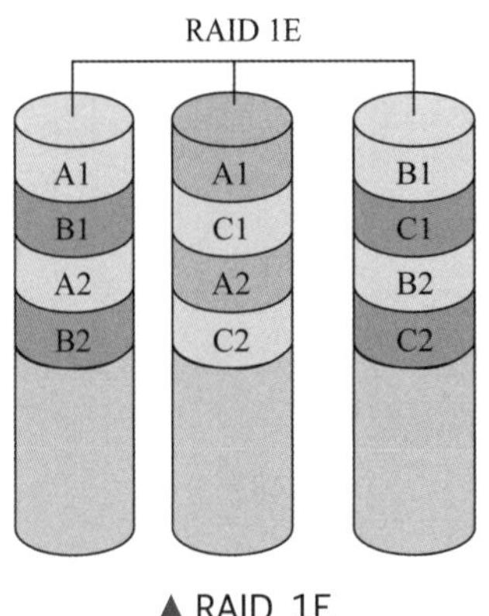

▲ RAID 1E

10. SSD

다음 그림은 SSD에 사용되는 FTL을 나타낸다. FTL은 SSD의 제어기로서 페이지 주소와 섹터 주소 간의 매핑(mapping) 기능을 담당한다.

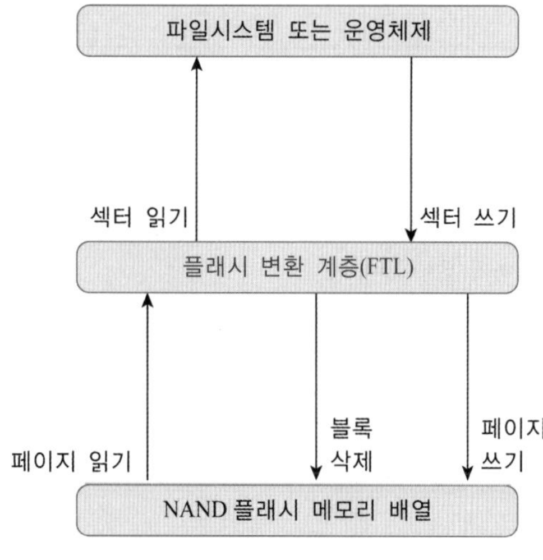

▲ SSD의 FTL

그리고 SSD에서는 마모 평준화, 쓰레기 수집, 초과 대비 공간 등을 제공한다. 마모 평준화(wear leveling)는 플래시 메모리의 셀 수명 한계로 인해 모든 페이지들이 고르게 사용되도록 저장 위치를 조정한다. 쓰레기 수집(garbage collection)은 삭제 동작이 블록 단위로만 가능하기 때문에 쓰레기(수정되었지만 삭제하지 못한 원래 페이지)로 표시된 페이지가 많이 축적된 블록을 한꺼번에 삭제한다(Trim: SSD의 무효 페이지들을 SSD 제어기에게 통보). 그리고 초과 대비 공간(over-provisioning)은 수정된 페이지와 쓰레기 페이지의 일시적 중복 저장을 위한 추가적 저장 공간이다.

요약정리

RAID

RAID	특징	오류검사	단위	결합
0	스트라이핑, 읽기/쓰기 성능 향상	×	splits data	0+1
1	미러링 모드, 읽기는 높은 성능	×	no striping	1+0, 1E
2	여분의 디스크 여러 개	○	비트	×
3	여분의 디스크 1개	○	바이트	×
4	여분의 디스크 1개	○	블록	×
5	패리티 분산 저장	○	블록	5+0
6	패리티 2개 분산 저장	○	블록	×

주요개념 셀프체크

- 레지스터, SRAM(L1, L2), DRAM, HDD or SSD, DVD or BD or 플래시
- RAID 0, 1, 2, 3, 4, 5, 6

핵심 기출

1. RAID에 대하여 올바르게 설명한 것은? 2014년 국회직

① 자기 테이프를 효율적으로 구성하기 위한 기술이다.
② 자기 디스크에 더 많은 양의 데이터를 저장하기 위한 기술이다.
③ 읽기 전용 보조기억 장치를 구성하기 위한 것이다.
④ RAID 레벨 0은 빠르기보다는 데이터의 안정성에 중점을 둔 구성 방법이다.
⑤ RAID 레벨 5는 패리티(parity)가 모든 디스크에 분산된다.

해설

RAID 레벨 5는 패리티 비트를 저장하는 볼륨을 별도로 설치(레벨 4)하지 않고, 데이터를 저장하는 볼륨에 패리티 비트를 분산하여 저장한다.

선지분석

① 자기 테이프: 저렴하고 크기가 작은 여러 개의 독립된 하드 디스크(자기 디스크, HDD)들을 묶어 하나의 기억장치처럼 사용할 수 있는 방식이다.
② 더 많은 양의 데이터: 여러 개의 독립된 디스크들이 일부 중복된 데이터를 나눠서 저장하고 신뢰성(안정성), 성능(속도)을 향상시키는 기술을 의미한다.
③ 읽기 전용 보조기억장치: 읽기와 쓰기가 가능한 보조기억장치(HDD)를 이용한다.
④ RAID 레벨 0: 2개 이상의 디스크를 사용하여 2개 이상의 볼륨을 구성한 구조로 여분(redundancy) 디스크를 포함하지 않아서 오류 검출 기능은 없다. 높은 신뢰성을 요구하기 보다는 성능과 용량을 중요시하는 시스템에 사용한다.

정답 ⑤

2. 다음은 PC(Personal Computer)의 전원을 켰을 때 일어나는 과정들을 순서대로 나열한 것이다. ㉠~㉢이 바르게 짝지어진 것은? 2016년 국가직

- (㉠)에 저장된 바이오스(BIOS)가 실행되어 컴퓨터에 장착된 하드웨어 장치들의 상태를 점검한다.
- (㉡)에 저장되어 있는 운영체제가 (㉢)(으)로 로드(load)된다.
- 운영체제의 실행이 시작된다.

	㉠	㉡	㉢
①	보조기억장치	ROM	주기억장치
②	보조기억장치	주기억장치	ROM
③	ROM	보조기억장치	주기억장치
④	ROM	주기억장치	보조기억장치

해설

CPU, ROM, 주기억장치(RAM), 보조기억장치의 관계를 그림으로 나타내면 다음과 같다.

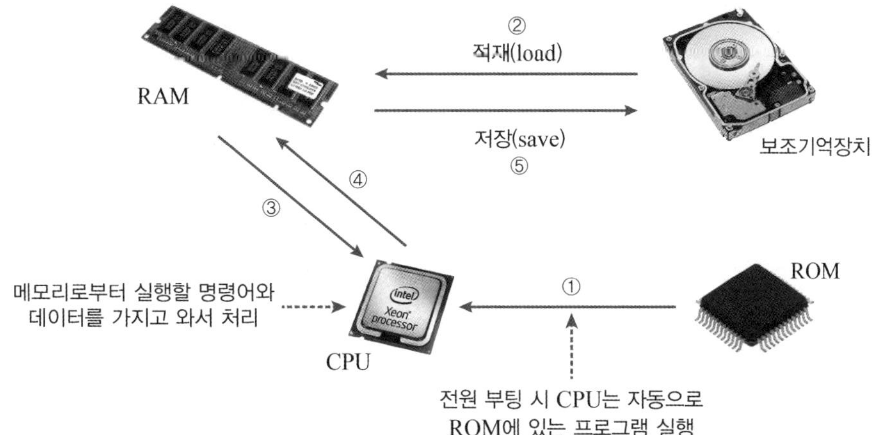

동작 과정을 순서대로 설명하면 다음과 같다.

1. 컴퓨터 전원을 켜면 CPU는 자동적으로 ROM에 저장된 프로그램들(BIOS)을 실행시켜서 부팅을 수행한다.
2. 완전하게 부팅이 되면(보조기억장치에 저장되어 있는 운영체제가 주기억장치로 로드되면), 사용자는 보조기억장치에 저장된 응용 프로그램을 실행시켜서 주기억장치의 RAM에 프로그램 명령들을 적재한다.
3. CPU는 RAM에서 실행할 명령어 데이터를 가지고 와서 처리를 한다.
4. 처리된 결과는 다시 RAM으로 보낸다.
5. 모든 처리가 완료가 되면 RAM에 저장된 결과들이 보조기억장치에 저장한다.

정답 ③

CHAPTER 06 입출력장치(I/O)

1 입출력 모듈(I/O module)

1. 개요

입출력장치는 중앙처리장치와 컴퓨터의 사용자 사이에 자료와 정보를 교환하는 장치로 컴퓨터 외부에 존재하므로 주변장치(peripheral device)라고 한다. 입출력장치를 보완하는 입출력 모듈은 다음의 특성을 가진다.

(1) 신호변환

주변장치 종류가 매우 다양하므로 전송데이터 길이, 전송 속도, 데이터의 형식 등이 서로 다르다. 이들을 제어할 수 있는 장치가 필요한데, 입출력 모듈이 수행한다.

(2) 버퍼링

주변장치들은 중앙처리장치와 주기억장치(DRAM)에 비하여 속도가 매우 느리기 때문에 중앙처리장치 또는 주기억장치와의 직접적인 통신이 불가능하다. 이 경우에도 입출력 모듈이 중간에서 제어를 통해서 통신이 가능하게 한다. 입출력 인터페이스, 입출력 채널(channel), 입출력 제어기(controller), 장치 제어기(device controller) 등의 여러 가지 이름으로 불린다.

2. 입출력 모듈의 기능(* 참고)

입출력 모듈의 기능은 다음과 같다.

- 입출력장치의 제어(control)와 타이밍(timing) 조정
- 중앙처리장치(프로세서)와의 통신
- 입출력장치들과의 통신
- 데이터 버퍼링(data buffering) 기능을 수행
- 오류 검출(error detection)

3. 입출력장치의 제어와 타이밍 조정(* 참고)

내부 장치들과 외부 장치들 사이의 데이터 흐름을 조정하기 위한 기능이다. 외부 장치에서 중앙처리장치로 데이터가 전송되는 것을 제어하는 순서는 다음과 같다(키보드에서 CPU로 데이터가 전송된다고 가정해보자).

- 1단계: 중앙처리장치가 입출력 모듈에게 입출력장치의 상태를 검사하도록 요청한다.
- 2단계: 입출력 모듈이 상태를 보고한다.
- 3단계: 만약 입출력장치가 준비 상태라면, 중앙처리장치가 데이터 전송을 요청한다.
- 4단계: 입출력 모듈이 입출력장치로부터 데이터를 수신한다.
- 5단계: 입출력 모듈이 중앙처리장치로 데이터를 보내준다.

위의 5단계 과정에서 입출력 모듈은 입출력장치에 대하여 제어 기능을 수행하고, 적절한 시기에 데이터를 전송할 수 있도록 타이밍 조정기능을 수행한다.

4. 중앙처리장치와의 통신(* 참고)

중앙처리장치와 외부장치 간의 통신을 수행하기 위한 입출력 모듈의 기능으로 명령 해석, 데이터 교환, 상태 보고, 주소 인식이 존재한다. 입출력 모듈은 CPU에서 받은 명령을 해석하고, 제어 버스를 통해서 제어 신호로 명령을 보낸다. CPU에서 하드디스크나 CD-ROM으로 전달되는 명령은 데이터의 저장이나 인출을 위한 것으로 READ SECTOR, WRITE SECTOR, SEEK track number와 같은 명령들이다(track, sector는 보조기억장치인 HDD에서 사용됨). 데이터(Data) 교환은 입출력 모듈의 가장 근본적인 기능으로 데이터 버스를 통하여 이루어진다.

상태 보고(Status Reporting)는 주변장치들이 저속으로 동작하기 때문에 입출력 모듈이 상태를 확인하는 것은 중요하다. 입출력 모듈은 상태를 확인하여 BUSY, READY, 결함상태 등의 상태 보고를 수행한다. 주소 인식(Address Recognition)은 여러 종류의 입출력 장치들을 구별하기 위해서는 주소가 필요하다. 따라서 입출력 모듈은 제어하는 여러 주변장치의 주소를 인식하고 있어야 한다(원리: 입출력 장치들은 주소를 가지고 있다).

5. 입출력장치 간 통신(* 참고)

입출력 모듈은 또한 입출력장치 간 통신이 가능해야 한다. 입출력장치 간 통신에서도 명령들과 상태정보 및 데이터가 포함된다.

6. 데이터 버퍼링과 오류검출(* 참고)

컴퓨터 내부에서 입출력 모듈로 전달되는 데이터의 전송 속도는 고속이다. 그리고 이렇게 전달된 데이터는 입출력 모듈 내의 버퍼에 일시적으로 저장되었다가 적절한 전송 속도로 주변장치로 보내지는 버퍼링 기능을 수행한다. 입출력장치에서 컴퓨터 내부로 전달되는 저속의 데이터는 주기억장치 또는 중앙처리장치의 동작에 영향을 주지 않도록 입출력 모듈의 버퍼에 고속의 데이터 전송률 될 수 있도록 저장되었다가 전송된다. 입출력 모듈은 저속의 전송률과 고속의 전송률에 모두 동작 할 수 있어야 한다.

입출력장치들의 오류를 검사하고, 오류가 발생하면 중앙처리장치로 보고 할 수 있어야 한다.

입출력장치에서 발생하는 오류는 기계 및 전기적 오류와 데이터 전송 중에 발생되는 비트 오류 등이 있다. 기계 및 전기적 오류에는 프린터의 종이 걸림, 하드디스크의 불량 디스크 트랙 등이 대표적이다. 그리고 전송 오류를 검출하는데 사용되는 오류-검출 코드는 일반적으로 패리티 비트를 사용한다.

7. 입출력 모듈의 조직

다음 그림은 입출력 모듈의 조직을 나타낸다. 그림의 각각의 선들에 대해서 정리하면 다음과 같다.

- 데이터선(데이터 레지스터): 버퍼링 기능을 위해서 일시적으로 저장된다.
- 데이터선(상태/제어 레지스터): 현재의 상태와 오류를 저장하기 위한 레지스터로, 중앙처리장치에서 보낸 제어 정보를 저장하기 위한 제어 레지스터로도 동작한다.
- 제어선: 중앙처리장치가 입출력 모듈로 명령을 보내는데 사용한다.
- 주소선: 중앙처리장치는 주소선을 통해서 입력된 여러 입출력 모듈의 주소들 중에서 자신만의 주소를 인식하며, 연결된 입출력장치들의 주소도 알 수 있어야 한다. 연결된 입출력장치를 제어하기 위한 데이터, 상태 신호, 제어 신호를 가지고 있다.

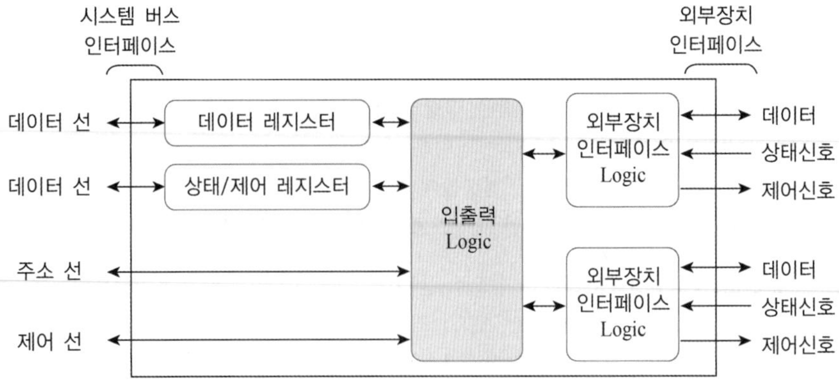

▲ 입출력 모듈의 조직

입출력 모듈은 연결된 입출력장치를 제어하는데 필요한 세부적인 사항들을 모두 처리해주기 때문에 중앙처리장치의 부담을 덜어준다(CPU가 자잘한 일에 신경 쓰지 않게 한다).

그림에서 중앙처리장치는 자율적으로 동작하는 입출력장치와 동작 시간이 다르기 때문에, 현재 사용하려는 입출력장치의 상태를 알아야 한다. 각 장치의 상태는 1비트로 상태 레지스터에 나타내며, 장치가 동작 중이면 1(BUSY)로 그렇지 않으면 0(READY)으로 표시하여 중앙처리장치에 알려준다. 이 비트의 역할로 자율적인 동작과 시간차의 문제를 해결할 수 있다(예 프린터를 사용해도 되는지?).

그림에서 입출력장치는 원시 데이터와 직접 접촉하고 복잡한 회로를 통하여 중앙처리장치의 제어를 받고 있으므로 중앙처리장치에 비하여 오류가 더 많이 발생한다. 데이터는 정확하게 입출력이 이루어져야 하므로 입출력 모듈에서 오류 여부를 검사하는데, 전송 도중이나 기억장치에서 발생한 에러를 검사하기 위해 상태 레지스터의 패리티 비트를 사용한다(예 프린터 출력 데이터가 올바른지?).

2 입출력장치의 연결과 데이터 전송

1. 컴퓨터 시스템 구성방법(* 참고)

컴퓨터와 입출력장치가 연결되는 방법에 따라 컴퓨터 동작 특성이 다르다. 컴퓨터 시스템 구성 방법은 다음 그림과 같다.

- (a) 중앙 버스에 중앙처리장치, 주기억장치 그리고 입출력장치가 연결된 형태다. 입출력장치는 입출력 모듈을 통해서 연결된다. 이 연결은 제어 동작에 의해서 각 장치가 독립적으로 원활한 데이터 전송이 가능하다.
- (b) CPU가 중앙이고 좌우에는 주기억장치와 입출력장치가 연결되는 형태다. 주기억장치에서 외부 입출력장치로 직접 데이터를 전송할 수 없고 CPU에 의해서 전송이 결정된다.
- (c) 중앙처리장치, 주기억장치, 입출력장치 순의 직렬 연결 형태다. 입출력장치가 직접으로 CPU에 데이터를 전송할 수 없고 주기억장치를 꼭 경유해야만 한다.

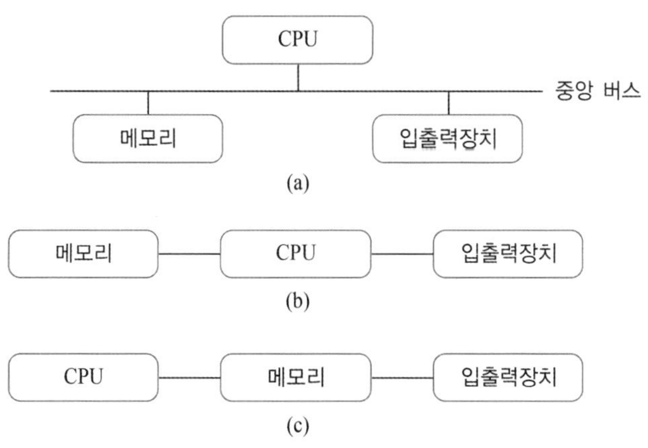

▲ 컴퓨터 시스템 구성방법

2. 입출력 모듈의 연결(* 참고)

컴퓨터에서 각 장치 간의 연결은 계층 구조를 이룬다. 입출력장치도 별도의 입출력 버스가 존재하며 다시 시스템 버스에 연결된다. 컴퓨터의 대부분의 구조는 계층적인 구조를 가진다(경제성/합리성). 버스 어댑터(adaptor)는 입출력 버스와 시스템 버스를 연결해서 입출력 데이터들에 대한 입출력 제어 역할을 수행한다. 입출력 모듈은 속도 및 동작 특성이 유사한 입출력장치들을 제어하고 관리한다. 입출력 버스는 시스템 버스와 동일하게 데이터 버스, 주소 버스, 제어 버스로 구성된다. 다음 그림은 계층적으로 연결된 입출력 모듈들을 나타낸다.

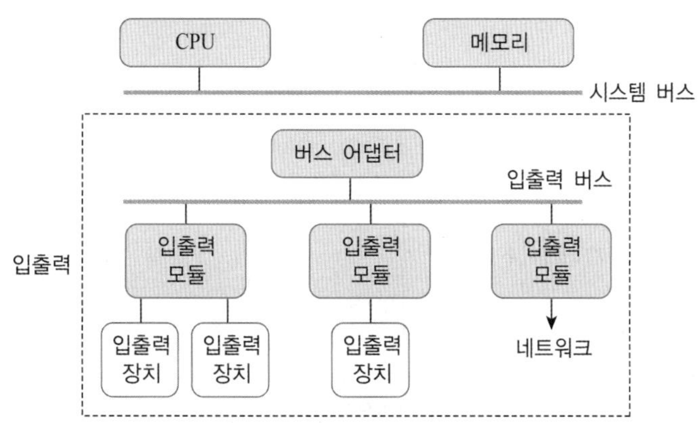

▲ 계층적으로 연결된 입출력 모듈들

3. 입출력장치의 주소지정

기억장치 - 사상 방식과 분리형 입출력 방식의 두 가지 주소 지정 방식이 있다(원리: 입출력 장치도 메모리가 필요하다).

기억장치-사상 방식(memory-mapped)에서 입출력장치와 주기억장치는 하나의 주소 공간을 공유한다. 기억장치 주소 영역의 일부분을 입출력장치의 주소 영역으로 할당하는 방식이다. 장점은 기억장치의 읽기/쓰기 신호를 입출력장치의 읽기/쓰기 신호로 사용이 가능하다. 프로그램에서 기억장치 관련 명령어들을 입출력장치 제어에도 사용이 가능하다. 단점은 입출력장치가 기억장치 주소 영역을 사용하므로 기억장치의 주소 공간이 감소한다.

다음 그림은 기억장치-사상 방식의 개념을 나타낸다. 10비트의 주소영역을 사용한다고 할 때 0번지~511번지까지의 상위 512개 주소는 기억장치의 주소 공간을 위해서 할당한다. 나머지 512번지~1023번지까지의 하위 512개 주소는 입출력장치들의 주소 공간을 위해서 할당한다.

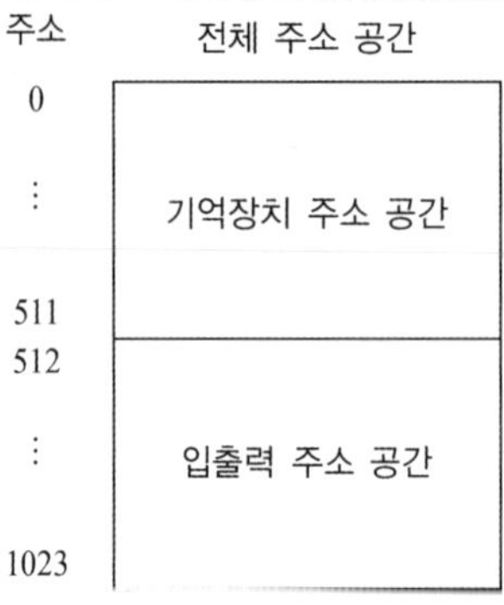

▲ 기억장치 - 사상 방식의 개념

분리형 입출력 방식(isolated I/0 또는 I/O mapped)는 입출력장치의 주소 공간을 기억장치 주소 공간과는 별도의 기억장치에 할당하는 방식이다. 단점은 입출력 제어를 위해서 별도의 입출력 명령어를 사용하기 때문에, 별도의 입출력장치에 대한 읽기 쓰기 신호가 필요하다. 그리고 입출력 제어를 위해 입출력장치 명령어들만 이용할 수 있기 때문에 프로그래밍이 복잡해져서 불편하다. 장점은 입출력 주소 공간은 기억장치 주소 공간과는 별도로 지정이 가능하다.

다음 그림은 분리형 입출력 방식의 개념을 나타낸다. 주소 비트가 각각 10비트일 때 기억장치 주소와 입출력 주소는 각각 1024개씩 할당이 가능하다.

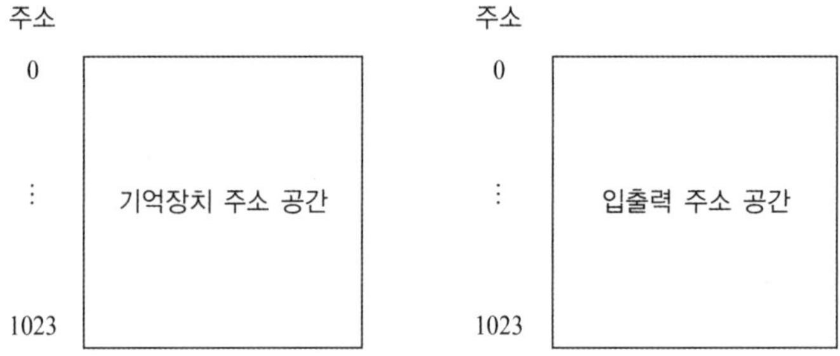

▲ 분리형 입출력 방식의 개념

4. 입출력 데이터 전송

독립된 2개 이상의 입력장치 및 출력장치가 비동기적으로 데이터를 전송하는 경우에는 데이터의 전송을 알리는 방법이 필요하다. 컴퓨터에서는 이와 같이 데이터 전송을 알리는 방법으로 스트로브 신호를 이용하는 방법과 제어 신호를 이용하는 핸드셰이킹 방법이 있다.

스트로브(Strobe) 신호에서 Strobe는 송신 측에서 데이터를 전송하는 경우 전송되는 것을 수신 측에 알려주기 위해 별도의 신호를 의미한다. 이 신호를 전달하기 위해서는 별도의 회선이 필요하므로 데이터 버스 외에 추가적인 회선을 설치해야 한다(단점). 스트로브 신호를 보내는 방법은 송신 측에서 수신 측으로 보내는 방법과 수신 측에서 송신 측으로 보내는 2가지 방법이 존재한다.

다음 그림은 송신 측에서 수신 측으로 스트로브 신호를 보내는 방법을 나타낸다. 송신 측의 CPU에서 스트로브 신호를 수신 측에 해당하는 출력장치에 보낸다. 출력장치는 스트로브 신호와 데이터 버스에서 데이터를 수신한다.

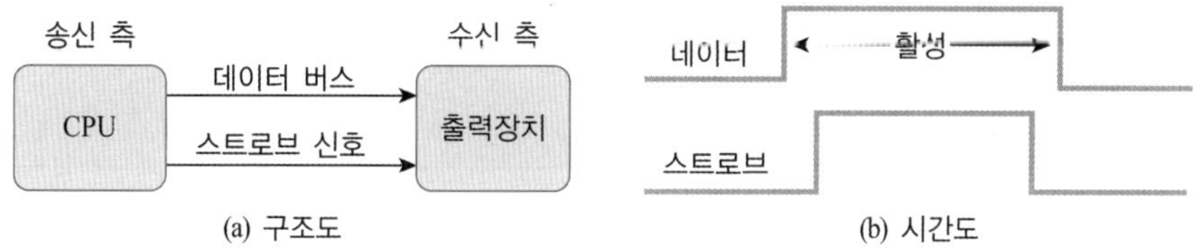

(a) 구조도 (b) 시간도

▲ 송신 측에서 수신 측으로 스트로브 신호를 보내는 방법

다음 그림은 수신 측에서 송신 측으로 스트로브 신호를 보내는 방법을 나타낸다. 수신 측에서 스트로브 신호를 송신 측에 전달하여 데이터에 대한 전송을 요청한다. 송신 측에서는 데이터 버스에 전송할 데이터를 보내고, 수신 측에서는 이 데이터를 수신하게 된다.

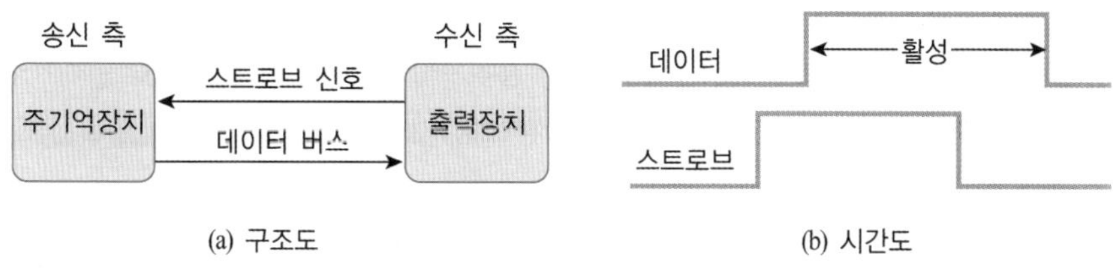

(a) 구조도 (b) 시간도

▲ 수신 측에서 송신 측으로 스트로브 신호를 보내는 방법

핸드셰이킹(handshaking)은 송수신 측 양쪽에서 제어 신호를 보내서 데이터의 전송을 알려주는 방법이다. 데이터 버스 외에 양쪽에서 제어 신호를 보내주는 별도의 회선을 각각 가지고 있어야 한다(단점). 다음 그림은 핸드셰이킹 방법의 구조와 시간 펄스를 나타낸다.

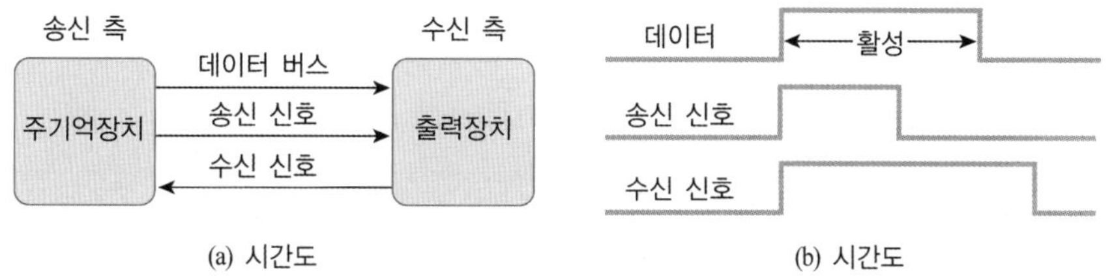

(a) 시간도 (b) 시간도

▲ 핸드셰이킹 방법의 구조와 시간 펄스

핸드셰이킹(handshaking)은 데이터 버스 외에 제어 버스를 통해서 제어 신호를 송신하는 것을 확인할 수 있다. 시간도에서 데이터 전송이 시작되면 주기억장치는 송신 제어 신호를 전송하고 출력장치는 송신 신호를 확인하고 데이터를 수신한다. 수신이 완료되면 출력장치는 주기억장치에 수신 제어 신호를 전송하여 송신 측에 수신이 완료된 것을 알려준다.

3 입출력의 제어 기법

1. 개요

입출력장치가 컴퓨터의 내부 장치와 원활한 통신을 수행하려면 통신을 제어할 수 있는 제어 기법이 필요하다. 다음과 같은 세 가지 형태가 존재가 존재한다.

- 중앙처리장치(CPU)가 직접 입출력장치를 제어하는 방식
- 주기억장치와 입출력장치가 직접적으로 데이터를 교환하는 직접 기억장치 액세스(DMA, Direct Memory Access) 방식
- 별도의 입출력 프로세서(IOP)가 입출력장치를 제어하는 방법

2. 중앙처리장치가 직접 제어하는 방법

입력장치 및 출력장치를 직접 제어하는 방법으로, 데이터 전송뿐만 아니라 데이터 상태 검사 등의 모든 것을 중앙처리장치가 직접 명령을 수행한다. 다음 그림은 중앙처리장치가 제어하는 입력장치 및 출력장치의 구조를 나타낸다. 중앙처리장치 내에 존재하는 레지스터에 저장된 내용이 직접 출력장치에 전송되거나, 반대로 입력장치에서 레지스터에 전송되고 최종적으로 주기억장치에 저장되도록 하는 방법이다.

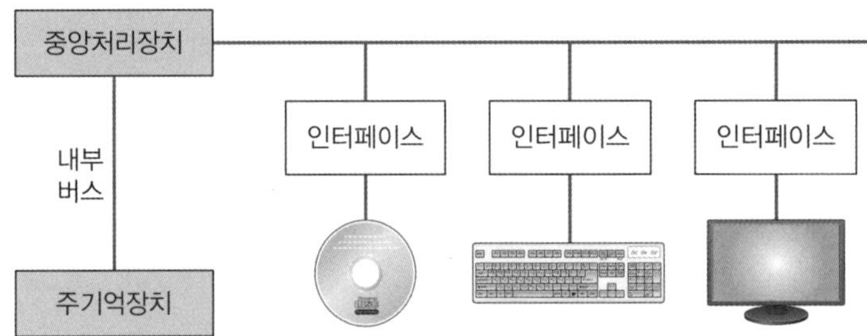

▲ 중앙처리장치가 제어하는 입력장치 및 출력장치의 구조

중앙처리장치가 제어하는 방법은 다음과 같이 두 가지 방식이 존재한다.

- 프로그램 입출력(Programmed I/O): polling
- 인터럽트-구동 입출력(Interrupt-driven I/O): interrupt

프로그램 입출력 방식(programmed-I/O, polling)은 중앙처리장치가 프로그램을 수행하는 도중에 입출력과 관련된 명령을 만나면, 해당 입출력 모듈에 명령을 보냄으로써 그 명령을 실행하는 방식이다. 프로그램에 의해서 데이터가 출력되는 예의 순서도는 다음과 같다(예 CPU가 프린트를 한다고 가정하자).

- 중앙처리장치가 입출력 모듈의 상태 레지스터를 검사해서 출력장치의 상태(RDY 비트)를 판단한다.
- 만약, 사용 가능한 상태이면 read/write 명령 중에서 write 명령어를 전송하고, 입출력 모듈의 데이터 레지스터에 데이터를 저장한다.
- 이 과정이 완료될 때까지 상태 검사를 반복하면서 기다리게 되는데, 중앙처리장치는 다른 작업을 수행할 수 없기 때문에 시간이 낭비된다[원리: 상태 레지스터를 계속 체크(polling)].

다음 그림은 프로그램에 의해서 데이터가 출력되는 예의 순서도를 나타낸다.

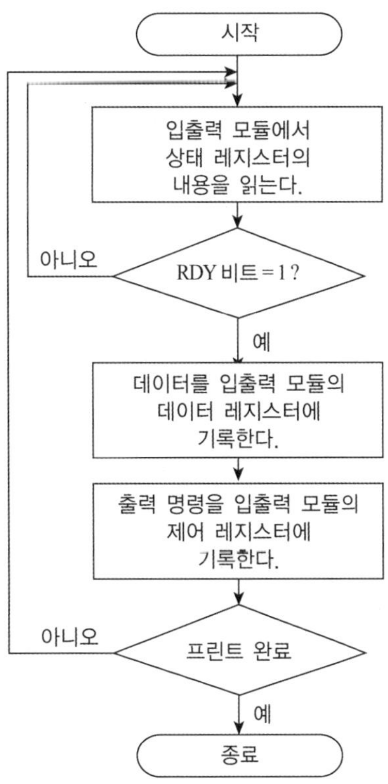

▲ 프로그램에 의해서 데이터가 출력되는 예의 순서도

프로그램 입출력은 입출력 모듈이 데이터를 수신 또는 송신할 준비가 될 때까지 중앙처리장치가 기다려야 한다는 단점이 있다. 이 단점을 개선하기 위해서 중앙처리장치에서 입출력 명령을 받은 입출력 모듈이 동작을 수행하는 동안, 중앙처리장치는 다른 프로그램을 처리할 수 있도록 한 것이 인터럽트-구동 입출력 방식(interrupt-driven-I/O, interrupt)이다. 중앙처리장치가 프로그램 명령어를 실행하는 중이라도 입출력 명령이 있으면 인터럽트를 발생시켜, 입출력 동작의 개시를 지시하고 다시 중앙처리장치는 계속해서 원래의 프로그램 명령을 수행하게 된다. 결과적으로 중앙처리장치는 입출력이 진행되는 동안 다른 유용한 일을 할 수 있게 된다.

인터럽트(Interrupt)는 일시 중단이라는 의미로, 중앙처리장치가 프로그램을 실행하고 있는 도중에 다른 프로그램을 처리하기 위해, 실행 중인 프로그램을 중단 상태로 만들고 다른 프로그램을 처리하는 것을 말한다. 예를 들어, 동기 인터럽트는 프로그램 오류 등에서 발생하고, 비동기 인터럽트는 입출력 등에서 발생한다.

동기 인터럽트에서 프로세서는 프로세서의 명령어를 실행한 결과로 인터럽트를 발생시킬 수 있다. 이런 경우를 트랩(trap)이라고 하고, 프로세스 작동과 동기(synchronous)라고 한다. 동기 인터럽트의 예로 프로세스가 0으로 나눈다거나 보호되는 메모리 위치를 참조하려는 등 잘못된 동작을 하려고 할 때 발생한다.

비동기 인터럽트는 현재 명령어와 관련 없는 이벤트에 의해서도 인터럽트가 발생할 수 있다. 이런 경우는 비동기(asynchronous)라고 말한다. 하드웨어 장치들은 프로세서에 상태 변화를 알리기 위해 비동기 인터럽트를 발생시킨다. 그 예로 키보드나 마우스를 사용할 때 인터럽트가 발생한다.

인터럽트 - 구동 입출력 방식의 읽기 동작은 다음과 같다(예 CPU가 키보드로부터 입력을 받는다고 가정하자).

- 1단계: 중앙처리장치가 입출력 모듈로 읽기(read) 명령을 보낸다.
- 2단계: 입출력 모듈은 주변장치에서 데이터를 읽는다. 이 과정 동안 중앙처리장치는 다른 일을 수행한다.
- 3단계: 입출력 모듈이 중앙처리장치로 인터럽트 신호를 보낸다.
- 4단계: 중앙처리장치가 입력된 데이터를 요구한다.
- 5단계: 입출력 모듈이 중앙처리장치로 데이터를 전송한다.

만약, 위의 동일 작업을 Programmed I/O로 한다면 CPU가 계속 입출력 모듈을 체크할 것이다.

위의 3단계에서 입출력 모듈이 인터럽트를 요구했을 때, 인터럽트 처리 과정은 다음과 같다. 중앙처리장치는 인터럽트에 응답하기 전에 현재 실행 중인 명령어의 실행을 완료한다. 중앙처리장치는 인터럽트를 검사하고 인터럽트 요구가 있다면(interrupt bit check), 요구를 발생한 장치에 확인 신호를 보낸다. 확인 신호를 받은 장치는 인터럽트를 요구한 요구 신호를 제거한다. 중앙처리장치는 새롭게 시작될 프로그램으로 제어를 넘겨줄 준비를 한다. 먼저 프로그램 상태 단어(PSW)와 프로그램 카운터(PC) 내용을 스택(stack)에 저장한다(아주 중요). 새로운 프로그램의 시작 주소를 프로그램 카운터에 적재한다(인터럽트 서비스를 시작한다).

이 방법을 구현하기 위해서는 인터럽트 요구 장치를 찾는 방법(다중 인터럽트 일때)과 인터럽트를 동시 요구했을 때 우선 처리하는 방법이 결정되어야 한다. Multiple interrupt lines, software poll(폴링), daisy chain, bus arbitration 등과 같은 방법이 존재한다. 실제 수행할 것인가에 대해서는 무시하거나 우선순위를 비교하는 방법 등이 존재한다.

3. 인터럽트를 요구한 장치를 찾는 방법

다수(다중) 인터럽트 선(multiple interrupt lines)은 각 입출력 모듈과 중앙처리장치 사이에 별도의 인터럽트 요구(INTR; interrupt request) 선과 인터럽트 확인(INTA; interrupt acknowledge) 선을 접속하는 방법이다. 장점은 CPU가 인터럽트를 요구한 장치를 쉽게 찾는다. 단점은 하드웨어가 복잡하고, 접속 가능한 입출력장치들의 수가 CPU의 인터럽트 요구 선의 입력 핀 수에 의해 제한된다(확장성 없음). 다음 그림은 다수 인터럽트 선 방식을 나타낸다.

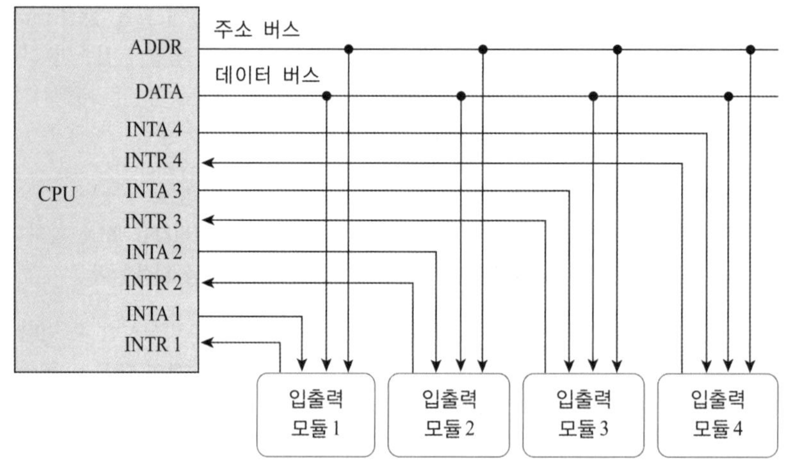

▲ 다수 인터럽트 선 방식

다음은 다수 인터럽트 선 방식 예를 나타낸다. 입출력 모듈 2가 인터럽트를 요구하는 경우, 동작 순서는 다음과 같다.

- 1단계: 입출력 모듈 2가 INTR2 신호를 1로 세트한다.
- 2단계: 중앙처리장치는 INTA2 신호를 세트함으로써, 그 제어기에 인터럽트 요구를 인식하였음을 알리고, 인터럽트를 위한 서비스를 시작한다.
- 3단계: 입출력 모듈 2는 INTR2 신호를 해제(0으로 리셋)한다.
- 4단계: 중앙처리장치도 INTA2 신호를 해제한다.

4. 4단계에서 해제

4단계에서 해제를 해야 나중에 다시 사용할 수 있음에 유의한다. 소프트웨어 폴 방식(polling)은 중앙처리장치가 모든 입출력 모듈들에 접속된 TEST I/O 선을 이용하여 인터럽트를 요구한 장치를 검사하는 방식이다. 소프트웨어 폴 방식의 구조는 다음과 같다. 임의의 입출력 모듈에서 인터럽트 요구가 INTR로 수신되면, 중앙처리장치는 특정 명령선 TEST I/O를 활성화 시키고 입출력 모듈들의 주소를 순서대로 주소 선으로 내보내어 해당 주소의 입출력 모듈에게 인터럽트 요청 여부를 파악한다(TEST I/O를 통해서 한다). 정해진 순서대로 보내진 주소에 의해서 검사하는 입출력 모듈의 우선 순위가 결정된다. 즉, 인터럽트 처리가 중요한 입출력 모듈의 주소는 앞의 순위로 정하고, 그렇지 않은 입출력 모듈의 주소는 뒤의 순서에 위치히게 하는 것이다. 장점은 우선순위의 변경이 용이하고 별도의 하드웨어가 필요하지 않다. 단점은 처리 시간이 오래 걸린다. 다음 그림은 소프트웨어 폴 방식을 나타낸다.

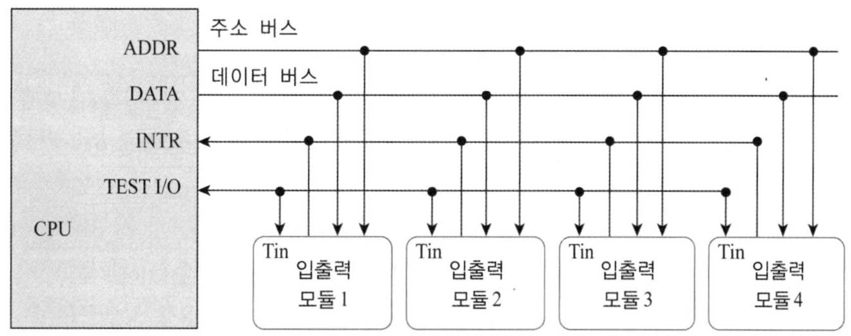

▲ 소프트웨어 폴 방식

데이지 체인(daisy chain)은 모든 입출력 모듈이 하나의 인터럽트 요구 선을 공유한다. 그리고 입출력 모듈들의 인터럽트 확인 신호 선은 데이지 체인 형태로 연결된다. 중앙처리장치와 가까운 입출력 모듈의 우선순위가 높다. 장점은 하드웨어가 간단하다. 단점은 우선순위가 낮은 장치들이 서비스를 받지 못하거나, 매우 오랫동안 기다려야 하는 경우가 발생 할 수 있다(기아 상태). 다음 그림은 데이지 체인 방식을 나타낸다.

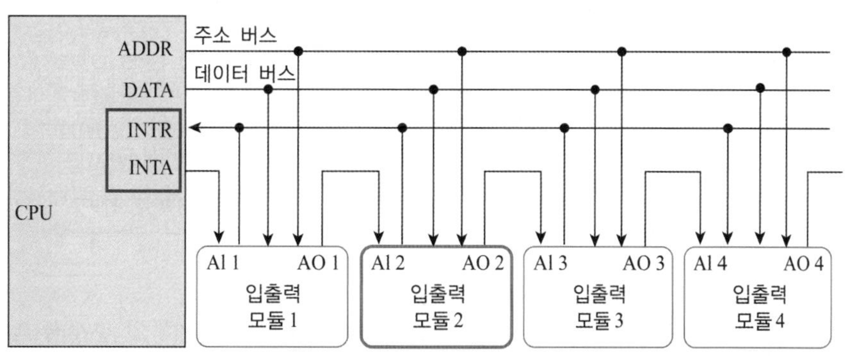

▲ 데이지 체인 방식

데이지 체인의 동작 원리는 다음과 같다.

- 1단계: 한 개 또는 그 이상의 입출력 모듈이 인터럽트를 요구한다.
- 2단계: 인터럽트 요구를 수신한 중앙처리장치는 이에 대한 확인 신호를 보낸다.
- 3단계: 확인 신호를 수신한 입출력 모듈 중에서 인터럽트를 요구하지 않은 모듈은 다음 모듈로 전달한다.
- 4단계: 확인 신호를 수신한 인터럽트를 요구한 모듈은 데이터 버스를 통하여 인터럽트 벡터(interrupt vector-인터럽트 처리를 위한 시작 번지)를 보낸다(데이터 버스를 이용함에 유의).

버스 중재(bus arbitration)는 한번에 하나의 입출력 모듈만 버스를 사용할 수 있다는 원리를 이용한다. 입출력 모듈이 인터럽트를 요구하기 전에 먼저 버스에 대한 사용권을 얻어야 한다. 따라서 매 순간 하나의 모듈만이 인터럽트를 보낼 수 있다. 그리고 중앙처리장치는 버스 중재를 통해서 전달된 인터럽트를 인지 할 수 있으며, 인터럽트 확인 신호를 활성화하여서 응답하게 된다. 다음으로 인터럽트 확인 신호가 활성화되면, 입출력모듈은 데이터 선을 통하여 데이터를 전송할 수 있게 된다.

여러 장치의 인터럽트가 요구되었을 때 우선순위를 결정하는 방법은 다음과 같다.

- 다수의 인터럽트 선: 중앙처리장치는 우선순위가 높은 인터럽트 선을 선택하면 된다.
- 소프트웨어 폴: 검사하는 순서가 곧 우선순위가 된다.
- 데이지 체인 방식: 입출력 모듈이 연결된 순서가 우선순위가 된다.

5. DMA

직접 기억장치 액세스(DMA, Direct Memory Access) 방식은 대용량의 데이터를 이동시킬 때 효과적인 기술로, 기억장치와 입출력 모듈 간의 데이터 전송을 별도의 하드웨어인 DMA 제어기가 처리하고, 중앙처리장치는 개입하지 않도록 하는 방식이다. DMA 제어기의 내부 구조는 다음과 같다.

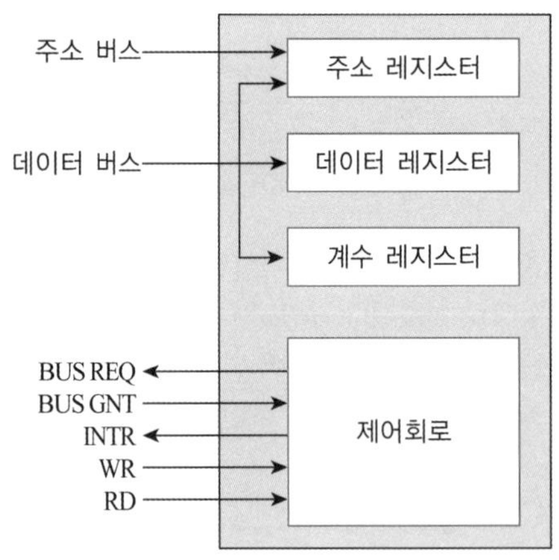

▲ DMA 제어기의 내부 구조

DMA 제어기의 내부 구조를 설명하면 다음과 같다.

- 주소 레지스터: 주기억장치의 위치를 지정하는 주기억장치의 주소를 저장한다.
- 데이터 레지스터: 전송될 데이터를 저장한다.
- 계수 레지스터: 전송되는 데이터 단어의 수를 저장하는 역할을 한다.
- 제어회로: 버스 요구 신호(BUS REQ)와 버스 승인신호(BUS GNT), 인터럽트(INTR), 그리고 읽기(WR)와 쓰기(RD)를 위한 연결 단자가 존재한다.

CPU는 DMA 장치로 한 번의 입출력 명령의 전달을 통해서 더 이상 관여를 하지 않지만, DMA 장치는 독자적인 동작으로 일련의 데이터를 기억장치와 직접 입출력할 수 있는 방식이다. DMA 처리 순서를 정리하면 다음과 같다(예 CPU가 프린터에 데이터를 출력한다고 가정하자).

- 1단계: CPU가 DMA 제어기로 명령을 전송한다. 명령에는 입출력장치의 주소, 연산(쓰기 혹은 읽기) 지정자, 데이터가 읽혀지거나 쓰여질 주기억장치 영역의 시작 주소, 전송될 데이터 단어들의 수와 같은 정보들이 포함된다.
- 2단계: DMA 제어기는 CPU로 버스 요구(BUS REQ) 신호를 전송한다.
- 3단계: CPU는 DMA 제어기로 버스 승인(BUS GRANT) 신호를 전송한다.
- 4단계: CPU의 개입 없이 DMA 제어기가, 주기억장치에 데이터를 읽거나 쓴다.
- 5단계: 전송할 데이터가 남아있으면, 2단계부터 4단계까지 다시 반복한다.
- 6단계: 모든 데이터의 전송이 완료되면, CPU로 INTR 신호를 전송한다.

CPU는 DMA에 명령을 보낸 후에 다른 일을 계속할 수 있게 되며, DMA 제어기가 모든 입출력 동작을 전담하므로, 중앙처리장치는 전송의 시작과 마지막에만 입출력 동작에 관여한다(DMA의 원리).

개념 PLUS+

Cycle stealing

사이클 스틸링은 CPU의 간섭 없이 RAM(메모리) 혹은 버스를 접근하는 것이다. DMA는 사이클 스틸링과 유사하다. 명령어와 데이터 메모리를 분리하면 사이클 스틸링을 할 수 있다.

DMA 제어기 버스 연결 방식에는 단일버스 분리식, 단일버스 통합형, 입출력 버스가 존재한다(입출력 모듈 당 DMA가 존재하지 않음에 유의). 다음 그림은 단일버스 분리식을 나타낸다.

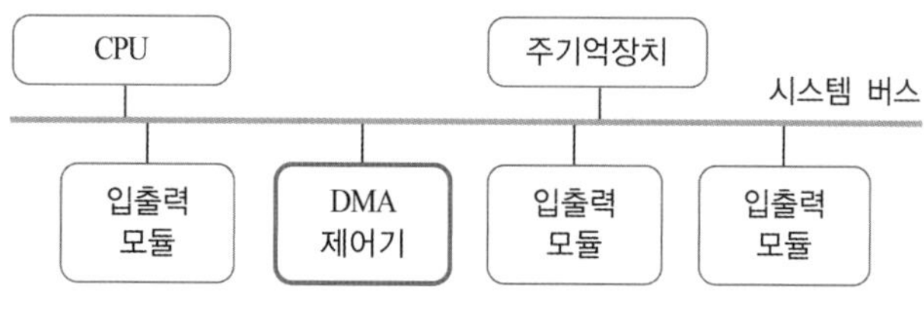

▲ 단일버스 분리식

다음 그림은 단일버스 통합형을 나타낸다.

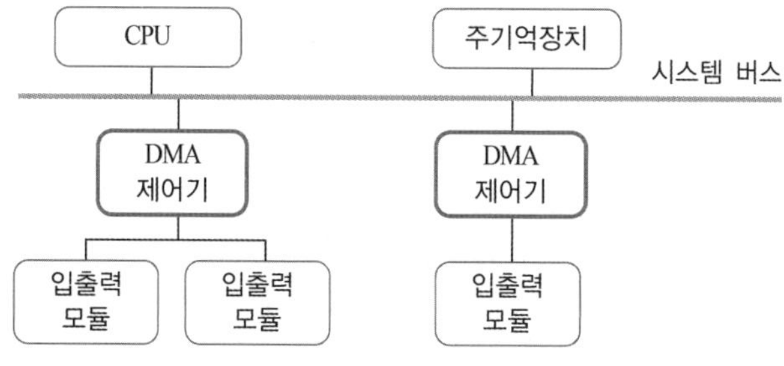

▲ 단일버스 통합형

다음 그림은 입출력 버스를 나타낸다.

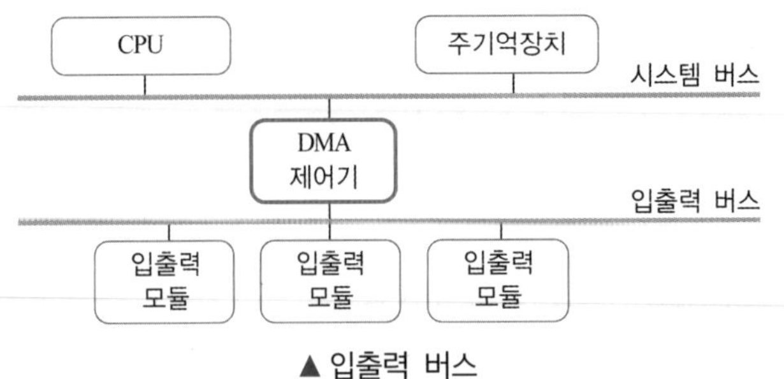

▲ 입출력 버스

6. IOP

입출력 프로세서(IOP)를 이용한 입출력 제어방식은 입출력 처리를 전담하는 별도의 입출력 프로세서(I/O Processor)를 두어, CPU의 효율을 높이는 입출력 제어방식이다. 사용되는 입출력 프로세서(IOP)는 DMA 제어기의 기능을 향상시킨 것으로 입출력 명령어들을 실행할 수 있는 프로세서이며, 데이터 블록을 임시 저장할 수 있는 지역 기억장치(local memory)를 포함하고 있다. 시스템 버스에 대한 인터페이스 및 버스 마스터 회로와 입출력 버스 중재 회로를 포함하고 있다(버스를 언제나 사용할 수 있다).

중앙처리장치는 계산 업무에 필요한 데이터만을 처리하고, 입출력 프로세서는 여러 주변장치와 주기억장치 사이의 데이터 전송을 위한 통로를 제공한다. 처음에는 중앙처리장치가 입출력 프로세서의 입출력 전송을 시작하도록 하지만, 그 이후에는 중앙처리장치와는 독립적으로 입출력 프로세서가 동작한다. 장점은 입출력 방식은 정도의 차이는 있으나 중앙처리장치의 간섭을 받게 되지만, 입출력 전용 프로세서를 이용해 간섭을 최소화하여 중앙처리장치의 이용 효율은 증가한다. 단점은 별도의 입출력 프로세서로 인한 하드웨어 비용이 증가한다.

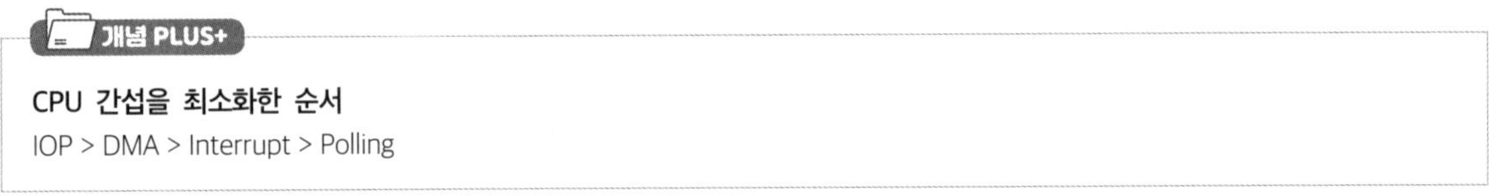

개념 PLUS+

CPU 간섭을 최소화한 순서

IOP > DMA > Interrupt > Polling

다음 그림은 입출력 프로세서(IOP)를 이용한 시스템을 나타낸다. 입출력 프로세서는 주변장치의 입출력 모듈을 제어해서 독립적으로 데이터를 송신할 수 있다.

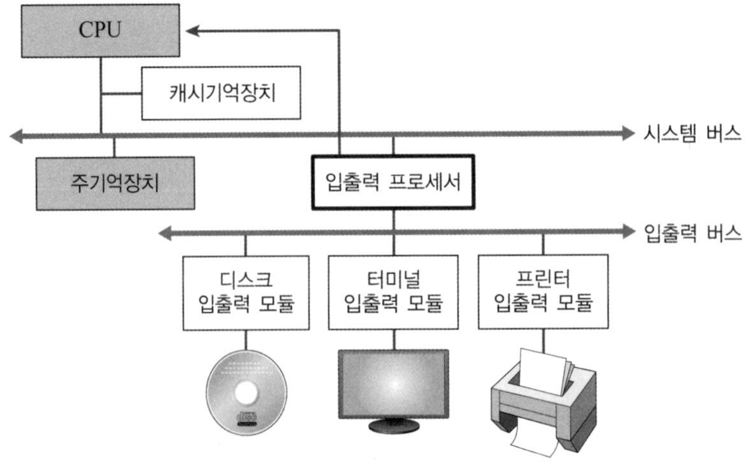

▲ 입출력 프로세서(IOP)를 이용한 시스템

DMA의 개념을 확장한 입출력 전담 프로세서를 입출력 채널(I/O channel)이라고도 한다. 입출력 채널과 DMA는 모두 주기억장치에 접근하여 자율적인 입출력이 되도록 하므로 역할만 보면 거의 같다. 하지만 DMA는 하나의 블록을 입출력할 수 있으나, 입출력 채널은 블록을 여러 개 입출력할 수 있다(장점). 다음 그림은 입출력 채널을 이용하여 블록이 입출력 되는 개념을 나타낸다.

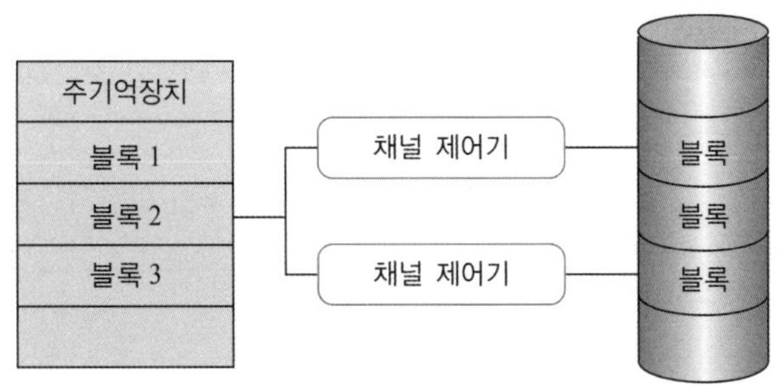

▲ 입출력 채널을 이용하여 블록이 입출력 되는 개념

입출력 채널은 여러 개의 블록을 입출력할 수 있으므로 입출력되는 모든 정보를 알려주어야 하지만, 입출력 명령 하나로 여러 블록에 대한 정보를 알려주는 것은 어렵다. 이를 해결하기 위해, 입출력 채널 제어기(controller) 내에 입출력되는 모든 정보를 기억할 수 있도록 장비를 갖출 수 있으나 하드웨어 비용의 증가가 필수적이다(단점)(* 참고).

입출력 채널의 하드웨어 비용을 감소시키기 위해 입출력될 여러 블록의 정보를 주기억장치에 기억시켜 두고 입출력 채널 제어기가 하나씩 가져가도록 하는 것이다(프로세서이므로 명령어를 처리할 수 있다). 주기억장치 내에 기억된 각 블록들의 정보를 입출력 채널 명령어(CCW, Channel Command Word)라고 한다. 채널 명령어 4개의 필수 요소는 다음과 같다(* 참고).

- 동작을 나타내는 명령으로 입력이나 출력을 지시(읽기/쓰기)
- 주기억장치에 접근할 블록의 위치를 표시(시작 주소)
- 블록의 크기를 제시(블록 크기)
- 다음 채널 명령어의 위치를 연결시키는 표시 비트 이용(연결 표시 비트)

입출력 채널이 여러 개의 블록을 입출력할 때, 각 블록에 대한 채널 명령어의 모임을 채널 프로그램(channel program)이라고 한다. 채널 프로그램은 채널 명령이 반드시 연속되어 모여 있지 않아도 되므로 연결된 형식으로 별도의 장소에 기억되는데, 이를 체인(chain)이라 한다. 체인은 연결 표시 비트를 이용하여 다음에 수행할 채널 명령어의 위치를 알려준다. 따라서 데이터 체인(chain)은 여러 블록을 입출력할 때와 여러 곳에 나누어진 블록을 하나로 모으는 작업을 편리하게 한다(* 참고).

입출력 채널은 입출력 명령어들을 실행할 수 있기 때문에 입출력 동작에 대한 완전한 제어권을 갖는다. 그리고 이런 제어권을 실행하기 위한 채널은 두 가지(채널 선택기, 멀티플렉서 채널)로 분류된다(* 참고).

채널 선택기(selector channel)는 여러 개의 소속 장치를 제어하고 접속된 여러 장치들 중의 하나를 선택하여 데이터 전송을 지원하는 방식이다. 즉, 어느 한 시점에서 볼 때 입출력 동작 하나가 전용 채널을 사용하는 것과 같은 개념으로 사용되는 채널이다. 그래서 어떤 장치에서 데이터 입출력이 이루어지고 있으면 논리적인 정지가 있을 때까지는 다른 장치에서 사용할 수 없다(단점).

멀티플렉서 채널(multiplexer channel)은 동시에 여러 장치가 입출력 가능한 방식이다. 스위치 장치를 통해서 각 서브 채널들이 순차적으로 연결되는 것이 멀티플렉서 채널의 원리다(장점). 속도가 느린 장치에 대해서는 바이트 멀티플렉서가 여러 장치와의 문자 입출력을 가능하게 해준다. 고속의 장치에 대해서는 블록 멀티플렉서가 여러 장치에서 들어오는 데이터 블록을 동시에 전송한다(블록은 바이트를 여러 개 모은 것임에 유의).

다음 그림은 채널 선택기와 멀티플렉서 채널을 나타낸다. (a)의 채널 선택기는 여러 개의 입출력 모듈 중에서 하나를 선택하여 입출력을 수행한나. (b)의 멀티플렉서 채널은 밀티플렉서가 스위치로 동직하면시 순차적으로 입출럭 모듈에 연결되어 입출력을 수행하게 된다.

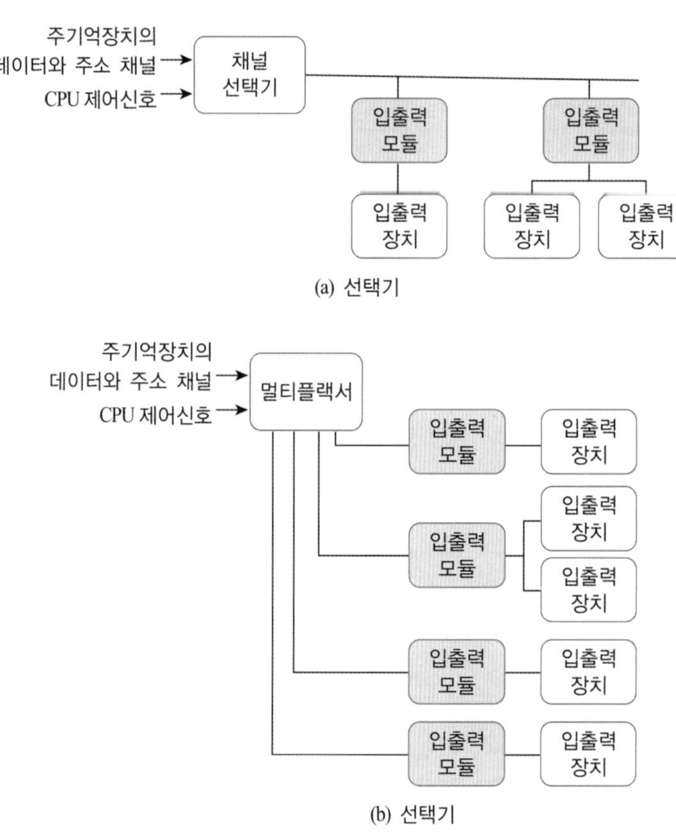

▲ 채널 선택기와 멀티플렉서 채널

인터럽트 요구 장치를 찾는 방법

구분	INTR	INTA	우선순위	특징
multiple interrupt lines	개별	개별	선택	식별 용이, 확장성 없음
software poll	공통	Test I/O	검사 순서	우선순위 변경 용이, 시간 오래 걸림
daisy chain	공통	체인, 데이터선(벡터)	연결 순서	간단, 기아 발생
bus arbitration	중재회로	중재회로	선택	기존 회로 이용

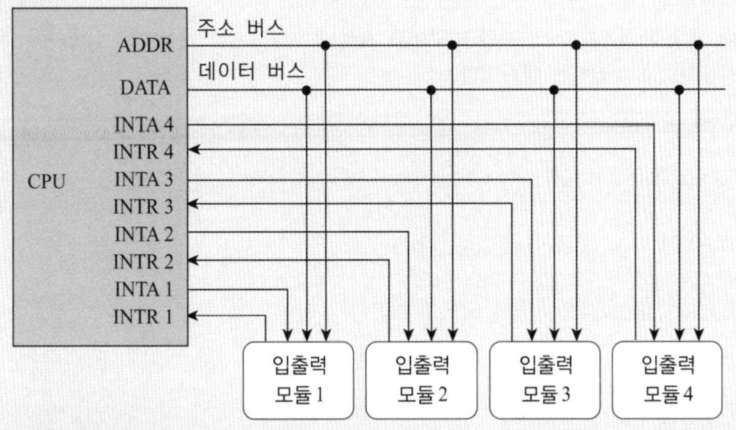

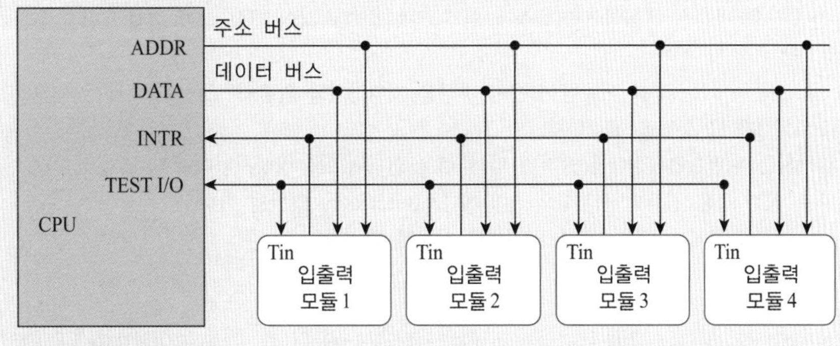

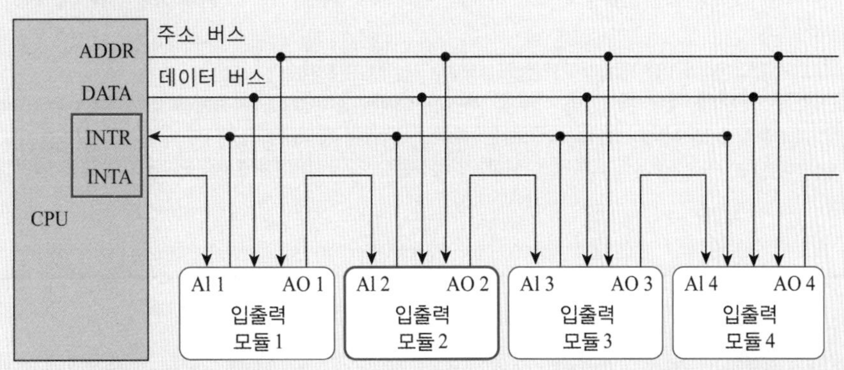

- polling, interrupt, dma, iop
- multiple interrupt lines, software poll, daisy chain, bus arbitration

핵심 기출

1. 다음 중 인터럽트 입출력 제어방식은? 2015년 서울시

① 입출력을 하기 위해 CPU가 계속 Flag를 검사하고, 자료 전송도 CPU가 직접 처리하는 방식이다.
② 입출력을 하기 위해 CPU가 계속 Flag를 검사할 필요가 없고, 대신 입출력 인터페이스가 CPU에게 데이터 전송 준비가 되었음을 알리고 자료전송은 CPU가 직접 처리하는 방식이다.
③ 입출력 장치가 직접 주기억장치를 접근하여 Data Block을 입출력하는 방식으로, 입출력 전송이 CPU 레지스터를 경유하지 않고 수행된다.
④ CPU의 관여 없이 채널 제어기가 직접 채널 명령어로 작성된 프로그램을 해독하고 실행하여 주기억장치와 입출력 장치 사이에서 자료전송을 처리하는 방식이다.

해설

입출력 인터페이스가 알림은 인터럽트 혹은 interrupt-driven I/O라고 한다.

선지분석

① CPU가 계속 검사: 폴링 혹은 programmed I/O라고 한다.
③ 입출력 장치: DMA 혹은 직접 메모리 접근이라고 한다.
④ 채널 제어기: IOP(입출력 프로세서) 혹은 채널 이라고 한다.

정답 ②

2. I/O장치에 대한 설명으로 옳지 않은 것은? 2020년 국회직

① 채널을 이용한 입출력 방식은 데이터의 고속성을 위해 CPU의 계속적인 간섭 없이 직접 I/O장치와 기억장치 사이에 자료를 주고받는다.
② DMA(Direct Memory Access)를 이용한 입출력 방식은 기억장치와 입출력 모듈 간의 데이터 전송을 DMA 제어기가 처리하고 CPU가 그 동작을 관리한다.
③ I/O장치는 발생하는 이벤트를 CPU에 알리기 위해 주로 인터럽트를 발생시킨다.
④ I/O장치는 주로 인간 혹은 컴퓨터 외부와의 인터페이스(interface) 역할을 한다.
⑤ Memory-mapped I/O장치는 메모리접근 명령어를 사용해 관리한다.

해설

CPU는 DMA 제어기에게 데이터 전송 명령을 내리고 더 이상 관여하지 않는다. 즉, DMA 제어기가 동작을 관리한다.

선지분석

① 채널(IOP)은 CPU의 간섭 없이 I/O 장치와 기억장치 사이에 자료를 주고받는다.
③ 폴링 방식(CPU가 I/O 장치를 계속 체크함)을 단점을 개선하기 위해 인터럽트를 사용한다.
④ I/O 장치는 키보드, 마우스, 모니터, 프린터 등으로 인터페이스 역할을 한다.
⑤ Memory-mapped I/O는 주기억장치를 입출력을 위한 기억장치로 사용하기 때문에 기존의 메모리 접근 명령어를 그대로 사용할 수 있다.

정답 ②

CHAPTER 07

시스템 버스(System Bus)

1 시스템 버스의 개념

버스가 전달하는 정보의 기능에 따라 데이터 버스(data bus), 주소 버스(address bus), 제어 버스(control bus)로 분류한다. 기능별로 분리하여 표현한 시스템 버스에 컴퓨터 기본 모듈을 연결한다. 버스는 Dedicated 구조(1 : 1 구조)가 아닌 Shared 구조(N:N 구조)이다. 예를 들어, 300번지에 add 250이라는 명령어가 있다고 가정하고 CPU가 해당 명령어를 가지고 오는 과정에서 각각의 시스템 버스가 언제 사용되는지 생각해보자. 다음 그림은 시스템 버스의 기능별 분류를 나타낸다.

▲ 시스템 버스의 기능별 분류

컴퓨터 시스템을 구성하는 장치들 사이에 데이터를 전송하는 데 사용되는 선들의 집합을 데이터 버스(Data Bus)라 한다. 이 버스는 연결된 장치들 간에 서로 양방향 전송이 가능하다. 그리고 데이터 버스의 폭(선들의 수)은 중앙처리장치와 주기억장치 사이에 한 번에 전송되는 비트 수(워드-word)가 된다.

중앙처리장치가 주기억장치로 데이터를 쓰기(write) 동작을 하거나 데이터를 읽기(read) 동작을 할 때, 해당하는 주기억장치 장소를 지정하는 주소를 전송하기 위한 선들의 집합이 주소 버스(Address Bus)다. 주소 버스는 CPU에서 주기억장치 및 입출력 모듈로 주소를 전송할 수 있지만, 반대로는 주소를 전송할 수 없다. 따라서 주소 버스는 단방향 전송을 한다. 주소 버스의 비트 수는 중앙처리장치가 액세스할 수 있는 기억장치의 주소 수를 결정한다. 또는 기억장소의 수를 결정한다.

주소 버스의 비트에 따른 기억장치 용량 계산은 다음과 같다(중요).

- 주소 버스의 폭이 16비트 이면, 주소지정 가능한 최대 기억장소의 수 = 2^{16} = 65,536개이고, 바이트 단위 주소 지정일 경우 최대 기억장치 용량은 64Kbyte이다.
- 주소 버스의 폭이 24비트이면, 주소지정 가능한 최대 기억장소의 수 = 2^{24} = 16,777,216개이고, 바이트 단위 주소 지정일 경우 최대 기억장치 용량은 16Mbyte이다.

중앙처리장치와 주기억장치 및 입출력장치 사이에 제어 신호들을 전송하는 선들의 집합이 제어 버스(Control Bus)다. 컴퓨터에서 사용되는 주요 제어 신호는 다음과 같다.

- 기억장치 읽기/쓰기(memory read/write), 입출력 읽기/쓰기(memory read/write)
- 전송 확인(transfer acknowledge)
- 버스 요구(bus request), 버스 승인(bus grant)
- 인터럽트 요구(interrupt request), 인터럽트 확인(interrupt acknowledge)
- 클록(clock), 리셋(reset) 등

다음 그림은 제어 흐름과 데이터 흐름을 나타낸다. 제어 흐름은 제어장치를 중심으로 단방향인 화살표를 나타내고, 데이터 흐름은 주기억장치를 중심으로 양방향 흐름을 나타낸다(입출력은 예외로 단방향).

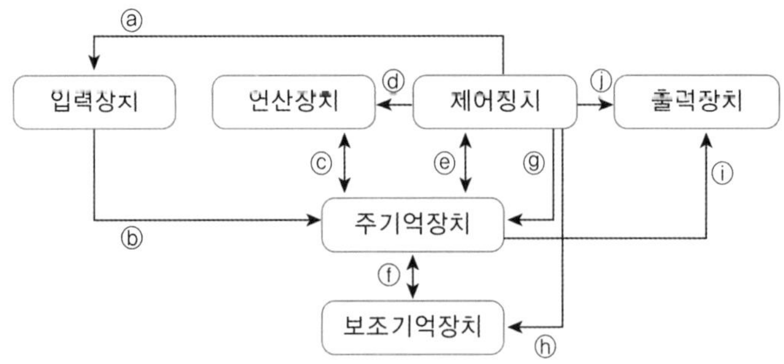

▲ 제어 흐름과 데이터 흐름

2 그 외(PCI)

PCI 버스(Peripheral Component Interconnect Bus)는 컴퓨터 메인보드에 주변 장치를 장착하는 데 쓰이는 컴퓨터 버스의 일종이다. 이 장치는 다음과 같이 두 가지 형태로 나뉜다(SSD 등을 장착하는데 사용). 주기판 위에 바로 붙는 IC 형태는 PCI 스펙에서는 이러한 형태를 평면 장치(planar device)라고 부른다. 그리고 소켓에 꽂아 쓰는 확장 카드 형태는 사용자 입장에서 흔히 눈에 띄는 형태이다.

PCI 버스는 오늘날 개인용 컴퓨터에서 가장 많이 볼 수 있는 버스이다. 표준적인 확장 버스 역할 분야에서는 한때 쓰였던 ISA 버스, VESA 로컬 버스 등을 PCI 버스가 대체해 버렸다. 이 밖에도 다른 여러 형태의 컴퓨터에서도 PCI 버스는 쓰이고 있다. PCI 규격 문서는 버스의 물리적인 크기(선 간격 등), 전기적 특성, 버스 타이밍, 프로토콜 등 여러 가지를 규정하고 있다. 현재는 PCIe로 발전하였다.

주요개념 셀프체크

주소, 데이터, 제어

핵심 기출

다음 중 시스템 버스에 대한 설명으로 옳지 않은 것은? 2016년 국회직

① 하드웨어 구성요소를 물리적으로 연결하며 구성요소 사이의 데이터 통로를 제공한다.
② 주소 버스는 중앙처리장치가 주기억장치나 입출력장치에 데이터를 읽거나 쓰기 위해 필요한 주소를 전달하는 통로이다.
③ 제어 버스는 주소 버스와 데이터 버스의 동작을 제어하기 위한 신호의 전달 통로이다.
④ 데이터 버스는 중앙처리장치와 기타 모듈(기억장치, 입출력장치 등) 사이의 데이터를 전달하는 통로로 양방향 버스이다.
⑤ 시스템 버스는 용도에 따라 주소 버스, 입출력 버스, 데이터 버스, 제어 버스로 구성된다.

해설

버스의 종류에는 CPU 내부 버스, 시스템 버스, 입출력 버스가 있고, 시스템 버스는 용도에 따라 주소 버스, 데이터 버스, 제어 버스로 구성된다.

선지분석

① 구성요소끼리 1 : 1로 연결된 구조(dedicated)가 아니라 버스를 이용한 공유 구조(shared)를 가진다.
② 해당 용도로 사용되기 때문에 단방향 특성을 가진다. 즉, 주기억장치나 입출력장치가 CPU에 주소를 요청할 수는 없다.
③ 여러 가지 제어 신호가 존재한다. 예를 들면, 기억장치 읽기/쓰기 제어신호, 인터럽트 요청/확인 신호, 버스 요청/승인 신호 등이 존재한다.
④ 중앙처리장치가 기타 모듈로 데이터를 보낼 수도 있고, 기타 모듈이 중앙처리장치로 데이터를 보낼 수 있으므로 양방향이다.

정답 ⑤

CHAPTER 08

명령어(Instruction)

1 어셈블리 프로그램의 이해

1. 개요

컴퓨터 프로그래밍 언어는 표현하는 방식에 따라 고급 중급, 저급 프로그래밍 언어가 있다(인간이 보고 이해할 수 있으면 고급이고 없으면 저급).

2. 고급 프로그래밍 언어(high level programming language)

문법이 인간의 언어 체계와 유사하여 프로그램을 작성하기가 용이하다. 컴파일러(compiler, 소스 코드 전체를 한번에 실행함)나 인터프리터(interpreter, 소스 코드를 한줄씩 실행함)에 의해 기계어로 번역되어 실행된다. 대표적인 고급언어로는 FORTRAN, PASCAL, COBOL, C 언어 등이 있다(현재: C++, Java, Python). 다음 그림은 컴파일과 인터프리터의 과정을 나타낸다(컴파일과 인터프리터의 장점을 결합한 하이브리드 방식도 존재).

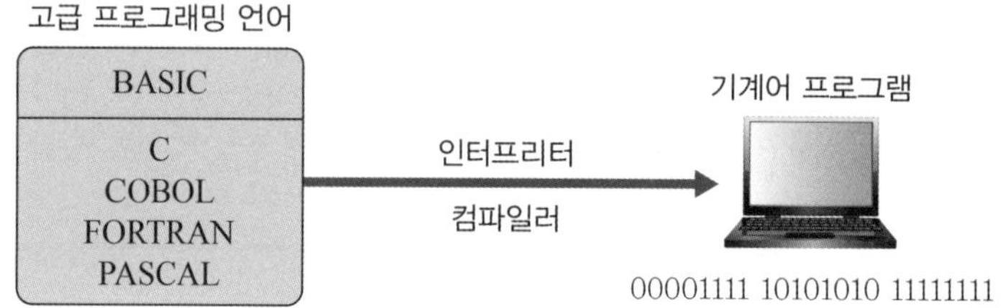

▲ 컴파일과 인터프리터의 과정

3. 저급 프로그래밍 언어(low level programming language)

컴퓨터 내부에서 바로 처리 가능한 프로그래밍 언어로, 일반적으로 기계어와 어셈블리어를 일컫는다(어셈블리어는 중급 언어로 보는 견해도 존재하지만 공무원 시험에서는 저급 언어로 봄).

기계어(machine language)는 컴퓨터가 직접 해독할 수 있는 2진 숫자(binary digit)로 표현한 언어다. 컴퓨터 명령 형식은 기계어이며, 컴퓨터는 이 기계 명령어를 해독하여 동작을 수행한다. 컴퓨터(cpu)에 따라 고유의 명령 형식이 존재한다. 기계어 구조도 컴퓨터에 따라 구성된다.

기계어의 명령 단위는 명령 코드부(op-code)와 주소부(operand)로 나누어진다. 기계어는 프로그램 작성이 어렵고, 많은 노력과 시간이 필요하다(대신 번역 과정을 거치지 않으므로 실행 속도는 빠름). 변수 para에 데이터 3을 저장하는 고급 언어의 표현 예는 "para = 3"인데, 컴파일러를 통해서 기계어로 변환하면 다음의 비트 형태로 표시할 수 있다.

- 11000111 00000110 00000000 00000000 00000011 00000000

어셈블리어(Assembly)는 기계어 프로그래밍의 비효율성을 극복하기 위하여 기계어의 비트 형식을 연상 코드(Mnemonic code)로 나타낸 것이다(프로그래밍을 하기에 어렵지 않고 실행 속도도 중간인 언어). 어셈블리어는 기계어를 사람이 사용하는 언어에 가깝게 문자로 기호화(mnemonic)해서 나타낸다. 기계어와 마찬가지로 중앙처리장치(cpu) 형태에 따라 내용이 모두 다르므로 어셈블리언어로 작성된 프로그램들도 한 종류의 중앙처리장치(cpu)에서만 동작하고 다른 종류에서는 실행되지 않는다.

다음 그림은 어셈블러를 나타낸다. 어셈블러는 어셈블리 언어를 번역하여 오브젝트 코드(기계어)를 생성하는 프로그램이다. 예를 들어, 기계어 '11000111 00000110 00000000 00000000 00000011 00000000'를 어셈블리어로 나타내면 "MOV para, 3"이다. 이 표현은 3이라는 데이터를 para라는 기억 장소로 이동시키라는 의미로 쉽게 이해할 수 있다. 어셈블리 과정은 컴파일 과정보다 빨리 수행되는데, 어셈블리어가 기계어 체계와 유사하기 때문이다.

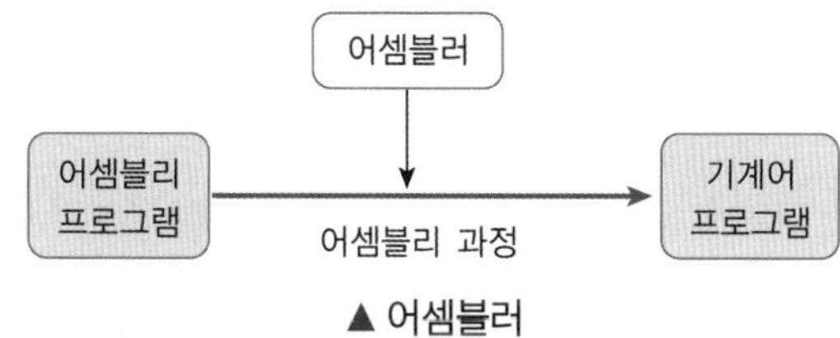

▲ 어셈블러

4. 어셈블리 관련 명령어(mnemonic)

다음의 표는 어셈블리 관련 명령어를 나타낸다.

명령어	동작
ADD	덧셈
SUB	뺄셈
MUL	곱셈
DIV	나눗셈
MOV	데이터 이동
LOAD	기억장치로부터 데이터 적재
STOR	기억장치로 데이터 저장

5. 어셈블리 언어의 명령 형식

다음 그림은 어셈블리 언어의 명령 형식을 나타낸다(예 8086 CPU).

DOSTART:	ADD	X	;X와 가산기를 더하고 그 결과를 가산기에 저장
레이블 부	연산 부	오퍼랜드 부	주석문 부

▲ 어셈블리 언어의 명령 형식

어셈블리 언어의 명령 형식의 4가지 부분을 설명하면 다음과 같다.

(1) 레이블(Label) 부

JUMP, LOOP와 같은 순환이나 반복 명령어에서 해당 레이블로 프로그램 카운터(PC)를 이동시킬 때 사용한다(C언어의 goto와 비슷한 역할). 따라서 일반적인 명령어에서는 생략된다. 레이블을 생성할 때는 8문자 이내의 영문자/숫자를 사용하며, 이름 중에 공백이 있으면 안 된다. 예약 명령어는 사용할 수 없다.

(2) 연산(Operation) 부

명령의 니모닉(mnemonic) 및 어셈블러 디렉티브(directive) 등을 쓰는 곳이다. 니모닉은 어셈블리 언어에서 예약되어 있는 명령어를 말하며, 디렉티브는 프로그램 실행과 관계없이 어셈블러에게 정보를 제공해 주는 지시어를 말한다(예 ORG, END). 결과적으로 연산부는 명령어(mnemonic)나 지시어(directive)가 위치하는 곳이다.

(3) 오퍼랜드(Operand) 부 또는 피 연산자부

레지스터 이름, 정수, 라벨, 연산자, 주소 등을 쓰는 곳이다.

(4) 주석문(Comment) 부

해당 프로그램 줄(line)에 대한 설명을 표기하는 곳이다(C언어의 //, /* */과 비슷한 역할). 기재할 때는 세미콜론(;)으로 시작하며, 어셈블러는 주석문 부를 모두 무시하기 때문에 아무데나 사용하여도 된다.

6. 어셈블리 프로그램

다음의 표는 어셈블리 프로그램을 나타낸다. 피 연산자는 모두 기억장치의 주소라고 가정한다. 기억장치 250번지에서 데이터를 누산기(AC)에 적재한다. 기억장치 251번지의 데이터와 덧셈을 수행하고 결과를 다시 누산기에 저장한다. 기억장치 251번지에 결과를 저장한다. 프로그램의 주소 170번지로 점프한다. 예를 들어, 명령어는 op-code와 operand로 분리할 수 있고 LOAD 250은 1250이므로, op-code는 1이고 operand는 250이 된다. 각각의 명령어를 자세하게 설명하면 다음과 같다.

주소	명령어		기계 코드
100	LOAD	250	1250
101	ADD	251	5251
102	STOR	251	2251
103	JUMP	170	8170
	어셈블리어		기계어

▲ 어셈블리 프로그램

다음 그림은 LOAD 명령어의 동작을 나타낸다. 100번지의 명령어 LOAD 250은 기억장치 100번지에서 인출되어 명령어 레지스터(IR)에 저장한다. 이 명령어가 해독되어서 기억장치 250 번지의 데이터가 누산기(AC)로 이동하게 된다. 프로그램 카운터(PC)가 다음 명령어를 수행하기 위해서 하나 증가한다(PC = PC + 1 = 101).

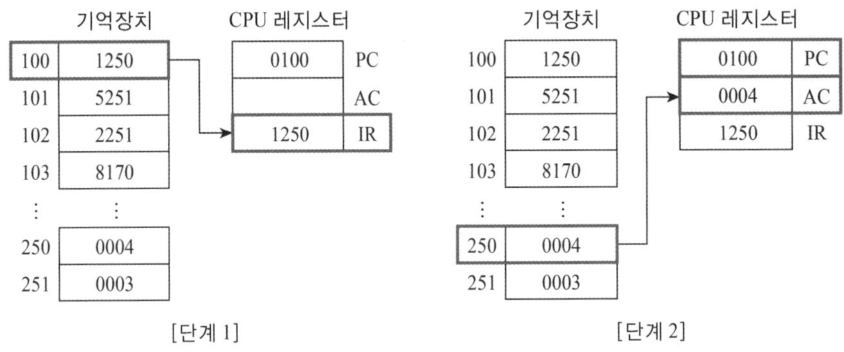

▲ LOAD 명령어의 동작

다음 그림은 ADD 명령어의 동작을 나타낸다. PC에 저장되어 있는 데이터 값 101에 의해서 두 번째 명령어(ADD 251)가 기억장치 101번지에서 인출되어 IR에 저장된다. 누산기(AC)의 내용과 251번지의 내용을 더하고, 결과를 다시 누산기에 저장하게 된다. 그 다음 PC의 내용은 다음 명령어를 위해 102로 증가하게 된다.

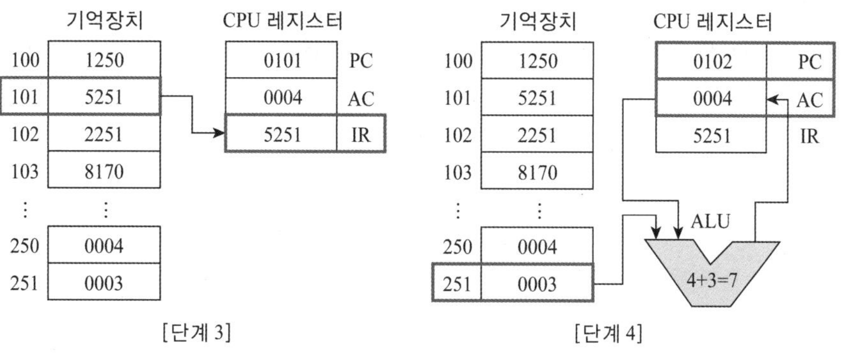

▲ ADD 명령어의 동작

다음 그림은 STORE 명령어의 동작을 나타낸다. PC에 의해서 세 번째 명령어(STOR 251)가 102번지로부터 인출되어 IR에 저장되고 해독된다. 명령어 내용에 따라서 AC의 내용이 기억장치 251번지에 저장된다. 그리고 PC의 내용은 103으로 증가하게 된다.

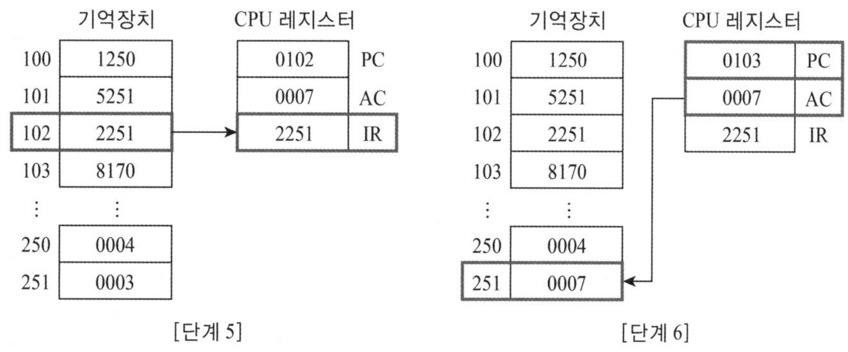

▲ STORE 명령어의 동작

다음 그림은 JUMP 명령어의 동작을 나타낸다. 네 번째 명령어(JUMP 170)가 103번지에서 인출되어 IR에 저장된 후 명령어가 해독된다. 분기될 목적지 주소, 즉 IR의 하위 부분(170)이 PC로 적재된다. 다음 명령어 인출 사이클에서는 170 번지의 명령어가 인출되어 실행될 것이다.

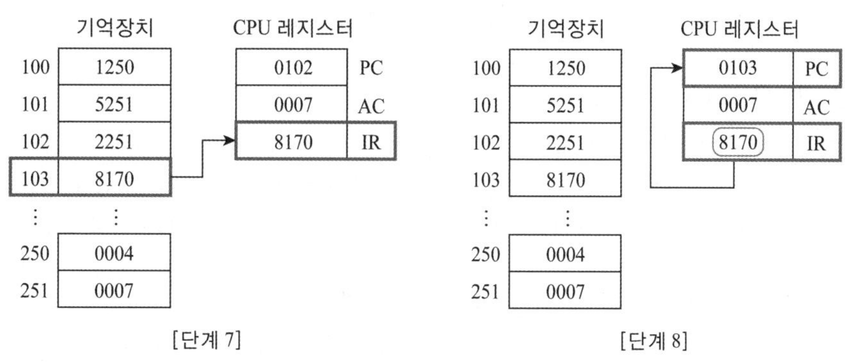

▲ JUMP 명령어의 동작

2 명령어 사이클

1. 명령어 사이클(instruction cycle)

프로그램 실행 과정에서 명령어는 1단계에서 명령어 인출을 수행하고, 2단계에서서는 명령어를 실행하였다. 명령어는 두 단계를 하나의 사이클로서 해서 명령어를 수행한다. 명령어 사이클을 구성하는 명령어 인출 단계는 인출 사이클(fetch cycle)이라고 하며, 명령어 실행 단계는 실행 사이클(execute cycle)이라고 한다. 다음 그림은 명령어 사이클의 동작 과정을 나타낸다.

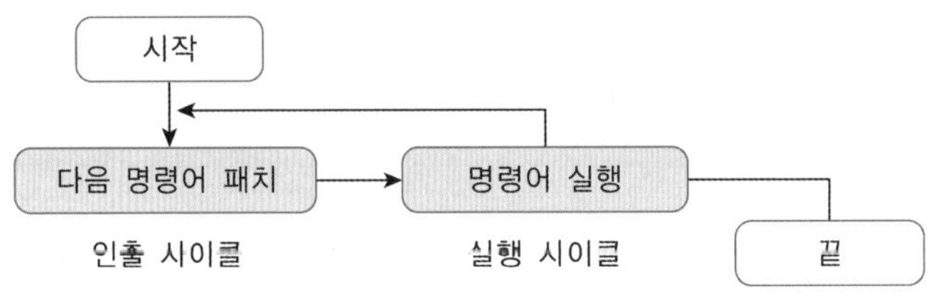

▲ 명령어 사이클의 동작 과정

2. 프로그램 실행의 계층 구조

인출 사이클과 실행 사이클 동작은 여러 개의 단계(step)들로 구성된다. 각 단계에서 실제 수행되는 동작을 마이크로-연산(Micro-Operations)이라 한다. 명령어를 실행하기 위한 가장 기본 단위의 프로그램 수행이다. 그래서 원자 연산(atomic operation)이라고도 한다. 다음 그림은 프로그램이 실행되는 계층 구조를 나타낸다. 명령어들은 명령어 사이클의 집합으로 구성된다. 명령어의 사이클에는 두 개의 명령어 부 사이클이 존재한다. 각 부 사이클의 수행도 여러 단계로 구분되며 이 구분이 마이크로 연산이다. 소프트웨어를 나누면 프로그램이 되고, 프로그램을 나누면 명령어가 된다. 명령어를 나누면 마이크로 연산이 되고, 마이크로 연산은 1클록(clock)에 수행된다.

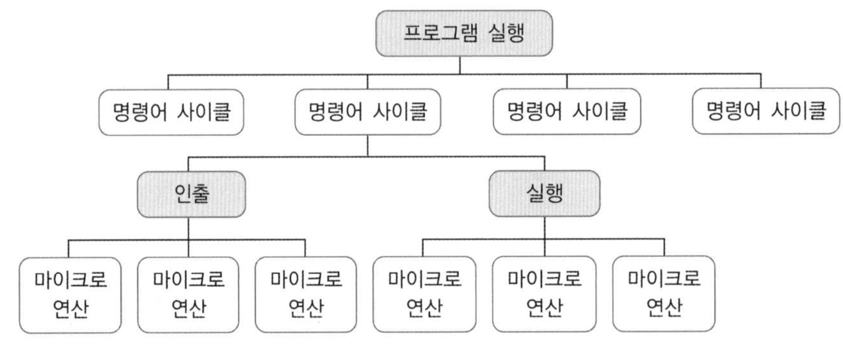

▲ 프로그램 실행의 계층 구조

3. 명령어 인출 사이클(Fetch Cycle)

인출 사이클은 중앙처리장치가 기억장치에서 명령어를 읽어오는 단계이다. 프로그램 카운터(PC)는 다음에 인출할 명령어의 주소를 가지고 있다. CPU는 PC가 가리키는 기억장소에서 명령어를 인출하고 PC 내용을 증가한다. 인출 명령어는 IR에 적재되고 CPU는 이를 해석하고, 요구된 동작을 수행한다. 다음의 표는 명령어 인출 사이클에 대한 마이크로 연산을 나타낸다. 1인출 사이클에서는 t_0, t_1 그리고 t_2의 중앙처리장치 클록(clock) 주기가 필요하다. 중앙처리장치 클록이 100MHz(클록 주기 = 10ns)이면, 인출 사이클 시간은 10ns × 3 = 30ns 소요된다.

CPU 클록	마이크로 연산	동작
t_0	MAR ← PC	PC 내용을 MAR로 전송
t_1	MBR ← M(MAR) PC ← PC + 1	• 해당 주소 기억장치의 명령어가 MBR로 적재 • PC의 내용을 1 증가
t_2	IR ← MBR	MBR에 있는 명령어가 IR로 이동

다음 그림은 인출 사이클에서 주소와 명령어 흐름을 나타낸다. t_0에서는 주소가 기억장치로 전달되고 있다. t_1, t_2에서는 기억장치에서 인출된 명령어가 MBR을 통해서 IR로 전달된다.

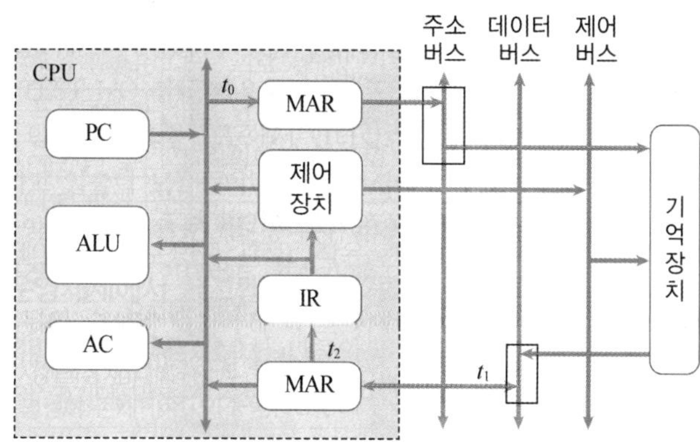

▲ 인출 사이클에서 주소와 명령어 흐름

4. 명령어 실행 사이클(Execution Cycle)

명령어를 실제적으로 실행하는 단계다. 중앙처리장치와 기억장치 간에 데이터가 전송된다. 중앙처리장치와 입출력 모듈 간에 데이터가 전송된다. 데이터에 대하여 지정된 산술 혹은 논리 연산이 수행된다. 제어 동작으로 점프(jump)와 같이 실행될 명령어의 순서가 변경될 때 사용된다. 실행 사이클에서 수행되는 마이크로-연산들은 명령어에 따라 다르다(외우지 말고 이해를 해야 한다).

명령어 중 ADD 명령어의 실행 사이클은 다음의 표와 같다. 기억장치에 저장된 데이터를 AC의 내용과 더하고, 그 결과를 다시 AC에 저장하는 명령이다(예 add 250).

CPU 클록	마이크로 연산	동작
t_0	MAR ← IR(addr)	버퍼 레지스터 MBR에 저장될 데이터의 기억장치 주소를 MAR로 전송
t_1	MBR ← M(MAR)	저장할 데이터를 MBR로 이동
t_2	AC ← AC+MBR	MBR 데이터와 AC의 내용을 더하고 결과값을 다시 AC에 저장

다음 그림은 ADD 명령어 실행 사이클 동안의 정보 흐름을 나타낸다. t_0에서는 주소가 기억장치로 전달되는 것을 보여주고, t_1, t_2는 명령어와 데이터의 흐름을 보여준다.

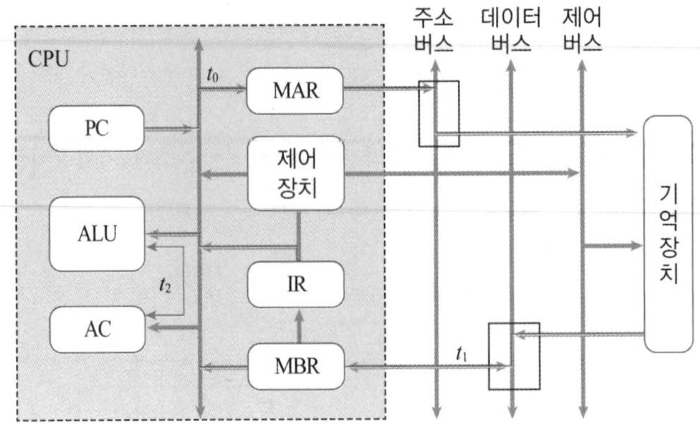

▲ ADD 명령어 실행 사이클 동안의 정보 흐름

3 명령어 집합

1. 개요

중앙처리장치가 수행할 동작을 정의하는 2진수 코드로 된 명령들의 집합을 명령어 집합(instruction set)이라고 한다. 기계 명령어(machine instruction)라고도 부르며, 일반적으로 어셈블리 코드(assembly code) 형태로 표현된다. 명령어 집합은 중앙처리장치의 사용목적, 특성에 따라 결정된다(CISC, RISC).

2. 명령어 집합 설계를 위해 결정되어야 할 사항

명령어 집합 설계를 위해 결정되어야 할 사항들은 다음과 같다.

- 연산 종류: 중앙처리장치가 수행할 연산들의 수와 종류 및 복잡도 등을 결정해야 한다(예 add, sub…).
- 데이터 형태: 연산을 수행할 데이터들의 형태, 데이터의 길이(비트 수), 수의 표현 방식 등을 고려해서 명령어들을 만들어야 한다(예 int, float…).
- 명령어 형식: 명령어의 길이, 오퍼랜드 필드들의 수와 길이 등을 고려한다(예 0/1/2/3-주소).
- 주소 지정 방식: 피연산자의 주소를 지정하는 방식을 고려해야 한다(예 직접, 간접…).

3. 명령어 집합의 특성

명령어는 연산 코드(Operation Code), 오퍼랜드(Operand)로 구성된다(예 add 250). 연산 코드는 수행될 연산을 지정하는데 연산자로고도 하며, 함수 연산 기능, 전달 기능, 제어 기능, 입출력 기능으로 분류한다. 오퍼랜드는 연산을 수행하는 데 필요한 데이터 혹은 데이터의 주소를 나타낸다. 중앙처리장치의 레지스터, 주기억장치, 혹은 입출력장치 등에 저장된 데이터 또는 주소가 된다. 다음 명령어 주소(Next Instruction Address)가 위치할 수 있다(예 jump).

4. 명령어 형식(instruction format)

명령어를 표현하는 형식은 여러 개의 필드(field)들로 나누어지며, 각 필드는 일련의 비트 패턴에 의해 표현된다. 명령어 내 필드들의 수와 배치 방식 및 각 필드의 비트 수에 의해서 명령어가 표현되는데, 이러한 표현 방법을 명령어 형식(instruction format)이라고 한다. 다음 그림은 세 개의 필드들로 구성된 16비트 명령어를 나타낸다. 하나의 연산코드와 두 개의 오퍼랜드가 존재하며, 16비트 명령어 길이가 하나의 단어(Word)가 된다. 예를 들어, 연산 코드가 4비트란 것은 16개(= 2^4)의 연산을 정의할 수 있음을 의미하고, 오퍼랜드가 4비트라는 것은 16개(= 2^4)의 메모리 주소(0번지부터 15번지까지)를 사용할 수 있음을 의미한다.

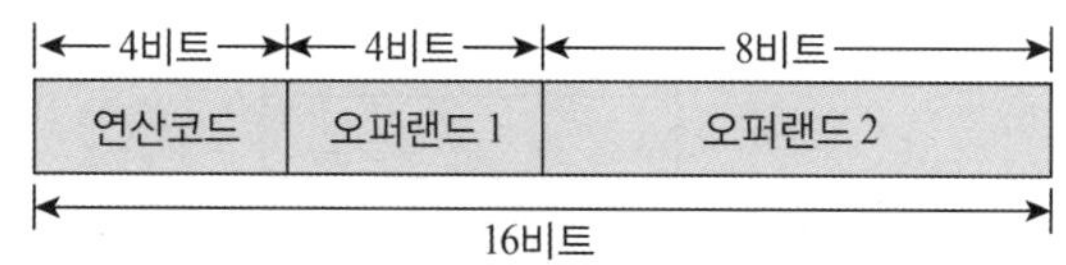

▲ 세 개의 필드들로 구성된 16비트 명령어

5. 명령어 집합에서 연산의 종류

명령이가 수행하는 연산은 함수 연산 기능, 전달 기능, 입출력 기능, 제어 기능의 연산 등이 있다. 함수 연산 기능(Functional Operation)은 중앙처리장치에서 산술 연산이나 논리 연산 명령 등이 해당된다(예 add). 전달 기능(Transfer operation)은 CPU와 주기억장치 사이, CPU 내의 레지스터 간의 정보 교환과 적재, 저장 기능을 수행한다. 전달 기능의 명령어에서는 정확한 데이터 전송을 위해서 근원지 오퍼랜드와 목적지 오퍼랜드의 위치가 명시되어야 한다(예 mov).

입출력 기능(Input/Output Operation)은 중앙처리장치와 외부(입출력) 장치들 간의 데이터 이동을 위한 명령어다. 분리형 입출력의 경우에는 별도의 입출력 명령어를 사용하지만, 기억장치-사상 입출력의 경우에는 일반적인 데이터 이동 명령어들을 동일하게 사용한다(예 int, 인터럽트 발생 명령어). 제어 기능(Control Operation)은 제어장치에서 수행되며 프로그램의 수행 흐름을 제어하는 데 사용한다. 프로그램 내의 명령어의 실행 순서를 변경하는 명령어로 분기, 서브루틴 호출이 대표적이다(예 jump).

6. 분기 명령어

오퍼랜드가 다음에 실행할 명령어 주소를 가지고 있으며, 명령어 내용에 따라서 무조건 오퍼랜드의 주소로 이동하거나 조건 만족 시에만 이동한다. 조건 분기는 조건 코드(condition code)와의 부합 여부에 따라서 분기가 결정되며, 조건 코드에는 zero(0), 부호(+, -), 오버플로우 플래그 등이 있다. branch는 이동 후 돌아오지 않는 것이고, subroutine은 이동 후 다시 돌아오는 것임에 유의한다(복귀 주소 저장 필요).

다음 그림은 다양한 분기의 형태를 나타낸다. 이를 정리하면 다음과 같다.

- 203번지의 BRZ(branch if zero) 211: 조건코드가 0이면, 211로 분기한다.
- 210번지의 BR(branch) 202: 무조건 분기 명령어로 무조건 202번지로 분기하라는 명령이다.
- 225번지의 BRE(branch if equal) R1, R2, 235: 실행 중에 비교(검사)와 분기 처리를 수행한다. 그래서 레지스터 R1과 레지스터 R2의 내용이 같다면, 235번지로 분기한다.

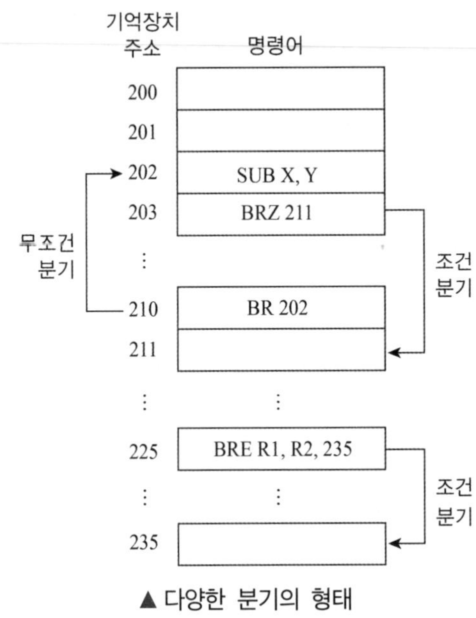

▲ 다양한 분기의 형태

7. 서브루틴 호출 명령어

호출 명령어(CALL 명령어)는 현재 PC 내용을 스택에 저장하고, 서브루틴의 시작 주소로 분기하는 명령어다. 복귀 명령어(RET 명령어)는 CPU가 원래 실행하던 프로그램으로 되돌아가도록 하는 명령어다.

CALL 명령어에 대한 마이크로-연산은 다음과 같다(예 PC = 100, SP = 200).

- t_0: MBR ← PC
- t_1: MAR ← SP, PC ← X
- t_2: M[MAR] ← MBR, SP ← SP - 1

RET 명령어의 마이크로-연산은 다음과 같다(예 SP = 199).

- t_0: SP ← SP + 1
- t_1: MAR ← SP
- t_2: PC ← M[MAR]

다음 그림은 서브루틴의 호출과 복귀 과정을 나타낸다.

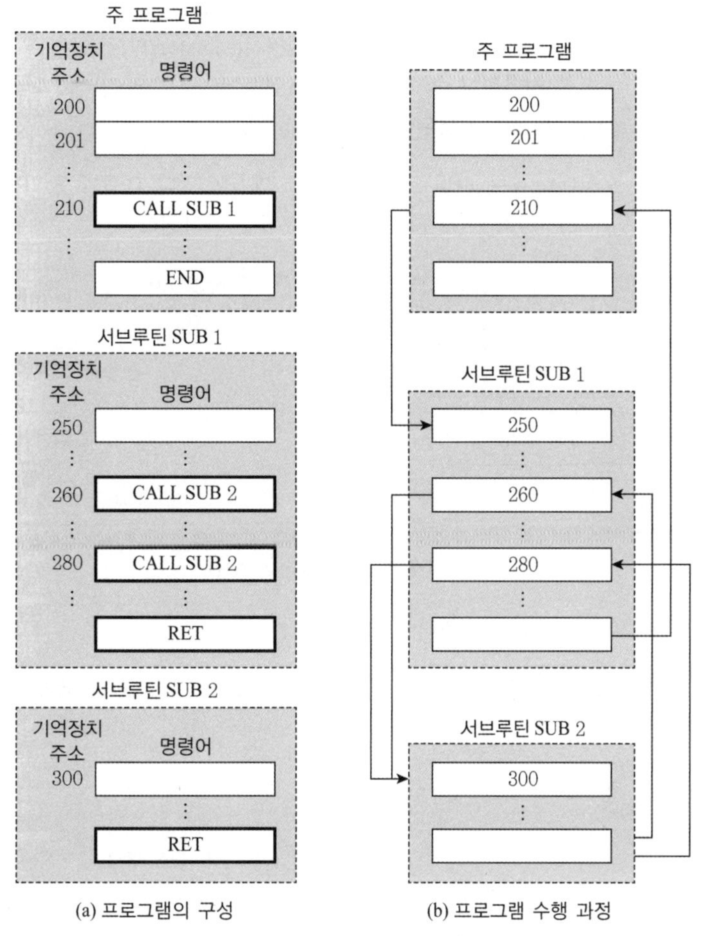

▲ 서브루틴의 호출과 복귀 과정

다음 그림은 서브루틴 수행 과정에서 스택의 변화를 나타낸다. 복귀 주소의 사용이 LIFO 구조임에 유의한다.

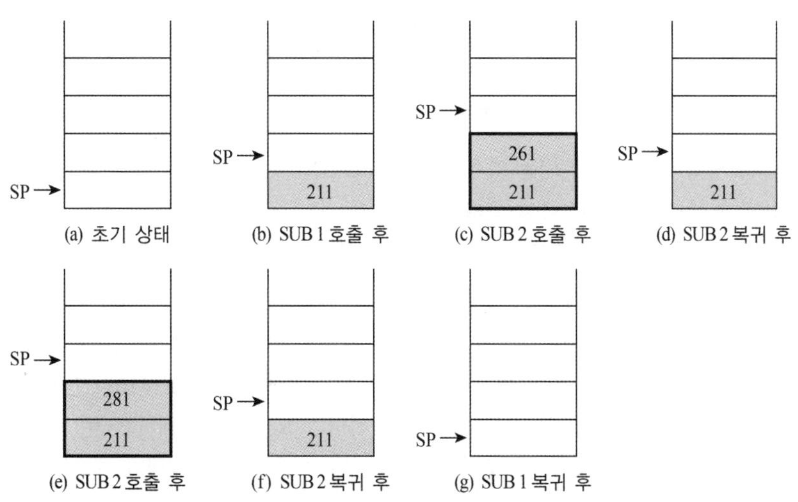

▲ 서브루틴 수행 과정에서 스택의 변화

8. 오퍼랜드 형태와 수에 따른 명령어 분류

오퍼랜드에 저장될 데이터 형태는 주소(addresses), 수(numbers), 문자(characters), 논리 데이터(logical data) 등이 될 수 있다. 주소(addresses)는 주기억장치의 주소이거나 레지스터(register)의 주소다. 수(numbers)는 정수 혹은 고정-소수점 수, 부동-소수점 수 등을 사용한다. 문자는 BCD, ASCII 코드가 사용된다. 그리고 논리 데이터(logical data)는 비트(bit) 혹은 플래그(flag) 등으로 사용된다(예 3bit shift).

오퍼랜드가 주소를 나타낼 때, 오퍼랜드 수에 따라 3, 2, 1, 0 주소 방식이 있다. 0 주소 방식은 스택(stack)을 사용하는 컴퓨터에서 사용된다. 다음 그림은 주소 수에 따른 명령어 분류를 나타낸다.

연산코드	주소 1	주소 2	주소 3	3-주소 명령어 형식
연산코드	주소 1	주소 2		2-주소 명령어 형식
연산코드	주소 1			1-주소 명령어 형식
연산코드				0-주소 명령어 형식

▲ 주소 수에 따른 명령어 분류

다음의 표는 주소 수에 따른 명령어 표현(어셈블리어 표현)을 나타낸다.

명령어 분류	어셈블리 언어로 명령어 표현
1-주소 명령어	LOAD X
2-주소 명령어	MOV X, Y
3-주소 명령어	ADD X, Y, Z

* 0-주소 명령어는 어셈블리어로 표현하지 않는다.

1-주소 명령어(1-address instruction)는 오퍼랜드 한 개만 포함하는 명령어로서, 오퍼랜드 형태는 주소다. 다음 그림은 1-주소 명령어의 형식의 예를 나타낸다. 명령어의 총 길이는 16비트로, 그 중에서 연산 코드가 5비트이고, 기억장치 주소는 11비트다. 연산의 개수는 32개(= 2^5)이고, 주소 지정 가능한 기억장치의 수는 2048(= 2^{11})개다.

5비트	11비트
연산코드	기억장치 주소

▲ 1-주소 명령어의 형식의 예

어셈블리 언어로 1-주소 명령어를 표현한 예는 다음과 같다. LOAD는 연산 코드에 해당되며, X는 유일한 주소로 존재한다. X번지의 데이터를 누산기에 저장하는 명령어이다.

```
LOAD   X ; AC ← M[X]
```

2-주소 명령어(two-address instruction)는 오퍼랜드 2개를 포함하는 명령어 형식으로 오퍼랜드 2개 모두 주소를 저장하데 사용한다. 다음 그림은 2-주소 명령어 형식 예를 나타낸다. 명령어의 길이는 16비트이고 연산 코드는 5비트다. (a)는 두 오퍼랜드 모두 레지스터 번호인 경우이고, (b)는 하나의 오퍼랜드가 레지스터이고, 또 다른 하나가 기억장치 주소인 경우의 명령어 형식이다. 예를 들어, 레지스터가 3비트라는 의미는 8개의 레지스터를 가지는 레지스터 세트가 존재함을 의미한다.

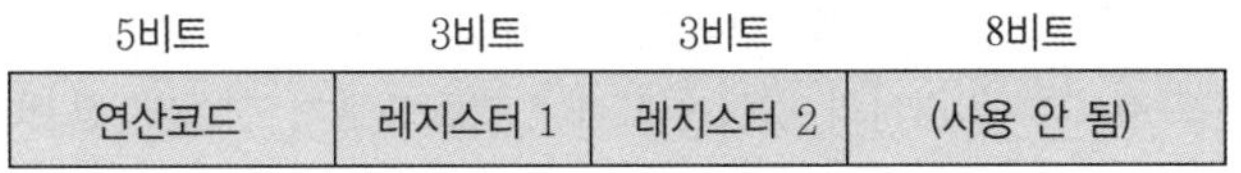

(a) 두 개의 레지스터 오퍼랜드를 가지는 경우

5비트	3비트	8비트
연산코드	레지스터	기억장치 주소

(b) 한 오퍼랜드는 기억장치 주소인 경우

▲ 2-주소 명령어 형식 예

어셈블리 언어로 2-주소 명령어를 표현한 예는 다음과 같다. X, Y의 두 개 변수가 주소임에 유의한다. Y번지의 기억장치 데이터를 X 번지의 기억장치로 이동한다.

```
MOV   X, Y ; M[X] ← M[Y]
```

3-주소 명령어(three-address instruction)는 오퍼랜드 3개가 존재하며 레지스터의 주소를 저장하는 명령어 형식이다. 다음 그림은 3-주소 명령어를 나타낸다. 명령어의 총 길이는 16비트이고 연산코드는 4비트, 3개의 레지스터의 길이는 각 4비트씩이다. 각 16(= 2^4)개의 레지스터의 번호를 저장한다.

4비트	4비트	4비트	4비트
연산코드	레지스터 1	레지스터 2	레지스터 3

▲ 3-주소 명령어

어셈블리 언어로 3-주소 명령어를 표현한 예는 다음과 같다. X, Y, Z가 주소를 나타낸다. Y와 Z번지의 데이터를 덧셈해서 X번지에 저장한다.

```
ADD   X, Y, Z ; M[X] ← M[Y] + M[Z]
```

9. 명령어 형식이 프로그래밍에 미치는 영향

오퍼랜드의 개수 0, 1, 2, 3에 따라서 작성된 프로그램의 특성이 달라진다. 3가지 주소 형식으로 다음의 수식 연산의 프로그램을 비교해보자. 프로그램에서 사용되는 어셈블리 명령어는 다음의 표와 같다.

X = B*(C + D*E - F/G)

명령어	동작
ADD	덧셈
SUB	뺄셈
MUL	곱셈
DIV	나눗셈
MOV	데이터 이동
LOAD	기억장치로부터 데이터 적재
STOR	기억장치로 데이터 저장

다음 그림은 0-주소 명령어를 사용한 프로그램을 나타낸다. 해당 프로그램은 스택을 이용하여 X = B*(C + D*E - F/G) 연산을 수행하는 프로그램이다. 명령어의 길이는 12개로 프로그램이 길이가 긴 것에 유의한다.

```
100  PUSH B       ; 스택에 B가 입력됨
101  PUSH C       ; 스택에 C가 입력됨
102  PUSH D       ; 스택에 D가 입력됨
103  PUSH E       ; 스택에 E가 입력됨
104  MUL          ; E와 D를 연속해서 POP하고 곱셈을 수행한 후 결과를 PUSH
105  ADD          ; E*D의 결과와 C를 연속해서 POP하고 더한 후 결과를 PUSH
106  PUSH F       ; 스택에 F가 입력됨
107  PUSH G       ; 스택에 G가 입력됨
108  DIV          ; G와 F를 연속해서 POP하고 나눗셈을 수행한 후 결과를 PUSH
109  SUB          ; F/G와 C + E*D를 연속해서 POP하고 뺄셈을 수행한 후 결과를 PUSH
110  MUL          ; (C + D*F - E/G)와 B를 연속해서 POP하고 곱셈을 수행한 후 결과를 PUSH
111  POP          ; 기억장치 X번지에 저장하기 위해 결과를 POP
```

▲ 0-주소 명령어를 사용한 프로그램

다음 그림은 스택에서 0-주소 명령어 프로그램의 동작 과정을 나타낸다. 스택을 이용하려면 중위표기식을 후위표기식으로 바꿔주어야 함에 유의한다.

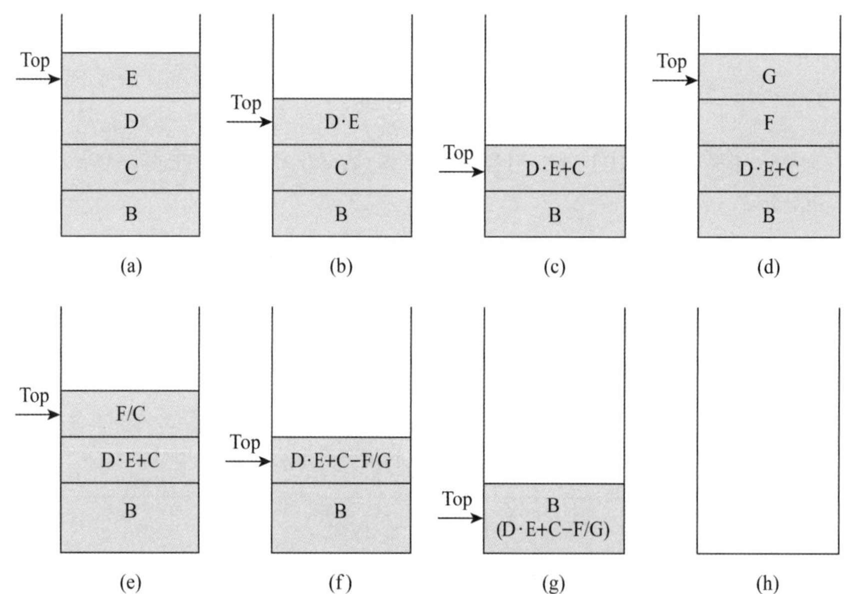

▲ 스택에서 0-주소 명령어 프로그램의 동작 과정

다음 그림은 1-주소 명령어를 사용한 프로그램을 나타낸다. 프로그램의 전체길이는 9이며, M[A] 형식은 기억장치 A 번지에 저장된 데이터 내용을 나타낸다. T는 기억장치 내의 임시 저장장소의 주소를 나타낸다.

```
100  LOAD F        ; AC ← M[F]
101  DIV G         ; AC ← AC/M[G]
102  STOR T        ; M[T] ← AC
103  LOAD D        ; AC ← M[D]
104  MUL E         ; AC ← AC*M[E]
105  ADD C         ; AC ← AC+M[C]
106  SUB T         ; AC ← AC-M[T]
107  MUL B         ; AC ← AC*M[B]
108  STOR X        ; M[X] ← AC
```

▲ 1-주소 명령어를 사용한 프로그램

다음 그림은 2-주소 명령어를 사용한 프로그램을 나타낸다. M[A]는 기억장치 A 번지의 내용을 나타내며, R1, R2는 CPU내의 레지스터를 나타낸다. 2-주소 명령어를 사용하는 프로그램에서는 오퍼랜드가 2개 존재하는 것을 확인할 수 있다. 프로그램의 길이는 8이 된다. 1-주소 명령어와 비교해 보면 그 길이가 줄어든 것을 확인할 수 있다.

```
100  MOV R1, D     ; M[R1] ← M[D]
101  MUL R1, E     ; M[R1] ← M[R1] * M[E]
102  MOV R2, F     ; M[R2] ← M[F]
103  DIV R2, G     ; M[R2] ← M[R2] / M[G]
104  SUB R1, R2    ; M[R1] ← M[R1] - M[R2]
105  ADD R1, C     ; M[R1] ← M[R1] + M[C]
106  MUL R1, B     ; M[R1] ← M[R1] * M[B]
107  MOV X, R1     ; M[X] ← M[R1]
```

▲ 2-주소 명령어를 사용한 프로그램

다음 그림은 3-주소 명령어를 사용한 프로그램을 나타낸다. 세 개의 오퍼랜드가 사용되며, 이 오퍼랜드들은 모두 주소를 나타낸다. R1과 R2는 CPU내의 레지스터다. 전체 프로그램의 길이는 5로, 앞의 두 방법과 비교해서 길이가 짧아졌음에 유의한다.

```
100  MUL D, E, R1     ; M[R1] ← M[D] * M[E]
101  ADD C, R1, R1    ; M[R1] ← M[C] + M[R1]
102  DIV F, G, R2     ; M[R2] ← M[F] / M[G]
103  SUB R1, R2, R1   ; M[R1] ← M[R1] / M[R2]
104  MUL B, R1, X     ; M[X] ← M[B] - M[R1]
```

▲ 3-주소 명령어를 사용한 프로그램

주소 개수에 따른 장단점은 다음과 같다.

- 주소 수가 많아질수록 이를 저장할 오퍼랜드의 수가 많아지기 때문에 명령어가 더 복잡해지는 것을 알 수 있다. 오퍼랜드로 레지스터를 사용하게 되면 레지스터 수가 많아져 연산 속도가 빨라지고 프로그램이 짧아져서, 프로그램 당 명령어 수가 감소하게 된다. 해당 방식은 CISC에서 사용한다.
- 주소 수가 적은 명령어는 오퍼랜드의 수가 적어서 간단하므로 명령어 인출과 실행 속도가 높아진다. 그러나 프로그램의 길이가 증가한다. 해당 방식은 RISC에서 사용한다.

10. 명령어 형식(Instruction Format)

명령어 내의 비트 배열을 명령어 형식(format)이라고 한다. 연산 코드의 비트 길이, 오퍼랜드의 수와 길이에 따라 명령어 형식이 달라 질 수 있다. 명령어 길이는 다음과 같은 요소에 영향을 받는다.

- 기억장치와 관련된 명령어 길이: 기억장치 용량과 기억장치 조직에 의해서 주소를 지정하는 오퍼랜드 부분이 영향을 받게 된다. 기억장치의 용량이 많은 경우, 주소의 수가 많아지므로 오퍼랜드의 비트 수가 많아져야 하기 때문이다.
- 버스 조직(bus structure)에 따른 명령어 길이: 한 번에 데이터를 운반할 수 있는 능력을 나타내는 것이 버스 조직이므로, 데이터를 전송하는 명령어의 경우 이에 맞는 명령어의 길이가 필요할 것이다.
- CPU의 복잡도(complexity)와 CPU의 속도에 따른 명령어 길이: 명령어는 CPU가 한 번에 읽고 쓸 수 있는 단위로 수행된다. 그리고 CPU가 한 번에 읽고 쓸 수 있는 비트 수를 단어(Word)라고 한다. 따라서 단어의 크기에 따라서 명령어의 길이가 정해진다(CISC와 RISC).

11. 명령어의 종류에 따른 명령어 형식

명령어 내 비트들의 할당에 영향을 주는 요소들은 다음과 같다.

- 주소 지정 방식의 수: 명시적일 경우 한 개 또는 그 이상의 비트들이 필요하다(addressing mode).
- 명령어 내 오퍼랜드의 수: 오퍼랜드가 주소를 나타내는 경우, 주소의 수가 적으면 프로그램의 길이가 더 길어지고 복잡해진다.
- 오퍼랜드 저장에 사용되는 레지스터의 수: 처리할 데이터를 CPU로 가져오는 데 사용할 레지스터다. AC(누산기)를 사용하는 경우 오퍼랜드 주소들 중의 한 개는 묵시적으로 지정되어, 명령어 비트를 소비하지 않는다. 따라서, 오퍼랜드 참조를 위하여 사용되는 레지스터들이 많아질수록 사용되는 비트들의 수는 적어진다.
- 레지스터 집합의 수: 보통 8 또는 16개의 범용 레지스터 집합을 가지고 있다. 데이터의 저장과 변위 주소 지정을 위한 주소의 저장에 사용할 수 있다. 레지스터 집합들이 기능적으로 분리되면 명령어에서 사용되는 비트의 수가 줄어든다(register set).
- 주소 영역(address range): 액세스할 수 있는 주소 범위는 주소 비트들의 수와 관계가 있다. 직접 주소 지정은 심각한 제한 요인이 된다.
- 주소 세분화(address granularity): 주소 지정 단위로 바이트 혹은 단어를 사용하면 문자 조작을 더 편리하게 할 수 있다. 그러나 일정한 크기의 기억장치에 대하여 주소 비트들이 더 많이 필요하다.

명령어 형식에서 서로 다른 길이를 가지는 경우를 가변 길이 명령어라고 한다. 길이가 서로 다른 더 많은 종류의 연산 코드들을 쉽게 제공해줄 수 있다. 레지스터와 기억장치 참조들을 주소 지정 방식들과 다양하게 결합함으로써 주소 지정이 더욱 융통적이다. 이에 따라 CPU의 복잡도가 증가한다.

4 명령어 집합 컴퓨터

1. 복잡 명령어 집합 컴퓨터(CISC)

복잡한 명령어 집합을 갖는 중앙처리장치 구조를 복잡 명령어 집합 컴퓨터(CISC)라고 한다. 마이크로 프로그래밍을 통하여 다양한 길이의 명령어 형식 등의 여러 가지의 명령어와 번지지정 모드를 구현할 수 있다(가변 길이). 연산에 대해서는 레지스터와 레지스터 연산, 레지스터와 메모리 연산, 메모리와 메모리 연산을 모두 갖추고 있는 것이 보통이다. 오퍼랜드는 2개에서 3개까지 지정할 수 있는 경우가 많다. 이것은 3-주소 명령어 한 개를 이용할 수 있다. CISC는 처리속도를 향상시키기 위해서 마이크로 프로그램의 프로시저(procedure)나 서브루틴 등을 빠른 속도의 ROM에 마이크로 코드화하여 구현한다(micro-programmed).

복잡 명령어 집합 컴퓨터의 사용에 대한 단점은 다음과 같다. 첫째는 단순화 측면이다. 가정은 고급 언어 프로그램을 기계 언어로 변경해주는 컴파일러에서 컴파일 과정이 단순화되면 그 만큼 컴퓨터 성능이 유리하다는 것이다. 그러나 실제는 CISC 기반의 프로그램에서는 프로그램 코드의 수를 최소화하고, 명령어의 실행 횟수를 줄이는 등의 단순화 작업을 통한 최적화가 쉽지 않다. 둘째는 짧은 프로그램 측면이다. 가정은 프로그램이 기억장치를 적게 차지하므로 자원이 절약된다는 것이다. 실제는 기억장치의 가격이 하락함에 따라 CISC의 짧은 프로그램의 장점은 효력이 없다. 셋째는 빠른 실행속도 측면이다. 가정은 한 개의 명령어를 실행하는 것이 여러 개의 기본 명령어들보다 더 빨리 실행되므로 CISC가 명령어 실행이 빠르다는 것이다. 실제는 속도의 증가는 복잡한 기계 명령어의 능력에 기인한 것이 아니라 고속의 제어장치가 존재하기 때문이다. 결론은 CISC는 여전히 제어기의 구성이 복잡하고 명령 단위의 수행 시간도 길어지게 되면서 고속을 요구하는 현대 컴퓨터에 최적의 구성을 만족하지 못한다.

2. 축소 명령어 집합 컴퓨터(RISC)

중앙처리장치의 명령어 개수를 줄여 하드웨어 구조를 좀 더 간단하게 만드는 방식을 축소 명령어 집합 컴퓨터(RISC)라고 한다. RISC는 명령어가 단순하므로 사이클당 한 명령어 실행(one instruction per cycle)이 가능하다. 즉, 기계 사이클당 하나의 기계어가 실행된다. 결과적으로 CISC의 마이크로 명령어보다 덜 복잡하고, 또한 그만큼 빨리 수행될 것이다. 많은 수의 레지스터를 사용한다. 단순 명령어 특징은 많은 비트를 필요로 하지 않아서, 레지스터 간 연산(register to register operations)이 가능하다[메모리 접근은 처음(load)과 마지막(store)에만 수행]. 또한 제어장치도 간단해질 것이다. 주소 지정방식에 있어서도, 단순하게 레지스터 주소 지정 방식을 사용하므로 적은 수의 간단한 주소 지정 방식을 사용 할 수 있다. 그리고 적은 수의 단순한 명령어 형식을 사용할 수 있다. 그래서 연산 코드의 해독과 레지스터 오퍼랜드의 액세스가 동시에 일어나는 게 가능하다(파이프라인이 용이). RISC는 대부분의 현대 프로세서 디자인에 채택되고 있고, 또 비교적 전력 소모가 적기 때문에 임베디드 프로세서에도 채택되고 있다.

CHAPTER 09 주소 지정 기법(Addressing Mode)

1 개요

1. 정의

주소(address)는 데이터가 저장된 위치이다. 주소 지정 방식(addressing mode)은 주소를 지정하는 것이고, 다양한 주소 지정 방식을 사용한다. 주소 지정 방식이 다양한 이유는 제한된 명령어 비트들을 적절하게 이용하여 "효율적으로 오퍼랜드를 지정"하고 "더 큰 용량의 기억장치를 사용"할 수 있도록 하기 위한 것이다. 다음의 표는 주소 지정 방식의 표기 방법을 나타낸다.

정의 내용	표기 방법
유효 주소(기억장치의 실제 주소)	EA
기억장치 주소	A
레지스터 번호	R
기억장치 A번지의 내용	(A)
레지스터 R번지의 내용	(R)

▲ 주소 지정 방식의 표기 방법

2. 주소 지정 방식의 분류

주소 지정 방식은 다음과 같이 7가지 형태로 분류된다.

- 직접 주소 지정 방식(Direct Addressing Mode)
- 간접 주소 지정 방식(Indirect Addressing Mode)
- 묵시적 주소 지정 방식(Implied Addressing Mode)
- 즉치 주소 지정 방식(Immediate Addressing Mode)
- 레지스터 주소 지정 방식(Register Addressing Mode)
- 레지스터 간접 주소 지정 방식(Register-Indirect Addressing Mode)
- 변위 주소 지정 방식(Displacement Addressing Mode): 상대 주소 지정 방식(Relative Addressing Mode), 인덱스 주소 지정 방식(Indexed Addressing Mode), 베이스 레지스터 주소 지정 방식(Base-Register Addressing Mode)

2 주소 지정 방식

1. 직접 주소 지정 방식(Direct Addressing Mode)

오퍼랜드 필드의 내용이 유효 주소가 되는 방식으로 가장 일반적인 개념의 주소 방식이다. 지정하려는 위치를 오퍼랜드에서 직접 표현하는 형식으로 가장 간단한 주소 지정 방식이다(예 add 250).

EA = A: 유효 주소 = 기억장치 주소

데이터 인출을 위해 오퍼랜드에 저장된 해당 주소의 기억장치에 한 번만 액세스한다. 연산 코드를 제외하고 남은 비트들이 주소 비트로 사용되기 때문에 지정할 수 있는 기억장소의 수가 제한된다. 따라서 많은 수의 주소를 지정할 수 없다(예 오퍼랜드 비트 = 8비트, 기억장소 주소 = 16비트). 다음 그림은 직접 주소 지정 방식의 동작을 나타낸다.

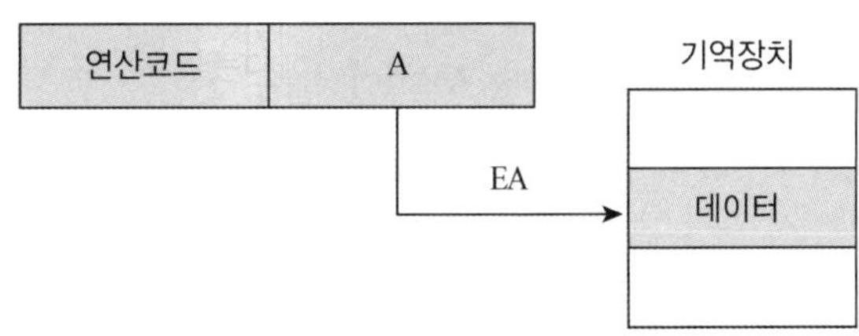

▲ 직접 주소 지정 방식의 동작

2. 간접 주소 지정 방식(Indirect Addressing Mode)

오퍼랜드에 표현된 값이 실제 데이터가 기억된 주소가 아니고, 실제 데이터의 주소가 위치한 주소를 나타낸다. 오퍼랜드 필드에 유효 주소가 저장되어 있는 주소가 저장되어 있고, 이 주소가 가리키는 기억 장소에서 유효 주소를 얻을 수 있다(예 add 250).

EA = (A): 유효 주소 = 기억장치 A번지의 내용

다음 그림은 간접 주소 지정 방식의 동작을 나타낸다. 두 번의 기억장치 액세스가 필요하고, 첫 번째는 유효 주소가 저장된 곳에 액세스하는 것이고, 두 번째는 유효 주소에 액세스하여 실질적인 데이터를 얻는 것이다.

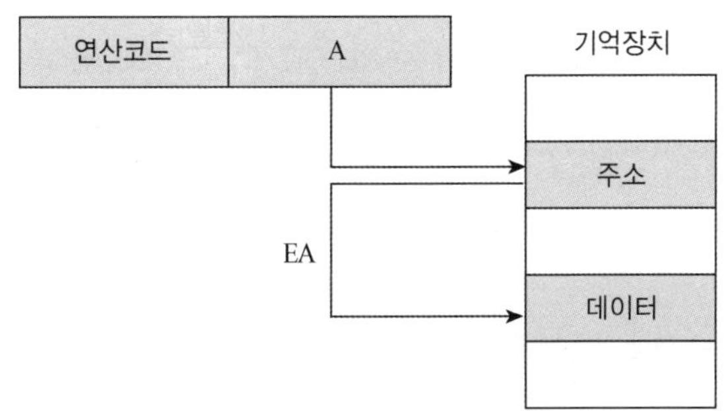

▲ 간접 주소 지정 방식의 동작

간접 주소 지정 방식의 특징 중 장점은 최대 기억장치 용량이 중앙처리장치가 한 번에 액세스할 수 있는 단어의 길이에 의하여 결정된다는 것이다. "기억장치의 구조 변경" 등을 통해 확장이 가능하다. 즉, 단어 길이가 n비트라면, 최대 2^n개의 기억장소를 주소지로 만들 수 있다(예 단어 길이 = 16비트, 기억장소 주소 = 16비트). 단점은 실행 사이클 동안 두 번의 기억장치 액세스가 필요하다. 그리고 명령어 형식에서도 주소 지정 방식을 표시하는 "간접비트(I) 필드가 필요"하다(addressing mode를 위해서는 필드가 필요하므로 단점이 아닐 수도 있음).

다음 그림은 간접 주소 지정 방식을 사용하는 컴퓨터에서의 명령어 형식을 나타낸다. I = 0이면 직접 주소 지정 방식이고, I = 1이면 간접 주소 지정 방식이 된다.

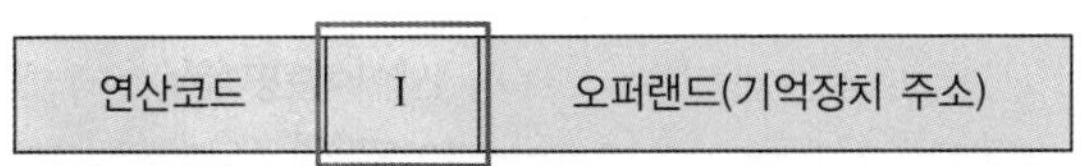

▲ 간접 주소 지정 방식을 사용하는 컴퓨터에서의 명령어 형식

3. 묵시적 주소 지정 방식(Implied Addressing Mode)

명령어를 실행하는데 필요한 데이터의 위치가 별도로 지정되어 있지 않고, 명령어의 연산 코드가 내포하고 있는 방법이다(예 스택). 명령어 길이가 짧지만, 명령어의 종류가 제한되어 있다.

4. 즉시 주소 지정 방식(Immediate Addressing Mode)

데이터가 명령어에 포함되어 있는 방식으로, 오퍼랜드 필드의 내용이 연산에 사용할 실제 데이터가 된다. 직접 데이터 형식이라고도 한다. 프로그램에서 레지스터들이나 변수의 초기값을 어떤 상수값(constant value)으로 설정하는데 유용하게 사용된다(예 mov R, 10). 데이터를 인출하기 위해 기억장치에 액세스할 필요가 없지만, 상수 값의 크기가 오퍼랜드 필드의 비트 수에 의하여 제한된다(예 오퍼랜드 비트 = 8비트, 상수 값 = $2^8 - 1$). 다음 그림은 즉시 주소 지정 방식을 나타낸다.

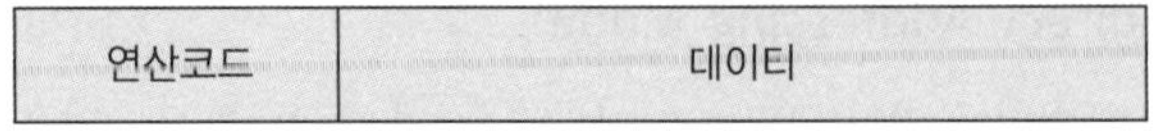

▲ 즉시 주소 지정 방식

5. 레지스터 주소 지정 방식(Register Addressing Mode)

연산에 사용할 데이터가 레지스터에 저장되어 있는 방식이다. 오퍼랜드 부분이 레지스터 번호를 나타내며, 유효 주소는 레지스터 번호이다.

EA = R: 유효 주소 = 레지스터 번호

오퍼랜드의 비트수가 k비트이면, 주소 지정에 사용할 수 있는 레지스터들의 수는 2^k개다(예 오퍼랜드 비트 = 3비트, 레지스터 개수 = 8개). 비트 수가 적어도 되며, 데이터 인출을 위하여 기억장치에 액세스할 필요가 없다. 데이터를 저장할 수 있는 공간이 중앙처리장치 내부의 레지스터로 제한된다. 다음 그림은 레지스터 주소 지정 방식의 동작을 나타낸다.

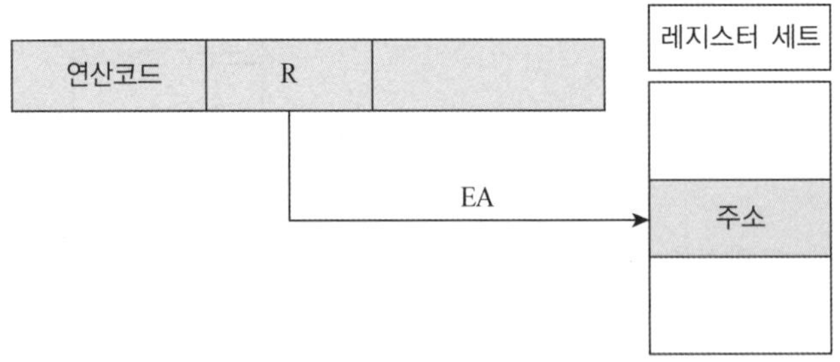

▲ 레지스터 주소 지정 방식의 동작

6. 레지스터 간접 주소 지정 방식(Register-Indirect Addressing Mode)

오퍼랜드 필드가 레지스터 번호를 가리키고, 그 레지스터에 저장된 내용이 유효주소다. 주소를 지정할 수 있는 기억장치 영역이 확장된다. 레지스터의 길이에 따라 주소 지정 영역이 결정된다.

EA = (R): (유효 주소 = 레지스터 R번지의 내용)

레지스터의 길이가 16비트라면, 주소 지정 영역은 2^{16}비트(64K 비트)다(예 기억장소 주소 = 16비트). 간접 주소 지정 방식은 기억장치에 두 번 액세스하지만, 레지스터 간접 주소 지정 방식은 기억장치에 한 번만 액세스한다. 다음 그림은 레지스터 간접 주소 지정 방식의 동작을 나타낸다.

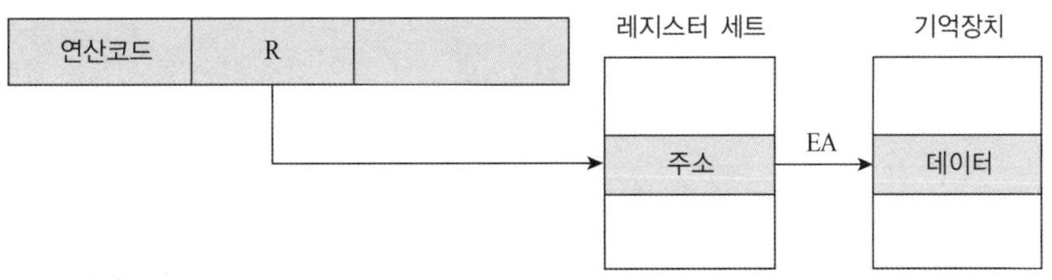

▲ 레지스터 간접 주소 지정 방식의 동작

7. 변위 주소 지정 방식(Displacement Addressing Mode)

"직접 주소 지정 방식"과 "레지스터 간접 주소 지정 방식"을 조합한 것이다. 오퍼랜드 필드는 레지스터 번호 필드와 변위(displacement) 값 필드로 2개가 존재한다. 두 오퍼랜드의 조합으로 유효 주소가 생성 된다. R이 가리키는 레지스터의 내용과 변위 값 A를 더하여 유효 주소를 결정한다. 다음 그림은 변위 주소 시정 방식의 동직을 나타넨다.

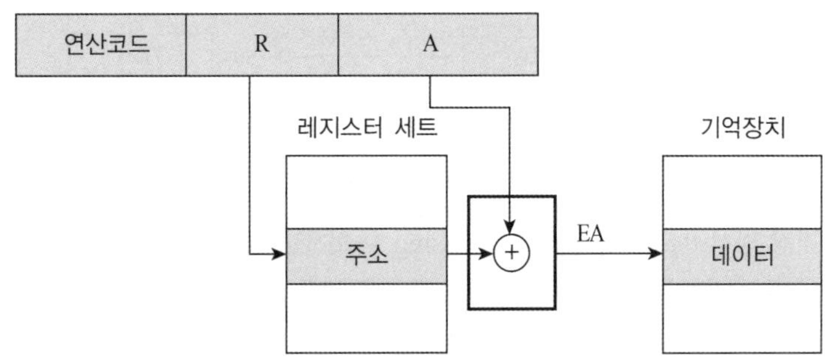

▲ 변위 주소 지정 방식의 동작

사용하는 레지스터에 따라 여러 종류의 변위 주소 지정 방식으로 정의할 수 있다.

- 상대 주소 지정 방식에서는 프로그램 카운터를 사용한다.
- 인덱스 주소 지정 방식에서는 인덱스 레지스터를 사용한다.
- 베이스-레지스터 주소 지정 방식에서는 베이스 레지스터를 사용한다.

상대 주소 지정 방식(Relative Addressing Mode)은 프로그램 카운터(PC)를 레지스터로 사용한다. 변위 값 A는 2의 보수이고 $A \geq 0$이면, 앞(forward) 방향으로 분기하고, $A < 0$이면 후(backward) 방향으로 분기한다(예 분기 명령어에 사용).

EA = A + (PC): 유효 주소 = 기억장치 주소 + 프로그램 카운터의 내용

예를 들어, JUMP 명령어가 450번지에 저장되었다면, 이 명령어가 인출된 후, PC 내용이 451이 되었을 때를 생각해 보자. 오퍼랜드 필드에서 A가 +21이라고 가정하면 분기 목적지 주소는 472(= 451 + 21)번지가 된다. 만약 오퍼랜드 필드에서 A가 -50이면 분기 목적지 주소는 401(= 451 - 50)번지가 될 것이다. 동작 원리는 분기를 할 때 주소를 지정해서 하지 않고 PC를 이용해서 한다는 것이다. 상대 주소 지정 방식은 전체 기억장치 주소가 명령어에 포함되어야 하는 일반적인 분기 명령어보다 적은 수의 비트만 있으면 된다. 일반 분기의 경우 분기 범위가 오퍼랜드 필드의 길이에 의하여 제한을 받는다.

인덱스 주소 지정 방식(Indexed Addressing Mode)는 인덱스 레지스터(IX)의 내용과 변위 A를 더하여 유효 주소를 결정한다. "인덱스 레지스터"는 인덱스(index) 값을 저장하는 특수 레지스터다(예 배열의 인덱스에 사용).

EA = (IX) + A: (유효 주소 = 인덱스 레지스터의 내용 + 기억장치 주소)

명령어가 실행될 때마다 "인덱스 레지스터의 내용이 자동적으로 증가 혹은 감소"하는 이 방식은 명령어가 실행되면 다음 두 연산이 연속적으로 수행한다.

EA = (IX) + A, IX ← IX + 1

다음 그림은 인덱스 주소 지정 방식의 동작을 나타낸다. 데이터 배열이 기억장치의 500번지부터 저장한다. 명령어의 주소 필드에 변위 값 500이 포함되어 있을 때, (IX)이 3이라면 데이터 배열의 4번째 데이터에 액세스한다(예 문자 배열("abcd")을 대문자로 바꿀 때 사용).

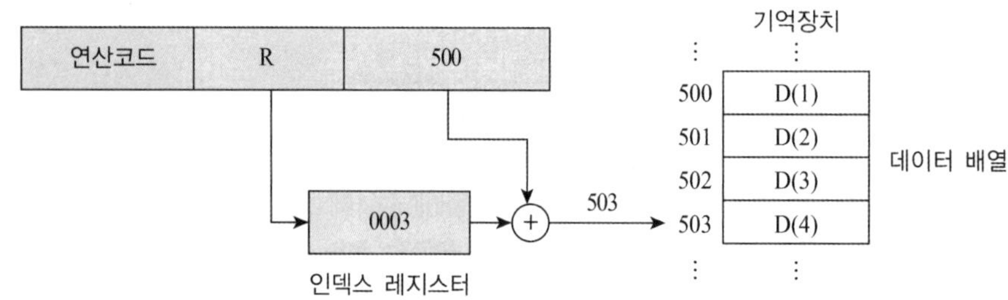

▲ 인덱스 주소 지정 방식의 동작

베이스 레지스터 주소 지정 방식(Base-Register Addressing Mode)는 베이스 레지스터(base-register)의 내용과 변위 A를 더하여 유효 주소를 결정하는 방식으로 "서로 다른 세그먼트 내 프로그램의 위치를 지정"하는 데 사용한다(예 프로그램 재배치).

EA = (BR) + A: (유효 주소 = 베이스 레지스터의 내용 + 기억장치 주소)

다음 그림은 베이스 레지스터 주소 지정 방법의 동작을 나타낸다. 예를 들어, 프로그램이 재배치되면 프로그램 안에 데이터의 위치도 바뀌는데 베이스 레지스터 주소 지정 방식을 사용하여 베이스 레지스터 값만 바꿔주면 프로그램 내의 데이터의 상대적 위치는 바뀌지 않는다.

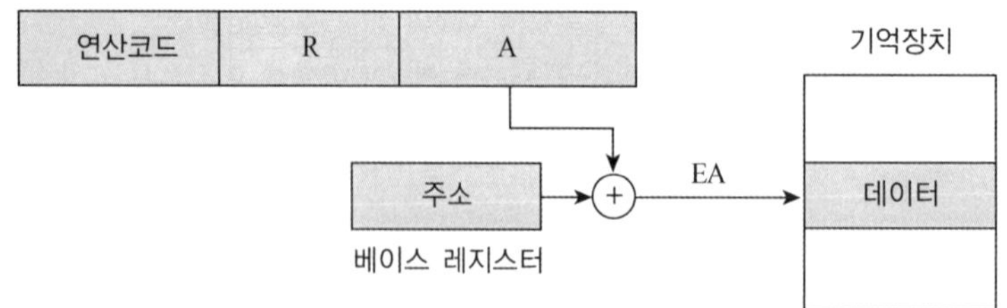

▲ 베이스 레지스터 주소 지정 방법의 동작

요약정리

주소 지정 방식의 분류

1. 지접 주소지정 방식(Direct Addressing Mode): EA = A
2. 간접 주소지정 방식(Indirect Addressing Mode): EA = (A)
3. 묵시적 주소지정 방식(Implied Addressing Mode)
4. 즉치 주소지정 방식(Immediate Addressing Mode)
5. 레지스터 주소지정 방식(Register Addressing Mode): EA = R
6. 레지스터 간접 주소지정 방식(Register-Indirect Addressing Mode): EA = (R)
7. 변위 주소지정 방식(Displacement Addressing Mode)
   - 상대 주소지정 방식(Relative Addressing Mode): EA = A + (PC)
   - 인덱스 주소지정 방식(Indexed Addressing Mode): EA = A + (IX)
   - 베이스 레지스터 주소지정 방식(Base-Register Addressing Mode): EA = A + (BR)

주요개념 셀프체크

- 직접 vs. 간접
- 묵시적 vs. 즉치
- 레지스터 vs. 레지스터 간접
- 변위 - 상대, 인덱스, 베이스 레지스터

핵심 기출

컴퓨터 명령어 처리 시 필요한 유효 주소(Effective Address)를 찾기 위한 주소 지정 방식에 대한 설명으로 옳지 않은 것은?

2019년 지방직

① 즉시 주소 지정 방식(Immediate Addressing Mode)은 유효 데이터가 명령어 레지스터 내에 있다.
② 간접 주소 지정 방식(Indirect Addressing Mode)으로 유효 데이터에 접근 하는 경우 주기억장치 최소 접근 횟수는 2이다.
③ 상대 주소 지정 방식(Relative Addressing Mode)은 프로그램 카운터와 명령어 내의 주소 필드 값을 결합하여 유효 주소를 도출한다.
④ 레지스터 주소 지정 방식(Register Addressing Mode)은 직접 주소 지정 방식(Direct Addressing Mode)보다 유효 데이터 접근 속도가 느리다.

해설

레지스터 주소지정방식은 레지스터를 1번 접근하고, 직접 주소지정방식은 메모리를 1번 접근하기 때문에 직접 주소지정방식이 더 느리다.

선지분석

① 즉시 주소지정방식은 메모리와 레지스터를 접근하지 않는다.
② 간접 주소지정방식은 메모리를 2번 접근한다.
③ 상대 주소 지정 방식은 유효 주소를 구하기 위해 프로그램 카운터의 값과 명령어 내 주소필드 값을 더한다.

정답 ④

CHAPTER 10 파이프라이닝(Pipelining)

1 N-단계 파이프라인

1. 명령어 파이프라이닝

하나의 명령어가 실행되는 도중에 다른 명령어 실행을 시작하는 방법으로 동시에 여러 개의 명령어를 실행하는 기법이다(직렬 vs. 병렬). 하나의 명령어를 여러 단계로 나누어서 처리할 수 있기 때문에, 한 명령어의 특정 단계를 처리하는 동안 다른 부분에서는 다른 명령어의 다른 단계를 처리할 수 있다. 결과적으로 처리 속도를 향상시킬 수 있다.

명령어 파이프라인에서는 구조적, 데이터, 제어 해저드(파이프라인이 원하는 결과를 얻지 못함)가 발생한다. 그리고 파이프라인을 개선하는 방법으로 슈퍼스칼라와 슈퍼 파이프라인이 존재한다.

2. 2-단계 명령어 파이프라인

다음 그림은 2-단계 명령어 파이프라인를 나타낸다. 명령어를 실행하는 하드웨어를 인출단계(fetch stage)와 실행단계(execute stage)라는 두 개의 독립적인 파이프라인 모듈로 분리하여서 수행하는 방법이다.

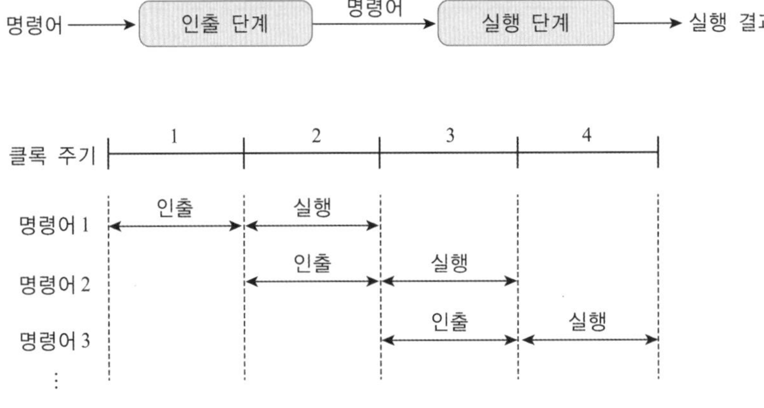

▲ 2-단계 명령어 파이프라인

2-단계 파이프라인을 이용하면 명령어 처리 속도가 약 두 배 향상된다. 단계 수가 늘어날수록 그 만큼 속도가 향상된다. 두 단계의 처리 시간이 동일하지 않으면 두 배의 속도 향상을 얻지 못한다(처리 시간이 늦은 쪽에 종속). 각 명령어의 인출단계와 실행단계의 처리 시간이 동일해야 파이프라인에 의한 효율 향상을 얻을 수 있는 것이다. 단계의 처리 시간이 동일하지 않으면 속도 향상을 얻지 못하는 문제를 극복하기 위해서는 파이프라인 단계의 수를 증가시켜서 각 단계의 처리 시간을 같게 하는 방법이 있다. 단계의 세분화를 통해서 여러 단계 간의 시간차이를 거의 없게 한다. 파이프라인 단계의 수를 늘리면 전체적으로 속도 향상도 더 높아지게 된다(해저드도 같이 증가). 그래서 문제점 극복과 속도향상을 동시에 얻을 수 있다.

3. 4-단계 명령어 파이프라인

단계의 수를 4개로 한 것으로 명령어 인출, 명령어 해독, 오퍼랜드 인출, 실행단계가 존재한다. 다음 그림은 4-단계 명령어 파이프라인과 시간흐름도를 나타낸다.

- 명령어 인출(IF; Instruction Fetch) 단계: 명령어를 기억장치에서 인출하는 과정이다. 프로그램 카운터에서 제시된 기억장치 주소에 근거해서 명령어를 인출하여 명령어 레지스터로 이동시키는 단계다.
- 명령어 해독(ID; Instruction Decode) 단계: 명령어 해독기(decoder)를 이용하여 첫 번째 단계에서 인출된 명령어를 해석한다.
- 오퍼랜드 인출(OF; Operand Fetch) 단계: 기억장치에서 오퍼랜드를 인출하는 단계다. 오퍼랜드는 피연산자 부분으로 연산에 사용될 변수나 데이터가 될 것이다. 그래서 인출된 피연산자들은 마지막 실행단계의 각종 연산에서 사용될 것이다.
- 실행(EX; Execute) 단계: 명령어에서 지정된 연산을 수행하는 단계다.

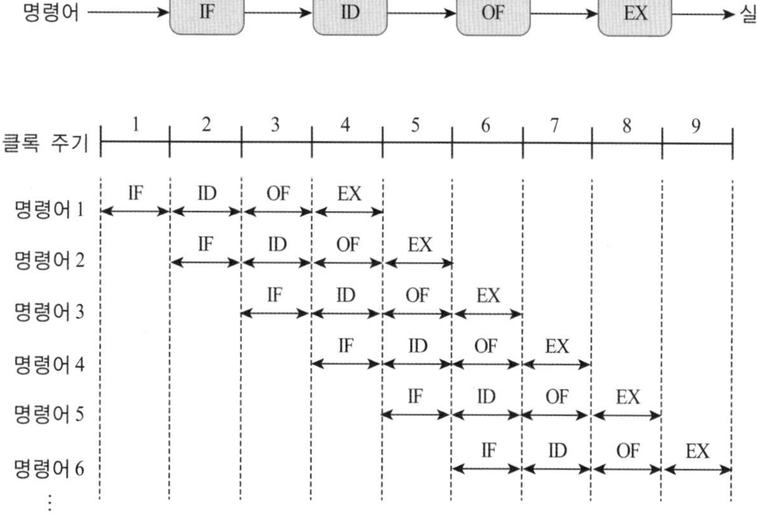

▲ 4-단계 명령어 파이프라인과 시간흐름도

4. 6-단계 명령어 파이프라인

명령어가 여섯 단계로 구분되고, 각 단계는 다음과 같다. 다음 그림은 6-단계 명령어 파이프라인 시간 흐름도를 나타낸다.

- FI(Fetch Instruction) 단계: 명령어 인출단계다.
- DI(Decode Instruction) 단계: 명령어 해독단계다.
- CO(Calculate Operand) 단계: 오퍼랜드를 계산하는 단계다. 오퍼랜드는 피연산자로서 일반적인 데이터 값뿐만 아니라 주소일 수도 있다. 주소 지정방식에서 간접주소 방식이나 변위주소 지정방식에서는 유효주소를 찾는 계산이 필요하다.
- FO(Fetch Operand) 단계: 오퍼랜드 인출단계다. 오퍼랜드 값은 세 번째에서 계산된 값이다.
- EI(Execute Instruction) 단계: 명령어 실행단계다.
- WO(Write Operand) 단계: 연산된 결과 즉, 오퍼랜드를 저장하는 단계다.

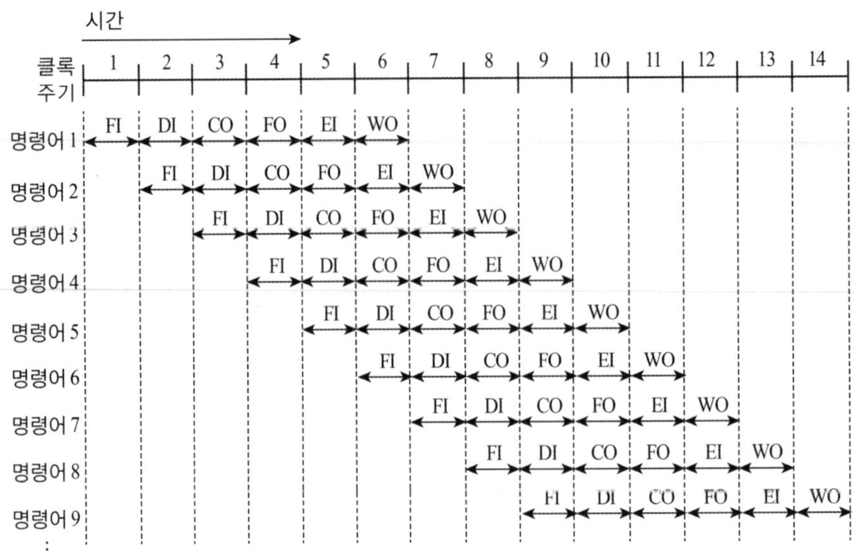

▲ 6-단계 명령어 파이프라인 시간 흐름도

2 해저드

해저드에는 구조적, 데이터, 제어 해저드가 존재한다. 각각에 대해서 설명하면 다음과 같다.

1. 구조적 해저드

하드웨어가 여러 명령들의 수행을 지원하지 않기 때문에 발생한다. 즉, 자원 충돌이 발생한다. 이때는 부족한 자원을 추가하면 된다.

2. 데이터 해저드

명령의 값이 현재 파이프라인에서 수행 중인 이전 명령의 값에 종속되기 때문에 발생한다. 이때는 데이터 전방 전달(forwarding or bypassing)을 통해 해결한다. 가장 간단한 해결책은 어떤 명령어도 수행하지 않는다(stall).

3. 제어 해저드

분기(jump, branch 등) 명령어에 의해서 발생한다. 분기를 결정된 시점에 잘못된 명령이 파이프라인에 있기 때문에 발생한다. 이때는 분기를 예측해서 해결하거나 지연 분기(어차피 수행할 명령어를 미리 수행함)를 사용한다. 가장 간단한 해결책은 어떤 명령어도 수행하지 않는다(stall).

3 속도 향상

1. 파이프라인에 의한 속도 향상

파이프라인 단계 수는 k이고, 실행할 명령어들의 수는 N이라고 하자. 각 파이프라인 단계가 한 클럭 주기씩 걸린다고 가정한다면 파이프라인에 의한 전체 명령어 실행 시간(Tk)는 다음과 같다.

$$Tk = k + (N - 1)$$

즉, 첫 번째 명령어를 실행하는 데 k 주기가 걸리고, 나머지 (N - 1) 개의 명령어들은 각각 한 주기씩만 소요된다. 파이프라인 되지 않은 경우의 N 개의 명령어들을 실행 시간(T1)은 다음과 같다.

T1 = k × N

결론적으로 파이프라인에 의한 속도 향상은 다음과 같다.

Speedup = T1 / Tk

파이프라인 단계 수가 4이고, 파이프라인 클록이 1GHz(각 단계에서의 소요시간 = 1ns)일 때, 10개의 명령어를 실행하는 경우의 속도향상은 얼마인지 계산해보자. 첫 번째 명령어 실행에 걸리는 시간은 4ns이고, 다음부터는 1ns 마다 한 개씩의 명령어 실행이 완료된다. 10개의 명령어 실행 시간과 속도향상은 다음과 같다.

- 10개의 명령어 실행 시간 = 4 + (10 - 1) = 13ns
- 속도향상(speedup: Sp) = (10 × 4)/13 ≒ 3.08배

N이 CPU가 실행하는 명령어 수라면 다음과 같은 계산이 가능하다.

- N = 100일 때, Sp = 400/103 = 3.88
- N = 1000일 때, Sp = 4000/1003 = 3.988
- N = 10000일 때, Sp = 40000/10003 = 3.9988
- N → ∞일 때는, Sp → 4(이론적 속도향상)

2. 슈퍼스칼라 프로세스

다음 그림은 4단계의 파이프라인과 2등급의 슈퍼스칼라 방식의 비교를 나타낸다.

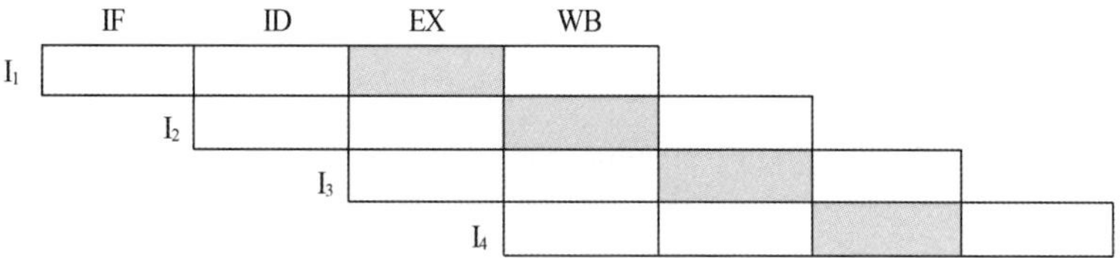

(a) 일반적인 파이프라인의 명령어 실행 시간도

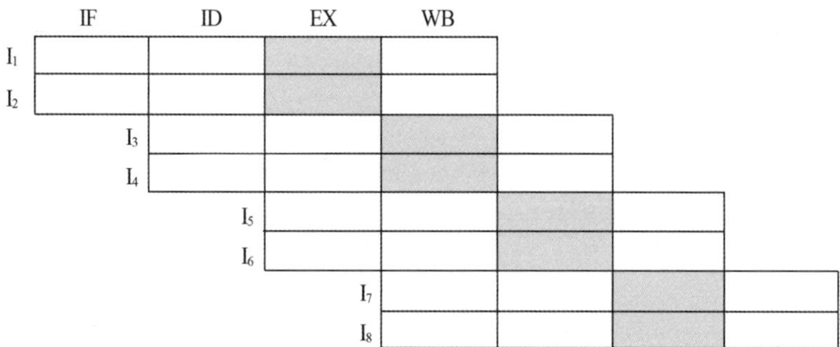

(b) 슈퍼스칼라 프로세스의 명령어 실행 시간도

▲ 4단계의 파이프라인과 2등급의 슈퍼스칼라 방식 비교

슈퍼스칼라에 의한 속도 향상은 다음과 같이 계산할 수 있다. 단일 파이프라인에 의한 실행 시간은 다음과 같다(N: 실행할 명령어 수, k: 파이프라인 단계)(* 참고).

$$T(1) = k + N - 1$$

m-way 슈퍼스칼라에 의한 실행 시간은 다음과 같다(m개가 동시에 수행됨).

$$T(m) = k + (N - m) / m$$

속도 향상은 다음과 같다.

- Speedup = T(1) / T(m)
- 명령어 수 N → ∞, Sp → m

4 해저드(예제)

1. Structural hazards

하드웨어 컴포넌트가 충분하지 않을 때 발생하고, 해당 컴포넌트를 추가하면 해결된다.

2. Data hazards

다음과 같은 데이터 의존성의 의해 발생하고, pipeline stall이나 forwarding(bypassing)으로 해결한다.

```
add $s0, $t0, $t1
sub $t2, $s0, $t3
```

3. Control hazards

다음과 같은 조건 분기 명령에 의해 발생하고, pipeline stall, branch prediction(static and dynamic), delayed branch로 해결한다.

```
beq $1, $2, $40
or $7, $8, $9
```

주요개념 셀프체크

- 파이프라인
- 2(인실), 4단계(인해인실), 6단계(인해계인실저)
- 해저드 - 구조, 데이터, 제어
- 속도 향상

핵심 기출

1. 명령어 파이프라이닝의 4단계에 속하지 않는 것은? 2015년 지방직

① 인터럽트
② 명령어 실행
③ 명령어 인출
④ 명령어 해독

해설

4단계는 명령어 인출, 명령어 해독, 오퍼랜드 인출, 명령어 실행(인해인실)이다. 인터럽트를 처리하는 단계는 매번 발생하는 것이 아니기 때문에 파이프라인 단계에 포함할 수 없다.

TIP 이외에도 파이프라이닝 2단계는 명령어 인출, 명령어 실행이고, 6단계는 명령어 인출, 명령어 해독, 오퍼랜드 계산, 오퍼랜드 인출, 명령어 실행, 오퍼랜드 저장이다(인해계인실저).

정답 ①

2. 파이프라인 해저드(Pipeline Hazard)에 대한 다음 설명에서 ㉠과 ㉡에 들어갈 내용을 바르게 연결한 것은? 2021년 국가직

- 하드웨어 자원의 부족 때문에 명령어를 적절한 클록 사이클에 실행할 수 있도록 지원하지 못할 때 (㉠) 해저드가 발생한다.
- 실행할 명령어를 적절한 클록 사이클에 가져오지 못할 때 (㉡) 해저드가 발생한다.

	㉠	㉡
①	구조적	제어
②	구조적	데이터
③	데이터	구조적
④	데이터	제어

해설

구조적 해저드에는 데이터, 구조적, 제어 해저드가 존재한다. 제어는 분기(jump, branch 등) 명령어에 의해서 발생한다. 즉, 명령어를 제때 가지고 오지 못한다.

선지분석

②③④ 데이터: 명령의 값이 현재 파이프라인에서 수행 중인 이전 명령의 값에 종속되기 때문에 발생한다. 즉, 데이터를 제때 가지고 오지 못한다.

정답 ①

CHAPTER 11

제어장치(Control Unit)

1 제어장치의 개념

1. 개요

제어장치는 주기억장치에 저장된 명령을 해독하고, 해독한 명령이 지시하는 연산이 수행되도록 해당 장치에 제어 신호를 전달한다. 제어장치의 동작을 이해하면 어떤 과정을 통해서 명령어가 처리되는지 알 수 있고 결과적으로 컴퓨터의 동작을 이해할 수 있다. CPU가 컴퓨터의 두뇌라면 제어장치는 CPU의 두뇌이다.

제어장치는 구현하는 방법에 따라서 하드 와이어드(Hard Wired) 제어와 마이크로 프로그램(Micro Programmed) 제어, 두 가지 방법으로 분류한다. 하드 와이어드 제어방식은 일반적인 논리회로인 논리 게이트와 플립플롭으로 제어장치를 설계한 것으로 마이크로 연산을 빠르게 수행할 수 있다. 그러나 속도적인 장점에도 불구하고 융통성이 없다(hardware). 현대의 컴퓨터에서는 마이크로 프로그래밍 기법을 사용하여 제어장치를 구성하는 마이크로 프로그램 제어를 사용하고 있다. 이 방법은 제어 함수나 제어 단어와 같은 제어 정보를 특별한 기억장치에 0과 1로 기억시킨 구조로서, 기억장치의 내용을 변경할 수 있어 융통성이 좋다(firmware).

2. 제어장치의 구성

제어장치는 명령어가 저장된 기억장치에서 명령어를 인출하기 위한 레지스터와 명령어 해독기 그리고 명령어의 순서를 제어하기 위한 프로그램 카운터를 비롯한 각종 장치가 필요하다. 제어장치의 내부 구성은 다음 그림과 같다(macro-view). 제어장치는 기억장치 버퍼 레지스터(MBR), 기억장치 주소 레지스터(MAR), 명령 레지스터(IR), 명령 해독기, 프로그램 카운터(PC)로 구성된다. 프로그램 카운터를 통해서 다음 명령어를 결정한다. 그리고 주기억장치에서 명령을 인출하여 기억장치 버퍼 레지스터와 명령 레지스터에 임시 저장 과정을 거쳐서, 명령 해독기에서 명령어를 해독하게 된다. 마지막으로 해독된 내용들은 연산장치로 전달된다(예 300번지에 add 250이라는 명령어가 있다고 가정하자).

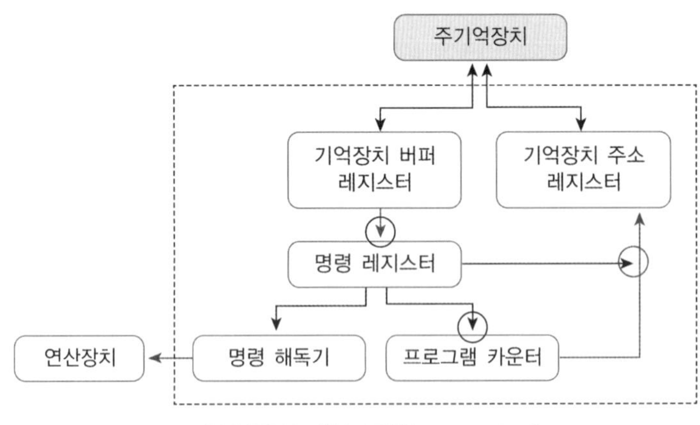

▲ 제어장치의 내부 구성(macro-view)

3. 제어장치에서 명령어 사이클 수행

명령어 사이클은 명령어 인출 단계와 실행 단계로 구성되며, 제어장치에서 수행되는 명령어 인출과 명령어 실행을 통해서 명령의 해독과 실행 과정을 파악이 가능하다. 명령어를 해독하려면 해독할 명령을 주기억장치에서 제어장치로 읽어 와야 하는데, 이것을 명령어 인출이라고 한다. 다음 그림은 명령어 인출 과정을 나타낸다(예 300번지에 add 250이라는 명령어가 있다고 가정하자).

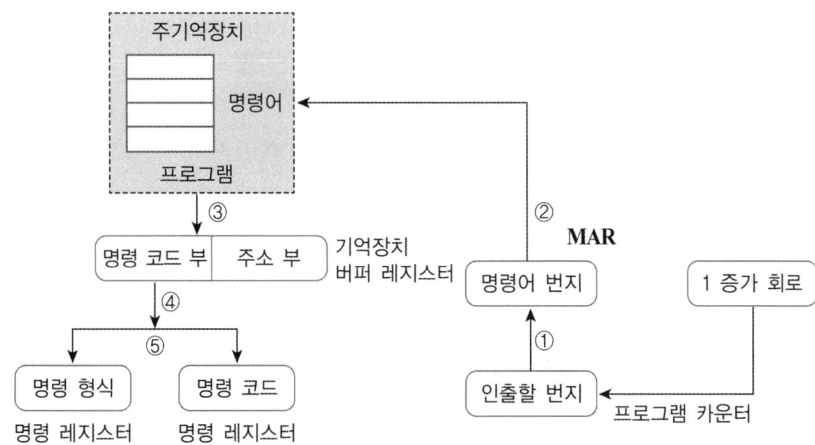

▲ 명령어 인출 과정

명령어 인출이 완료되면 명령어 실행 사이클이 시작된다. 명령 실행단계에서는 이미 명령 코드가 명령 레지스터에 저장되어 있다. 다음 그림은 명령어 실행 과정을 나타낸다(예 250번지 400이라는 데이터가 있다고 가정하자).

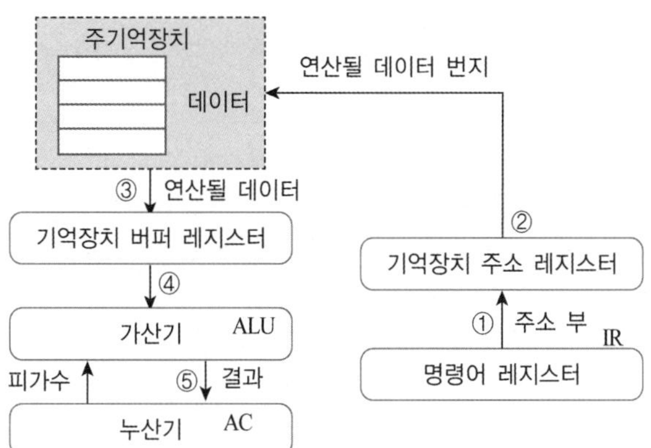

▲ 명령어 실행 과정

2 마이크로 연산

1. 명령어 사이클의 마이크로 연산

명령들의 집합인 프로그램은 계층 구조를 형성한다(다음 그림). 프로그램이 실행된다는 것은 프로그램을 구성하는 명령어들이 순차적으로 중앙처리장치에서 해독되고 제어 신호를 발생하여서 실행한다는 것을 의미한다. 완전한 명령어 사이클은 네 개의 부 사이클로 구성된다.

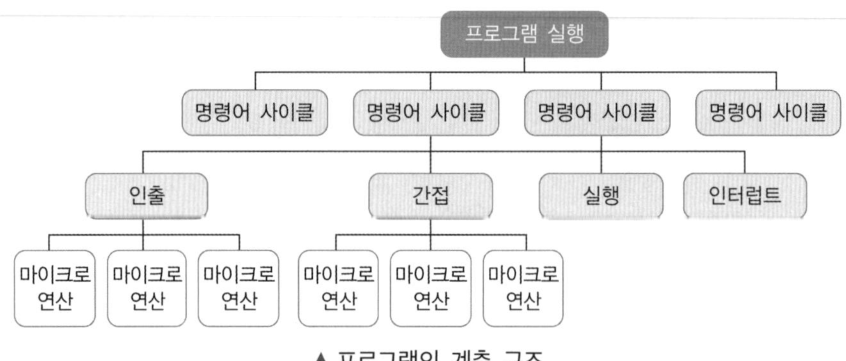

▲ 프로그램의 계층 구조

명령어 사이클의 마이크로 연산은 다음과 같다.

- 인출(fetch) 사이클: 기억장치에서 명령어를 중앙처리장치로 읽어오는 과정이다.
- 간접(indirect) 사이클: 간접 주소 지정 방법을 사용하는 경우에 유효 주소를 찾는 사이클이다.
- 실행(execute) 사이클: 실제적으로 명령어가 실행되며, 여러 종류의 명령어가 존재하므로 해당 명령어에 맞게 동작을 실행하는 단계다.
- 인터럽트(interrupt) 사이클: 프로그램 수행 중에 인터럽트 발생여부를 파악하고, 인터럽트가 발생했으면 인터럽트 서브 루틴이 수행 될 수 있도록 해주는 사이클이다.

2. 인출 사이클(Fetch cycle)의 마이크로 연산

명령어 인출 사이클의 마이크로 연산과정에서 필요한 레지스터들은 다음과 같다.

- 기억장치 주소 레지스터(MAR): 주소 데이터를 전달하는 주소 버스와 접속되며, 읽기 또는 쓰기 동작을 위해서 사용되는 주소를 임시로 저장한다.
- 기억장치 버퍼 레지스터(MBR): 데이터를 전송하는 데이터 버스와 접속되며, 읽기 또는 쓰기 동작을 수행할 데이터를 임시로 저장한다.
- 인출과정에서는 다음에 인출될 명령어의 주소를 가지고 있는 프로그램 카운터(PC)와 인출된 명령을 임시로 저장하는 명령어 레지스터(IR)를 이용한다.

다음의 표는 인출 사이클(Fetch cycle)의 마이크로 연산을 나타낸다. 각 마이크로 연산을 설명하면 다음과 같다.

- t_0: 다음 명령어의 주소가 저장된 PC 내용을 MAR로 이동시킨다.
- t_1: MAR에 저장된 주소에 근거하여, 해당 기억장치에 저장되어 있는 명령어를 MBR로 이동시킨다. 이와 동시에 PC를 명령어 바이트 수만큼 증가시켜서 다음 명령어의 주소를 표시해준다.
- t_2: MBR에 저장된 명령어 내용을 실행하기 위해서 IR로 이동하고 명령어 인출 단계를 완료한다. 그런데 인출 사이클에서 PC의 증가 단계는 세 번째 클록에서 수행될 수도 있다.

CPU 클록	마이크로 연산
t_0	MAR ← PC
t_1	MBR ← M(MAR) PC ← PC + 1
t_2	IR ← MBR

CPU 클록	마이크로 연산
t_0	MAR ← PC
t_1	MBR ← M(MAR)
t_2	IR ← MBR PC ← PC + 1

3. 간접 사이클(Indirect Cycle)의 마이크로 연산

간접 사이클은 간접 주소 지정 방식을 사용하는 명령어에서 오퍼랜드 부분의 유효 주소를 결정하는데 사용된다. 간접 주소 지정 방식을 사용한 명령어의 오퍼랜드 필드에는 읽거나 쓰기 동작을 수행할 데이터가 저장되어 있는 기억장치의 주소를 표시한다. 오퍼랜드 필드에 저장된 주소가 지시하는 기억 장소에 유효 주소(effective address)가 저장되어 있다. 다음 그림은 기억장치에서의 간접 주소 지정 방식(메모리 2번 참조)과 레지스터 간접 주소 지정 방식(메모리 1번 참조)을 나타낸다.

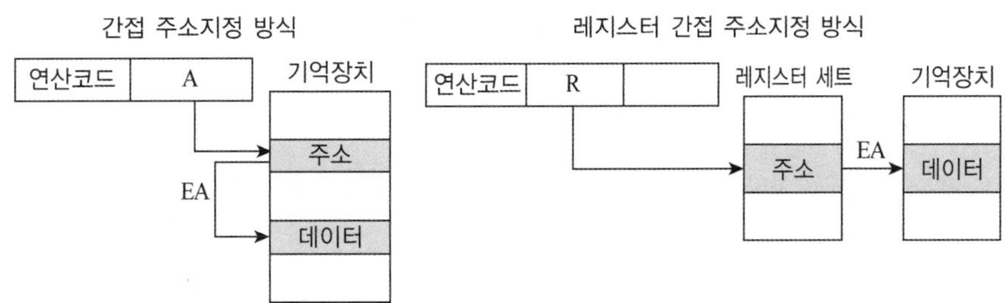

▲ 간접 주소 지정 방식과 레지스터 간접 주소 지정 방식

다음의 표는 간접 사이클의 마이크로 연산을 나타낸다. 각 마이크로 연산을 설명하면 다음과 같다.

- t_0: 명령어 레지스터에 저장되어 있는 명령어의 오퍼랜드 부분 즉, 주소 부분을 MAR로 이동한다. 이 주소는 유효 주소이거나, 유효 주소가 저장되어 있는 곳의 주소를 나타낸다.
- t_1: 유효 주소가 저장된 기억장치 또는 레지스터의 내용을 MBR에 저장한다.
- t_2: MBR의 저장되어 있는 유효 주소를 명령어 레지스터의 주소 부분으로 이동시킨다. 따라서 명령어 레지스터의 명령어 오퍼랜드 부분에 유효 주소가 자리를 잡게 된다. 그리고 실행 사이클로 넘어 갈 것이다.

CPU 클록	마이크로 연산
t_0	MAR ← IR(addr)
t_1	MBR ← M(MAR) OR R(MAR)
t_2	IR(addr) ← MBR(addr)

4. 실행 사이클의 마이크로 연산

컴퓨터에는 다양한 명령이 존재하며, 이 명령을 실행하는 실행 사이클에서 처리되는 마이크로 연산 또한 다양하다(이해가 중요). 실행 중에 덧셈 연산을 예로 들어보자. 덧셈 연산을 수행하는 ADD 명령어의 어셈블리 언어로 표현하면 다음과 같다.

ADD R, X ; R ← R + Memory(X)

기억장치 X번지의 내용과 레지스터 R이 덧셈 연산을 수행하고 그 결과는 다시 레지스터 R에 저장한다. R을 AC로 바꿔도 됨에 유의한다.

다음의 표는 add 실행 사이클의 마이크로 연산을 나타낸다. 각 마이크로 연산을 설명하면 다음과 같다.

- t_0: 인출 과정에서 얻은 명령어를 저장하고 있는 명령어 레지스터의 주소 부분만을 MAR로 이동시킨다. 이 과정은 액세스할 데이터가 저장된 기억장치 주소를 얻는 과정이다(예 add 250).
- t_1: 해당 주소의 기억장치 내용을 MBR로 이동시킨다. 즉, 덧셈 연산을 수행하게 될 데이터가 기억장치 버퍼 레지스터(MBR)로 이동하게 되는 것이다.
- t_2: 기억장치에서부터 이동된 데이터가 저장된 MBR의 내용과 R의 내용을 더하고, 그 결과값을 다시 R에 저장하게 된다.

CPU 클록	마이크로 연산
t_0	MAR ← IR(addr)
t_1	MBR ← M(MAR)
t_2	R ← R + MBR

ISZ 명령어는 'Increment and Skip-if-Zero'의 약자로, 오퍼랜드의 값을 하나 증가시키고 그 결과 값이 0이면 다음 명령어를 실행하지 않고 건너뛴다(예 ISZ 180, 180번지에 -1이 저장되었다고 가정). X번지의 내용을 1 증가시키고, 그 결과가 0이면 다음 명령어를 실행하지 않고 건너뛴다(인출에서 PC는 이미 증가된 상태)(예 ISZ X).

다음의 표는 ISZ의 마이크로 연산을 나타낸다(예 ISZ 180, 180번지에 -1이 저장되었다고 가정).

- t_0: IR 내의 주소 부분 내용(X)을 MAR에 적재한다.
- t_1: MAR이 가르키는 기억 장치에 저장된 데이터를 MBR로 적재한다.
- t_2: MBR의 내용을 하나 증가시킨다.
- t_3: 증가된 MBR의 내용을 원래의 기억 장치에 저장하다. 이와 동시에, MBR의 내용을 검사하여서 그 값이 0이면 PC를 증가시켜서 다음의 명령어를 하나 건너뛰고 그 다음 명령어를 수행한다.

CPU 클록	마이크로 연산
t_0	MAR ← IR(addr)
t_1	MBR ← M(MAR)
t_2	MBR ← MBR + 1
t_3	M(MAR) ← MBR If (MBR = 0) then (PC ← PC + 1)

BSA 명령어는 'Branch and Save return Address'로 분기하고 복귀할 주소를 저장하는 명령어로 서브루틴(subroutine) 프로그램으로 분기하기 위해 사용된다(예 BSA 200, 현재 PC 값은 100이라고 가정). 이 명령어는 BSA 다음 명령어의 주소를 X번지에 저장하고, 새로운 X + 1번지부터 실행을 계속하라는 의미다. 이 때, X번지에 저장된 데이터는 복귀 주소(return address)를 나타내고, 서브 루틴의 시작 주소는 X + 1번지다(이 경우는 복귀 주소 저장을 위해 스택을 사용하지 않음)(예 BSA X).

다음의 표는 BSA의 마이크로 연산을 나타낸다(예 BSA 200, 현재 PC 값은 100이라고 가정).

- t_0: IR의 주소 부분 내용(X)을 MAR에 적재한다. 그리고 동시에 PC의 내용(다음 명령어 주소)를 MBR에 적재한다.
- t_1: IR의 주소 부분 내용을 PC에 적재한다. 그리고 X번지에 MBR의 내용을 저장한다. 즉, 복귀 주소가 저장된다.
- t_2: 서브루틴을 시작하기 위해서 X + 1번지가 되도록 PC를 증가시킨다.

CPU 클록	마이크로 연산
t_0	MAR ← IR(addr) MBR ← PC
t_1	PC ← IR(addr) M(MAR) ← MBR
t_2	PC ← PC + 1

5. 인터럽트 사이클의 마이크로 연산

인터럽트(interrupt)는 중앙처리장치가 현재 처리 중인 프로그램 루틴을 중단하고, 다른 프로그램을 수행하도록 하는 것이다. 명령어 사이클에서 인터럽트를 수행하려면 명령어 실행 사이클이 수행된 후 인터럽트 요청이 있는지 여부를 판단하고, 요청이 있을 경우 인터럽트 서비스 루틴이 시작되도록 해야 한다. 이러한 사이클을 인터럽트 사이클이라 한다.

다음은 인터럽트 사이클의 마이크로 연산을 나타낸 것으로, 세 개의 클록으로 구성된다(이 경우엔 복귀 주소의 저장을 위해 스택을 사용함).

- t_0: 복귀주소를 저장하기 위해서 프로그램 카운터 내용을 MBR로 이동시킨다.
- t_1: SP(스택 포인터)를 MAR로 이동시키고 인터럽트 처리 루틴 시작 주소를 PC에 적재한다. SP는 MBR에 저장되어 있는 내용을 스택에 저장하기 위해서 저장할 위치를 지정하는 데 사용된다(자료구조와 연관).
- t_2: MBR의 내용을 MAR에 근거하여 해당 스택 포인터의 스택에 저장된다.

CPU 클록	마이크로 연산
t_0	MBR ← PC
t_1	MAR ← SP PC ← Routine-address
t_2	M(MAR) ← MBR

6. 명령어 사이클 코드(Instruction Cycle Code)

instruction cycle code(ICC)는 중앙처리장치가 프로그램을 수행하면서 명령어가 명령어 사이클의 어느 부분을 수행하고 있는지 나타내는 코드이다. 예를 들어 다음과 같이 정의할 수 있다. 예를 들어, 현재 ICC가 "00"이면 "인출" 사이클을 실행중이다.

00: 인출, 01: 간접, 10: 실행, 11: 인터럽트

다음 그림은 명령어 사이클의 흐름도를 나타낸다.

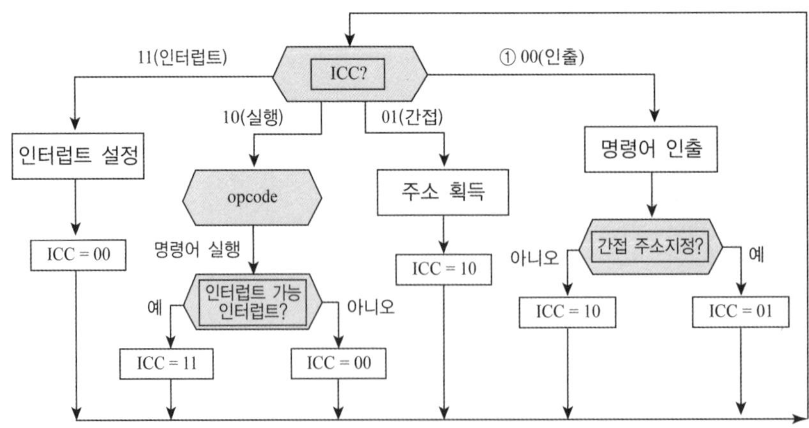

▲ 명령어 사이클의 흐름도

3 제어장치 모델의 구현

1. 데이터 통로상의 제어 신호

데이터 통로 상에서 제어 신호들이 종료되는 곳을 Ci로 표시한다. 제어장치는 클록, 명령어 레지스터 그리고 플래그들에서 입력을 받고, 모든 입력을 조합하여 제어 신호를 발생한다. 다음 그림은 데이터 통로상의 제어 신호를 나타낸다.

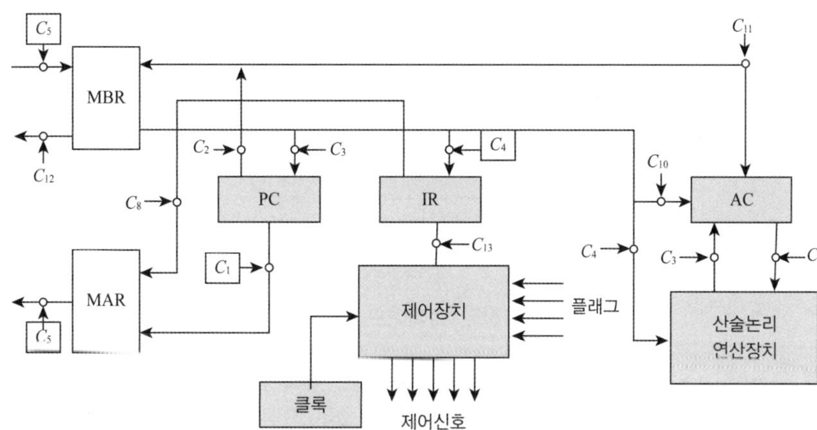

▲ 데이터 통로상의 제어 신호

다음의 표는 명령어 사이클과 제어 신호를 나타낸다.

명령어 사이클	마이크로 연산	발생 제어신호
인출	t_0: MAR ← PC t_1: MBR ← M(MAR) PC ← PC+1 t_2: IR ← MBR	C_0, C_1 C_5, C_{Read} C_4
간접	t_0: MAR ← IR(Address) t_1: MBR ← M(MAR) t_2: IR(Address) ← MBR(Address)	C_0, C_8 C_5, C_{Read} C_4
인터럽트	t_0: MBR ← PC t_1: MAR ← PC PC ← Routine-address t_2: M(MAR) ← MBR	C_2 C_0, C_1 C_{12}, C_{Write}

2. 제어장치의 구현 방법

하드 와이어드 구현(hard wired implementation)은 하드웨어 방식이고, RISC에서 사용한다. 제어장치를 중심으로 명령어 레지스터의 입력이 해독될 수 있도록 해독기(Decoder)가 존재한다. 해독기는 각 연산 코드를 고유의 논리 입력을 가지도록 변환해주는 역할을 한다. 클록을 입력으로 받아서 수행되는 시간발생기가 존재한다. 클록은 마이크로 연산의 주기를 측정하는데 사용되며, 클록 펄스의 주기는 신호가 데이터 경로와 중앙처리장치 회로를 통과하는 데 걸리는 시간만큼 길어야 한다.

다음 그림은 하드 와이어드 구현을 나타낸다.

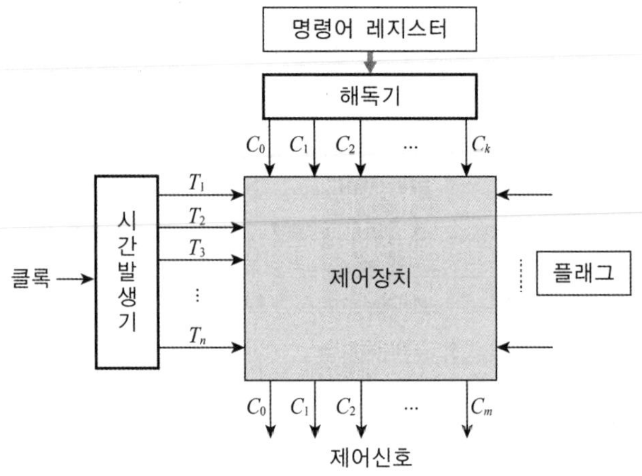

▲ 하드 와이어드 구현

마이크로 프로그램 구현(micro programmed implementation)은 펌웨어 방식이고, CISC에서 사용한다. 마이크로 명령어를 제어 기억장치(메모리)에 저장하고 이것을 실행시켜서 제어 신호를 발생하는 방법이다. 마이크로 프로그램을 이용하여 구현된 대표적인 제어장치로는 마이크로 순서기(Micro-sequencing)가 있다. 다음 그림은 마이크로 순서기의 구조를 나타낸다. 명령어 레지스터의 연산코드, 플래그, 마이크로 코드 기억장치의 출력이 다음 명령의 주소를 결정한다. 얻어진 마이크로 코드 기억장치의 주소는 레지스터에 임시로 저장되었다가 다시 이 주소에 근거하여, 마이크로 코드(마이크로 명령어)가 실행이 된다. 이 실행 결과의 출력이 제어 신호가 된다.

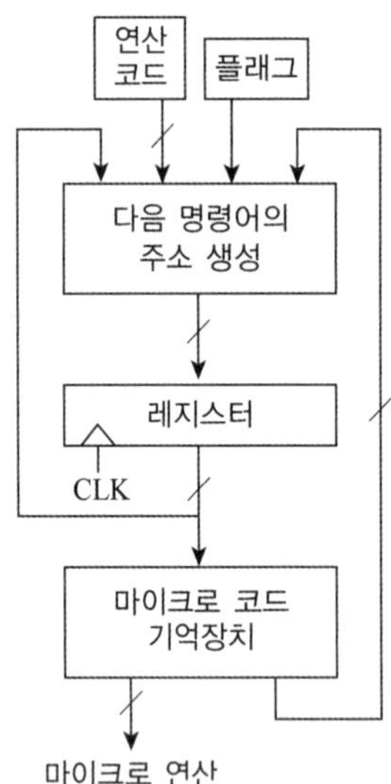

▲ 마이크로 순서기의 구조

4 마이크로 프로그램을 이용한 제어

1. 제어장치의 구성

다음 그림은 중앙처리장치에서 마이크로 프로그램(micro-programmed)을 이용하는 제어장치의 구성을 나타낸다. 제어장치는 순서제어 논리장치, 제어장치 레지스터들, 명령어 해독기, 제어 메모리로 구성되고, 제어장치 레지스터들은 제어 주소 레지스터(CAR), 제어 버퍼 레지스터(CBR), 서브루틴 레지스터(SBR)가 존재한다.

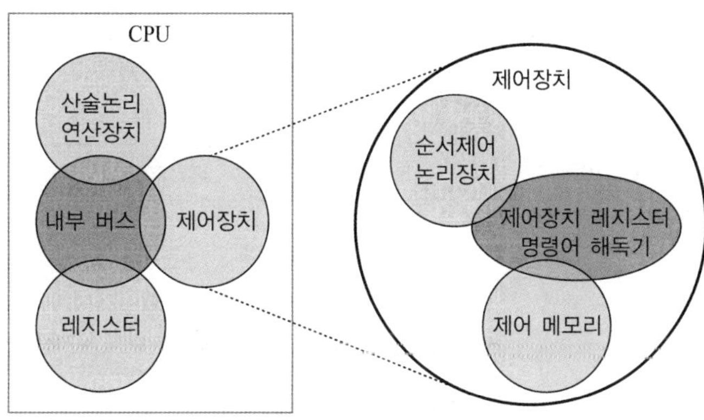

▲ 제어장치의 구성(마이크로 프로그램)

2. 마이크로 명령어(micro instruction)

마이크로 명령어는 마이크로 프로그래밍 언어(micro-programming language)이다. 마이크로 연산은 기계어이므로 이진 비트로 표현되지만, 사용의 편리성을 위해서 기호들(symbols)을 이용해서 표현하는데, 이것을 마이크로 프로그래밍 언어라고 한다(예 MAR ← PC). 마이크로 프로그램을 나누면 루틴이 되고, 루틴을 나누면 마이크로 명령어가 된다.

명령어 사이클에서 인출 사이클, 간접 사이클, 실행 사이클, 인터럽트 사이클은 여러 단계의 마이크로 연산들로 표현되는데 동시에 수행되는 마이크로 연산 집합을 마이크로 명령어라고 한다. 그래서 명령어 사이클은 마이크로 명령어들로 표현된다(하나의 명령어는 여러 개의 연산을 포함).

마이크로 프로그램(micro program)은 마이크로 명령어들을 이용하여 작성된 프로그램을 마이크로 프로그램이라고 하는데, 이것은 펌웨어(firmware)라고도 불린다. 루틴(routine)은 마이크로 프로그램에서 중앙처리장치의 특정 기능을 수행하기 위한 마이크로 명령어들의 그룹을 루틴(routine)이라고 한다(예 ADD 루틴).

3. 마이크로 명령어 형식

마이크로 명령어 형식에는 다음 그림과 같이 수평적 마이크로 명령어와 수직적 마이크로 명령어가 있다.

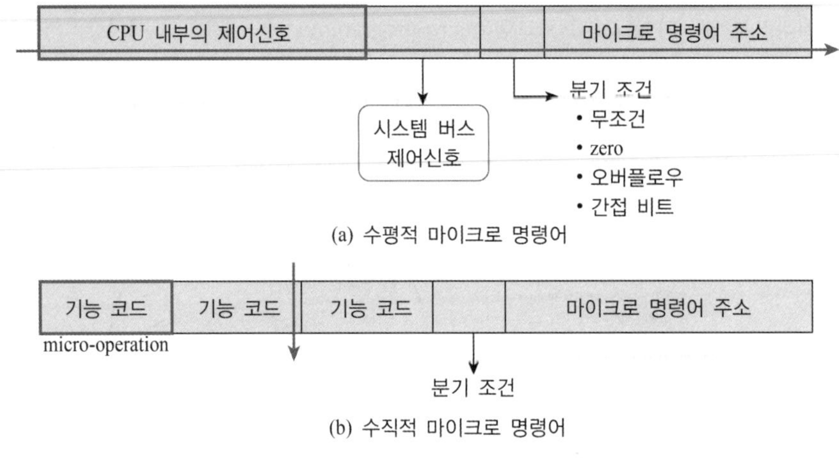

▲ 수평적과 수직적 마이크로 명령어

수평적 마이크로 명령어(horizontal microinstruction)은 마이크로 명령어의 각 필드가 각 제어 신호에 대응되는 방식으로, 중앙처리장치 내부의 각 제어 신호들과 시스템 버스의 각 제어 신호들에 필드가 할당된다. 분기에서 사용될 조건을 나타내는 조건 필드와 분기 발생시 다음에 실행될 마이크로 명령어의 주소를 가지고 있는 필드가 있다. 수평 마이크로 명령어는 하드웨어가 간단하고, 해독에 따른 지연 시간이 없다. 마이크로 명령어의 비트 수가 길어서 큰 용량의 제어 메모리가 필요하다.

수평 마이크로 명령어의 동작에서 제어 신호의 비트 값이 1로 표시된 모든 제어 선을 ON 시키고, 비트 값이 0인 모든 제어 선을 OFF 시킨다. 이 결과로 발생되는 제어 신호들은 한 개 이상의 마이크로 연산을 수행시킬 것이다. 분기 조건 비트의 값이 만족되지 않으면, 다음에 위치한 마이크로 명령어가 순서대로 실행된다. 분기 조건 비트의 값이 만족되면, 다음에 실행될 마이크로 명령어는 주소 필드에 의하여 지정된다.

수직적 마이크로 명령어(vertical microinstruction)은 코드화된 비트들을 이용하여 마이크로 명령어의 각 기능 코드를 구성한다. 마이크로 명령어의 연산 필드에 적은 수의 코드화된(encoded) 비트들을 포함시켜 제어 기억장치의 용량을 줄이고, 해독기를 이용하여 코드를 필요한 수만큼의 제어 신호들로 확장하는 방식이다. 마이크로 명령어의 비트 수가 감소된다. 제어 신호 발생을 위하여 코드화된 비트들을 해독하기 위한 지연이 발생한다.

다음 그림은 수직적 마이크로 명령어의 제어 신호 발생 방법을 나타낸다. 각 연산 필드의 내용은 코드화된 비트이고 해독기에서 그 내용이 해독되고 제어 신호들이 발생한다. 3×8 해독기는 코드화된 3비트를 입력으로 받아들여서 8비트의 제어 신호가 되도록 코드를 해독한다.

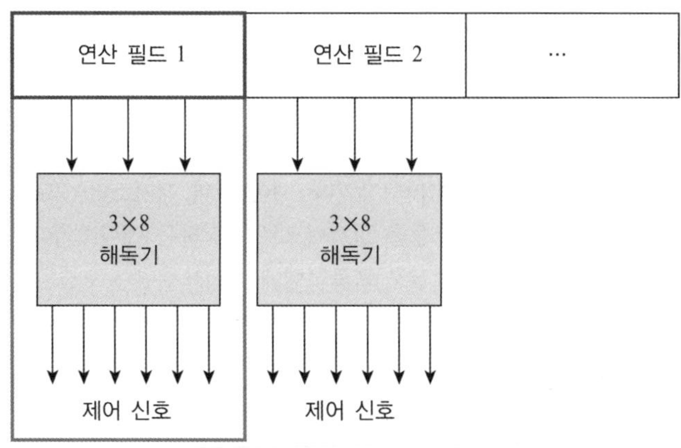

▲ 수직적 마이크로 명령어의 제어 신호 발생 방법

4. 제어장치의 구조(micro-view)와 동작

다음 그림은 제어장치의 구조(micro-view)를 나타낸다. 마이크로 프로그램을 이용하는 제어장치는 명령어 해독기, 제어 주소 레지스터(CAR), 제어 기억장치(메모리), 제어 버퍼 레지스터(CBR), 서브루틴 레지스터(SBR), 순서제어 모듈로 구성된다. 그림에서 해독기가 2개 사용됨에 유의한다.

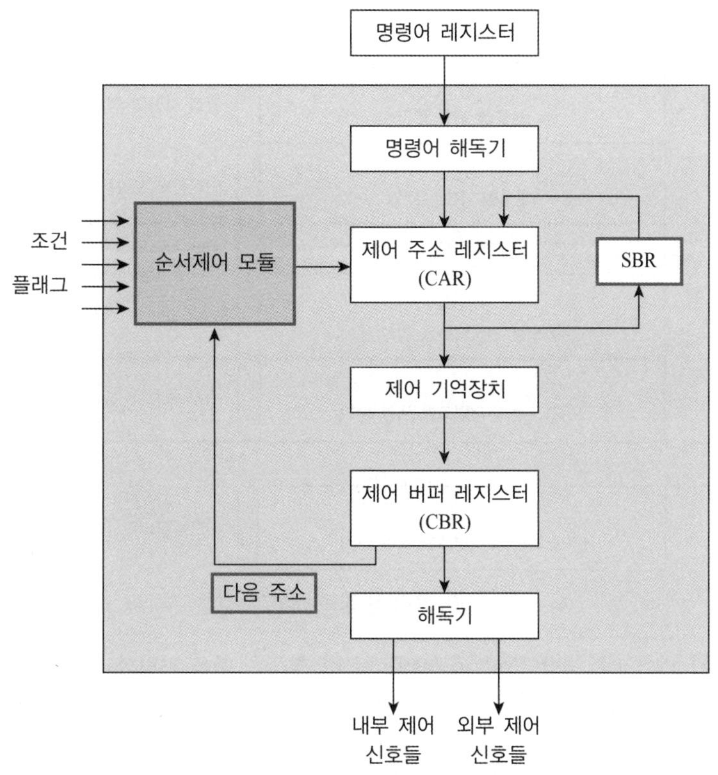

▲ 제어장치의 구조(micro-view)

제어장치의 구조에서 명령어 해독기(instruction decoder)는 명령어 레지스터(IR)가 보낸 명령어의 연산 코드를 해독하여 해당 연산을 수행하기 위한 루틴의 시작 주소를 결정하는 역할을 한다. 제어 주소 레지스터(CAR, Control Address Register)는 다음에 실행할 마이크로 명령어의 주소를 저장하는 레지스터다. 저장된 주소는 제어 기억장치의 특정 위치를 지칭한다(MAR과 비슷한 역할). 제어 기억장치(control memory, 제어 메모리)는 마이크로 명령어들로 이루어진 마이크로 프로그램을 저장하는 내부 기억장치다. 제어 버퍼 레지스터(CBR; Control Buffer Register)은 제어 기억장치에서 읽은 마이크로 명령어 비트들을 일시적으로 저장하는 레지스터다(MBR가 비슷한 역할). 서브루틴 레지스터(SBR, Subroutine Register)는 마이크로 프로그램에서 서브루틴이 호출되는 경우에 현재의 CAR 내용을 일시적으로 저장하는 레지스터다(복귀 주소 저장). 순서제어 모듈(sequencing module)은 마이크로 명령어의 실행 순서를 결정하는 회로들의 집합이다.

5. 제어 기억장치

마이크로 프로그램 코드들은 최종적으로 제어 기억장치에 저장한다. 다음 그림은 제어 기억장치의 내부 구성을 나타낸다. 전반부에는 명령어 사이클의 인출, 간섭, 인터럽트 등의 부 사이클에 해당하는 공통 루틴들을 저장한다. 후반부는 각 명령어의 실행 사이클 루틴들이 저장된다. 각 루틴 내의 마이크로 명령어들은 순차적으로 실행되며, 각 루틴은 다음에 실행할 위치를 나타내는 분기 혹은 점프 명령어로 끝난다. 그림에서 IOF는 Interrupt Off를 의미한다(반대는 ION).

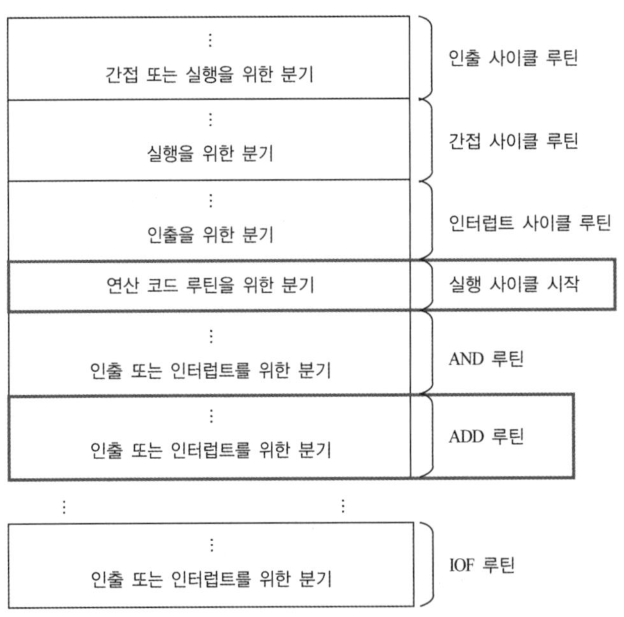

▲ 제어 기억장치의 내부 구성

제어 기억장치에 저장된 마이크로 명령어(micro instruction) 형식은 다음 그림과 같다.

- 연산 필드: 두 개이므로, 두 개의 마이크로 연산을 동시에 수행 가능하다.
- 조건 필드: 분기에 사용될 조건 플래그(zero/overflow)를 지정한다.
- 분기 필드: 분기의 종류와 다음에 실행할 마이크로 명령어의 주소를 결정하는 방법(+1/분기)을 명시한다.
- 주소 필드: 분기가 발생하는 경우에 목적지 마이크로 명령어 주소로 사용된다.

3비트	3비트	2비트	2비트	8비트
연산 필드 1	연산 필드 2	조건 필드	분기 필드	주소 필드
마이크로연산				

▲ 제어 기억장치에 저장된 마이크로 명령어 형식

6. 마이크로 프로그램을 이용한 제어장치의 동작과정

마이크로 프로그램을 이용한 제어장치의 동작 흐름도는 다음 그림과 같다

- s1: 순서제어 논리장치 또는 순서제어 모듈이 제어 기억장치로 READ 명령어를 보낸다.
- s2: 제어 주소 레지스터(CAR)에 명시된 제어 기억장치 주소에 저장되어 있는 단어가 읽혀져 제어 버퍼 레지스터(CBR)로 옮겨진다.
- s3: 제어 버퍼 레지스터(CBR)의 내용에 따라 제어 신호들과 다음 주소 정보가 발생된다.
- s4: 순서제어 논리장치 또는 순서제어 모듈은 CBR의 내용과 ALU 플래그들에 근거하여 새로운 주소를 CAR에 적재한다. 그리고 다시 위의 과정을 반복하게 된다.

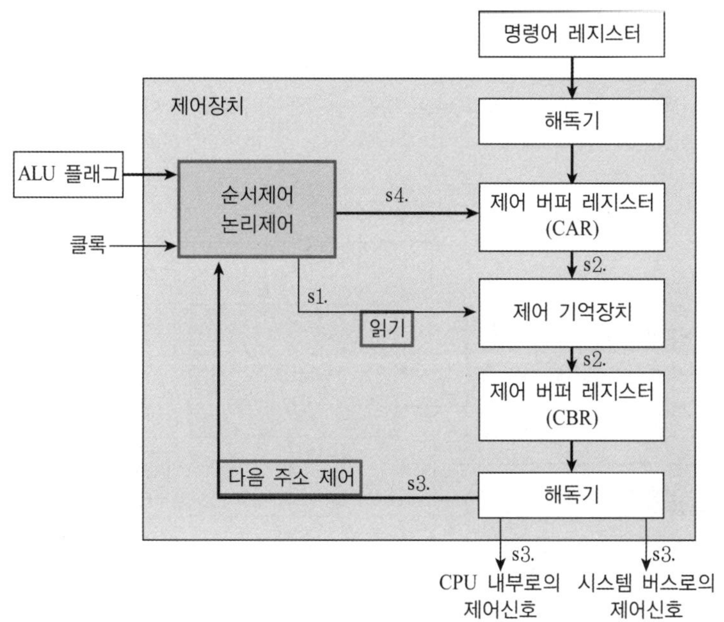

▲ 마이크로 프로그램을 이용한 제어장치의 동작 흐름도

7. 순서제어 논리장치와 해독기

순서제어 논리장치 또는 순서제어 모듈은 입력되는 ALU 플래그들과 제어 버퍼 레지스터(CBR) 내용은 여러 동작을 결정한다.

- 순서제어 - 1: 다음 명령어를 인출하기 위해서 제어 주소 레지스터(CAR)의 내용에 1을 더한다(+1).
- 순서제어 - 2: 제어 버퍼 레지스터(CBR)의 주소 필드 값을 제어 주소 레지스터(CAR)에 적재하여서, 점프(jump) 마이크로 명령어에 의하여 새로운 루틴으로 점프하게 한다(jump).
- 순서제어 - 3: 명령어 레지스터(IR)에 있는 연산 코드에 근거하여 해당 루틴의 주소를 제어 주소 레지스터(CAR)에 적재해서 명령어 루틴으로 점프하게 한다(add의 시작 주소).

제어장치에는 해독기가 2개 존재한다. 명령어 레지스터의 바로 아래에 존재하는 해독기는 명령어 레지스터(IR)의 연산 코드를 제어 기억장치 주소로 변경하는 역할을 한다(해당 연산의 시작주소). 다음으로 제어 버퍼 레지스터 밑에 존재하는 해독기는 수직 마이크로 명령어에서 코드화된 비트를 해독하는 데에 사용된다(수직 마이크로 명령어로부터 제어신호를 만들어 냄).

제어장치의 기본 동작은 제어 기억장치에서 다음 마이크로 명령어를 읽어오는 마이크로 명령어 순서제어이다. 그리고 마이크로 명령어 실행에 필요한 제어 신호들 발생하는 마이크로 명령어의 실행이다.

다음 그림은 순서제어 논리장치를 포함하고 있는 제어장치를 나타낸다. MUX 1은 다음에 실행할 마이크로 명령어의 주소를 선택하는 장치다. MUX 2는 조건 플래그(부호/0)를 선택하여 주소선택 회로로 전송한다. MUX 1으로 들어오는 입력에 유의하기 바란다.

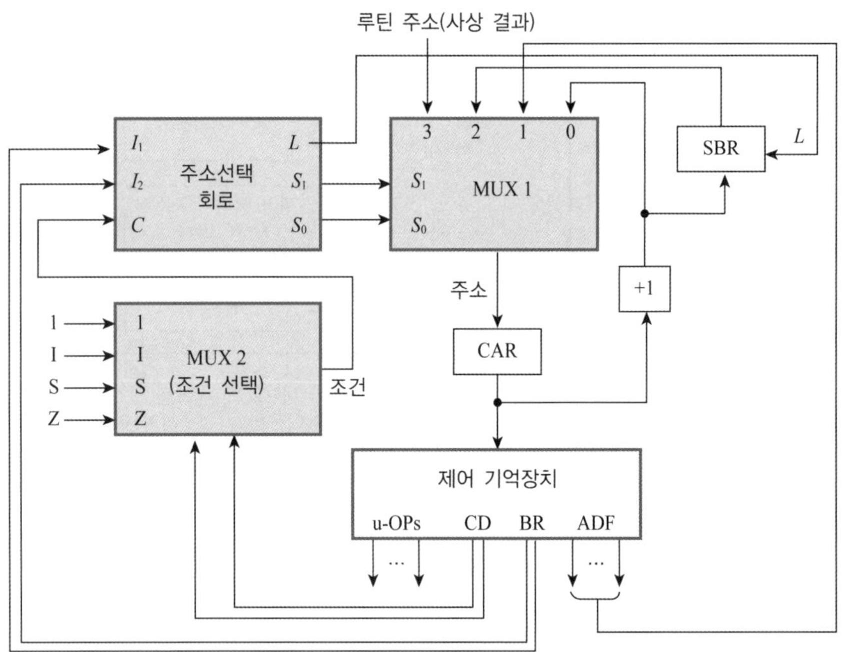

▲ 순서제어 논리장치를 포함하고 있는 제어장치

8. 마이크로 명령어의 실행

명령어의 사이클처럼 마이크로 명령어도 사이클로 구성된다. 마이크로 프로그램을 이용하는 프로세서에서 가장 기본적인 사건(event)으로, 두 개의 사건들로 구성된다. 마이크로 명령어는 인출과 실행으로 구성된다.

인출(Fetch) 사건은 마이크로 명령어를 제어 기억장치(control memory)에서 제어 버퍼 레지스터(CBR)로 읽어 오는 과정이다. 실행(Execute) 사건은 제어 신호들을 발생하는 과정이다. 생성된 제어 신호는 프로세서 내의 각 부분들을 제어하며, 나머지 신호들은 외부 제어 버스나 다른 외부 인터페이스로 보내진다. 실행 사건의 부수적인 기능으로 "다음 마이크로 명령어의 주소"를 결정한다.

다음 그림은 제어장치에서 마이크로 명령어의 실행을 나타낸다. 순서제어 논리장치는 명령어 레지스터, ALU 플래그들, 제어 주소 레지스터 그리고 제어 버퍼 레지스터를 입력으로 사용하여 "다음 마이크로 명령어의 주소"를 생성한다. 제어 버퍼 레지스터는 실제 주소나 제어 비트들 또는 두 가지 모두를 제공하고, 제어 논리는 마이크로 명령어 내의 몇몇 비트들의 값에 근거하여 "제어 신호"들을 발생한다.

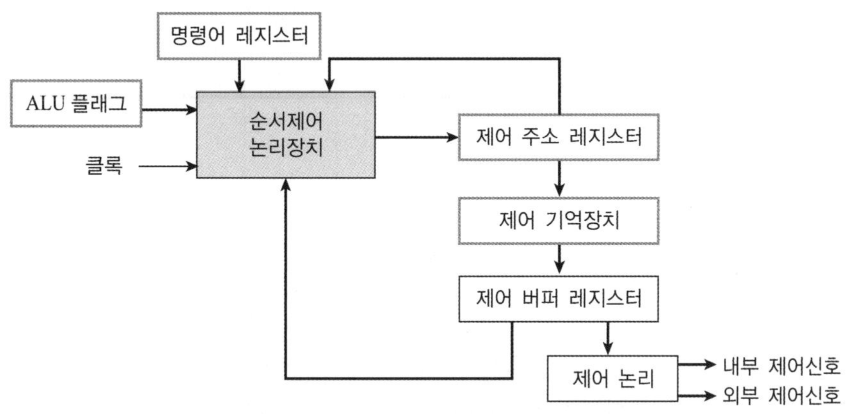

▲ 제어장치에서 마이크로 명령어의 실행

9. 마이크로 명령어의 코드화(encoding) 방식

제어장치는 전혀 코드화되지 않은 마이크로 명령어 형식이나 수평 마이크로 명령어 형식을 사용해서 설계되지 않는다. 제어 기억장치의 폭을 줄이고 마이크로 프로그래밍을 단순화하기 위하여 "적어도 어느 정도의 코드화는 사용"된다. 마이크로 명령어의 여러 개의 필드들은 코드를 가지고 있으며, 해독되어 하나 혹은 다수의 제어 신호들을 활성화시킨다.

수직 마이크로 명령어는 직접(direct) 코드화 방식과 간접(indirect) 코드화 방식으로 구분된다. 직접 코드화 방식은 마이크로 명령어가 실행될 때, 각 필드가 해독되어 제어 신호들을 발생하고, 간접 코드화 방식은 간접 주소 지정 방식의 개념과 유사하게 한 필드가 다른 필드를 해석하는 방법을 지정하는데 사용한다.

다음 그림은 직접 코드화 방식과 간접 코드화 방식의 개념을 나타낸다.

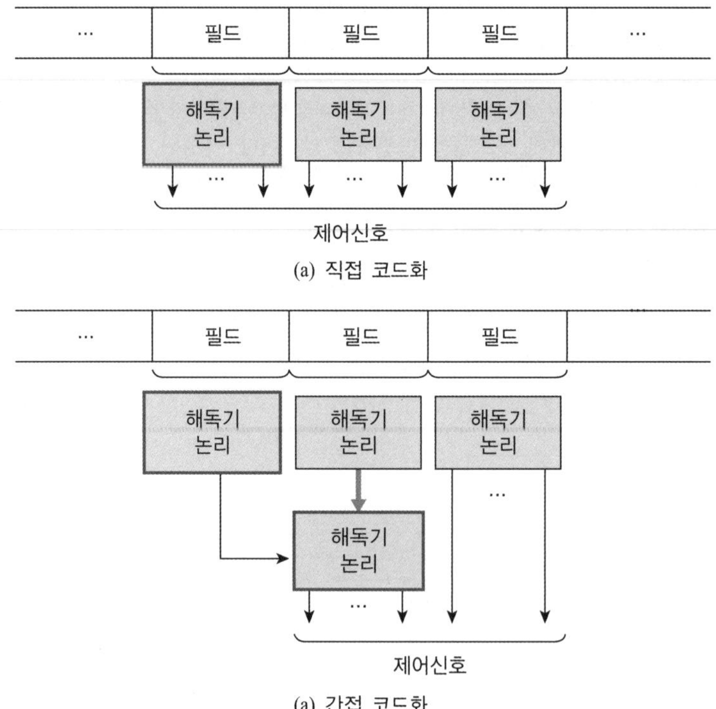

▲ 직접 코드화 방식과 간접 코드화 방식의 개념

직접 코드화 방법은 마이크로 명령어의 각 필드들이 코드화된 데이터를 가지고 있다가 제어 신호를 생성하기 위해서 해당하는 해독 논리(decode logic) 장치를 이용하여 해독 과정을 거친다. 해독된 신호들은 최종의 제어 신호가 된다.

간접 코드화 방법은 각각의 마이크로 명령어 필드들이 코드화된 데이터를 가지고 있다. 첫 번째 단계에서는 각각의 필드에 대한 해독 과정을 수행한다. 그리고 두 번째 단계에서는 필요에 따라서 한 필드의 해독된 내용이 다른 필드들의 또 다른 해독의 방법을 지정하기 위해서 사용된다. 두 번째 필드가 두 번의 해독을 통해서 제어 신호가 생성되는 것을 확인할 수 있다.

CHAPTER 12 병렬 컴퓨터(Parallel Computer)

1 병렬 컴퓨터 분류

1. 개요

다음 그림은 병렬 컴퓨터 프로세서 조직의 분류(Flynn)를 나타낸다.

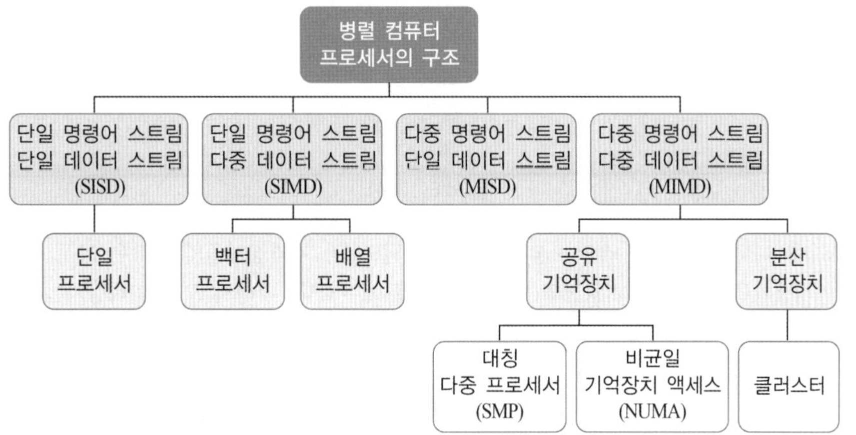

▲ 병렬 컴퓨터 프로세서 조직의 분류(Flynn)

2. SISD

한번에 한 개씩의 명령어와 데이터를 순서대로 처리하는 단일 프로세서 시스템이다. 단일 프로세서가 하나의 기억장치에 저장되어 있는 데이터들을 처리하기 위하여, 하나의 명령어 흐름을 순차적으로 실행한다. 이 방법은 명령어가 실행될 때 여러 단계로 나누고 각 단계들이 중첩되며 수행되므로 명령어 파이프라이닝, 슈퍼스칼라 구조를 이용하여 처리 효율을 향상한다. 다음 그림은 SISD를 나타낸다.

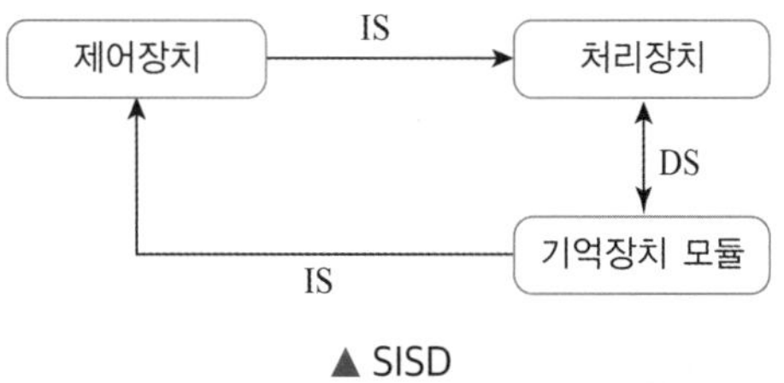

▲ SISD

SISD에서 제어장치는 기억장치 모듈에서 명령어 스트림(IS; Instruction Stream)을 인출하고, 이 명령어를 처리하기 위해서 처리장치로 보낸다(SI: 단일 명령어 스트림). 처리장치에서는 명령어가 수행되는 과정에서 필요한 데이터 스트림(DS, Data Stream)을 기억장치 모듈에서 읽고, 그 결과를 다시 기억장치 모듈에 저장한다(SD: 단일 데이터 스트림). 이때, 단일 제어장치에서 단일 명령어 스트림이 이동하고 단일 처리장치에서 단일 데이터 스트림이 이동한다.

3. SIMD

하나의 명령어 스트림(IS)이 다수의 처리장치들에서 동시 처리되는 기술이다(SI: 단일 명령어 스트림). 하나의 명령어는 각 처리요소기가 각 기억장치에 저장된 독립된 데이터를 처리하도록 한다. 결과적으로 하나의 제어장치는 하나의 명령어를 인출하여 해독하고, 여러 개의 처리장치는 여러 데이터를 동시에 인출하여 명령어를 실행한다(MD: 다중 데이터 스트림). 벡터 프로세서(vector processor)와 배열 프로세서(array processor)가 대표적인 SIMD 분류에 속한다. 벡터 또는 배열 프로세서에서는 벡터 계산을 동일한 개념으로 수행된다(다음 그림). 각각의 처리장치는 덧셈 명령에 의해서 동일한 덧셈 연산을 수행하지만, 각 처리장치에서의 데이터 기억장치와 교환되는 데이터 스트림은 서로 다른 독립된 값을 갖는다.

$$\begin{bmatrix} 1.5 \\ 7.1 \\ 6.9 \\ 100.5 \\ 0 \\ 59.7 \end{bmatrix} + \begin{bmatrix} 2.0 \\ 39.7 \\ 1000.003 \\ 11 \\ 21.1 \\ 19.7 \end{bmatrix} = \begin{bmatrix} 3.5 \\ 46.9 \\ 1006.903 \\ 111.5 \\ 21.1 \\ 79.4 \end{bmatrix}$$

$$A + B = C$$

▲ 벡터 계산

다음 그림은 SIMD를 나타낸다. 여러 개의 처리장치로 구성되고, 각 처리장치들의 동작은 모두 하나의 제어장치에 의해 통제된다. 처리장치들은 독립된 기억장치 모듈을 별도로 보유한다. 따라서 모든 처리장치는 하나의 명령어 스트림을 실행하지만 독립된 여러 개의 데이터 스트림들을 독립적으로 동시에 처리된다.

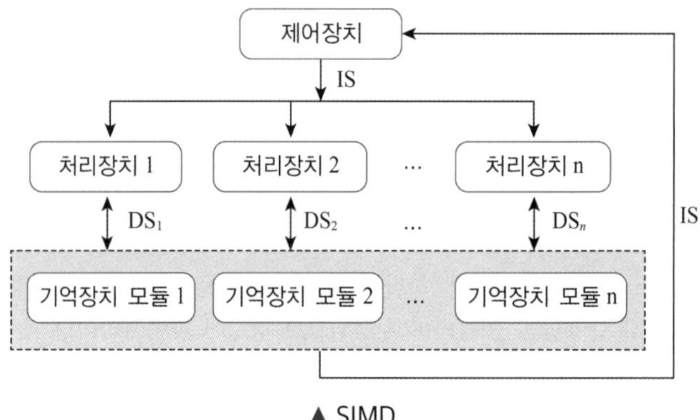

▲ SIMD

개념 PLUS+

GPU

1990년대 초기까지만 해도 PC에 장착된 그래픽카드는 단순히 CPU(Central Processing Unit: 중앙처리장치)의 연산 결과를 그림이나 글자 신호로 변환하여 모니터로 화면을 출력하는 어댑터(Adapter: 변환기)와 같은 부품으로 인식되고 있었다. 하지만 1990년대 중반 이후부터 PC의 멀티미디어 콘텐츠, 특히 게임이 주목을 받으면서 그래픽카드의 역할도 점차 변하기 시작했다. 게임에 입체감을 부여하고자 3D 그래픽이 본격적으로 도입되었고, 화면을 보다 현실적으로 만들기 위한 각종 광원 효과 및 질감 표현 기법이 점차 발전하기 시작했다. 이러한 작업들을 CPU 혼자서 처리하기에는 버겁기 때문에 이를 보조할 3D 그래픽 연산 전용의 프로세서, 즉 GPU(Graphics Processing Unit)가 개발되어 그래픽카드에 탑재되기 시작했다. GPU는 SIMD 구조이고, 비트 코인 채굴기로 많이 사용된다.

4. MISD

MISD 방식은 SIMD 구조와 반대 개념으로 처리장치들에서 수행되는 명령어는 다르지만, 전체적으로는 하나의 데이터 스트림을 가지게 되는 형태다(MI: 다중 명령어 스트림). 결과적으로 여러 제어장치는 동시에 여러 명령어를 인출하여 각각 해독하고 하나의 처리장치는 여러 명령어를 실행하여 하나의 데이터 스트림을 갖는다(SD: 단일 데이터 스트림). 다음 그림은 MISD를 나타낸다.

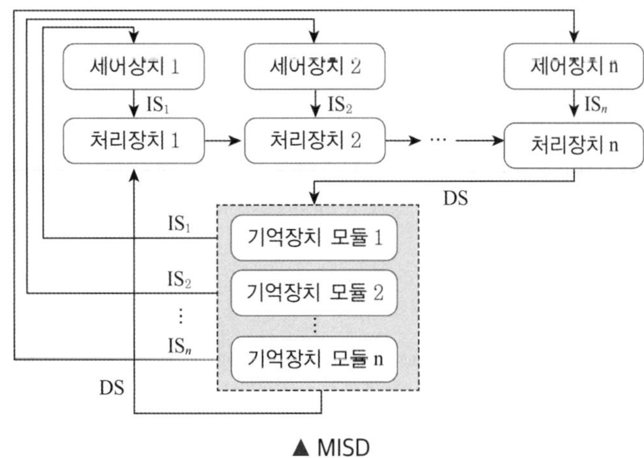

▲ MISD

MISD는 각 처리장치에서 처리한 결과가 다른 처리장치에 입력되는 형태다. 이 방식은 기상 예보 분석과 같은 복잡한 자료 처리에만 사용된다. 각 처리장치에서 덧셈, 뺄셈, 곱셈, 나눗셈 명령어가 각각 실행된다고 하면, 이 과정에서 하나의 데이터 스트림이 생성될 수는 없다. 그래서 비현실적인 MISD 구조는 범용 컴퓨터 형태로 구현한 경우는 없다.

5. MIMD

다수의 처리장치가 서로 다른 명령어들을 동시에 병렬로 실행하는 형태로, 통상적인 일반 목적(general-purpose)의 다중 프로세서 구조다(MI: 다중 명령어 스트림). 결과적으로 제어장치들은 동시에 여러 명령어를 각각 인출하고 해독하며, 처리장치들은 여러 데이터들을 동시에 인출하여 각각 명령들을 실행한다(MD: 다중 데이터 스트림). 다음 그림은 MIMD를 나타낸다.

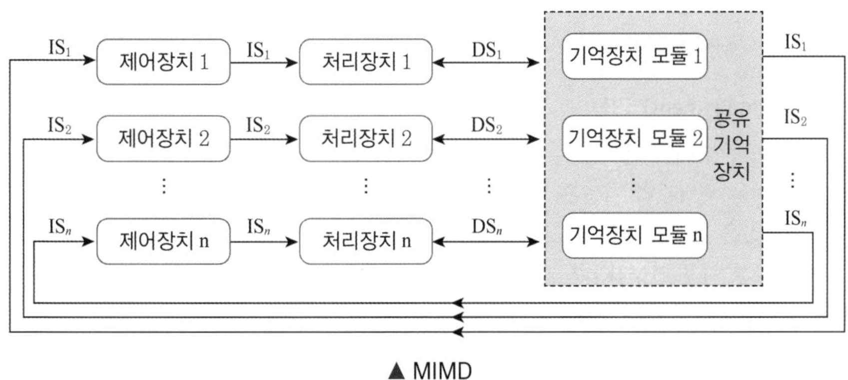

▲ MIMD

순수한 MIMD 구조에서는 각 처리장치 사이에서 데이터의 상호 교환이 일어날 것을 전제하고 있으며, 상호작용 정도에 따라서 통신이 빈번하게 발생하는 밀접 결합(tightly coupled)형의 MIMD 구조와 통신의 빈도가 극히 적게 발생하는 느슨 결합(loosely coupled)형 MIMD 구조로 분류된다.

2 다중 프로세서 시스템

1. 클러스터(Clusters)

최신으로 설계되는 컴퓨터는 더 발전된 형태의 새롭게 고안된 다중 프로세서, 고성능(high performance) 및 고가용성(high availability)을 만족하여야 한다. 특히, 대형 서버 구성에 적합하여야 한다. 클러스터는 이러한 의도에 의해서 등장하게 되었다. 클러스터는 여러 대의 전체 컴퓨디들(whole computers)이 상호 연결되어 협력하며 하나의 김퓨터로서 동작하는 통합 컴퓨팅 자원이다. 클러스터를 구성하는 전체 컴퓨터는 클러스터에서 분리되면 독립적으로 동작할 수 있는 컴퓨터 시스템을 말한다. 클러스터에서는 이러한 각 컴퓨터를 노드(node)라고도 한다.

대용량의 수치 연산에서 좀 더 고품질의 결과를 얻고 빠른 결과를 얻기 위해서는 대규모 계산이나 데이터를 처리해야 한다. 기존에는 워크스테이션이나 슈퍼 컴퓨터들이 활용되어 왔으나 단일 워크스테이션으로는 충분한 성능을 제공받기에 한계가 있다. 슈퍼 컴퓨터는 구축비용이 매우 높아 일반적인 연구 환경에서 사용하기에는 어려움이 따른다. 결과적으로 클러스터는 이를 해결하기 위한 좋은 선택방안이 될 수 있다.

클러스터는 다음과 같은 절대적 선형 확장성, 점진적 선형 확장성, 높은 가용성, 월등한 가격/성능 등의 장점이 존재한다.

(1) 절대적 선형 확장성(Absolute Scalability)

제일 큰 독립적 시스템보다 훨씬 더 큰 클러스터의 구성도 가능하다(병목 발생).

(2) 점진적 선형 확장성(Incremental Scalability)

새로운 시스템을 점차적으로 추가하면 성능 향상이 가능하다.

(3) 높은 가용성(High Availability)

각 노드는 독립적인 컴퓨터이므로, 독립 컴퓨터의 결함에도 서비스를 계속 제공할 수 있다. 즉, 높은 가용성을 갖는다.

(4) 월등한 가격/성능(Superior price/performance)

클러스터는 독립적 컴퓨터의 집합으로, 고가의 대형시스템보다 더 높은 성능을 가지지만 더 낮은 비용으로 구성 가능하다.

클러스터를 지원하는 운영체제에서는 다음과 같은 결함관리 기능과 부하 균등 기능을 포함하고 있다.

(5) 결함관리(failure management) 기능

발생할 수 있는 결함들에 대한 관리를 수행하면, 모든 자원들에 서비스를 제공할 확률이 높아진다. 결과적으로 운영체제에서 지원하는 결함관리 기능은 모든 자원들이 효과적으로 운영이 되어서 고가용성 클러스터링(highly available clustering)을 만족시키게 될 것이다. 그리고 결함-허용 클러스터링(fault-tolerant clustering)을 형성해서 모든 자원이 항상 사용 가능하도록 보장하며, 고장이 발생한 시스템에서 프로그램과 데이터 자원들을 클러스터 내 다른 시스템으로 전환하는 기능을 제공할 수 있다.

(6) 부하 균등(load balancing) 기능

클러스터는 사용 가능한 컴퓨터 간에 부하를 균등하게 분할해야 성능을 높일 수 있다. 따라서 운영체제는 부하를 균등하게 분할해 주는 기능을 지원해 주어야 한다.

2. Grid computing

그리드 컴퓨팅(grid computing)은 최근 활발히 연구가 진행되고 있는 분산 병렬 컴퓨팅의 한 분야로서, 원거리 통신망(WAN; Wide Area Network)으로 연결된 서로 다른 기종의(heterogeneous) 컴퓨터들을 하나로 묶어 가상의 대용량 고성능 컴퓨터(super virtual computer)를 구성하여 고도의 연산 작업(computation intensive jobs) 혹은 대용량 처리(data intensive jobs)를 수행하는 것을 일컫는다. 모든 컴퓨터를 하나의 초고속 네트워크(광통신)로 연결하여 계산능력을 극대화시키는 차세대 디지털 신경망 서비스를 말한다. 여러 컴퓨터를 가상으로 연결해서 공동으로 연산 작업을 수행하게 하는 것이며 분산 컴퓨팅이라고도 한다(분산 컴퓨팅에는 그리드 컴퓨팅과 클러스터 컴퓨팅이 존재함).

그리드는 대용량 데이터에 대한 연산을 작은 소규모 연산들로 나누어 작은 여러대의 컴퓨터들로 분산시켜 수행한다는 점에서 클러스터 컴퓨팅의 확장된 개념으로 볼 수 있으나, WAN 상에서 서로 다른 기종의 머신들을 연결한다는 점으로 인해 클러스터 컴퓨팅에서는 고려되지 않았던 여러 가지 표준 규약들이 필요해졌고, 현재 글로버스(Globus) 프로젝트를 중심으로 표준들이 정립되고 있는 중이다. 또한 다양한 플랫폼을 서로 연결한다는 점에서 클러스터 컴퓨팅과 차이가 있다. 그리드 컴퓨팅은 이기종 컴퓨터를 연결하고 표준 규약(프로토콜)이 필요하고, 클러스터 컴퓨팅은 동일 기종 컴퓨터를 연결하고 표준 규약이 필요 없다.

3. 불균일 기억장치 액세스(NUMA)

시스템 내의 모든 프로세서가 동일한 기억 장치를 공유하고 있지만 기억 장치를 접속하는 시간이 기억 장치의 위치에 따라 달라지는 구조를 불균일 기억장치 액세스(NUMA; Non-Uniform Memory Access) 시스템이라고 한다. NUMA 시스템은 대칭형 다중 프로세서(SMP 또는 UMA)가 버스 병목 현상으로 프로세서의 수가 제한되는 것을 극복하기 위해서 등장하였다. 기억장치의 투명성을 제공하고 다수의 프로세서 노드 사용이 가능하다. 각 노드는 버스를 통해서 지역 기억장치뿐만 아니라 고속의 상호 연결 버스를 통하여 원격 기억장치에 접속할 수 있다. 모든 프로세서는 일정한 전역 기억장치를 공유하며, 접속하는 데 소요되는 시간은 기억장치의 물리적 위치에 따라 달라진다. 인접한 곳에 위치한 기억장치에는 빠른 접속이 가능해서 우수한 시스템 성능을 발휘할 수 있다.

NUMA 시스템에서 캐시의 일관성 문제를 해결한 시스템을 캐시 일관 NUMA(CC-NUMA, Cache-Coherent Non-uniform Memory Access)이라고 한다. 여러 프로세서의 캐시들 사이에 캐시 일관성이 유지되는 NUMA 시스템이다.

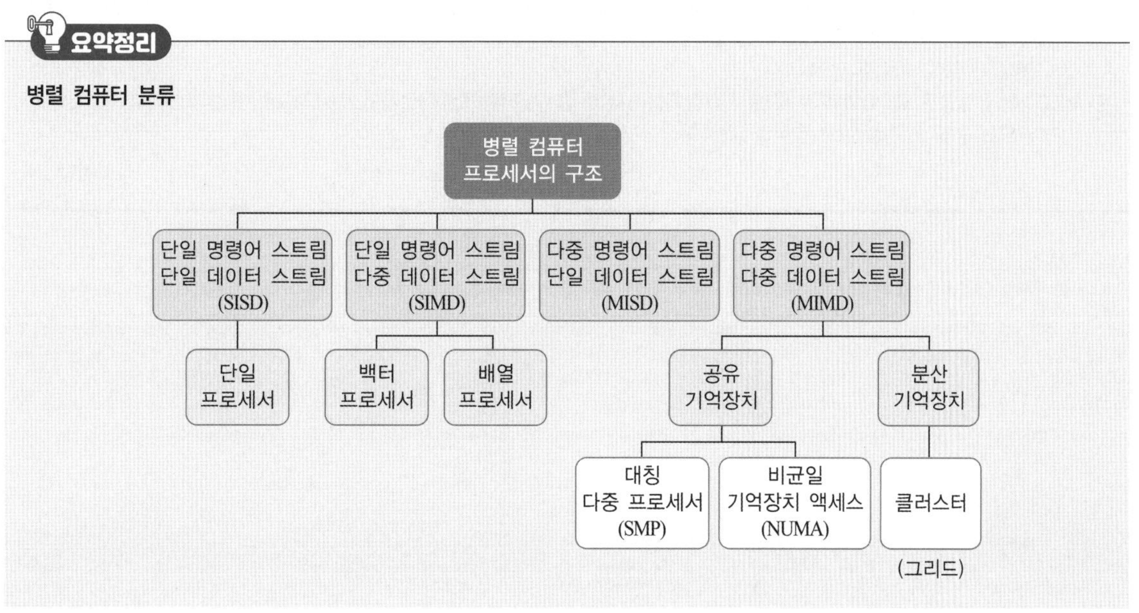

1. SISD: 명령어 파이프라이닝, 슈퍼스칼라 구조
2. SIMD: 벡터, 배열 프로세서
3. MISD: 기상 예보 분석, 비현실적
4. MIMD: tightly coupled, loosely coupled

주요개념 셀프체크

- SISD, SIMD, MISD, MIMD
- UMA(SMP) vs. NUMA
- Cluster vs. Grid

핵심 기출

컴퓨터 시스템에 대한 설명으로 옳은 것은? 2015년 지방직

① 임베디드 시스템은 특정 기능을 수행하기 위해 설계된 컴퓨터 하드웨어와 소프트웨어 및 추가적인 기계 혹은 기타 부품들의 결합체이다.
② 클러스터 컴퓨팅 시스템에 참여하는 컴퓨터들은 다른 이웃 노드와 독립적으로 동작하고 상호 연결되어 협력하지 않는다.
③ 불균일 기억 장치 액세스(NUMA) 방식은 병렬 방식 중 가장 오래되었고, 여전히 가장 널리 사용된다.
④ Flynn의 분류에 따르면, MISD는 여러 프로세서들이 서로 다른 명령어들을 서로 다른 데이터들에 대하여 동시에 실행하는 것이다.

해설

임베디드는 특정한 제품이나 솔루션에서 주어진 작업을 수행할 수 있도록 추가로 탑재되는 솔루션이나 시스템이다. 예를 들어, 냉장고에 컴퓨터의 기능이 들어가 있다면 이를 임베디드 시스템이라고 한다.

선지분석

② 클러스터 컴퓨팅: 클러스터를 구성하는 개별 컴퓨터(노드)를 연결하기 위해 클러스터 전용 상호 연결망이나 LAN을 사용할 수 있다. 개별 컴퓨터들은 연결되어 상호 협력한다.
③ NUMA: 시스템 내의 모든 프로세서가 동일한 기억 장치를 공유하고 있지만 기억 장치를 접속하는 시간이 기억 장치의 위치에 따라 달라지는 구조이다. 일단, UMA(균일 기억 장치 액세스)가 먼저 나왔고, 현재는 멀티코어(여러 개의 CPU를 하나의 칩셋에 넣음)가 많이 사용된다(UMA).
④ MISD: 해당 설명은 MIMD이고, MISD는 처리장치들에서 수행되는 명령어는 다르지만, 전체적으로는 하나의 데이터 스트림을 가지게 되는 형태다. 기상 예보 분석과 같은 복잡한 자료 처리에만 사용된다.

정답 ①

CHAPTER 13 그 외

1. 임베디드 시스템

특정한 제품이나 솔루션에서 주어진 작업을 수행할 수 있도록 추가로 탑재되는 솔루션이나 시스템이다. 어떤 제품이나 솔루션에 추가로 탑재되어 그 제품 안에서 특정한 작업을 수행하도록 하는 솔루션을 말한다. 예를 들어 주된 용도가 전화인 휴대폰에 텔레비전 기능이 들어가 있다면, 텔레비전 기능(시스템)이 바로 임베디드 시스템이다. 곧, 본 시스템에 끼워 넣은 시스템이라는 뜻이다. 첨단 기능이 들어 있는 컴퓨터, 가전제품, 공장자동화 시스템, 엘리베이터, 휴대폰 등 현대의 각종 전자 · 정보 · 통신 기기는 대부분 임베디드 시스템을 갖추고 있다. 대개의 경우 그 자체로 작동할 수도 있지만, 다른 제품과 결합해 부수적인 기능을 수행할 때에 한해 임베디드 시스템이라고 한다. 간단하게 정리하면 컴퓨터의 기능이 특정 제품에 포함되면 이를 임베디드라고 한다(예 냉장고).

2. 암달의 법칙(저주)

암달의 법칙(Amdahl's law)은 암달의 저주로도 불리며 컴퓨터 시스템의 일부를 개선할 때 전체적으로 얼마만큼의 최대 성능 향상이 있는지 계산하는 데 사용된다. 진 암달의 이름에서 따왔다. 암달의 법칙에 따르면, 어떤 시스템을 개선하여 전체 작업 중 P%의 부분에서 S배의 성능이 향상되었을 때 전체 시스템에서 최대 성능 향상은 다음과 같다(개선 후 실행시간 = 개선에 의해 영향을 받는 실행 시간/성능 향상 비율 + 영향을 받지 않는 실행 시간).

$$1/[(1 - P) + P/S]$$

예를 들어서 어떤 작업의 40%에 해당하는 부분의 속도를 2배로 늘릴 수 있다면, P는 0.4이고 S는 2이고 최대 성능 향상은 다음과 같다(40%를 2배 늘려도 전체 성능은 25% 증가).

$$1/[(1 - 0.4) + 0.4/2] = 1.25$$

3. 프로그램의 CPU 실행시간

- 프로그램의 CPU 실행시간 = 프로그램의 CPU 클럭 사이클 수 × 클럭 사이클 시간
- 프로그램의 CPU 실행시간 = 프로그램의 CPU 클럭 사이클 수/클럭 속도
- 프로그램의 CPU 클럭 사이클 수 = 명령어 수 × 명령어당 평균 클럭 사이클 수(CPI)
- 프로그램의 CPU 실행시간 = 명령어 수 × CPI × 클럭 사이클 시간
- 프로그램의 CPU 실행시간 = 명령어 수 × CPI/클럭 속도

4. 기타

최신 CPU나 그래픽 카드는 대부분 이용 환경에 따라 클럭이 자동으로 조절된다.

5. 컴퓨터 구조

다음 그림은 컴퓨터 구조를 나타낸다. CPU는 ALU, 레지스터, 제어장치로 구성되고, 캐시기억장치는 CPU와 주기억장치의 속도차 완화한다(공간과 시간의 지역성 이용). 주기억장치는 실행중인 프로그램(프로세스)을 가지고, RAM(SRAM, DRAM)과 ROM(MROM, PROM, EPROM)으로 구성된다. 보조기억장치는 실행중이지 않은 프로그램을 가지고, HDD 또는 SSD로 구성된다. 입출력은 CPU(Polling vs. Interrupt), DMA, IOP로 제어되고, 버스는 장치들을 연결한다(데이터/제어/주소).

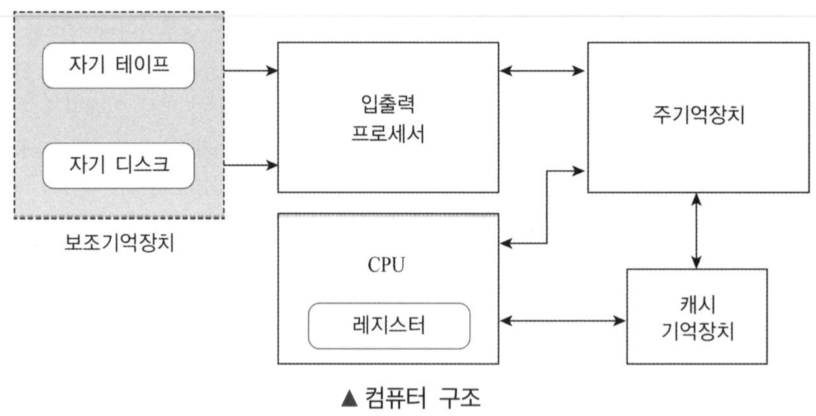

▲ 컴퓨터 구조

핵심 기출

어떤 프로그램에서 부동소수점 곱셈(floating-point multiplication) 연산이 전체 수행시간의 70%를 차지한다고 하자. 해당 프로그램의 성능을 2배 향상시키려면(즉, 전체 수행시간을 1/2로 단축시키려면), 부동 소수점 곱셈 연산의 성능이 몇 배 향상되어야 하는가?

2015년 국회직

① 1.3배
② 2배
③ 3배
④ 3.5배
⑤ 5배

해설

암달의 법칙은 컴퓨터 시스템의 일부를 개선할 때 전체적으로 얼마만큼의 최대 성능 향상이 있는지 계산하는 데 사용된다. 암달의 법칙에 따르면, 어떤 시스템을 개선하여 전체 작업 중 P%의 부분에서 S배의 성능이 향상되었을 때 전체 시스템에서 최대 성능 향상은 다음과 같다.

$$\frac{1}{(1-P)+\frac{P}{S}}$$

문제의 주어진 조건에서, P는 0.7이고 전체 시스템의 성능 향상은 2가 된다. 이를 수식에 대입하면 다음과 같다.

$$\frac{1}{(1-0.7)+\frac{0.7}{S}}=2,\ S=3.5$$

정답 ④

PART 3

데이터통신

CHAPTER 01 | 개념

1 회선 구성

1. 개요

회선 구성은 둘 이상의 통신 장치가 하나의 링크에 연결되는 방식이고, 링크(link)는 하나의 장치로부터 다른 장치로 데이터를 보내는 물리적인 통신 경로이다. 아래의 그림은 회선 구성 방식의 종류를 나타낸다.

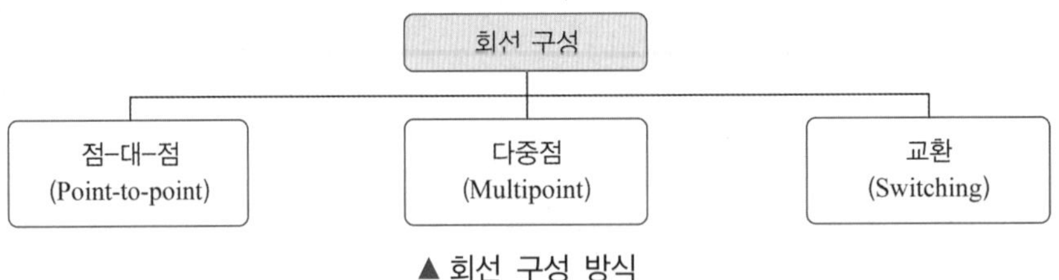

▲ 회선 구성 방식

2. 종류

점-대-점(Point-to-point)은 두 장치만 사용하는 단일 전용 링크를 제공(1 : 1)하고, 두 장치 간 전송에 채널의 전체 용량을 사용한다. 다중점(Multipoint)은 두 개 이상의 장치가 단일 링크를 공유하는 방식(1 : N)이고, 채널 용량을 공간적으로 또는 시간적으로 공유한다. 교환 방식(Switching)은 교환기들로 구성된 네트워크를 통하여 여러 기기 간에 데이터 송/수신을 수행하는 방식(N:N)이다. 패킷 교환, 회선 교환, 메시지 교환 방식이 존재한다(나중에 자세하게 다룬다).

3. 점 - 대 - 점(1 : 1)

아래의 그림은 점 - 대 - 점 회선 구성을 나타낸다.

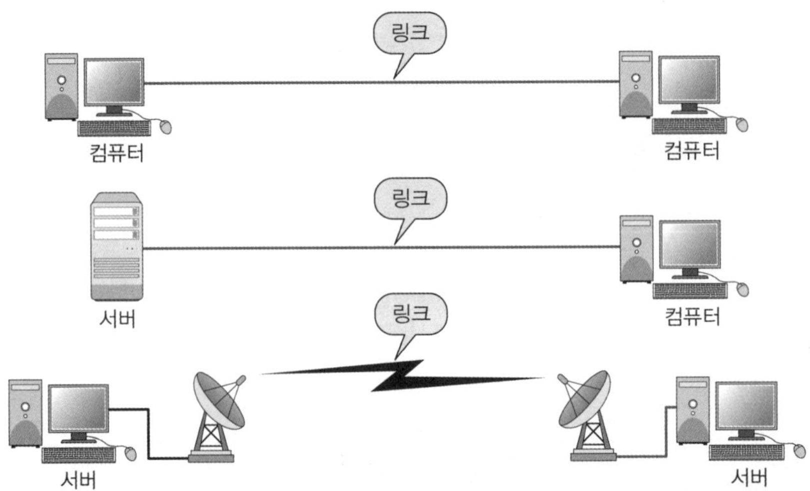

▲ 점 - 대 - 점 회선 구성

4. 다중점(1 : N)

다음의 그림은 다중점 회선 구성을 나타낸다.

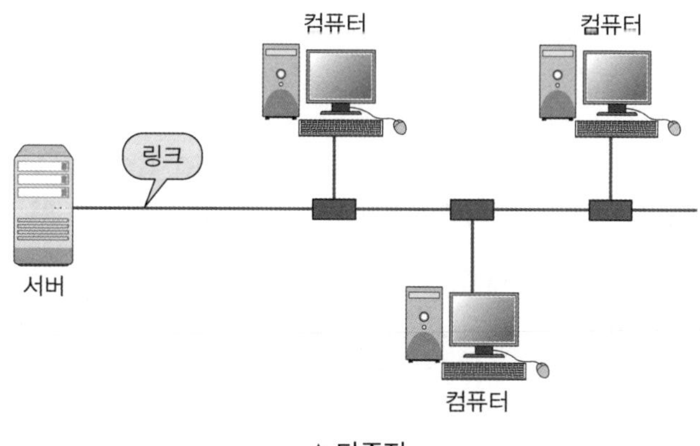

▲ 다중점

5. 교환 방식(N : N)

다음 그림은 교환 방식 회선 구성을 나타낸다.

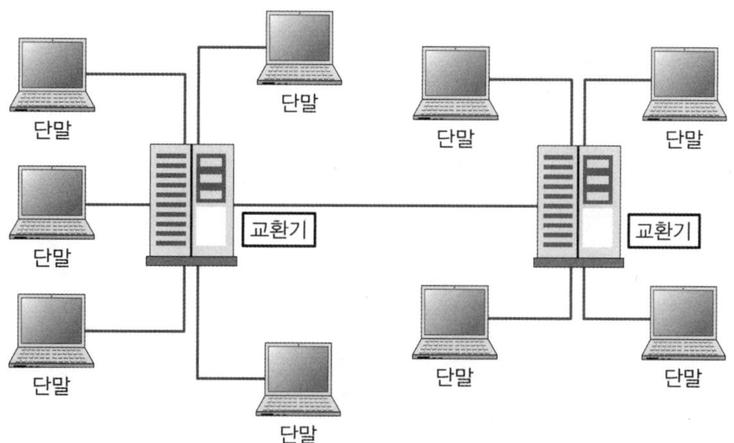

▲ 교환 방식

2 접속 형태

1. 개요

접속 형태는 물리 또는 논리적인 네트워크 구성 방법을 나타낸다(시험 문제 출제 빈도 높음). 그리고 접속 형태는 네트워크 링크의 물리 또는 논리의 배열을 나타내기도 한다. 접속 형태를 선택할 때 고려사항은 접속 형태가 대등-대-대등이냐 아니면 주국-종국이냐이다. 대등-대-대등(peer-to-peer)은 장치들이 동등하게 링크를 공유하는 구조이고 링형, 그물형이 여기에 해당한다. 그리고 주국-종국(primary-secondary)은 하나의 장치는 트래픽을 제어하고 다른 하나는 이를 통하여 전송가능한 구조이고 성형, 트리형이 여기에 해당한다. 이들의 중간에는 버스형이 존재한다.

아래의 그림은 접속 형태(토폴로지, Topology)의 종류를 나타낸다.

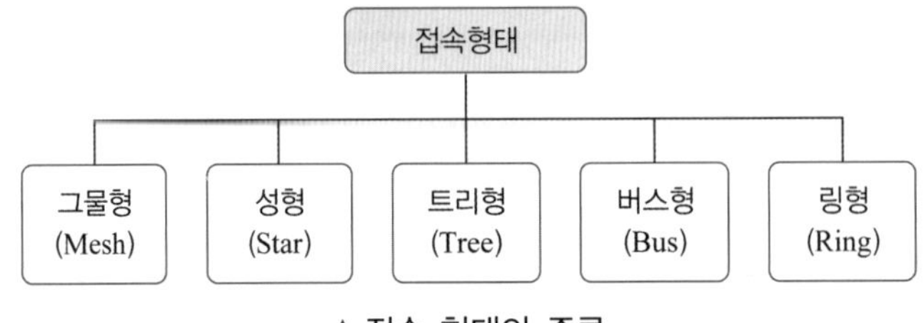

▲ 접속 형태의 종류

2. 그물(Mesh)형

그물형은 중앙 제어 노드의 중계 없이 모든 노드가 다른 노드와 점-대-점 전용 링크로 직접 연결된다. n개의 장치를 서로 그물형 접속 형태로 연결하기 위해 n(n - 1)/2개의 물리적인 채널이 필요하다(3개가 장치가 있다고 가정하고 계산해보자). 모든 노드는 n - 1개의 입출력(I/O) 포트가 필요하다(자신 제외). 아래의 그림은 그물형 접속 형태를 나타낸다.

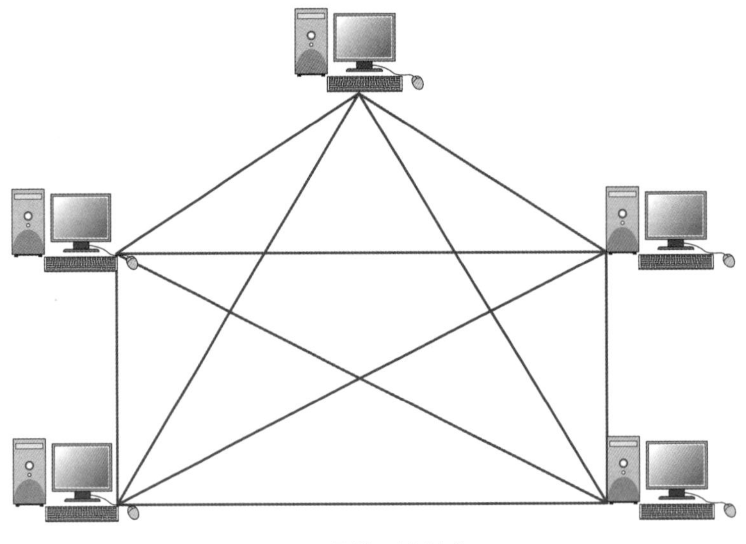

▲ 그물형 접속형태

그물형의 장점은 전용 링크를 사용하므로 교환 기능이 필요 없고, 매우 빠른 전송 시간을 제공한다. 그리고 안전성이 매우 높고, 프라이버시(privacy)와 보안(security)이 뛰어나다. 또한 점-대-점 링크는 결함 식별과 분리가 용이하다(어디에서 고장 났는지 바로 알 수 있음).

그물형의 난점은 케이블링과 I/O 포트 수와 관계가 복잡하다(많이 필요하다). 모든 장치는 다른 장치와 연결 되기 때문에 설치와 재구성이 어렵다(하나를 추가하거나 하나를 제거한다고 생각해보자). 그리고 케이블 묶음이 수용 공간의 크기보다 클 수 있다(천정, 벽, 마루 등). 각 링크 연결에 필요한 하드웨어가 비교적 고가이다.

3. 성형(Star)

성형은 각 장치가 허브(hub)라는 중앙 제어기와 점 - 대 - 점 링크로 연결되고, 제어장치(허브)가 교환기(또는 스위칭) 역할을 담당한다. 아래의 그림은 성형의 접속 형태를 나타낸다.

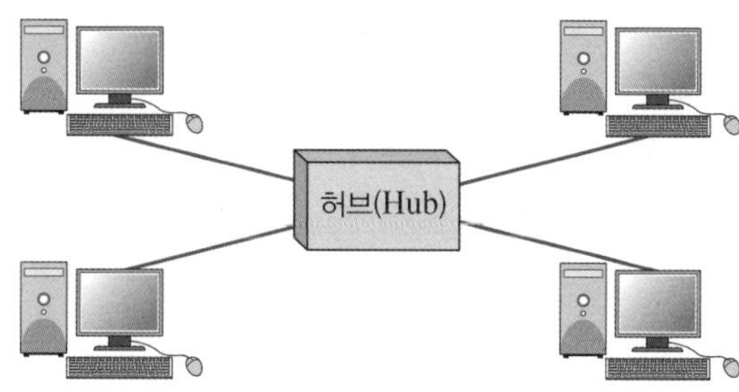

▲ 성형 접속 형태

성형의 장점은 그물형 접속형태보다 비용이 적게 든다. 각 장치는 하나의 링크와 하나의 I/O 포트만 필요하므로 설치와 재구성이 쉽다. 그리고 하나의 링크에 문제가 발생하면 해당 링크만 영향을 받는다(안전성). 성형의 단점은 중앙의 허브가 고장 날 경우 전체 망이 마비된다(단일장애점, Single Point of Failure).

4. 트리형(Tree)

트리형은 성형(Star)의 변형이고, 성형처럼 트리에 연결된 노드는 네트워크상의 통신을 제어하는 중앙 허브에 연결된다. 허브에는 능동과 수동이 있다. 능동적인(active) hub는 전송하기 전에 수신된 비트 패턴을 생성하는 하드웨어 장치인 재생기(repeater)를 포함하고, 수동적인(passive) hub는 연결된 장치 간에 간단한 물리적 연결을 제공한다. 아래의 그림은 트리형 접속 형태를 나타낸다.

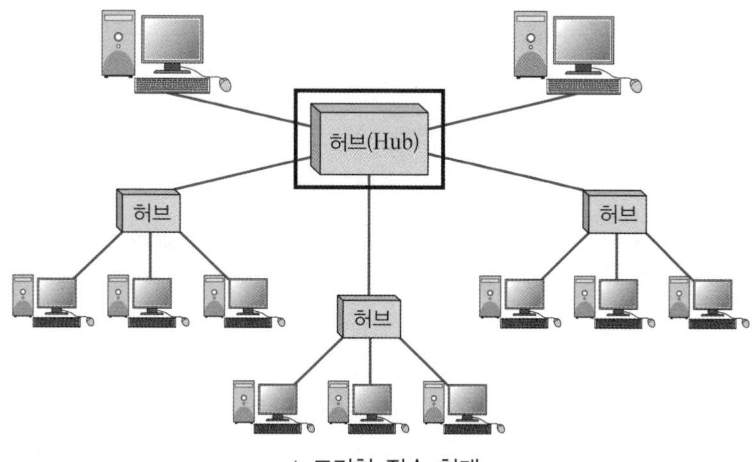

▲ 트리형 접속 형태

트리형의 장점과 단점은 대체적으로 성형과 같다. 장점으로는 제어가 간단하여 관리 및 확장이 용이하다(허브에 연결). 단점으로는 중앙 허브에 병목 현상이 발생하고 중앙 허브의 고장은 네트워크 전체가 마비된다(단일장애점, Single Point of Failure).

5. 버스형(Bus)

버스형은 다중점 연결(1 : N)을 하고, 백본(Backbone)인 케이블에 모든 장치를 연결된다. 노드는 drop lines와 taps에 의해 버스 케이블에 연결된다. 유도선(drop line)은 주 케이블과 장치를 연결하는 선이고, 탭(tap)은 주 케이블의 연결 장치나 전선의 금속심에 연결하기 위해 케이블의 피복에 구멍을 낸 것이다(태핑, tapping). 아래의 그림은 버스형 접속 형태를 나타낸다.

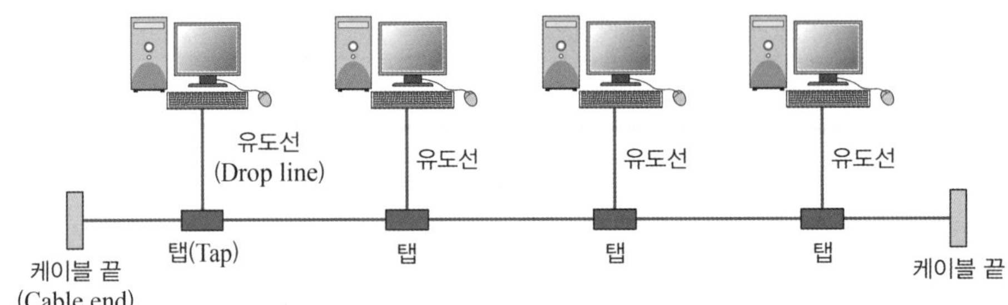

▲ 버스형 접속 형태

버스형의 장점은 설치가 쉽고, 그물형, 성형, 트리형 접속 형태보다 적은 양의 케이블 사용한다. 단점은 재구성(배치 간격)과 결함 분리가 어렵다(어디에서 고장 났는지 알 수 없음). 그리고 버스 케이블 결함이나 파손은 모든 전송을 중단하게 하고, 네트워크의 트래픽이 많을 경우 네트워크의 효율성이 떨어진다.

6. 링형(Ring)

링형은 각 장치가 이웃하는 장치와 점-대-점 링크를 갖는다(1 : 1). 아래의 그림은 링형의 접속 형태를 나타낸다.

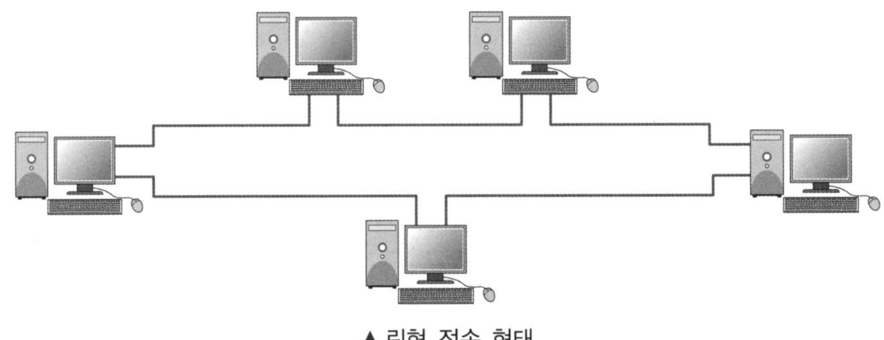

▲ 링형 접속 형태

링형의 장점은 비교적 설치와 재구성이 쉽고, 결함 분리가 간단하다. 단점은 단방향적인 트래픽이고, 링에 문제가 발생하면 전체 네트워크에 영향을 미친다. 해결책으로 이중 링(dual ring)을 사용한다(양방향적인 트래픽).

7. 혼합형(Hybrid)

아래의 그림은 혼합형의 접속 형태를 나타낸다. 그림에서 알 수 있듯이 성형에 버스형 혹은 링형을 포함하는 구조이다.

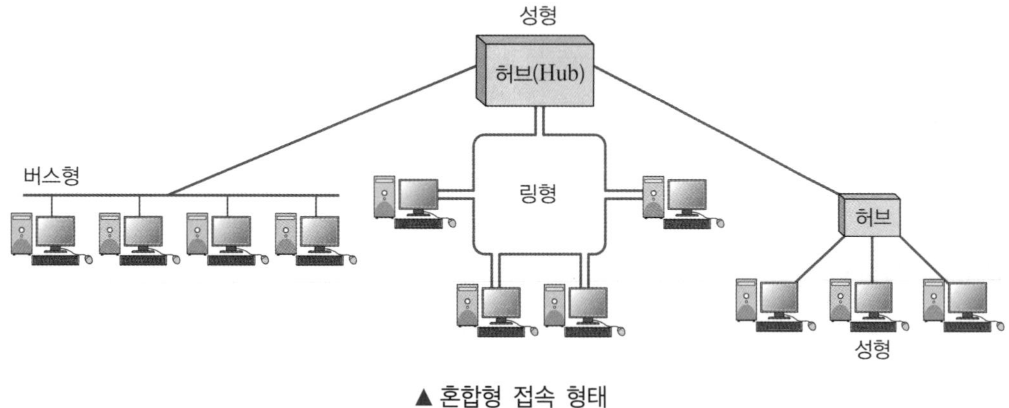

▲ 혼합형 접속 형태

3 전송 방식

1. 개요

전송 방식은 두 개의 장치 간에 데이터 전송 신호의 흐름 방향 기준을 나타낸다(독립 문제로 나온 적은 없고, 용어가 나온 적은 있음). 아래의 그림은 전송 방식을 나타낸다.

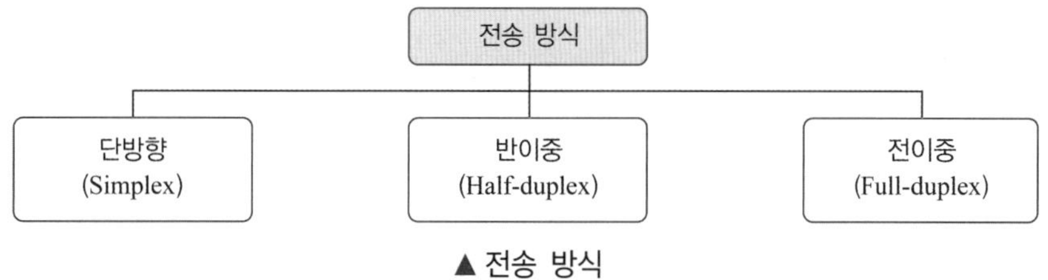

▲ 전송 방식

단방향(Simplex)은 통신이 한쪽 방향으로만 이루어진다(예 자판, 모니터, 라디오, TV). 반이중(Half-Duplex)은 각 장치는 송/수신이 가능하나 동시에는 불가능하다(예 무전기, 양방향 통행이 가능한 1차선 도로). 그리고 전이중(Full-Duplex)은 양쪽 장치가 동시에 송/수신이 가능하다(예 전화, 양방향 통행이 가능한 2차선 도로).

2. 단방향(Simplex)

아래의 그림은 단방향 전송 방식을 나타낸다. 예를 들면, 예전 TV를 들 수 있는데, 현재 사용하고 있는 IPTV는 전이중 전송 방식이다.

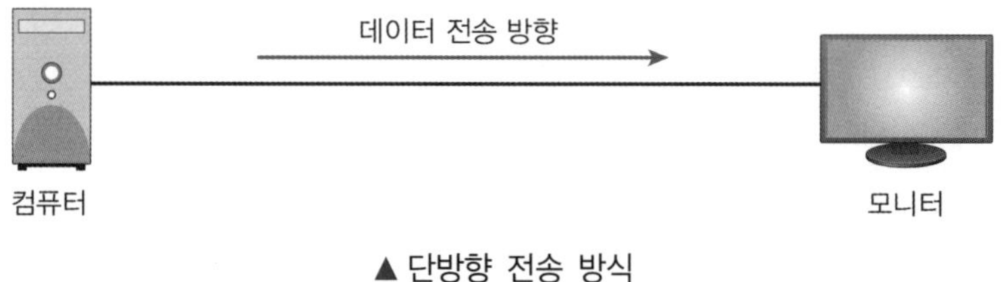

▲ 단방향 전송 방식

데이터통신 PART 3 해커스공무원 곽후근 컴퓨터일반 기본서

3. 반이중(Half-Duplex)

아래의 그림은 반이중 전송 방식을 나타낸다. 동시 전송이 불가능에 불가능하고, 무전기를 예로 들 수 있다.

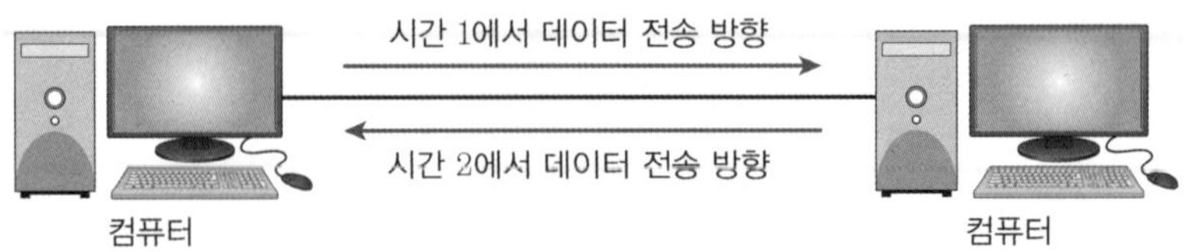

▲ 반이중 전송 방식

4. 전이중(Full-Duplex) - 전화

아래의 그림은 전이중 전송 방식을 나타낸다. 동시 전송이 가능하고 전화를 예로 들 수 있다.

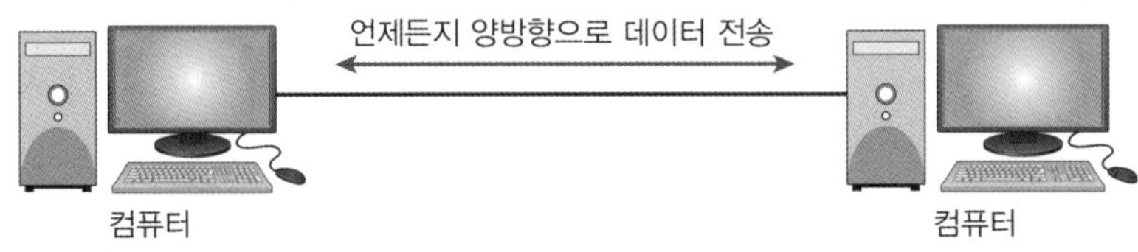

▲ 전이중 전송 방식

4 네트워크 분류

1. 개요

네트워크를 분류하면 다음과 같이 나눌 수 있다.

(1) LAN

Local Area Network으로 근거리 통신망을 의미한다.

(2) MAN

Metropolitan Area Network으로 도시 통신망을 의미한다.

(3) WAN

Wide Area Network으로 광역 통신망을 의미한다.

(4) PAN

Personal Area Network으로 개인 영역 통신망을 의미한다(시험 문제 다수 출제).

(5) BAN

Body Area Network으로 신체 통신망을 의미한다.

규모, 목적, 구조, 이용 기술에 따라 구분할 수 있는 규모에 따라 구분하면 다음의 관계를 가진다. WAN의 규모가 제일 크고, BAN의 규모가 제일 작다. 아래의 그림은 네트워크의 분류를 나타낸다.

BAN < PAN < LAN < MAN < WAN

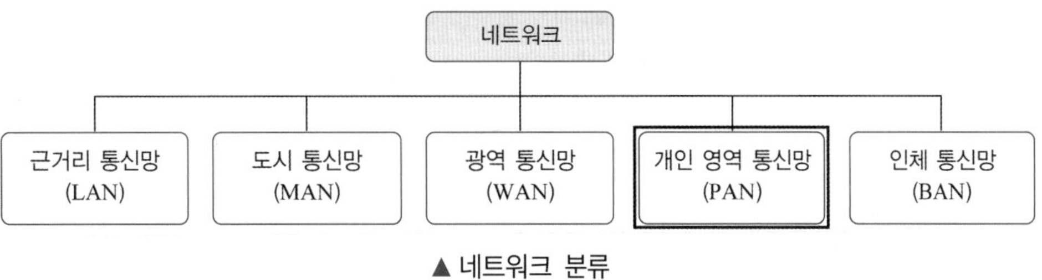

▲ 네트워크 분류

2. LAN(Local Area Networks)

LAN은 사무실, 빌딩, 대학에서 사용하는 기기들의 연결한다. 아래의 그림은 근거리 통신망을 나타낸다.

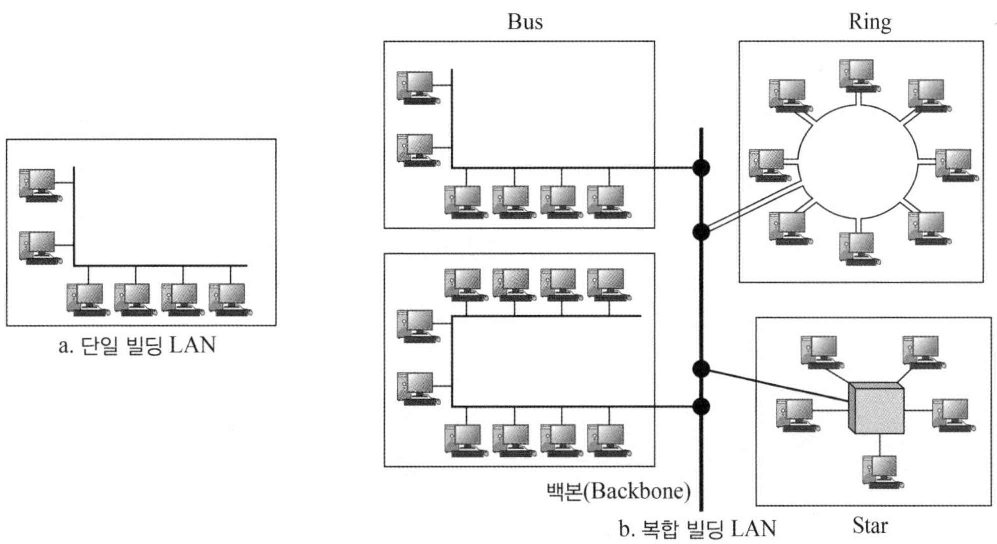

▲ 근거리 통신망

3. MAN(Metropolitan Area Networks)

MAN은 도시 전체를 수용하도록 확장 설계한다. 아래의 그림은 도시 통신망을 나타낸다.

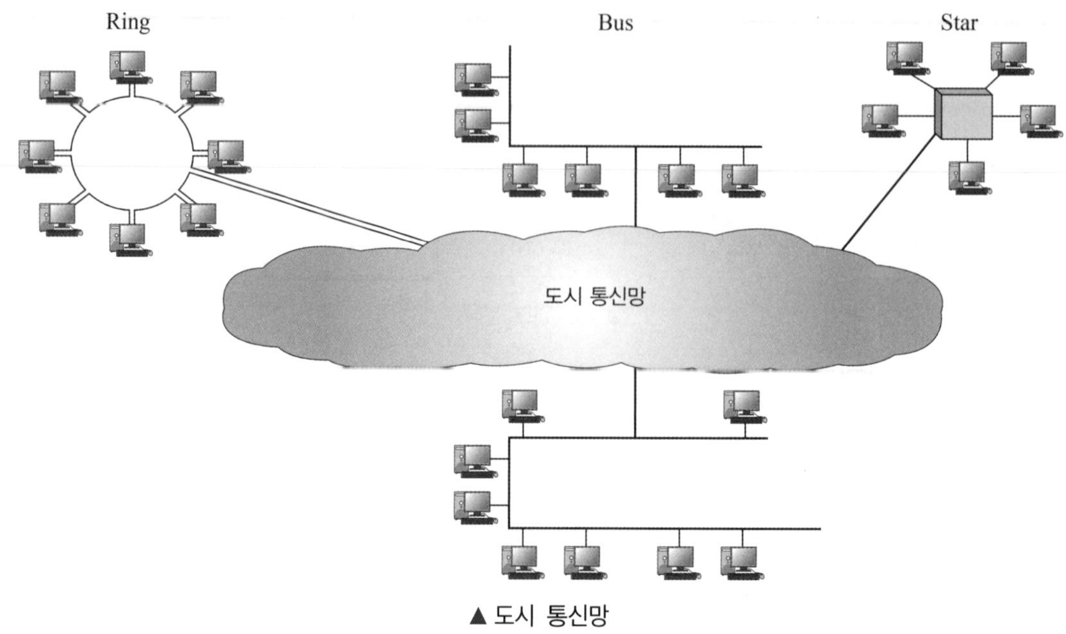

▲ 도시 통신망

4. WAN(Wide Area networks)

WAN은 지역적인 영역(대륙, 국가)을 통한 데이터, 음성, 영상, 비디오 정보의 장거리 전송을 수행한다. 아래의 그림은 광역 통신망을 나타낸다.

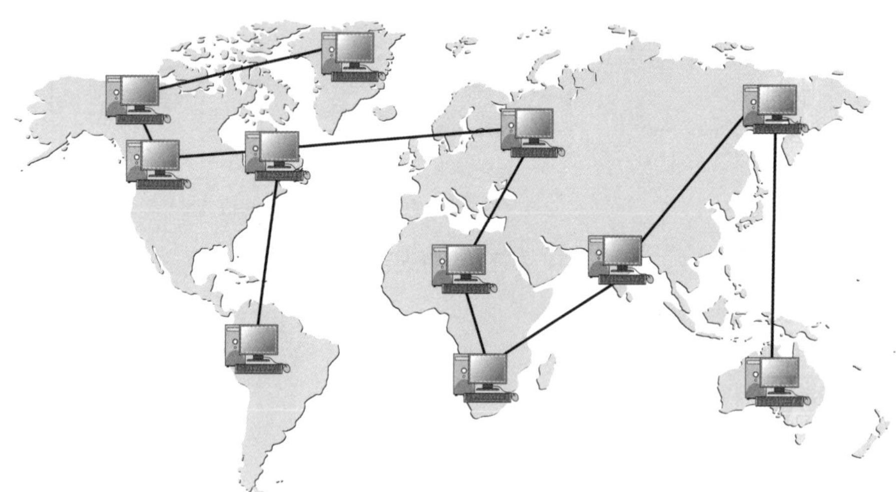

▲ 광역 통신망

5. PAN(Personal Area Network)

10m 안팎의 개인 영역 내에 위치한 정보기술 장치들 간의 상호 통신을 수행한다. Bluetooth(10m 반경), ZigBee(10m 반경, 저전력), NFC(10cm 반경) 등이 사용된다. 아래의 그림은 PAN의 구성도를 보여준다.

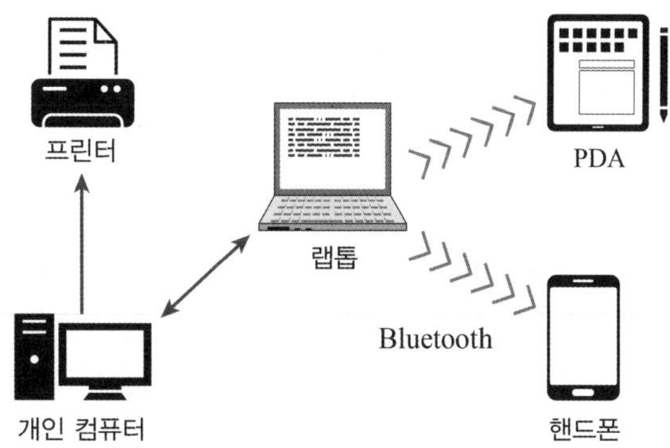

▲ 개인 영역 통신(PAN) 구성도

6. BAN(Body Area Network)

몸 속(in-body), 몸 위(on-body), 몸 주위(off-body)에 있는 기기들 사이의 통신 및 통신망을 나타낸다. ZigBee 등을 사용하므로 PAN과 경계가 모호하다. 아래의 그림은 BAN의 구성도를 나타낸다.

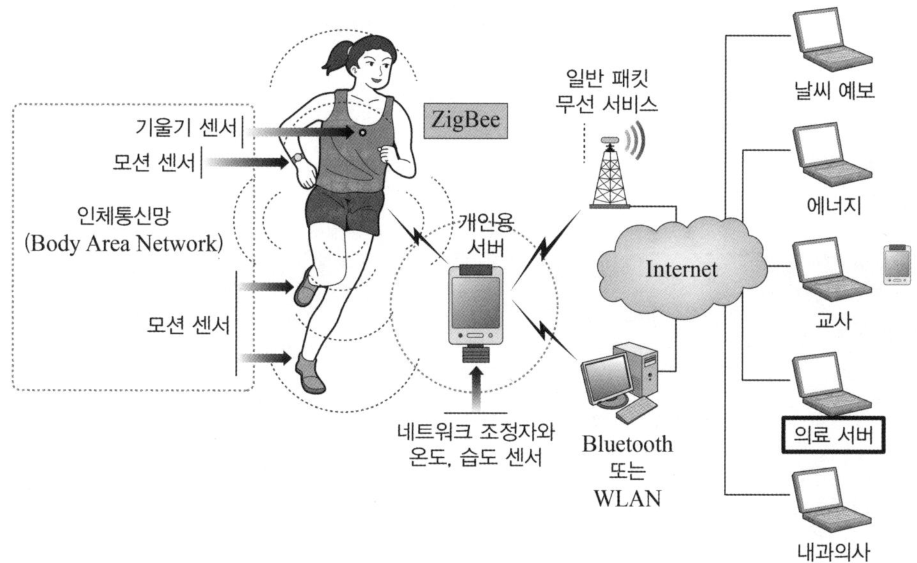

▲ 인체 통신망(BAN) 구성도

5 인터넷

1. 네트워크 간 연결(Internetworks)

인터넷은 네트워크 상호 연결 장치(라우터, router)를 이용한 네트워크 간 연결을 의미한다. 정확하게 정의하면, internet(소문자)은 개별 네트워크를 상호 연결한 네트워크를 총칭하고, Internet(대문자)은 전세계적으로 널리 사용되고 있는 TCP/IP를 사용하고 있는 특정 네트워크를 의미한다.

2. 인터넷(internet)

아래의 그림은 인터넷(internet)을 나타낸다. LAN이 서로 Router로 연결되어 WAN을 구성함을 알 수 있다.

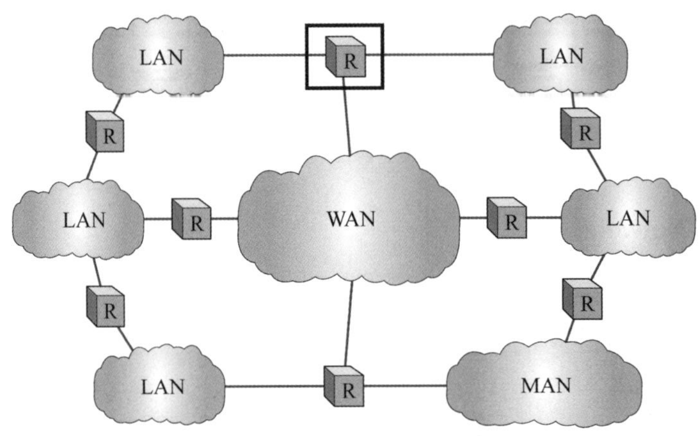

▲ 인터넷(internet)

요약정리

접속 형태

접속 형태(topology)	장점	단점
그물형(Mesh)	• 안전성이 매우 높음 • 결함 식별과 분리가 용이	• 설치와 재구성이 어려움 • 케이블 묶음이 큼
성형(Star)	• 설치와 재구성이 쉬움 • 해당 링크만 영향을 받음	단일장애점
트리형(Tree)	• 성형과 비슷 • 관리 및 확장이 용이	단일장애점
버스형(Bus)	• 설치가 쉬움 • 적은 양의 케이블 사용	• 재구성과 결함 분리가 어려움 • 네트워크 효율성이 떨어짐
링형(Ring)	• 비교적 설치와 재구성이 쉬움 • 결함 분리가 간단	전체 네트워크에 영향을 미침

주요개념 셀프체크

- ✓ 그물형
- ✓ 성형
- ✓ 트리형
- ✓ 버스형
- ✓ 링형
- ✓ PAN: Bluetooth, ZigBee, NFC

핵심 기출

1. 다음의 설명과 무선 PAN 기술이 옳게 짝지어진 것은? 2017년 국가직

(가) 다양한 기기 간에 무선으로 데이터 통신을 할 수 있도록 만든 기술로 에릭슨이 IBM, 노키아, 도시바와 함께 개발하였으며, IEEE 802.15.1 규격으로 발표되었다.
(나) 약 10cm 정도로 가까운 거리에서 장치 간에 양방향 무선 통신을 가능하게 해 주는 기술 로 모바일 결제 서비스에 많이 활용된다.
(다) IEEE 802.15.4 기반 PAN기술로 낮은 전력을 소모 하면서 저가의 센서 네트워크 구현에 최적의 방안을 제공하는 기술이다.

	(가)	(나)	(다)
①	Bluetooth	NFC	ZigBee
②	ZigBee	RFID	Bluetooth
③	NFC	RFID	ZigBee
④	Bluetooth	ZigBee	RFID

해설

(가) Bluetooth: 1994년에 에릭슨이 최초로 개발한 디지털 통신 기기를 위한 개인 근거리 무선 통신 산업 표준이다. 2.4~2.485GHz의 UHF(극초단파)를 이용하여 전자 장비 간의 짧은 거리(10m)의 데이터 통신 방식을 규정한다.
(나) NFC: 13.56MHz의 대역을 가지며, 아주 가까운 거리(10cm)의 무선 통신을 하기 위한 기술이다. 현재 지원되는 데이터 통신 속도는 초당 424 킬로비트다. 교통, 티켓, 지불 등 여러 서비스에서 사용할 수 있다(ISO 13157).
(다) ZigBee: 소형, 저전력 디지털 라디오를 이용해 개인 통신망을 구성하여 통신하기 위한 표준 기술이다. ZigBee 장치는 메시 네트워크(각각의 노드가 네트워크에 대해 데이터를 릴레이하는 네트워크 토폴로지) 방식을 이용하여, 여러 중간 노드(10m)를 거쳐 목적지까지 데이터를 전송함으로써 저전력임에도 불구하고 넓은 범위의 통신이 가능하다.

정답 ①

2. 네트워크 구성 형태에 대한 설명으로 옳지 않은 것은? 2017년 국가직

① 메시(mesh)형은 각 노드가 다른 모든 노드와 점대점으로 연결되기 때문에 네트워크 규모가 커질수록 통신 회선수가 급격하게 많아진다.
② 스타(star)형은 각 노드가 허브라는 하나의 중앙노드에 연결되기 때문에 중앙노드가 고장나면 그 네트워크 전체가 영향을 받는다.
③ 트리(tree)형은 고리처럼 순환형으로 구성된 형태로서 네트워크 재구성이 수월하다.
④ 버스(bus)형은 하나의 선형 통신 회선에 여러개의 노드가 연결되어 있는 형태이다.

해설

해당 설명은 링(ring)형이고, 트리형은 스타형의 변형으로 스타형처럼 트리에 연결된 노드는 네트워크상의 통신을 제어하는 중앙 허브에 연결한다.

선지분석

① 메시형은 노드가 1 : 1로 연결되기 때문에 네트워크 규모가 커질수록 통신 회선 수가 기하급수적으로 증가한다.
② 스타형은 각 노드가 허브에 연결되어 있기 때문에 허브가 고장 나면 전체 네트워크가 영향을 받는다(single point of failure, 단일장애점).
④ 버스형은 하나의 회선에 여러 개의 노드가 연결되어 있는 형태로써, 노드가 많아지면 충돌이 발생해서 전송 속도가 늦어진다.

정답 ③

CHAPTER 02

OSI 모델

1 OSI 기본 참조 모델

OSI는 Open System Interconnection의 약자로, 개방 시스템 상호연결을 의미한다(호환성, 연구용으로 개발). Basic Reference Model은 ISO-7498에 정의되었다. OSI 모델의 목적은 기본적인 하드웨어 또는 소프트웨어의 변경 없이 서로 다른 시스템 간에 개방 통신을 위한 것(호환성)과 안전하게 상호 연동이 가능한 네트워크 구조를 이해하고 설계하기 위한 모델을 위한 것(연구용)이다.

OSI 모델은 모든 유형의 컴퓨터 시스템 간의 통신을 허용하는 네트워크 시스템의 설계를 위한 계층구조(스택)를 가진다. 그리고 계층화된 구조는 장치 A로부터 장치 B까지 메시지를 전송할 때 연관되는 계층(스택)을 의미한다. 아래의 그림은 OSI 모델을 나타낸다.

▲ OSI 모델

아래의 그림은 OSI 모델 계층 구조에서 장치 A에서 장치 B로 패킷 전송하는 것을 보여준다. 전송 중간에 스위치(2계층 스위치, LAN에서 필요)와 라우터(3계층 스위치, WAN에서 필요)가 필요하다.

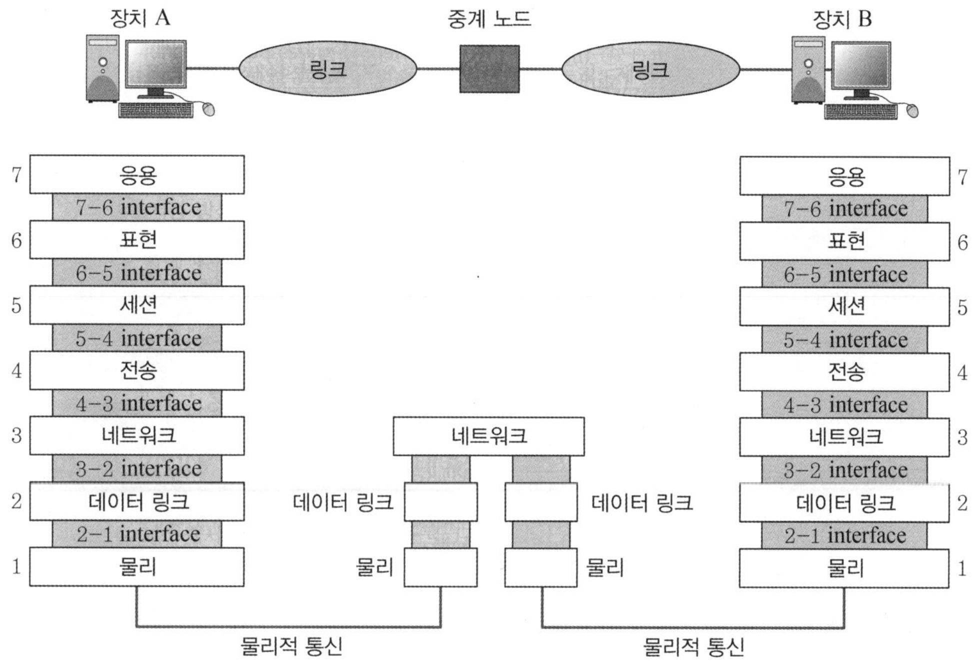

▲ OSI 모델의 계층 구조

OSI 모델은 대등-대-대등(Peer-to-peer) 프로세스와 계층간 인터페이스를 제공한다. 대등-대-대등 프로세스는 해당 계층에서 통신하는 각 시스템의 프로세스를 의미하고, 시스템간의 통신은 적절한 프로토콜을 사용하는 해당 계층의 대등-대-대등 프로세스로 동작한다(서로 다른 계층과 통신 불가). 계층 간 인터페이스는 자신의 바로 위 계층에 제공되는 자신의 정보와 서비스를 정의한다(L2는 L3에게 L2의 정보를 제공).

계층의 기본구조는 네트워크 지원 계층, 사용자 지원 계층, 전송 계층으로 구분된다. 계층 1, 2, 3(네트워크 지원 계층)은 하나의 장치에서 다른 장치로 전송되는 데이터의 물리적인 면을 처리하고, 계층 5, 6, 7(사용자 지원 계층)은 관련 없는 소프트웨어 시스템간의 상호 운용성을 제공한다. 그리고 계층 4(전송 계층)는 네트워크 지원 계층과 사용자 지원 계층을 서로 연결하고, 네트워크 지원 계층이 전송한 것을 사용자 지원 계층이 사용할 수 있는 형태가 되도록 보장한다(port로 분리).

아래의 그림은 OSI 모델을 이용한 교환을 나타낸다. 캡슐화(Encapsulation)(위에서 아래로)와 역캡슐화(Decapsulation)(아래에서 위로)가 사용됨에 유의한다.

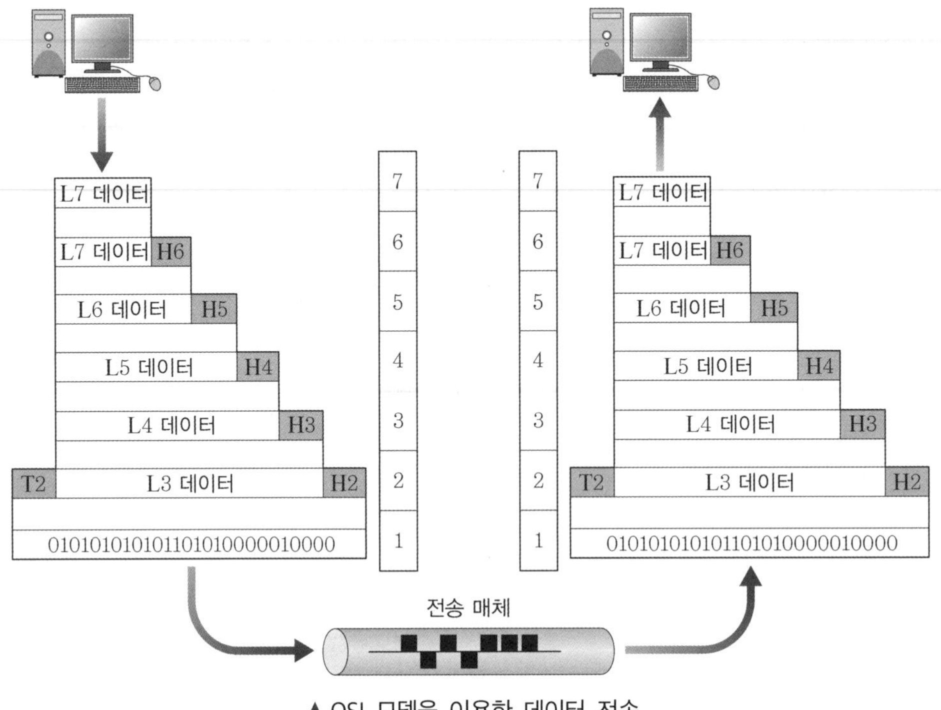

▲ OSI 모델을 이용한 데이터 전송

2 계층별 기능

계층은 물리층(Physical Layer), 데이터 링크층(Data Link Layer), 네트워크층(Network Layer), 전송층(Transport Layer), 세션층(Session Layer), 표현층(Presentation Layer), 응용층(Application Layer)으로 총 7개가 존재한다. 이중 데이터 링크층과 네트워크층이 시험에 자주 출제되므로 주의 깊게 보기 바란다.

1. 물리층(Physical Layer)

물리적인 매체를 통해 비트 흐름을 전송하기 위해 요구되는 기능 제어를 나타낸다(기계적, 전기적 특성을 다룸: 케이블, 연결구). 데이터 링크층으로 부터 한 단위의 데이터를 받아 통신 링크를 따라 전송될 수 있는 형태로 변환한다. 비트(bit) 스트림을 전자기 신호로 변환하고 전송매체를 통한 신호 전송을 감독한다.

다음 그림은 물리층(Physical layer)을 나타낸다. 그림에서 알 수 있듯이 비트 스트림이 전자기 신호로 변환되는 것을 알 수 있다.

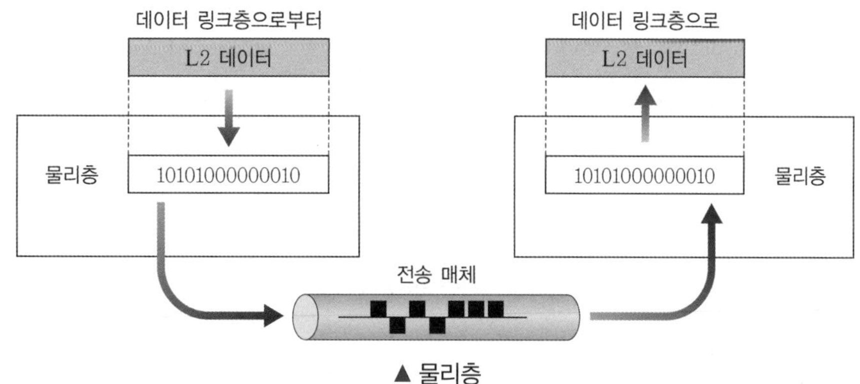

▲ 물리층

물리층에서의 고려사항은 회선 구성(Line configuration, 점대점, 다중점, 교환), 데이터 전송 모드[Data transmission mode, 병렬, 직렬(동기식, 비동기식)], 접속형태(Topology, 그물형, 성형, 트리형, 버스형, 링형), 신호[Signals, 신호유형(디지털, 아날로그)], 부호화(Encoding, 아날로그-디지털, 디지털-아날로그 등), 인터페이스(Interface, RS-232, EIA-449, X.21 등), 전송매체[Medium, 유도(UTP, 동축, 광섬유), 비유도(공기)] 등이 존재한다.

2. 데이터 링크층(Data Link Layer)

하나의 지국에서 다른 지국으로 오류 없는 데이터 전달에 대한 책임을 가진다(1개의 패킷을 Peer-to-Peer로 전달). 세 번째 층으로부터 데이터를 받아서 주소와 제어 정보를 포함하고 시작(header)과 끝(trailer)에 의미 있는 비트(패킷 정보와 에러 체크)를 추가 한다. 프레임(Frame)이라고 부르고, 계층 중 유일하게 trailer가 붙는 것에 주의한다.

아래의 그림은 데이터 링크층을 나타낸다. 데이터 링크층에서는 물리 주소인 MAC 주소가 사용됨에 유의한다.

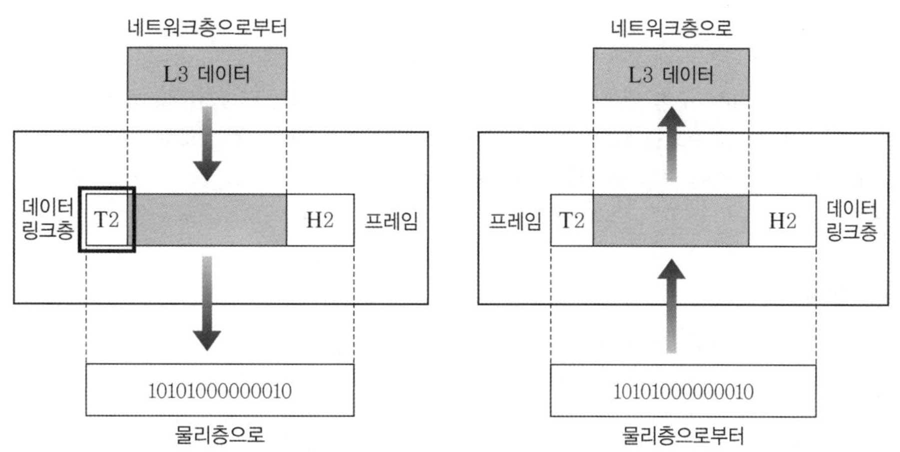

▲ 데이터 링크층

데이터 링크층의 기능은 노드-대-노드 전달(node-to-node/station-to-station/peer-to-peer delivery), 주소 지정[Addressing, MAC address(물리적인 주소)], 접근 제어(Access control, MAC filtering, MAC을 등록하고 등록된 MAC만 수신함), 흐름 제어(Flow control, stop-and-wait, sliding window), 오류 처리[Error handling, ARQ(automatic repeat request)], 동기화(Synchronization, P2P 간에 흐름 제어를 위한 동기화) 등을 제공한다. 이 중 흐름 제어와 오류 처리에 대해서는 나중에 자세하게 다룬다.

3. 네트워크층(Network Layer)

다중 네트워크 링크를 통해 패킷의 발신지-대-목적지 전달에 대한 책임을 가진다(1개의 패킷을 End-to-End로 전송). 데이터 링크층은 1개의 패킷을 노드 간(node-to-node) 전달 책임이 있는 것과 비교하기 바란다. 네트워크층은 두 가지 관련 서비스(교환과 경로지정)를 제공한다.

교환(Switching 또는 스위칭)은 네트워크 전송을 위해 물리적 링크 간의 임시적인 연결을 의미하고, 회선 교환(circuit switching)과 패킷 교환(packet switching)이 존재한다(이에 대해서는 나중에 자세하게 배운다). 경로시정(Routing 또는 라우팅)은 한 지점에서 다른 지점으로 패킷을 전송할 수 있는 여러 경로가 있을 때 가장 좋은 경로(Best Route)를 선택하는 기능을 의미한다.

아래의 그림은 네트워크층을 나타낸다. 네트워크층에서는 논리 주소인 IP 주소가 사용됨에 유의한다.

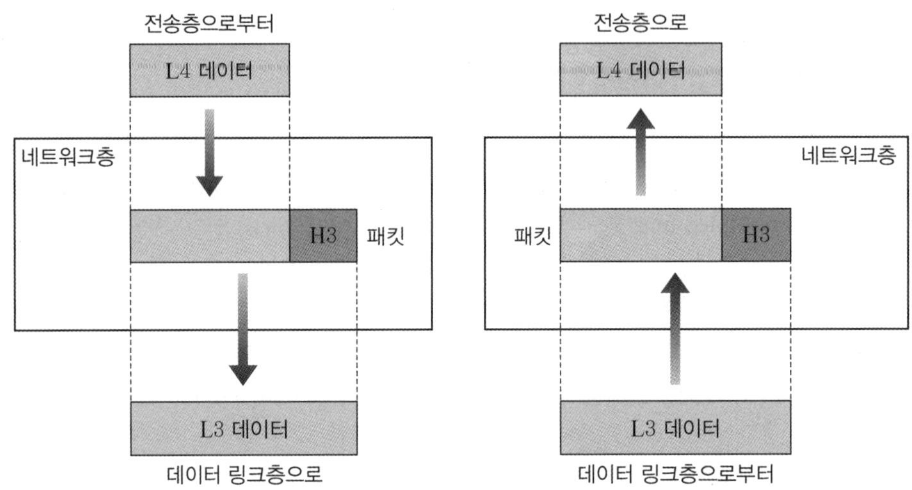

▲ 네트워크층

네트워크층의 기능은 패킷의 발신지-대-목적지 전달(End-to-End), 논리적인 주소지정(Logical addressing, IP address), 경로지정(Routing, best route), 주소 변환(Address transformation, ARP), 다중화(Multiplexing, fragmentation) 등을 제공한다. 이중 ARP는 IP 주소를 MAC 주소로 변환하는 것을 의미하고, fragmentation은 패킷이 1500바이트 단위(MTU, 네트워크에서 한 번에 보낼 수 있는 최대 패킷 크기)로 쪼개져서 전송되는 것을 의미한다(이에 대해서는 나중에 자세하게 배운다).

4. 전송층(Transport layer)

전체 메시지의 발신지-대-목적지(종단-대-종단, end-to-end) 전달에 대한 책임을 가진다. 전송층은 전송하려는 모든 패킷이 제대로 갔는지를 확인한다(1개의 메시지를 End-to-End로 전송). 네트워크층은 개별적인 패킷의 종단-대-종단(end-to-end) 전송을 담당하는 것에 유의한다. 즉, 네트워크 층은 전체 메시지가 아니라 전송하려는 패킷 중 한 개의 패킷이 제대로 갔는지 만을 확인한다(1개의 패킷을 End-to-End로 전송).

아래의 그림은 전송층을 나타낸다. 전송층에서는 포트 주소가 사용되고, TCP에서 Segmentation이 발생함에 유의한다. 여기서, Segmentation이란 전체 메시지가 1500바이트 단위로 쪼개져서 전송되는 것을 의미한다.

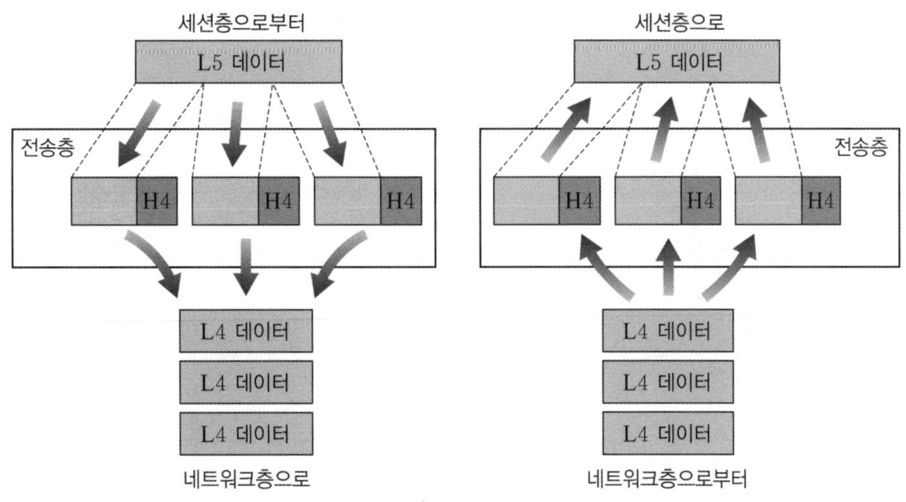

▲ 전송층

전송층의 기능은 종단-대-종단 메시지 전달(End-to-end message delivery), 서비스-점(포트) 주소 지정(Service-point(port) addressing), 단편화와 재조립(Segmentation and reassembly, TCP에서만 단편화가 발생, UDP는 IP에서 단편화가 발생), 연결 제어[Connection control, TCP(connection-oriented), UDP(connectionless)] 등을 제공한다. 이중 Segmentation은 패킷을 쪼개서 보내는 것으로 해당 부분의 취약점을 공격자가 역이용할 수 있다.

5. 세션층(Session Layer)

아래의 그림은 세션층을 나타낸다. 세션층은 네트워크 대화 제어자로서 dialog control(송수신측이 데이터를 서로 주고받을 수 있게 해줌), syn(동기화 제공) 등을 제공한다.

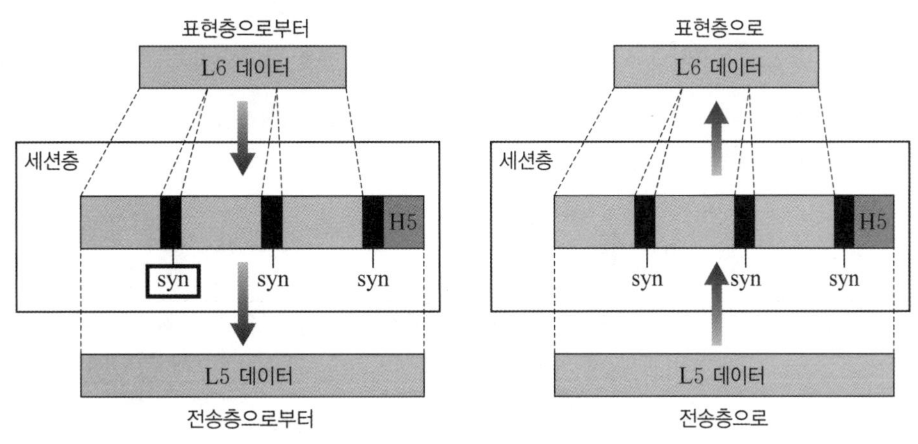

▲ 세션층

세션층의 기능은 세션 관리[Session management, 확인점 이용(설정, 유지 및 종료)], 동기화(Synchronization, syn 확인), 대화 제어(Dialog control, 송수신측이 데이터를 전송), 원활한 종료(Graceful Close) 등을 제공한다. 여기서, 원활한 종료란 패킷을 모두 주고받은 후에 종료하는 것을 의미하고, 강제 종료는 패킷을 주고받지 않은 상태로 강제로 종료하는 것을 의미한다.

6. 표현층(Presentation Layer)

표현층은 통신 장치간의 상호 연동(interoperability) 보장한다. 필요에 따라 보안 목적을 위한 데이터 암호화와 복호화 기능을 제공하고, 데이터 압축 및 압축해제 기능을 제공한다. 아래의 그림은 표현층을 나타낸다. 표현층에서는 암호, 압축 등을 제공함에 유의한다.

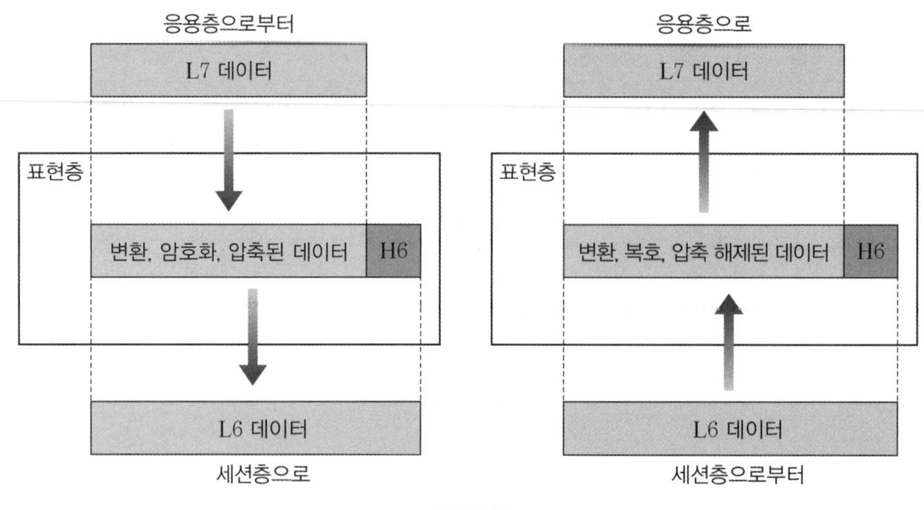

▲ 표현층

표현층의 기능은 변환(Translation), 암/복호화(Encryption/Decryption), 압축(Compression), 보안(Security) 등을 들 수 있다. 이 중 변환은 추상구문을 전송구문으로 변환하는 것이다. 예를 들면, MS redirect 기능으로 인해 파일서버 상의 파일을 윈도우 탐색기를 통해 볼 수 있다.

7. 응용층(Application Layer)

응용층은 네트워크 상의 소프트웨어 사용자에게 사용자 인터페이스를 제공한다. 전자우편, 원격파일 접근과 전송, 공유 데이터베이스 관리 및 여러 종류의 분산 정보 서비스 제공하고, 컴퓨터 네트워크 표준인 X.400(메시지-전자메일 처리 서비스), X.500(디렉토리 서비스), FTAM(파일전송과 접근관리) 등을 제공한다.

아래의 그림은 응용층을 나타낸다. 그림에서 알 수 있듯이 응용층에 X.400(전자메일), X.500(디렉토리), FTAM(파일전송)이 있는 것을 알 수 있다.

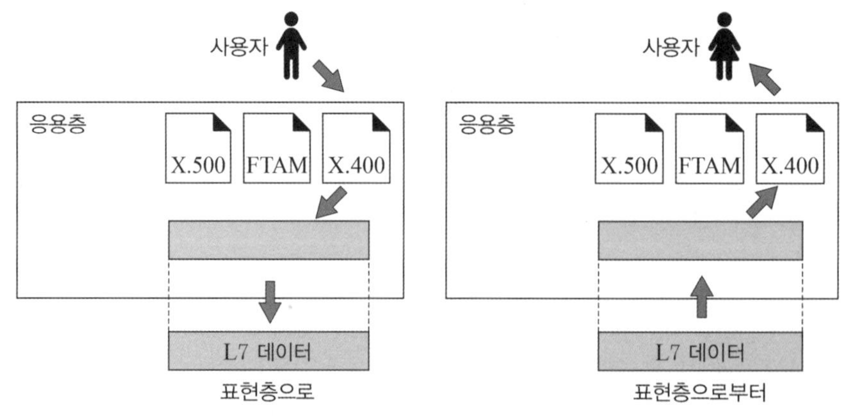

▲ 응용층

응용층의 서비스는 네트워크 자원 접근 관점에서 네트워크 가상 터미널(Network virtual terminal, telnet, ssh), 파일 접근, 전송, 관리(File access, transfer, and management, ftp), 우편 서비스(Mail services, smtp, pop3, imap), 디렉토리 서비스[Directory services, ldap(light directory access protocol)] 등이 존재한다.

3 각 계층의 주요 기능 요약

1. 각 계층의 주요 기능 요약

각 계층의 주요 기능을 요약하면 다음과 같다. 응용층은 네트워크 자원에 대한 접근을 허용하고, 표현층은 변환, 암/복호화, 압축/압축해제를 제공한다. 세션층은 세션 설정, 관리, 종료를 제공하고, 전송층은 신뢰할 수 있는 종단-대-종단 메시지(message) 전달과 오류 복구를 제공한다(E2E, 1 message). 네트워크층은 네트워크간 상호 연결을 통하여 발신지에서 목적지까지 패킷(packet)을 전달하고(E2E, 1 packet), 데이터 링크층은 비트들을 프레임(frame)으로 만들어 노드 - 대 - 노드로 전달한다(P2P, 1 packet). 그리고 물리층은 비트(bit)들을 전송매체를 통하여 전달하기 위한 기계적, 전기적 규격을 제공한다.

2. 프로토콜-OSI 7 Layer

각 계층의 주요 기능을 다른 관점에서 정리하면 다음과 같다. 물리 계층은 다양한 특징의 하드웨어 기술이 접목되고, 데이터 링크 계층은 프레임에 주소 부여(MAC, 물리적 주소), 에러 검출/재전송(충돌)/흐름 제어를 제공한다. 네트워크 계층은 주소 부여(IP, 논리적 주소), 경로설정(Route)을 제공하고, 전송 계층은 패킷 생성[Assembly(패킷 분할)/Sequencing(패킷 순서 부여)/Deassembly(패킷 조립)/Error detection(에러 검출)/Request repeat(재전송)], 흐름 제어(Flow control, 출발지와 목적지간 패킷 흐름 제어), 혼잡 제어(Congestion Control, 네트워크 중간에서 발생하는 혼잡 제어) 등을 제공한다. 세션 계층은 통신을 하기 위한 세션을 확립/유지/중단하고(동기화), 표현 계층은 사용자의 명령어를 완성 및 결과 표현하고 포장/압축/암호화를 수행한다. 그리고 응용 계층은 네트워크 소프트웨어 UI 부분과 사용자의 입출력(I/O) 부분을 제공한다.

3. OSI 7 Layer 프로토콜 스택(Stack)

아래의 그림은 OSI 7 Layer 프로토콜 스택을 나타낸다. 모두 외울 필요는 없고, 시간 날 때마다 한번씩 보기 바란다.

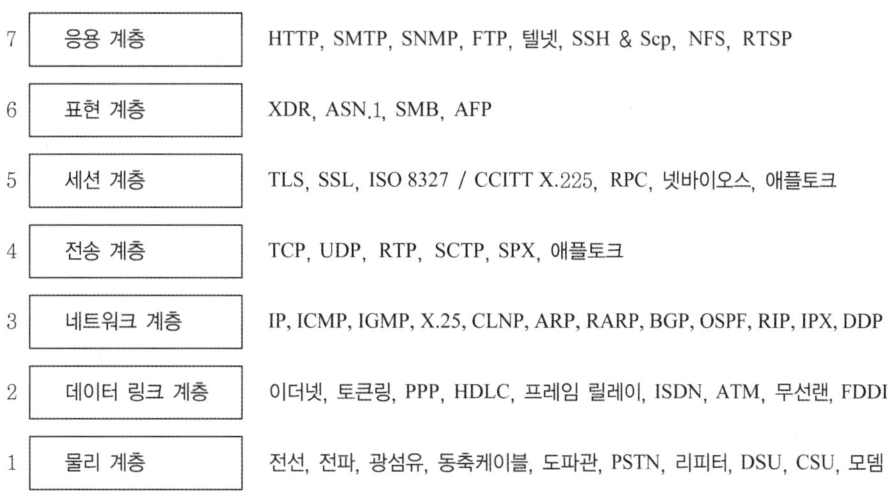

▲ OSI 7 Layer 프로토콜 스택

4. TCP/IP 프로토콜 스택(Stack)

아래의 그림은 TCP/IP 프로토콜 스택을 나타낸다(다음 장에서 배움). 모두 외울 필요는 없고, 시간 날 때마다 한번 씩 보기 바란다.

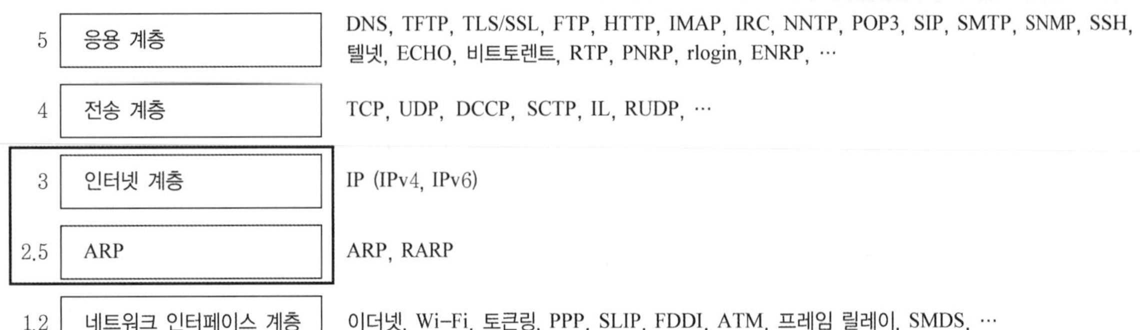

▲ TCP/IP 프로토콜 스택

요약정리

계층별 기능

물리 계층	데이터 링크층으로 부터 한 단위의 데이터를 받아 통신 링크를 따라 전송될 수 있는 형태로 변환한다. 회선 구성, 데이터 전송 모드, 접속형태, 신호, 부호화, 인터페이스, 전송매체 등을 고려한다.
데이터 링크 계층	패킷노드(Node-to-Node or Peer-to-Peer) 전달, 물리적인(MAC) 주소 기정, 접근 제어(MAC filtering), 흐름 제어(stop-and-wait, sliding window), 오류 처리(ARQ) 등을 수행한다.
네트워크 계층	패킷 종단(End-to-End) 전달, 논리적인(IP) 주소 지정, 경로 지정(Routing), 주소 변환(ARP) 등을 수행한다.
전송 계층	메시지 종단(End-to-End) 전달, 포트(Port)주소 지정, 단편화와 재조립, 연결 제어(관리), 흐름 제어, 혼잡 제어 등을 수행한다. 프로토콜에는 TCP, UDP, SCTP, RTP, RSVP등이 있다.
세션 계층	세션 관리, 동기화, 원활한 종료(모든 전송을 마치고 종료) 등을 수행한다.
표현 계층	변환, 암호화/복호화, 압축, 보안을 수행한다.
응용 계층	네트워크 상의 소프트웨어 사용자에게 사용자 인터페이스를 제공한다. 전자우편(X.400), 원격파일 접근과 전송(FTAM), 공유 데이터베이스 관리 및 여러 종류의 분산 정보 서비스(X.500)를 제공한다.

주요개념 셀프체크

- 물리층
- 데이터 링크층
- 네트워크층
- 전송층
- 세션층
- 표현층
- 응용층
- 프로토콜? 구문(syntax, 데이터형식/신호레벨), 의미(semantic, 전송조작/에러제어), 타이밍(timing, 통신속도/순서제어)

핵심 기출

1. OSI모델의 각 계층별 기능이 옳지 않은 것은? 2014년 서울시

① 데이터 링크 계층(Data link layer) - Physical addressing, Flow Control
② 네트워크 계층(Network layer) - Logical addressing, Routing
③ 전송 계층(transport layer) - Connection Control, Flow Control
④ 세션 계층(Session layer) - Dialog Control, Synchronization
⑤ 표현 계층(Presentation layer) - Network virtual terminal, File transfer

해설
해당 설명은 응용 계층이고, 표현 계층은 변환, 암호화/복호화, 압축, 보안을 수행한다.

선지분석
① 데이터 링크: 패킷 노드(Node-to-Node or Peer-to-Peer) 전달, 물리적인(MAC) 주소 기정, 접근 제어(MAC filtering), 흐름 제어(stop-and-wait, sliding window), 오류 처리(ARQ) 등을 수행한다.
② 네트워크: 패킷 종단(End-to-End) 전달, 논리적인(IP) 주소 지정, 경로 지정(Routing), 주소 변환(ARP) 등을 수행한다.
③ 전송: 메시지 종단(End-to-End) 전달, 포트 주소 지정, 단편화와 재조립, 연결 제어(관리), 흐름 제어, 혼잡 제어 등을 수행한다.
④ 세션: 세션 관리, 동기화, 원활한 종료(모든 전송을 마치고 종료) 등을 수행한다.

정답 ⑤

2. 프로토콜은 컴퓨터 간 데이터 전송의 효율성과 신뢰성을 보장하기 위해 여러 가지 기능을 수행한다. 다음 중 프로토콜의 일반적인 기능에 해당하지 않는 것은? 2016 국회직

① 주소 지정
② 오류 제어
③ 데이터 분할 및 조합
④ 비동기화
⑤ 흐름 제어 및 캡슐화

해설
데이터 링크층과 세션층에서 동기화를 수행한다.

선지분석
① 데이터 링크층에서 물리 주소(MAC)를 지정하고, 네트워크층에서 논리 주소(IP)를 지정한다. 그리고 전송 층에서 포트 주소를 지정한다.
② 데이터 링크층과 전송층에서 오류 제어를 제공한다.
③ 네트워크 층과 전송 층에서 데이터 분할과 조합을 제공한다.
⑤ 데이터 링크층과 전송층에서 흐름 제어를 제공하고, 캡슐화는 응용층의 데이터가 아래층으로 내려오면서 각 계층의 헤더가 붙는 것을 의미한다.

정답 ④

CHAPTER 03 | OSI 모델과 TCP/IP

1 TCP/IP 프로토콜 그룹

1. 개요

TCP/IP는 대표 프로토콜로서 TCP(Transmission Control Protocol)와 IP(Internet Protocol)를 가진다. 그리고 5개의 계층(물리, 데이터 링크, 네트워크, 전송, 응용)으로 구성되고, 특정 기능을 제공하는 각 모듈이 대화식(1 : 1 연결)으로 되어 있는 계층 구조이다. 아래의 그림은 OSI 모델과 TCP/IP 모델의 비교를 나타낸다.

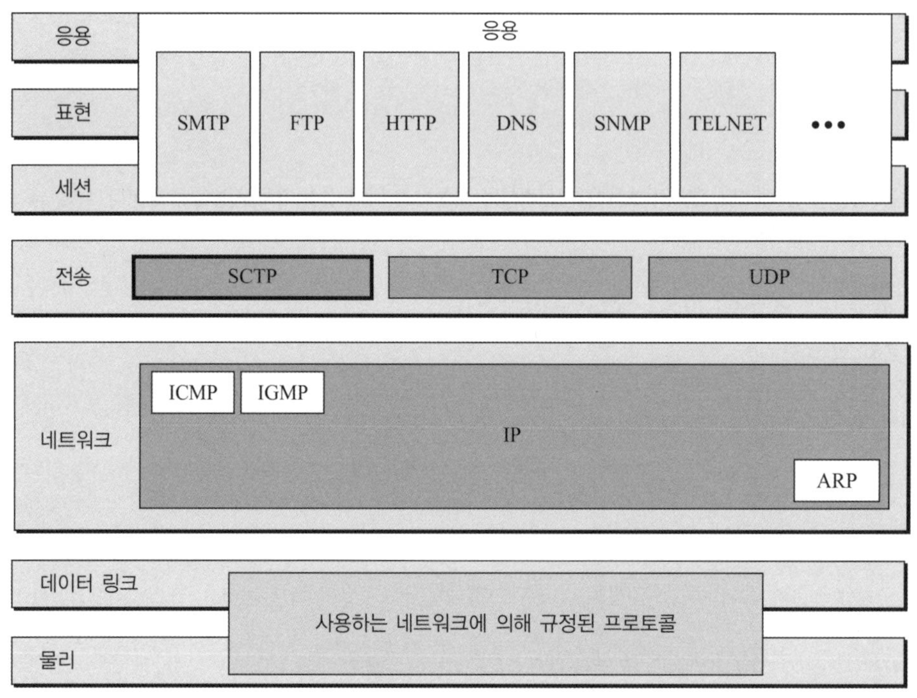

▲ OSI 모델과 TCP/IP 모델 비교

2. 물리층과 데이터 링크층

특정 프로토콜을 지원하지 않고 기존의 모든 표준과 기술적인 프로토콜을 지원한다(호환성).

3. 네트워크층

네트워크 층은 인터넷 프로토콜[IP, host-to-host(end-to-end) protocol], 주소 변환 프로토콜[ARP(IP 주소를 MAC 주소로 변환), RARP(MAC 주소를 IP 주소로 변환)], 인터넷 제어 메시지 프로토콜[ICMP, ping(상대방 호스트가 살아있는지 체크, -t/ctrl + c), traceroute(네트워크가 중간 어디에서 끊겼는가를 체크) 등에서 사용], 인터넷 그룹 메시지 프로토콜(IGMP, multicast 등에서 사용)을 제공한다.

ICMP(Internet Control Message Protocol, 인터넷 제어 메시지 프로토콜)는 인터넷 프로토콜 스위트에 기록된 주요 프로토콜 가운데 하나이다. 네트워크 컴퓨터 위에서 돌아가는 운영체제에서 오류 메시지(Requested service is not available 등)를 전송받는 데 주로 쓰이며 인터넷 프로토콜의 주요 구성원 중 하나로 인터넷 프로토콜에 의존하여 작업을 수행한다. 프로토콜 번호 1로 할당되고 시스템 사이에 데이터를 교환하지 않거나 최종 사용자에 적용되지 않는다는 점에서 TCP와 UDP와는 다르다(ping 이나 traceroute 같은 몇몇 진단 프로그램 제외). 인터넷 프로토콜 버전 4(IPv4)용 ICMP는 ICMPv4로 알려져 있고, 유사하게 IPv6은 ICMPv6이다.

인터넷 그룹 관리 프로토콜(Internet Group Management Protocol, IGMP)은 호스트 컴퓨터와 인접 라우터가 멀티캐스트 그룹 멤버십을 구성하는 데 사용하는 통신 프로토콜이다. 특히 IPTV와 같은 곳에서 호스트가 특정 그룹에 가입하거나 탈퇴하는데 사용하는 프로토콜을 가리킨다. TTL(Time to Live)가 제공되며 최초의 리포트를 잃어버리면 갱신하지 않고 그대로 진행 처리를 하는 것이 특징이다(비대칭 프로토콜).

4. 전송층

전송층은 사용자 데이터그램 프로토콜(UDP, connectionless), 전송 제어 프로토콜(TCP, connection-oriented), 스트림 제어 전송 프로토콜(SCTP, stream control transmission protocol, 132번 포트, TCP와 비슷함) 등을 제공한다.

전송 제어 프로토콜(Transmission Control Protocol, TCP)은 인터넷 프로토콜 스위트(IP)의 핵심 프로토콜 중 하나로, IP와 함께 TCP/IP라는 명칭으로도 널리 불린다. TCP는 근거리 통신망이나 인트라넷, 인터넷에 연결된 컴퓨터에서 실행되는 프로그램 간에 일련의 옥텟(8bit)을 안정적으로, 순서대로, 에러 없이 교환할 수 있게 한다. TCP는 전송 계층에 위치한다. 네트워크의 정보 전달을 통제하는 프로토콜이자 인터넷을 이루는 핵심 프로토콜의 하나로서 국제 인터넷 표준화 기구(IETF)의 RFC 793에 기술되어 있다(1 : 1 통신). TCP는 웹 브라우저들이 월드 와이드 웹에서 서버에 연결할 때 사용되며, 이메일 전송이나 파일 전송에도 사용된다. TCP의 안정성을 필요로 하지 않는 애플리케이션의 경우 일반적으로 TCP 대신 비접속형 사용자 데이터그램 프로토콜(User Datagram Protocol, UDP)을 사용한다. 이것은 전달 확인 및 순서 보장 기능이 없는 대신 오버헤드가 작고 지연시간이 짧다는 장점이 있다.

사용자 데이터그램 프로토콜(User Datagram Protocol, UDP)은 인터넷 프로토콜 스위트의 주요 프로토콜 가운데 하나이다. 1980년에 데이빗 리드가 설계하였고, 현재 IETF의 RFC 768로 표준으로 정의되어 있으며, TCP와 함께 데이터그램으로 알려진 단문 메시지를 교환하기 위해서 사용된다. UDP는 유니버설 데이터그램 프로토콜(Universal Datagram Protocol)이라고 일컫기도 한다(브로드캐스트 가능). UDP의 전송 방식은 너무 단순해서 서비스의 신뢰성이 낮고, 데이터그램 도착 순서가 바뀌거나, 중복되거나, 심지어는 통보 없이 누락시키기도 한다. UDP는 일반적으로 오류의 검사와 수정이 필요 없는 애플리케이션에서 수행할 것으로 가정한다. UDP를 사용하는 네트워크 애플리케이션에는 도메인 이름 서비스(DNS), IPTV, 음성 인터넷 프로토콜(VoIP), TFTP, IP 터널, 그리고 많은 온라인 게임 등이 있다.

TCP는 데이터를 주고받을 양단간에 먼저 연결을 설정하고 설정된 연결을 통해 양방향으로 데이터를 전송하지만, UDP는 연결을 설정하지 않고 수신자가 데이터를 받을 준비를 확인하는 단계를 거치지 않고 단방향으로 정보를 전송한다. TCP는 메시지 수신을 확인하지만 UDP는 수신자가 메시지를 수신했는지 확인할 수 없다. TCP에서는 메시지가 보내진 순서를 보장하기 위해 재조립하지만 UDP는 메시지 도착 순서를 예측할 수 없다. UDP가 TCP보다 속도가 일반적으로 빠르고 오버헤드가 적다.

TCP의 혼잡 제어(Congestion control)는 1980년대 반 제이콥슨이 도입하였다. 그 당시의 인터넷 환경은 혼잡 붕괴 현상이 큰 문제 거리였다. 각 호스트는 정보를 빨리 보내기 위하여 정해진 시간 내에 보낼 수 있는 최대의 패킷을 보냈고, 일부 라우터에서는 혼잡 현상이 발생하여 정해진 시간 내에 받은 패킷들을 모두 처리하지 못하였다. 정해진 시간 내에 패킷이 처리되지 않으면 호스트는 패킷을 재전송하였고, 라우터는 더 많은 패킷을 받게 되어서 혼잡 현상이 더 심해졌다.

TCP의 혼잡 제어는 패킷을 보내는 쪽에서 네트워크의 수용량을 결정하는 방식으로 동작한다. 패킷을 보내는 측에서 안전하게 보낼 수 있는 패킷의 수를 알고 있고, 패킷이 잘 도착하면 ACK 패킷을 받는다. 즉 이전에 보낸 패킷이 잘 도착되었다는 것을 ACK 패킷을 받은 것으로 알 수 있고, ACK 패킷을 받으면 안전하게 새 패킷을 더 보낼 수 있기 때문에 TCP의 혼잡 제어를 셀프클록 방식(self-clocking)이라고 한다. 물론 처음부터 네트워크의 수용량을 아는 것은 어렵다. 설상가상으로 네트워크의 수용량이라는 것은 시시때때로 바뀐다. 이것은 보내는 측에서 네트워크의 상태에 따라서 전송 속도를 조절해야 한다는 뜻이다.

혼잡 제어에서는 Slow start와 Fast retransmit를 사용한다. Slow start는 패킷을 1개, 2개, 4개, 8개…의 형태(지수승)로 보내는 것을 의미하고, Fast retransmit는 중복된 순번의 패킷을 3개 받으면 재전송한다(timeout을 기다리지 않는다).

혼잡 제어는 혼잡이 발생하지 않도록 데이터 전송률을 조정한다. 흐름 제어는 E2E이고, 혼잡 제어는 중간의 Router에서 발생한다. 혼잡 제어(control), 혼잡 회피(avoidance)라고도 불린다. 혼잡 제어는 Fast recovery도 사용하는데, 혼잡한 상태가 되면 창 크기를 1로 줄이지 않고 반으로 줄인다. 송신자는 송신자와 수신자 사이의 round-trip time에 기반 해서 retransmission timeout를 설정한다. 다수의 TCP 혼잡 회피 알고리즘이 존재한다(타호, 리노, 베이거스 등).

TCP는 E2E 흐름 제어를 사용한다(수신자가 받을 수 있을 만큼만 보냄). 이를 위해 sliding window를 사용한다. 수신자가 윈도우 크기를 0으로 보내면, 송신자는 송신을 멈추고 persist timer(타임아웃을 위한 타이머)를 시작한다.

개념 PLUS+

1. **타임아웃 기반의 재전송**
   송신자가 패킷을 보내고 타이머를 설정한다. 설정 시간 동안 ACK가 안오면 타이머의 값을 2배로 설정한다(너무 많은 재전송 방지).
2. **Google QUIC**
   구글에서는 TCP, UDP 대신할 수 있는 자체 프로토콜인 QUIC를 사용해서 운용중이다. 자세한 내용에 대해서 구글을 검색해 보기 바란다.

5. 응용층

응용층은 OSI 모델의 세션, 표현, 응용층을 합한 것이다.

2 주소지정

1. TCP/IP에서 사용하는 주소

아래의 그림은 TCP/IP에서 사용하는 주소를 나타낸다. 물리 주소와 논리 주소 외에도 포트 주소가 있음에 유의한다.

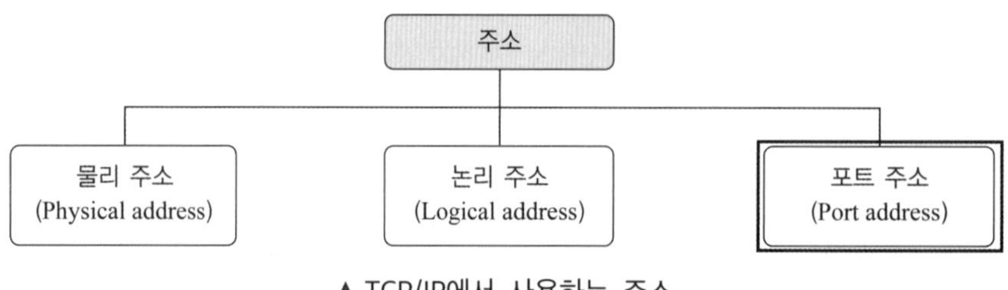

▲ TCP/IP에서 사용하는 주소

아래의 그림은 TCP/IP에서 주소와 계층 간의 관계를 나타낸다. 각 계층에서 Protocol Unit(실제 데이터에 각 계층의 제어 정보를 붙임)을 무엇이라고 부르는지가 중요하다. 예를 들어, 전송층에서는 Protocol Data Unit을 Segment라고 부른다.

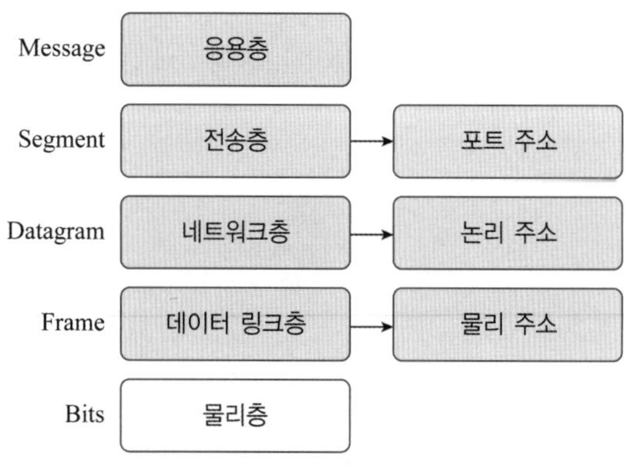

▲ TCP/IP에서 주소와 계층 간의 관계

2. 물리 주소

물리 주소는 링크 주소로서 P2P 전송에 사용된다. WAN이나 LAN에서 정의된 노드의 주소이고, 이더넷 네트워크 인터페이스 카드(NIC)의 6바이트(48비트) 주소이다. 유니캐스트(unicast), 멀티캐스트(multicast), 브로드캐스트(broadcast)를 지원한다. 다음은 6바이트 물리 주소를 나타낸다. 주소가 12개의 16진수로 이루어져 있음에 유의한다.

물리 주소: 07 : 01 : 02 : 01 : 2C : 4B

아래의 그림은 물리 주소를 통해 1개의 패킷이 P2P로 전송되는 과정을 나타낸다.

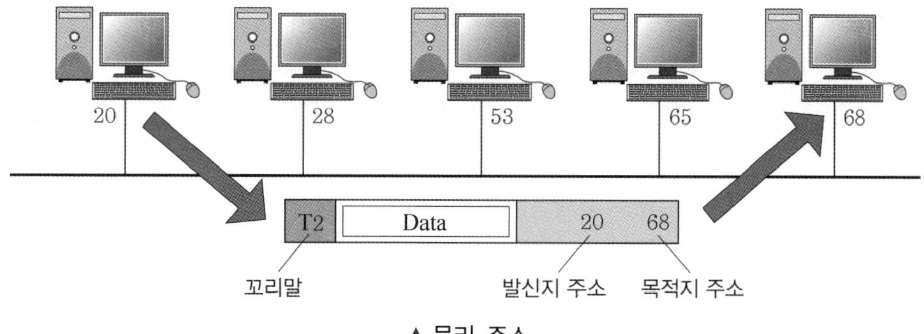

▲ 물리 주소

3. 논리 주소(또는 IP 주소) - E2E

논리 주소는 현재 인터넷에 연결된 호스트를 식별하는 주소로 32비트 주소 체계(IPv4)를 가진다. 논리 주소는 유니캐스트(단일사용자), 멀티캐스트(그룹수신자), 브로드캐스트(네트워크 내의 모든 시스템)를 지원한다. IoT로 인해 주소길이를 4배로 늘린 IPv6 주소로 바뀌고 있다. 아래의 그림은 논리 주소를 이용해서 1개의 패킷을 E2E로 전송하는 과정을 보여준다. 전송 과정에서 논리 주소는 바뀌지 않지만, 물리 주소는 계속 바뀌는 것에 유의한다.

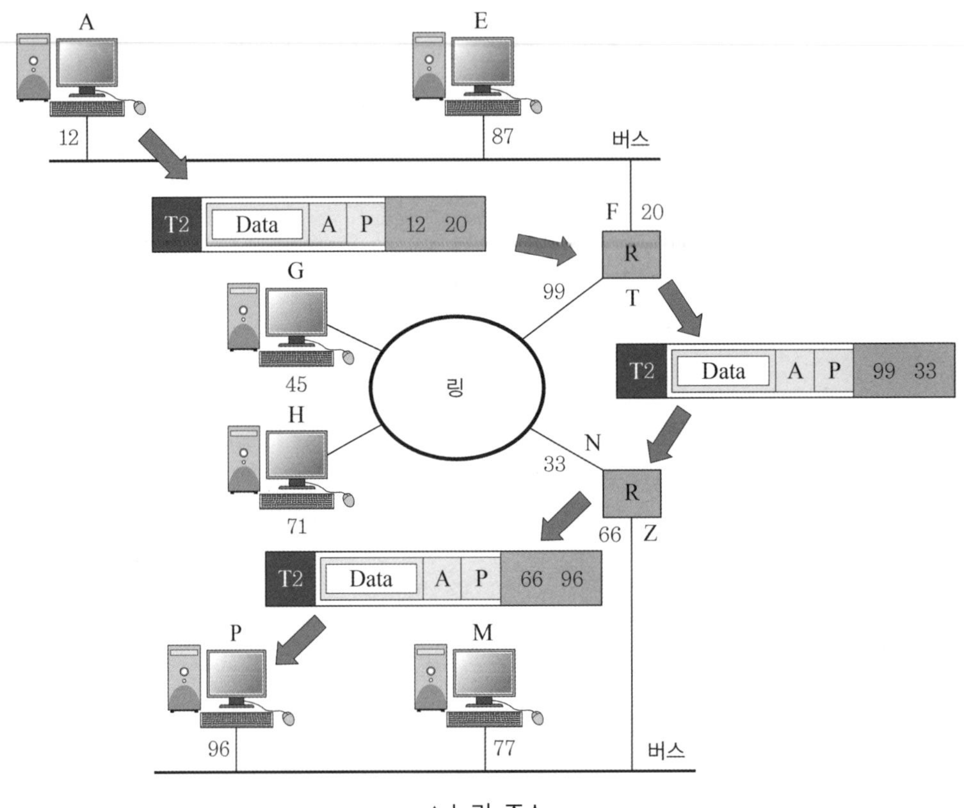

▲ 논리 주소

4. 포트 주소(port address) - E2E

컴퓨터 간 통신에서 데이터를 주고받은 서로 다른 프로세스를 구분하는 방법 필요한데 이때 포트 주소를 사용한다. 예를 들면, 1개의 패킷이 도착했고, 10개의 프로세스 동작한다고 가정하면 누구의 패킷인가를 구분해야 한다. 포트 주소는 각 프로세스에 붙여진 주소라고 볼 수 있다. 포트 주소는 16비트 길이(0부터~65535까지)를 가지며, 앞의 주소 부분은 reserved(예약)되어 있다. 아래의 그림은 1개의 전체 메시지를 E2E로 보내기 위해 필요한 포트 주소를 나타낸다.

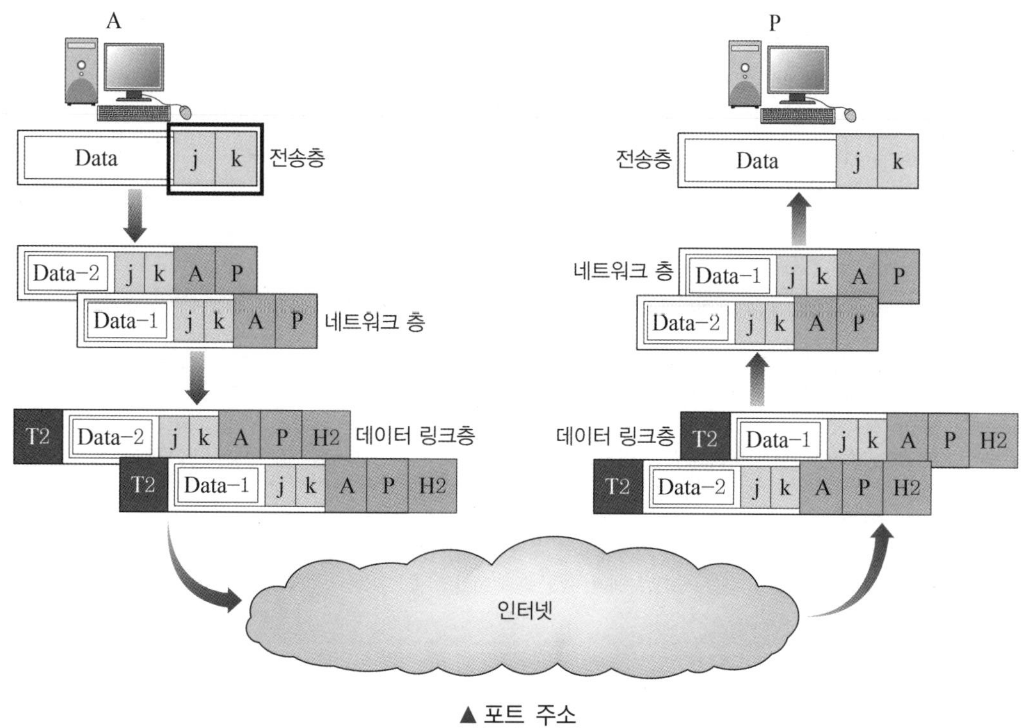

▲ 포트 주소

주요개념 셀프체크

- TCP vs. UDP
- TCP: 혼잡 제어 vs. 흐름 제어
- PDU: Bits(Stream)/Frame/Datagram(Packet)/Segment/Message(Data)

핵심 기출

1. 프로토콜에 대한 설명으로 옳지 않은 것은? 2015년 국가직

① ARP는 데이터 링크 계층의 프로토콜로 MAC 주소에 대해 해당 IP 주소를 반환해 준다.
② UDP를 사용하면 일부 데이터의 손실이 발생할 수 있지만 TCP에 비해 전송 오버헤드가 적다.
③ MIME는 텍스트, 이미지, 오디오, 비디오 등의 멀티미디어 전자우편을 위한 규약이다.
④ DHCP는 한정된 개수의 IP 주소를 여러 사용자가 공유할 수 있도록 동적으로 가용한 주소를 호스트에 할당해준다.

해설

ARP는 IP 주소(논리 주소)를 MAC 주소(물리 주소)로 바꿔준다. RARP는 MAC 주소를 IP 주소로 바꿔준다.

선지분석

② UDP: 연결을 설정하지 않고 수신자가 데이터를 받을 준비를 확인하는 단계를 거치지 않고 단방향으로 정보를 전송한다. UDP를 사용하는 애플리케이션에는 도메인 이름 서비스(DNS), IPTV, 음성 인터넷 프로토콜(VoIP), TFTP, IP 터널, 그리고 많은 온라인 게임 등이 있다.
③ MIME: 아스키코드 텍스트만을 사용해야 했던 인터넷 전자메일에서 다양한 포맷과 형식을 쓸 수 있도록 지원하는 데이터 부호화 방식이다. 즉, 아스키코드만으로 표현할 수 없는 문자나 2진 데이터, 이미지, 음성, 애플리케이션 등의 비문자 데이터를 다룰 수 있도록 지원한다.
④ DHCP: 호스트가 네트워크에 접속하고자 할 때마다 IP를 동적으로 할당한다. 예를 들어, 커피숍에 가면 와이파이에 접속하게 되는데 와이파이에서 DHCP를 이용해서 사용자에게 IP와 임대 기간을 할당한다.

정답 ①

2. OSI 참조 모델에서 데이터 링크 계층의 프로토콜 데이터 단위(PDU: Protocol Data Unit)는? 2017년 지방직

① 비트(bit)
② 프레임(frame)
③ 패킷(packet)
④ 메시지(message)

해설

데이터링크층의 PDU는 프레임이다.

선지분석

① 물리층의 PDU이다.
③ 네트워크층의 PDU이다(데이터그램으로도 표현함).
④ 세션층, 표현층, 응용층의 PDU이다.

TIP 전송층의 PDU는 세그먼트이다.

정답 ②

CHAPTER 04 에러 검출

1 오류의 종류

1. 단일-비트 오류(Single-Bit Error)

데이터 부분의 한 비트만 변경된다. 예를 들어, ASCII STX가 ASCII LF로 변경된다. 다음 그림은 단일 비트 오류를 나타낸다.

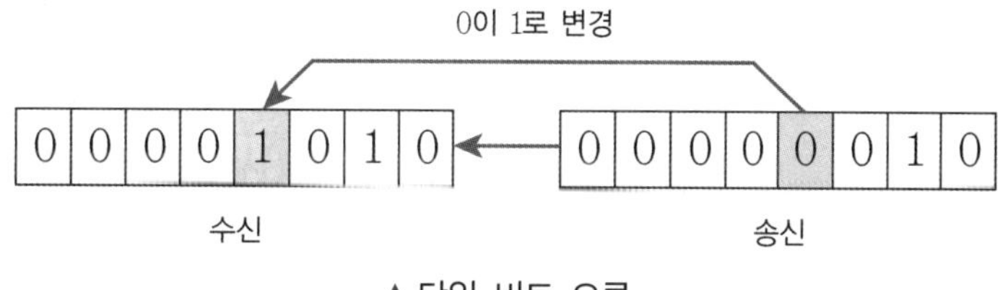

▲ 단일 비트 오류

2. 다중-비트 오류(Multiple-Bit Error)

데이터 부분의 2개 또는 그 이상의 비연속적인 비트가 변경된다. 예를 들어, ASCII B가 ASCII LF로 변경된다. 다음 그림은 다중 비트 오류를 나타낸다.

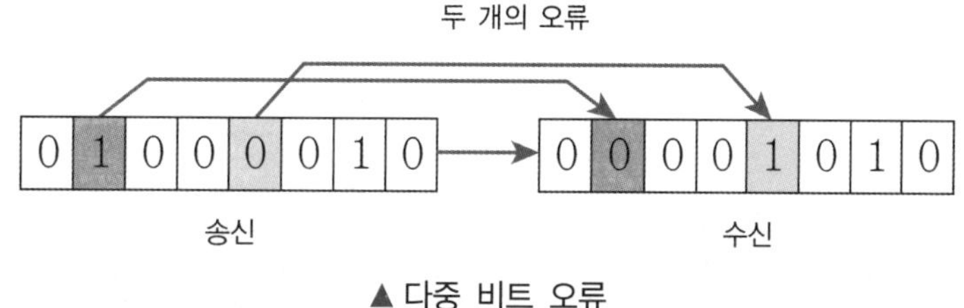

▲ 다중 비트 오류

3. 집단 오류(Burst Error)

데이터 부분의 여러 개의 연속적인 비트가 변경된다. 다음 그림은 집단 오류를 나타낸다.

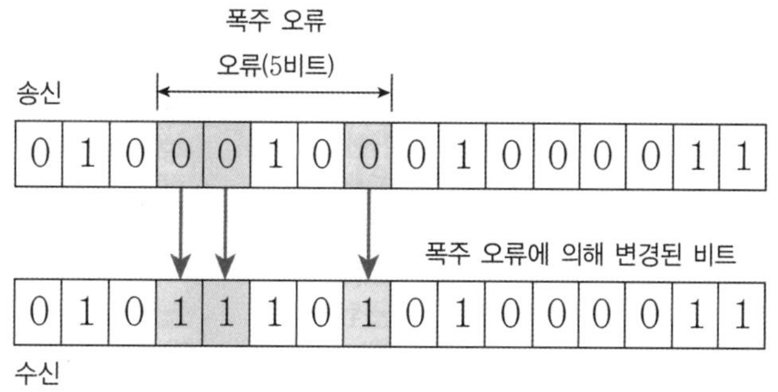

▲ 집단 오류

2 검출

1. 개요

오류 검출은 목적지에서 오류를 검출하기 위해서 여분의 비트를 추가하는 중복(redundancy, 잉여) 개념을 이용한다. 다음 그림은 중복(redundancy)을 나타낸다. 오류 검출은 생성, 중복, 검사로 진행됨에 유의한다.

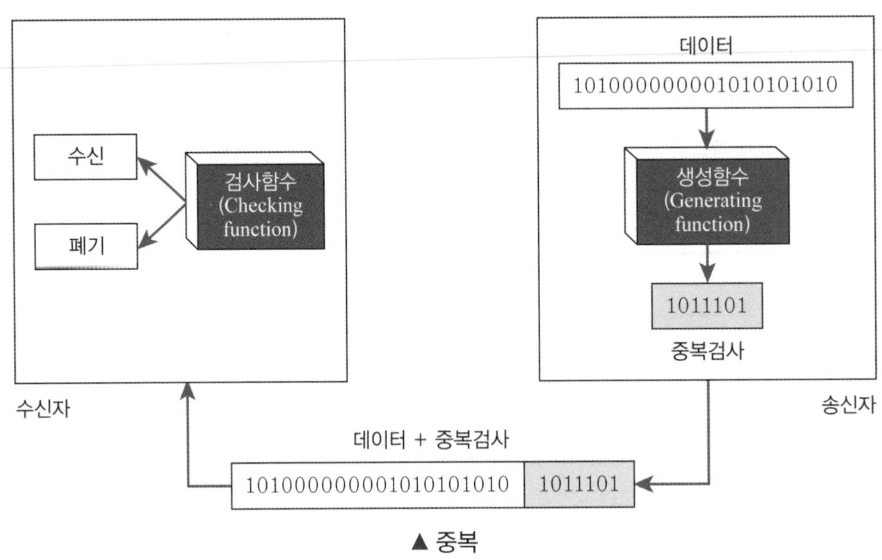

▲ 중복

2. VRC, LRC

VRC(Vertical Redundancy Check)는 각 데이터 단위에 패리티 비트가 추가되는데, 이 패리티 비트는 전체 데이터 단위에서 1의 개수가 홀수 또는 짝수가 되게 한다. 다음 그림은 짝수 패리티 VRC를 나타낸다.

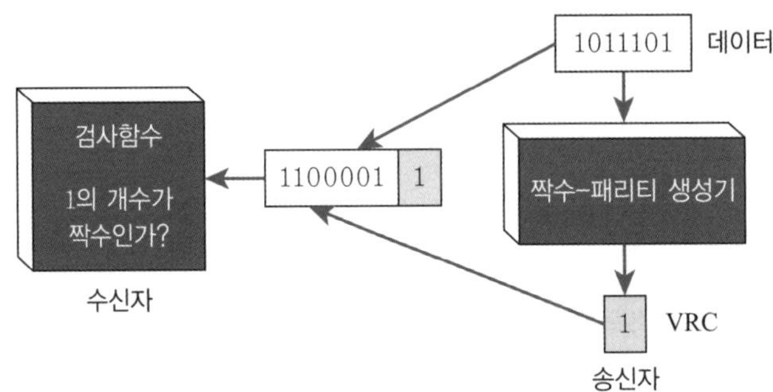

▲ 짝수 패리티 VRC 개념

LRC(Longitudinal Redundancy Check)는 모든 바이트의 짝수 패리티를 모아 데이터 단위로 만들어서 데이터 블럭의 맨 뒤에 추가한다. 다음 그림은 LRC 개념을 나타낸다.

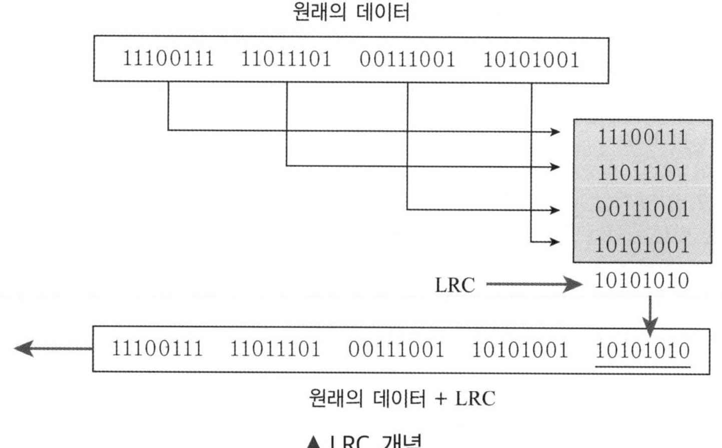

▲ LRC 개념

다음 그림은 VRC와 LRC를 나타낸다.

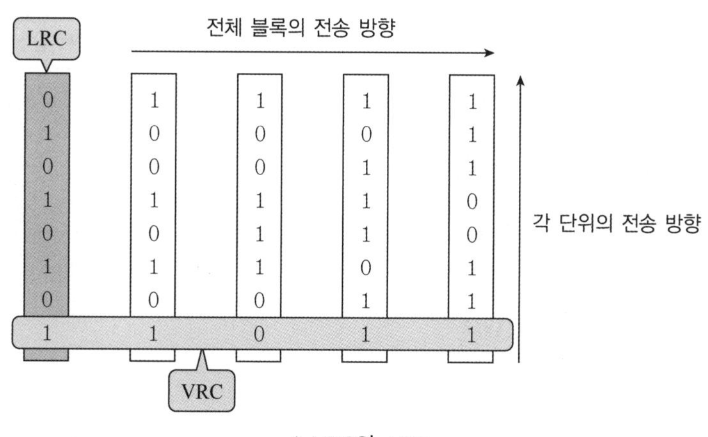

▲ VRC와 LRC

3. 검사합(Checksum)

검사합은 상위 계층 프로토콜(4계층, TCP, UDP)에서 사용한다. 중복 개념을 기반으로 하는데, 중복 개념은 VRC, LRC, CRC 등에도 적용된다. 검사합을 생성하기 위해 송신자는 다음을 수행한다.

- 단위를 길이가 n 비트인 K 섹션으로 나눈다.
- 섹션 1과 2를 1의 보수를 이용하여 더한다.
- 앞의 결과를 섹션 3과 더한다.
- 앞의 결과를 섹션 4와 더한다.
- 이 과정을 섹션 K까지 반복한다.
- 최종 결과는 검사합을 만들기 위해 보수를 취한다(1의 보수).

다음 그림은 검사합(Checksum)을 나타낸다. 이때, 보수는 2의 보수 또는 1의 보수를 사용한다(만들기 나름).

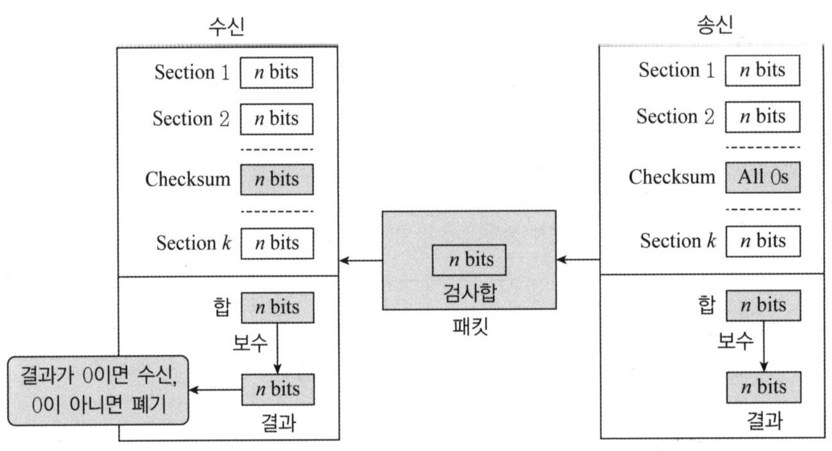

▲ 검사합(Checksum)

다음 그림은 데이터 단위와 검사합을 나타낸다.

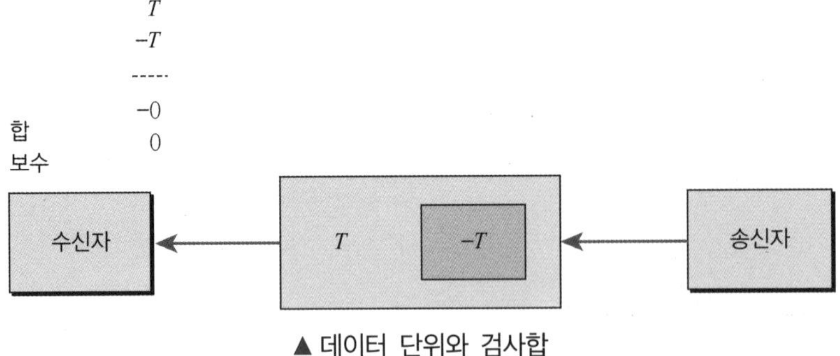

▲ 데이터 단위와 검사합

4. CRC(Cyclic Redundancy Check)

순환 중복 검사(CRC)는 2진 나눗셈(모듈러-2 나눗셈, XOR)을 이용하고, 2계층(데이터링크 계층)에서 사용한다. 다음 그림은 CRC를 나타낸다.

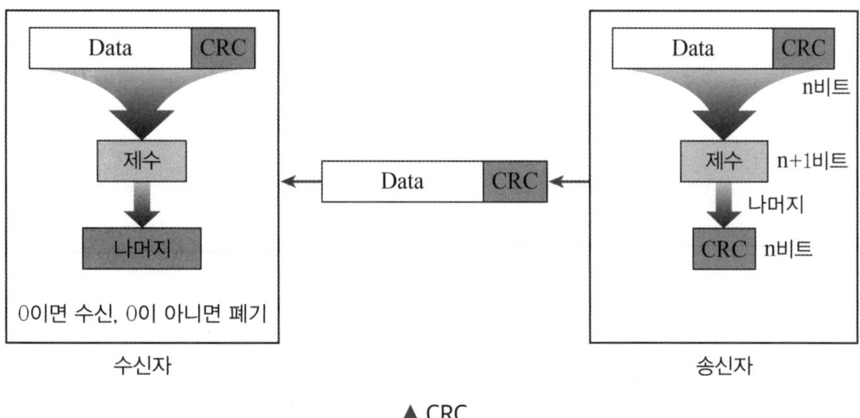

▲ CRC

다음 그림은 CRC 발생기를 나타낸다. 발생 과정에서 모듈러-2 나눗셈(XOR)을 이용함에 유의한다.

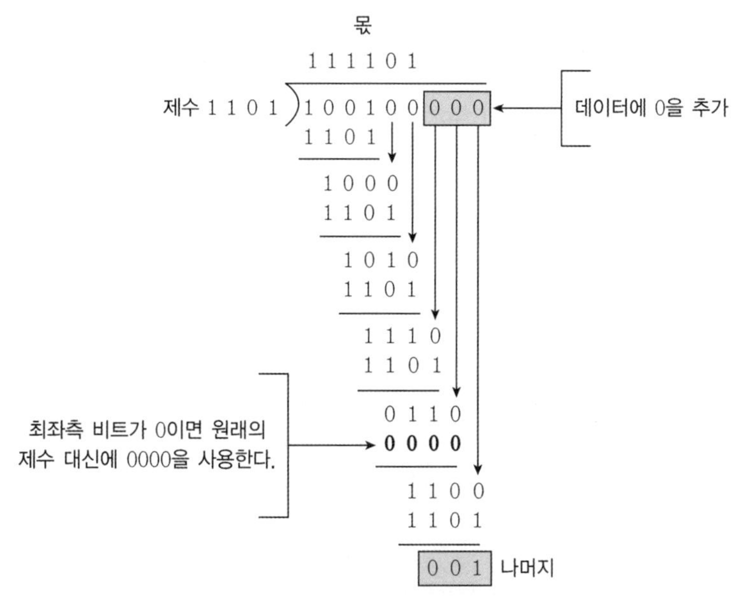

▲ CRC 발생기

다음 그림은 CRC 검사기를 나타낸다. 검사 과정에서 모듈러-2 나눗셈(XOR)을 이용함에 유의한다.

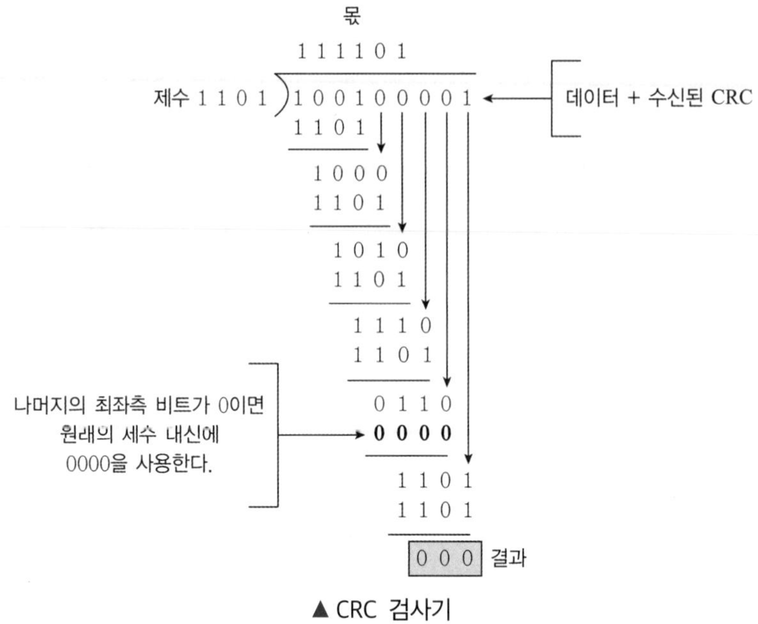

▲ CRC 검사기

CRC 발생기는 1과 0의 스트링 보다는 다음 그림과 같이 대수식(다항식)으로 표현한다.

$$X^7 + X^5 + X^2 + X + 1$$

▲ 다항식

하나의 다항식은 다음 그림과 같이 하나의 제수를 표현한다. 실제 시험에서는 "CRC는 다항식을 이용해서 표현한다."라는 지문이 출제되었다.

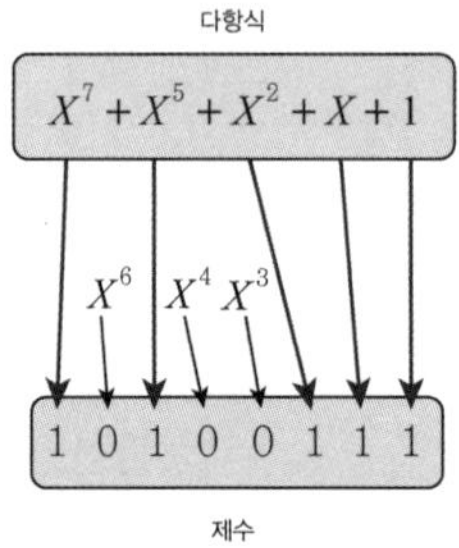

▲ 제수를 표현하는 다항식

다음은 표준 다항식을 나타낸다. LAN에 ITU-32 다항식이 사용됨에 유의한다.

명칭	다항식	응용
CRC-8	$x^8 + x^2 + x + 1$	ATM 헤더
CRC-10	$x^{10} + x^9 + x^5 + x^4 + x^2 + 1$	ATM AAL
ITU-16	$x^{16} + x^{12} + x^5 + x + 1$	HDLC
ITU-32	$x^{32} + x^{26} + x^{23} + x^{22} + x^{16} + x^{12} + x^{11} + x^{10} + x^8 + x^7 + x^5 + x^4 + x^2 + x + 1$	LAN

3 그 외

1. FEC

디지털 회선에서의 전송 오류 정정법에는 자동 재전송 요구법(ARQ)과 순방향 정정법(FEC)이 있다. 후자는 송신 측에서 오류 정정용 부호를 데이터에 부가하여 송신하고, 수신측에서 이것을 이용하여(보통 통계 수법에 의해) 오류 정정을 하고, 복호한 데이터를 그대로 출력하는 것이다. ARQ 법은 정보의 신뢰성을 높이는 견지에서 매우 바람직한 방법이지만, 재전송에 따르는 시간 지연이 문제가 되는 위성 통신 등에는 적합하지 않다. FEC 법은 송신 부호가 위성 링크에서 오염되어 수신되므로 그 중에서 올바른 부호를 복원하기 위해서는 매우 복잡한 추출 수단을 필요로 한다. 오류 정정 부호 그 자체에 대해서도 사정은 같다.

2. Cyclic code

어떤 부호 계열 중에서 그 부호를 구성하는 각 요소를 임의의 횟수만 순환 자리 이동(cyclic shift)하여도 다시 그 부호계로 들어갈 수 있는 부호 또는 부호계이다. 순환 부호는 구조가 정연하게 되어 있고, 전송 중에 부호의 착오가 발생하여도 오차 정정 능력이 뛰어나며, 또 실제 회로에서 실현할 때에도 자리 이동 레지스터(shift register)의 조합으로부터 실현되며 장치를 간결화할 수 있다. 다음 그림은 Cyclic code를 나타낸다.

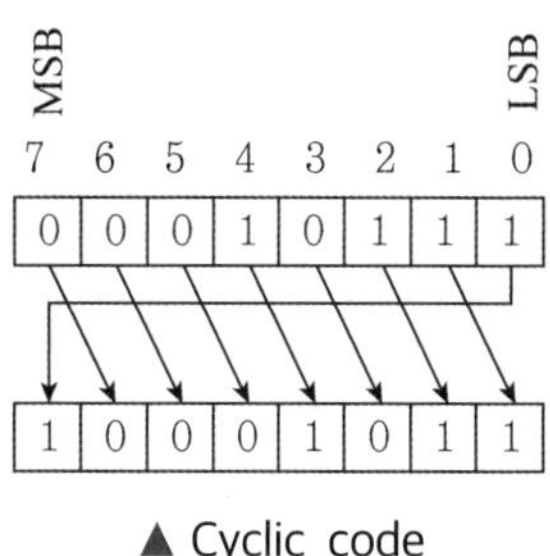

▲ Cyclic code

3. Hamming code

컴퓨터 스스로 데이터 오류를 찾아낼 수 있는 코드로, 수학자 리처드 웨슬리 해밍(Richard Wesley Hamming: 1915~1998)의 이름에서 유래되었다. 해밍이 1940년대 말에 벨전화연구소에서 개발하여 1950년 펴낸 저서에 소개한 이 코드는 패리티 검사(Parity Check) 등 보통의 에러 검출 코드들이 에러를 검출할 뿐 교정은 불가능한 것을 개선한 것으로, 대부분의 마이크로칩 디바이스에 채택되어 신뢰도를 높이는 데 사용된다. 오류를 수정하기 위해 재전송을 요구하기에는 시간이 많이 걸리는 원거리 장소로부터의 데이터 전송 신뢰도에 커다란 개선점을 제공한다. 특히 오늘날에는 휴대전화나 콤팩트디스크 등에서 신호의 오류를 수정하거나, 자료를 압축해 인터넷 속도를 향상시킬 때 유용하게 쓰인다. 해밍 코드를 만드는 방법에 대해서 예전에 출제된 적이 있으므로 한번 찾아보기 바란다.

4. 패리티 비트

일반적으로 정보의 전달 과정에서 오류가 발생했는지 검사하는 오류 검출 코드(error detecting code)로 사용되며, 두 가지 종류가 있다. 짝수(even) 패리티 비트는 전체 비트열 내의 비트 1의 개수가 짝수 개가 되도록 패리티 비트를 정하는 것이다. 예를 들면, 7비트짜리 데이터 비트열이 1010010이라면 이에 대한 짝수 패리티 비트는 1로 설정하며, 전체 비트열은 10100101이 된다. 즉, 이 비트열 내의 1비트의 총 개수는 4개(짝수)가 된다. 만약 비트열 내의 1의 수가 패리티 비트 추가 전에 이미 짝수 개라면 추가되는 패리티 비트는 0으로 설정된다. 홀수(odd) 패리티 비트는 전체 비트열 내의 비트 1의 개수가 홀수개가 되도록 패리티 비트를 정한다. 예를 들면, 7비트 비트열 1111111의 홀수 패리티는 0으로 정하여 최종 비트열 내의 1의 수가 7개(홀수)가 되도록 유지해야 한다.

5. 블록 합

다수의 비트에서 오류가 발생할 때 오류를 검출하는 방법으로는 패리티 방식을 개선한 블록 검사(Block Sum Check)가 있다. 이 방식은 여러 개의 바이트를 하나의 블록으로 구성한 후 교차 검사를 한다. 즉, 블록 데이터의 수평과 수직 방향 모두에 패리티 비트를 둠으로써 오류 검출 확률을 높인다(수평과 수직). 오른쪽에 표시한 패리티 비트는 수평 방향의 데이터 비트에 대해 짝수 패리티를 적용한 것이며, 아래쪽에 블록 검사 비트로 표시한 데이터는 수직 방향으로 짝수 패리티를 적용한 것이다. 따라서 수평 방향으로 짝수 개의 비트가 깨지면 수직 방향의 블록 검사 비트로 오류를 검출하고, 수직 방향으로 짝수 개의 비트가 깨지면 수평 방향의 패리티 비트로 오류를 검출한다. 다음 그림은 블록 합을 나타낸다.

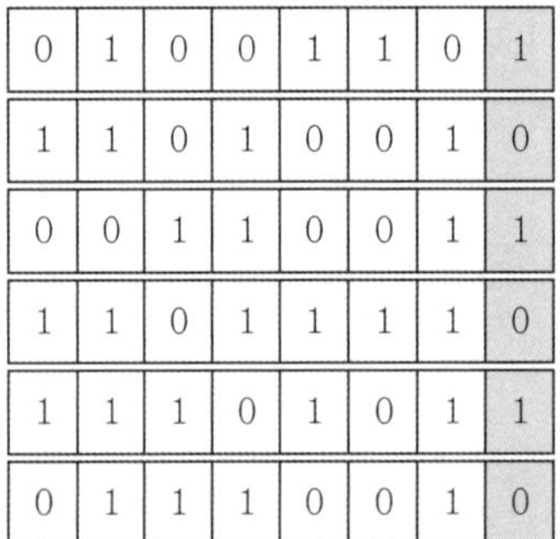

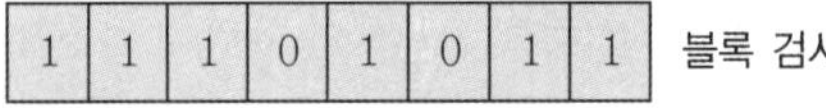

▲ 블록 합

6. 해밍 코드 계산 방법

해밍 코드의 중복 비트는 다음 그림과 같이 1, 2, 4, 8, ...의 자리에 들어간다(2의 승임에 유의).

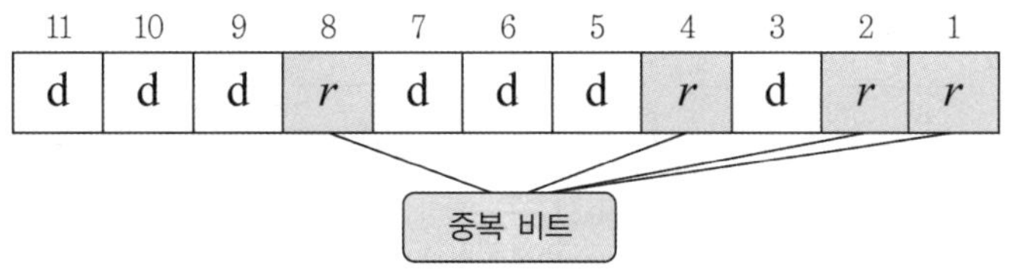

▲ 중복 비트의 위치

각 중복 비트는 다음 그림과 같이 짝수 패리티가 적용된다(각 중복 비트의 계산되는 위치에 주의).

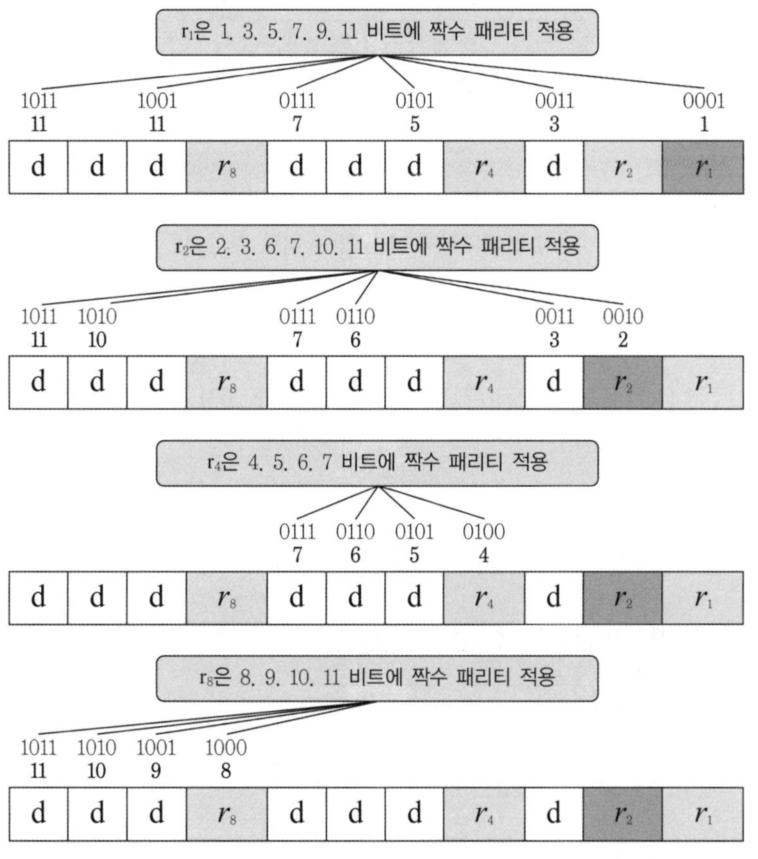

▲ 각 중복 비트의 계산

다음 그림은 실제 데이터가 주어진 상황에서 각 중복 비트의 계산된 값을 의미한다.

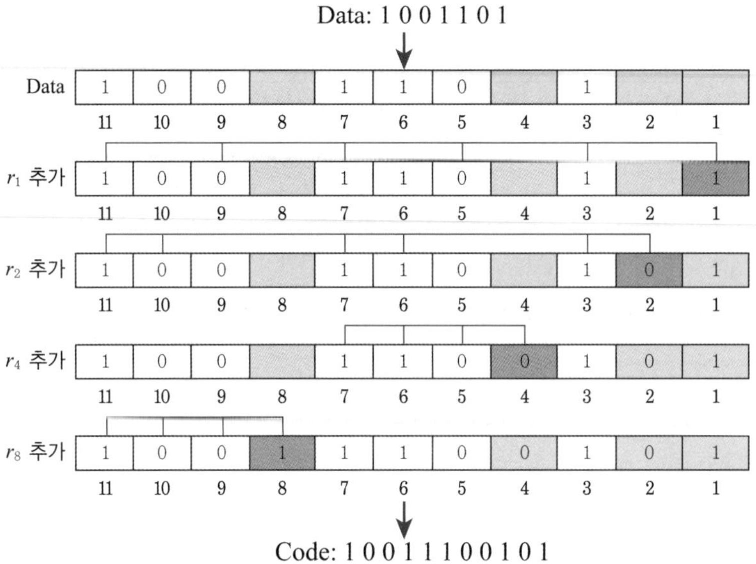

▲ 실제 데이터에 따른 중복 비트 계산 값

다음 그림은 비트 오류가 발생했을 때 정정 과정을 보여준다.

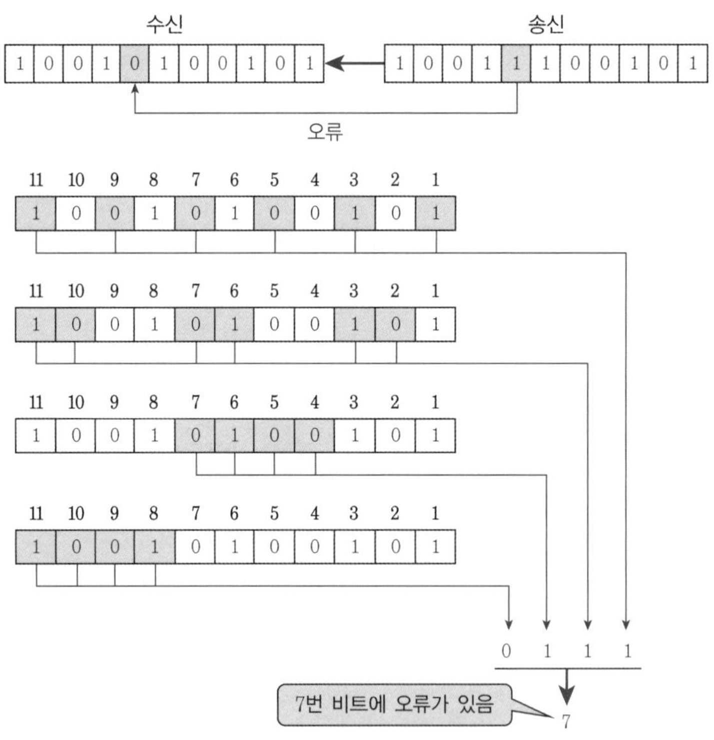

▲ 비트 오류 정정 과정

주요개념 셀프체크

- VRC, LRC
- CRC
- Checksum
- Hamming Code

핵심 기출

1. 네트워크의 전송 데이터 오류 검출에 대한 설명으로 옳지 않은 것은? 2015년 지방직

① 체크섬(checksum)은 1의 보수 방법을 사용한다.
② 순환중복검사(CRC)는 모듈로-2 연산을 주로 사용한다.
③ 전송할 데이터에 대한 중복 정보를 활용하여 오류를 검출한다.
④ 단일 패리티 비트를 사용하는 패리티 검사는 홀수 개의 비트에 오류가 발생하면 오류를 발견할 수 없다.

해설
패리티 비트는 짝수 개의 비트에 오류가 발생하면 오류를 발견할 수 없다.

선지분석
① 체크섬: 1의 보수 혹은 2의 보수 방법을 사용한다.
② CRC: 모듈로-2 연산(XOR)을 주로 사용한다.
③ 중복 정보: 여기서 중복(redundancy)이란 체크섬이나 CRC를 이야기한다. 데이터와 중복 정보를 함께 보내고 수신 쪽에서는 중복 정보를 이용하여 데이터를 확인한다.

정답 ④

2. 해밍코드에 대한 패리티 비트 생성 규칙과 인코딩 예가 다음과 같다. 이에 대한 설명으로 옳은 것은? 2021년 국가직

<패리티 비트 생성 규칙>

원본 데이터	d4	d3	d2	d1			
인코딩된 데이터	d4	d3	d2	p4	d1	p2	p1

p1 = (d1 + d2 + d4) mod 2
p2 = (d1 + d3 + d4) mod 2
p4 = (d2 + d3 + d4) mod 2

<인코딩 예>

원본 데이터	0	0	1	1			
인코딩된 데이터	0	0	1	1	1	1	0

① 이 방법은 홀수 패리티를 사용하고 있다.
② 원본 데이터가 0100이면 0101110으로 인코딩된다.
③ 패리티 비트에 오류가 발생하면 복구는 불가능하다.
④ 수신측이 0010001을 수신하면 한 개의 비트 오류를 수정한 후 최종적으로 0010으로 복호한다.

해설
0011001로 수정 후 0010으로 복호한다.

선지분석
① mod 2를 사용하므로 짝수 패리티이다.
② 0101010으로 인코딩된다.
③ 패리티 오류(해당 위치)도 복구가 가능하다.

정답 ④

CHAPTER 05

데이터 링크 제어

1 데이터 링크 제어(Data Link Control)

다음 그림은 데이터 링크층의 주요 기능을 나타낸다. 데이터 통신이라는 과목은 데이터 링크층에 중점을 둔 것임에 유의한다.

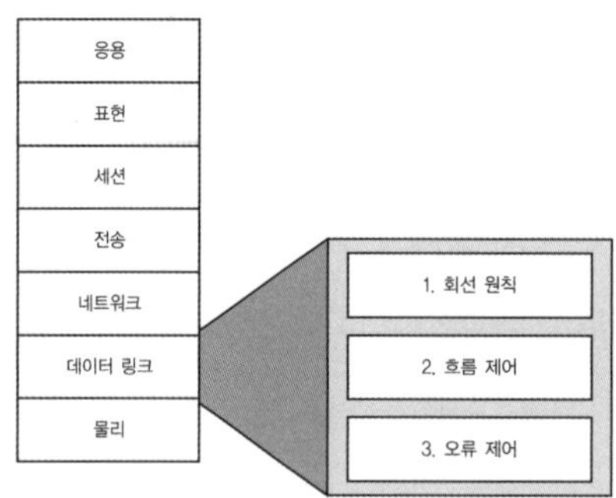

▲ 데이터 링크층의 주요 기능

다음 그림은 데이터 링크층 기능을 나타낸다. 이들 각각에 대해서는 이후에 자세하게 설명한다.

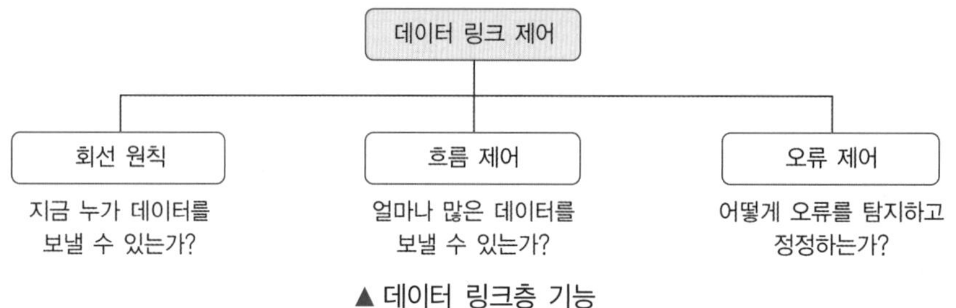

▲ 데이터 링크층 기능

2 회선 원칙

1. 개요

회선 원칙이란 지금 누가 전송해야 하는가의 질문에 대한 응답이다. 다음과 같은 2가지 방법이 존재한다.

- ENQ/ACK(Enquiry/acknowledgment)
- poll/select

다음 그림은 회선 원칙 종류를 나타낸다. 조회/확인응답(ENQ/ACK)은 대등-대-대등(peer-to-peer) 통신에 사용하고, 폴/선택(Poll/Select)은 주국-종국(primary-secondary) 통신에 사용한다.

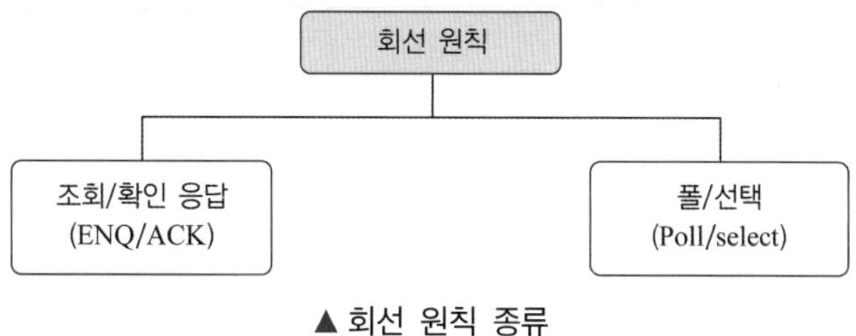

▲ 회선 원칙 종류

2. ENQ/ACK

누가 시작할 것인가는 ENQ를 통해 확인하고, 한쪽은 다른쪽이 준비가 되었다는 것을 어떻게 확신하는가는 ACK를 통해 확인한다. 다음 그림은 ENQ/ACK의 회선 원칙 개념을 나타낸다.

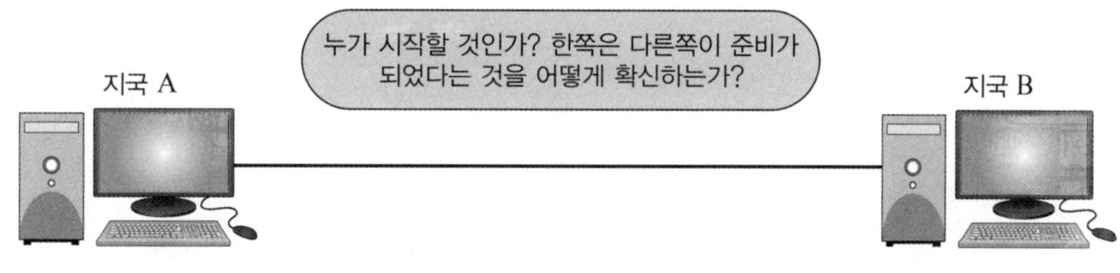

▲ ENQ/ACK의 회선 원칙 개념

데이터통신
PART 3
해커스공무원 곽후근 컴퓨터일반 기본서

다음 그림은 ENQ/ACK의 동작 방법을 나타낸다.

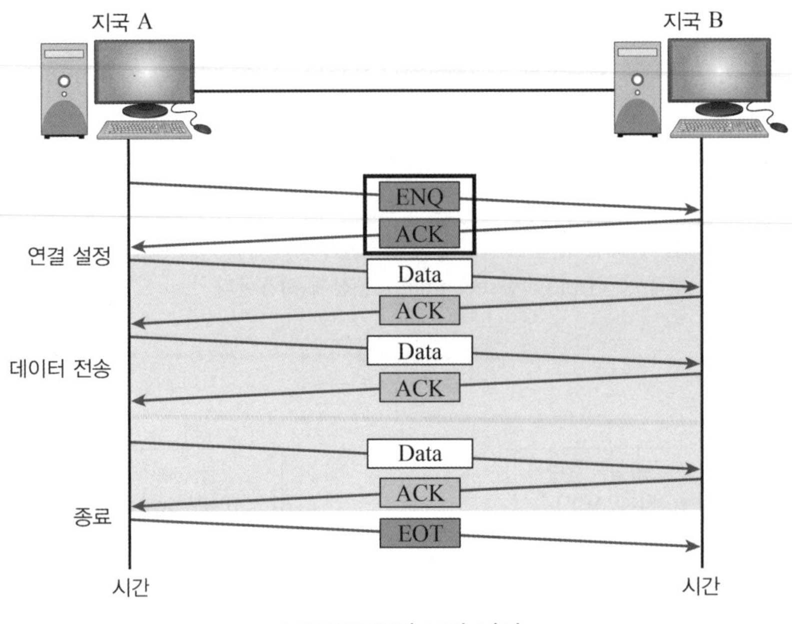

▲ ENQ/ACK의 동작 방법

3. 폴/선택(Poll/Select)

다음 그림은 Poll/Select의 회선 원칙 개념을 나타낸다.

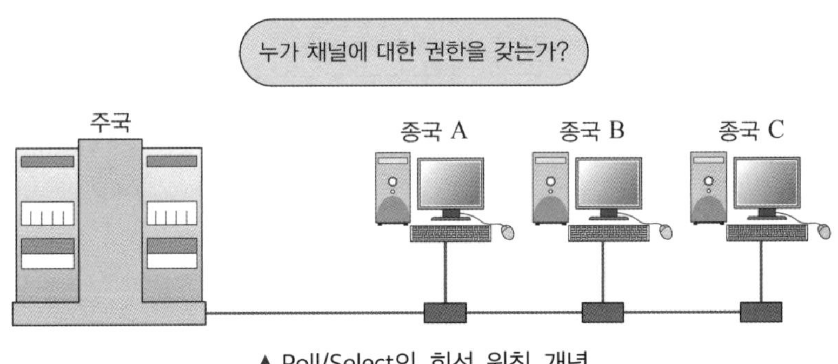

▲ Poll/Select의 회선 원칙 개념

polling에서는 주국이 종국에게 전송할 데이터가 있는지를 묻는다(종국 → 주국). 그리고 select에서는 주국이 목적지 종국에게 데이터를 수신할 준비가 됐는지를 묻는다(주국 → 종국).

Poll/Select에서 주소(Address)는 링크상의 특정 장치로부터 또는 특정 장치까지 가고 오는 각 프레임을 식별한다(프로토콜상의 주소 필드 또는 헤더, MAC 주소).

다음 그림은 선택(Select)을 나타낸다. 주국이 데이터를 전송할 때 사용한다(주국 → 종국).

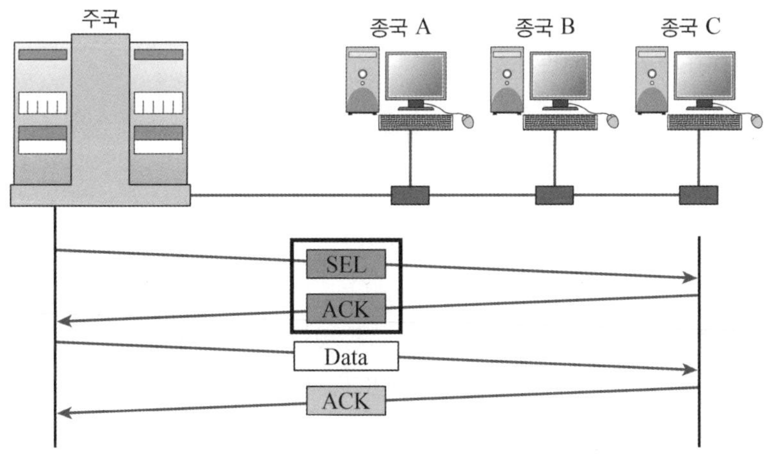

▲ 선택(Select)

다음 그림은 폴(Poll)을 나타낸다. 주국이 종국에게 데이터 전송을 요구할 때 사용한다(종국 → 주국).

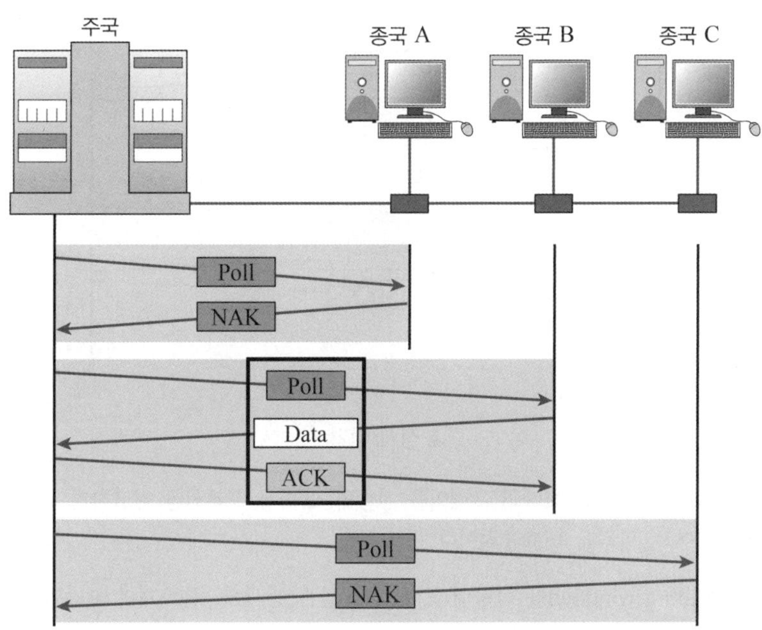

▲ 폴(Poll)

3 흐름 제어

흐름 제어는 확인 응답(acknowledgment)을 기다리기 전에 송신자가 송신할 수 있는 데이터 양을 제한하는 절차이다. 다음 그림은 흐름 제어의 종류를 나타낸다.

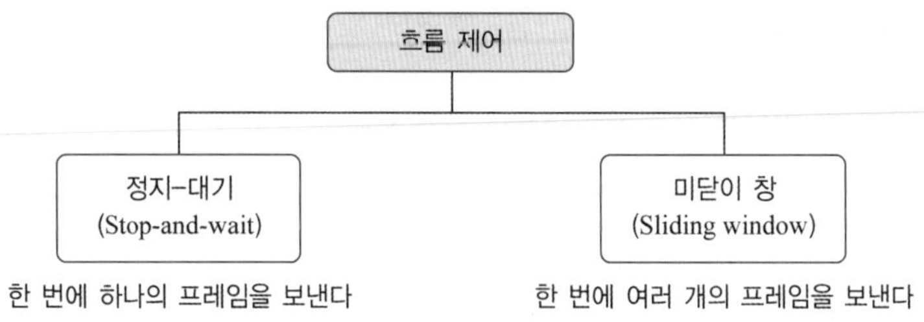

▲ 흐름 제어의 종류

다음 그림은 정지/대기(Stop and Wait)를 나타낸다.

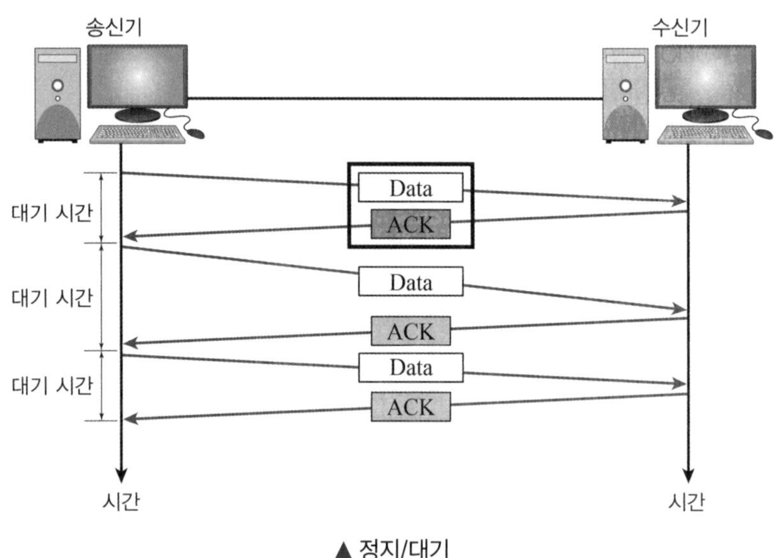

▲ 정지/대기

정지/대기(Stop-and-Wait)는 송신자는 하나의 프레임을 전송하고, 다음 프레임을 전달하기 전에 확인응답을 기다린다. 장점은 간단하다는 것이고, 단점은 비효율적이다.

다음 그림은 미닫이 창(Sliding window)을 나타낸다. 미닫이 창은 동시에 여러 개의 프레임을 전송할 수 있다.

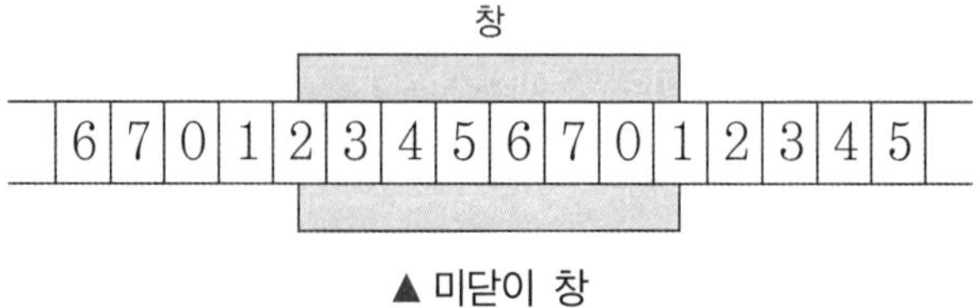

▲ 미닫이 창

다음 그림은 송신기의 미닫이 창을 나타낸다.

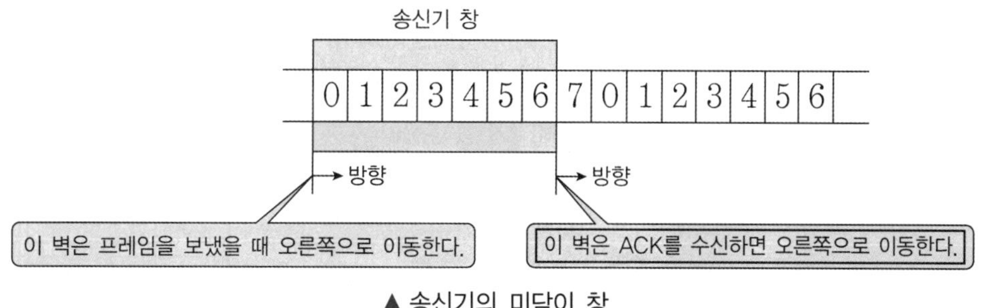

▲ 송신기의 미닫이 창

다음 그림은 수신기의 미닫이 창을 나타낸다.

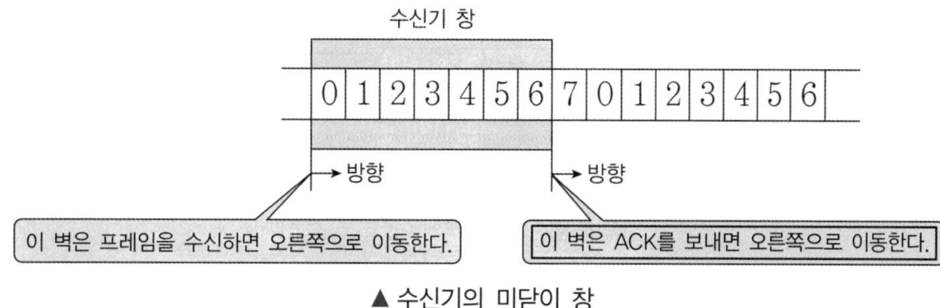

▲ 수신기의 미닫이 창

다음 그림은 미닫이 창의 예제를 나타낸다. 그림에서 ACK를 매 데이터마다 보내지 않고 누적해서 보냄에 유의한다 (cumulative ACK).

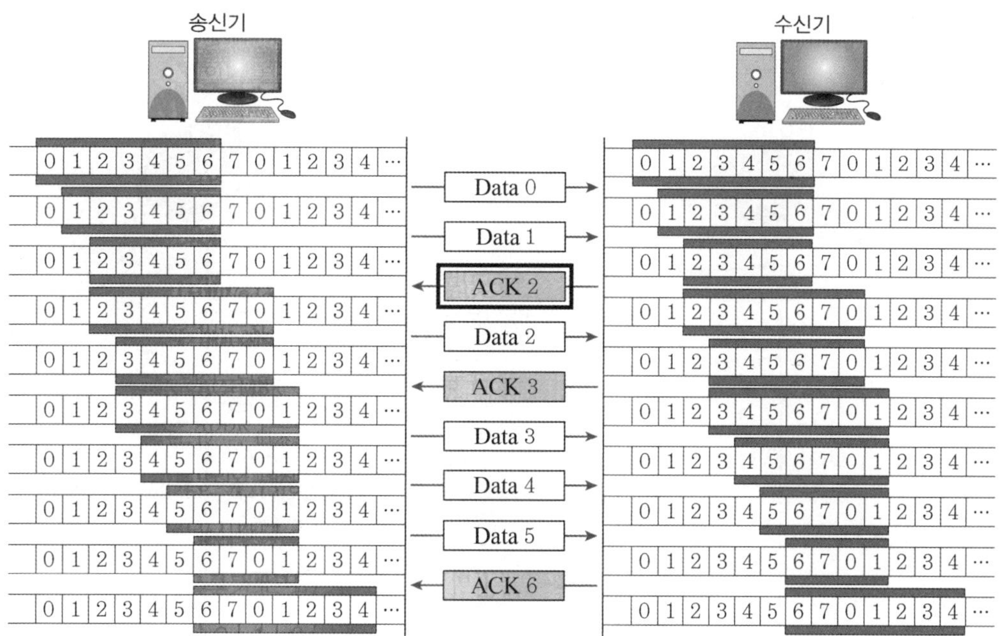

▲ 미닫이 창의 예제

4 오류 제어

오류 제어는 오류 검출과 재전송 방법을 의미한다. 오류 제어에 자동 반복 요청(ARQ; Automatic Repeat Request)을 사용한다. 오류는 3가지 경우의 데이터 전송을 의미한다(손상된 프레임, 분실된 프레임, 분실된 확인응답).

다음 그림은 ARQ 오류 제어의 종류를 나타낸다. 그림에서 Selective-reject는 Selective-repeat로도 사용됨에 유의한다.

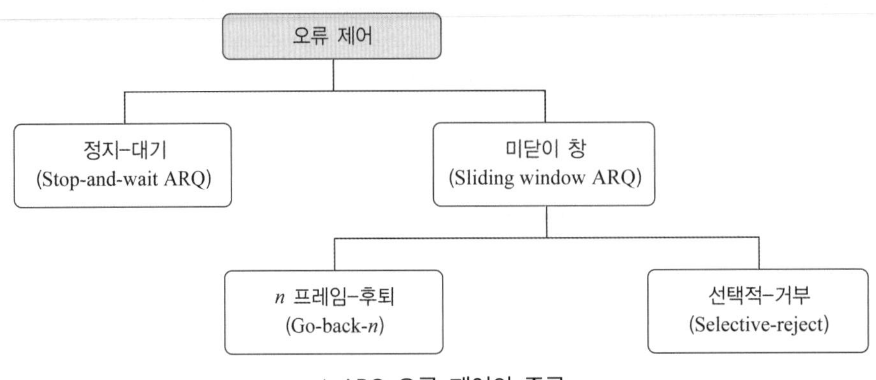

▲ ARQ 오류 제어의 종류

정지/대기(Stop-and-Wait) ARQ는 재전송을 위하여, 기본 흐름 제어 메커니즘에 다음의 4가지 특성이 추가된다.

- 송신측은 전송되어 분실된 프레임의 사본을 갖는다.
- 데이터 프레임과 ACK 프레임에 번갈아 0과 1을 부여한다.
- 번호가 없는 NAK 프레임을 보낸다.
- 송신측에 타이머를 갖는다.

다음 그림은 정지/대기 ARQ를 손상된 프레임에 적용한 경우를 나타낸다.

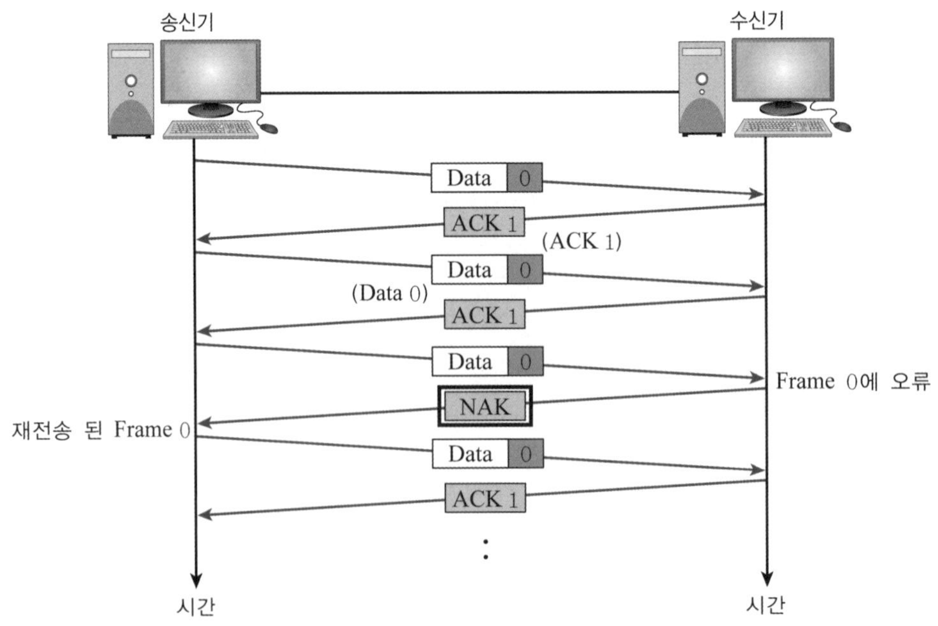

▲ 정지/대기 ARQ를 손상된 프레임에 적용한 경우

다음 그림은 정지/대기 ARQ를 손실된 데이터 프레임에 적용한 경우를 나타낸다.

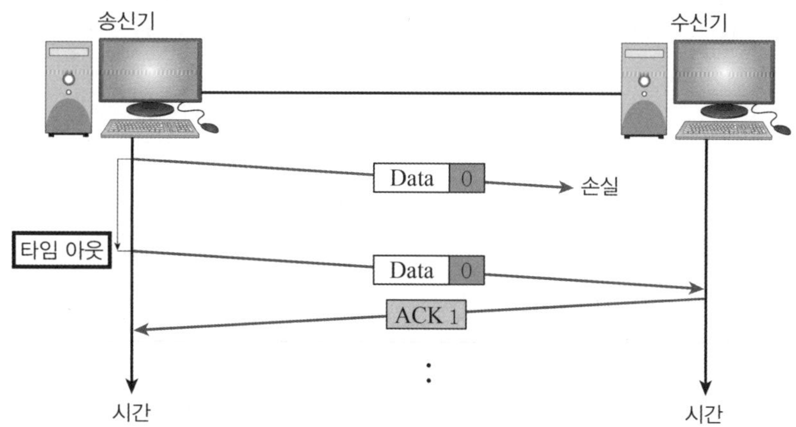

▲ 정지/대기 ARQ를 손실된 데이터 프레임에 적용한 경우

다음 그림은 정지/대기 ARQ를 손실된 확인응답(Acknowledgment)에 적용한 경우이다.

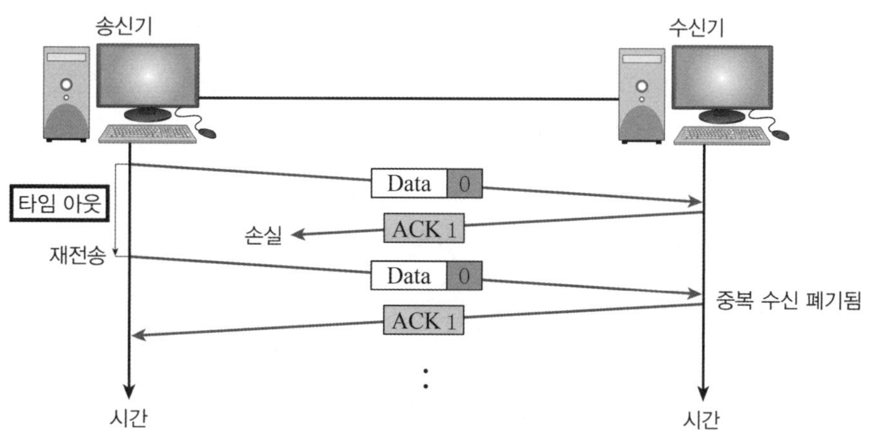

▲ 정지/대기 ARQ를 손실된 확인응답(Acknowledgment)에 적용한 경우

만약, 양방향 전송을 하려면 각 장치는 전송된 프레임과 수신을 기대하는 프레임을 추적하는 변수가 필요하다. 피기백킹(piggybacking)은 데이터 프레임에 확인 응답 프레임을 합해서 보내는 것이다. 2가지 방식이 존재하는데 하나는 받은 프레임을 확인 응답하는 것이고, 나머지 하나는 기대하는 프레임을 확인 응답하는 것이다. 다음 그림은 피기백킹을 나타낸다.

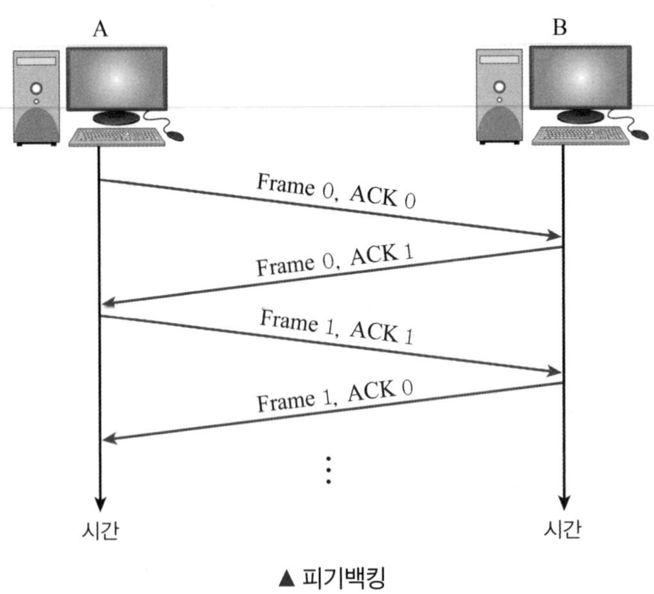

▲ 피기백킹

미달이 창 ARQ에는 go-back-n ARQ와 selective-reject ARQ(selective-repeat ARQ)가 존재한다. 다음의 4개의 특성이 기본 흐름 제어 메커니즘에 추가된다(sliding window).

- 송신측은 확인응답이 올 때까지 전송된 모든 프레임의 사본을 갖는다.
- 수신이 예상되는 다음 프레임의 번호를 ACK로 전달한다.
- 손상된 프레임 번호를 NAK로 전달한다.
- 송신측에 손실된 확인 응답을 처리하기 위해 타이머를 설치한다.

Go-Back-n ARQ는 프레임이 분실되거나 손상되면, 해당 프레임의 확인 응답이 전송된 후, 모든 프레임이 재전송된다(go-back).

다음 그림은 Go-Back-n ARQ를 손상된 프레임에 적용한 경우이다. n 프레임-후퇴가 되기 때문에 go-back-n이라는 용어가 사용된다. 예를 들어, 시험 문제는 6개의 프레임을 수신했고, 3번째 프레임에서 오류 발생했을 때 재전송 되는 프레임의 개수(4개, 3/4/5/6째 프레임 다시 전송)를 묻는 질문이 자주 출제된다.

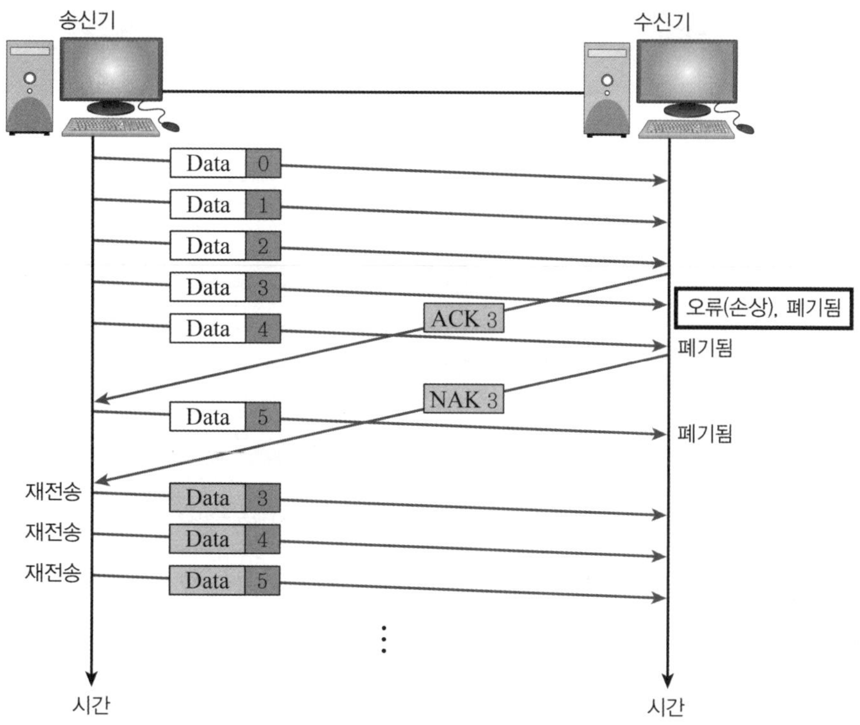

▲ Go-Back-n ARQ를 손상된 프레임에 적용한 경우

다음 그림은 Go-Back-n ARQ를 손실된 데이터 프레임에 적용한 경우이다.

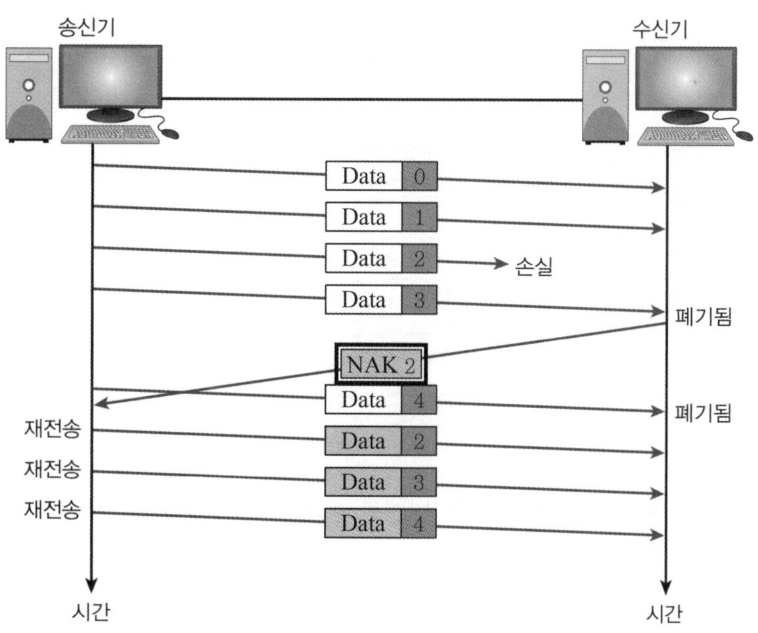

▲ Go-Back-n ARQ를 손실된 데이터 프레임에 적용한 경우

데이터통신 PART 3 해커스공무원 곽후근 컴퓨터일반 기본서

다음 그림은 Go-Back-n ARQ를 손실된 확인응답에 적용한 경우이다.

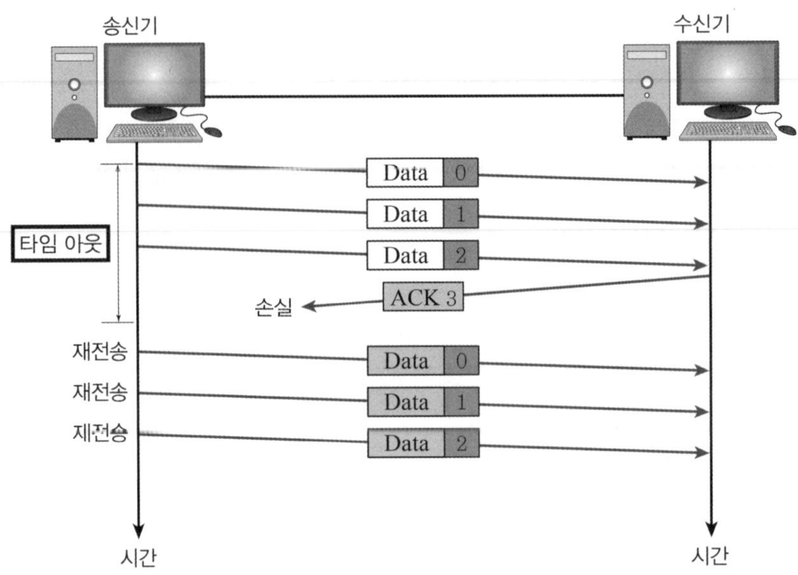

▲ Go-Back-n ARQ를 손실된 확인응답에 적용한 경우

다음 그림은 선택적 거부 ARQ(선택적 반복 ARQ)를 손상된 데이터 프레임에 적용한 경우이다. 선택적 거부 ARQ에서는 손상되거나 손실된 프레임만 재전송한다.

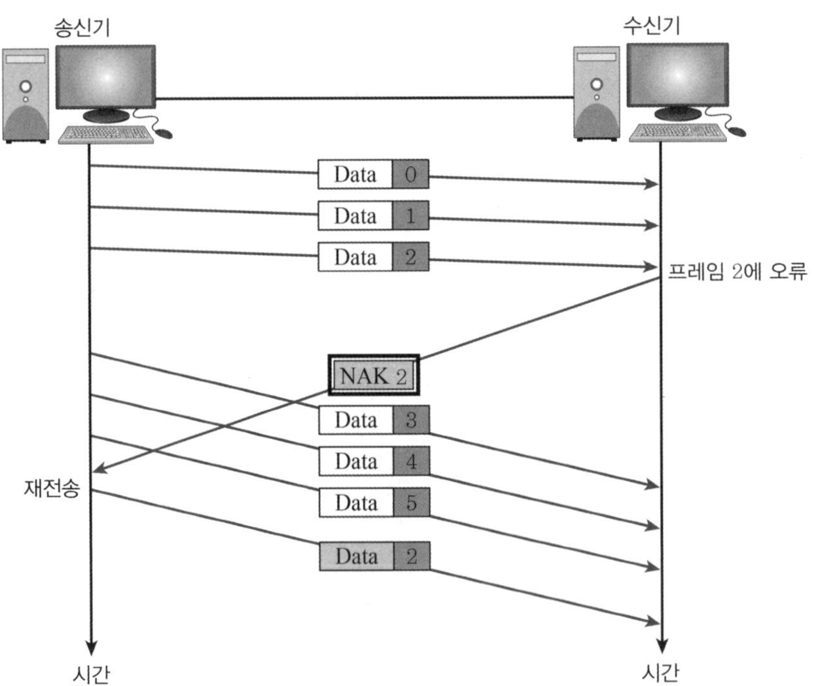

▲ 선택적 거부 ARQ(선택적 반복 ARQ)를 손상된 데이터 프레임에 적용한 경우

주요개념 셀프체크

- 흐름 제어: sliding window
- 오류 제어: go-back-n vs. selective-reject

핵심 기출

다음의 데이터 링크 계층 오류제어 기법들을 프레임 전송 효율이 좋은 것부터 나쁜 순으로 바르게 나열한 것은? (단, 여러 개의 프레임을 전송할 때 평균적으로 요구되는 전송 및 대기 시간만을 고려하되, 송신 및 수신 단에 요구되는 구현의 복잡도나 운용에 따른 비용은 무시한다)

2016년 지방직

ㄱ. 정지 후 대기(stop-and-wait) ARQ
ㄴ. N 복귀(go-back-N) ARQ
ㄷ. 선택적 반복(selective-repeat) ARQ

① ㄱ → ㄴ → ㄷ
② ㄴ → ㄷ → ㄱ
③ ㄷ → ㄱ → ㄴ
④ ㄷ → ㄴ → ㄱ

해설

ㄷ. 선택적 반복: 손상되거나 손실된 프레임만 재전송하므로 프레임 전송 효율이 높다.
ㄴ. N 복귀: 손상되거나 손실된 프레임 이후의 프레임 모두 다시 재전송하지만 에러가 많이 발생하지 않는 평균적인 상황을 고려하므로 프레임 전송 효율이 중간이다(누적해서 ACK를 보냄).
ㄱ. 정지 후 대기: 손상되거나 손실된 프레임만 재전송하지만 한 번에 하나의 프레임만을 전송하므로 프레임 전송 효율이 가장 낮다.

정답 ④

CHAPTER 06

데이터 링크 프로토콜

1 개요

1. 종류

데이터 링크 프로토콜(Protocol)은 데이터 링크층 구현에 사용된 규약이다. 다음 그림은 데이터 링크 프로토콜의 종류를 나타낸다.

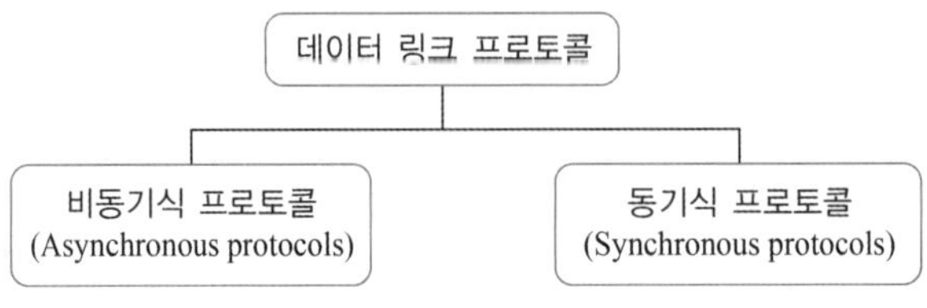

▲ 데이터 링크 프로토콜의 종류

2. 비동기식과 동기식

비동기식 프로토콜은 비트 스트림에 있는 각 문자를 독립적으로 다루고(문자 중심), 동기식 프로토콜은 전체 비트 스트림을 같은 크기의 문자들로 나누어 처리한다(비트 중심).

2 비동기식 프로토콜

주로 모뎀(modem)에서 사용하며, 시작과 정지 비트, 문자 사이에 가변 길이 갭(gap)을 가진다. 다음 그림은 비동기식 프로토콜의 종류를 나타낸다.

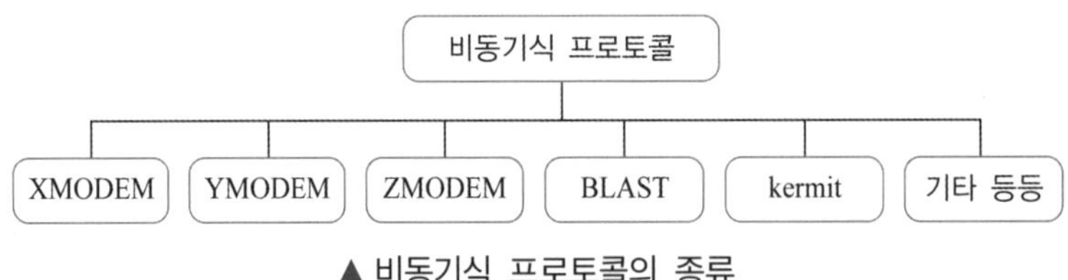

▲ 비동기식 프로토콜의 종류

3 동기식 프로토콜

1. 개요

동기식 프로토콜은 LAN, WAN에서 사용한다. 다음 그림은 동기식 프로토콜을 나타낸다.

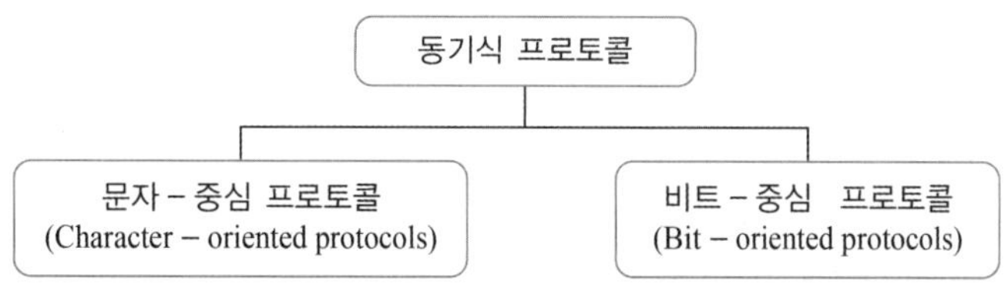

▲ 동기식 프로토콜

동기식 프로토콜에는 문자 - 중심과 비트 - 중심이 존재한다. 문자 - 중심 프로토콜은 프레임 또는 패킷을 문자의 연속으로 해석하고, 비트-중심 프로토콜은 프레임 또는 패킷을 비트의 연속으로 해석한다.

2. 문자 - 중심 프로토콜

비트 - 중심 프로토콜보다 비효율적이므로 오늘날 거의 사용되지 않는다. 다음 그림은 문자 - 중심 프로토콜(패킷)을 나타내고, 대표적인 종류는 BSC(Binary Synchronous Communication)가 존재한다.

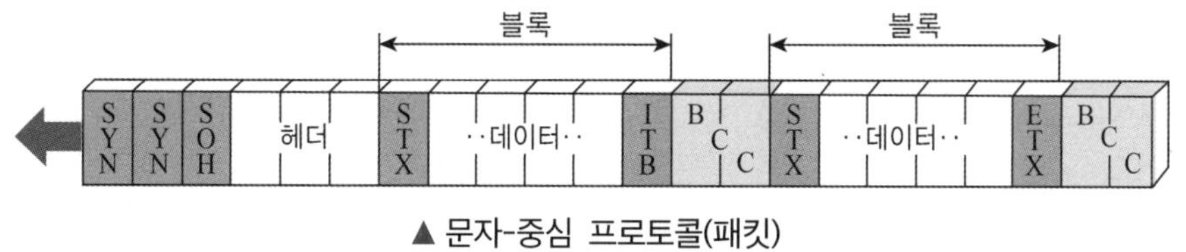

▲ 문자-중심 프로토콜(패킷)

3. 비트 - 중심 프로토콜

비트 - 중심 프로토콜은 보다 짧은 프레임에 많은 정보를 전송하고, 문자-중심 프로토콜에 있는 투명성 문제를 해결한다. 투명성 문제란 데이터와 제어를 구별할 수 없는 문제를 의미한다. 다음 그림은 비트-중심 프로토콜의 종류를 나타낸다.

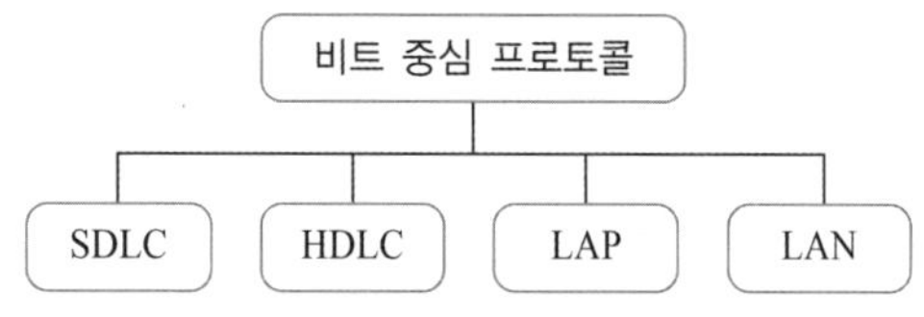

▲ 비트 - 중심 프로토콜의 종류

다음 그림은 비트 - 중심 프로토콜(패킷)을 나타낸다.

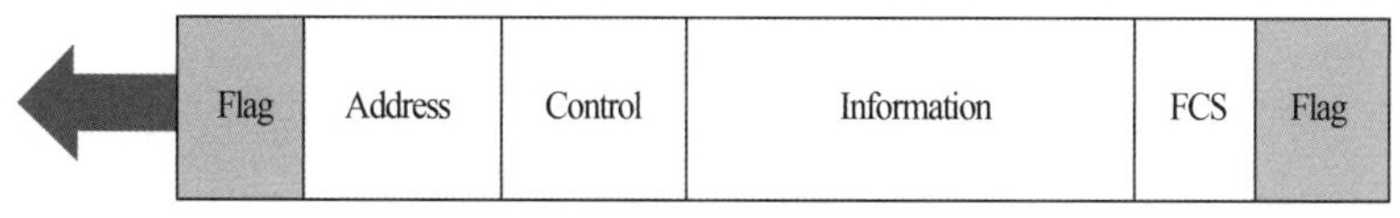

▲ 비트-중심 프로토콜(패킷)

주요개념 셀프체크

- 비동기식
- 동기식 - 문자 vs. 비트

핵심 기출

데이터 전송 방식 중에서 한 번에 한 문자 데이터를 전송하며 시작 비트(start-bit)와 정지 비트(stop-bit)를 사용하는 전송 방식은? 2014년 국가직

① 비동기식 전송 방식(asynchronous transmission)
② 동기식 전송 방식(synchronous transmission)
③ 아날로그 전송 방식(analog transmission)
④ 병렬전송 방식(parallel transmission)

해설

비동기식 전송 방식(asynchronous transmission): 비트 스트림에 있는 각 문자를 독립적으로 다룬다(문자 중심). 주로 모뎀(modem)에서 사용하며 시작과 정지 비트, 문자 사이에 가변 길이 갭(gap)을 가진다. 종류로는 XMODEM, YMODEM, ZMODEM, BLAST, kermit 등이 존재한다(MBK).

선지분석

② 동기식 전송 방식(synchronous transmission): 전체 비트 스트림을 같은 크기의 문자들로 나누어 처리한다(비트 중심). 문자 중심 프로토콜과 비트 중심 프로토콜이 있다. 문자 중심은 프레임 또는 패킷을 문자의 연속으로 해석하고, 비트 중심은 프레임 또는 페킷을 비트의 연속으로 해석한다.
③ 아날로그 전송 방식(analog transmission): 음성, 오디오, 비디오 등 연속적으로 변하는 신호 형태의 데이터 통신 방식이다.
④ 병렬 전송 방식(parallel transmission): 한 개의 비트가 아닌 그룹으로 n 비트 데이터를 전송한다. 속도는 빠르지만 고가이다.

정답 ①

CHAPTER 07 LAN

1 근거리 통신망(LAN)

LAN은 제한된 지리적인 영역(연구소, 학교, 병원 등)에 있는 정보기기 간에 직접적인 통신을 제공하는 데이터 통신 시스템이다.

LAN의 분류는 다음과 같다.

- 이더넷(Ethernet): IEEE 802 표준안
- 토큰 버스(Token Bus): IEEE 802 표준안
- 토큰 링(Token Ring): IEEE 802 표준안
- FDDI(Fiber Distributed Data Interface): ANSI 표준안

2 이더넷(Ethernet)

1. IEEE 802.3

이더넷은 Xerox 사에서 개발된 IEEE 802.3 표준이다. 다음 그림은 IEEE 802.3을 나타낸다.

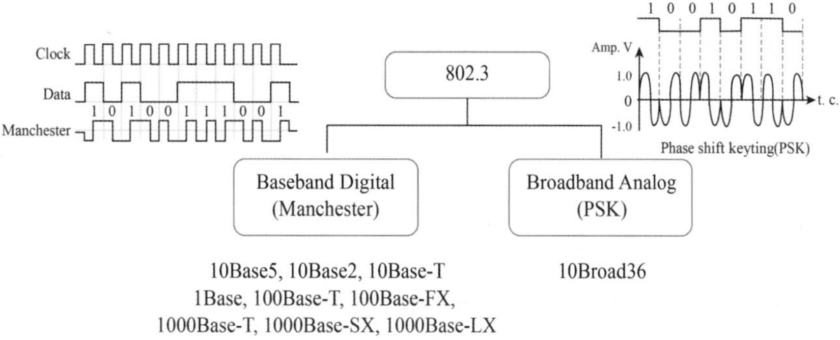

10Base5, 10Base2, 10Base-T
1Base, 100Base-T, 100Base-FX,
1000Base-T, 1000Base-SX, 1000Base-LX

10Broad36

▲ IEEE 802.3

2. CSMA/CD

이더넷의 접근 방법(ACCESS Method)은 CSMA/CD(IEEE 802.3)를 사용한다. MA는 네트워크가 비어있으면 누구나 사용 가능함을 의미하고, CS는 네트워크가 사용 중인지 확인함을 의미한다. 그리고 CD는 데이터를 전송하며 충돌여부 감지함을 의미한다. 다음 그림은 CSMA/CD의 발전 과정을 나타낸다.

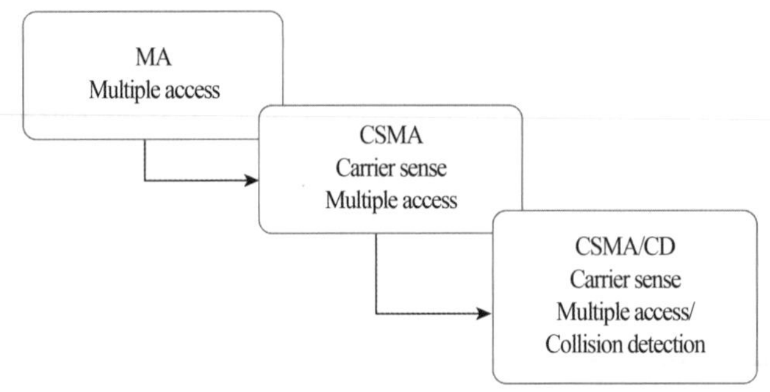

▲ CSMA/CD의 발전 과정

3. 충돌

CSMA/CD에서 일어나는 충돌이 발생하면 양 패킷을 버리고, 양쪽에서 임의의 수만큼 쉰 후 다시 전송한다. 다음 그림은 CSMA/CD에서 일어나는 충돌을 나타낸다.

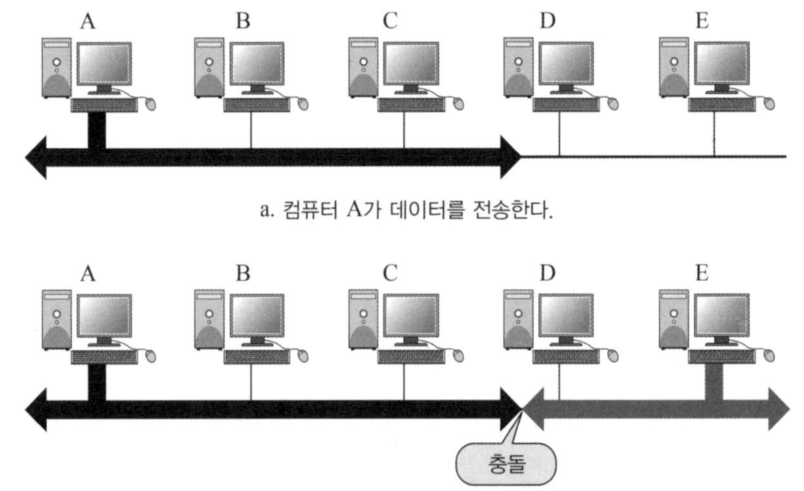

a. 컴퓨터 A가 데이터를 전송한다.

b. 컴퓨터 E에 신호가 도착하기 전에 E가 데이터를 전송하면 충돌이 일어난다.

▲ CSMA/CD에서 일어나는 충돌

노드 A가 프레임 전송 후 노드 E에 거의 도달하기 전 노드 E는 프레임 전송을 시작한다. 충돌이 발생하면, 충돌을 감지한 노드 E는 전송을 즉각 멈추고 잼(jam) 신호를 전송한다. 노드 A는 약 2T 시간 후에 충돌을 감지한다(여기서, T는 프레임이 목적지에 도달하는데 걸리는 시간). 노드 A가 아주 짧은 프레임을 약 2T 시간 내에 전송하였다면 노드 A는 프레임이 충돌 없이 전송되었다고 판단한다. 패킷이 충돌 없이 전송되었음을 확인하기 위해서, 호스트는 반드시 패킷 전송이 끝나기 전에 충돌을 검출할 수 있어야 한다. 전송 중에 충돌을 감지하기 위한 프레임의 최소 길이는 전파되는 시간의 최소 2배 이상이어야 한다.

4. 주소지정

이더넷 네트워크상의 각 Station(pc, workstation, print 등)은 자신의 NIC(Network Interface Card)를 가지고, 각 NIC은 6 바이트 길이 유일한 물리주소(fixed)를 가진다. 해당 주소를 물리적인 관점에서는 바꿀 수 없지만(NIC에 할당된 물리 주소는 바꿀 수 없음) 해당 주소가 패킷의 형태로 전송되면 MAC spoofing을 통해 패킷 안에 포함된 물리 주소는 수정이 가능하다.

5. 전기적 규격

이더넷의 신호 방식(Signaling)은 베이스밴드(baseband, 단거리) 시스템에서는 Manchester digital Encoding을 사용하고, 브로드밴드(Broadband, 장거리) 시스템에서는 differential PSK를 사용한다. 그리고 데이터 전송율(data rate)은 1~100Mbps이다(현재는 1G~10Gbps). 다음 그림은 Manchester과 PSK를 나타낸다.

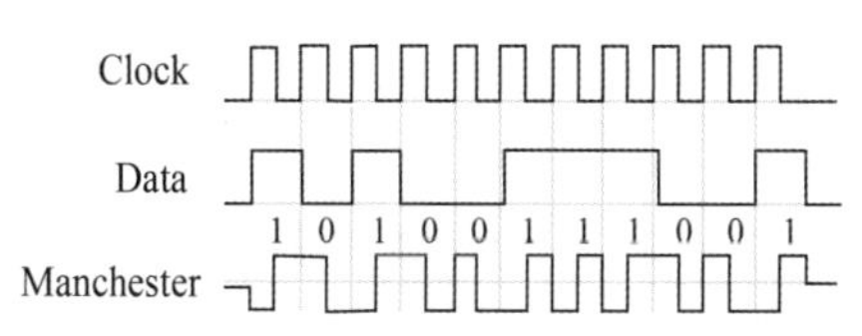

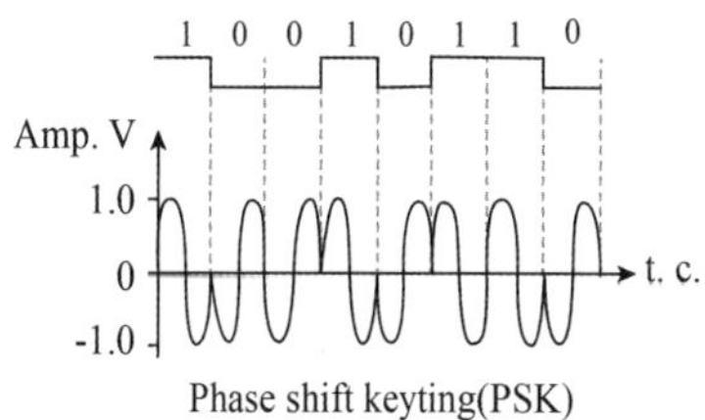

▲ Manchester과 PSK

6. 프레임 형식(Frame Format)

다음 그림은 802.3 MAC 프레임을 나타낸다. 그림에서 DSAP(Destination Service Access Point, 8비트, IP, NetBIOS, Netware 등)는 7비트는 주소이고, 나머지 1비트는 유니캐스트 인지, 멀티캐스트 주소인지 구분한다.

SSAP(Source Service Access Point, 8비트, 예전에 사용)는 7비트는 주소이고, 나머지 1비트는 명령 PDU 인지, 응답 PDU 인지를 구분한다.

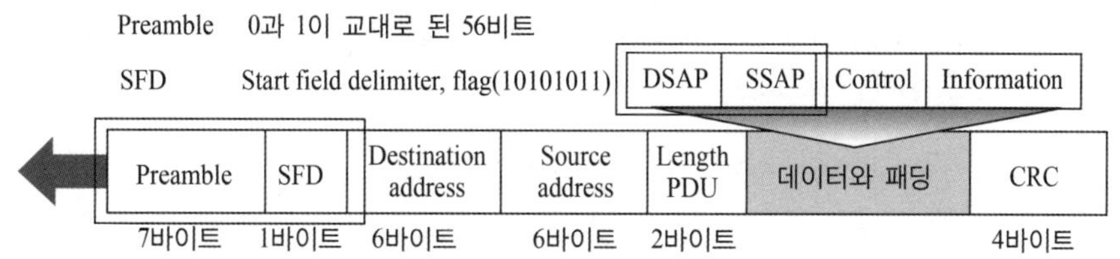

▲ 802.3 MAC 프레임

802.3 MAC 프레임의 각 필드를 설명하면 다음과 같다.

- Preamble(7바이트): alert, timing, start synchronization
- SFD(Start frame delimiter): 프레임 시작
- DA(Destination address): 목적지 주소
- SA(Source address): 발신지 주소
- PDU 길이/유형: PDU의 길이와 유형(AppleTalk, MPLS 등)을 나타냄
- PDU: 46~1500 바이트 길이
- CRC: 오류 발견정보, CRC-32(오류 검출 부분과 관련)

다음 그림은 802.3 MAC 프레임을 다른 관점에서 나타낸 것이다. 그림에서 MAC 프레임은 MAC, LLC, FCS로 구성됨에 유의한다.

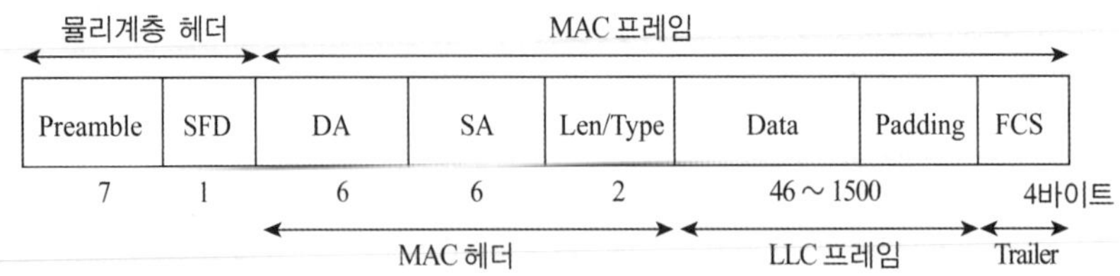

▲ 802.3 MAC 프레임(다른 관점)

7. 프레임 길이

프레임 최소 길이와 최대 길이 제한은 46~1500바이트이다. 다음 그림은 프레임의 최소 길이와 최대 길이를 나타낸다. 프레임의 최대 길이 1500바이트인 이유는 패킷 전송 경로상의 MTU(Maximum Transmission Unit, 각 장비가 가지는 최대 전송량)가 1500바이트로 제한되어 있기 때문이다.

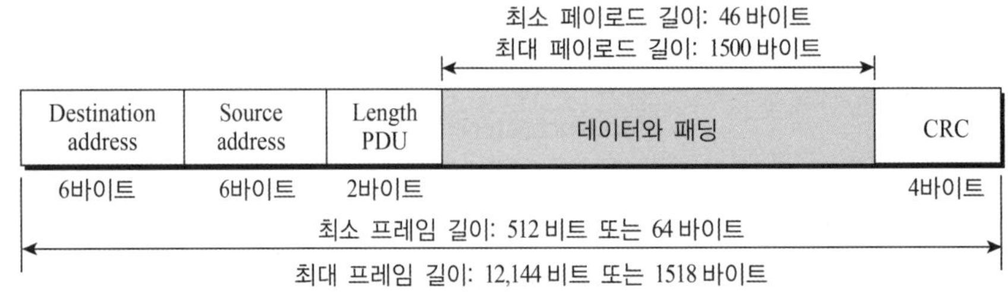

▲ 프레임 최소 길이와 최대 길이

8. 주소 지정

각 지국에 설정된 이더넷(ethernet, MAC)은 자신의 네트워크 인터페이스 카드(NIC)에 설정되어 있고, 주소는 6바이트 길이를 가진다. 다음은 16진법 표기법에 의한 이더넷 주소를 나타낸다.

06−01−02−01−2C−4B

▲ 16진법 표기법에 의한 이더넷 주소

다음 그림은 6바이트 주소에서 유니캐스트와 멀티캐스트 주소를 나타낸다. 브로드캐스트 주소는 FF-FF-FF-FF-FF-FF로 나타낸다.

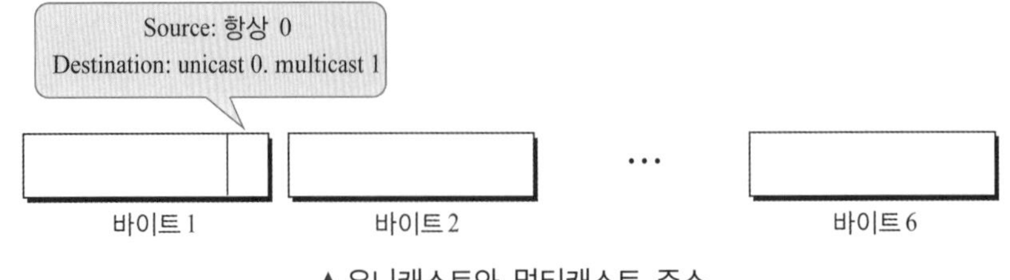

▲ 유니캐스트와 멀티캐스트 주소

3 구현(Implementation)

1. 개요

다음은 실제로 구현된 이더넷을 나열한 것이다. 각각에 대한 설명은 다음에 뒤따른다.

- 10BASE5: Thick Ethernet
- 10BASE2: Thin Ethernet
- 10BASE-T: Twisted-pair Ethernet
- 1BASE5: Star LAN
- 10Base-FL: 광섬유 링크 이더넷
- 브리지형 이더넷
- 교환형 이더넷
- 전이중 이더넷

2. 10BASE5(굵은 이더넷)

Thick Ethernet, Thick Net이라고 하고, 케이블 굵기는 고무 호스 정도(thick) 이다. 베이스밴드(Baseband) 신호를 사용한다(manchester). 최대 500미터 세그먼트 길이를 갖는 버스형 접속 형태를 가지고, 이를 그림으로 나타내면 다음과 같다.

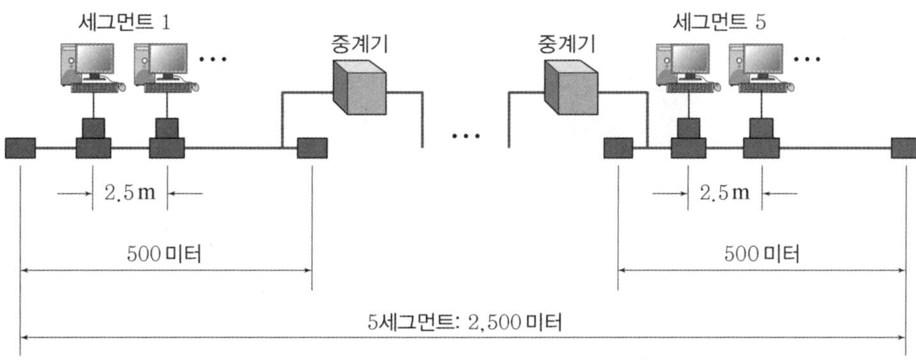

▲ 10BASE5(굵은 이더넷)

다음 그림은 10BASE5의 접속 형태를 나타낸다. 그림에서 접속을 위해 MAU와 AUI가 사용됨에 유의한다(* 참고).

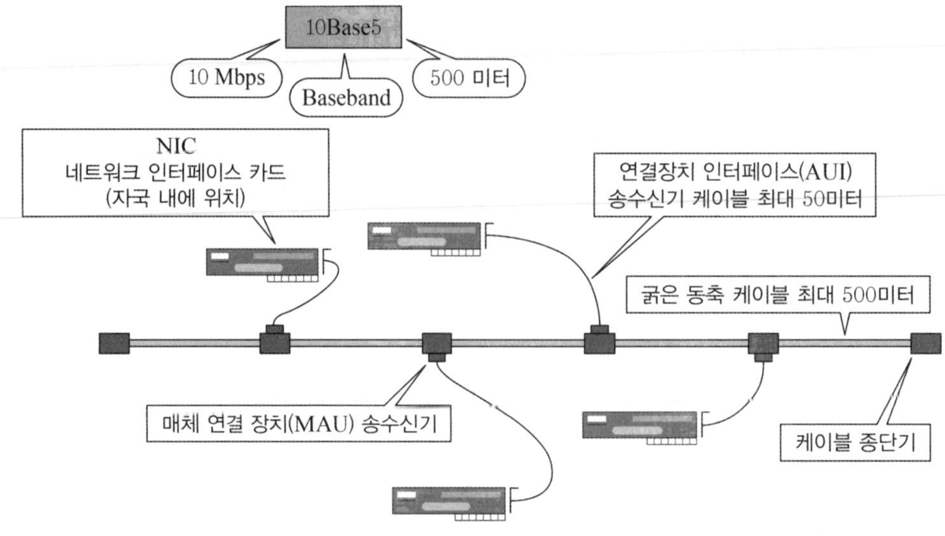

▲ 10BASE5의 접속 형태

10BASE5는 RG-8 케이블을 사용하는데, RG-8은 80 표준 중추(backbone) 굵은(thick) 동축 케이블을 나타낸다(다음 그림 참고).

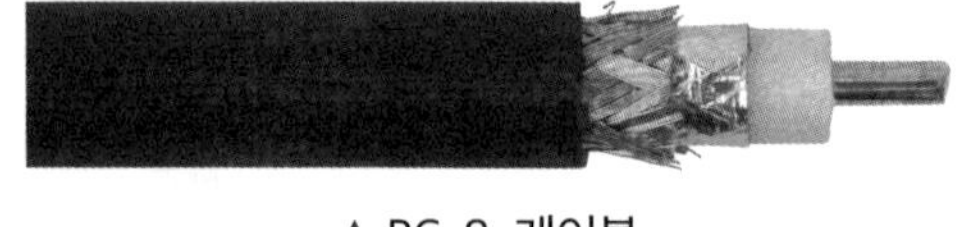

▲ RG-8 케이블

10BASE5에서 송수신기(transceiver)는 매체 연결 장치(MAU; Medium Attachment Unit)를 사용하고, AUI(Attachment Unit Interface) 케이블은 15-wire 케이블(DB-15pin)이고, 최대 길이는 50m이다. 그리고 송수신기 탭(Transceiver Tap)을 사용한다(* 참고).

다음 그림은 10BASE5의 송수신기 연결을 나타낸다. 그림에서 MAU와 AUI가 사용됨에 유의한다(* 참고).

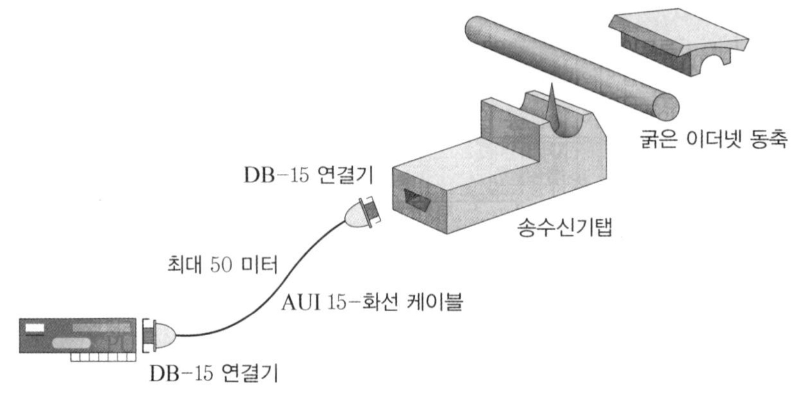

▲ 10BASE5의 송수신기 연결

3. 10BASE2(얇은 이더넷)

다음 그림은 10BASE2의 접속 형태를 나타낸다. 그림에서 알 수 있듯이 10BASE2는 버스형임에 유의한다.

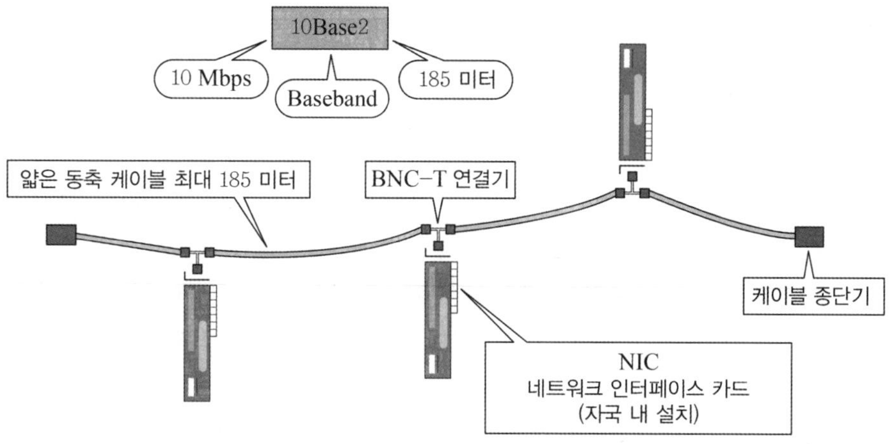

▲ 10BASE2의 접속 형태

10BASE2(Thin Ethernet)는 NIC에 thin Ethernet NIC과 transceiver를 가지며, 얇은(thin) 동축 케이블(RG-58)을 사용한다(다음 그림). 또한 BNC-T도 사용하는데 BNC-T는 T자형 연결자이다(3port: NIC, input, output).

▲ RG-58 케이블

4. 10BASE-T(꼬임-쌍선 이더넷)

다음 그림은 10BASE-T의 접속 형태를 나타낸다. 그림에서 알 수 있듯이 10BASE-T는 star 형이다.

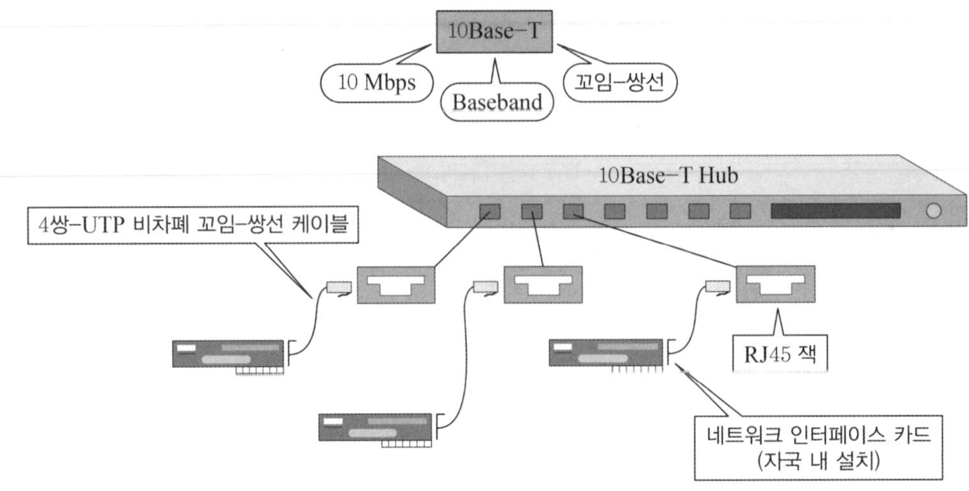

▲ 10BASE-T의 접속 형태

10BASE-T는 성형이고, UTP(Unshielded twisted pair) 케이블을 사용한다(다음 그림). 전송 속도는 10Mbps이고, 최대 길이는 100M(hub to station)이다.

▲ UTP 케이블

또한 10BASE-T는 Intelligent hub를 이용하여 학습을 수행하고, Four-pair RJ-45 커넥터를 사용한다(다음 그림).

▲ Four-pair RJ-45 커넥터

5. 1BASE5

다음 그림은 1BASE5의 접속 형태를 나타낸다. 그림에서 알 수 있듯이 1BASE5는 star 형임에 유의한다.

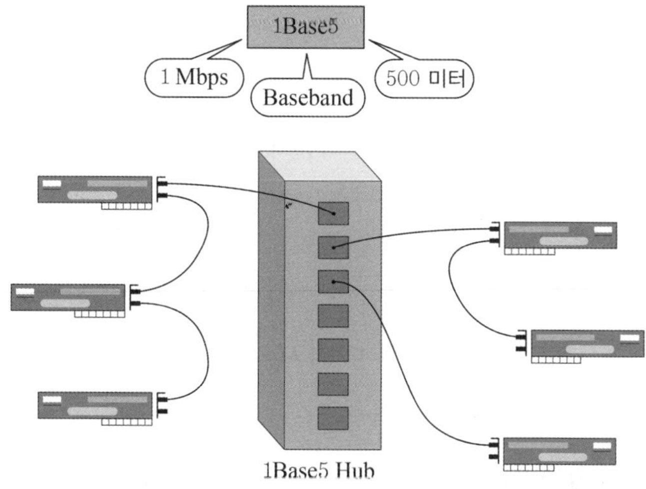

▲ 1BASE5의 접속 형태

1BASE5는 AT&T 제품으로 저속 전송 속도(1Mbps, 가격이 저렴)를 가진다. Twisted-pair 케이블을 사용하고, Hub 당 최대 10 station을 가질 수 있다.

6. 10Base-FL(광섬유 링크 이더넷)

다음 그림은 10Base-FL의 접속 형태를 나타낸다. 허브(hub)에 연결된 성형 접속 형태를 사용하고, 현재는 Fast Ethernet이나 Gigabit Ethernet으로 대체되었다.

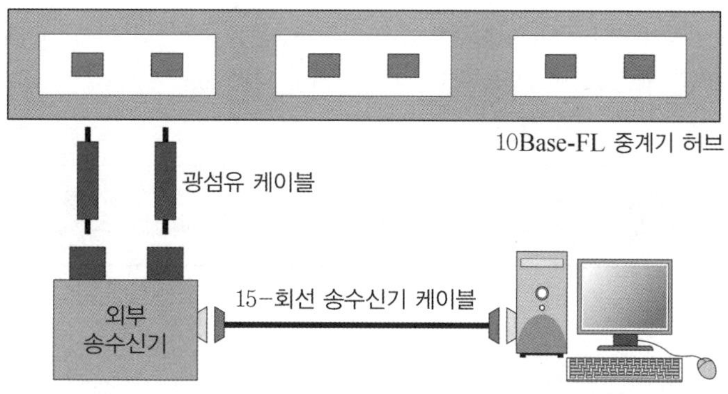

▲ 10Base-FL의 접속 형태

7. 브리지형 이더넷

브리지는 이더넷 발전의 첫 번째 단계이다. 브리지들은 대역폭 증가와 충돌 영역을 분리한다. 대역폭의 경우 다음 그림에서 보이듯이 같이 있으면 10M = 5M + 5M이고, 브리지로 분리되면 각각 10M이다.

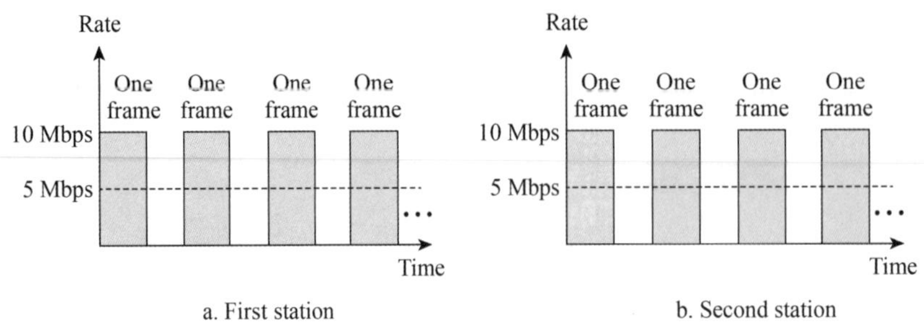

▲ 브리지의 대역폭 증가

브리지로 나누면 다음 그림과 같이 대역폭이 서로 독립적이다.

a. 브리지가 없는 네트워크

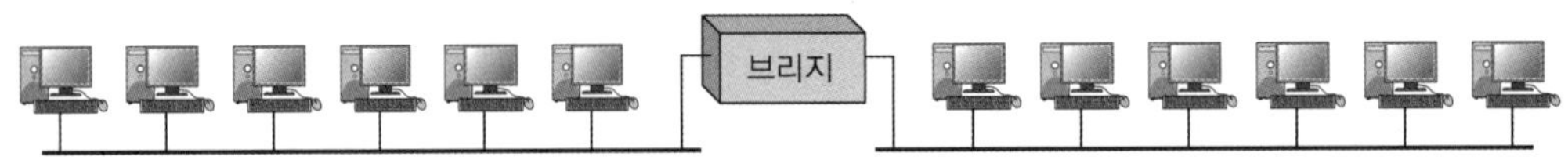

b. 브리지가 있는 네트워크

▲ 브리지가 있는 네트워크와 브리지가 없는 네트워크

브리지를 이용하면 충돌 영역이 분리된다. 일반적으로 버스 구조에서는 충돌이 발생하는데(CSMA/CD), 브리지를 이용하면 이러한 충돌 영역을 분리할 수 있다. 다음 그림은 이를 나타낸다.

a. 브리지가 없는 네트워크

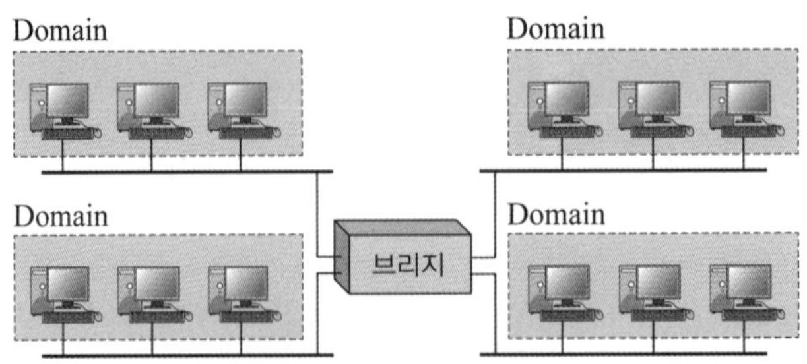

b. 브리지가 있는 네트워크

▲ 브리지형 네트워크와 브리지형이 아닌 네트워크의 충돌 영역

8. 교환형 이더넷

교환형(스위칭)은 브리지형 LAN 개념의 확장으로 2-계층 스위치이다. 교환형은 패킷을 좀 더 빠르게 다룰 수 있는 N-포트 브리지(학습)이다. 다음 그림은 교환형 이더넷을 나타낸다. 그림에서 교환기가 Domain으로 분리되는데, 각 Domain은 VLAN과 비슷한 개념이다(VLAN은 나중에 설명).

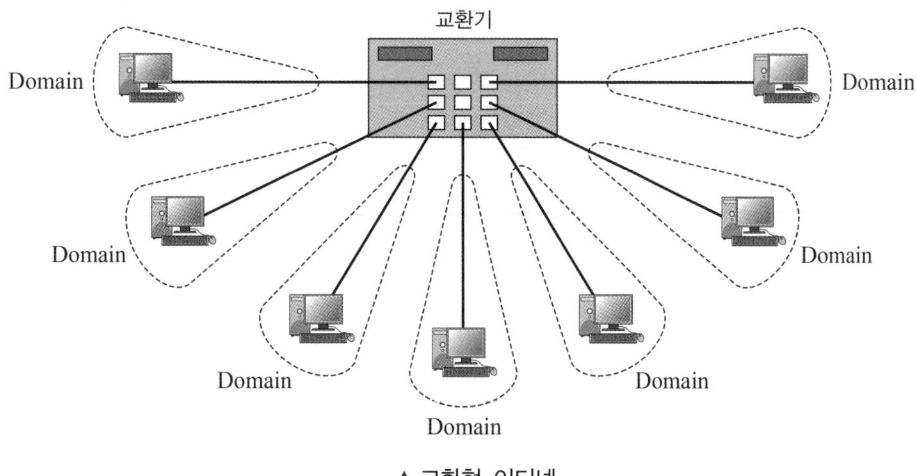

▲ 교환형 이더넷

9. 전이중 양방향 이더넷

전이중 양방향은 교환형 이더넷의 발전으로 전이중 양방향 교환형 이더넷(full-duplex switched Ethernet)이다. 다음 그림은 전이중 교환형 이더넷을 나타낸다.

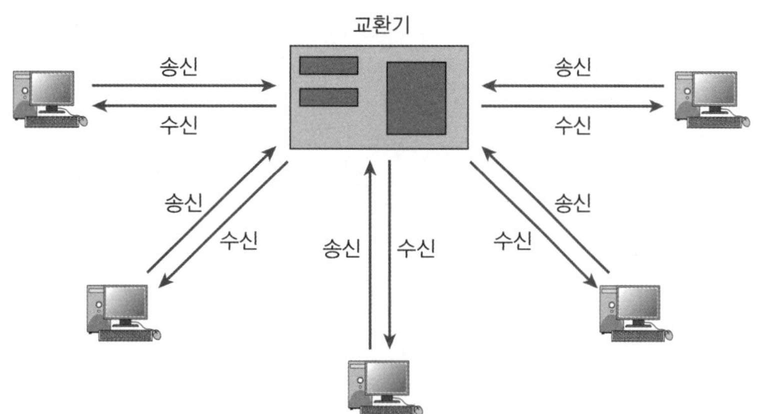

▲ 전이중 교환형 이더넷

전이중 양방향 이더넷은 CSMA/CD가 불필요하다. 왜냐하면, 각 지국이 두 개의 분리된 링크를 통해 교환기에 연결되었기 때문이다.

10. MAC

데이터 링크 계층은 다음 그림과 같이 MAC 부계층과 LLC 부계층을 가진다(오류 제어와 흐름 제어 제공). LLC(Logical Link Control)는 MAC 부계층과 네트워크 계층 간의 접속을 담당하고, MAC(Medium Access Control)은 물리계층 상의 토폴로지나 기타 특성에 맞추어주는 제어를 담당한다.

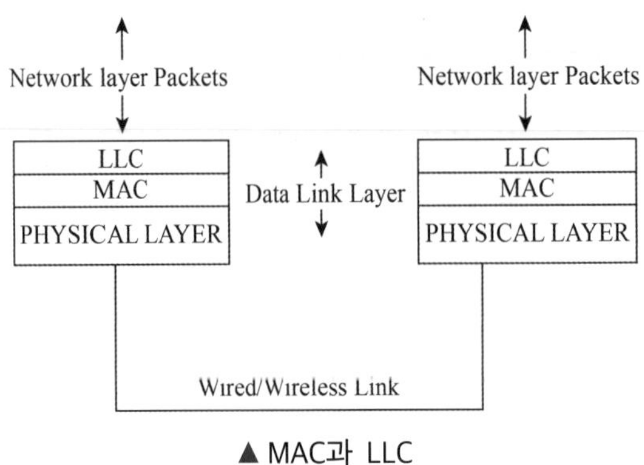

▲ MAC과 LLC

4 그 외[FDDI(LAN)]

FDDI는 ANSI와 ITU-U(ITU-TX.3) 표준이다. 전송매체는 광케이블이고, 전송속도는 100Mbps이다. 다음 그림은 FDDI(Fiber Distributed Data Interface) 동작 과정을 나타낸다(링형).

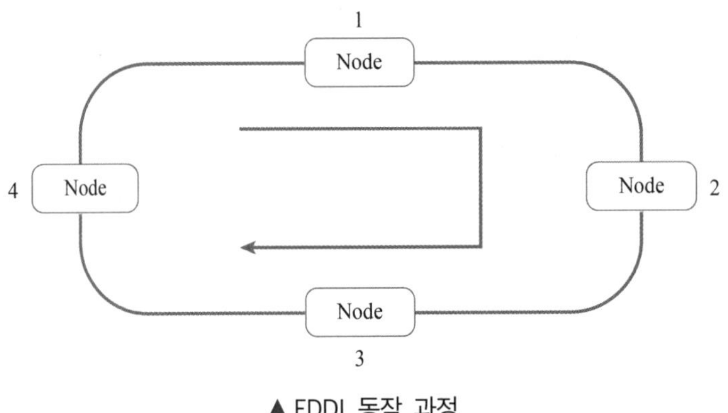

▲ FDDI 동작 과정

요약정리

LAN

LAN	접속형태	속도	거리	기타
10BASE5	버스	10Mbps	500m	thick
10BASE2	버스	10Mbps	185m	thin
10BASE-T	성형	10Mbps	100m	twisted-pair
1BASE5	성형	1Mbps	500m	저속
10BASE-FL	성형	10Mbps	2km	광섬유

주요개념 셀프체크

- CSMA/CD
- frame - preamable, sfd
- 10BASE5
- 데이티링크계층 - MAC + LLC

핵심 기출

이더넷(Ethernet)의 매체 접근 제어(MAC) 방식인 CSMA/CD에 대한 설명으로 옳지 않은 것은? 2015년 국가직

① CSMA/CD 방식은 CSMA 방식에 충돌 검출 기법을 추가한 것으로 IEEE 802.11b의 MAC 방식으로 사용된다.
② 충돌 검출을 위해 전송 프레임의 길이를 일정 크기 이상으로 유지해야 한다.
③ 전송 도중 충돌이 발생하면 임의의 시간 동안 대기하기 때문에 지연시간을 예측하기 어렵다.
④ 여러 스테이션으로부터의 전송 요구량이 증가하면 회선의 유효 전송률은 단일 스테이션에서 전송할 때 얻을 수 있는 유효 전송률보다 낮아지게 된다.

해설

IEEE 802.11b: CSMA/CD(유선랜)는 IEEE 802.3을 사용하고 CSMA/CA(무선랜)는 IEEE 802.11이 사용된다.

선지분석

② 충돌 검출: 전송 중에 충돌을 감지하기 위한 프레임의 최소길이는 전파되는 시간(T)의 최소 2배 이상이어야 한다. 왜냐하면 노드 A가 아주 짧은 프레임을 약 2T 시간 내에 전송하였다면 노드 A는 프레임이 충돌 없이 전송되었다고 판단하기 때문이다.
③ 임의의 시간: 충돌이 발생하면 양 패킷을 버리고 양쪽에서 임의의 수만큼 쉰 후 다시 전송한다.
④ 전송 요구량이 증가: 버스 구조를 사용하기 때문에 전송 요구량이 증가하면 충돌이 발생하게 되어 회선의 유효 전송률이 낮아진다.

정답 ①

CHAPTER 08 교환 방식(Switching)

1 교환

1. 정의

교환(Switching)은 다중 장치가 있을 때, 각각의 장치를 어떻게 1 대 1로 연결할 것인가라는 문제의 해결책이다. 다음 그림은 교환망을 나타낸다.

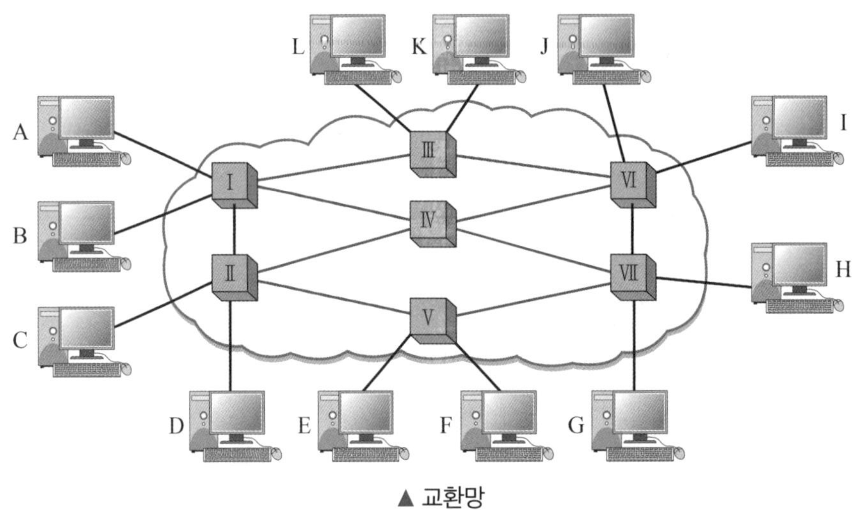

▲ 교환망

2. 교환 방식

다음 그림은 교환 방식을 나타낸다. 교환 방식에는 회선, 패킷, 메시지 교환이 존재한다.

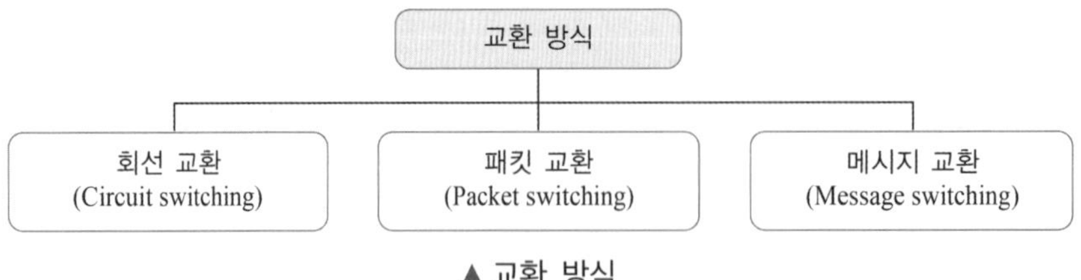

▲ 교환 방식

2 회선 교환

1. 개요

회선 교환망은 발신자와 수신자 간에 독립적이며 동시에 폐쇄적인 통신 연결로 구성되어 있다. 이러한 1대 1 연결을 회선(circuit) 또는 채널(channel)이라고 말한다.

장점	일단 설정된 통신은 안정적이다. 다른 요인에 의해 통신이 방해 받지 않는다.
단점	통신 연결이 늘 보장되지는 못한다(자원이 없음). 그리고 네트워크 자원(network resource)을 많이 소모한다.

회선 교환은 전화(PSTN) 또는 컴퓨터와 같은 두 장치를 직접 물리적으로 연결한다. 다음 그림은 회선 교환망을 나타낸다.

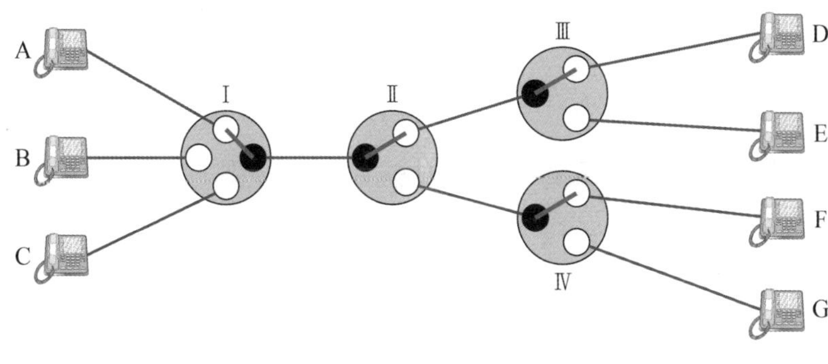

▲ 회선 교환망

2. 회선 교환기(* 참고)

회선 교환은 n 입력과 m 출력을 이용한 입력 링크와 출력 링크 사이의 임시 연결을 생성하는 장치를 나타낸다. 다음 그림은 회선 교환기를 나타낸다.

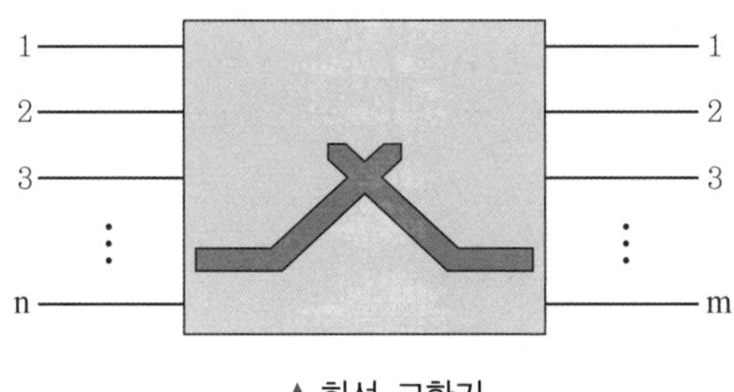

▲ 회선 교환기

n-by-n 중첩 교환은 전이중(full-duplex) 모드에서 n 라인을 연결한다. 다음 그림은 겹 교환기를 나타낸다.

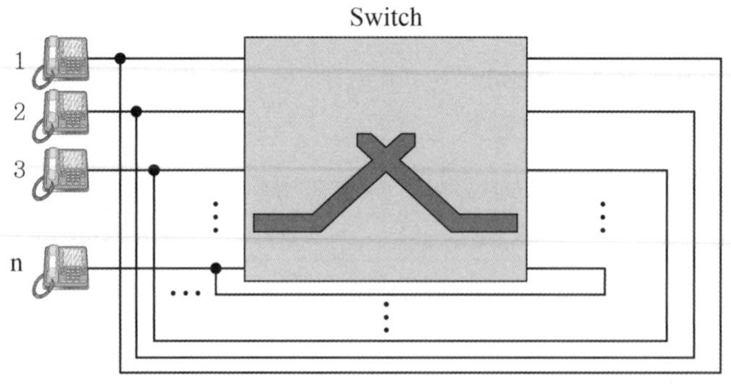

▲ 겹 교환기

3. 회선 교환 방식

다음 그림은 회선 교환 방식을 나타낸다. 회선 교환 방식에는 공간 분할과 시 분할이 존재한다.

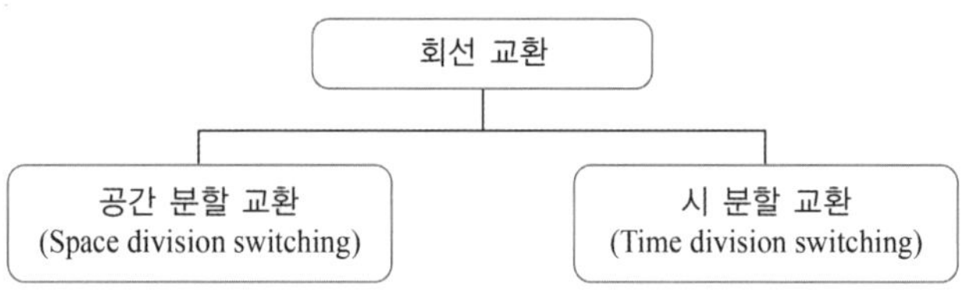

▲ 회선 교환 방식

4. 공간 분할 교환

공간 - 분할(Space-Division) 교환은 회선에서 경로가 다른 것들과 공간적으로 분리(crossbar switch)된다. Crossbar 교환은 각 교차점상의 전기 마이크로 스위치(transistor)를 이용하여, 격자 내에서 n 입력과 m 출력을 연결한다. 다음 그림은 Crossbar 교환(transistor)을 나타낸다.

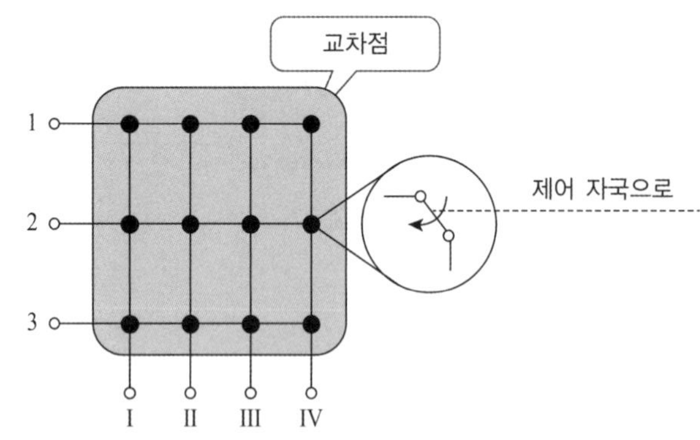

▲ 크로스바 교환

다음 그림은 다단계 경로의 교환기를 나타낸다. 다른 교환기와 계층적 구조를 가진다.

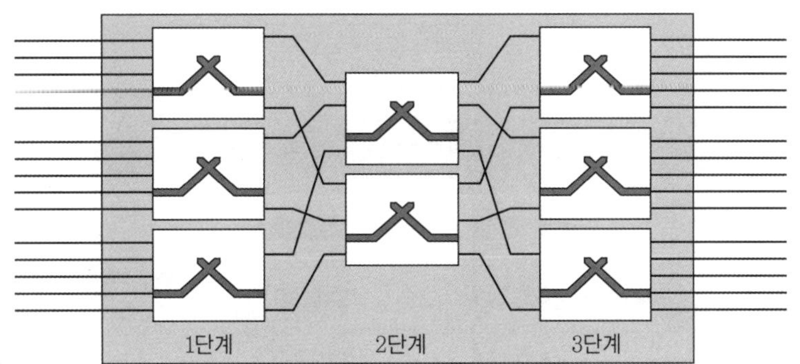

▲ 다단계 교환기

다음 그림은 다중 교환 경로(4와 9를 연결)를 나타낸다.

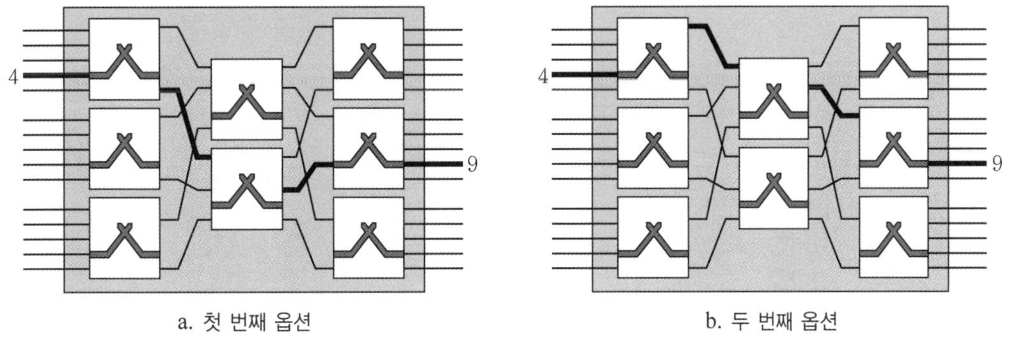

▲ 교환 경로

5. 시 분할 교환

시 분할(Time-Division) 교환은 TDM(Time-Division Multiplexing)과 TSI(Time-Slot Interchange)을 이용해 확립한다. TSI는 요구되는 연결을 기반으로 한 슬롯의 번호를 변경한다. 다음 그림은 시간 분할 다중화(TDM & TSI)를 나타낸다.

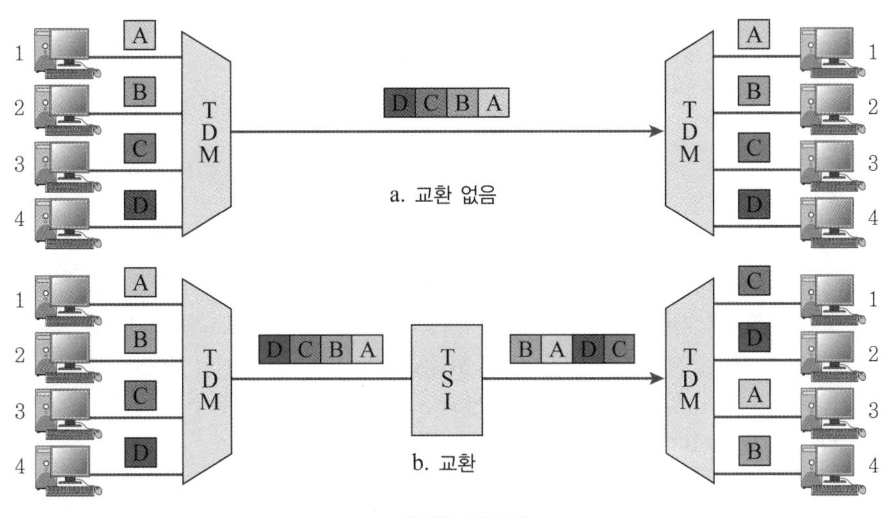

▲ 시분할 다중화

다음 그림은 시간틈새교환(TSI) 동작과정을 나타낸다.

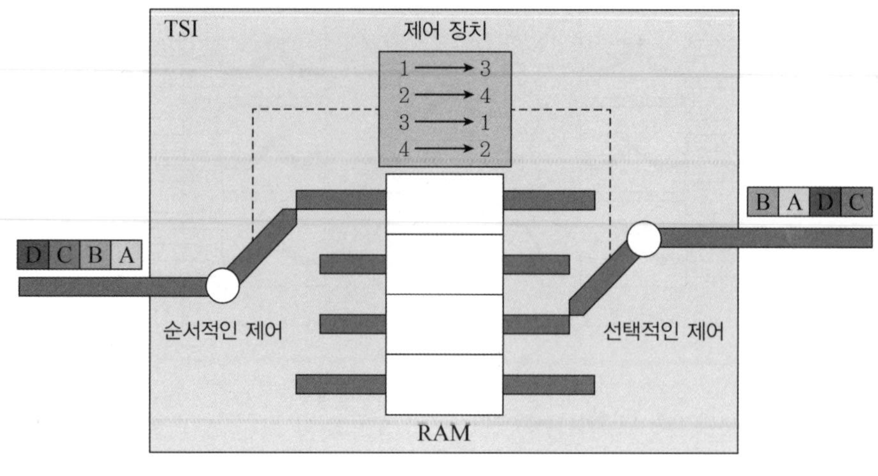

▲ TSI

다음 그림은 공간 분할 교환기와 시분할 교환기의 결합(TST; Time Space Time)을 나타낸다.

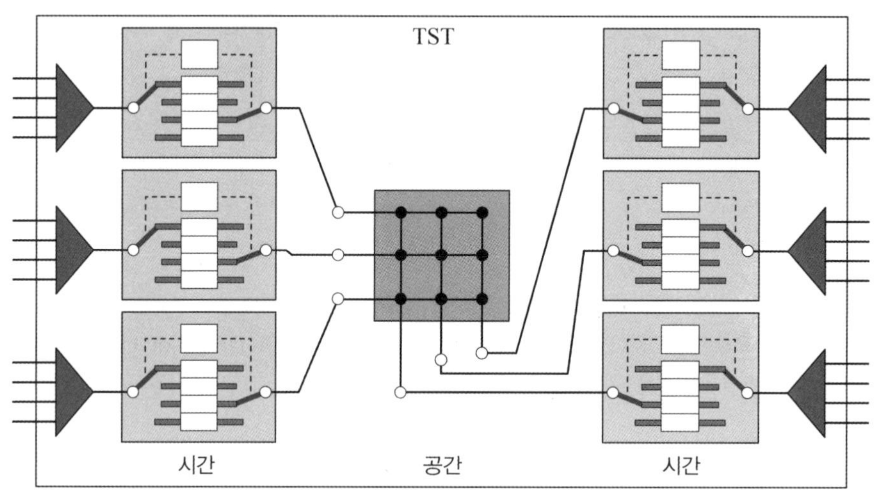

▲ TST 교환기

3 패킷 교환

1. 개요

패킷 교환(Packet switching)은 컴퓨터 네트워크와 통신의 방식 중 하나로 현재 가장 많은 사람들이 사용하는 통신 방식이다. 작은 블록의 패킷으로 데이터를 전송하며 데이터를 전송하는 동안만 네트워크 자원을 사용하도록 하는 방법을 말한다. 정보 전달의 단위인 패킷은 여러 통신 지점(Node)을 연결하는 데이터 연결 상의 모든 노드들 사이에 개별적으로 경로가 제어된다. 이 방식은 통신 기간 동안 독점적인 사용을 위해 두 통신 노드 사이를 연결하는 회선 교환 방식과는 달리 짤막한 데이터 트래픽에 적합하다.

2. 패킷 교환 방식

패킷 교환에서 데이터는 패킷으로 연결된 다양한 길이의 블록이 분리되어 전송된다. 다음 그림은 패킷 교환 접근 방식을 나타낸다.

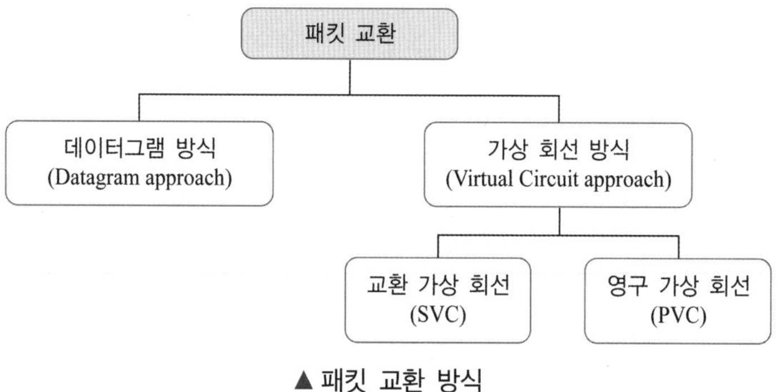

▲ 패킷 교환 방식

3. 데이터그램 방식

다음 그림은 데이터그램 방식(UDP에서의 데이터그램 개념)을 나타낸다. 각 패킷은 서로 독립적으로 처리(datagram)한다.

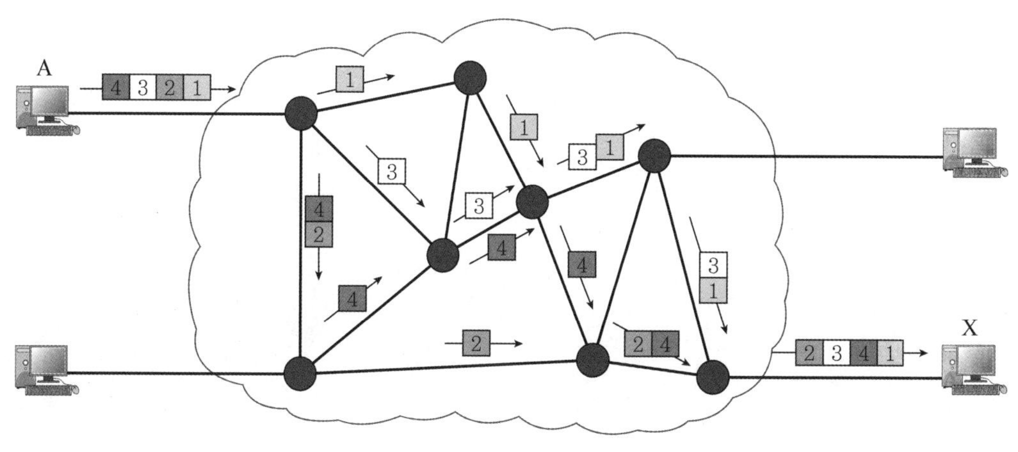

▲ 데이터그램 방식

다음 그림은 데이터그램 방식의 다중 채널을 나타낸다. 패킷은 TDM(시분할) 또는 FDM(주파수분할) 다중화에 의해 동시에 전송된다.

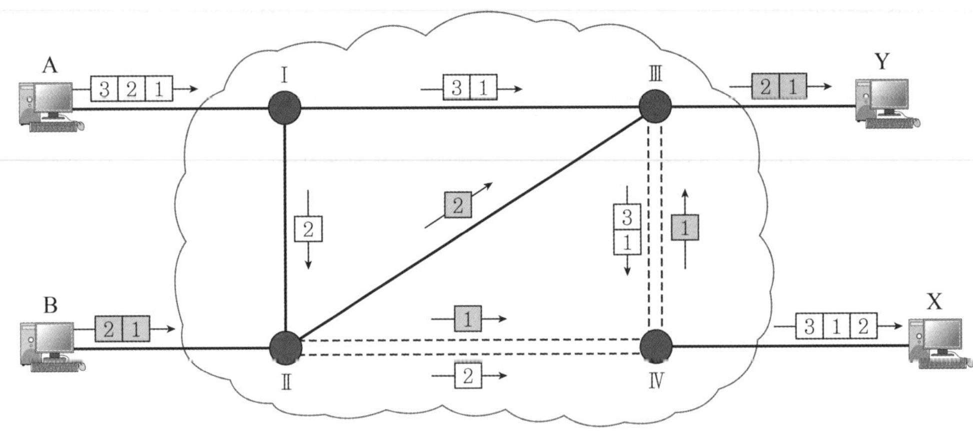

▲ 데이터그램 방식의 다중 채널

4. 가상 회선 방식

단일 경로가 세션의 시작 시 송신자와 수신자간에 선택에 따라 교환 가상 회선(SVC; Switched Virtual Circuit)과 영구 가상 회선(PVC; Permanent Virtual Circuit)이 존재한다.

다음 그림은 교환가상회선(SVC; Switched Virtual Circuit)을 나타낸다. 개념적으로 다이얼-업 회선(PSTN) 교환과 유사하다.

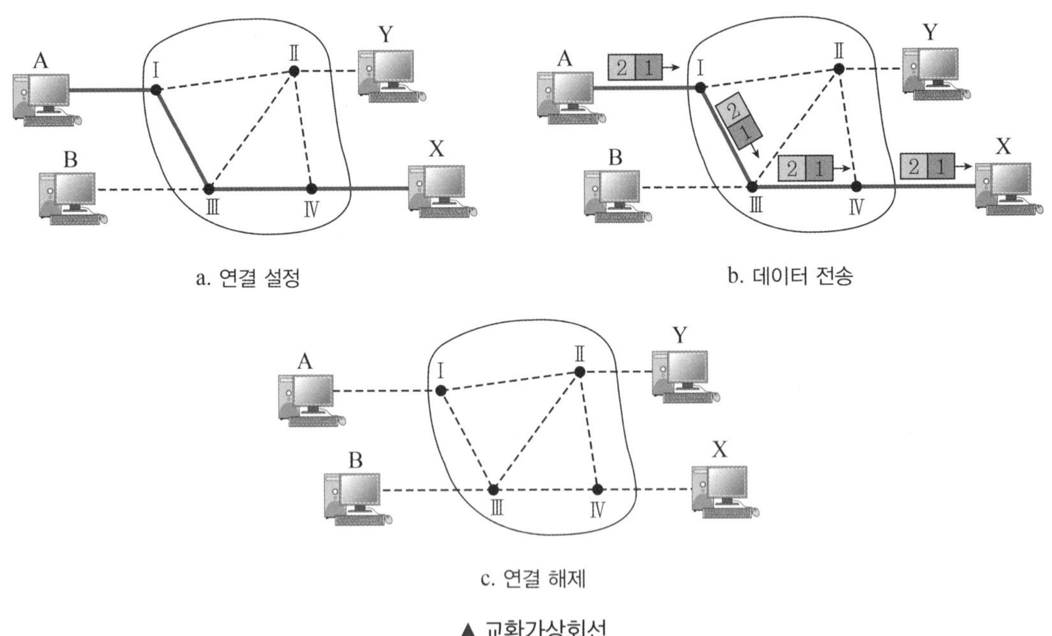

▲ 교환가상회선

다음 그림은 영구가상회선(PVC; Permanent Virtual Circuit)을 나타낸다. 전용선(Leased line)과 유사하다. 같은 가상 회선이 두 사용자간에 연속적으로 제공한다. 회선은 특정한 사용자에게 지정하고, 2개의 PVC 사용자는 항상 같은 경로를 가진다.

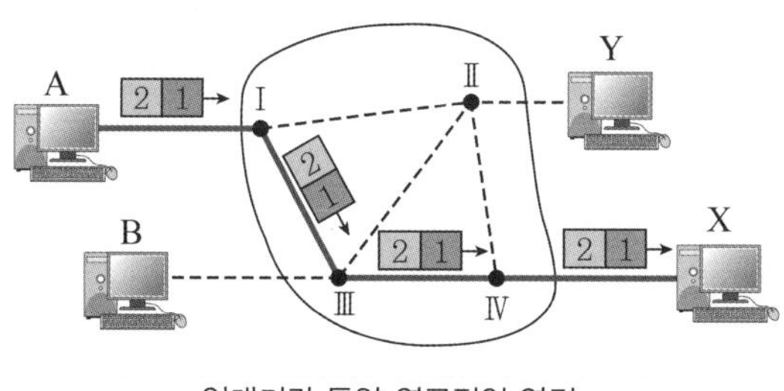

▲ 영구가상회선

4 메시지 교환

메시지 교환은 저장과 전송 방식(store and forward)을 사용한다. 프레임 전부를 일단 버퍼에 담아두고, CRC 등 에러 검출과 같은 처리를 완전히 수행한 후에야 비로서 전달한다(포워딩). 이와 반대로 cut-through 방식은 헤더 등 일부만 보고 바로 전달한다(포워딩). 다음 그림은 메시지 교환 방식을 나타낸다.

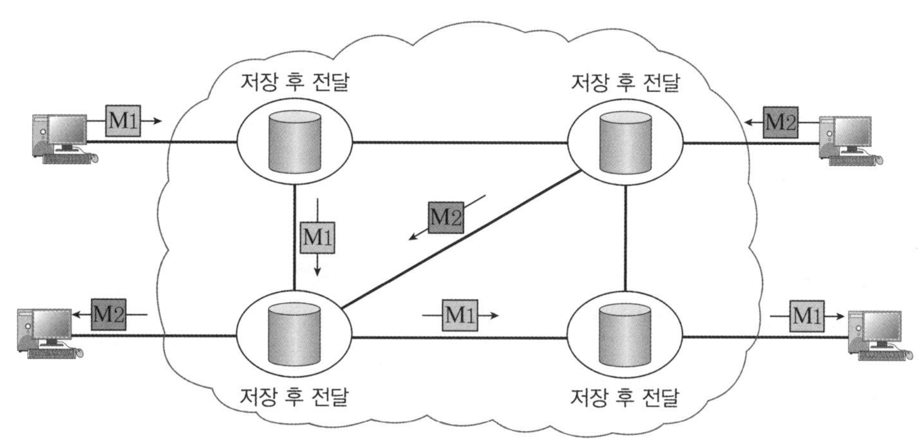

▲ 메시지 교환 방식

5 네트워크층(* 참고)

1. 개요

네트워크층은 물리적 망 사이에서 연결설정, 관리, 해제를 수행한다. 이 층에서 프로토콜은 투명하게 라우팅을 제공하고 망 사이에 서비스를 중계한다(CONS & CLNS 제공). OSI 모델은 네트워크층에서 다음과 같은 2개의 프로토콜을 지원한다.

- 연결형 망 서비스(CONS; Connection-Oriented Network Service)
- 비연결형 망 서비스(CLNS; Connectionless Network Service)

2. CONS(Connection-Oriented Network Service)

CONS는 데이터의 전송을 위한 가상회선을 확립한다. 처리 과정은 다음과 같다.

- 송신자는 연결 - 요청 패킷을 전송
- 수신자는 연결 - 확인 패킷으로 응답
- 송신자는 데이터 전송
- 송신자는 해제-요청 패킷 전송
- 수신자는 해제-확인 패킷으로 응답

3. CLNS(Connection less Network Service)

CLNS는 다중 패킷 전송의 각 패킷은 독립적으로 처리한다. 처리는 CONS보다 간단하다. 송신자는 데이터를 전송하면 된다.

요약정리

교환 방식

구분	내용
회선 교환(circuit switching)	• 공간 분할 교환: Crossbar • 시간 분할 교환: Time-division multiplexing, Time-Slot Interchange
패킷 교환(packet switching)	• 데이터그램 방식: datagram • 가상 회선 방식: 교환 가상 회선(SVC, PSTN과 유사), 영구 가상 회선(PVC, 전용선과 유사)
메시지 교환(message switching)	• Store and forward: 에러 처리를 하고 전달 • Cut-through: 헤더만 보고 전달

주요개념 셀프체크

- circuit
- packet - datagram, svc, pvc
- message - store and forward, cut-through

핵심 기출

다음 중 회선 교환 방식(circuit switching)의 특성으로 옳지 않은 것은? 2018년 국회직

① 데이터를 주고받기 전에 종단 간 연결(end to end connection) 과정이 필요하다.
② 연결이 수립되면, 해당 회선을 독점적으로 사용한다.
③ 회선 교환 방식의 대표적인 예로는 전화망이 있다.
④ 패킷 교환 방식(packet switching)에 비해 더 많은 동시 접속자를 수용할 수 있다.
⑤ 패킷 교환 방식에 비해 안정적인 전송속도를 보장할 수 있다.

해설

회선 교환 방식은 1 : 1 연결 방식이고, 패킷 교환 빙식은 N : N 연결 방식이다. 그러므로 패킷 교환 방식이 더 많은 동시 접속자를 수용할 수 있다.

선지분석

① 연결 설정 및 해제 과정이 필요하다.
② 발신자와 수신자 간에 독립적이며 동시에 폐쇄적인 통신 연결로 구성되어 있다.
③ 전화(PSTN) 또는 컴퓨터와 같은 두 장치를 직접 물리적으로 연결한다.
⑤ 일단 설정된 통신은 안정적이다. 다른 요인에 의해 통신이 방해 받지 않는다.

정답 ④

CHAPTER 09 CSMA/CA

1 개요

IEEE 802.11 MAC 계층은 물리 계층에 대한 지원 기능, 접근제어 기능, 프레임에 대한 단편화 기능, 프레임 암호화 기능, 로밍 기능 등을 수행하는 계층이다. 무선 LAN에 접근하는 방법으로 CSMA/CA(Carrier Sense Multiple Access with Collision Avoidance) 기법을 정의한다(802.3는 CSMA/CD임에 유의).

IEEE 802.11은 흔히 무선랜, 와이파이(Wi-Fi)라고 부르는 무선 근거리 통신망(Local Area Network)을 위한 컴퓨터 무선 네트워크에 사용되는 기술로, IEEE의 LAN/MAN 표준 위원회 (IEEE 802)의 11번째 워킹 그룹에서 개발된 표준 기술을 의미한다. 802.11과 와이파이라는 용어가 번갈아 사용되기도 하지만 와이파이 얼라이언스는 "와이파이"라는 용어를 다른 집합의 표준으로 정의하고 있다. 따라서 802.11과 와이파이는 동의어가 아니다.

2 숨겨진 단말 문제

다음 그림은 "숨겨진 단말 문제"를 나타낸다. A 단말기와 C 단말기는 기지국 B의 신호감지 영역(coverage area)내에 있으며, A 단말기는 C 단말기의 신호감지 영역 밖에 있고, C 단말기 또한 A 단말기의 신호감지 영역 밖에 있다.

만일 A 단말기가 기지국 B와 데이터를 교환하고 있는데, C 단말기가 기지국 B로 데이터 전송을 하고자 한다면 다음과 같은 동작이 가능하다. 먼저 기지국 B가 A 단말기로 데이터를 전송하는 경우, C 단말기는 기지국 B의 신호를 감지할 수 있으므로 C 단말기는 무선미디어의 사용이 가능해질 때까지 대기한다. 그러나 A 단말기가 기지국 B로 데이터를 전송 하는 경우, C 단말기는 A 단말기의 신호를 감지할 수 없으므로 무선미디어가 사용 가능한 상태라고 판단하여 데이터를 전송하게 된다. 그 결과 데이터 collision(충돌)이 발생한다. 왜냐하면 C 단말기 입장에서 A 단말기는 숨겨진 상태이기 때문이다. 이를 "숨겨진 단말 문제"라고 한다.

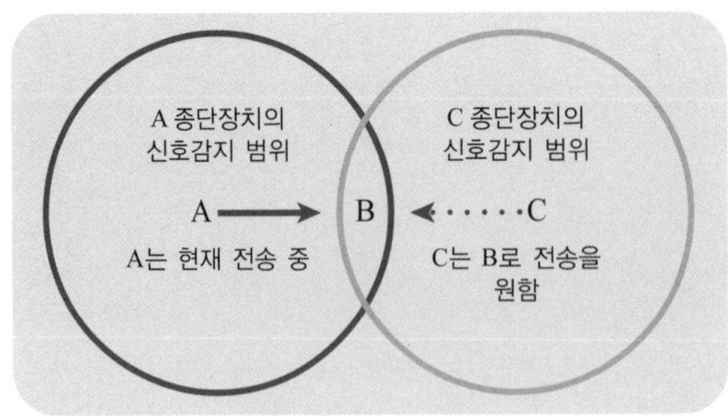

▲ 숨겨진 단말 문제

CSMA/CA는 숨겨진 단말 문제를 해결하기 위해 RTS(Request To Send)와 CTS(Clear To Send)라는 신호를 사용한다. A 단말기가 기지국 B로 데이터를 전송하는 경우 A 단말기는 무선미디어를 살펴서, 만일 미디어가 사용 가능한 상태(clear 상태)라면, A 단말기는 기지국 B로 RTS라는 짧은 메시지를 보낸다.

이 메시지에는 목적지와 전송측의 주소, 데이터의 크기 등의 정보가 포함되어 있다. 기지국 B가 A 단말기와 데이터를 주고받을 준비가 되면 CTS 신호를 A 단말기로 전송한다. C 단말기는 이 CTS 신호를 감지할 수 있고, C 단말기는 CTS 신호의 정보로부터 데이터 전송이 지속될 것인지를 예상하여 네트워크 할당 벡터(NAV) 시간을 계산하고, NAV 타이머를 설정하여 데이터 충돌이 일어나지 않도록 한다(충돌을 회피함에 유의).

3 노출된 단말 문제

다음 그림은 노출된 단말 문제를 나타낸다. B 단말기와 C 단말기는 서로 신호감지 영역 내에 있고, B 단말기가 A 단말기로 데이터를 전송하고 있는 중이다. D 단말기가 현재 데이터의 전송과 수신이 가능한 상태이고, C는 D로 데이터 전송을 하고자 한다면 C 단말기는 B 단말기의 신호를 감지할 수 있으므로 전송을 하지 못하게 되고, 이를 '노출된 단말 문제'라고 한다. 왜냐하면 C 단말기 입장에서 B 단말기가 노출된 상태이기 때문이다. 해당 문제도 RTS와 CTS를 이용하여 해결한다(B에서 A로 RTS를 보낼 때 C도 해당 RTS를 감지하게 되는 원리).

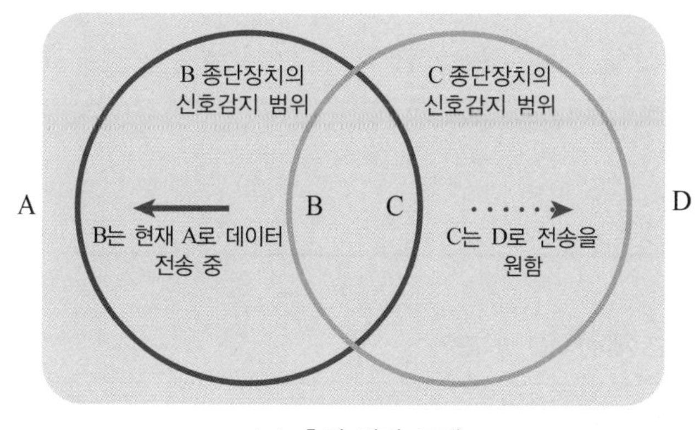

▲ 노출된 단말 문제

4 무선 LAN

아래의 표는 무선랜 비교를 나타낸다. 표에서 DSSS는 Direct Sequence Spread Spectrum의 약자이고, OFDM는 Orthogonal Frequency Division Multiplexing의 약자이다. 그리고 MIMO는 Multiple Input Multiple Output의 약자이고, MU-MIMO는 Multi-User MIMO의 약자이다.

무선랜 규격	최대속도(Mbps)	채널 대역폭(MHz)	사용 주파수 대역(GHz)	주요 특징
802.11b	11	20	2.4	• 초기 기술, 느린 전송속도 • DSSS
802.11a	54	20	5	OFDM
802.11g	54	20	2.4	• OFDM, DSSS • 2.4GHz 대역 간섭
802.11n	600	20/40	2.4/5	• OFDM • MIMO
802.11ac	6900	20/40/80/160	5	• OFDM • MU-MIMO

DSSS는 원래의 신호에 주파수가 높은(빠른) 디지털 신호를 곱함(XOR)으로서 전력 효율이나 대역폭 효율면에서 월등한 장점을 가진다. 다음 그림은 3가지 방식의 OFDM을 나타낸다.

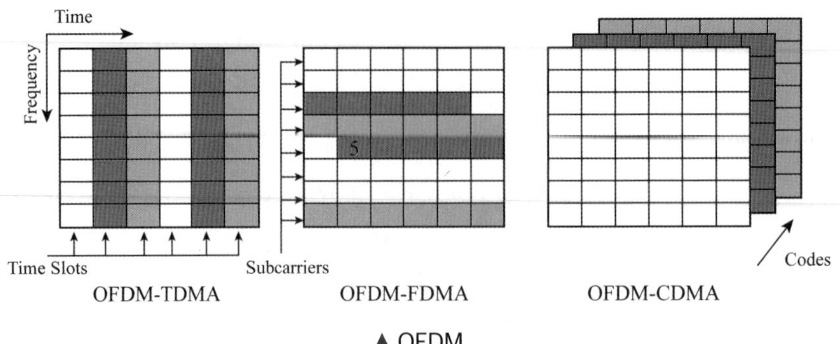

▲ OFDM

주요개념 셀프체크

- CSMA/CA
- CTS, RTS, NAV
- 무선랜 규격

핵심 기출

다음 내용에 적합한 매체 접근 제어(MAC) 방식은? 2015년 지방직

- IEEE 802.11 무선랜에서 널리 사용된다.
- 채널이 사용되지 않는 상태임을 감지하더라도 스테이션은 임의의 백오프 값을 선택하여 전송을 지연시킨다.
- 수신 노드는 오류 없이 프레임을 수신하면 수신 확인 ACK 프레임을 전송한다.

① GSM
② CSMA/CA
③ CSMA/CD
④ LTE

해설

CSMA/CA는 IEEE 802.11을 사용한다. 무선이기 때문에 충돌보다는 회피를 목적으로 한다.

선지분석

① GSM: 유럽의 대표적인 이동통신 시스템인 GSM은 세계에서 가장 널리 사용되고 있으며, 기술적으로는 TDMA를 기본으로 하고 있다.
③ CSMA/CD: IEEE 802.3을 사용한다. 유선이기 때문에 회피보다는 충돌을 목적으로 한다.
④ LTE: HSDPA[WCDMA(3G)를 확장한 고속 패킷 통신규격] 보다 한층 진화된 휴대전화 고속 무선 데이터 패킷통신규격이다. HSDPA의 진화된 규격인 HSPA+와 함께 3.9세대 무선통신규격으로 불린다.

정답 ②

CHAPTER 10 | MANET

1 개요

1. 애드혹 네트워크

이동 애드혹(adhoc-임시변통의) 네트워크(MANET)는 고정된 기반 네트워크의 도움 없이, 이동노드들 간에 자율적으로 구성되는 네트워크이다. MANET의 이동노드는 이동 호스트 기능과 라우팅 기능을 동시에 가지므로, 기지국(BS)이나 액세스 포인트(AP)와 같은 중재자가 불필요하고, 이동노드들 간 자체적으로 연결을 설정한다. MANET의 특성은 이동노드 간의 연결성, 전파 상태, 트래픽 및 사용자 이동 패턴에 따라 네트워크 토폴로지를 계속하여 변화시키고, 이는 네트워크의 구성과 유지를 어렵게 하는 요인이다. 전파 간섭 및 전력 제어에서부터 링크 계층의 다중 접속 및 자원할당 기법, 라우팅 프로토콜과 이에 따른 오버헤드 문제, 수송 계층의 연결 설정 및 유지 기법, 보안 및 응용 등 최근 다양한 MANET과 관련된 진보 기술이 속속 발표되고 있다. MANET의 기반구조 네트워크는 고정 게이트웨이 또는 AP를 중심으로 이동노드들이 계층적으로 연결한다.

2. MANET과 기반구조 네트워크

다음 그림은 MANET과 기반구조 네트워크를 나타낸다. 기반구조 네트워크는 모든 이동노드들이 AP에 직접 연결되었음에 유의한다.

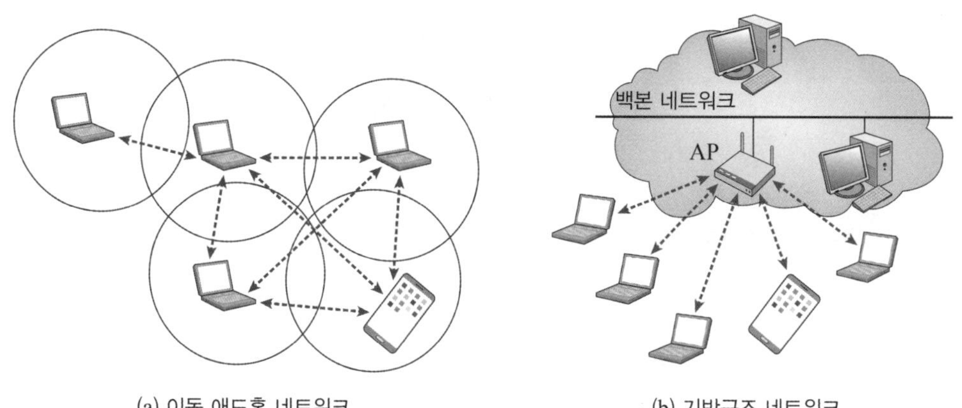

▲ MANET과 기반구조 네트워크

3. MANET의 특성

(1) 호스트 기능과 이동 애드혹 라우팅 기능을 동시에 갖는 이동노드의 특성

이동노드는 패킷전달 기능은 물론, 응용 프로그램의 실행이 가능하지만 제한된 배터리로 동작하기 때문에 기능상에 제약이 있다(호스트 + 라우팅).

(2) 동적인 네트워크 토폴로지 특성

노드의 일부 또는 전체가 가변적으로 네트워크에 나타나거나 사라진다. 기존 네트워크에서 적용되는 연결 접속 및 트래픽 요구 사항, QoS 등이 이동 애드혹 네트워크에서도 동일하게 요구되고, 이동 애드혹 네트워크 기술의 높은 난이도와 다양성을 고려해야 한다.

(3) 불안정한 링크 특성

이동노드들은 무선 채널을 사용하므로 전송 거리와 전송 대역폭에 제약을 받게 되고, 전파간섭 및 다중 링크로 인한 보안문제를 야기한다. 무선 링크의 높은 비트 오류율과 다중 홉 이동 애드혹 네트워크의 QoS에 영향을 미친다.

(4) 분산 운영기능 특성

애드혹 네트워크상의 이동노드들은 보안 및 라우팅 기능 등을 백본 네트워크에 의존할 수가 없기 때문에, 이러한 기능들은 여러 노드 간의 협력에 의해 분산 운영되어야 한다.

4. MANET의 형태

다음 그림은 MANET의 형태를 나타낸다.

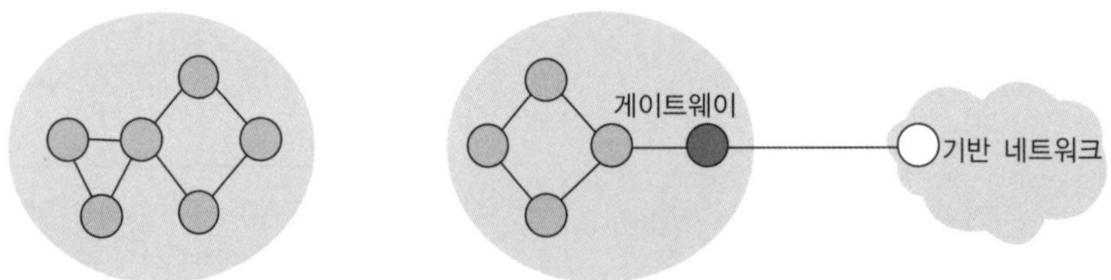

(a) 독립적으로 존재하는 경우 (b) 기반 네트워크와 연동되는 경우

▲ MANET의 형태

5. 무선 미디어 기술 및 에너지 효율

MANET에 필요한 무선 미디어 기술에는 노드 간 대등(peer-to-peer) 통신 지원, 노드 간 전송 및 수신 주파수 사용, 다수의 노드 간의 동일한 채널 공유, 적절한 무선 전송거리 및 전송속도 유지 등이 있다. 다중 접속으로 인한 전파장애와 2.4GHz 대역에서의 상호간섭 문제, 사용자 간 채널 사용에 있어서의 불평등 문제 등은 해결해야 할 과제이다. 데이터 전송을 하기 위한 미디어 접근 기법은 다수의 사용자가 무선링크를 통해 하나의 채널을 공유함으로써 발생하는 충돌과 낭비를 줄이는 효율적인 다중접속 기술과 다수의 노드에 대한 공정한 자원의 분배, 열악한 무선 링크에서의 신뢰성 있는 패킷 전송 등을 요구한다.

MANET을 구성하는 대부분의 노드는 이동성을 지원하기 위해 제한된 용량의 배터리를 에너지원으로 사용하고, 이러한 에너지의 제약은 라우팅 프로토콜 설계에 큰 영향을 준다. 노드들의 에너지 상태를 고려하여 경로를 선택해야 안정적인 데이터 전송이 가능하다. MANET에서는 토폴로지의 동적인 변화로 인하여 트래픽의 지연이나 유실이 크기 때문에 일반 유선 네트워크에 사용되는 TCP를 MANET에 그대로 사용할 경우 서비스의 안정적인 제공이 어렵고 네트워크 전체의 성능이 저하된다. 무선 링크에서의 높은 비트에러율(BER)과 이동에 따른 잦은 연결 절단(disconnection) 및 핸드오프 특성을 가지고, 이는 연결 지향성 TCP 패킷의 손실과 재전송을 유발하여 TCP의 성능 저하로 이어진다. 이에 대한 해결책은 I-TCP(Indirect-TCP, 헤더 압축 및 프로토콜 수정), 고속 재전송(fast retransmit, timeout을 기다리지 않고 재전송) 기법 등 무선 TCP를 이용하여 개선하는 방법과 성능에 영향을 주는 링크 계층의 안정화와 고효율 라우팅 프로토콜의 연구가 필요하다.

2 라우팅 기술(* 참고)

1. 개요

이동노드들의 이동 패턴에 따라 직접적인 통신이 가능한 이웃 노드들의 집합이나 그룹이 함께 변한다. 각 노드는 주기적으로 자신의 존재를 알려서 직접적인 통신이 가능한 이웃 노드 또는 그룹의 정보를 항상 유지해야 한다. 기존의 RIP(Routing Information Protocol) 또는 OSPF(Open Shortest Path First)와 같은 인터넷 라우팅 프로토콜들은 유동성이 적고 안정된 네트워크 환경에서 주기적인 라우팅 테이블 관리로 동작한다. 이동 애드혹 네트워크의 경우처럼 주기적인 메시지의 교환이 요구되는 경우에 대한 대처나 네트워크의 동적인 변화에 대한 신속한 대응이 곤란하다. 이동 애드혹 네트워크에서는 기존의 라우팅 프로토콜의 변형 또는 새로운 방식의 라우팅 프로토콜이 요구된다.

이동 애드혹 라우팅 프로토콜은 IETF(Internet Engineering Task Force MANET) 워킹 그룹의 주도로 표준화 작업이 진행되었고, AODV(Adhoc On-demand Distance Vector), DSR(Dynamic Source Routing), ZRP(Zone Routing Protocol), TORA(Temporally -Ordered Routing Algorithm) 등의 프로토콜들이 인터넷 표준 초안(draft)으로 제안되었다.

2. 테이블관리 방식(Table-driven) 또는 Proactive routing

주기적으로 또는 네트워크 토폴로지가 변화할 때 라우팅 정보를 방송함으로써 모든 노드가 항상 최신의 라우팅 정보를 유지하는 방식이다. 항상 최신의 경로 정보를 유지하고 있기 때문에 트래픽 발생 시 경로 탐색의 지연 없이 통신이 가능한 반면에, 경로 정보의 관리를 위한 제어 메시지의 브로드캐스팅 오버헤드가 너무 크다는 단점을 가진다. 제어 메시지의 양을 최소화해야 한다. 예를 들면, DSDV(Destination Sequenced Distance Vector), WRP(Wireless Routing Protocol), CGSR(Clusterhead Gateway Switching Routing) 등이 존재한다.

3. 요구기반 방식(On-demand) 또는 Reactive routing

트래픽이 발생하는 시점에서 경로를 탐색하는 방식이다. 테이블관리 방식이 갖는 제어 메시지 오버헤드 문제를 해결한다. 초기 경로탐색에 따른 지연이 발생하므로 최적의 경로탐색과 더불어 경로 탐색 지연시간을 최소화하는 것이 중요하다. 예를 들면, AODV 또는 DSR, TORA 등이 존재한다.

4. 하이브리드 방식(Hybrid routing)

테이블관리 방식과 요구기반 방식의 장점을 결합한 방식이다. 예를 들면, ZRP(Zone Routing Protocol) 방식이 존재한다.

3 MANET 응용

1. 응용 분야

이동 애드혹 네트워크의 구성은 독자적이면서 유동성을 가지고, 이동노드 간 상호 데이터통신에 의존하는 서비스에는 제한이 있다. 이동 애드혹 네트워크는 재해 및 재난 지역 또는 분쟁 지역 등과 같이 기반 데이터 통신 시설이 미비하거나, 설치가 용이하지 않은 지역, 또는 통신 시설의 이용이 불가능한 지역 등에 적합한 특성을 가진다. 주로 군사용이나 긴급 구조, 센서 네트워크(USN) 또는 백업용 네트워크와 관련하여 연구가 진행되고 있다. 이동 애드혹 네트워크와 기존의 인터넷, 무선 LAN 또는 이동 네트워크와의 상호연동 기술은 매우 중요하고, 이에 대한 다양한 연구 개발과 함께 광범위한 활용이 이루어지고 있다.

2. 응용 예

다음 그림은 MANET의 응용 예를 나타낸다. MANET은 BcN, Home network, PAN, USN 등에 활용될 수 있음에 유의한다.

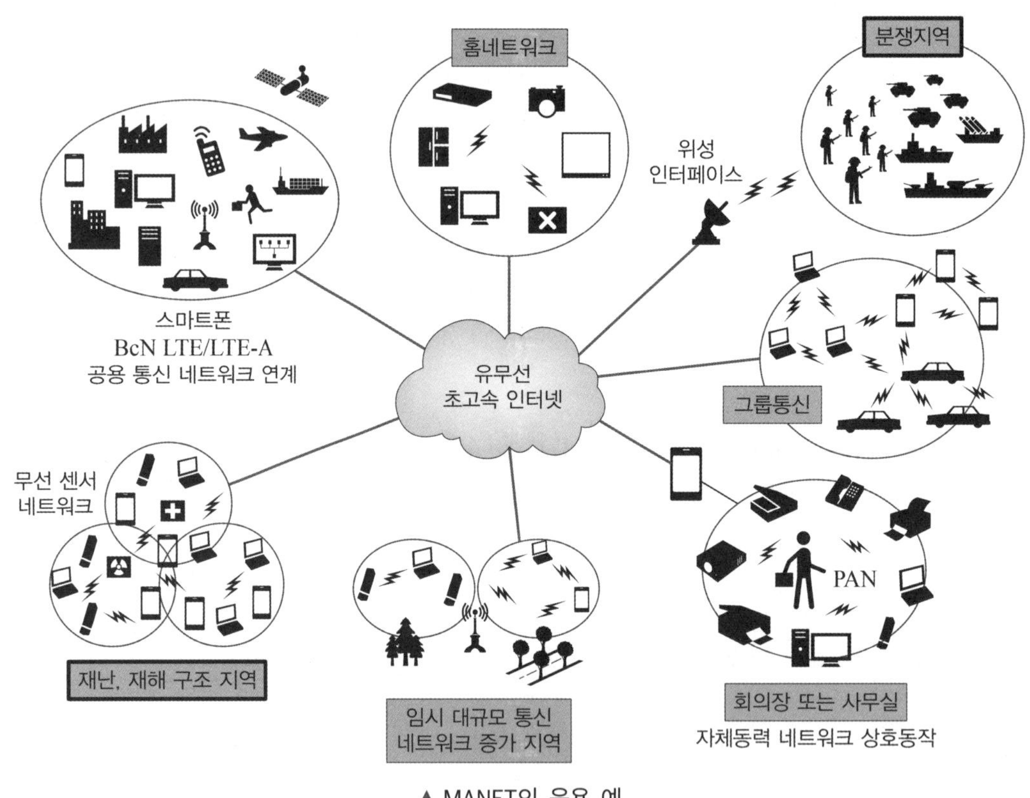

▲ MANET의 응용 예

 **주요개념 셀프체크**

- MANET

핵심 기출

이동 애드혹 네트워크(MANET)에 대한 설명으로 옳지 않은 것은? 2017년 국가직

① 전송 거리와 전송 대역폭에 제약을 받는다.
② 노드는 호스트 기능과 라우팅 기능을 동시에 가진다.
③ 보안 및 라우팅 지원이 여러 노드 간의 협력에 의해 분산 운영된다.
④ 동적인 네트워크 토폴로지를 효율적으로 구성하기 위해 액세스 포인트(AP)와 같은 중재자를 필요로 한다.

해설

MANET은 기존 네트워크인 AP를 이용할 수도 있고 이용하지 않을 수도 있지만 AP를 중재자로 사용하지는 않는다. AP를 사용하는 경우는 MANET의 끝단에서 네트워크에 연결하기 위함이지 MANET의 중간에서 중재자로 사용하려는 것은 아니다.

선지분석

① 이동노드들은 무선 채널을 사용하므로 전송 거리와 전송 대역폭에 제약을 받게 되고, 전파간섭 및 다중 링크로 인한 보안문제를 야기한다.
② 호스트 기능과 이동 애드혹 라우팅 기능을 동시에 갖는 이동노드의 특성을 가진다.
③ 애드혹 네트워크상의 이동노드들은 보안 및 라우팅 기능 등을 백본 네트워크에 의존할 수가 없기 때문에, 이러한 기능들은 여러 노드 간의 협력에 의해 분산 운영되어야 한다.

정답 ④

CHAPTER 11 서브넷(Subnet)

1 개요

서브넷 마스크를 계산할 때는 논리곱(논리 AND)을 사용한다. 예를 들어, 192.168.0.1/24이라는 서브넷이 있다고 가정하자. 여기서 1을 논리곱하는 부분이 네트워크 부분, 0을 논리곱하는 부분이 호스트 부분이다.

- 1100 0000.1010 1000.0000 0000.0000 0001 - IP 주소
- 1111 1111.1111 1111.1111 1111.0000 0000 - 서브넷 마스크
- 1100 0000 1010 1000 0000 0000 0000 0000 - 서브넷 네트워크

결론적으로 호스트 개수는 네트워크 주소(맨 처음)와 브로드캐스트 주소(맨 뒤)를 제외한 254개이다.

2 클래스별 서브넷

1. 클래스 A

Network Bits	Subnet Mask	Number of Subnets	Number of Hosts
/8	255.0.0.0	0	16777214
/9	255.128.0.0	2 (0)	8388606
/10	255.192.0.0	4 (2)	4194302
/11	255.224.0.0	8 (6)	2097150
/12	255.240.0.0	16 (14)	1048574
/13	255.248.0.0	32 (30)	524286
/14	255.252.0.0	64 (62)	262142
/15	255.254.0.0	128 (126)	131070
/16	255.255.0.0	256 (254)	65534
/17	255.255.128.0	512 (510)	32766
/18	255.255.192.0	1024 (1022)	16382
/19	255.255.224.0	2048 (2046)	8190
/20	255.255.240.0	4096 (4094)	4094
/21	255.255.248.0	8192 (8190)	2046
/22	255.255.252.0	16384 (16382)	1022
/23	255.255.254.0	32768 (32766)	510
/24	255.255.255.0	65536 (65534)	254
/25	255.255.255.128	131072 (131070)	126
/26	255.255.255.192	262144 (262142)	62
/27	255.255.255.224	524288 (524286)	30
/28	255.255.255.240	1048576 (1048574)	14
/29	255.255.255.248	2097152 (2097150)	6
/30	255.255.255.252	4194304 (4194302)	2

2. 클래스 B

Network Bits	Subnet Mask	Number of Subnets	Number of Hosts
/16	255.255.0.0	0	65534
/17	255.255.128.0	2 (0)	32766
/18	255.255.192.0	4 (2)	16382
/19	255.255.224.0	8 (6)	8190
/20	255.255.240.0	16 (14)	4094
/21	255.255.248.0	32 (30)	2046
/22	255.255.252.0	64 (62)	1022
/23	255.255.254.0	128 (126)	510
/24	255.255.255.0	256 (254)	254
/25	255.255.255.128	512 (510)	126
/26	255.255.255.192	1024 (1022)	62
/27	255.255.255.224	2048 (2046)	30
/28	255.255.255.240	4096 (4094)	14
/29	255.255.255.248	8192 (8190)	6
/30	255.255.255.252	16384 (16382)	2

3. 클래스 C

Network Bits	Subnet Mask	Number of Subnets	Number of Hosts
/24	255.255.255.0	0	254
/25	255.255.255.128	2 (0)	126
/26	255.255.255.192	4 (2)	62
/27	255.255.255.224	8 (6)	30
/28	255.255.255.240	16 (14)	14
/29	255.255.255.248	32 (30)	6
/30	255.255.255.252	64 (62)	2

주요개념 셀프체크

- 서브넷
- 클래스

핵심 기출

1. 어떤 회사의 한 부서가 155.16.32.*, 155.16.33.*, 155.16.34.*, 155.16.35.*로 이루어진 IP 주소들만으로 서브넷(subnet)을 구성할 때, 서브넷 마스크(mask)로 옳은 것은? [단, IP 주소는 IPv4 주소 체계의 비클래스형(classless) 주소 지정이 적용된 것이고, IP 주소의 *는 0~255를 의미한다] 2014년 지방직

① 255.255.252.0
② 255.255.253.0
③ 255.255.254.0
④ 255.255.255.0

해설

1개의 서브넷이 존재한다.

선지분석

② 서브넷으로 사용할 수 없다.
③ 2개의 서브넷(32, 33 vs. 34, 35)이 존재한다.
④ 4개의 서브넷(32, 33, 34, 35)이 존재한다.

정답 ①

2. 서브넷 마스크(subnet mask)를 255.255.255.224로 하여 한 개의 C클래스 주소 영역을 동일한 크기의 8개 하위 네트워크로 나누었다. 분할된 네트워크에서 브로드캐스트를 위한 IP 주소의 오른쪽 8 비트에 해당하는 값으로 옳은 것은? 2015년 국가직

① 0
② 64
③ 159
④ 207

해설

주어진 조건으로 비트 마스크를 하게 되면(256 - 224 = 32) 32개의 주소를 가지는 8개의 하위 네트워크 나눠진다. 첫 번째 하위 네트워크는 0부터 31까지의 주소를 가지고 이때 0은 네트워크 주소이고 31은 브로드캐스트 주소이다. 즉, 실제로 사용할 수 있는 호스트의 주소는 30개이다. 마찬가지로 두 번째 하위 네트워크는 32부터 63까지의 주소를 가지고 이때 32는 네트워크 주소이고 63은 브로드캐스트 주소이다. 이와 같이 계산하면 브로드캐스트 주소는 31, 63, 95, 127, 159, 191, 223, 255이 된다.

정답 ③

CHAPTER 12 그 외

1. 프레임의 종류

프레임의 종류에는 다음과 같은 정보, 긍정 응답, 부정 응답 프레임이 존재한다.

(1) 정보 프레임(I 프레임)

상위 계층이 전송을 요구한 데이터를 수신 호스트에 전송하는 용도로 사용한다. 순서번호, 송수신 호스트 정보 등이 포함된다.

(2) 긍정 응답 프레임(ACK 프레임)

전송 데이터가 올바르게 도착했음을 회신하는 용도이다. 데이터를 수신한 호스트가 데이터를 송신한 호스트에게 전송한다.

(3) 부정 응답 프레임(NAK 프레임)

전송 과정에서 프레임 변형 오류가 발생했음을 회신하는 용도이다. 원래의 정보 프레임을 재전송하도록 요청한다. 송신 호스트는 오류가 발생한 프레임을 동일한 순서 번호로 다시 전송한다.

2. PAN

PAN에는 다음과 같은 Bluetooth, ZigBee, NFC 등의 기술이 사용된다.

(1) Bluetooth

다양한 기기 간에 무선으로 데이터 통신을 할 수 있도록 만든 기술로 에릭슨이 IBM, 노키아, 도시바와 함께 개발하였으며, IEEE 802.15.1 규격으로 발표되었다(10m). 블루투스라는 명칭은 10세기 덴마크와 노르웨이를 통일한 바이킹 헤럴드 블루투스(Harald Bluetooth; 910~985)의 이름에서 따왔다. 그는 블루베리를 즐겨 먹어 치아가 항상 푸른빛을 띠고 있어 '푸른 이빨'로 불렸다고 한다. 블루투스가 스칸디나비아 반도를 통일한 것처럼 PC와 휴대폰 및 각종 디지털기기 등을 하나의 무선통신 규격으로 통일한다는 상징적 의미가 담겨 있다. 처음에는 프로젝트명으로 사용했으나 브랜드 이름으로 발전했다. 1994년 세계적인 통신기기 제조회사인 스웨덴의 에릭슨은 휴대폰과 그 주변장치를 연결하는 무선 솔루션을 고안해 케이블을 대체하기 위한 연구를 시작했다. 즉 휴대폰과 주변기기 간에 소비전력은 적으면서 값싼 무선 인터페이스를 연구하기 시작한 것이다. 이후 에릭슨은 다른 휴대장치 제조사와 제휴를 추진했고 마침내 1998년 2월 에릭슨을 주축으로 노키아, IBM, 도시바, 인텔 등의 대표적인 첨단 IT 기술회사로 구성된 블루투스 SIG(Special Interest Group)가 발족했다.

(2) ZigBee

IEEE 802.15.4 기반 PAN 기술로 낮은 전력을 소모하면서 저가의 센서 네트워크 구현에 최적의 방안을 제공하는 기술이다(10m, 저전력).

(3) NFC

약 10cm 정도로 가까운 거리에서 장치 간에 양방향 무선 통신을 가능하게 해주는 기술로 모바일 결제 서비스에 많이 활용된다.

(4) Bluetooth, ZigBee, NFC의 비교

속도는 Bluetooth > NFC >ZigBee의 관계를 가지며, 반경은 ZigBee > Bluetooth > NFC의 관계를 가짐에 유의한다.

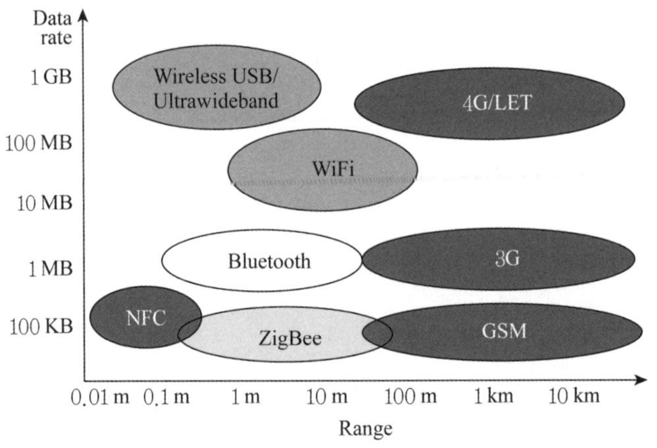

▲ Bluetooth, ZigBee, NFC의 비교

PAN 기술의 반경

PAN에서 사용되는 기술을 반경 순으로 나열하면 다음과 같다.

ZigBee(20m) > Bluetooth(10m) > IrDa(5m) > RFID(3m) > NFC(10cm)

3. 디지털 데이터 전송

디지털 데이터 전송은 하나의 장치에서 선으로 연결된 다른 장치까지 데이터 전송 방법을 나타낸다. 다음 그림은 디지털 데이터 전송 방식을 나타낸다.

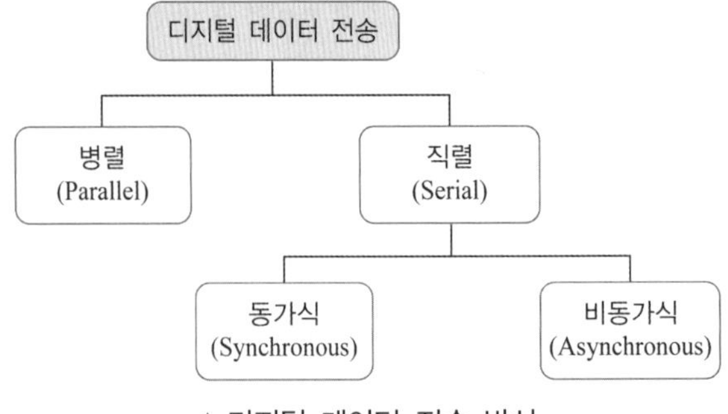

▲ 디지털 데이터 전송 방식

병렬 전송(parallel transmission)은 한 비트가 아닌 그룹으로 n비트 데이터 전송하고, n개의 통신 채널 필요하다. 장점은 속도(speed)이고, 단점은 고가(expansive)이다. 전송거리(short distance)는 최대 25 feets이다.

시리얼 전송(serial transmission)은 한 비트씩 전송하고, 하나의 채널 필요하다. 장점은 단일 채널 및 저가이고, 단점은 인터페이스 변환기가 요구된다(병렬과 직렬 간 변환).

4. 계층에 따라 스위치 구분하기

다음 그림은 스위치를 구분할 때 사용되는 계층을 나타낸다.

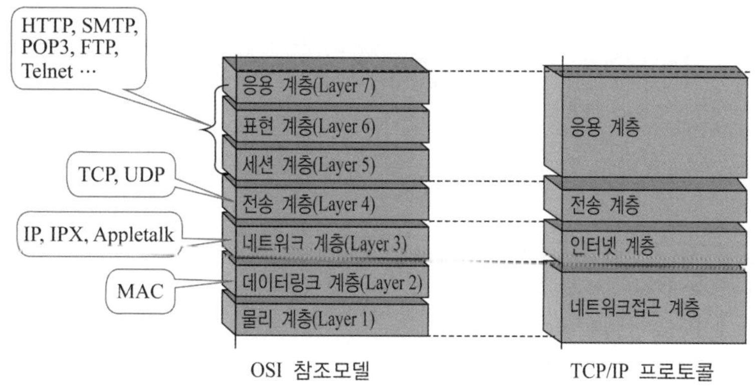

▲ 스위치를 구분할 때 사용되는 계층

(1) Layer 1 스위치(L1 Switch)

물리적인 신호 정보를 기반으로 하는 Layer 1 스위치이다. 예를 들어, 리피터(Repeater)가 있다. 리피터는 전송 중에 발생하는 물리적인 신호 감쇄를 원래대로 복원해주는 기능을 수행한다.

(2) Layer 2 스위치(L2 Switch)

MAC 정보를 기반으로 하는 Layer 2 스위치이다. 예를 들어, 허브(스위칭, 더미), 브리지가 있다. 더미 허브는 학습 기능이 없어 패킷을 받으면 다른 포트로 브로드캐스팅을 한다(Layer 1 스위치). 스위칭 허브는 일반적인 스위치를 의미하고, 학습 기능이 있다(해당 포트로만 보냄). 브리지는 2개의 LAN을 연결하는 역할을 수행한다. 다음 그림은 Layer 2 스위치를 나타낸다.

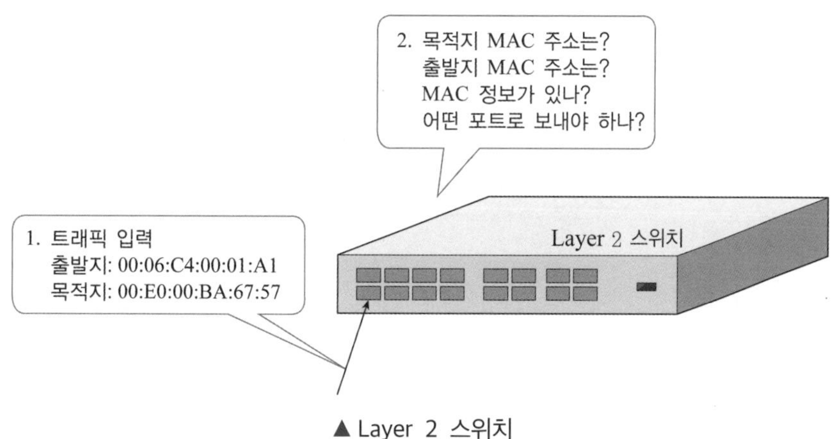

▲ Layer 2 스위치

(3) Layer 3 스위치(L3 Switch)

3계층의 IP 정보를 기반으로 하는 Layer 3 스위치이다. 예를 들어, 라우터가 있다. 라우터는 IP 정보를 기반으로 원하는 목적지로 패킷을 전송하는 역할을 수행한다. 다음 그림은 Layer 3 스위치를 나타낸다.

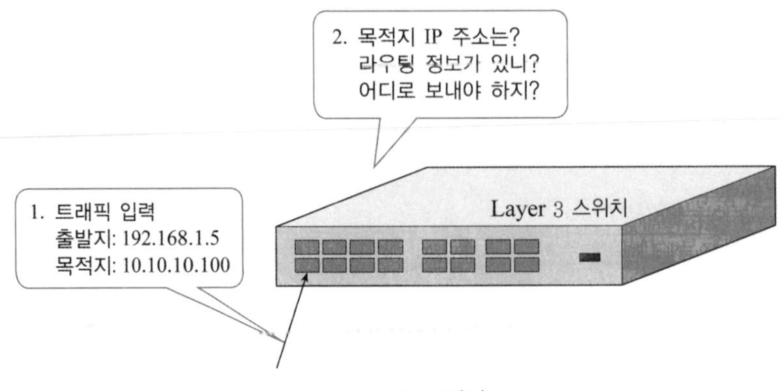

▲ Layer 3 스위치

(4) Layer 4 스위치(L4 Switch)

4계층의 TCP/UDP Port 정보를 기반으로 하는 Layer 4 스위치이다. 예를 들어, L4 switch 또는 부하 분산기(load balancer)가 있다. 부하 분산기는 사용자의 요청을 여러 대의 서버로 분산해서 요청하는 기능을 수행한다. 다음 그림은 Layer 4 스위치를 나타낸다. 그림에서 서버가 살아있는가는 Heartbeat protocol을 이용하는데, Heartbeat protocol은 서버가 살아 있는지 체크하기 위해 주기적으로 패킷을 보낸다.

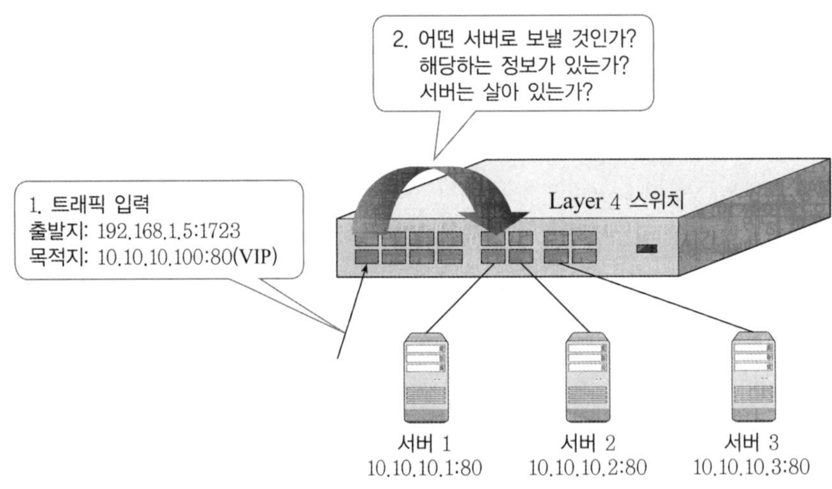

▲ Layer 4 스위치

(5) Layer 7 스위치

7계층의 payload 또는 contents 정보를 기반으로 하는 Layer 7 스위치이다. 예를 들어, L7 switch 또는 application switch가 있다. application switch는 L4 스위치와 동일한 기능을 수행하며, 다만 부하 분산 정보로 포트 대신에 payload를 이용하는 것만 다르다. 다음 그림은 Layer 7 스위치를 나타낸다.

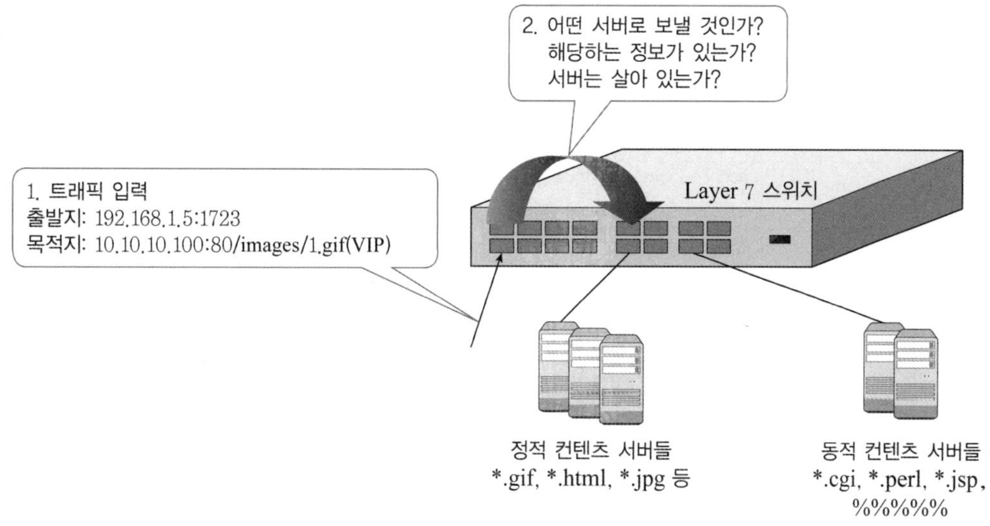

▲ Layer 7 스위치

Layer 7 스위치는 보안 역할로도 사용할 수 있다. 예를 들어, IDS, IPS, DPI 등이 있다. 다음 그림은 Layer 7 보안 스위치를 나타낸다. IDS는 시그너처를 기반을 패킷의 payload를 검사해서 패킷이 시그너처를 포함하면 해당 패킷을 폐기한다. 여기서, 시그너처란 웜이나 바이러스가 가지는 특정 문자열을 나타낸다. 해당 문자열을 바이러스 전문 업체가 패킷을 분석해서 찾아낸다.

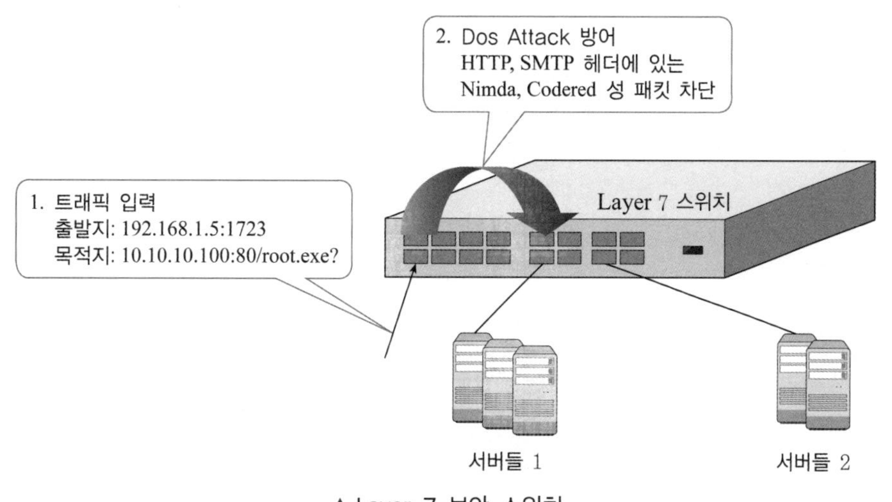

▲ Layer 7 보안 스위치

5. IPv4 vs. IPv6

다음 그림은 IP Header(RFC 791)를 나타낸다. 버전은 IPv4/IPv6를 나타내고, IHL은 헤더 길이를 나타낸다. TOS는 최소 지연, 최대 처리율, 최대 신뢰성 등을 나타내고, Total Length는 전체 길이를 나타낸다. Identification은 다른 종류의 패킷에 대해 1씩 증가하고, IP Flags는 D(Do Not Fragment)와 M(More Fragments follow)를 나타낸다.

Fragment Offset은 64비트 단위의 Fragment 시작 옵셋을 의미하고, TTL은 홉 카운트를 의미한다. Protocol은 프로토콜 ID(예 ICMP는 1번, TCP는 6번, UDP는 17번 등)를 의미하고, Header Checksum은 헤더에 대한 체크섬을 의미한다.

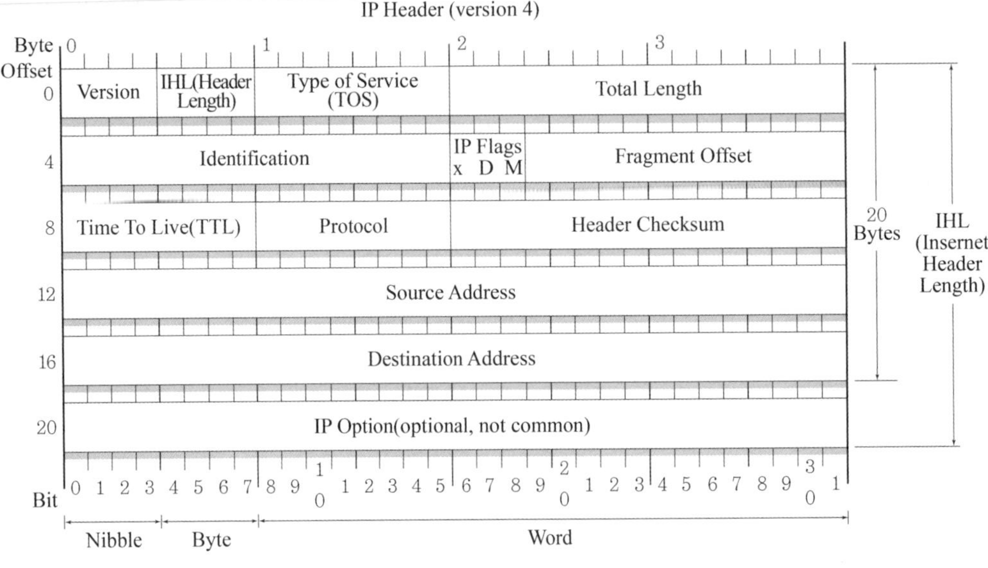

▲ IP Header

개념 PLUS+

Fragmentation Offset

MTU가 1500바이트를 가정하면 헤더 크기 20바이트를 제외한 1480바이트를 8로 나눈 값이 offset이다(8바이트 단위로 지정). 가능한 offset은 0(첫 번째 패킷), 185(두 번째 패킷) 등이다. 만약, 문제의 조건에 6000바이트를 3개로 나눈다고 하고 헤더의 길이가 주어지지 않았으면 각 패킷은 2000바이트이고, 이를 8로 나누면 된다. 가능한 offset은 0(첫 번째 패킷), 250(두 번째 패킷), 500(세 번째 패킷) 등이 된다.

다음 그림은 IP Header를 다른 관점에서 나타낸 것이다(5가지 버전이 존재). 이름이 약간 다르지만 같은 내용을 포함하고 있음에 유의한다.

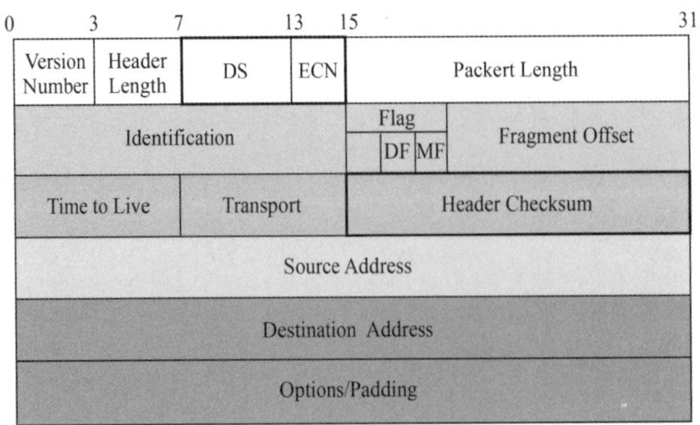

▲ IP Header(다른 관점)

IP 프로토콜의 주요 특징은 다음과 같다.

- 비연결형 서비스를 제공
- 패킷을 분할/병합하는 기능을 수행(fragmentation)
- 데이터 체크섬은 제공하지 않고, 헤더 체크섬만 제공
- Best Effort 원칙에 따른 전송 기능을 제공(QoS)

다음의 표는 IPv4(Internet Protocol version 4)의 클래스를 나타낸다. A 클래스는 0으로 시작하고, B 클래스는 1로 시작하고, C 클래스는 11로 시작한다. 그리고 D 클래스는 111로 시작하고(멀티캐스트용), E 클래스는 1111로 시작함에 유의한다(reserved).

클래스	첫째 옥텟 IP	최상위 비트	범위	호스트 수	네트워크 수	블록
Class A	0~127	0	0.0.0.0~127.0.0.0	16,277,216	128	/8
Class B	128~191	10	128.0.0.0~191.255.0.0	65,536	16,384	/16
Class C	192~223	110	192.0.0.0~223.255.255.0	256	2,097,152	/24
Class D	224~239	1110	224.0.0.0~239.255.255.255	N/A(268,435,456)		N/A
Class E	240~255	1111	240.0.0.0~247.255.255.255	N/A(268,435,456)		N/A

IPv6와 기존 IPv4 사이의 가장 큰 차이점은 바로 IP 주소의 길이가 128bit(16byte)로 늘어났다는 점이다. 이는 폭발적으로 늘어나는 인터넷 사용에 대비하기 위한 것이다. 또한 IPv6는 여러 가지 새로운 기능을 제공하는 동시에, 기존 IPv4와의 호환성을 최대로 하는 방향으로 설계되었다. IPv6의 특징은 다음과 같다.

- IP 주소의 확장: IPv6는 128bit 주소 공간을 제공한다.
- 호스트 주소 자동 설정: IPv6 호스트는 IPv6 네트워크에 접속하는 순간, 자동적으로 호스트 주소를 부여받는다.
- 인증 및 보안 기능: 패킷 출처 인증과 데이터 무결성 및 비밀 보장 기능을 IP 프로토콜 체계에 반영하였다(IPSec 필요 없음).
- 이동성: IPv6 호스트는 네트워크의 물리적 위치에 제한 받지 않고, 같은 주소를 유지하면서도 자유롭게 이동할 수 있다.

IPv6 주소 체계는 확장된 헤더에 선택 사항들을 기술할 수 있으며, 이것은 수신지에서만 검색되므로 네트워크 속도가 전반적으로 빠르다(헤더의 크기가 40바이트로 고정됨. 참고로 IPv4의 경우 20바이트에서 60바이트까지 가변).

IPv6의 128비트 주소 공간은 16진수로 표현하여 8자리로 나타낸다. IPv6 주소 체계의 장점은 다음과 같다.

- 충분한 주소 확보
- 빠른 속도
- 애니캐스트(anycast) 지원
- 고품질 멀티미디어 정보 처리(=빠른 속도)
- 인증 및 무결성 체계 지원

기존 네트워크와의 호환성을 위해, IPv4 주소는 다음과 같은 세 가지 방법을 통해 IPv6 주소로 나타낼 수 있다.

- 표준 IPv6 표기: IPv4 주소 192.0.2.52는 16진수로 표시하면 0xC0000234가 된다. 이를 그대로 IPv6 주소로 변경하면 0000 :0000 :0000 :0000 :0000 :0000 :C000:0234가 되고, 줄이면 : :C000 :234가 된다.
- IPv4 호환 주소: IPv4와의 호환성과 가독성을 위해 기존 표기에 " : :" 만을 붙여 : :192.0.2.52와 같이 쓸 수 있다. 그러나 이 방법은 더 이상 사용되지 않아 폐기될 예정이다.
- IPv4 매핑 주소: IPv6 프로그램에게 IPv4와의 호환성을 유지하기 위해 사용하는 다른 방법으로, 처음 80비트를 0으로 설정하고 다음 16비트를 1로 설정한 후, 나머지 32비트에 IPv4 주소를 기록하는 IPv4 매핑 주소가 존재한다.

IPv6 전환 기술은 다음과 같다.

- IPv4/IPv6 듀얼스택 방식: IPv4/IPv6 듀얼스택은 IPv6 노드가 IPv4 전용 노드와 호환성을 유지하는 가장 쉬운 방법이다. IPv6/IPv4 듀얼스택 노드는 IPv4와 IPv6 패킷을 모두 주고받을 수 있는 능력이 있어, IPv4 패킷을 사용하여 IPv4 노드와 직접 호환된다.
- 터널링(Tunneling) 방식: 터널링은 IPv6/IPv4 호스트와 라우터에서 IPv6 데이터그램을 IPv4 패킷에 캡슐화하여 IPv4 라우팅 토폴로지 영역을 통해 전송하는 방법이다.
- 주소 변환 방식: IPv6와 IPv4 간의 주소 전환 장비를 이용하여, 기존의 IPv4에서 사용되던 NAT 기술과 마찬가지로 IPv6와 IPv4 간의 Address Table을 생성하여 양단간의 통신이 가능하도록 한다.

IPv6 Unicast, Anycast, Multicast 주소는 다음과 같다.

- 유니캐스트(unicast) 주소: 유니캐스트 주소는 유니캐스트 주소 종류의 범위 내에서 단일 인터페이스를 식별한다. 유니캐스트 주소로 지정된 패킷은 적절한 유니캐스트 라우팅 토폴로지를 통해 단일 인터페이스로 배달된다.
- 멀티캐스트(multicast) 주소: 멀티캐스트 주소는 여러 인터페이스를 식별한다. 멀티캐스트 주소로 지정된 패킷은 적절한 멀티캐스트 라우팅 토폴로지를 통해 주소로 식별되는 모든 인터페이스에 배달된다.
- 애니캐스트(anycast) 주소: 애니캐스트 주소는 여러 인터페이스를 식별한다. 애니캐스트 주소로 지정된 패킷은 적절한 멀티캐스트 라우팅 토폴로지를 통해 주소로 식별되는 가장 가까운 인터페이스인 단일 인터페이스로 배달된다.
- IPv6에서는 브로드캐스트가 존재하지 않는다(멀티캐스트로 대체).

6. 라우팅 테이블

패킷의 전송 과정에서 라우터들이 패킷의 적절한 경로를 쉽게 찾도록 하기 위한 가장 기본 도구로 라우팅 테이블(Routing Table)을 사용한다. 라우팅 테이블에 포함해야 하는 필수 정보는 (목적지 호스트, 다음 홉)의 조합이다. '목적지 호스트'에는 패킷의 최종 목적지가 되는 호스트의 주소 값을, '다음 홉'에는 목적지 호스트까지 패킷을 전달하기 위한 인접 경로를 지정한다. 즉, 목적지까지 도달하는 여러 경로 중 효과적인 라우팅을 지원하는 경로가 있을 수 있는데, 이 경로에서 바로 다음 홉(Hop)에 위치한 라우터의 주소를 기록한다(목적지 호스트가 아닌 다음 홉이 바뀜).

다음 그림은 목적지 호스트와 다음 홉의 조합을 설명한다. (a)와 같은 네트워크 연결 구성 예에서 호스트 1이 관리하는 라우팅 테이블 정보는 (b)와 같다. 라우팅 테이블 정보는 네트워크에 연결된 모든 호스트에 존재하며, 호스트마다 관리하는 정보의 내용은 다르다.

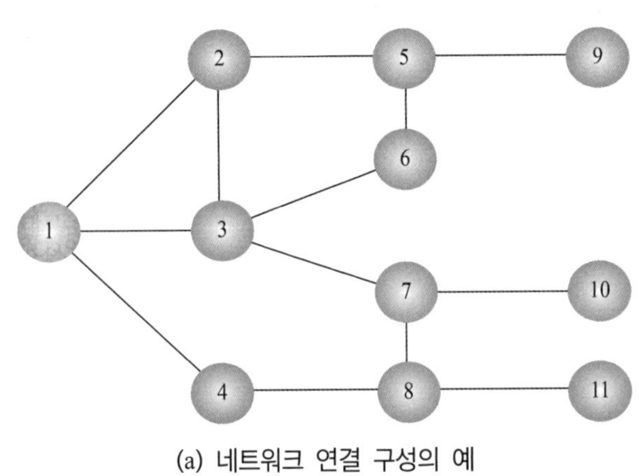

(a) 네트워크 연결 구성의 예

목적지	홉
1	-
2	2
3	3
4	4
5	2
6	3
7	3
8	4
9	2
10	3
11	4

(b) 호스트 1의 라우팅 테이블

▲ 라우팅 테이블

7. TCP vs. UDP

다음 그림은 TCP 헤더의 구조를 나타낸다. TCP 헤더의 필드는 다음과 같다.

- Source Port/Destination Port(송신 포트/수신 포트): TCP로 연결되는 가상 회선 양단의 송수신 프로세스에 할당된 네트워크 포트 주소
- Sequence Number(순서 번호): 송신 프로세스가 지정하는 순서 번호
- Acknowledgement Number(응답 번호): 수신 프로세스가 제대로 수신한 바이트의 수를 응답하기 위해 사용(수신자가 예상하는 다음 시퀀스 번호)
- Data Offset(데이터 옵셋): TCP 세그먼트가 시작되는 위치를 기준으로 데이터의 시작 위치, TCP 헤더의 크기
- Reserved(예약): 예약 필드
- TCP 헤더의 플래그 비트: TCP 헤더에는 플래그 비트가 8개 정의한다. 처음 2개 비트는 혼잡 제어 용도로 사용하고, 나머지 6개 필드는 값이 1이면 다음과 같은 의미를 갖는다.
  - URG(Urgent Pointer): 필드가 유효한지를 나타냄
  - ACK(Acknowledgment Number): 필드가 유효한지를 나타냄
  - PSH: 현재 세그먼트에 포함된 데이터를 상위 계층에 즉시 전달하도록 지시할 때 사용
  - RST: 연결의 리셋이나 유효하지 않은 세그먼트에 대한 응답용으로 사용
  - SYN: 연결 설정 요구를 의미하는 플래그 비트, 가상 회선 연결을 설정하는 과정에서 사용
  - FIN: 한쪽 프로세스에서 더는 전송할 데이터가 없어 연결을 종료하고 싶다는 의사 표시를 상대방에게 알리려고 사용
- Window(윈도우): 수신 윈도우의 버퍼 크기를 지정하려고 사용
- Checksum(체크섬): TCP 세그먼트에 포함되는 프로토콜 헤더와 데이터 모두에 대한 변형 오류를 검출하려고 사용
- Urgent Pointer(긴급 포인터): 긴급 데이터를 처리하기 위한 것

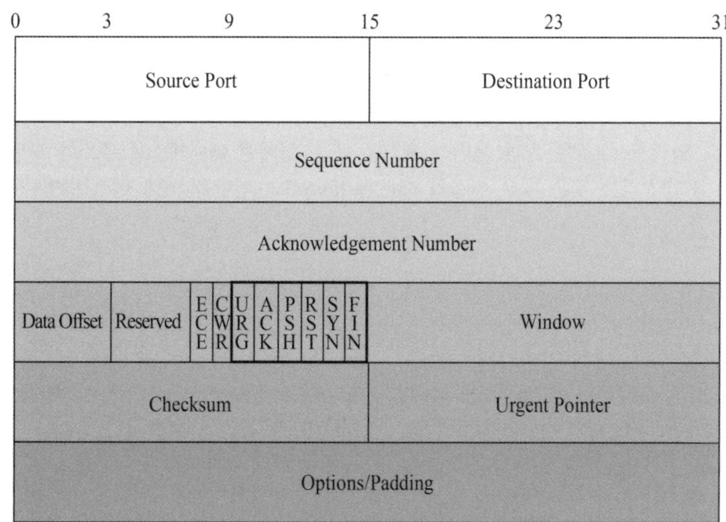

▲ TCP 헤더의 구조

다음 그림은 UDP 헤더의 구조를 나타낸다. Source port는 데이터를 보내는 애플리케이션의 포트 번호, Destination port는 데이터를 받을 애플리케이션의 포트 번호를 나타낸다. Length는 UDP 헤더와 데이터의 총 길이를 나타내고, Checksum은 데이터 오류 검사에 필요한 정보를 나타낸다.

UDP Header

Offsets	Octet	0								1								2								3							
Octet	Bit	0	1	2	3	4	5	6	7	8	9	10	11	12	13	14	15	16	17	18	19	20	21	22	23	24	25	26	27	28	29	30	31
0	0	Source port																Destination port															
4	32	Length																Checksum															

▲ UDP 헤더의 구조

주요개념 셀프체크

- 프레임의 종류
- 스위치: L1, L2, L3, L4, L7
- 라우팅 테이블
- Bluetooth, ZigBee, NFC
- IPv4 vs. IPv6
- TCP vs. UDP

핵심 기출

1. OSI 7계층 중 브리지(bridge)가 복수의 LAN을 결합하기 위해 동작하는 계층은? 2015년 국가직

① 물리 계층
② 데이터 링크 계층
③ 네트워크 계층
④ 전송 계층

해설

데이터 링크는 브리지, 허브, 스위치(L2 스위치)이다.

선지분석

① 물리: 리피터(L1 스위치)
③ 네트워크: 라우터(L3 스위치)
④ 전송: 부하 분산기, 방화벽(L4 스위치)

TIP IDS, IPS, DPI 등은 L7 스위치에 해당한다(UTM).

정답 ②

2. 다음은 IPv6에 대한 설명으로 옳지 않은 것은? 2016년 서울시

① 기존의 IP 주소 공간이 빠른 속도로 고갈되어 왔기 때문에 고안되었다.
② IPv6는 IP 주소 크기를 기존의 4바이트에서 6바이트로 확장했다.
③ IPv6는 유니캐스트, 멀티캐스트 주소뿐만 아니라 새로운 주소 형태인 애니캐스트 주소가 도입되었다.
④ 네트워크 프로토콜을 바꾼다는 것은 매우 어렵기 때문에 IPv6로의 전환을 위해 여러 방법들이 고안되었다.

해설

6바이트에서 16바이트로 확장되었다.

선지분석

① 고갈: IoT로 인해 더 많은 IP 주소가 필요하게 되었다.
③ 애니캐스트: 애니캐스트 주소는 여러 인터페이스를 식별한다. 애니캐스트 주소로 지정된 패킷은 적절한 멀티캐스트 라우팅 토폴로지를 통해 주소로 식별되는 가장 가까운 인터페이스인 단일 인터페이스로 배달된다.
④ 전환: IPv4/IPv6 듀얼스택 방식, 터널링(Tunneling) 방식, 주소 변환 방식 등이 존재한다.

정답 ②

3. 다음 IP 주소 중 클래스 B에 해당하는 것은? 2021년 국회직

① 100.200.150.25
② 126.255.150.25
③ 180.100.150.25
④ 192.168.150.25
⑤ 203.252.150.25

해설

B 클래스는 10으로 시작하므로 10000000(128)~10111111(191)의 범위의 주소를 찾으면 된다.

정답 ③

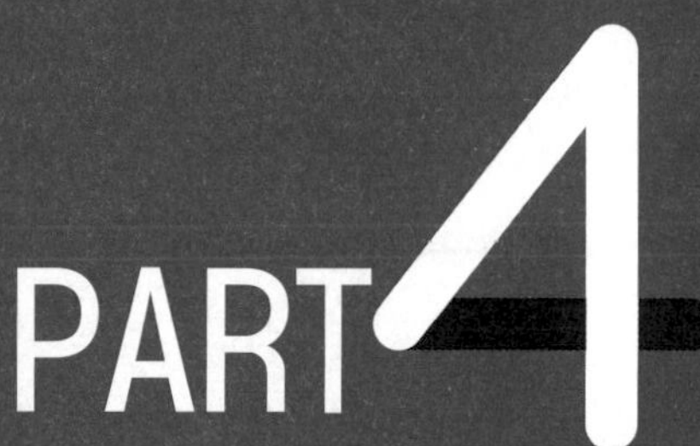

운영체제

CHAPTER 01 | 개요

1 운영체제의 개념

1. 운영체제의 개념

다음 그림은 컴퓨터 시스템의 구성 요소와 운영체제를 보여준다. 이중 운영체제의 역할을 자원 관리와 인터페이스이다. 그림에서 사용자는 컴퓨터를 사용하는 사람이나 장치, 다른 컴퓨터 등을 의미하고, 소프트웨어는 컴퓨터의 기능 수행에 필요한 모든 프로그램이다. 그리고 하드웨어는 기본 연산 자원을 제공하는 프로세서(CPU, 중앙처리장치), 메모리, 주변장치 등을 의미한다.

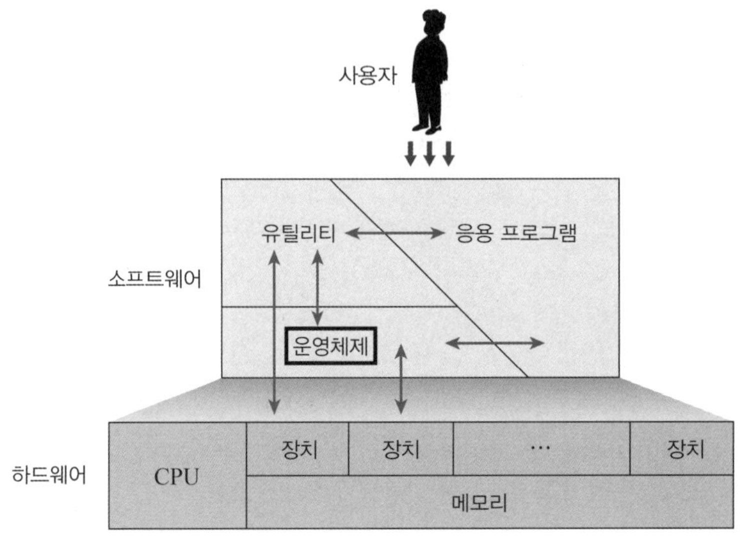

▲ 컴퓨터 시스템의 구성 요소와 운영체제

2. 컴퓨터 자원 관리면에서 운영체제의 정의

다음 그림은 운영체제의 역할을 보여준다. 운영체제는 조정자, 자원 할당자나 관리자, 응용 프로그램과 입출력장치 제어자 등의 역할을 수행한다. 조정자는 운영 요소 사용을 제어하면서 사용자와 응용 프로그램 간에 통신을 할 수 있게 한다. 즉, 작업을 할 수 있는 환경만 제공한다(인터페이스). 자원 할당자나 관리자는 각 응용 프로그램에 필요한 자원을 할당하고, 자원 할당 방법을 결정한다(자원 관리). 그리고 응용 프로그램과 입출력장치 제어자는 다양한 입출력장치와 응용 프로그램을 제어한다.

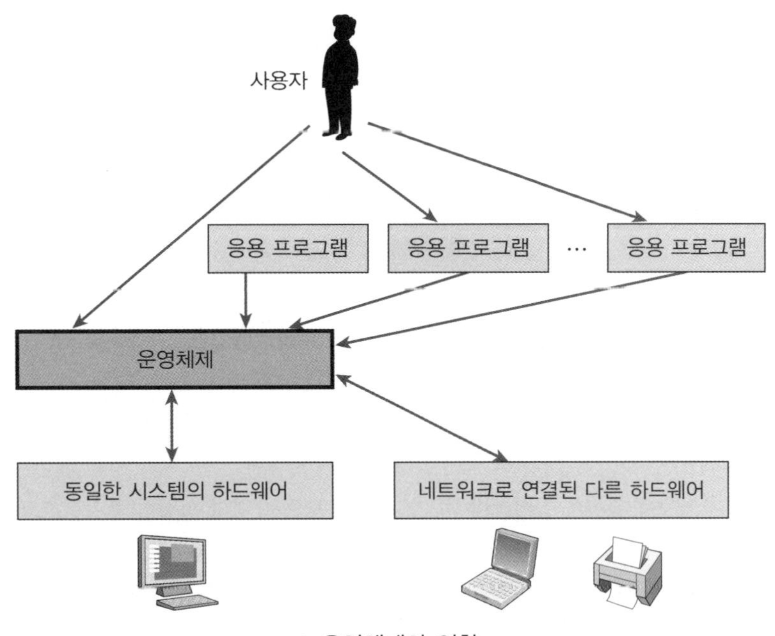

▲ 운영체제의 역할

3. 운영체제의 정의와 역할

운영체제의 정의는 사용자와 하드웨어 사이의 중간 매개체로 응용 프로그램의 실행을 제어하고, 자원을 할당 및 관리하며, 입출력 제어 및 데이터 관리와 같은 서비스를 제공하는 소프트웨어를 의미한다.

운영체제의 역할은 하드웨어 및 사용자, 응용 프로그램, 시스템 프로그램 사이에서 인터페이스를 제공하고(인터페이스), 프로세서, 메모리, 입출력장치, 통신장치 등 컴퓨터 자원을 효과적으로 활용하려고 조정·관리한다(자원 관리). 그리고 메일 전송, 파일 시스템 검사, 서버 작업 등 높은 수준의 서비스를 처리하는 응용 프로그램을 제어하고, 다양한 사용자에게서 컴퓨터 시스템을 보호하려고 입출력을 제어하며 데이터를 관리한다.

2 운영체제의 발전 과정

1. 1950년대 - 일괄 처리 시스템

1952년 초 자동차 제조회사 GM에서 운영체제의 효시인 IBM 701을 개발하였다. 1955년 GM과 북아메리카 항공사가 IBM 704를 공동 개발하였고, 1957년까지 IBM 사용자협회에서 IBM 704 자체 운영체제를 개발하였다. 초기 운영체제인 일괄 처리 시스템(batch processing system)은 작업을 올리는 시간과 해제하는 시간을 줄이는 데 관심을 가졌다(일괄 처리, 버퍼링, 스풀링 등 방법 도입).

일괄(batch) 처리는 직렬 처리 기술과 동일하다. 즉, 작업 준비 시간을 줄이려고 데이터가 발생할 때마다 즉시 처리하지 않고 데이터를 일정 기간 또는 일정량이 될 때까지 모아 두었다가 한꺼번에 처리한다.

일괄 처리 장점은 많은 사용자와 프로그램이 컴퓨터 자원을 공유하고, 컴퓨터 자원을 덜 사용 중일 때는 작업 처리 시간 교대가 가능하다. 그리고 시시각각 수동으로 개입, 감독하여 컴퓨터 자원의 유휴 회피가 가능하다.

아래의 그림은 일괄 처리를 나타낸다.

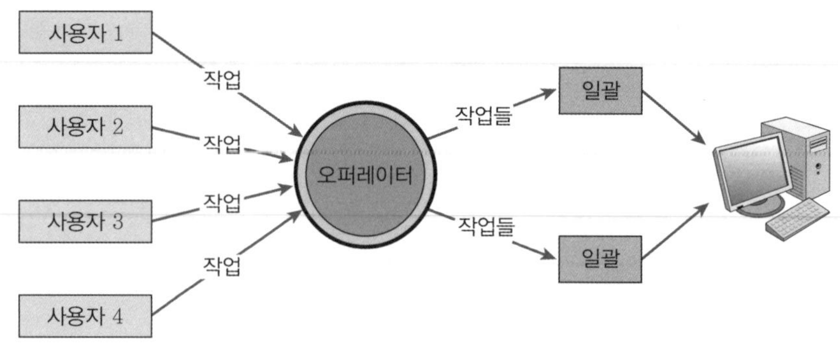

▲ 일괄처리

일괄 처리 단점은 준비 작업들의 유형이 동일해야 하고, 작업에 모든 유형의 입력이 불가능하고, 입출력장치가 프로세서보다 속도가 느려 프로세서의 유휴 상태가 발생한다(현재의 운영체제에도 발생하는 문제). 그리고 작업 우선순위 부여가 곤란하다. 이러한 문제점 보완 위해 모니터링, 버퍼링, 스풀링 등 여러 방법이 등장하였다.

버퍼링(buffering)은 유휴시간이 없도록 입출력장치별로 입출력 버퍼 두어, 프로세서에서 연산 할 때 동시에 다른 작업 입출력하는 아주 간단한 방법이다. 예를 들어, 키보드가 주기억장치를 사용해서 버퍼링을 수행한다.

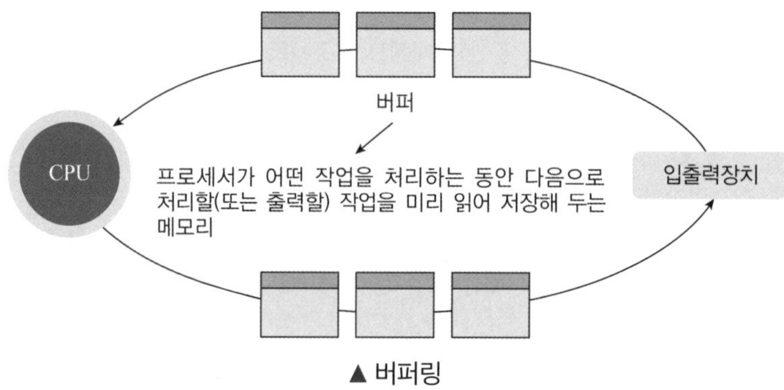

▲ 버퍼링

개념 PLUS+

이중 버퍼링

버퍼란 어떤 장치에서 다른 장치로 데이터를 송신할 때 일어나는 시간의 차이나 데이터 흐름의 속도 차이를 조정하기 위해 일시적으로 데이터를 기억시키는 장치이다. 싱글버퍼(single buffer)의 경우 채널이 데이터를 버퍼에 저장하면 프로세서가 처리하는 방식으로 진행된다. 이 경우 채널이 데이터를 저장하는 동안에는 데이터에 대한 처리가 이루어질 수 없으며, 프로세서가 데이터를 처리하는 동안에는 다른 데이터가 저장될 수 없게 된다. 더블버퍼(double buffer)의 경우에는 데이터에 대한 저장과 처리가 동시에 일어날 수 있다. 입력채널이 첫 번째 버퍼에 데이터를 저장하는 동안 프로세서가 두 번째 버퍼의 데이터를 처리할 수 있는 것이다. 이렇게 두개의 버퍼를 서로 교대로 사용하는 것을 플립플롭 버퍼링(flip-flop buffering)이라하고, 여러 개의 버퍼를 번갈아 사용하는 것을 순환 버퍼링(circular buffering)이라고 한다. 이 밖에도 트리플버퍼(triple buffer)도 있다.

스풀링(spooling, simultaneous peripheral operation on-line)은 속도가 빠른 디스크를 버퍼처럼 사용하여 입출력장치에서 미리 읽는 것이다. 예를 들어, 프린터가 보조기억장치를 사용해서 스풀링을 수행한다. 버퍼링이 컴퓨터 하드웨어의 일부인 버퍼(주기억장치)를 사용 한다면, 스풀링은 별개의 오프라인 장치(보조기억장치)를 사용한다. 버퍼링이 하나의 입출력 작업과 그 작업의 계산만 함께 할 수 있는 반면, 스풀링은 여러 작업의 입출력과 계산을 함께 할 수 있다. 프로세서에 일정한 디스크 공간 및 테이블만 있으면 하나의 계산 작업과 다른 입출력 작업을 중복 처리한다. 프로세서와 입출력장치가 고효율로 작업하게 하고, 성능에 직접적으로 도움이 된다. 아래의 그림은 스풀링을 나타낸다.

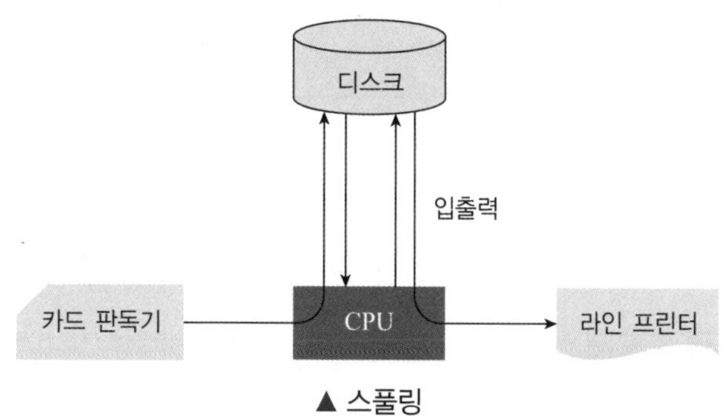

▲ 스풀링

2. 다중 프로그래밍(Multi-programming)

다중 프로그래밍은 여러 개의 프로그램들을 동시에 주기억 장치에 적재하여, 한 프로그램이 입출력 등의 작업을 할 때 중앙처리 장치를 쉬게 하지 않고 다른 프로그램을 처리하게 하여 전체적인 처리 속도를 향상시키는 방식이다. 아래의 그림은 다중 프로그램을 보여준다.

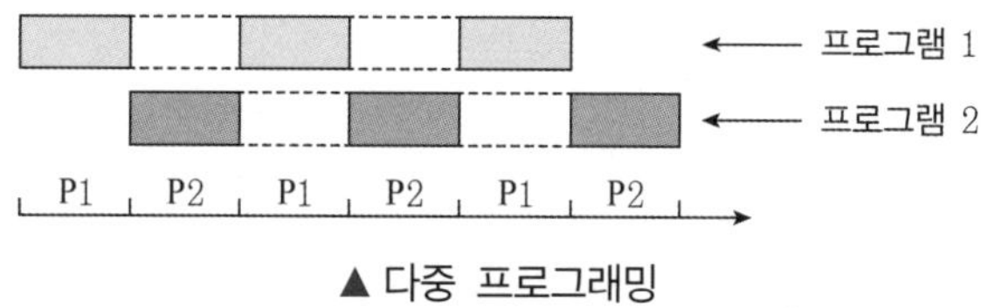

▲ 다중 프로그래밍

3. 시분할 시스템(TSS, Time Sharing System)

시분할 시스템은 다중 프로그래밍을 논리적으로 확장한 개념으로 프로세서가 다중 작업을 교대로 수행한다. 다수의 사용자가 동시에 컴퓨터의 자원을 공유할 수 있는 기술이다. CTSS(Compatible Time Sharing System)는 MIT에서 개발하여 1961년 IBM 709에 탑재 및 사용하였다.

1970년 초까지는 시분할 시스템 만들기가 아주 어렵고 비용도 많이 들어 일반화를 못했다. 시분할 시스템은 각 프로그램에 일정한 프로세서 사용 시간 또는 규정 시간량을 할당하고, 컴퓨터와 대화하는 형식으로 실행한다. 여러 사용자에게 짧은 간격으로 프로세서를 번갈아 할당하고, 마치 자기 혼자 프로세서를 독점하고 있는 양 착각하게 하여 여러 사용자가 단일 컴퓨터 시스템을 동시에 사용이 가능하다. 즉, CPU의 속도가 빨라 여러 개가 동시에 수행되는 것처럼 보이는 원리이다.

아래의 그림은 시분할 시스템을 나타낸다.

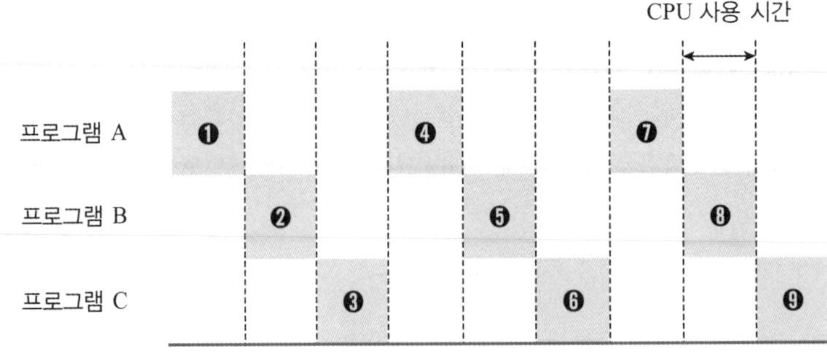

▲ 시분할 시스템

개념 PLUS+

대화식 시스템

단말기를 통하여 사용자가 작업을 입력하면 중앙에 있는 컴퓨터에서 즉시 작업을 처리하여 작업 결과를 사용자의 단말기에 출력하는 작업 처리 방식이다.

다중 프로그래밍 시스템과 시분할 시스템 특징은 메모리에 여러 프로그램을 적재하므로 메모리 관리가 필요하고, 어떤 프로그램을 먼저 실행할지 결정하는 스케줄링 개념이 필요하다. 다중 프로그래밍 시스템의 목표는 프로세서 사용 최대화이고, 시분할 시스템의 목표는 응답시간 최소화이다. 아래의 표는 시분할 시스템의 장점과 단점을 나타낸다.

구분	내용
장점	• 빠른 응답 제공 • 소프트웨어의 중복 회피 가능 • 프로세서 유휴시간 감소
단점	• 신뢰성 문제(공격자가 끼어들 수 있는 여지가 존재) • 보안 의문 및 사용자 프로그램과 데이터의 무결성 • 데이터 통신의 문제

4. 실시간 처리 시스템(real time processing system)

실시간 처리 시스템은 데이터 처리 시스템으로 정의되고, 입력에 응답하는 데 필요한 시간 간격이 너무 짧은 환경을 제어한다. 온라인 시스템은 실시간으로 할 필요가 없지만, 실시간 처리 시스템은 항상 온라인 상태이다. 입력 및 업데이트된 정보 요구 처리 후 디스플레이에 응답하는 시스템에 소요 시간을 반응(응답) 시간으로 한다. 반응 시간은 프로세서에 이미 고정되어 있다(반응시간이 온라인 처리에 비해 매우 짧음). 더 높은 적시 응답을 요구하는 장소에서 사용하거나 데이터 흐름 또는 프로세서 연산에 엄격한 시간 요구가 있을 때 사용 가능하고, 전용 응용 프로그램의 제어장치로도 사용가능하다. 고정 시간 제약을 잘 정의하지 않으면 시스템이 실패한다.

실시간 처리 시스템은 두 가지 유형이 존재한다. 경성 실시간 처리 시스템(hard real time processing system)은 작업의 실행 시작이나 완료에 대한 시간 제약 조건을 지키지 못할 때 시스템에 치명적인 영향을 주는 시스템이다.

무기 제어, 발전소 제어, 철도 자동 제어, 미사일 자동 조준 등이 이에 해당한다. 보장되는 컴퓨팅, 시간의 정확성과 컴퓨팅 예측성을 갖게 해야 한다. 연성 실시간 처리 시스템(soft real time processing system)은 작업 실행에서 시간 제약 조건은 있으나, 이를 지키지 못해도 전체 시스템에 치명적인 영향을 미치지 않는 시스템이다. 동영상은 초당 일정 프레임(frame) 이상의 영상을 재생해야 한다는 제약이 있으나, 일부 프레임을 건너뛰어도 동영상 재생 시스템에는 큰 영향을 미치지 않는다.

5. 운영체제 유형 정리

일괄 처리 시스템은 작업 준비 시간을 줄이려고 데이터가 발생할 때마다 즉시 처리하지 않고 데이터를 일정 기간 또는 일정량이 될 때까지 모아 두었다가 한꺼번에 처리한다. 실시간 시스템은 입력에 응답하는 데 필요한 시간 간격이 너무 짧은 환경을 제어한다. 시분할 시스템은 각 프로그램에 일정한 프로세서 사용 시간 또는 규정 시간량 할당 및 컴퓨터와 대화하는 형식으로 실행하고, 응답시간을 최소화한다. 그리고 다중프로그래밍 시스템은 시분할과 비슷하고 프로세서 사용을 최대화한다.

주요개념 셀프체크

- 일괄처리: 버퍼링, 스풀링
- 다중 프로그래밍
- 시분할 시스템
- 실시간 처리 시스템

핵심 기출

의료용 심장 모니터링 시스템과 같이 정해진 짧은 시간 내에 응답해야 하는 시스템은? 2019년 국가직

① 일괄 처리 시스템
② 실시간 시스템
③ 시분할 시스템
④ 다중 프로그래밍 시스템

해설

실시간 시스템은 입력에 응답하는 데 필요한 시간 간격이 너무 짧은 환경을 제어한다. 경성 실시간(무기 시스템과 같이 무조건 주어진 시간에 끝내야 함)과 연성 실시간(멀티미디어 시스템과 같이 약간의 여유가 있음)이 있다.

선지분석

① 일괄 처리 시스템: 작업 준비 시간을 줄이려고 데이터가 발생할 때마다 즉시 처리하지 않고 데이터를 일정 기간 또는 일정량이 될 때까지 모아 두었다가 한꺼번에 처리한다.
③ 시분할 시스템: 각 프로그램에 일정한 프로세서 사용 시간 또는 규정 시간량 할당하는 것으로 응답시간 최소화가 목표이다.
④ 다중프로그래밍 시스템: 여러 개의 프로그램들을 동시에 주기억 장치에 적재하여, 한 프로그램이 입출력 등의 작업을 할 때 중앙처리 장치를 쉬게 하지 않고 다른 프로그램을 처리하게 하여 전체적인 처리 속도를 향상시키는 방식이다. 시분할과 비슷하고, 프로세서 사용 최대화가 목표이다.

정답 ②

CHAPTER 02 프로세스와 스레드

1 프로세스의 개념

1. 프로세스(process)의 정의

프로세스는 1960년대 멀틱스(multics) 운영체제에서 처음 사용하였다. 프로세스는 IBM 운영체제에서의 작업(task), 실행 중인 프로그램(가장 일반적인 정의), 비동기적(asynchronous) 행위(동시 다발적으로 발생), 실행 중인 프로시저(procedure), 실행 중인 프로시저의 제어 추적, 운영체제에 들어 있는 프로세스 제어 블록(PCB), 프로세서에 할당하여 실행할 수 있는 개체 디스패치(dispatch)가 가능한 대상 등으로 정의될 수 있다.

2. 프로그램과 프로세스

아래의 그림은 프로그램과 프로세스를 나타낸다. 사용자의 프로그램은 디스크인 보조기억장치에 설치되고, 실행을 위해 메모리(주기억장치)로 올라온다. 이때, 주기억장치에 올라온 실행 중인 프로그램을 프로세스라고 정의한다.

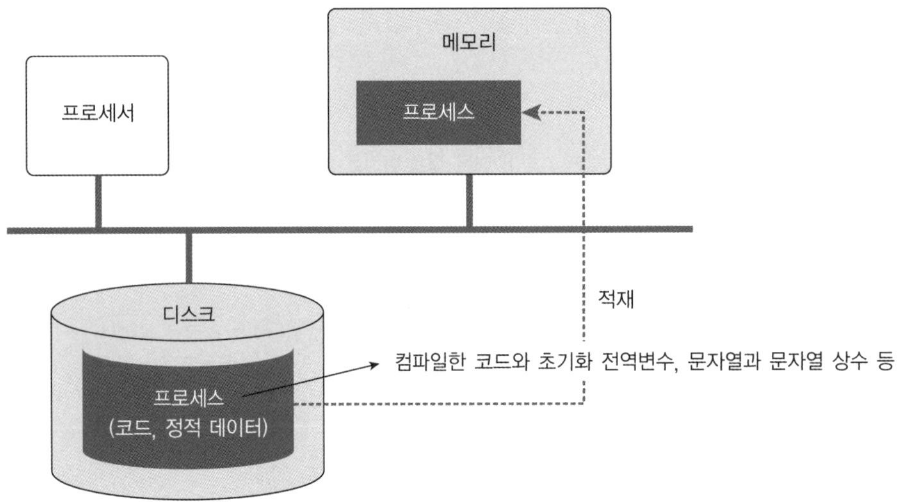

▲ 프로그램과 프로세스

3. 프로세스의 일반적인 메모리 구조(사용자 관점의 프로세스)

아래의 그림은 프로세스의 일반적인 메모리 구조를 나타낸다. 스택에는 지역 변수 등이 저장되고, 힙에는 동적 메모리 등이 저장된다. 그리고 데이터에는 전역 변수 등이 저장되고, 코드에는 실행 파일 코드가 저장된다.

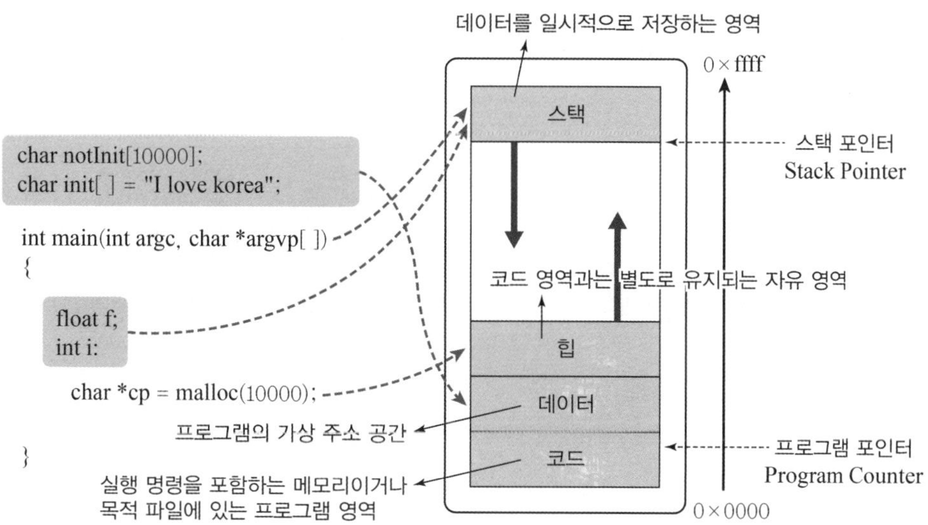

▲ 프로세스의 일반적인 메모리 구조(사용자 관점의 프로세스)

해당 메모리 영역을 더욱 자세하게 설명하면 다음과 같다. code(text) 영역은 코드 자체를 구성하는 메모리 영역으로 Hex 파일이나 BIN 파일에 할당된 메모리다. 그리고 프로그램 명령이 위치하는 곳으로 기계어로 제어되는 메모리 영역이다. data 영역은 전역변수(global), 정적변수(static), 배열(array), 구조체(structure) 등이 저장된다. 그리고 초기화 된 데이터는 data 영역에 저장되고, 초기화 되지 않은 데이터는 BSS(Block Stated Symbol) 영역에 저장된다. 프로그램이 실행될 때 생성되고 프로그램이 종료되면 시스템에 반환된다. 함수 내부에 선언된 Static 변수는 프로그램이 실행될 때 공간만 할당되고, 그 함수가 실행될 때 초기화된다. 명령 실행 시 자동 증가/감소하기 때문에 보통 메모리의 마지막 번지를 지정한다.

heap 영역은 필요에 의해 동적으로 메모리를 할당하고자 할 때 위치하는 메모리 영역으로 동적 데이터 영역이라고 부르며, 메모리 주소 값에 의해서만 참조되고 사용되는 영역이다. 이 영역에 데이터를 저장하기 위해서 C는 malloc(), C++은 new를 사용한다. 마지막으로 stack 영역은 프로그램이 자동으로 사용하는 임시 메모리 영역이다. 지역(local) 변수, 매개변수(parameter), 리턴 값 등 잠시 사용되었다가 사라지는 데이터를 저장하는 영역이다. 함수 호출 시 생성되고, 함수가 끝나면 시스템에 반환된다. 스택 사이즈는 각 프로세스마다 할당 되지만 프로세스가 메모리에 로드될 때 스택 사이즈가 고정되어 있어, 런 타임 시에 스택 사이즈를 바꿀 수는 없다.

4. 시스템 관점의 프로세스

아래의 그림은 시스템 관점에서 바라본 프로세스를 나타낸다. 여러 개의 프로세스들을 위해 스케줄러가 필요하고, 이들 사이에서 발생할 수 있는 교착 상태를 해결해야 한다. 이들에 대해서는 나중에 자세하게 배운다.

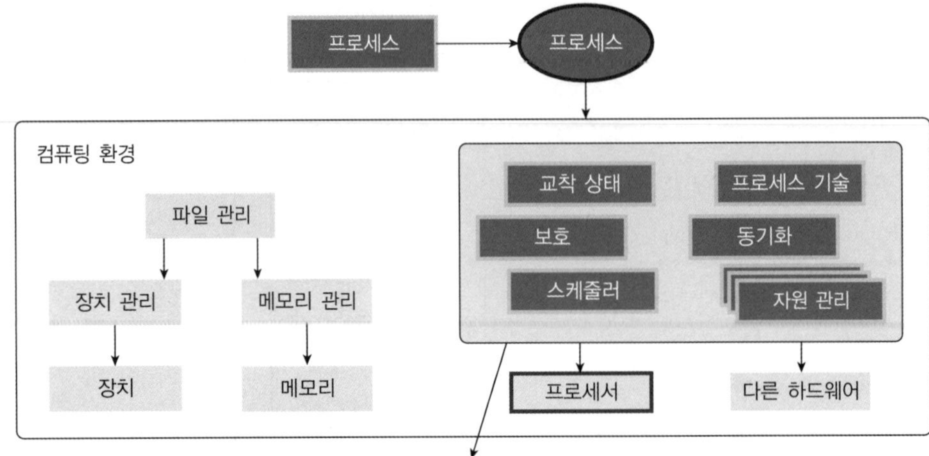

• 실행 순서 결정
• 디스크에 저장된 프로그램에 프로세서 할당해 장치나 메모리 같은 파일 자원 참조
• 프로세스 지원, 협력하여 교착 상태, 보호, 동기화 등 정보교환

▲ 시스템 관점에서 바라본 프로세스

5. 프로세스의 종류

아래의 표는 프로세스의 종류를 나타낸다. 이들 중 시스템 프로세스의 기능에 유의한다.

구분	종류	설명
역할	시스템(커널) 프로세스	• 모든 시스템 메모리와 프로세서의 명령에 액세스할 수 있는 있는 프로세스이다. • 프로세스 실행순서를 제어하거나 다른 사용자 및 커널(운영체제) 영역을 침범하지 못하게 감시하고, 사용자 프로세스를 생성하는 기능을 한다.
	사용자 프로세스	사용자 코드를 수행하는 프로세스이다.
병행 수행 방법	독립 프로세스	다른 프로세스에 영향을 주지 않거나 다른 프로세스의 영향을 받지 않으면서 수행하는 병행 프로세스이다.
	협력 프로세스	다른 프로세스에 영향을 주거나 다른 프로세스에서 영향을 받는 병행 프로세스이다.

2 프로세스의 상태 변화와 상태 정보

1. 프로세스의 상태 변화

아래의 그림은 프로세스의 상태를 나타낸다. 디스패치는 프로세스에게 프로세서(CPU)를 할당하는 것이고, 인터럽트는 입출력 등에서 인터럽트가 발생해서 CPU가 할당된 프로세스에게서 CPU를 회수하는 것이다.

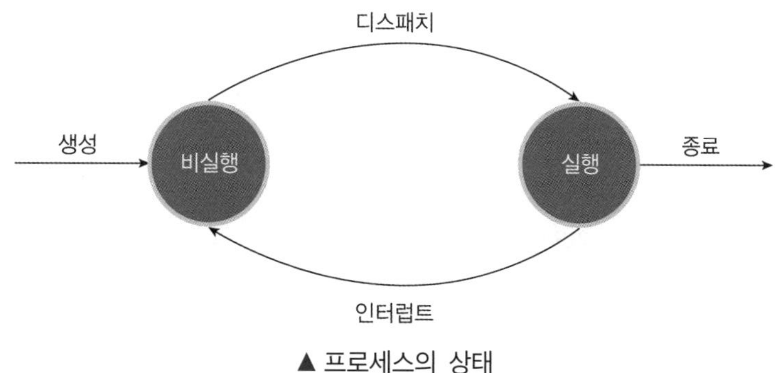

▲ 프로세스의 상태

프로세스의 상태 변화는 운영체제가 프로세서 스케줄러(scheduler) 이용하여 관리한다(이를 process scheduling이라고 부름). 작업 스케줄러는 스풀러(spooler)가 디스크에 저장한 작업 중 실행할 작업을 선정하고 준비 리스트(Queue)에 삽입하여 다중 프로그래밍(여러 프로세스를 동시에 주기억장치로 올림)의 정도를 결정한다. 프로세스 스케줄러는 선정한 작업의 상태를 변화시키며 프로세스의 생성에서 종료까지 과정을 수행한다. 아래의 그림은 프로세스의 상태 변화를 나타낸다.

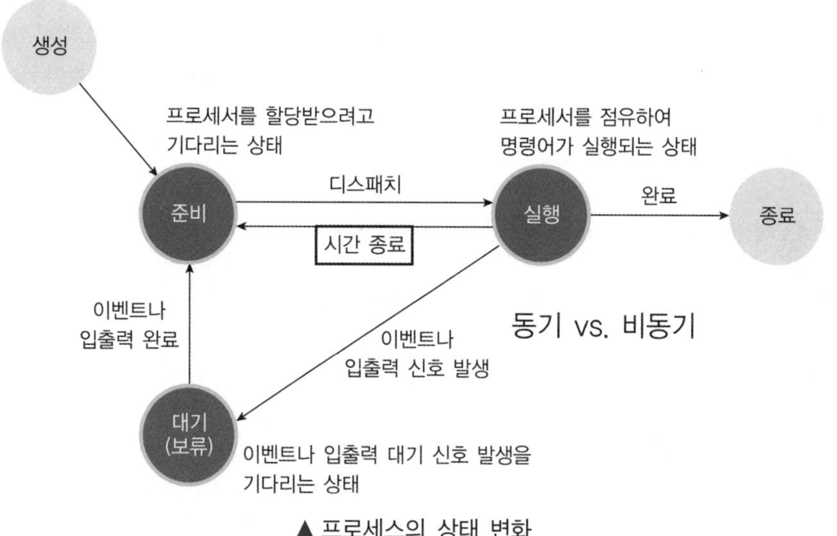

▲ 프로세스의 상태 변화

아래의 그림은 프로세스와 디스패처를 나타낸다. 디스패처가 P3 프로세스에 프로세서를 할당하는 예이다.

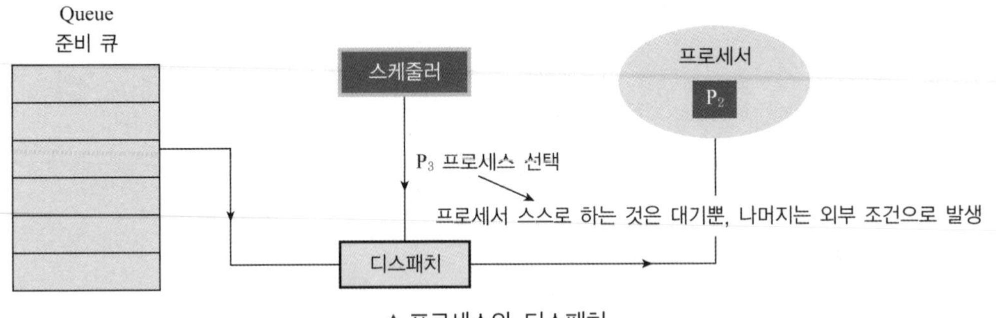

▲ 프로세스와 디스패처

아래의 표는 프로세스의 상태 변화를 정리한 것이다.

상태 변화	표기 방법
준비 → 실행	• dispatch(프로세스 이름) • 큐 맨 앞에 있던 프로세스가 프로세서를 점유하는 것
실행 → 준비	timeout(프로세스 이름)
실행 → 대기(보류)	• block(프로세스 이름) • 이벤트나 입출력 신호 발생
대기(보류) → 준비	wakeup(프로세스 이름)

2. 프로세스 제어 블록(PCB; Process Control Block)

운영체제가 프로세스 제어 시 필요한 프로세스 상태 정보 저장를 저장하는데 이를 PCB라고 한다. 특정 프로세스 정보를 저장하는 데이터 블록이나 레코드(작업 제어 블록, TCB; Task Control Block)를 의미한다. 프로세스가 생성되면 메모리에 프로세스 제어 블록을 생성하고, 프로세스가 실행을 종료하면 해당 프로세스 제어 블록도 삭제된다. 아래의 그림은 PCB를 나타낸다.

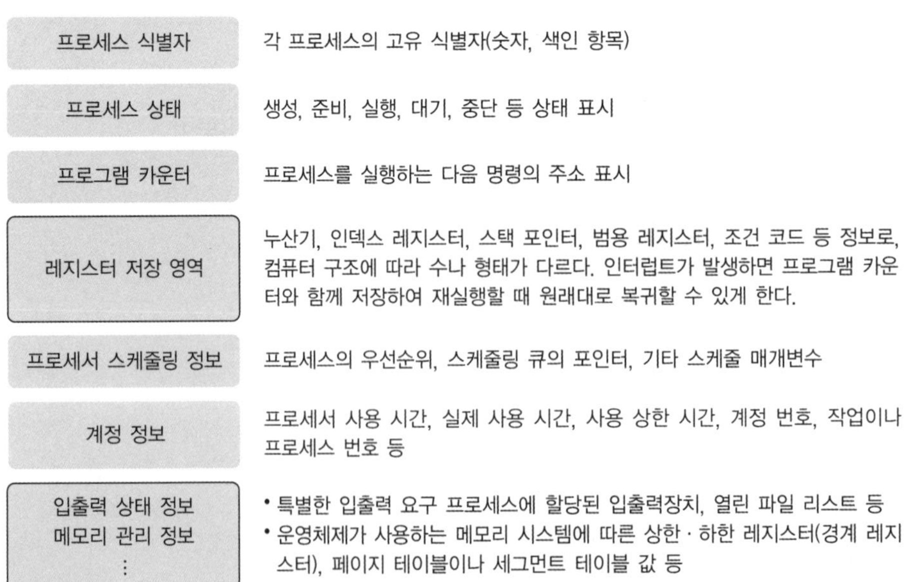

▲ 프로세스 제어 블록

운영체제에 따라 PCB에 포함되는 항목이 다를 수 있지만, 일반적으로는 다음과 같은 정보가 포함되어 있다.

- 프로세스 식별자(Process ID)
- 프로세스 상태(Process State): 생성(create), 준비(ready), 실행(running), 대기(waiting), 완료(terminated) 상태가 있다. 유예준비상태(suspended ready), 유예대기상태(suspended wait)는 스택이 아닌 disk에 저장된다(메모리 해제).
- 프로그램 계수기(Program Counter): 프로그램 계수기는 이 프로세스가 다음에 실행할 명령어의 주소를 가리킨다.
- CPU 레지스터 및 일반 레지스터
- CPU 스케줄링 정보: 우선 순위, 최종 실행시각, CPU 점유시간 등
- 메모리 관리 정보: 해당 프로세스의 주소 공간 등
- 프로세스 계정 정보: 페이지 테이블, 스케줄링 큐 포인터, 소유자, 부모 등
- 입출력 상태 정보: 프로세스에 할당된 입출력장치 목록, 열린 파일 목록 등

3. 프로세스의 문맥 교환(context switching)

문맥 교환은 실행 중인 프로세스의 제어를 다른 프로세스에 넘겨 실행 상태가 되도록 하는 것이다. 프로세스 문맥 교환이 일어나면 프로세서의 레지스터에 있던 내용을 저장한다. 아래의 그림은 프로세스의 문맥 교환 예를 나타낸다.

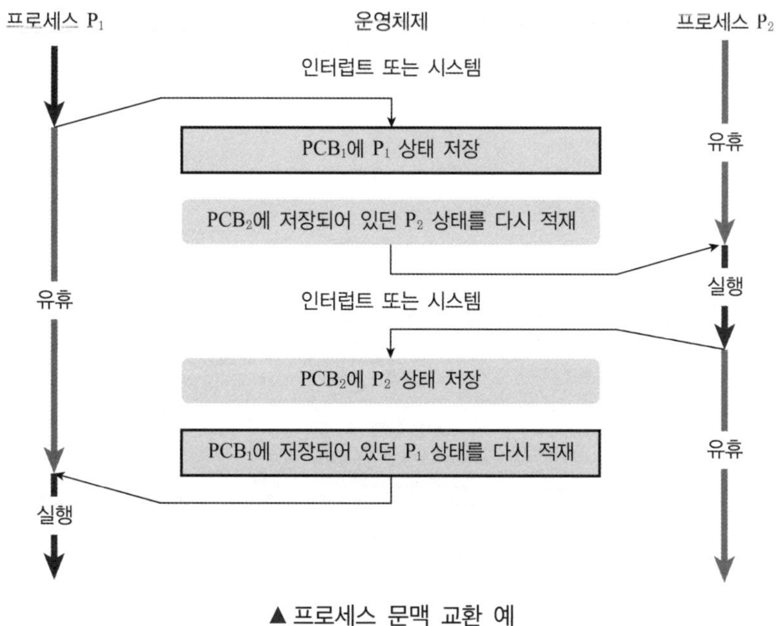

▲ 프로세스 문맥 교환 예

3 스레드의 개념

1. 스레드(thread)의 개념

스레드는 프로세스의 특성인 자원과 제어에서 제어(실행)만 분리한 실행 단위이다. 프로세스 하나는 스레드 한 개 이상으로 나눌 수 있다(멀티 스레드 또는 다중 스레드). 프로세스의 직접 실행 정보를 제외한 나머지 프로세스 관리 정보를 공유한다. 다른 프로시저를 호출하고, 다른 실행 기록(별도 스택 필요-복귀 주소 저장)을 가진다(제어 또는 실행만 분리). 관련 자원과 함께 메모리 공유가 가능하므로, 손상된 데이터나 스레드의 이상 동작을 고려해야 한다. 경량 프로세스(LWP, Light Weight Process)는 프로세스의 속성 중 일부가 들어 있는 것이고, 중량 프로세스(HWP, Heavy Weight Process)는 스레드 하나에 프로세스 하나인 전통적인 경우를 나타낸다. 같은 프로세스의 스레드들은 동일한 주소 공간을 공유한다.

스레드(thread)는 어떠한 프로그램 내에서, 특히 프로세스 내에서 실행되는 흐름의 단위를 말한다. 일반적으로 한 프로그램은 하나의 스레드를 가지고 있지만, 프로그램 환경에 따라 둘 이상의 스레드를 동시에 실행할 수 있다. 이러한 실행 방식을 멀티스레드(multithread)라고 한다. 스레드는 논리적 단위이고, 원자성(더이상 쪼갤 수 없음)을 가진다.

아래의 그림은 스레드의 구조를 나타낸다. 그림에서 알 수 있듯이, 코드, 전역 데이터, 힙은 공유하고 스레드 실행 환경 정보, 지역 데이터, 스택은 각 스레드가 개별로 가진다.

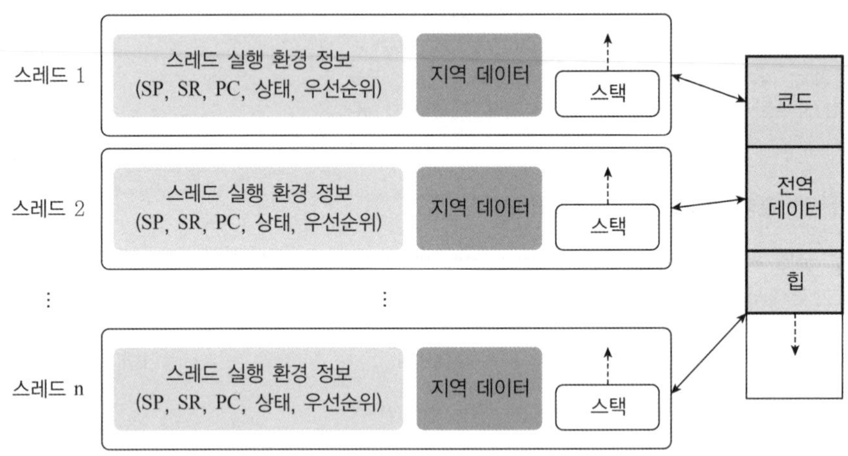

- SP(Stack Pointer): 스택 포인터
- SR(Sequence Register): 순서열 레지스터 명령의 진행 순서를 저장하는 레지스터(제어장치에서 사용)
- PC(Program Counter): 프로그램 카운터

▲ 스레드의 구조

아래의 그림은 스레드의 주소 공간을 나타낸다. 그림에서 알 수 있듯이, 힙, 데이터, 텍스트는 스레드들이 공유하고, 스택은 스레드들이 개별로 가진다.

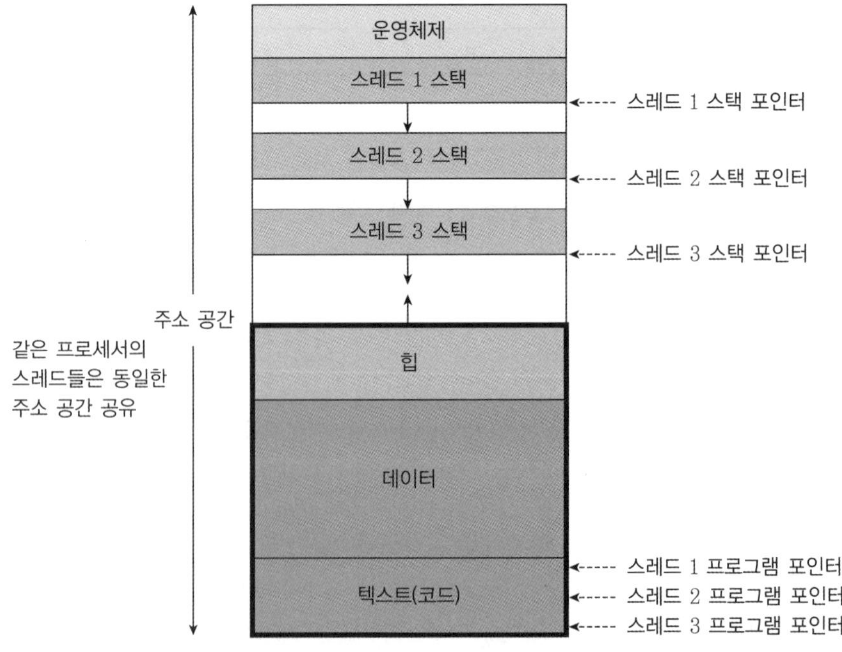

▲ 스레드의 주소 공간

2. 스레드 병렬 수행

프로세스 하나에 포함된 스레드들은 공동의 목적 달성을 위해 병렬로 수행된다. 스레드들은 서로 다른 프로세서에서 프로그램의 다른 부분을 동시에 실행할 수 있다(멀티 코어). 스레드 병렬로 수행하면 사용자 응답성이 증가하고, 프로세스의 자원과 메모리 공유가 가능하다. 그리고 경제성 좋고, 다중 처리(멀티 프로세싱)로 성능과 효율이 향상된다.

4 단일 스레드와 다중(멀티) 스레드

1. 스레드와 프로세스의 관계

다음 그림은 단일 스레드 프로세스와 다중 스레드 프로세스를 나타낸다. 예전 컴퓨터에서 사용한 구조는 단일 프로세스에 단일 스레드 구조이고, 현재 컴퓨터에서 사용하는 일반적인 구조는 다중 프로세스에 다중 스레드 구조이다.

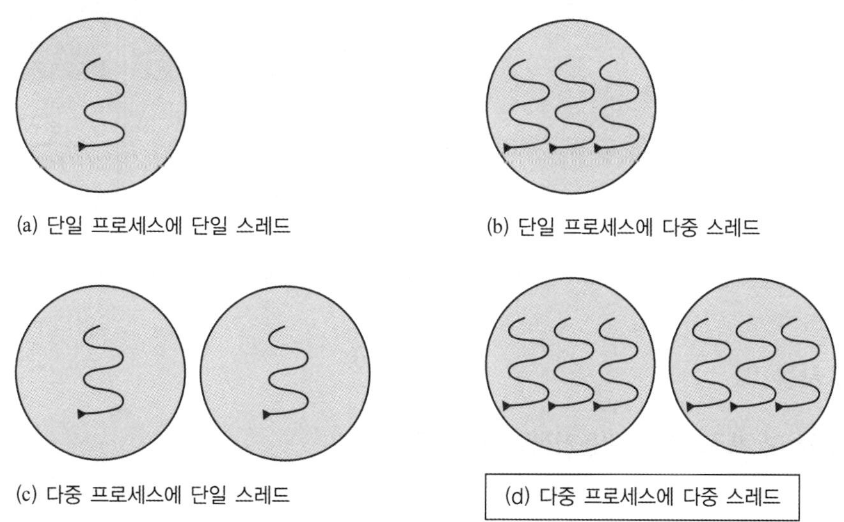

▲ 단일 스레드 프로세스와 다중 스레드 프로세스

단일 스레드는 스레드라는 용어가 탄생하기 전이라 개념이 불확실하고(도스), 다중 스레드는 프로그램 하나를 여러 실행 단위로 쪼개어 실행한다는 측면에서 다중 처리(다중 프로세싱)와 의미가 비슷하다(multi-thread).

2. 프로세스 관리 측면에서 단일 스레드와 다중 스레드

아래의 그림은 프로세스 관리 측면에서 살펴본 단일 스레드 프로세스와 다중 스레드 프로세스를 나타낸다. 스레드별로 실행 환경 정보가 따로 있지만 서로 많이 공유하므로, 프로세스보다 동일한 프로세스의 스레드에 프로세서를 할당하거나 스레드 간의 문맥 교환이 훨씬 경제적이다.

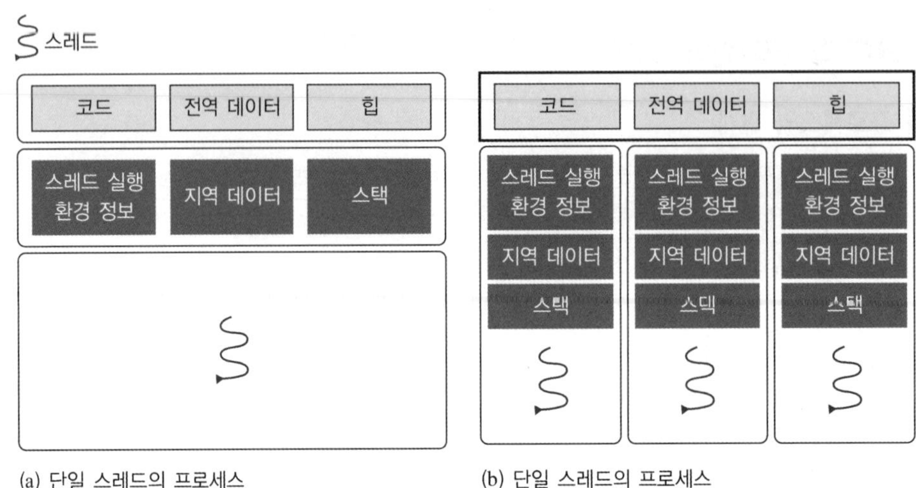

▲ 프로세스 관리 측면에서 살펴본 단일 스레드 프로세스와 다중 스레드 프로세스

5 스레드의 사용 예

1. 스레드를 이용하여 프로그램의 비동기적 요소를 구현한 예

아래의 그림은 다중 스레드를 이용한 워드 편집기 프로세스를 나타낸다. 각각의 작업은 다른 작업이 끝날 때까지 기다리지 않으므로 비동기적이라고 한다.

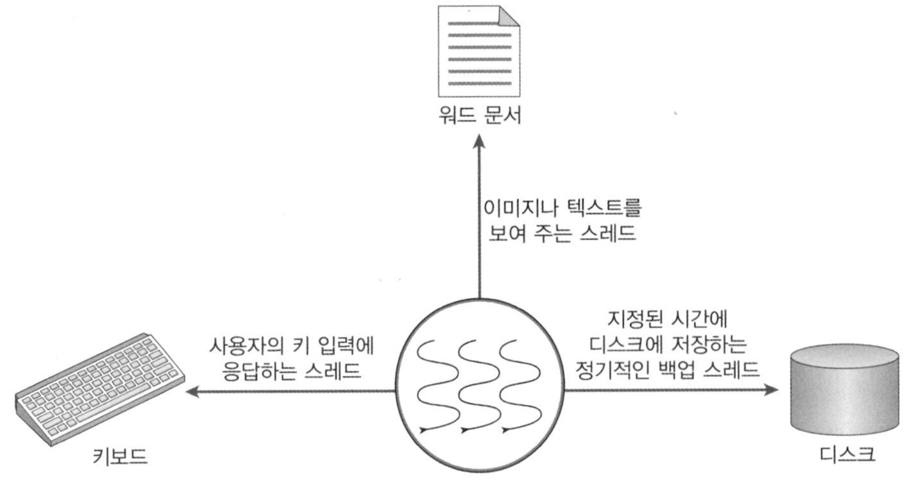

▲ 다중 스레드를 이용한 워드 편집기 프로세스

2. 다중 스레드 개념 적용 예

다음 그림은 다중 스레드(multi-thread)를 이용한 웹 브라우저 프로세스를 나타낸다.

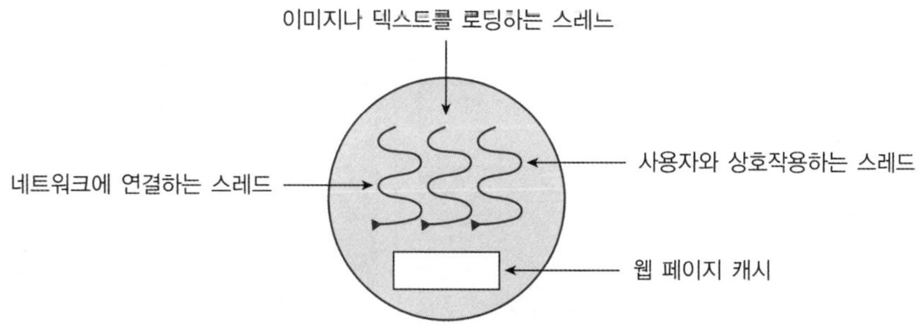

▲ 다중 스레드를 이용한 웹 브라우저 프로세스

6 스레드의 상태 변화

스레드는 프로세서를 함께 사용하고, 항상 하나만 실행된다. 한 프로세스에 있는 스레드는 순차적 실행되고, 해당 스레드의 정보를 저장한다(레지스터, 스택). 프로세스를 생성하면 해당 프로세스의 스레드도 함께 생성된다. 단, 스레드 생성에서는 운영체제가 부모 프로세스와 공유할 자원 초기화가 필요 없다(이미 프로세스에서 수행). 프로세스의 생성과 종료보다는 오버헤드가 훨씬 적다.

스레드 한 개가 대기 상태로 변환 시 전체 프로세스를 대기 상태로 변환하지 않는다. 실행 상태의 스레드가 대기 상태가 되면 다른 스레드 실행 가능하다(서로 독립적이지는 않음). 프로세스 하나에 있는 전체 스레드는 프로세스의 모든 주소에 접근 가능하여 스레드 한 개가 다른 스레드의 스택 읽기나 덮어 쓰기가 가능하다. 프로세스는 여러 사용자가 생성하여 서로 경쟁적으로 자원을 요구하고 서로 다른 관계를 유지해야 하지만, 스레드는 사용자 한 명이 여러 스레드로 개인 프로세스 하나를 소유한다.

7 스레드의 제어 블록(TCB: Thread Control Block)

TCB는 정보를 저장한다. 프로세스 제어 블록은 스레드 제어 블록의 리스트라고 할 수 있다. 스레드 간에 보호를 수행하지 않는다. TCB의 내용은 다음과 같다. 다음 그림은 스레드 제어 블록을 나타낸다.

- 실행 상태: 프로세서 레지스터, 프로그램 카운터, 스택 포인터
- 스케줄링 정보: 상태(실행, 준비, 대기), 우선순위, 프로세서 시간
- 계정 정보
- 스케줄링 큐(Queue)용 다양한 포인터(pointer)
- 프로세스 제어 블록(PCB)을 포함하는 포인터

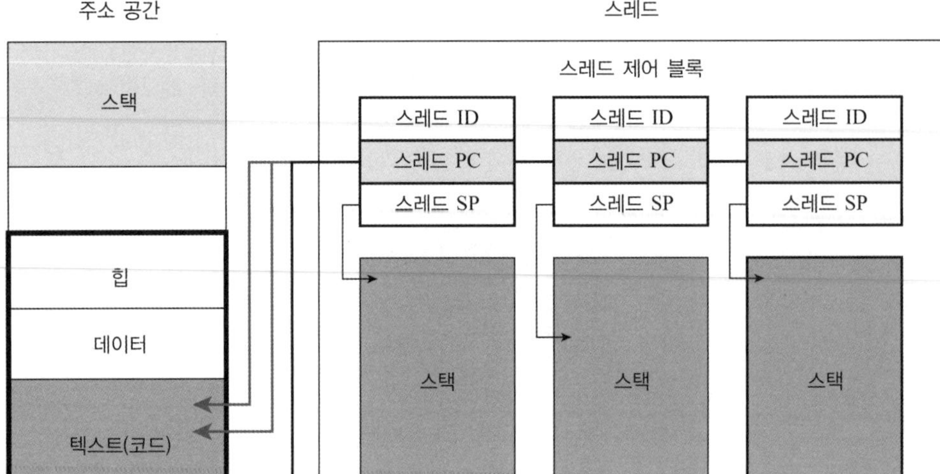

▲ 스레드 제어 블록

8 그 외(Pthread)

POSIX 스레드(POSIX Threads, PThread)는 병렬적으로 작동하는 소프트웨어의 작성을 위해서 제공되는 표준 API다. Pthread는 모든 유닉스 계열 POSIX 시스템에서, 일반적으로 이용되는 라이브러리이다. 유닉스 계열 운영체제라 하면 리눅스, 솔라리스 등이 포함된다. Unix 시스템과는 다른 길을 걷고 있는 Windows 역시 여러 가지 이유로 Pthread를 지원한다. 예를 들어 pthread-w32를 이용하면 윈도우상에서도 Pthread API의 subset 함수를 이용할 수 있다(Pthread에서 P는 항상 대문자로 쓰도록 약속되어 있다).

API

응용 프로그램에서 사용할 수 있도록, 운영체제나 프로그래밍 언어가 제공하는 기능을 제어할 수 있게 만든 인터페이스이다(함수).

주요개념 셀프체크

- 프로세스
- 메모리: 스택, 힙, 데이터, 코드
- 상태 변화: 실행 → 준비, 실행 → 대기
- PCB
- context switching
- 스레드

핵심 기출

1. 프로세스(process)와 스레드(thread)에 대한 설명으로 거리가 먼 것은? 2014년 서울시

① 프로세스는 운영체제에서 작업의 기본 단위이다.
② 프로세스는 비동기적인 행위를 일으키는 주체이다.
③ 프로세스는 현재 실행중인 프로그램이라고 정의할 수 있다.
④ 스레드는 프로세스에서 실행의 개념만을 분리한 것이다.
⑤ 하나의 스레드 내에는 여러 개의 프로세스가 존재할 수 있다.

해설

하나의 스레드에 여러 개의 프로세스: 하나의 프로세스에 여러 개의 스레드가 존재한다.

선지분석

① 프로세스(작업의 기본 단위): 프로세스는 작업의 기본 단위이고, 스레드는 논리적인 최소 단위이다(원자성 - 더 이상 나눌 수 없음).
② 비동기적: 프로세스는 어떤 작업을 요청했을 때 그 작업이 종료될 때까지 기다린 후에 다음(다른) 작업을 수행하는 방식(동기적)이 아니라 어떤 작업을 요청했을 때 그 작업이 종료될 때까지 기다리지 않고 다른 작업을 하고 있다가 요청했던 작업이 종료되면 그에 대한 추가 작업을 수행하는 방식이다.
③ 실행중인 프로그램: 프로그램이 보조기억장치에 있지만 이를 프로세스라고 하지 않는다. 왜냐하면 실행중이 아니기 때문이다. 보조기억장치에 있는 프로그램이 주기억장치로 올라와 실행중일 때 비로소 프로세스라고 한다.
④ 스레드는 프로세스에서 자원을 공유하고 실행(제어)을 분리한 개념이다.

정답 ⑤

2. 함수 수행을 위한 정보가 저장되는 프로세스 메모리 영역은? 2017년 국가직

① 데이터(data) 영역
② 힙(heap) 영역
③ 스택(stack) 영역
④ 텍스트(text) 영역

해설

프로그램이 자동으로 사용하는 임시 메모리 영역이다. 지역(local) 변수, 매개변수(parameter), 리턴 값 등 잠시 사용되었다가 사라지는 데이터를 저장하는 영역이다. 함수 호출 시 생성되고, 함수가 끝나면 시스템에 반환된다.

선지분석

① 전역변수, 정적변수 등이 저장된다. 프로그램이 실행 될 때 생성되고 프로그램이 종료 되면 시스템에 반환 된다.
② 동적으로 메모리를 할당할 때 사용한다. 이 영역에 데이터를 저장하기 위해서 C는 malloc(), C++와 Java는 new를 사용한다.
④ 코드 자체를 구성하는 메모리 영역으로 실행(이진) 파일을 저장된 메모리이다.

정답 ③

3. 프로세스의 상태 변이에 대한 설명으로 옳지 않은 것은? 2018년 국회직

① 시간 할당량(time slice)을 사용하는 일반적 우선순위 기반 스케줄링에서 실행(running) 상태 프로세스의 시간 할당량이 모두 소진되었을 때, 우선순위가 높은 다른 준비 상태의 프로세스가 있다면 실행 중이던 프로세스는 커널(kernel)에 의해 스케줄링되기를 기다리는 준비(ready) 상태로 전이된다.
② 실행 상태의 프로세스가 동기식 입출력 요청을 하면, 일반적으로 해당 프로세스는 입출력이 완료될 때까지 CPU를 반납하고 대기 (blocked 또는 waiting) 상태로 전이된다.
③ 대기 상태의 프로세스가 요청하였던 입출력이 완료되면, 해당 프로세스는 CPU 연산이 가능해지므로 바로 실행 상태로 전이된다.
④ 다중 처리기 시스템(multi-processor system)에서는 실행 상태의 프로세스가 여러 개 있을 수 있다.
⑤ 대기 상태의 프로세스들은 CPU 할당을 위한 스케줄링에서 제외된다.

해설

입출력이 완료되면 실행 상태가 아닌 준비 상태로 간다.

선지분석

프로세스의 상태 변이를 그림으로 나타내면 다음과 같다.

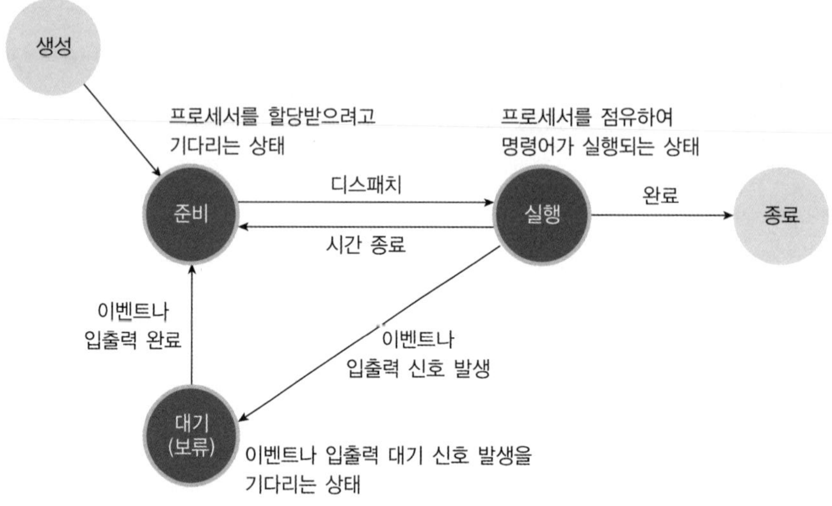

① 우선순위 스케줄링에서 자신에게 주어진 시간이 끝나면, 준비 상태로 간다.

② 실행 상태에서 동기식 입출력 요청을 하면 대기 상태가 되지만, 비동기식 입출력 요청을 하면 대기 상태가 아닌 실행 상태를 유지한다(디스크 입출력).

④ 다중 처리기는 CPU가 여러 개이기 때문에 여러 개의 프로세스를 동시에 실행할 수 있다.

⑤ 대기 상태의 프로세스들은 스케줄링에서 제외되고, 준비 상태의 프로세스들을 중심으로 스케줄링이 수행된다.

정답 ③

CHAPTER 03

프로세스 관리

1 프로세스의 구조

프로세스는 실행 중 프로세스 생성을 위해 시스템 호출(system call)을 이용하여 새로운 프로세스를 생성한다. 프로세스 생성 순서를 저장하고, 부모-자식 관계를 유지하여 계층적으로 생성한다. 생성하는 프로세스는 부모 프로세스(parent process), 생성되는 프로세스는 자식 프로세스(child process) 또는 서브 프로세스(sub process)라고 한다. 부모 프로세스는 자식 프로세스를 생성하는 과정을 반복하면서 계층적인 구조를 형성한다.

개념 PLUS+

System call
운영체제의 커널이 제공하는 서비스에 대해, 응용 프로그램의 요청에 따라 커널에 접근하기 위한 인터페이스이다.

아래의 그림은 유닉스 시스템의 프로세스 계층 구조의 예를 나타낸다. 인간과 마찬가지로, 프로세스도 부모-자식-손자의 관계를 가진다.

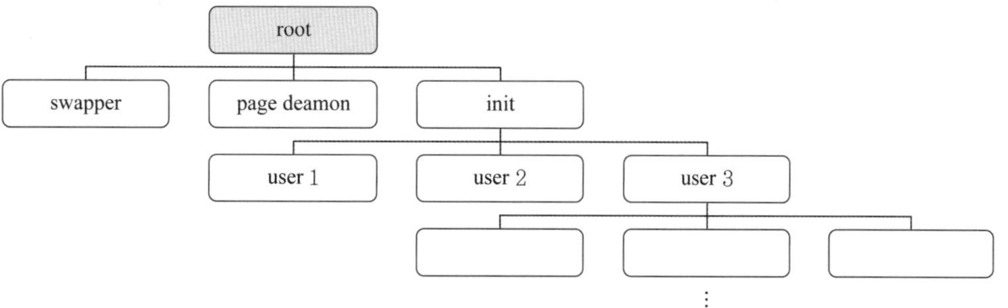

▲ 유닉스 시스템의 프로세스 계층 구조 예

2 프로세스의 생성

1. 프로세스의 생성 시기

일괄처리 환경에서는 작업이 도착할 때 프로세스가 생성되고, 대화형 환경에서는 새로운 사용자가 로그온(log-on)할 때 프로세스가 생성된다.

2. 프로세스 생성 시 필요한 세부 작업 순서

- 첫째: 새로운 프로세스에 프로세스 식별자를 할당한다.
- 둘째: 프로세스의 모든 구성 요소를 포함할 수 있는 주소 공간과 프로세스 제어 블록(PCB) 공간을 할당한다.
- 셋째: 프로세스 제어 블록(PCB)을 초기화한다(프로세스 상태, 프로그램 카운터 등 초기화, 자원 요청, 프로세스 제어 정보(우선순위) 등을 포함).
- 넷째: 링크를 수행한다(해당 큐에 삽입).

3. 프로세스가 새로운 프로세스 생성 시 다음 두 가지 실행 발생

부모 프로세스와 자식 프로세스 동시에 실행되고(fork 명령어), 부모 프로세스는 자식 프로세스가 모두 종료할 때까지 대기한다(wait 명령어).

3 프로세스의 종료

프로세스가 마지막 명령을 실행하고 종료하여 운영체제에 프로세스의 삭제를 요청한다. 일괄 처리 환경에서는 작업 종료 의미의 신호로 인터럽트가 발생하거나 시스템 호출로 중단을 명령한다. 대화형 환경에서는 사용자가 로그오프(log-off)하거나 터미널을 닫는다. abort 명령어는 프로세스 종료를 나타낸다.

부모 프로세스의 자식 프로세스를 종료하는 경우는 다음과 같다.

- 보통 부모 프로세스 종료하면 운영체제가 자식 프로세스도 종료한다(연속 종료).
- 자식 프로세스가 할당된 자원을 초과하여 자원을 사용할 때 종료한다(자원 관리).
- 자식 프로세스에 할당한 작업이 더는 없을 때 종료한다.

exit 명령어는 유닉스에서 프로세스를 종료하고, wait 명령어는 부모 프로세스가 자식 프로세스의 종료를 기다린다. 프로세스의 종료 이유는 다음과 같다.

- 정상 종료: 프로세스가 운영체제의 서비스를 호출하여 종료한다.
- 시간 초과: 프로세스가 명시된 전체 시간을 초과하여 실행하거나 명시된 시간을 초과하면서 어떤 이벤트 발생을 기다릴 때 종료한다(time slice, time quantum).
- 실패: 파일 검색 실패, 입출력이 명시된 횟수를 초과하여 실패할 때 종료한다.
- 산술 오류, 보호 오류, 데이터 오류 등으로 종료한다.
- 메모리 부족, 액세스 위반 등으로 종료한다.

4 프로세스의 제거

프로세스의 제거는 프로세스를 파괴하는 것이다. 사용하던 자원을 시스템에 돌려주고, 해당 프로세스는 시스템 리스트나 테이블에서 사라져 프로세스 제어 블록(PCB)을 회수한다. 프로그램은 여전히 디스크(보조기억장치)에 저장되고, 자식 프로세스는 부모 프로세스를 제거하면 자동 제거된다(연속 종료).

5 프로세스의 중단과 재시작

1. 프로세스의 중단

시스템의 유휴시간 문제를 프로세스 중단(일시정지) 상태를 이용하여 해결한다. 운영체제는 새로운 프로세스를 생성하여 실행하거나 실행 중인 프로세스를 중단했다가 다시 실행하여 사용 가능하다. 후자의 방법을 이용하면 시스템 전체의 부하를 증가시키지 않고 프로세스에 서비스를 제공할 수 있다. 실행에서 대기가 아닌 중단 상태를 추가하면 특정 이벤트의 발생을 기다리면서 대기 상태가 되어 해당 이벤트가 발생할 때 즉시 실행 상태로 바꿀 수 있는 이점이 있다.

다중 프로그래밍에서 중단은 프로세스 입출력 요구 외에 다른 원인으로 프로세스가 실행을 중단한 상태를 나타낸다[자원 부족(대기) 상태]. 단일 처리 시스템은 해당 프로세스 스스로 중단하고, 다중 처리 시스템은 다른 프로세서가 실행 중인 프로세스를 중단한다.

2. 프로세스의 재시작

중단된 프로세스는 다른 프로세서가 재 시작하기 전에는 실행이 불가하다. 장시간 중단 시 해당 프로세스에 할당된 자원을 반환하고 자원의 성질에 따라 반환 자원을 결정한다. 메인 메모리는 프로세서 중단 즉시 반환하고, 보조 메모리는 중단 시간 예측할 수 없거나 너무 길 때 반환한다. 중단한 프로세스는 중단한 지점부터 다시 시작한다. 아래의 그림은 중단과 재시작을 추가한 프로세스의 상태 변화를 나타낸다.

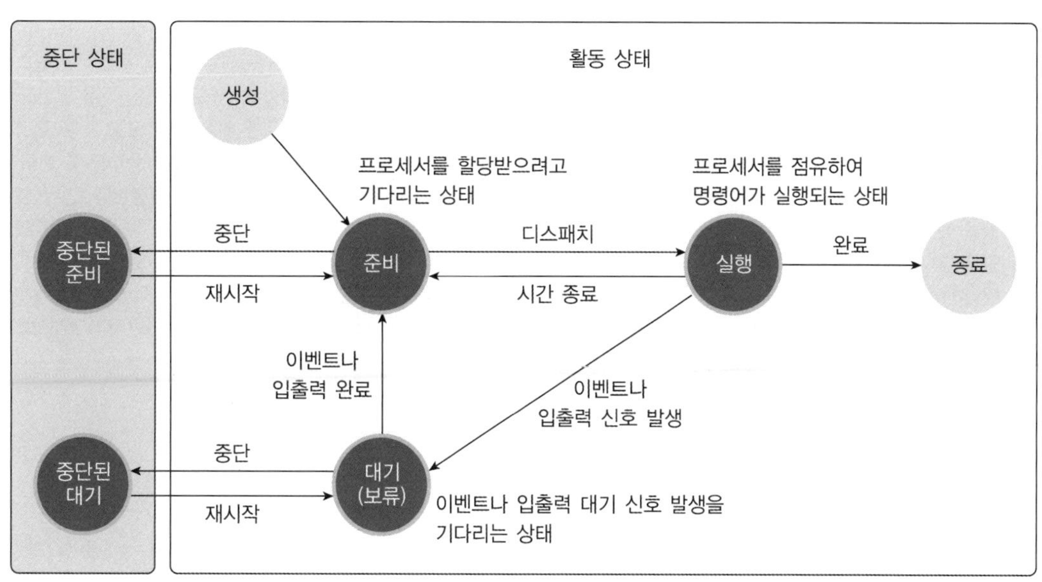

▲ 중단과 재시작을 추가한 프로세스의 상태 변화

6 프로세스의 우선 순위(프로세스 스케줄러)

프로세스 제어 블록의 우선순위를 이용하여 준비 리스트의 프로세스를 처리한다(Queue). 준비 리스트의 프로세스는 프로세서 중심 프로세스와 입출력 중심 프로세스로 구분한다. 입출력 중심 프로세스는 속도가 느리면서 빠른 응답을 요구하는 단말기 입출력 프로세스에 높은 우선순위를 부여하고, 속도가 빠른 디스크 입출력 프로세스에는 낮은 우선순위를 부여한다. 우선순위가 낮은 프로세스에는 시간을 많이 할당하고, 우선순위가 높은 프로세스에는 적게 할당한다(공정성). 입출력 중심 프로세스(높은 우선순위)는 프로세서를 짧게 자주 사용하도록 하고, 프로세서 중심 프로세스(낮은 우선순위)는 프로세서를 길게 사용하되 사용 횟수를 줄여 균형을 유지한다.

7 프로세스의 문맥 교환

1. 프로세스의 문맥 교환 발생

실행 중인 프로세스에 인터럽트가 발생하면 운영체제가 다른 프로세스를 실행 상태로 바꾸고 제어를 넘겨주어 프로세스 문맥 교환이 발생한다. 인터럽트 발생은 현재 실행하는 프로세스와 별도로 외부에서 이벤트(예 입출력 동작의 종료) 발생 시 나타난다(동기 vs. 비동기). 인터럽트 유형에 따라 루틴 분기를 수행하는데, 입출력 인터럽트는 입출력 동작이 발생했음을 확인하고, 이벤트를 기다리는 프로세스를 준비 상태로 바꾼 후 실행할 프로세스 결정한다. 반면, 클록 인터럽트는 실행 중인 프로세스의 할당 시간을 조사하고, 준비 상태로 바꾼 후 다른 프로세스를 실행 상태로 전환한다. 인터럽트는 인터럽트 처리 루틴(ISR)을 실행한 후 현재 실행 중인 프로세스를 재실행할 수 있으므로 인터럽트가 곧 프로세스 문맥 교환으로 발전하지는 않는다.

대개 이전 프로세스의 상태 레지스터 내용을 보관하고 다른 프로세스의 레지스터 적재하여 프로세스를 교환하는데, 이런 일련의 과정을 문맥 교환(context switching)이라고 한다. 문맥 교환에서는 오버헤드가 발생하는데, 이는 메모리 속도, 레지스터 수, 특수 명령어의 유무에 따라 다르다. 그리고 문맥 교환은 프로세스가 '준비 → 실행' 상태로 바뀌거나 '실행 → 준비' 또는 '실행 → 대기' 상태로 바뀔 때 발생한다.

개념 PLUS+

인터럽트

마이크로프로세서에서 인터럽트(interrupt)란 마이크로프로세서(CPU)가 프로그램을 실행하고 있을 때, 입출력 하드웨어 등의 장치나 또는 예외상황이 발생하여 처리가 필요할 경우에 마이크로프로세서(CPU)에게 알려 처리할 수 있도록 하는 것을 말한다. 마이크로프로세서는 인터럽트를 감지하면 지금 실행중인 기계어 코드를 중단하고 해당 인터럽트를 위한 처리 프로그램으로 점프하여 해당 일을 수행 한다. 인터럽트 처리를 위한 루틴을 인터럽트 서비스 루틴(ISR; Interrupt Service Routine)이라고 한다. 인터럽트는 주로 하드웨어적으로 CPU 코어(CPU-core)에 입력되고, 현재 진행중인 기계어 코드가 종료되면 실행한다. 인터럽트가 접수 되었을 때, 인터럽트를 처리할 것인가는 CPU 코어의 특수 레지스터에 비트 마스크를 통해 선택적으로 수용한다. 인터럽트가 걸리면 해당 서비스 루틴이 실행되어야 하는데, 현재 진행중인 프로그램이 영향을 받으면 안되므로 우선 ISR에서 레지스터를 스택에 대피하고 해당일을 수행한다. 레지스터 대피는 ISR에서 행하도록 기계어 코드를 구성해야 한다. C로 작성할 경우 일반함수와 차이를 두어 컴파일마다 정의하는 방식이 제공된다. 인터럽트가 발생하면 현재의 PC(복귀 주소)와 PSW[C(캐리)S(부호)Z(제로)V(오버플로우) 정보]를 스택에 저장한다.

2. 문맥 교환(context switching)

문맥 교환은 이전 프로세스의 상태 레지스터 내용을 보관하고 다른 프로세스의 레지스터를 적재하여 프로세스를 교환하는 일련의 과정을 의미한다. 문맥 교환 오버헤드가 발생하는데, 이는 메모리 속도, 레지스터 수, 특수 명령어의 유무에 따라 다르다. 오버헤드는 시간 비용이 소요되어 운영체제 설계 시 불필요한 문맥 교환 감소가 주요 목표가 된다. 레지스터 문맥 교환, 작업 문맥 교환, 스레드 문맥 교환, 프로세스 문맥 교환 등이 가능하다. 아래의 그림은 문맥 교환의 예를 나타낸다.

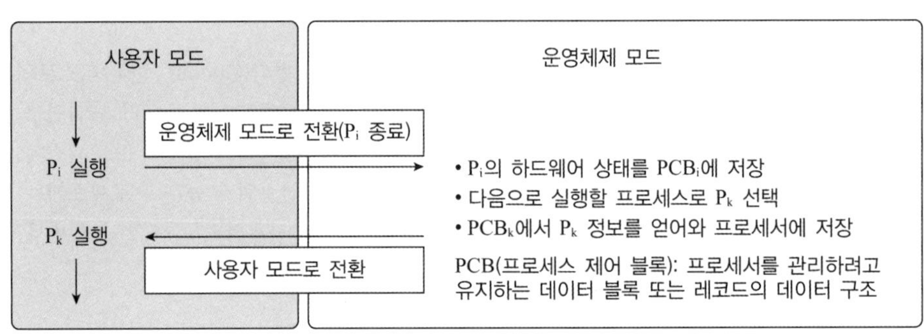

▲ 문맥 교환 예

주요개념 셀프체크

- system call
- 생성: PID → PCB → 초기화 → 큐
- fork, wait, exit
- 중단
- interrupt

핵심 기출

운영체제가 프로세스(process)를 생성하는 과정을 순서대로 바르게 나열한 것은? 2017년 국가직

ㄱ. 새로운 프로세스를 위한 프로세스 식별자를 할당한다.
ㄴ. 새로운 프로세스를 스케줄링 큐의 준비 또는 준비/보류 리스트에 연결한다.
ㄷ. 새로운 프로세스를 위한 주소 공간과 프로세스 제어블록(process control block)을 할당한다.
ㄹ. 새로운 프로세스의 프로세스 제어 블록을 초기화 한다.

① ㄱ → ㄴ → ㄷ → ㄹ
② ㄱ → ㄷ → ㄹ → ㄴ
③ ㄷ → ㄹ → ㄱ → ㄴ
④ ㄷ → ㄹ → ㄴ → ㄱ

해설

프로세스 생성 시 필요한 세부 작업 순서는 다음과 같다.
ㄱ. 새로운 프로세스에 프로세스 식별자를 할당한다.
ㄷ. 프로세스의 모든 구성 요소를 포함할 수 있는 주소 공간과 프로세스 제어 블록 공간을 할당한다.
ㄹ. 프로세스 제어 블록을 초기화한다[프로세스 상태, 프로그램 카운터, 자원 요청, 프로세스 제어 정보(우선순위) 등의 초기화를 포함].
ㄴ. 링크를 수행한다(해당 큐에 삽입).

정답 ②

CHAPTER 04 교착 상태(Deadlock)

1 교착 상태의 개념

1. 교착 상태(deadlock)

교착 상태란 다중 프로그래밍 시스템에서, 프로세스가 결코 일어나지 않을 사건(event)을 기다리는 상태를 나타낸다. 프로세스가 교착 상태에 빠지면, 작업이 정지되어 명령 진행이 불가하다. 운영체제가 교착 상태를 해결하지 못하면, 시스템 운영자나 사용자는 작업을 교체/종료하는 외부 간섭으로 해결해야 한다.

교착 상태는 하나 이상의 작업에 영향을 주어 무한 대기하게 되고, 기아 상태보다 더 심각한 문제를 야기한다(기아 상태는 자기 자신만 문제). 교착 상태는 두 프로세스가 사용하는 자원을(비공유), 서로 기다리고 있을 때 발생한다. 자원 해제 요청이 받아들여질 때까지, 프로세스들은 작업 진행이 불가하다. 또한 자원 해제 수신 때까지, 현재 보유 자원도 해제가 불가하다. 아래의 그림은 교착 상태의 예를 나타낸다.

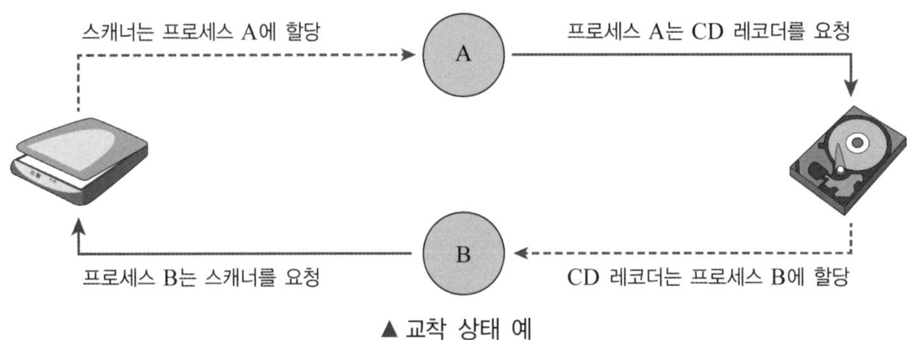

▲ 교착 상태 예

2. 일상 생활에서 교착 상태

아래의 그림은 일상 생활에서 교착 상태의 예를 나타낸다. 교착 상태를 해결하기 위해 외부 간섭이 필요함을 알 수 있다.

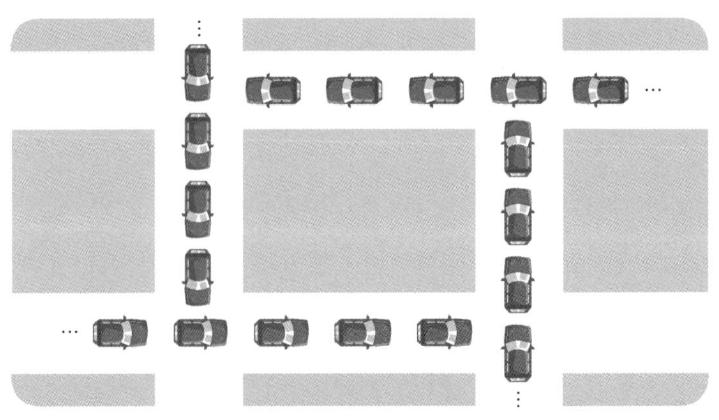

▲ 교착 상태 예(교통마비 상태)

3. 프로세스의 자원 사용 순서

(1) 자원 요청

프로세스가 필요한 자원을 요청한다. 해당 자원 다른 프로세스가 사용 중이면 요청을 수락할 때까지 대기한다(대기에서 교착 상태 발생).

(2) 자원 사용

프로세스가 요청한 자원을 획득하여 사용한다.

(3) 자원 해제

프로세스가 자원 사용을 마친 후 해당 자원을 되돌려 준다(해제).

2 교착 상태의 예

컴퓨터 시스템에서 교착 상태는 스풀링, 디스크, 네트워크 등에서 발생한다. 스풀링 시스템은 쉽게 교착 상태에 빠진다. 디스크에 할당된 스풀 공간의 출력을 완료하지 않은 상태에서, 다른 작업이 스풀 공간을 모두 차지하면 교착 상태가 발생한다. 스풀링 처리부에 공간이 넉넉하면 교착 상태 발생률은 감소하나 비용이 많이 든다. 이때는 스풀링 파일의 일정 포화 임계치(saturation threshold)를 설정하여, 교착 상태 예방이 가능하다.

디스크 사용에 제어가 없으면, 프로세서(CPU)들이 서로 충돌하는 명령을 요청할 때 교착 상태가 발생한다. 아래의 그림은 디스크 제어기가 프로세서와 독립적으로 작동할 때 발생하는 교착 상태를 나타낸다.

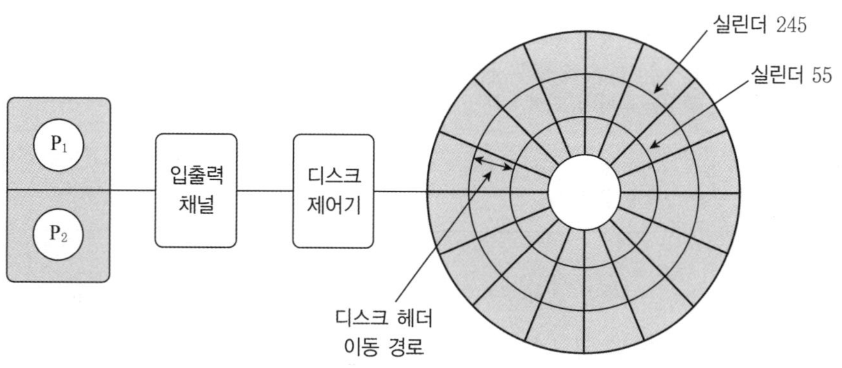

▲ 디스크에서 발생하는 교착 상태

네트워크가 붐비거나 입출력(I/O) 버퍼 공간이 부족한 네트워크 시스템에, 메시지 흐름을 제어하는 적절한 프로토콜 없으면, 교착 상태가 발생한다. 다음 그림은 네트워크에서 발생하는 교착 상태를 나타낸다.

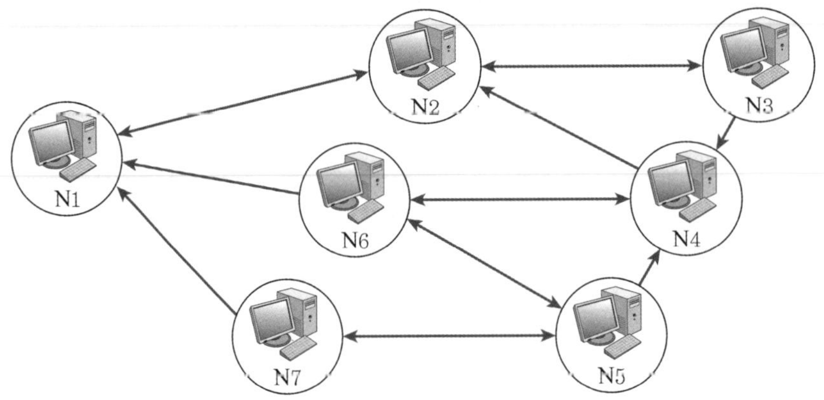

▲ 네트워크에서 발생하는 교착 상태

3 교착 상태의 발생 조건

1. 교착 상태 발생의 네 가지 조건

교착 상태 발생의 네 가지 조건은 다음과 같다. 시험 문제에 자주 출제되므로 무조건 숙지하여야 한다.

- 첫째: 상호배제는 자원을 최소 하나 이상 비공유한다. 즉, 한 번에 프로세스 하나만 해당 자원 사용할 수 있어야 한다. 사용 중인 자원을 다른 프로세스가 사용하려면, 요청한 자원이 해제될 때 까지 대기하여야 한다.
- 둘째: 점유와 대기는 자원을 최소한 하나 정도 보유하고, 다른 프로세스에 할당된 자원 얻으려고 대기하는 프로세스가 있어야 한다.
- 셋째: 비선점(독점)은 자원 선점 불가이다. 즉, 자원은 강제로 빼앗을 수 없고, 자원 점유하고 있는 프로세스가 끝나야 해제된다.
- 넷째: 순환(환형) 대기는 다음 그림과 같다.

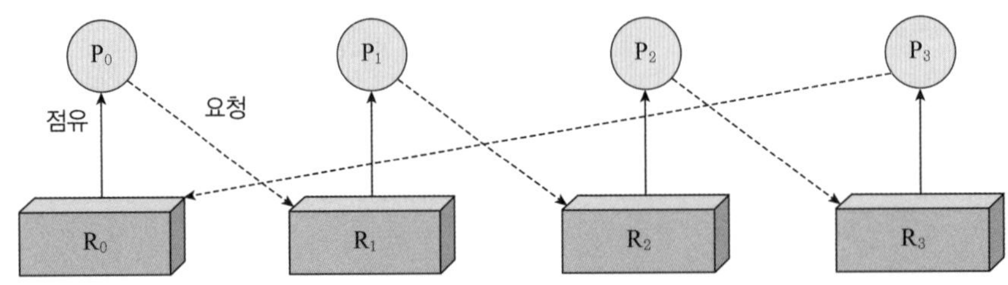

▲ 순환 대기의 교착 상태

첫째, 둘째, 셋째만 만족해도 교착 상태가 발생이 가능하거나, 발생하지 않을 수도 있다. 넷째는 첫째, 둘째, 셋째 조건을 만족할 때 발생 할 수 있는 결과이다. 즉, 점유와 대기 조건을 포함하므로 네 가지 조건이 모두 독립적인 것은 아니다.

2. 교착 상태의 예

아래의 그림은 강 건너기 예로 살펴본 교착 상태를 나타낸다. 실제 시험에서는 상호 교차된 기찻길이 출제되었다.

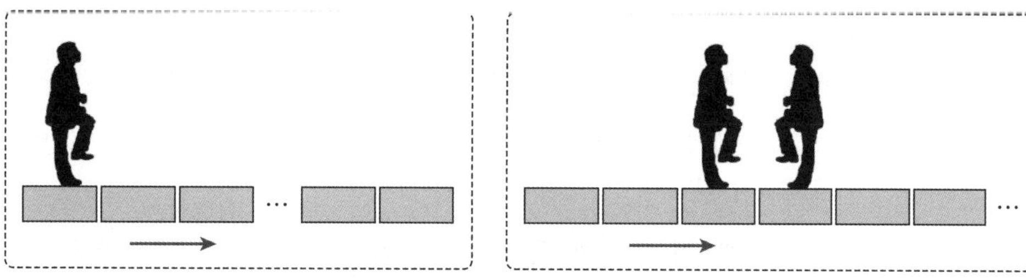

▲ 강 건너기 예로 살펴본 교착 상태

강 건너기 예에 교착 상태 발생 조건을 대입하면 다음과 같이 정리할 수 있다.

- 상호배제: 돌 하나를 한 사람만 디딜 수 있다.
- 점유와 대기: 각 사람은 돌 하나를 딛고 다음 돌을 요구한다.
- 비선점: 사람이 딛고 있는 돌을 강제로 제거할 수 없다.
- 순환 대기: 왼쪽에서 오는 사람은 오른쪽에서 오는 사람 기다리고, 오른쪽에서 오는 사람도 왼쪽에서 오는 사람 기다린다.

교착 상태를 해결하는 방법은 다음과 같다.

- 둘 중 한 사람이 되돌아간다(탐지, 회복).
- 징검다리 반대편을 먼저 확인하고 출발한다(회피).
- 강의 한편에 우선순위를 부여한다(예방).

4 교착 상태의 해결 방법

교착 상태 해결 방법 세 가지를 정리하면 다음과 같다. 시험에 자주 출제되므로 무조건 숙지하는 것이 좋다.

- 예방(prevention): 점유와 대기 조건 방지, 비선점 조건 방지, 순환(환형) 대기 조건 방지를 수행한다.
- 회피(avoidance): 프로세스의 시작을 중단하고, 자원 할당을 거부한다(은행가 알고리즘).
- 탐지(detection), 회복(recovery): 탐지 알고리즘과 회복 알고리즘을 수행한다(프로세스 중단, 자원 선점).
- 무시(ignorance)도 존재한다.

1. 교착 상태 예방

하벤더(Havender)의 교착 상태 예방 방법은 다음과 같다.

- 첫째: 각 프로세스는 필요한 자원을 한 번에 모두 요청해야 하며, 요청한 자원을 모두 제공받기 전까지는 작업 진행이 불가하다(점유와 대기 조건 방지).
- 둘째: 어떤 자원을 점유하고 있는 프로세스의 요청을 더 이상 허용하지 않으면, 점유한 자원을 모두 반납하고, 필요할 때 다시 자원을 요청한다(비선점 조건 방지).
- 셋째: 모든 프로세스에 자원을 순서대로 할당한다[순환(환형) 대기 조건 방지].

보통 교착 상태 예방 방법은 다음과 같이 생각할 수 있다.

- 첫째: 자원의 상호배제 조건을 방지한다.
- 둘째: 점유와 대기 조건을 방지한다.
- 셋째: 비선점 조건을 방지한다.
- 넷째: 순환(환형) 대기 조건을 방지한다.

상호배제는 자원의 비공유가 전제되어야 한다. 일반적으로 상호배제 조건을 만족하지 않으면, 교착 상태 예방이 불가능하다. 즉, 상호배제가 아닌 공유가 되면 더 큰 문제가 발생한다.

점유와 대기(hold and wait) 조건이 발생하지 않으려면, 프로세스가 작업 수행 전에 필요한 자원을 모두 요청하고 획득해야 한다. 점유와 대기 조건 방지 방법은 자원 할당 시 시스템 호출에 프로세스 하나를 실행하는 데 필요한 모든 자원을 먼저 할당하고, 실행 후 다른 시스템 호출에 자원을 할당한다. 프로세스가 자원을 전혀 갖고 있지 않을 때만, 자원 요청할 수 있도록 허용하는 것이다. 프로세스가 자원을 더 요청하려면, 자신에게 할당된 자원을 모두 해제해야 한다. 점유와 대기 조건 방지 방법의 단점은 자원 효율성이 너무 낮고, 기아 상태 발생이 가능하다는 점이다(대화식 시스템에서 사용 불가).

비선점 조건 방지(non-preemption)는 이미 할당된 자원에 선점권이 없어야 한다는 전제 조건이 필요하다. 비선점 조건 방지 방법을 정리하면 다음과 같다.

- 첫째: 어떤 자원을 가진 프로세스가 다른 자원을 요청할 때 요청한 자원을 즉시 할당 받을 수 없어 대기해야 한다면, 프로세스는 현재 가진 자원을 모두 해제한다.
- 둘째: 프로세스가 어떤 자원을 요청할 때 요청한 자원이 사용 가능한지 검사하고, 사용할 수 있다면 자원을 할당한다. 요청한 자원을 대기 프로세스가 점유하고 있다면, 대기 프로세스의 자원을 해제하고 요청 프로세스에 할당한다.
- 셋째: 두 프로세스에 우선순위를 부여하고, 높은 우선순위의 프로세스가 그보다 낮은 우선 순위의 프로세스가 점유한 자원을 선점하여 해결한다.

순환(환형) 대기 조건 방지는 모든 자원에 일련의 순서로 부여하고, 각 프로세스가 오름차순으로만 자원을 요청할 수 있게 한다(또는 내림차순). 자원 집합을 R= {R1, R2, ……, Rn}이라고 하자. 각 자원에 고유 숫자를 부여하여 어느 자원의 순서가 빠른지 알 수 있게 한다. 이것은 1 : 1 함수 F : R → N으로 정의한다(여기서 N은 자연수 집합을 의미). 자원 R의 집합이 CD 드라이브, 디스크 드라이브, 프린터 포함한다면 함수 F는 다음과 같이 정의된다.

- F(CD 드라이브) = 2
- F(디스크 드라이브) = 4
- F(프린터) = 7

각 프로세스는 오름차순으로만 자원 요청이 가능하다(또는 내림차순). 즉, 프로세스는 임의의 자원 Ri 요청할 수 있지만, 그 다음부터는 F(Rj) > F(Ri) 일 때만 자원 Rj 요청이 가능하다. 데이터 형태의 자원이 여러 개 필요하다면, 우선 요청할 형태의 자원을 하나 정해야 한다. 앞서 정의한 함수를 이용하면, CD 드라이브와 프린터를 동시에 사용해야 하는 프로세스는, CD 드라이브를 먼저 요청 후 프린터를 요청한다. 계층적 요청은 순환 대기 조건 가능성을 제거하여 교착 상태를 예방한다. 반드시 자원의 번호 순서로 요청해야 하고, 번호를 부여할 때 실제로 자원을 사용하는 순서를 반영해야 한다.

2. 교착 상태 회피

교착 상태 회피의 목적은 덜 엄격한 조건을 요구하여, 자원을 좀 더 효율적으로 사용하자는 것이다. 교착 상태의 모든 발생 가능성을 미리 제거하는 것이 아닌 교착 상태 발생할 가능성을 인정하고(세 가지 필요 조건 허용), 교착 상태가 발생하려고 할 때 적절히 회피하는 것이다. 예방보다는 회피가 더 병행성을 허용한다.

교착 상태의 회피 방법은 다음과 같다.

- 첫째, 프로세스의 시작 중단: 프로세스의 요구가 교착 상태 발생시킬 수 있다면, 프로세스 시작을 중단한다.
- 둘째, 자원 할당 거부(은행가 알고리즘, Banker's algorithm): 프로세스가 요청한 자원을 할당했을 때 교착 상태가 발생할 수 있다면, 요청한 자원을 할당하지 않는다.

프로세스의 시작 중단에서 프로세스의 요청 수락 여부는 현재 사용 가능한 자원, 프로세스에 할당된 자원 등 각 프로세스에 대한 자원의 요청과 해제를 미리 알고 있어야 결정 가능하다. 다양한 교착 상태 회피 알고리즘 중에서 가장 단순하고 유용한 알고리즘은, 각 프로세스가 필요한 자원의 최대치(할당 가능한 자원 수)를 선언하는 것이다. 프로세스가 요청할 자원별로 최대치 정보를 미리 파악할 수 있으면, 시스템이 교착 상태가 되지 않을 확실한 알고리즘을 만들 수 있다(할당할 수 없으면 시작하지 않음). 교착 상태 회피 알고리즘은 시스템이 순환 대기 조건이 발생 않도록 자원 할당 상태를 검사한다. 자원 할당 상태는 사용 가능한 자원 수, 할당된 자원 수, 프로세스들 최대 요청 수로 정의된다. 각 프로세스에 최대치까지 자원을 할당할 수 있고, 교착 상태를 예방할 수 있으면 안정 상태이고, 그렇지 않으면 불안정 상태이다.

시스템의 상태는 안정 상태와 불안정 상태로 구분한다. 교착 상태는 불안정 상태에서 발생한다. 모든 사용자가 일정 기간 안에 작업을 끝낼 수 있도록 운영체제가 할 수 있으면, 현재 시스템의 상태가 안정이고, 그렇지 않으면 불안정이다. 교착 상태는 불안정 상태이다. 그러나 모든 불안정 상태가 교착 상태인 것은 아니고, 단지 불안정 상태는 교착 상태가 되기 쉽다. 상태가 안정하다면 운영체제는 불안정 상태와 교착 상태를 예방 가능하다. 불안정 상태의 운영체제는 교착 상태를 발생시키는 프로세스의 자원 요청이 불가하다(교착 상태 회피). 아래의 그림은 안정 상태와 불안정 상태를 나타낸다.

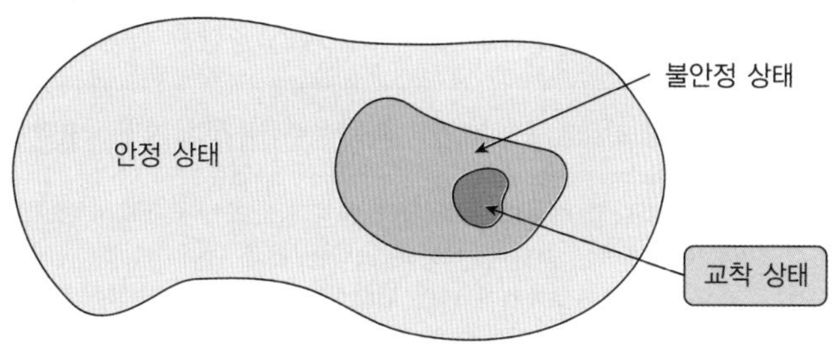

▲ 안정 상태와 불안정 상태

자원 할당 거부는 다익스트라(Dijkstra)의 은행가 알고리즘 이용한다. 자원의 할당 허용 여부를 결정하기 전에, 미리 결정된 모든 자원의 최대 가능한 할당량(maximum)을 시뮬레이션하여 안전 상태 여부를 검사한다. 그런 다음 대기 중인 다른 모든 활동의 교착 상태 가능성을 조사하여 '안전 상태' 여부를 검사하고 확인한다(내가 남은 자원으로 필요한 자원을 할당할 수 있는가?). 자원 요청 승낙이 불안전한 상태에서 시스템을 배치할 수 있다고 판단하면 이 요청을 연기, 거부하여 교착 상태를 회피한다. 따라서 각 프로세스에 자원을 어떻게 할당(자원 할당 순서 조정)할 것인지에 대한 정보가 필요하므로, 각 프로세스가 요청하는 자원 종류의 최대 수를 알아야 한다. 이 정보를 이용하면 교착 상태 회피 알고리즘의 정의가 가능하다. 이는 은행에서 모든 고객이 만족하도록 현금을 할당하는 과정과 동일하다.

은행가 알고리즘의 단점은 할당할 수 있는 자원의 일정량을 요청하고 자원은 수시로 유지 보수가 필요하다. 그리고 고장이나 예방, 보수하기 때문에 일정하게 남아 있는 자원 수 파악이 곤란하다(남은 자원). 사용자 수가 일정해야 하지만 다중 프로그래밍 시스템에서는 사용자 수가 항상 변한다. 교착 상태 회피 알고리즘을 실행하면 시스템 과부하가 증가한다. 사용자가 최대 필요량을 미리 알려 주도록 요청하지만, 자원 할당 방법이 점점 동적으로 변하면서 사용자의 최대 필요량 파악이 곤란하다(필요한 자원). 항상 불안정 상태를 방지해야 하므로 자원 이용도가 낮다. 결론은 필요한 자원을 남은 자원에 할당하는 것이지만 동적인 특성으로 인해 이것이 어렵다는 것이다.

3. 교착 상태 회복

교착 상태 회복에 필요한 알고리즘은 시스템 상태를 검사하는 교착 상태 탐지 알고리즘과 교착 상태에서 회복시키는 알고리즘이다.

교착 상태 회복의 특징은 교착 상태를 파악하기 위해 교착 상태 탐지 알고리즘을 언제 수행해야 하는지 결정하기 어렵다는 것이다. 그리고 교착 상태 탐지 알고리즘 자주 실행하면 시스템의 성능이 떨어지지만, 교착 상태에 빠진 프로세스를 빨리 발견하여 자원의 유휴 상태 방지가 가능하다. 자주 실행하지 않으면 반대 상황이 발생한다. 탐지와 회복 방법은 필요한 정보를 유지하고, 탐지 알고리즘을 실행시키는 비용뿐 아니라, 교착 상태 회복에 필요한 부담까지 요청한다.

교착 상태 탐지 알고리즘은 쇼사니(Shoshani)와 코프만(Coffman)이 제안하였고, 은행가 알고리즘에서 사용한 자료구조들과 비슷하다. 현재까지 시험에 어떠한 언급도 없었으므로 더 이상의 자세한 설명은 생략한다.

탐지 알고리즘 호출은 교착 상태 발생 빈도수와 교착 상태가 발생했을 때, 영향을 받는 프로세스 수에 따라 결정한다. 교착 상태가 자주 발생하면, 탐지 알고리즘도 더 자주 호출한다. 일단 교착 상태가 발생하면 해결할 때까지, 프로세스에 할당된 자원들은 유휴 상태가 되고, 교착 상태의 프로세스 수는 점점 증가한다. 어떤 프로세스라도 허용할 수 없는 요청을 하면 즉시 교착 상태가 된다. 요청할 때마다 교착 상태 탐지 알고리즘을 호출하면 교착 상태 회복이 가능하지만 연산 시간 부담이 발생한다. 좀 더 경제적인 방법은 호출 빈도를 줄이는 것이다. 즉, 1시간마다 또는 CPU 이용률이 40%로 떨어질 때마다 호출하는 것이다.

교착 상태 회복 방법은 프로세스 중단과 자원 선점이 있다. 프로세스 중단은 다음과 같은 방법이 존재한다.

- 첫째(교착 상태 프로세스 모두 중단): 교착 상태의 순환 대기를 확실히 해결하지만, 자원 사용과 시간면에서 비용이 많이 든다. 오래 연산했을 가능성이 있는 프로세스의 부분 결과를 폐기하여, 다시 연산해야 한다.
- 둘째(한 프로세스씩 중단): 한 프로세스 중단할 때마다 교착 상태 탐지 알고리즘 호출하여, 프로세스가 교착 상태에 있는지 확인한다. 교착 상태 탐지 알고리즘을 호출하는 부담이, 상당히 크다는 것이 단점이다.
- 셋째(프로세스 중단이 쉽지 않을 수도 있음): 프로세스가 파일 업데이트하다가 중단된다면 해당 파일은 부정확한 상태이다. 마찬가지로 프로세스가 데이터를 프린터에 인쇄하고 있을 때 중단하면 다음 인쇄를 진행하기 전에 프린터의 상태를 정상 상태로 되돌려야 한다(애매한 상태가 존재).

최소 비용으로 프로세스들을 중단하는 우선 순위 선정에 고려되는 사항은 다음과 같다.

- 프로세스가 수행된 시간과 앞으로 종료하는 데 필요한 시간
- 프로세스가 사용한 자원 형태와 수(예 자원을 선점할 수 있는지 여부)
- 프로세스를 종료하는 데 필요한 자원 수
- 프로세스를 종료하는 데 필요한 프로세스 수
- 프로세스가 대화식인지, 일괄식인지 여부

교착 상태 회복 방법 중 자원 선점은 프로세스를 종료할 때 비용을 최소화하기 위해 적절한 선점 순서를 결정한다. 비용 요인에는 교착 상태 프로세스가 점유한 자원 수, 교착 상태 프로세스가 지금까지 실행하는데 소요한 시간 등의 매개변수가 포함된다. 필요한 자원을 잃은 프로세스는 정상적으로 실행이 불가하다. 따라서 프로세스를 안정 상태로 복귀 시키고 다시 시작해야 한다. 일반적으로 안전 상태 결정이 곤란하고, 완전히 복귀시키고(프로세스 중단) 재시작하는 것이 가장 단순한 방법이다. 프로세스를 교착 상태에서 벗어날 정도로만 복귀시키는 것이 더 효과적이다. 그러나 이 방법은 시스템이 실행하는 모든 프로세스의 상태 정보를 유지해야 하는 부담이 존재한다. 결론은 자원을 다른 프로세스에게 주고 복귀하는 것이다. 동일한 프로세스가 자원들을 항상 선점하지 않도록 보장하려고 할 때, 비용이 기반인 시스템에서는 동일한 프로세스를 희생자로 선택한다. 그러면 이 프로세스는 작업을 완료하지 못하는 기아 상태가 되어 시스템 조치를 요청한다. 따라서 프로세스가 짧은 시간 동안만 희생자로 지정되도록 보장해야 한다. 가장 일반적인 해결 방법은 비용 요소에 복귀 횟수를 포함시키는 것이다.

4. 교착 상태 무시

예방 혹은 회피 기법을 프로그래밍해서 넣으면 성능에 큰 영향을 미칠 수 있게 된다. 그렇기 때문에 교착 상태의 발생 확률이 비교적 낮은 경우 별다른 조치를 취하지 않는다.

요약정리

교착 상태 해결

Deadlock	알고리즘	제안자
예방(prevention)	점유와 대기 조건 방지: 필요한 자원 한 번에 모두 요청, 요청한 자원 제공받기 전 작업 진행 불가	하벤더
	비선점 조건 방지: 요청 허용하지 않으면 점유한 자원을 모두 반납, 필요할 때 다시 자원 요청	
	순환 대기 조건 방지: 자원 순서대로 할당	
회피(avoidance)	프로세스 시작 중단	-
	자원 할당 거부: 은행가 알고리즘	다익스트라
탐지(detection), 회복(recovery)	탐지 알고리즘	쇼사니와 코프만
	회복 알고리즘: 프로세스 중단, 자원 선점	-
무시(ignorance)	발생 확률이 비교적 낮은 경우 별다른 조치를 취하지 않음	-

주요개념 셀프체크

- deadlock
- 상호배제, 점유와 대기, 비선점, 순환 대기
- 예방, 회피, 탐지/회복, 무시

핵심 기출

1. 운영체제에서 교착 상태(deadlock)가 발생하기 위한 필요조건에 해당되지 않는 것은? 2014년 지방직

① 상호배제(mutual exclusion)
② 점유와 대기(hold and wait)
③ 선점(preemption)
④ 순환 대기(circular wait)

해설
선점이 아닌 비선점(독점)이다. 비선점이란 자원 선점 불가이다. 즉, 자원은 강제로 빼앗을 수 없고, 자원 점유하고 있는 프로세스 끝나야 해제한다.

선지분석
① 상호배제: 자원을 최소 하나 이상 비공유한다. 즉, 한 번에 프로세스 하나만 해당 자원 사용할 수 있어야 한다. 사용 중인 자원을 다른 프로세스가 사용하려면, 요청한 자원 해제될 때 까지 대기한다.
② 점유와 대기: 자원을 최소한 하나 정도 보유하고 다른 프로세스에 할당된 자원 얻으려고 대기하는 프로세스가 있어야 한다.
④ 순환 대기: 환형 대기라고도 한다. 상대방이 가진 자원을 서로 대기하는 상태를 나타낸다.

정답 ③

2. 다음 그림은 컴퓨터에서의 교착 상태를 기찻길에서 발생할 수 있는 상황에 비유하여 나타낸 것이다. 이러한 교착 상태 문제를 해결할 수 있는 방법으로 옳지 않은 것은? 2018년 지방교행

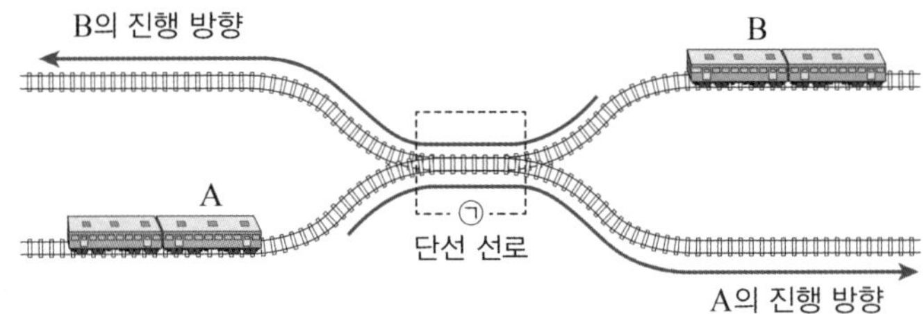

① 기차 A, B가 모두 ㉠ 선로에 진입한 경우 은행원 알고리즘을 적용한다.
② ㉠ 선로를 우선적으로 사용할 수 있는 권한을 항상 A의 진행 방향으로 운행하는 기차에만 부여한다.
③ 모든 기차는 ㉠ 선로에 진입하기 전에 다른 방향에서 진입하는 기차가 없는 것을 기차 중앙 통제소를 통해 확인하고 진입한다.
④ ㉠ 선로 상에서 교착 상태가 일어난 경우 기차 중앙 통제소는 기차 A, B 중 하나를 후진시켜 ㉠ 선로에 진입하기 이전으로 되돌린다.

해설
두개의 기차가 모두 진입한 경우에는 탐지, 회복에 해당하는 방법을 사용해야 한다. 은행가 알고리즘은 회피에서 사용하는 방법이다.

선지분석
② 교착 상태 해결 방법 중 예방에 해당한다.
③ 교착 상태 해결 방법 중 회피에 해당한다.
④ 교착 상태 해결 방법 중 탐지, 회복에 해당한다.

정답 ①

CHAPTER 05 프로세스 스케줄링

1 선점 및 비선점 스케줄링

선점 스케줄링(preemptive scheduling)은 시분할 시스템에서 타임 슬라이스가 소진되었거나, 인터럽트나 시스템 호출 종료 시에 더 높은 우선순위 프로세스가 발생되었음을 알았을 때, 현 실행 프로세스로부터 강제로 CPU를 회수하는 것을 말한다.

비선점 스케줄링(Nonpreemptive Scheduling)은 프로세스가 자원을 할당 받았을 경우, 자원을 스스로 반납할 때까지 계속 그 자원을 사용하도록 허용하는 정책이다. 적용할 때는 현재 프로세스를 사용하는 프로세스가 생성되거나 현재 프로세스 작업을 종료할 때 입출력하기 위해 스스로 프로세스를 반납할 때까지이다. 우선순위가 높은 프로세스에 비선점 정책을 적용하면 프로세스의 종료 시간을 비교적 정확하게 예측할 수 있다.

2 프로세스 스케줄링 종류

1. 선입선처리 스케줄링(FCFS; First Come First Served)

비선점 방법(독점)으로 프로세서 스케줄링 알고리즘 중 가장 단순하고, 프로세서 요청하는 순서대로 프로세서를 할당한다. 선입선출(FIFO) 큐로 구현하고, 일괄 처리 시스템에서는 매우 효율적이나 빠른 응답을 요청하는 대화식 시스템에는 적합하지 않다. 다음 그림은 FCFS의 원리를 나타낸다.

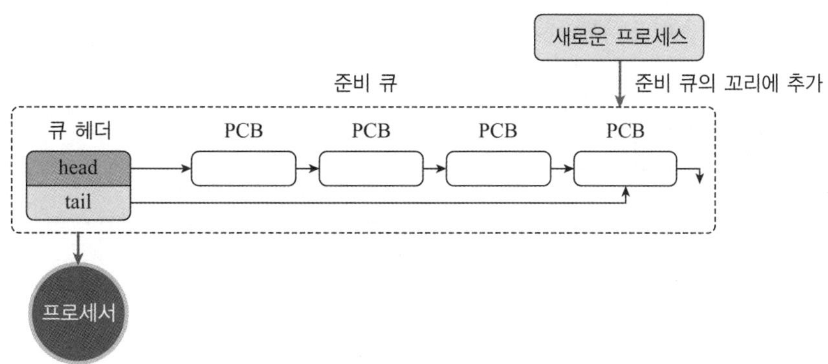

▲ FCFS의 원리

선입선처리 스케줄링의 첫 번째 예는 다음 그림과 같다. 그림에서 알 수 있듯이 문제의 조건이 주어지면 간트 차트를 그리는 것이 핵심이다(직접 그려보는 것이 중요).

프로세스	도착 시간	실행 시간
P_1	0	10
P_2	1	28
P_3	2	6
P_4	3	4
P_5	4	14

(a) 준비 큐

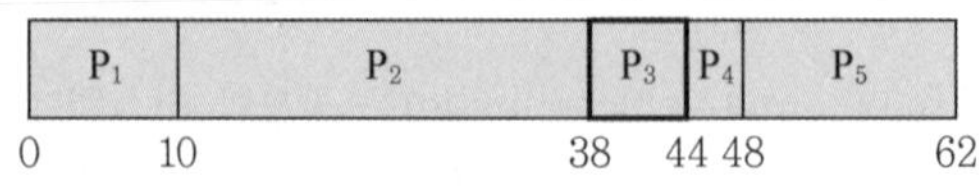

(b) 간트 차트

▲ 선입선처리 스케줄링의 첫 번째 예

선입선처리 스케줄링의 첫 번째 예의 반환시간과 대기시간을 구하면 다음의 표와 같다.

프로세스	반환시간	대기시간
P_1	10	0
P_2	(38 - 1) = 37	(10 - 1) = 9
P_3	(44 - 2) = 42	(38 - 2) = 36
P_4	(48 - 3) = 45	(44 - 3) = 41
P_5	(62 - 4) = 58	(48 - 4) = 44
평균 반환시간: 38.4[= (10 + 37 + 42 + 45 + 58)/5]		평균 대기시간: 26[= (0 + 9 + 36 + 41 + 44)/5]

선입선처리 스케줄링의 두 번째 예는 다음 그림과 같다.

프로세스	도착 시간	실행 시간
P_3	0	6
P_1	1	10
P_4	2	4
P_5	3	14
P_2	4	28

(a) 준비 큐

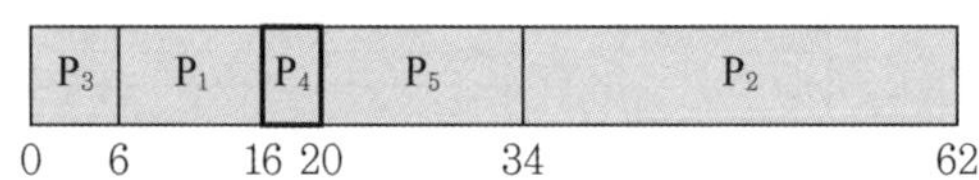

(b) 간트 차트

▲ 선입선처리 스케줄링의 두 번째 예

선입선처리 스케줄링의 두 번째 예의 반환시간과 대기시간을 구하면 다음의 표와 같다.

프로세스	반환시간	대기시간
P_1	(16 - 1) = 15	(6 - 1) = 5
P_2	(62 - 4) = 58	(34 - 4) = 30
P_3	6	0
P_4	(20 - 2) = 18	(16 - 2) = 14
P_5	(34 - 3) = 31	(20 - 3) = 17
평균 반환시간: 25.6[= (15 + 58 + 6 + 18 + 31)/5]		평균 대기시간: 13.2[= (5 + 30 + 0 + 14 + 17)/5]

다음의 그림은 선입선처리 스케줄링에서 발생하는 호위 효과(프로세서 중심 프로세스 하나가 프로세서를 떠나기를 기다리는 현상)를 나타낸다. 프로세서 중심 프로세스가 프로세서 할당받아 실행되는 동안 입출력 중심 프로세스는 입출력을 마치고 준비 큐로 이동하여 프로세서를 기다린다. 즉, 입출력장치들은 쉰다(입출력장치는 비어 있음). 프로세서 중심 프로세스가 프로세서의 사용을 마치고 입출력장치로 이동하고, 프로세서 버스트(실행 시간)가 짧은 입출력 중심 프로세스가 프로세서를 신속하게 사용 후 다시 입출력장치를 사용하려고 입출력장치 큐로 이동한다. 이때 프로세서는 쉰다(프로세서가 비어 있음). 프로세서 중심 프로세스가 다시 준비 큐로 이동하여 프로세서를 할당받고 모든 입출력 중심 프로세스는 프로세서 중심 프로세스 처리할 때까지 준비 큐에서 대기한다(반복 처리). 프로세서 중심 프로세스 하나가 프로세서를 떠나기를 기다리는 현상이다(비선점 = 독점).

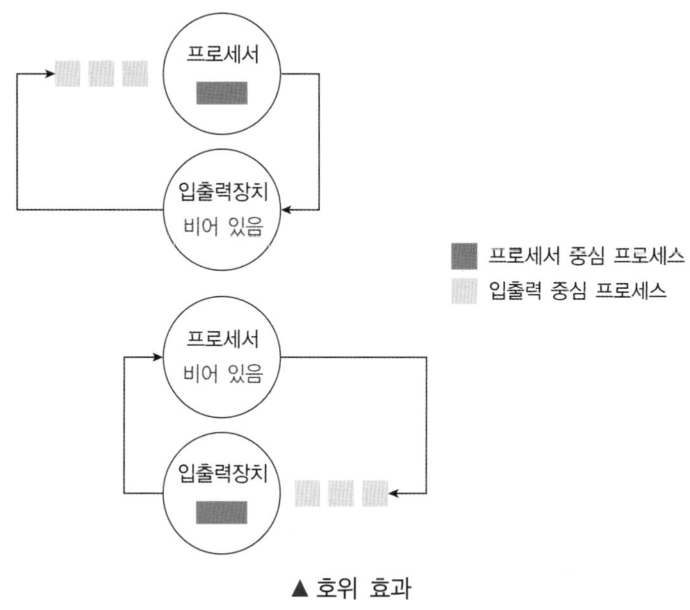

▲ 호위 효과

다음의 표는 선입선처리 스케줄링의 장점과 단점을 나타낸다.

장점	• 스케줄링의 이해와 구현이 단순하다. • 준비 큐에 있는 모든 프로세스가 결국 실행되므로 기아 없는 공정한 정책이다. • 프로세서가 지속적으로 유용한 프로세스를 수행하여 처리율이 높다.
단점	• 비선점식이므로 대화식 프로세스(작업)에는 부적합하다. • 장기 실행 프로세스가 뒤의 프로세스(작업)를 모두 지연시켜 평균 대기시간이 길어져 최악의 대기시간이 된다. • 긴 프로세스(작업)이 실행되는 동안 짧은 프로세스(작업)가 긴 대기시간으로 호위 효과가 발생할 수 있다.

2. 최소작업 우선 스케줄링(SJF; Shortest Job First)

각 작업의 프로세서 실행 시간을 이용하여 프로세서가 사용 가능할 때 실행 시간이 가장 짧은 작업(프로세스)에 할당하는 방법이다. Shortest Process Next(SPN) 또는 Shortest Job Next(SJN)이라고도 한다. 다음 그림은 SJF의 원리를 나타낸다.

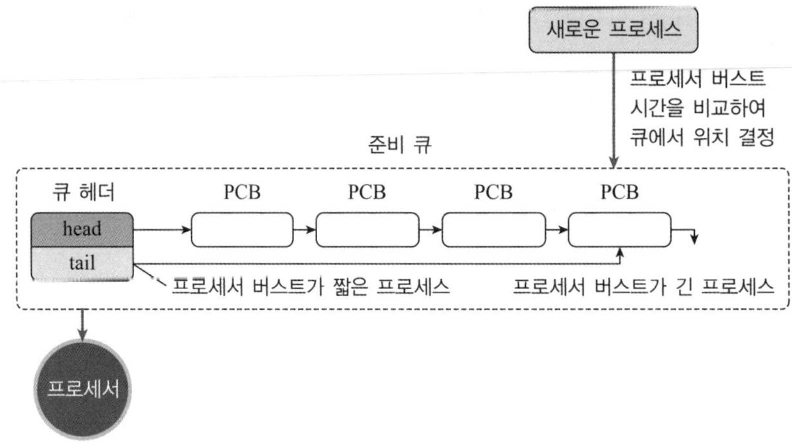

▲ SJF의 원리

최소작업 우선 스케줄링의 적용 예는 다음 그림과 같다. 대기 시간 비교해 보면 SJF에 따라 시간이 줄어드는 것을 알 수 있다.

5	11	7	3	W = 0 + 5 + 16 + 23 = 44
5	7	11	3	W = 0 + 5 + 12 + 23 = 40
5	7	3	11	W = 0 + 5 + 12 + 15 = 32
5	3	7	11	W = 0 + 5 + 8 + 15 = 28
3	5	7	11	W = 0 + 3 + 8 + 15 = 26

▲ 최소작업 우선 스케줄링의 적용 예

다음 그림은 비선점(독점) 최소작업 우선 스케줄링 예를 나타낸다.

프로세스	도착 시간	실행 시간
P_1	0	10
P_2	1	28
P_3	2	6
P_4	3	4
P_5	4	14

(a) 준비 큐

P_1	P_4	P_3	P_5	P_2
0–10	10–14	14–20	20–34	34–62

(b) 간트 차트

▲ 비선점(독점) 최소작업 우선 스케줄링 예

다음의 표는 비선점(독점) 최소작업 우선 스케줄링 예의 반환시간과 대기시간을 나타낸다.

프로세스	반환시간	대기시간
P_1	10	0
P_2	(62 - 1) = 61	(34 - 1) = 33
P_3	(20 - 2) = 18	(14 - 2) = 12
P_4	(14 - 3) = 11	(10 - 3) = 7
P_5	(34 - 4) = 30	(20 - 4) = 16
평균 반환시간: 26[= (10 + 61 + 18 + 11 + 30)/5]		평균 대기시간: 13.6[= (0 + 33 + 12 + 7 + 16)/5]

다음 그림은 선점(독점 방지) 최소작업 우선 스케줄링 예를 나타낸다. 선점(독점 방지) 최소작업 우선 스케줄링은 SRTF(Shortest Remaining Time First)라고 부른다.

프로세스	도착 시간	실행 시간
P_1	0	10
P_2	1	28
P_3	2	6
P_4	3	4
P_5	4	14

(a) 준비 큐

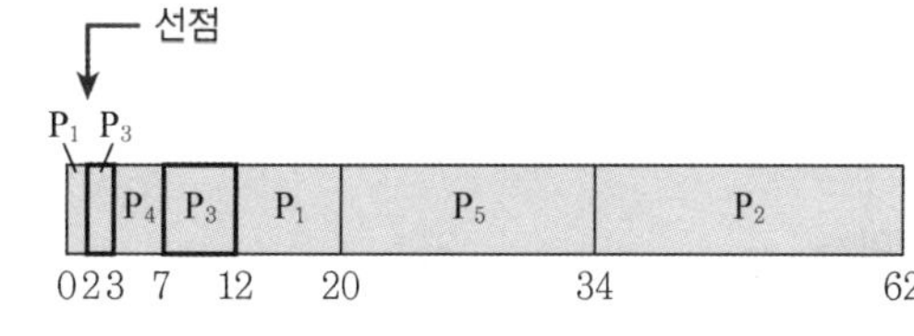

(b) 간트 차트

▲ 선점(독점 방지) 최소작업 우선 스케줄링 예

다음의 표는 선점(독점 방지) 최소작업 우선 스케줄링 예의 반환시간과 대기시간을 나타낸다.

프로세스	반환시간	대기시간
P_1	(20 - 0) = 20	(12 - 2) = 10
P_2	(62 - 1) = 61	(34 - 1) = 33
P_3	(12 - 2) = 10	(7 - 3) = 4
P_4	(7 - 3) = 4	(3 - 3) = 0
P_5	(34 - 4) = 30	(20 - 4) = 16
평균 반환시간: 25[= (20 + 61 + 10 + 4 + 30)/5]		평균 대기시간: 12.6[= (10 + 33 + 4 + 0 + 16)/5]

다음 그림은 SJF에서 짧은 작업을 우선 처리하는 예를 나타낸다.

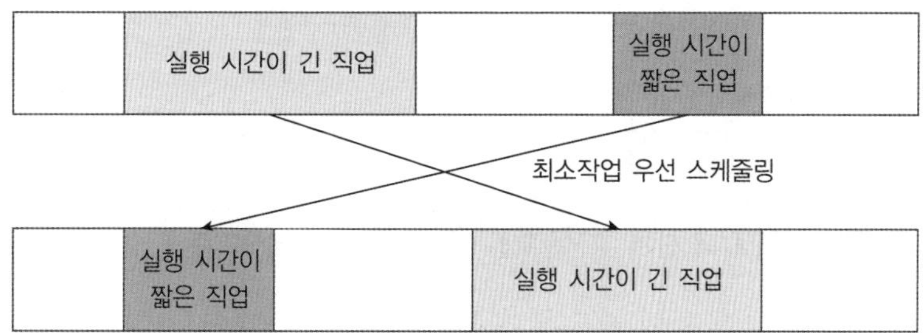

▲ SJF에서 짧은 작업을 우선 처리하는 예

아래의 표는 최소작업 우선 스케줄링의 장점과 단점을 나타낸다.

장점	항상 실행 시간이 짧은 작업을 신속하게 실행하므로 평균 대기시간이 가장 짧다.
단점	• 초기의 긴 작업을 짧은 작업을 종료할 때까지 대기시켜 기아가 발생한다. • 기본적으로 짧은 작업이 항상 실행되도록 설정하므로 불공정한 작업을 실행한다. • 실행 시간을 예측하기가 어려워 실용적이지 못하다.

3. 우선 순위 스케줄링(priority scheduling)

다음 그림은 우선순위 스케줄링의 원리를 나타낸다. 우선순위가 동일한 프로세스들은 선입선처리 순서로 스케줄링한다.

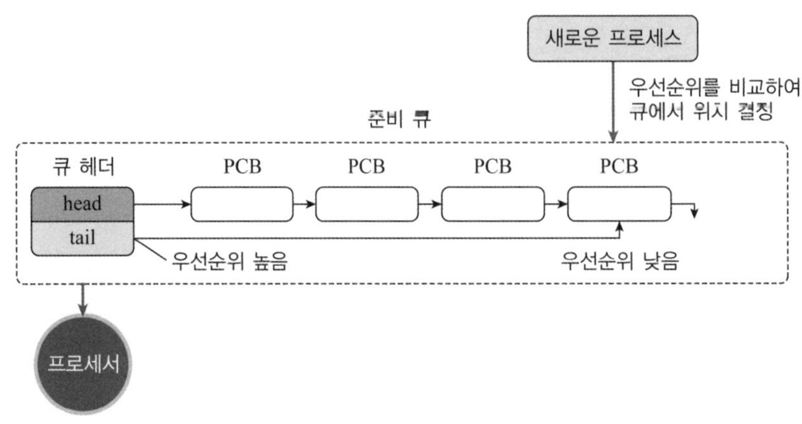

▲ 우선순위 스케줄링의 원리

실행 시간이 클수록 우선순위가 낮고, 우선순위는 0~7 또는 0~4,095 범위의 수를 사용한다. 단, 0을 최상위나 최하위로 정하지는 않는다. 우선순위를 내부적 또는 외부적으로 정의한다. 내부적 우선순위는 제한 시간, 기억장소 요청량, 사용 파일 수, 평균 프로세서 버스트에 대한 평균 입출력 버스트의 비율 등이고, 외부적 우선순위는 프로세스 중요성, 사용료 많이 낸 사용자, 작업을 지원하는 부서, 정책적인 요인 등이다. 우선순위 스케줄링도 선점 또는 비선점이 가능하다.

다음 그림은 네 단계 우선순위를 갖는 스케줄링 알고리즘을 나타낸다.

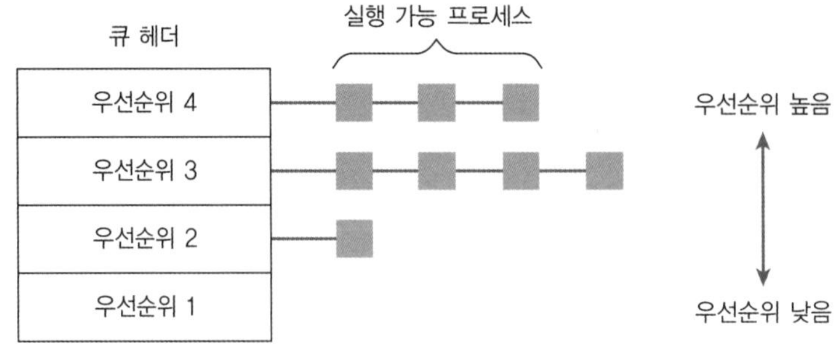

▲ 네 단계 우선순위를 갖는 스케줄링 알고리즘

다음 그림은 우선 순위 스케줄링 예를 나타낸다. 여기서, 4가 높은 우선순위이다.

프로세스	도착 시간	실행 시간	우선순위
P_1	0	10	3
P_2	1	28	2
P_3	2	6	4
P_4	3	4	1
P_5	4	14	2

(a) 준비 큐

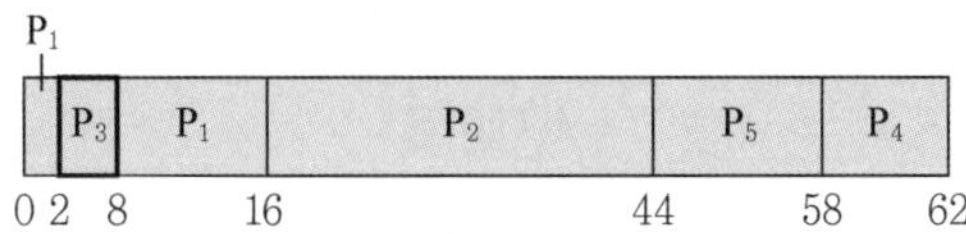

(b) 선점 우선순위 간트 차트

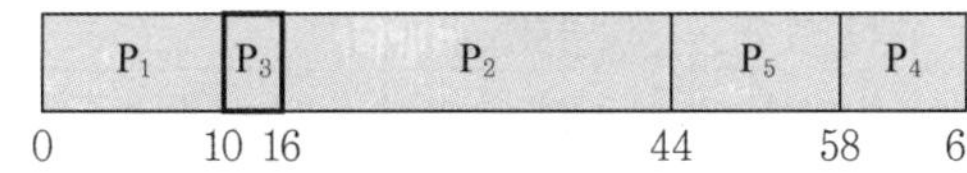

(c) 비선점 우선순위 간트 차트

▲ 우선 순위 스케줄링 예

다음의 표는 선점인 경우의 반환시간과 대기시간을 나타낸다.

프로세스	반환시간	대기시간
P_1	(16 - 0) = 16	(8 - 2) = 6
P_2	(44 - 1) = 43	(16 - 1) = 15
P_3	(8 - 2) = 6	(2 - 2) = 0
P_4	(62 - 3) = 59	(58 - 3) = 55
P_5	(58 - 4) = 54	(44 - 4) = 40
평균 반환시간: 35.6[= (16 + 43 + 6 + 59 + 54)/5]		평균 대기시간: 23.2[= (6 + 15 + 0 + 55 + 40)/5]

다음의 표는 비선점인 경우의 반환시간과 대기시간을 나타낸다.

프로세스	반환시간	대기시간
P_1	10	0
P_2	(44 - 1) = 43	(16 - 1) = 15
P_3	(16 - 2) = 14	(10 - 2) = 8
P_4	(62 - 3) = 59	(58 - 3) = 55
P_5	(58 - 4) = 54	(44 - 4) = 40
평균 반환시간: 36[= (10 + 43 + 14 + 59 + 54)/5]		평균 대기시간: 23.6[= (0 + 15 + 8 + 55 + 40)/5]

우선 순위 스케줄링의 문제는 무한 정지와 기아이다(우선 순위가 계속 밀림). 해결 방법은 에이징인데, 에이징이란 시스템에서 오래 대기하는 프로세스들의 우선순위를 점진적으로 증가시키는 방법이다. 시간이 지나면 점차 프로세스의 우선순위 높아진다. 다음 그림은 에이징을 나타낸다.

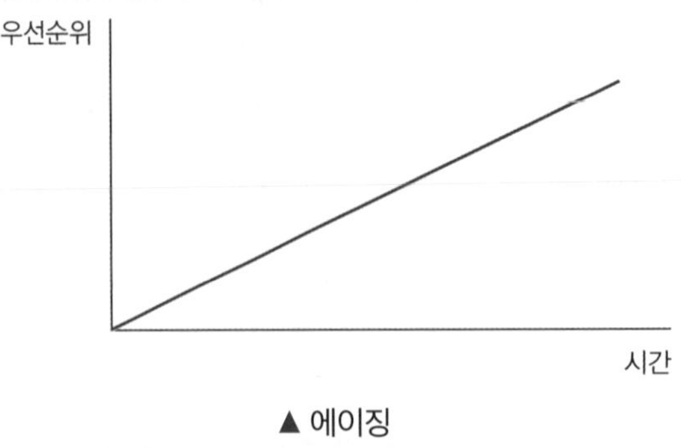

▲ 에이징

다음의 표는 우선 순위 스케줄링의 장점과 단점을 나타낸다.

장점	• 각 프로세스의 상대적 중요성을 정확히 정의할 수 있어 좋다. • 다양한 반응으로 실시간 시스템에 사용 가능하다.
단점	높은 우선순위 프로세스가 프로세서를 많이 사용하면 우선순위가 낮은 프로세스는 무한정 연기되는 기아가 발생할 수 있다.

4. 라운드 로빈(round - robin) 스케줄링

라운드 로빈은 특별히 시분할 시스템을 위해 설계된 것이다. 작은 단위의 시간인 규정 시간량(time quantum) 또는 시간 할당량(time slice)을 정의한다. 보통 규정 시간량은 10 × 10밀리초에서 100 × 10밀리초 범위이다. 준비 큐를 순환 큐(circular queue)로 설계하여 스케줄러가 준비 큐를 돌아가면서 한 번에 한 프로세스에 정의된 규정 시간량만큼 프로세서 제공한다. 다음 그림은 라운드 로빈에서 프로세스 B를 실행한 후의 준비 큐를 나타낸다.

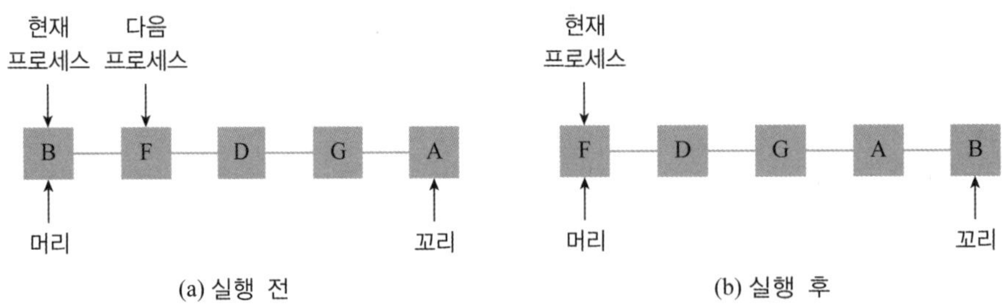

▲ 라운드 로빈에서 프로세스 B를 실행한 후의 준비 큐

다음 그림은 라운드 로빈 스케줄링의 원리를 나타낸다.

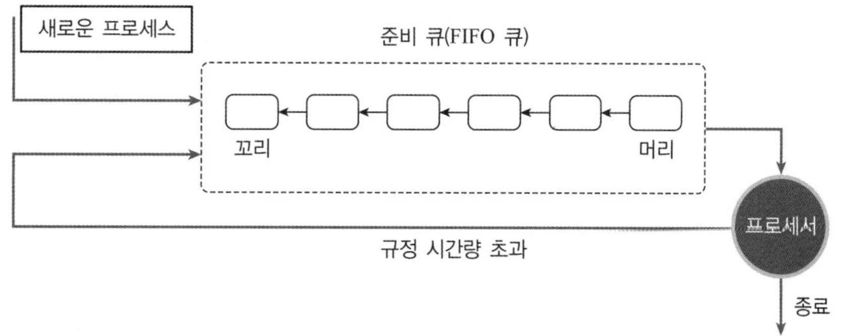

▲ 라운드 로빈 스케줄링의 원리

다음 그림은 라운드 로빈 스케줄링 예를 나타낸다. 해당 예는 쉬운 예로서, 시험에 출제된 어려운 예를 꼭 풀어보기 바란다(스케줄링 되는 순서에 주의).

프로세스	도착 시간	실행 시간
P_1	0	10
P_2	1	28
P_3	2	6
P_4	3	4
P_5	4	14

(a) 준비 큐

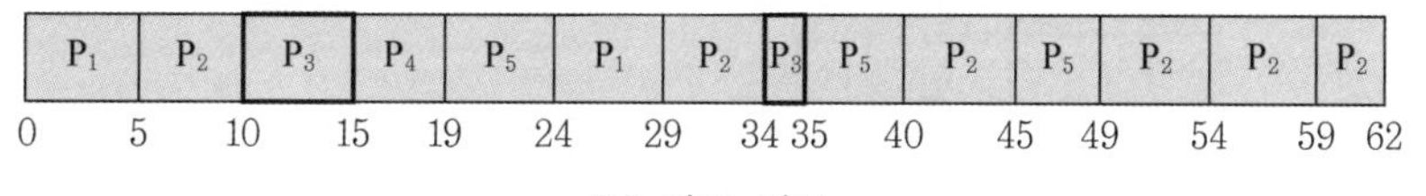

(b) 간트 차트

▲ 라운드 로빈 스케줄링 예

다음의 표는 라운드 로빈 스케줄링 예의 반환시간과 대기시간을 나타낸다.

프로세스	반환시간	대기시간
P_1	29	(24 - 5) = 19
P_2	(62 - 1) = 61	(49 - 15 - 1) = 33
P_3	(35 - 2) = 33	(34 - 5 - 2) = 27
P_4	(19 - 3) = 16	(15 - 3) = 7
P_5	(49 - 4) = 45	(45 - 10 - 4) = 31
평균 반환시간: 36.8[= (29 + 61 + 33 + 16 + 45)/5]		평균 대기시간: 24.4[= (19 + 33 + 27 + 7 + 31)/5]

다음 그림은 문맥 교환 시간이 라운드 로빈 스케줄링에 미치는 영향을 나타낸다. 규정 시간량이 작을수록 문맥 교환 횟수는 많아지므로 문맥 교환에 소요하는 시간보다 규정 시간량을 충분히 크게 해야 한다.

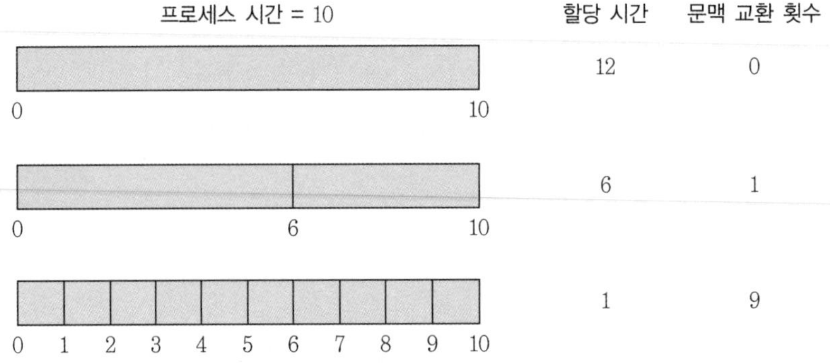

▲ 문맥 교환 횟수를 증가시키는 작은 규정 시간량

다음 그림은 규정 시간량에 따른 반환 시간의 변화를 나타낸다. 규정 시간량이 작으면 문맥 교환을 많이하므로 평균 반환시간이 더 좋지 않다. 단, 여기서 문맥 교환 자체에서 발생하는 시간을 고려하지 않았음에 유의한다.

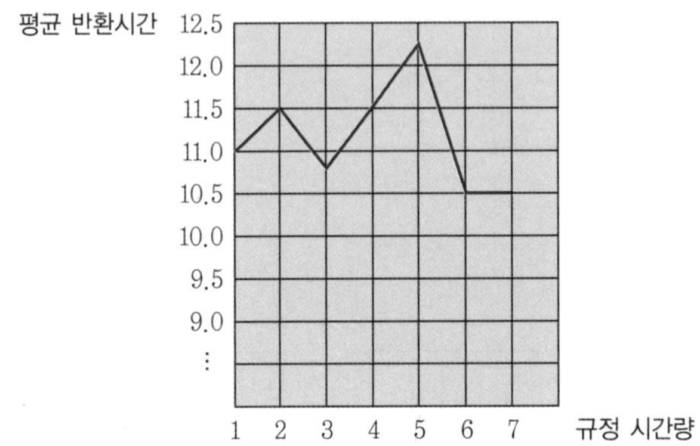

프로세스	시간
P_1	6
P_2	3
P_3	1
P_4	7

▲ 규정 시간량에 따른 반환 시간의 변화

다음 그림은 규정 시간량에 따른 프로세스의 반환시간을 나타낸다.

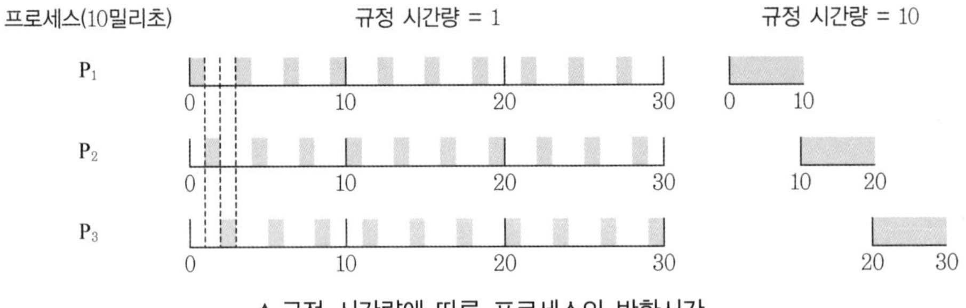

▲ 규정 시간량에 따른 프로세스의 반환시간

라운드 로빈 스케줄링의 장점과 단점을 정리하면 다음과 같다. 장점은 모든 프로세스가 프로세서의 동일한 점유율과 제한된 대기시간으로 공정하며 기아가 발생하지 않는다. 실행 큐에 프로세스 수를 알고 있을 때 구현이 용이하다. 강한 상호작용과 프로세스의 짧은 응답시간, 특히 프로세스 최악의 응답시간을 알 수 있다. 작업 길이가 다양할 때는 이전 작업을 마친 후 후보가 규정 시간량을 마치고 다음 작업으로 이동하기 때문에, 평균 대기 시간이 선입선처리보다 적다.

이에 반해 단점은 성능은 규정 시간량의 길이에 따라 달라지므로 작업이 비슷한 길이가 좋다. 너무 길면 선입선처리로 변하고, 너무 짧으면 많은 문맥 교환으로 비용 부담이 크다. 하드웨어 타이머가 필요하다. 미완성 작업은 각 규정 시간량을 마친 후 프로세서를 기다리므로 평균 처리 시간이 높다(오랜 시간).

5. 다단계 큐 스케줄링(MLQ; MultiLevel Queue)

다음 그림은 다단계 큐 스케줄링의 개념을 나타낸다. 각 작업을 서로 다른 묶음으로 분류할 수 있을 때 사용하고, 준비 상태 큐를 종류별로 여러 단계로 분할한다. 그리고 작업을 메모리의 크기나 프로세스의 형태에 따라 특정 큐에 지정하고, 각 큐는 자신만의 독자적인 스케줄링 갖는다.

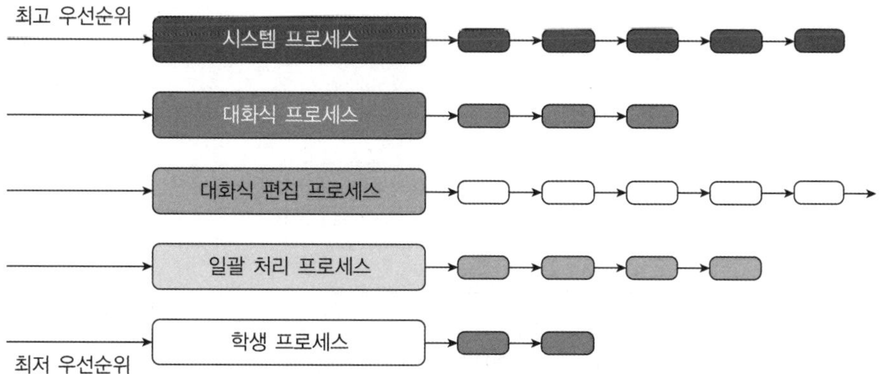

▲ 다단계 큐 스케줄링(각 큐는 순서대로 절대적인 우선순위 갖고, 큐 사이에 시간을 나눠 사용할 수도 있음)

다음의 표는 다단계 큐 스케줄링의 장점과 단점을 나타낸다.

장점	응답이 빠르다
단점	• 여러 준비 큐와 스케줄링 알고리즘 때문에 추가 오버헤드가 발생한다. • 우선순위가 낮은 큐의 프로세스는 무한정 대기하는 기아가 발생할 수 있다.

6. 다단계 피드백 큐(MLFQ; MultiLevel Feedback Queue) 스케줄링

다음 그림은 다단계 피드백 큐 스케줄링의 개념을 나타낸다. 기존의 MLQ는 작업이 시스템에 들어가면 한 큐에서만 고정 실행되고, 스케줄링 부담이 적다는 장점이 있으나, 융통성이 떨어진다는 단점을 가진다. MLFQ는 작업이 큐 사이 이동이 가능하다(프로세서 버스트의 특성에 따라 분리).

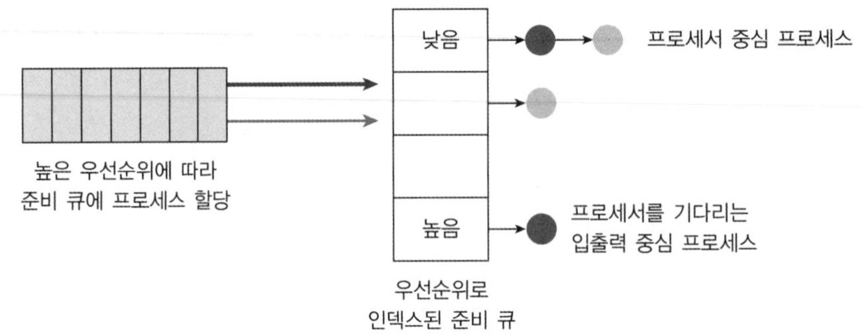

▲ 다단계 피드백 큐 스케줄링

다음 그림은 다단계 피드백 큐의 원리를 나타낸다.

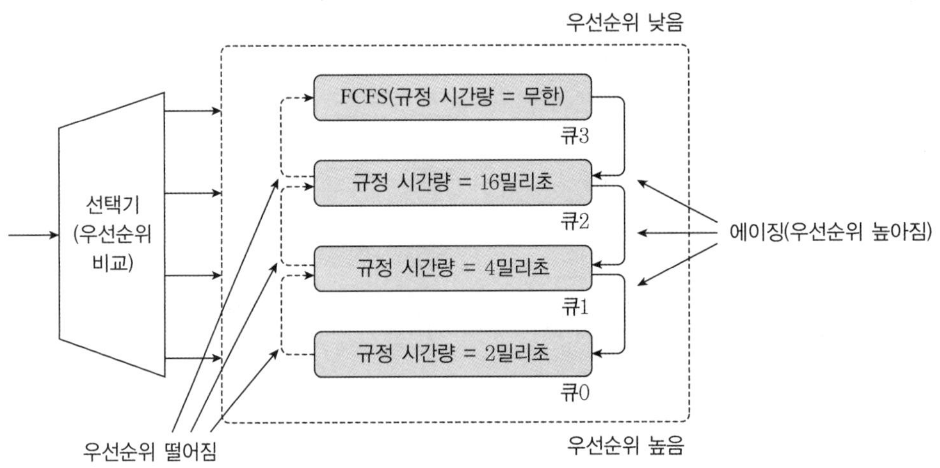

▲ 다단계 피드백 큐의 원리

다단계 피드백 큐 스케줄링의 정의 방법은 다음과 같다(다음과 같은 것들이 결정되어야 함).

- 큐(queue) 수: 준비 큐
- 각 큐에 대한 스케줄링
- 작업을 좀 더 높은 우선순위의 큐로 격상시키는 시기를 결정하는 방법
- 작업을 좀 더 낮은 우선순위의 큐로 격하시키는 시기를 결정하는 방법
- 프로세스들이 어느 큐에 들어갈 것인지 결정하는 방법
- 프로세스가 서비스를 받는 시기를 결정하는 방법

다음 그림은 다단계 피드백 큐와 라운드 로빈 스케줄링의 비교 예를 나타낸다.

프로세스	시간
P_1	30
P_2	20
P_3	10

(a) 준비 큐

												종료						종료	종료
큐 1:	P_1	P_2	P_3															P_2	P_1
큐 2:				P_1	P_2	P_3													
큐 3:							P_1	P_2	P_3	P_1	P_2	P_3	P_1	P_2	P_1	P_2	P_1		
시간	1	2	3	5	7	9	13	17	21	25	29	32	36	40	44	48	52	53	60

(b) 간트 차트

▲ 다단계 피드백 큐와 라운드 로빈 스케줄링의 비교 예

다음의 표는 다단계 피드백 큐와 라운드 로빈 스케줄링의 비교 예의 반환시간과 대기시간을 나타낸다. 표에서 규정 시간량은 5이고, 각 프로세스의 대기시간은 0으로 가정한다.

(1) 반환시간

프로세스	라운드 로빈[RR] 스케줄링	다단계 피드백 큐[MLFQ]
P_1	60	60
P_2	50	53
P_3	30	32
평균 반환시간: $\frac{140}{3}$[= 60 + 50 + 30)/3]		평균 반환시간: $\frac{145}{3}$[= (60 + 53 + 32)/3]

(2) 대기시간

프로세스	라운드 로빈[RR] 스케줄링	다단계 피드백 큐[MLFQ]
P_1	30	(53 - 23) = 30
P_2	30	(52 - 19) = 33
P_3	20	(29 - 7) = 22
평균 대기시간: 80/3[= 30 + 30 + 20)/3]		평균 대기시간: $\frac{85}{3}$[= (30 + 33 + 22)/3]

다음의 표는 다단계 피드백 큐 스케줄링의 장점과 단점을 나타낸다.

장점	• 매우 유연하여 스케줄러를 특정 시스템에 맞게 구성할 수 있다. • 자동으로 입출력 중심과 프로세서 중심 프로세스를 분류한다. • 적응성이 좋아 프로세스의 사전 정보가 없어도 최소작업 우선 스케줄링의 효과를 보여준다.
단점	설계와 구현이 매우 복잡하다.

7. HRN(Highest Response-ratio Next) 스케줄링

HRN 또는 HRRN 스케줄링은 최소작업 우선 스케줄링의 약점인 긴 작업과 짧은 작업 간의 지나친 불평 등을 보완한다. 비선점 스케줄링이며, 우선순위 스케줄링의 또 다른 예이다. 선입선처리 스케줄링과 최소작업 우선 스케줄링의 약점을 해결하기 위해 제안되었다.

HRN에서 우선순위는 다음과 같이 계산된다.

$$우선순위 = \frac{서비스를\ 받을\ 시간 + 대기한\ 시간}{서비스를\ 받을\ 시간}$$

▲ HRN의 우선순위

HRN에서 시스템 응답시간은 다음과 같이 계산된다.

시스템 응답시간: 대기한 시간 + 서비스를 받을 시간

▲ HRN의 시스템 응답시간

다음 그림은 HRN 스케줄링의 예를 나타낸다. P_1이 끝나고 우선순위를 계산하고, 매 프로세스가 끝날 때 마다 우선순위를 반복해서 계산해야 함에 유의한다.

프로세스	도착 시간	실행 시간
P_1	0	10
P_2	1	28
P_3	2	6
P_4	3	4
P_5	4	14

(a) 준비 큐

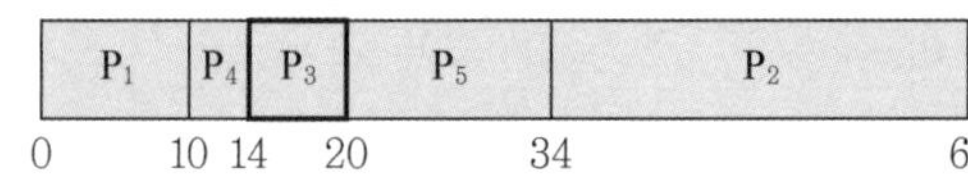

(b) 칸트 차트

▲ HRN 스케줄링의 예

다음의 표는 HRN 스케줄링의 예의 반환시간과 대기시간을 나타낸다.

프로세스	반환시간	대기시간
P_1	10	0
P_2	(62 - 1) = 61	(34 - 1) = 33
P_3	(20 - 2) = 18	(14 - 2) = 12
P_4	(14 - 3) = 11	(10 - 3) = 7
P_5	(34 - 4) = 30	(20 - 4) = 16
평균 반환시간: 26[= (10 + 61 + 18 + 11 + 30)/5]		평균 대기시간: 14[= (0 + 33 + 12 + 7 + 16)/5]

다음의 표는 HRN(HRRN) 스케줄링의 장점과 단점을 나타낸다.

장점	• 자원을 효율적으로 활용한다. • 기아가 발생하지 않는다.
단점	오버헤드가 높을 수 있다(메모리와 프로세서 낭비).

8. Deadline

최단 마감 우선 스케줄링(Earliest Deadline First Scheduling, EDF 스케줄링)은 실시간 운영체제에서 사용되는 동적 CPU 스케줄링 알고리즘의 하나이다. 프로세스를 우선순위 큐를 통해 수행한다. 스케줄링 이벤트가 일어날 때마다, 큐에서 마감시간이 가장 가까운 프로세스를 탐색하여 다음에 수행되도록 한다. 주기적인 작업뿐만 아니라 단일 처리기 환경에서 선점형 프로세스들을 스케줄링할 수 있다.

RM 스케줄링(Rate-Monotonic Scheduling, 시간 당 CPU 사용률을 계산하여 스케줄링)은 사용률에 제약이 있는 반면 EDF 스케줄링은 사용률이 1이하이기만 하면 스케줄링이 가능하다. 또한, 수학적으로 최적이라는 것이 증명되어 있다. 하지만 현실적으로 프로세스의 마감시간을 예측하는 것이 어렵기 때문에, 실제로는 RM 스케줄링을 사용하는 경우가 많다.

요약정리

프로세스 스케줄링

종류	선점/비선점	알고리즘	기아
FCFS	비선점	요청하는 순서대로 프로세서 할당	×
SJF	비선점	실행 시간이 가장 짧은 프로세스에 할당	○
	선점(SRTF)	남아 있는 작업 시간을 기준으로 선점하여 할당	○
Priority	비선점	주어진 우선 순위를 기준으로 할당	○
	선점	주어진 우선 순위를 기준으로 선점하여 할당	○
RR	선점	규정 시간량만큼 할당	×
MLQ	비선점/선점	각 큐가 독자적인 스케줄링을 갖음	×/○
MLFQ	비선점/선점	각 큐가 독자적인 스케줄링을 갖음	×/○
HRN	비선점	계산된 우선 순위(대기 시간 포함)를 기준으로 할당	×

주요개념 셀프체크

- 선점 vs. 비선점
- FCFS
- SJF vs. SRTF
- Priority: 선점 vs. 비선점
- RR
- MLQ vs. MLFQ
- HRN

핵심 기출

1. 다음과 같이 3개의 프로세스가 있다고 가정한다. 각 프로세스의 도착 시간과 프로세스의 실행에 필요한 시간은 아래 표와 같다. CPU 스케줄링 알고리즘으로 RR(Round Robin)을 사용한다고 가정한다. 3개의 프로세스가 CPU에서 작업을 하고 마치는 순서는? [단, CPU를 사용하는 타임 슬라이스(time slice)는 2이다] 2017년 서울시

프로세스	도착시간	프로세스의 실행에 필요한 시간
P1	0	5
P2	1	7
P3	3	4

① P2, P1, P3
② P2, P3, P1
③ P1, P2, P3
④ P1, P3, P2

해설

주어진 조건으로 간트 차트를 그리면 다음과 같다.

P1	P2	P1	P3	P2	P1	P3	P2
0	2	4	6	8	10	11	13

(0 2 4 6 8 10 11 13 16)

P2 다음에 P3이 아닌 P1이 온 이유는 스케줄링 시점 2에서 P3(3에 도착함)이 아직 도착하지 않아서 기존의 P1이 스케줄링 큐에 들어가게 되는 것이다. 마찬가지로 스케줄링 시점 4에서 보면 P3이 시점 3에서 이미 들어와서 스케줄링 큐에 들어가 있게 된다. 이러한 RR 스케줄링을 기준으로 작업을 마치는 순서는 P1, P3, P2가 된다.

정답 ④

2. <보기> 중 프로세스 스케줄링을 선점 스케줄링과 비선점 스케줄링으로 구분한 것으로 옳은 것은? 2019년 국회직

<보기>

ㄱ. RR(Round Robin)
ㄴ. SJF(Shortest Job First)
ㄷ. SRT(Shortest Remaining Time)
ㄹ. HRN(Highest Response ratio Next)
ㅁ. MFQ(Multilevel Feedback Queue)
ㅂ. MLQ(MultiLevel Queue)

	선점 스케줄링	비선점 스케줄링
①	ㅁ, ㅂ	ㄱ, ㄴ, ㄷ, ㄹ
②	ㄱ, ㄴ, ㄷ	ㄹ, ㅁ, ㅂ
③	ㄱ, ㅁ, ㅂ	ㄴ, ㄷ, ㄹ
④	ㄱ, ㄴ, ㄷ, ㄹ	ㅁ, ㅂ
⑤	ㄱ, ㄷ, ㅁ, ㅂ	ㄴ, ㄹ

해설

1. 선점 스케줄링

ㄱ. RR: 시간 할당량 후에 강제로 다른 프로세스에게 CPU를 넘겨주기 때문에 선점 방식이다.
ㄷ. SRT: 각 작업의 남아 있는 시간이 작은 것을 우선으로 하는 선점 방식이다.
ㅁ. MFQ: MLQ의 단점을 개선하기 위해 작업이 큐 사이 이동 가능하다. MLQ와 마찬가지로 각 큐는 자신만의 독자적인 스케줄링 갖기 때문에 만약 RR이 사용된다면 선점 방식으로 동작한다.
ㅂ. MLQ: 준비 상태 큐를 종류별로 여러 단계로 분할, 그리고 작업을 메모리의 크기나 프로세스의 형태에 따라 특정 큐에 지정하는 방식이다. 각 큐는 자신만의 독자적인 스케줄링 갖기 때문에 만약 RR이 사용된다면 선점 방식으로 동작한다.

2. 비선점 스케줄링

ㄴ. SJF or SPN: 가장 작은 실행 시간을 가지는 프로세스가 먼저 처리되기 때문에 비선점 방식이다.
ㄹ. HRN or HRRN: 계산된 우선순위(대기한 시간이 길어지면 우선 순위가 높아짐)로 먼저 처리하기 때문에 비선점 방식이다.

정답 ⑤

CHAPTER 06 분산 메모리 할당

1 페이징

1. 페이징의 개념

페이징(paging)은 작업을 크기가 동일한 페이지(page)로 나눠 처리하는 방법이다. 프로그램을 주기억장치에 어떻게 저장해서 사용할 것인지에 대한 문제이며, 가상 메모리에서도 사용하는 기법이다. 다음 그림은 연속 메모리 할당과 비연속 메모리 할당 예를 나타낸다.

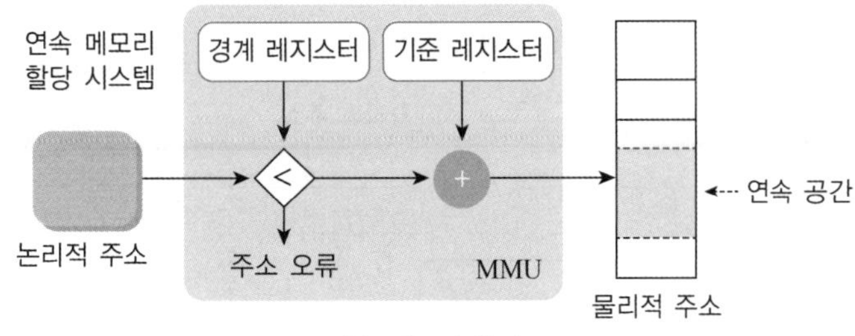

(a) 연속 메모리 할당

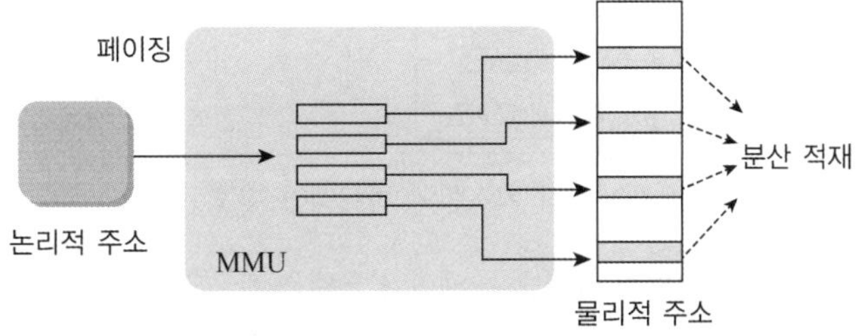

(b) 페이징 시스템을 이용한 비연속 메모리 할당

▲ 연속 메모리 할당과 비연속 메모리 할당 예

페이징(paging) 시스템에서 프로그램 실행 준비는 다음과 같다.

- 프로세스에 필요한 페이지를 결정하여, 페이지 번호를 부여한다.
- 메모리의 빈 프레임을 조사하여, 프로세스를 적재할 위치를 파악한다.
- 프로세스의 페이지를 빈 프레임에 적재하도록 준비한다.

결론은 process page를 memory frame로 바꿔준다. 가상 메모리 관점에서는 논리 주소를 물리 주소로 바꿔준다.

페이징(paging)의 특징은 다음과 같다.

- 빈 프레임에 어떤 페이지든 적재할 수 있어 메모리를 효율적으로 사용한다.
- 프레임 간에 외부 단편화(120이 필요한데 100밖에 없어 외부에서 20의 단편화가 발생)도 발생하지 않는다.
- 한 프로세스의 페이지를 메인 메모리의 여러 위치에 분산 적재하여, 운영체제의 페이지 관리 부담이 크다.
- 프레임 단위로 적재하므로 어떤 프로세스에 필요한 공간이 페이지 크기와 맞지 않으면, 마지막 페이지에 할당된 프레임이 완전히 차지 않아 내부 단편화(80이 필요한데 100이 있어 내부에서 20의 단편화가 발생)가 발생 가능하다.

2. 페이징 시스템의 하드웨어 구조와 원리

다음 그림은 페이징 시스템의 하드웨어 구조를 나타낸다. 해당 구조는 가상 메모리에서 페이지가 프레임으로 변환되는 것과 같다.

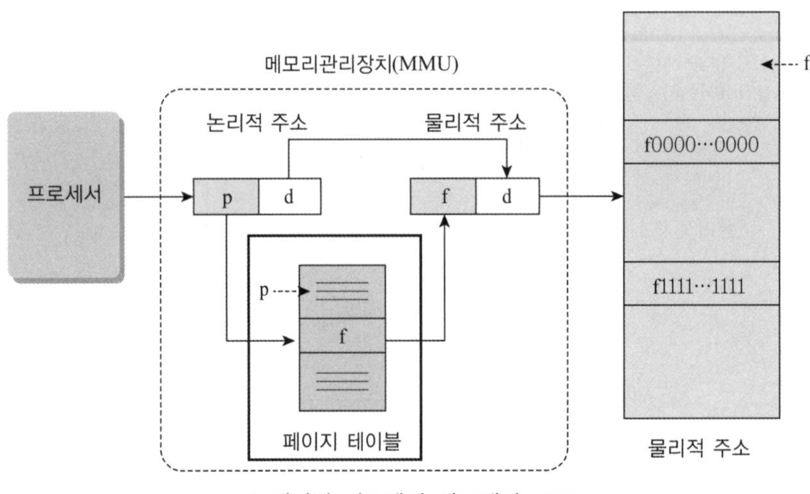

▲ 페이징 시스템의 하드웨어 구조

다음 그림은 페이지 테이블과 페이징 모델을 나타낸다. 페이징 모델은 가상 메모리에서 논리 주소가 물리 주소로 바뀌는 것과 같다.

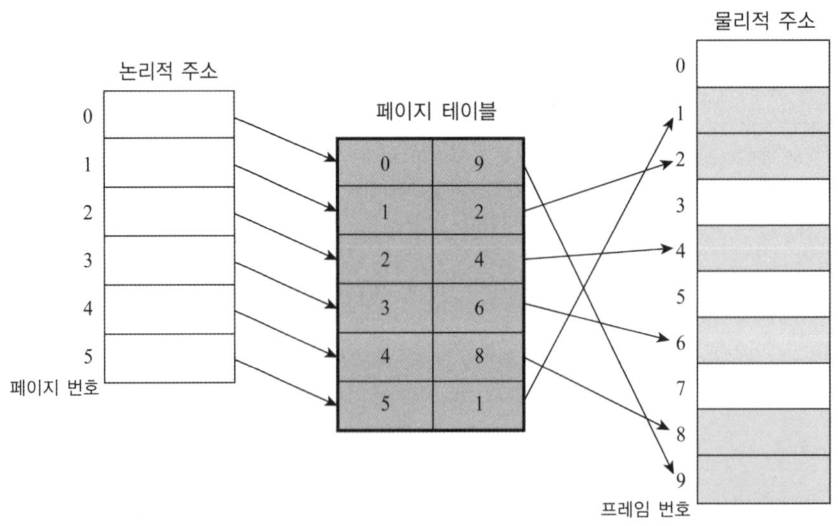

▲ 페이지 테이블과 페이징 모델

16비트 논리적 주소는 다음 그림과 같다. 그림에서 나온 16비트 논리적 주소는 외울 필요가 없다. 왜냐하면, 시험 문제 지문에 따라서 주어진 조건으로 문제를 해결하면 되기 때문이다.

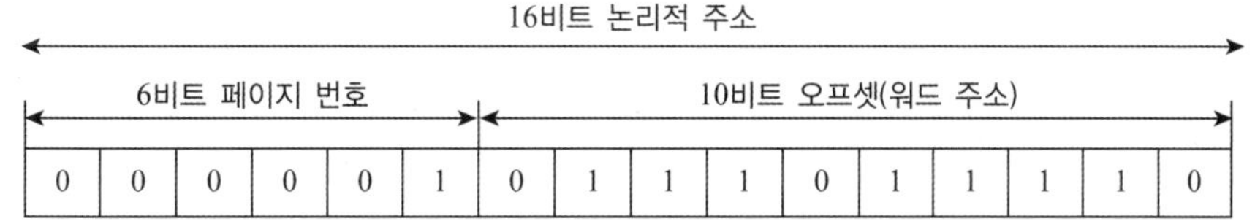

▲ 16비트 논리적 주소(크기가 1KB인 최대 64개의 페이지로 구성)

다음 그림은 IBM 370의 논리적 주소(32비트)를 나타낸다.

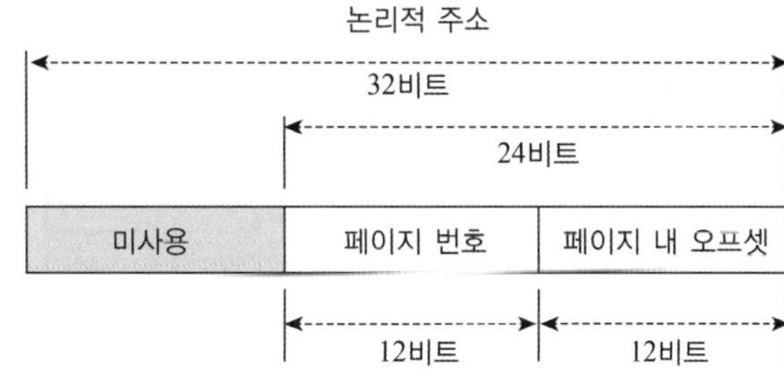

▲ IBM 370의 논리적 주소

다음 그림은 페이지 테이블을 이용한 물리적 주소 변환 예를 나타낸다.

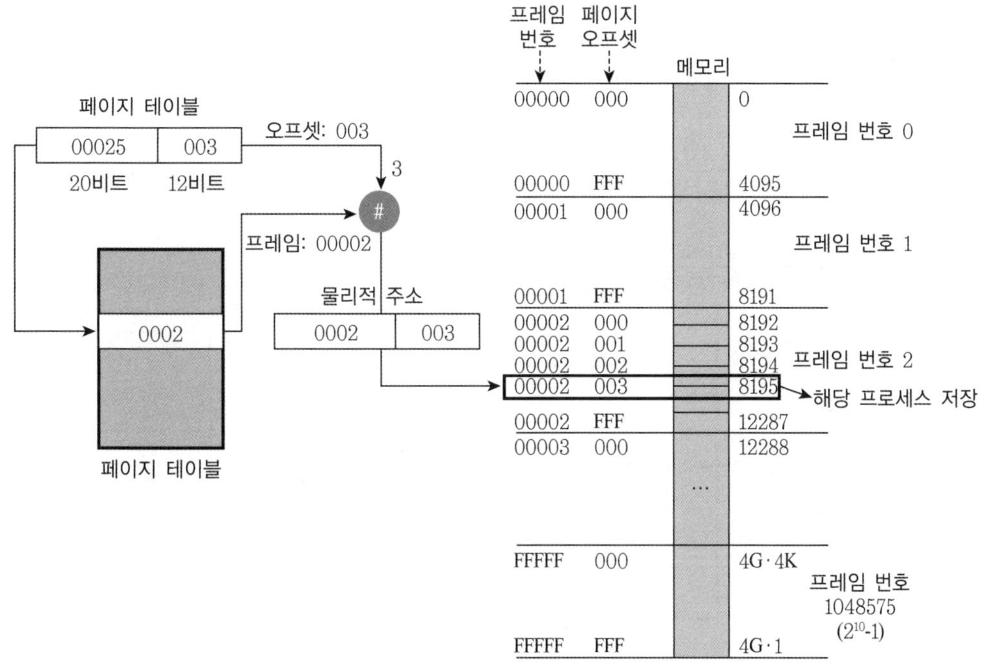

▲ 페이지 테이블을 이용한 물리적 주소 변환 예

다음 그림은 8개 페이지(페이지 개수)와 64바이트(전체 크기) 메모리 페이징 예를 나타낸다.

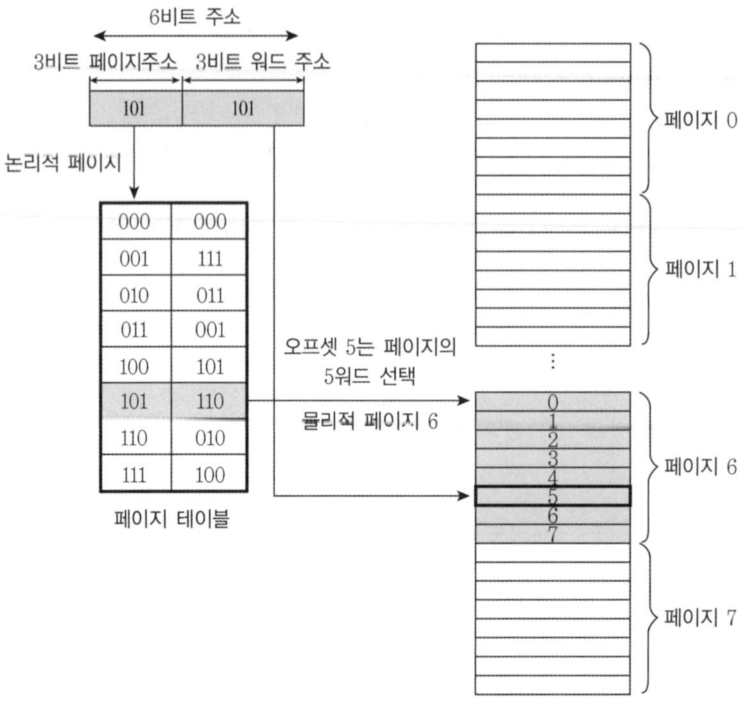

▲ 8바이트 페이지(페이지 개수)와 64바이트(전체 크기) 메모리 페이징 예

3. 다중 단계 페이징 시스템의 구조와 원리

논리적 주소가 클수록, 물리적 주소로 변환하는 과정에서 필요한 페이지 테이블 크기도 증가하므로, 메모리에 더 큰 적재 공간이 필요하다. 다음 그림은 2단계 페이징 시스템의 구조를 나타낸다. 다중 단계 페이징 시스템 예는 VAX와 윈도우 NT는 2단계, 스팍(SPARC)은 3단계, 모토로라(Motorola) 68030은 4단계 페이징 시스템을 사용한다.

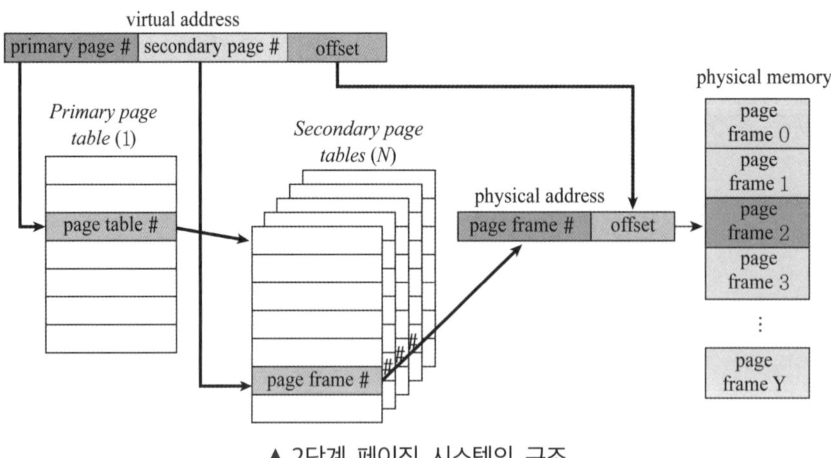

▲ 2단계 페이징 시스템의 구조

4. 페이지 테이블의 구현(* 참고)

다음 그림은 페이지 테이블과 페이지 테이블 항목(Page Table Entry)을 나타낸다.

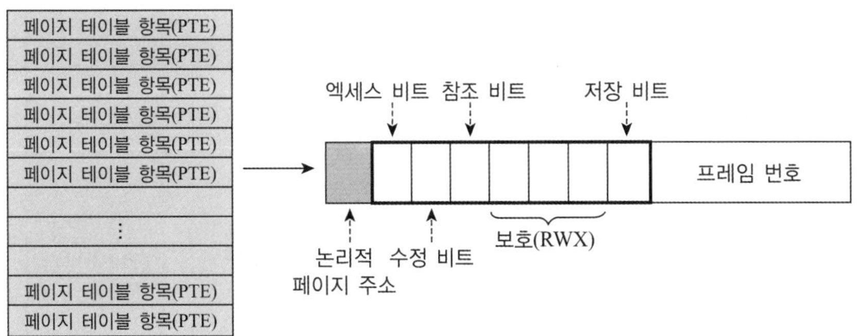

(a) 페이지 테이블 (b) 페이지 테이블 항목 구조

- 액세스 비트: 메모리 액세스 여부 표시
- 수정비트: 메모리에 적재한 이후 수정했는지 여부
- 참조 비트: 액세스 여부
- 보호(RWX): 읽기 · 쓰기 · 실행 권한
- 저장 비트: 참조 페이지의 메모리 저장 여부
- 프레임 번호: 메인 메모리에서 페이지 프레임 번호

▲ 페이지 테이블과 페이지 테이블 항목

페이지 테이블 관리 방법은 전용 레지스터(PTBR)를 사용한다. 레지스터는 효율적으로 페이징 주소를 변환하기 위해 초고속 논리회로로 설계한다. 메모리의 모든 액세스는 페이징 테이블 정보로 수행하므로, 효율성을 중요하게 고려해야 한다. 레지스터를 사용하여 페이지 테이블을 구현할 때는, 페이지 테이블 항목이 적으면 좋은데 이는 쉽게 관리가 가능하다. 대부분의 컴퓨터는 페이지 테이블이 매우 커서, 레지스터로 구현하기에 부적합하다. 대개 페이지 테이블을 메모리에 두고, 페이지 테이블 기준 레지스터(PTBR, Page Table Base Register)로 페이지 테이블을 지시한다.

페이지 테이블을 메모리에 두면, 레지스터 값 하나를 바꿔서 페이지 테이블을 변경할 수 있어, 문맥 교환 시간이 감소한다. 실제 문맥 교환은 메모리 정보를 모두 교환해야 하나, 페이지 테이블 기준 레지스터는 단순히 레지스터 값을 바꿔서 문맥 교환과 똑같은 효과가 발생한다. 메모리 액세스 시간이 문제이다. 페이지 테이블 항목과 워드를 위한 메모리 액세스가 필요하다. 이 액세스 때문에 속도가 느려진다는 문제가 발생한다. 연관 레지스터나 변환 우선참조 버퍼(TLB, Translation Look-aside Buffer)를 이용하여 해결 가능하다.

다음 그림은 TLB(cache)를 나타낸다.

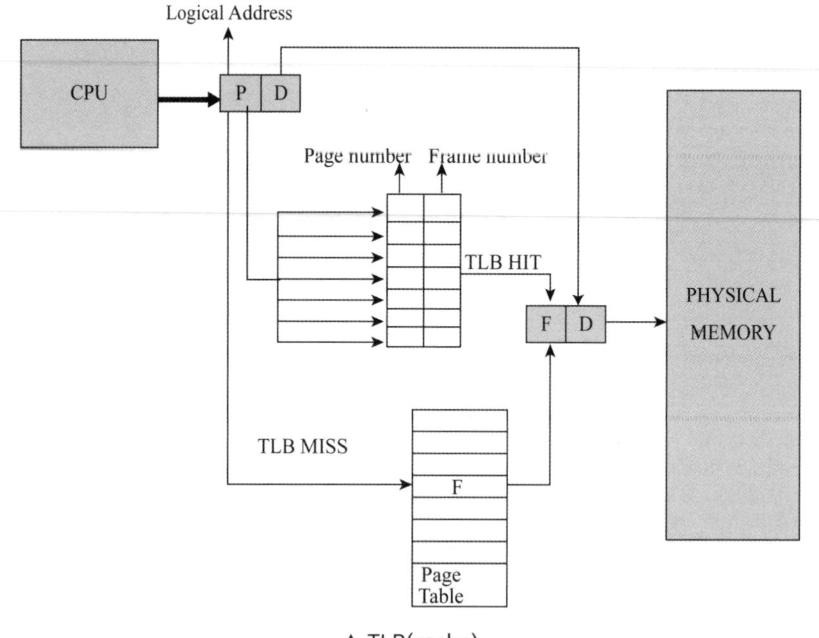

▲ TLB(cache)

연관 레지스터를 이용하여 논리적 주소를 물리적 주소로 변환하는 방법은 다음과 같다.

- 직접 매핑(direct mapping)으로 주소 변환
- 연관 매핑(associative mapping)으로 주소 변환
- 연관 · 직접 매핑을 결합한 주소 변환

직접 매핑으로 주소 변환은 메모리나 캐시에, 완전한 페이지 테이블을 유지한다. 프로세스의 메모리를 구성하는 모든 페이지 항목이 페이지 테이블에 있다. 레지스터(PTBR)만 변경해도 페이지 테이블 변경이 가능하다. 사용자 메모리 위치에 액세스하는 데 시간이 소요된다(해결하는 방법으로 연관 레지스터 또는 보조예비기억장치라고 하는 특별히 작은 하드웨어 메모리 사용).

다음 그림은 직접 매핑으로 주소를 변환하는 과정을 나타낸다.

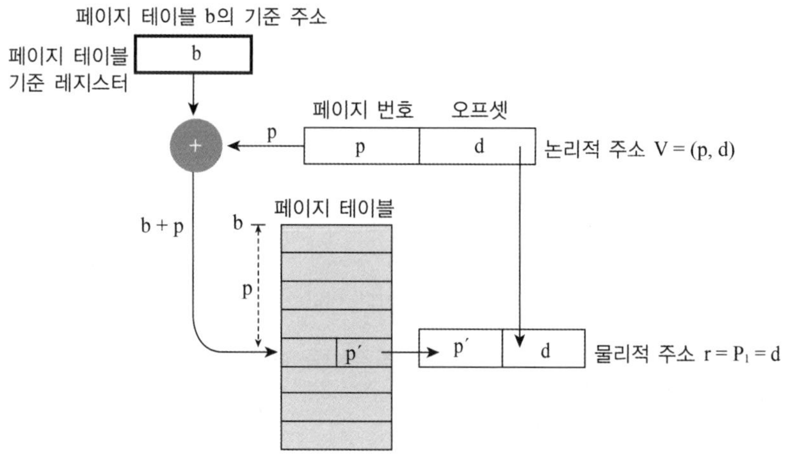

▲ 직접 매핑으로 주소를 변환하는 과정

연관 매핑으로 주소 변환은 논리적 주소를 프로세서의 페이지 번호와 프로세서에 대응하는 프레임 번호가 있는, 연관 레지스터의 집합으로 표현한다. 각 레지스터는 키와 값으로 구성한다. 연관 레지스터에 항목을 추가하면, 동시에 모든 키와 비교하여 해당 항목을 찾아 이에 대응하는 값을 출력한다. 매우 빠르게 검색이 가능하지만(CAM), 하드웨어가 무척 비싸다는 단점을 가진다. 시스템에 모든 프로세스의 페이지 테이블 항목을 저장할 만큼, 크기가 충분한 연관 레지스터를 갖추기 곤란하다. 물론 페이지 테이블 기준 레지스터(PTBR)가 필요 없다.

다음 그림은 순수 연관 매핑으로 주소를 변환하는 과정(동시 검색)을 나타낸다.

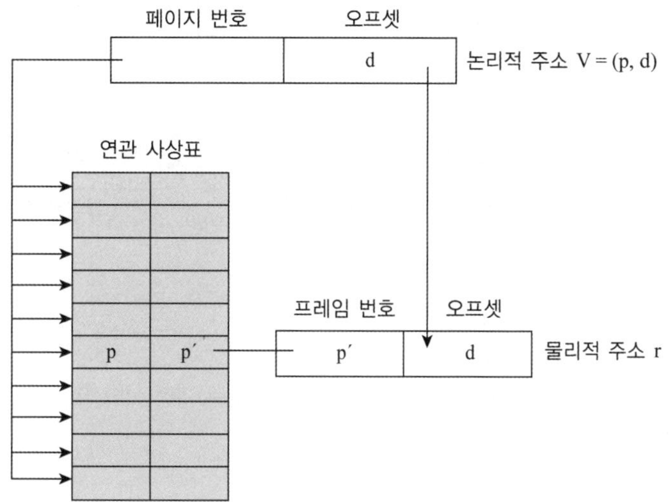

▲ 순수 연관 매핑으로 주소를 변환하는 과정(동시 검색)

연관 · 직접 매핑을 결합한 주소 변환은 연관 · 직접 매핑을 혼용하는 것이다. 최근에 사용한 페이지만 연관 레지스터에 유지하고, 연관 레지스터에 해당 페이지가 없을 때만 직접 매핑하는 방법이다. 프로세스가 메모리의 정보를 균일하게 액세스하는 것이 아니라, 많이 참조한 것을 또 참조하는 경향이 있다는 '지역성(locality)'을 적절히 활용한다. 페이지 번호를 연관 레지스터에서 발견하는 비율을 적중률(Hit Ratio)이라고 한다. 적중률이 80%일 때 유효 접근시간은 다음 그림의 ❶과 같다. 적중률이 90%일 때 유효 접근시간은 다음 그림의 ❷처럼 계산이 가능하다.

❶ (0.8 × 800) + (0.20 × 1550) = 950나노초

❷ (0.9 × 800) + (0.10 × 1550) = 875나노초

▲ 유효 접근시간 계산 예

다음 그림은 연관 · 직접 매핑으로 주소를 변환하는 과정(지역성)을 나타낸다.

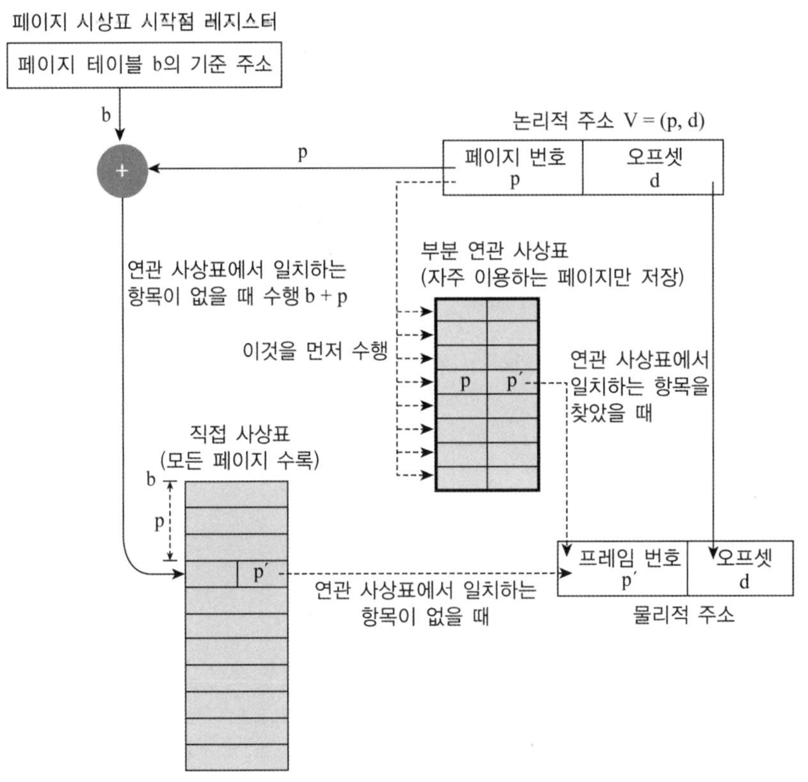

▲ 연관 · 직접 매핑으로 주소를 변환하는 과정(지역성)

5. 공유 페이지

공유 페이지(시험 문제 지문에 출제)는 페이징 시스템의 장점인 시분할 환경에서 중요한 공통 코드를 공유하는 것이다. 페이징 시스템에서는 프로세스를 메모리에 연속적으로 할당할 필요가 없기 때문에, 여러 프로세스가 메모리를 공유하는 것이 가능하다. 다른 프로세스는 메모리의 같은 페이지(지역)를 단순히 가리키도록 해야 하며, 공유 라이브러리 코드에도 사용 가능하다. 공유 코드는 재진입을 허용하므로 재진입 코드(reentrant code) 또는 순수 코드(pure code)라고 한다.

오직 읽을 수만 있으며, 스스로 수정하지는 못한다. 프로세스들은 재진입 코드에서 수행 도중 변하지 않는다(2개 또는 그 이상의 프로세스가 동시에 같은 코드 수행 가능). 스레드가 텍스트와 메모리를 공유하는 방법과 비슷하다. 프로세스에서 논리적 주소 공간의 다른 부분에 나타날 수 있다. 이때 공유 코드는 모든 프로세스에서 물리적 주소 공간의 동일한 위치에 나타나야 한다.

다음 그림은 페이징에서 공유 코드를 나타낸다.

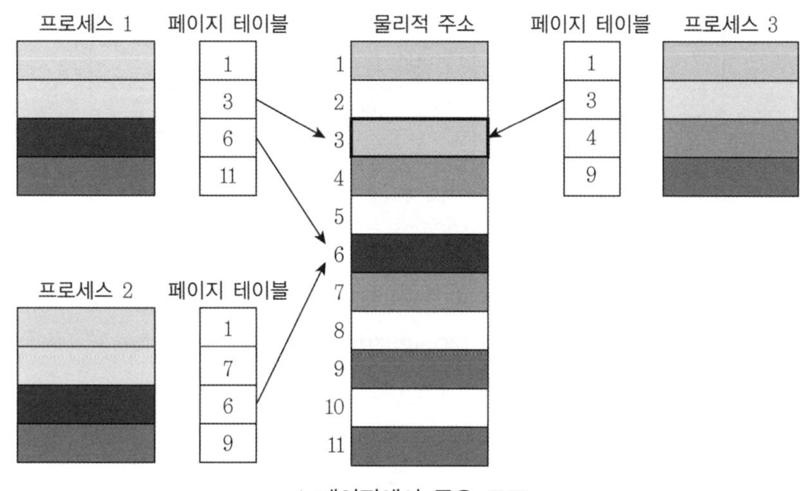

▲ 페이징에서 공유 코드

다음 그림은 공유 코드 예를 나타낸다.

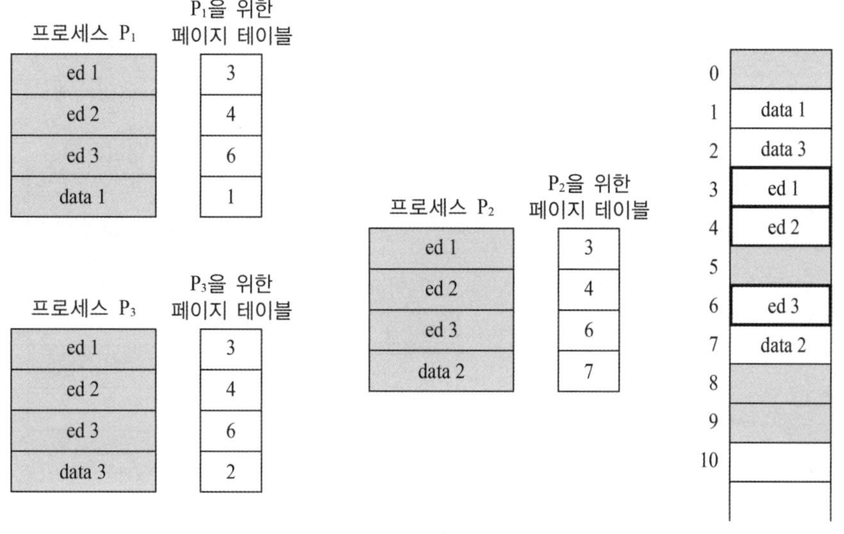

▲ 공유 코드 예

6. 페이징에서 보호

페이지 테이블에 보호 비트를 추가하여 페이지를 보호하면 공유 문제를 해결할 수 있다. 다음 그림은 페이지 보호 비트를 나타낸다.

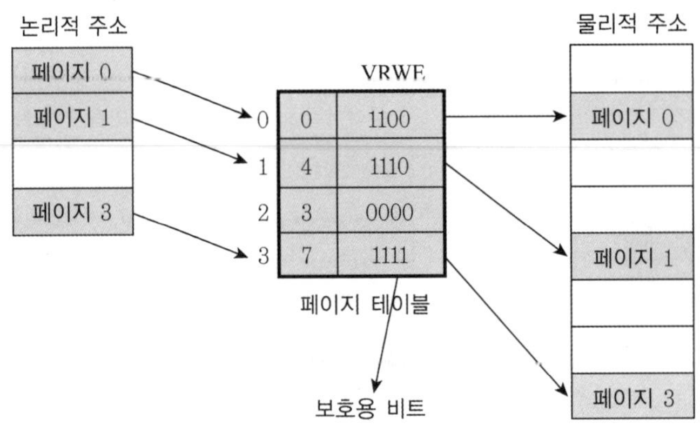

- 타당 · 비타당(V)비트: 메인 메모리의 적재 여부
- 읽기(R)비트: 읽기 여부
- 쓰기(W)비트: 수정 여부
- 실행(E)비트: 실행 여부

▲ 페이지 보호 비트

다음 그림은 페이지 테이블의 액세스 타당과 비타당을 나타낸다. 주소가 14 비트인 시스템은 0~16383의 물리적 주소를 사용한다. 논리적 주소가 0~10468인 프로세스에 크기가 2KB인 페이지가 주어진다면, 페이지 0~4까지는 크기가 10,240바이트이므로 페이지 테이블로 정상적으로 매핑 된다. 페이지 5는 12287까지 합법적으로 처리되므로 타당으로 분류되고, 228(= 10468 - 10240)바이트만 사용하여 2KB (= 2048 - 228) 규모의 내부 단편화가 발생한다. 그리고 나머지 12288~16383 영역은 비타당 분류하므로 페이지 6과 페이지 7은 비타당이 되어 운영체제로 트랩된다(* 참고).

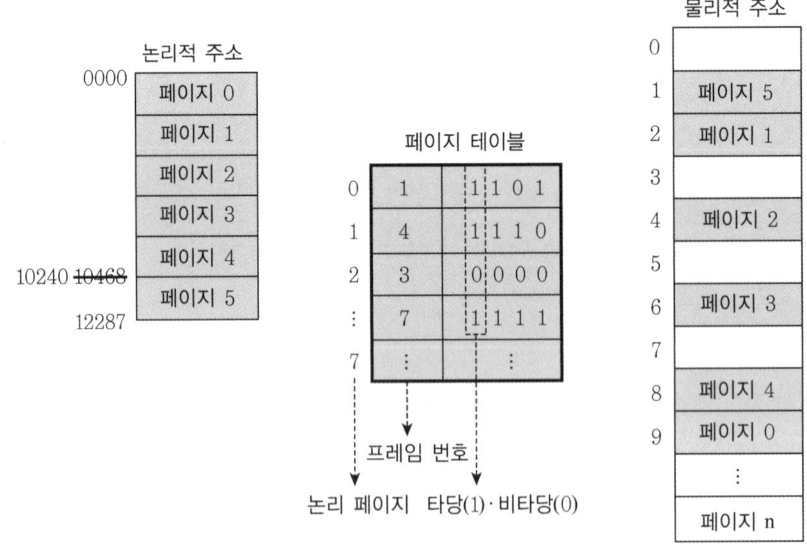

▲ 페이지 테이블의 액세스 타당과 비타당

7. 페이지 크기

Intel은 4KB, 2MB/4MB, 1GB의 페이지 크기를 제공하며, ARM은 4KB, 16KB, 64KB의 페이지 크기를 제공한다. 시험 문제에서는 구체적인 숫자보다는 다양한 크기의 페이지를 지원한다는 내용이 출제되었다.

2 세그멘테이션

1. 세그먼테이션의 개념

세그먼테이션(segmentation)은 프로세스 관점을 지원하여 메모리를 크기가 변할 수 있는 세그먼트로 나누는 것이다. 프로그램을 구성하는 서브루틴, 프로시저, 함수나 모듈 등으로 세그먼트로 구성된다. 각 세그먼트는 연관된 기능을 수행하는 하나의 모듈 프로그램으로 생각하여, 메모리의 연속된 위치에서 구성하되 서로 인접할 필요는 없다. 메모리의 사용자 관점을 지원하는 비연속 메모리 할당 방법으로, 논리적 영역을 세그먼트의 집합으로 인식한다.

보통 컴파일러가 원시 프로그램을 실행 프로그램으로 자동 변환하면서 서브루틴과 프로시저, 함수, 모듈 등 각기 크기가 다른 세그먼트로 구성된다. 하드웨어 보호 등 관리에 필요한 사항은 페이징과 비슷하거나 동일하다. 프로세스에 따라 세그먼트 크기가 달라 메모리를 크기가 일정한 페이지 프레임으로 나누지 않고 동적 분할(가변 분할) 방법으로 할당한다.

2. 프로그램(사용자) 관점의 메모리와 프로세스 관점의 메모리(* 참고)

다음 그림은 프로그램(사용자) 관점의 메모리와 프로세스 관점의 메모리를 나타낸다. 세그멘테이션은 페이징과 달리 메모리 할당이 가변적임에 유의한다.

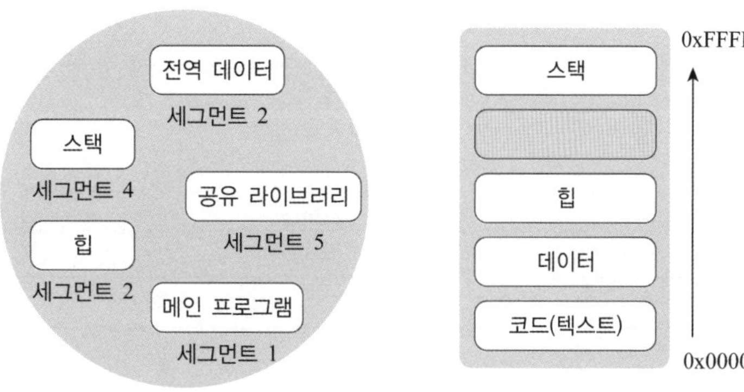

(a) 프로그램(사용자) 관점의 메모리 (b) 프로세스 관점의 메모리

▲ 프로그램(사용자) 관점의 메모리와 프로세스 관점의 메모리

3. 페이징과 세그멘테이션 메모리 할당 비교

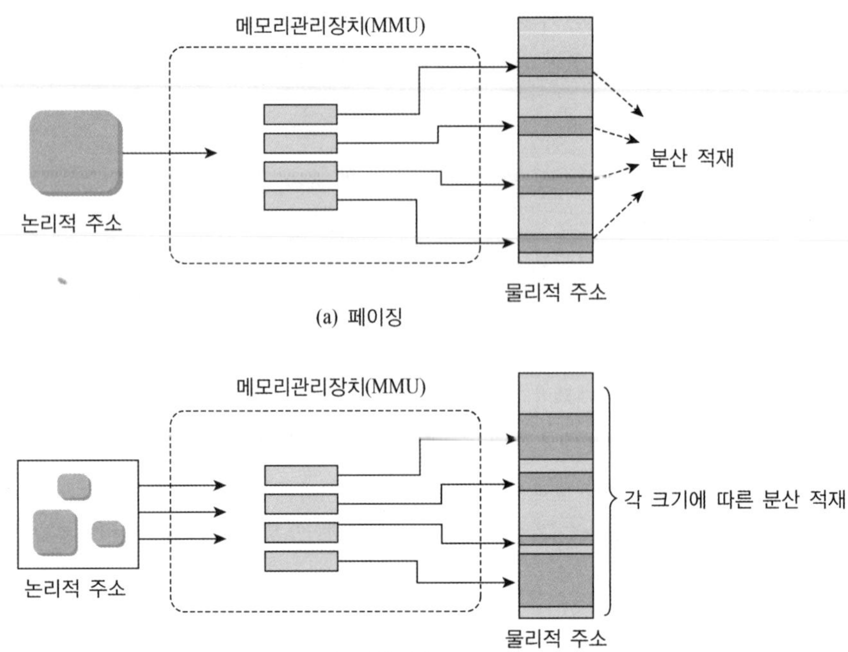

▲ 페이징과 세그먼테이션 메모리 할당 비교

4. 세그먼테이션에서 하드웨어 구조와 원리

다음 그림은 세그먼트의 논리적 구조 예인 IBM 370을 나타낸다. 세그먼트의 논리적 구조에 대해 시험 문제 지문에 언급된 적이 있음에 유의한다.

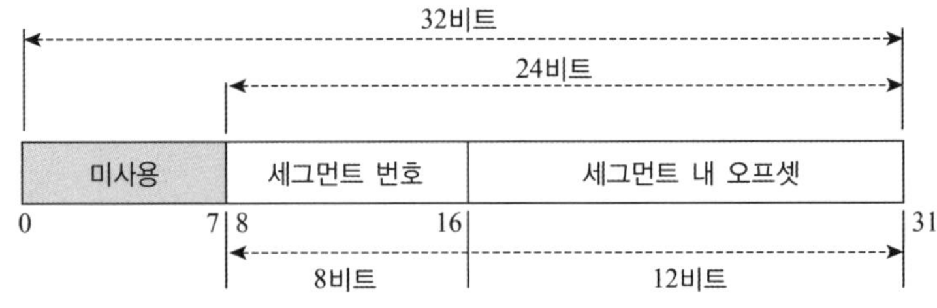

▲ 세그먼트의 논리적 구조 예인 IBM 370

5. 세그먼테이션의 예

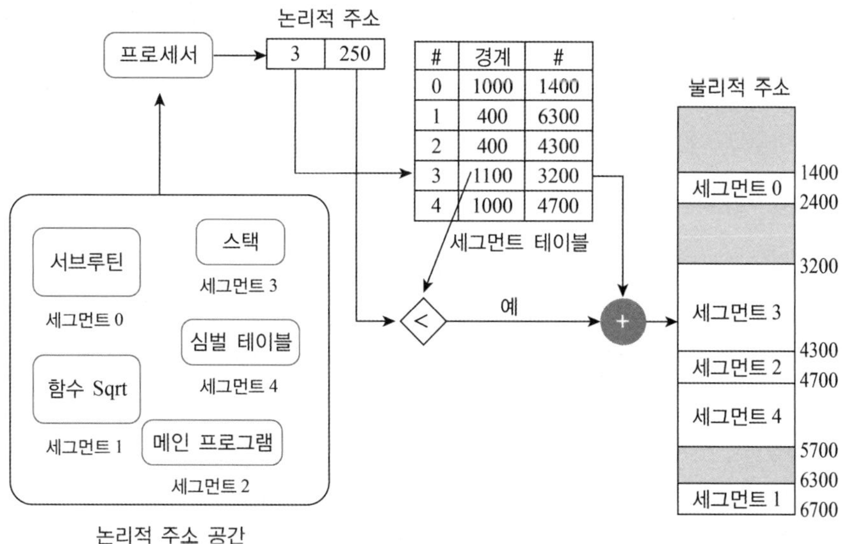

▲ 세그먼테이션의 예

주요개념 셀프체크

- 페이징 vs. 세그멘테이션
- 구조 = 페이지 번호 + 오프셋(워드 주소)
- 다중 단계 페이징
- 공유 페이지 & 보호
- 페이지 크기

핵심 기출

페이징(paging)을 기반으로 한 가상 메모리 시스템과 관련한 다음의 설명 중 옳지 않은 것은? 2015년 국회직

① 프로세스에서 사용하는 가상 주소(virtual address)가 페이지 테이블을 통해 물리 주소(physical address)로 변환된다.
② 동일한 물리 주소를 서로 다른 프로세스에서 서로 다른 가상 주소를 이용해 접근하는 것이 가능하다.
③ 가상 주소의 변경 없이 해당 가상 주소가 가리키는 데이터의 물리적인 주소를 변경시킬 수 있다.
④ Intel이나 ARM CPU에서는 하나 이상의 페이지 크기를 지원한다.
⑤ 페이지 크기가 커질수록 외부 단편화(external fragmentation) 문제가 심각해진다.

해설

외부 단편화는 페이지 크기가 커질수록 내부 단편화 문제가 심각해진다.

선지분석

① 페이지 테이블: 논리 주소를 물리 주소로 변환한다.
② 동일한 물리 주소: 여러 프로세스가 하나의 페이지를 공유한다.
③ 물리주소 변경: 페이지 교체, 프로그램 재배치(relocation) 등으로 물리주소가 변경될 수 있다.
④ Intel이나 ARM: Intel은 4KB, 2MB/4MB, 1GB의 페이지 크기를 제공하며, ARM은 4KB, 16KB, 64KB의 페이지 크기를 제공한다.

정답 ⑤

CHAPTER 07

가상기억장치(Virtual Memory)

1 가상 메모리의 개념과 원리

1. 개요

가상 메모리란 사용자와 논리적 주소를 물리적으로 분리하여 사용자가 메인 메모리 용량을 초과한 프로세스에 주소를 지정해서 메모리를 제한 없이 사용할 수 있도록 하는 것이다. 프로그램 전체를 동시에 실행하지 않으므로, 요구한 메모리 전체가 아닌 일부만 적재해도 실행 가능하다.

활동 영역을 메인 메모리에 유지하면서 필요할 때는 디스크와 메모리 사이에 프로세스 코드와 데이터를 저장하고, 다시 자동으로 전송하는(스왑 인, 스왑 아웃) 과정을 거쳐 프로세스를 재할당하고, 디스크에 저장된 주소 공간은 캐시로 처리하여 메인 메모리를 효율적으로 사용이 가능하다. 메인 메모리의 제한된 용량과 중첩 사용 문제를 해결한다.

2. 페이징(paging)으로 구현한 가상 메모리

다음 그림은 페이징으로 구현한 가상 메모리를 나타낸다. 메인 메모리와 캐시 사이에서 데이터를 이동할 때는 캐시의 공간 지역성을 최대한 활용하려고 메모리의 데이터를 캐시 라인 크기만큼 올려놓는다. 따라서 라인은 캐시가 메인 메모리에서 데이터를 가져오는 크기가 된다.

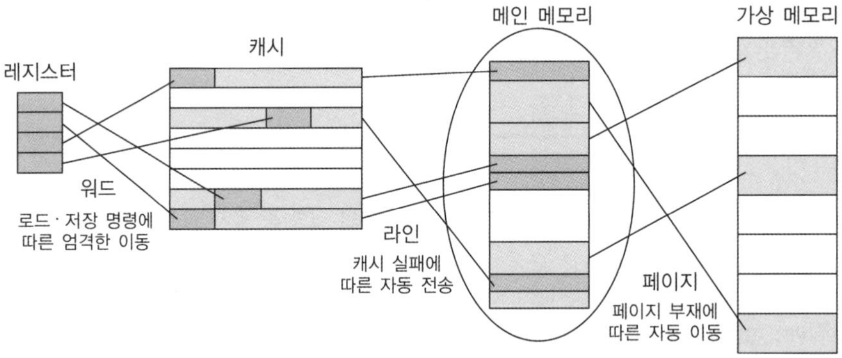

▲ 페이징으로 구현한 가상 메모리

3. 가상 메모리를 이용한 효율적인 메인 메모리 운영

다음 그림은 가상 메모리를 이용한 효율적인 메인 메모리 운영을 나타낸다.

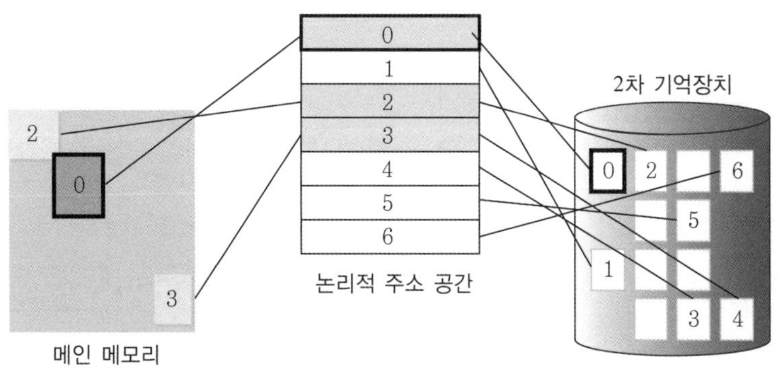

▲ 가상 메모리를 이용한 효율적인 메인 메모리 운영

4. 가상 메모리를 이용한 메인 메모리 운영의 특징(* 참고)

- 예외를 처리하는 오류 처리 코드는 자주 필요하지 않으며, 발생하지 않을 수 있다(메인 메모리에 필요 없음).
- 배열, 리스트, 테이블 등은 실제로 사용한 크기보다 항상 더 크게 정의할 수 있다(크기 제한 없음).
- 문서 편집기의 복사하기, 붙이기, 잘라내기, 삽입하기 메뉴는 선택한 메뉴 하나만 메인 메모리에 적재하고 나머지는 메인 메모리에서 내보내도 된다.

5. 메모리에 프로그램의 일부만 적재 수행 시 장점과 단점

장점은 중첩을 고려하여 프로그래밍할 필요가 없으므로 프로그래밍이 용이하고, 프로세서의 이용률과 처리율이 향상된다(응답시간이나 반환시간은 향상되지 않음). 단점은 메모리와 디스크 사이에 이동량이 증가하고, 스와핑 공간이 필요하다. 그리고 페이지 적재와 복귀 할 페이징 알고리즘을 결정해야 하고, 요구된 프로세스의 페이지가 없을 때 처리하는 방안 등이 필요하다(가상 메모리 적용하기 전의 문제).

6. 문제점 해결 방법(가상 메모리)

실행 중인 프로세스가 참조하는 주소와 메인 메모리에서 사용하는 물리적 주소를 분리한다. 실행 중인 프로세스가 참조하는 주소는 가상 주소(논리적 주소, 프로그램 주소)이고, 가상 주소를 물리적 주소로 변환하는 과정은 매핑이다. 매핑은 가능한 빨리 수행해야한다. 그렇지 않으면 시스템 성능이 떨어지고 가상 메모리 사용 효과가 낮아진다. 매핑은 변환 함수로 표현한다. 다음 그림은 가상 주소와 물리적 주소의 매핑을 나타낸다.

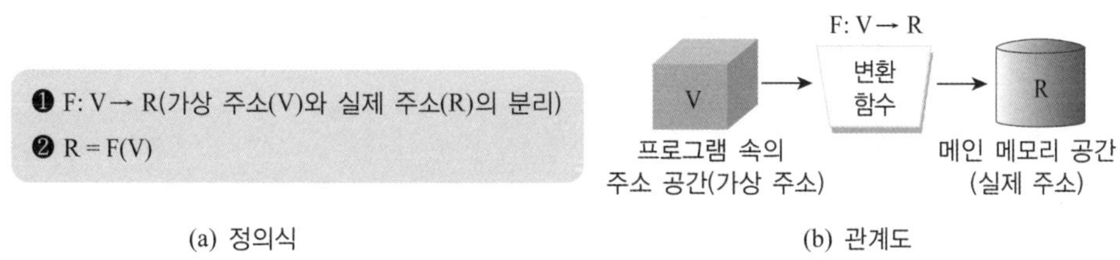

▲ 가상 주소와 물리적 주소의 매핑

7. 가상 주소와 물리적 주소를 매핑하는 방법

다음 그림은 동적 주소 변환을 나타낸다. 인위적으로 연속적인(가상 주소에서 연속적이라고 메인 메모리에서도 연속적일 필요가 없음) 특징을 가진다.

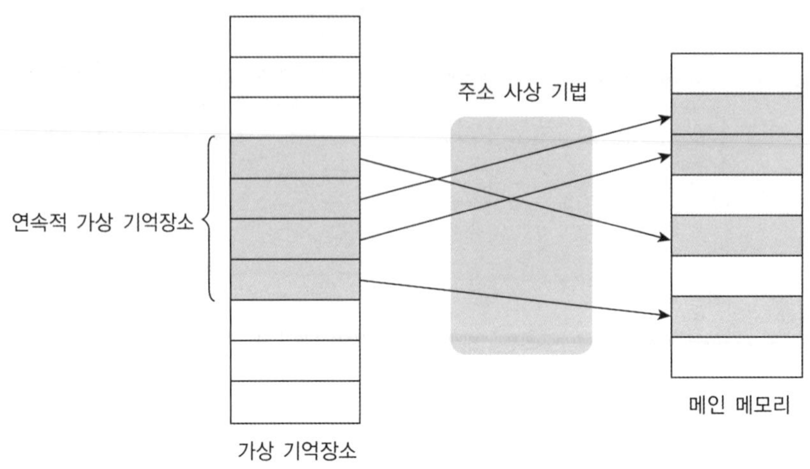

▲ 동적 주소 변환

8. 2단계 메모리 관리(계층적 구조)

2단계 메모리 구조는 여러 사용자가 메인 메모리 공유 시 큰 디스크에 데이터나 프로그램 저장하고 유지할 수 있는 방법이다. 다음 그림은 2단계 메모리 구조를 나타낸다.

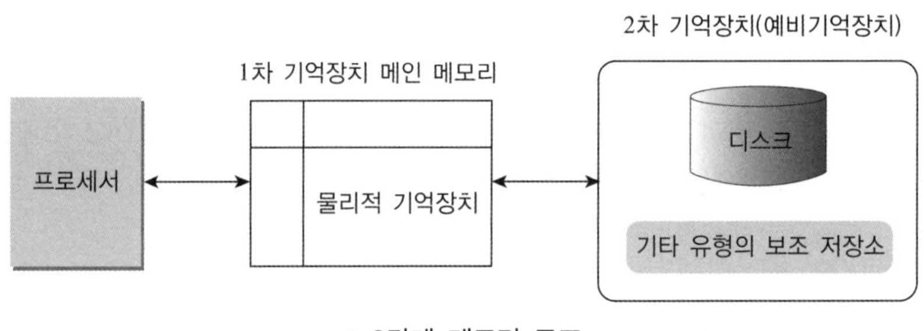

▲ 2단계 메모리 구조

2 요구 페이징(demand paging)

1. 개요

요구 페이징은 가상 메모리에서 많이 사용하는 메모리 관리 방법이다(필요한 페이지만 로드). 스와핑을 사용하는 페이징 시스템과 비슷하다. 프로그램을 실행하려고 프로그램의 일부만 메인 메모리에 적재하되, 순차적으로 작성되어 있는 프로그램의 모듈을 처리할 때 다른 부분은 실행하지 않음을 이용한다.

프로세스 시작할 때 디스크에서 메인 메모리로 스와핑하는 순수 스와핑과 다르게, 실행 중인 프로세스들의 요구 페이지만 메모리에 반입하여 프로세스의 모든 페이지를 메모리에 동시에 적재하지 않는다. 이 과정을 지연 기술 또는 지연 스와퍼라 하고, 이를 위해 페이지 테이블을 유지한다. 동적 주소 변환에서는 가상 메모리와 메인 메모리의 매핑을 매핑 테이블로 표시하고, 페이지 방법에서는 페이지 테이블(page table)로 표시한다.

2. 요구 페이징의 개념도

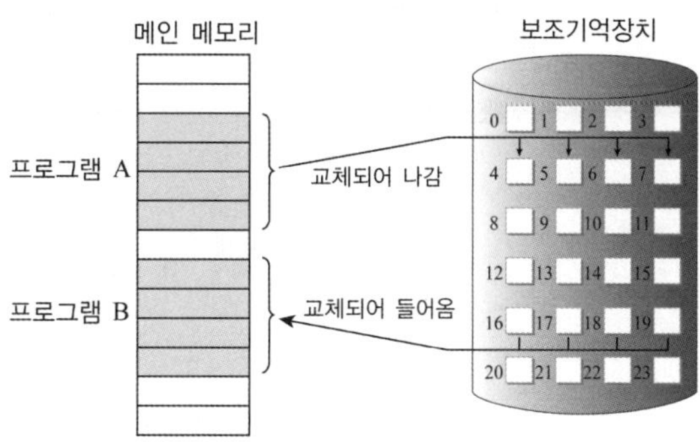

▲ 요구 페이징의 개념도

3. 타당 비트와 비타당 비트를 추가한 페이지 테이블(page table)

다음 그림은 타당 비트와 비타당 비트를 추가한 페이지 테이블을 나타낸다. 유효 페이지는 메인 메모리에 있는 페이지 중 하나라는 의미이고, 유효하지 않는 페이지는 디스크에 있는 페이지 중 하나라는 의미이다. 타당 비트(1)로 설정되어 있으면 유효 페이지이고, 비타당 비트(0)는 유효하지 않는 페이지이다.

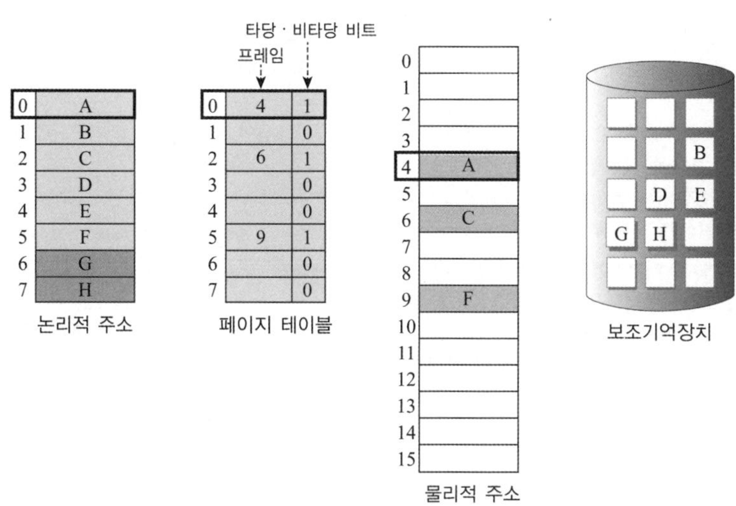

▲ 타당 비트와 비타당 비트를 추가한 페이지 테이블

3 페이지 부재(page fault)

1. 개요

프로세스가 비타당 비트로 표시된 페이지에 액세스하지 않는다면 비타당 비트 여부가 영향 주지 않으나, 메모리에 적재되지 않은 페이지에 액세스하려고 한다면 페이지 부재가 발생한다. 다음 그림은 페이지 부재 처리 과정을 나타낸다.

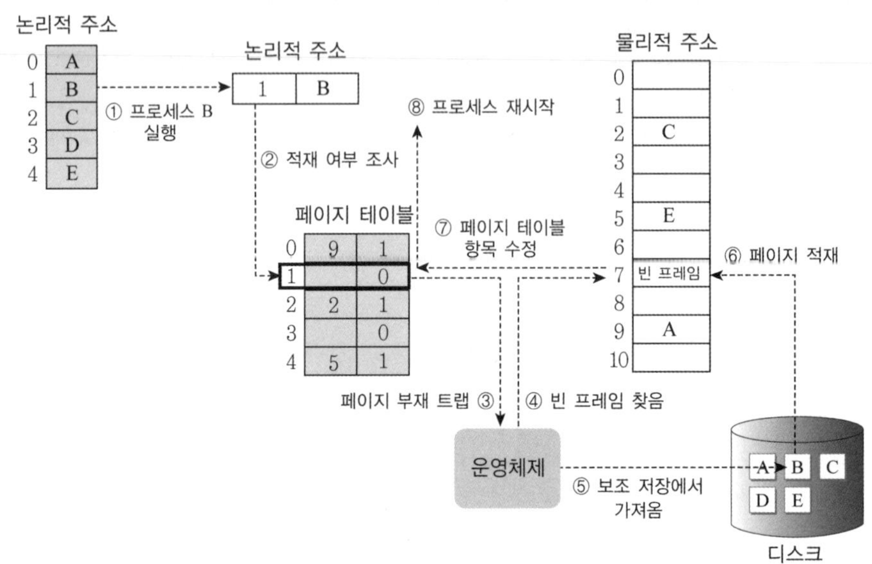

▲ 페이지 부재 처리 과정

2. 요구 페이징의 장점과 단점

다음의 표는 요구 페이징의 장점과 단점을 나타낸다. 표에서 demand paging의 반대 개념으로 pre-paging이 사용됨에 유의한다.

장점	• 다중 프로그래밍의 정도를 증가시키고 액세스하지 않은 페이지를 적재하지 않으므로, 다른 프로그램들도 사용할 수 있도록 메모리를 절약할 수 있다. • 프로그램을 시작할 때 적재 지연이 적다. • 적은 수의 페이지를 읽기 때문에 초기 디스크 오버헤드가 적다. • 페이지 부재를 디스크에서 페이지를 로드하는 데 사용할 수 있어 페이징 시스템보다 하드웨어 지원이 추가로 필요하지 않다. • 적재된 페이지 중 하나를 수정할 때까지 페이지들은 여러 프로그램이 공유하므로 쓰기복사COW, Copy-On-Write 기술로 더 많은 자원을 저장할 수 있다. • 프로그램을 실행할 충분한 메모리가 없는 시스템에서도 대용량 프로그램을 실행할 수 있으며, 프로그래머는 이전 중첩(오버레이)보다 쉽게 구현할 수 있다.
단점	• 개별 프로그램들은 페이지에 처음 액세스할 때 약간의 지연이 발생한다. 반면에 프리 페이징은 마지막으로 수행한 페이지 몇 개를 미리 불러오는 방법으로 성능을 향상시킨다. • 낮은 비용, 낮은 성능의 시스템에서 실행하는 프로그램은 페이지 대체를 지원하는 메모리 관리 장치가 없다. • 페이지 교체 알고리즘을 포함하는 메모리 관리가 복잡하다. • 페이지 액세스 시간은 디스크에서 페이지를 적재할 수도 있으므로 예측이 어렵다.

3. 쓰기 복사(copy-on-write)

쓰기 복사는 페이지의 효율성을 높이는 컴퓨터 프로그래밍에서 사용하는 최적화 전략이다. 다음 그림은 쓰기 복사 예를 나타낸다.

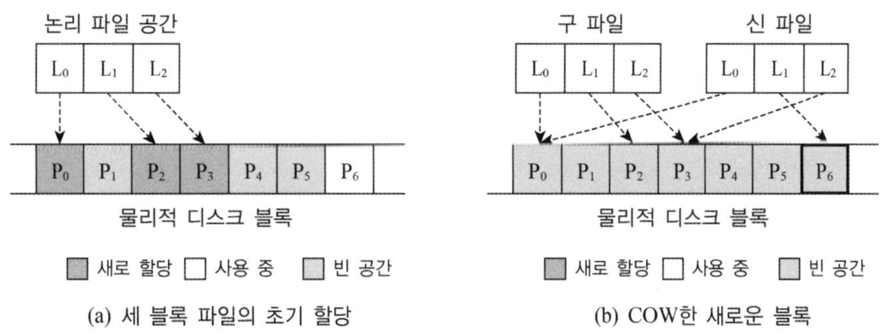

▲ 쓰기 복사 예

4 페이지 대치 알고리즘

1. 페이지 성능을 높이는 페이지 대치

페이지 대치(page replacement)는 페이지 부재 발생 시 메인 메모리에 있으면서 사용하지 않는 페이지를 없애 새로운 페이지로 바꾸는 것이다. 다음 그림은 페이지 대치의 필요성을 나타낸다.

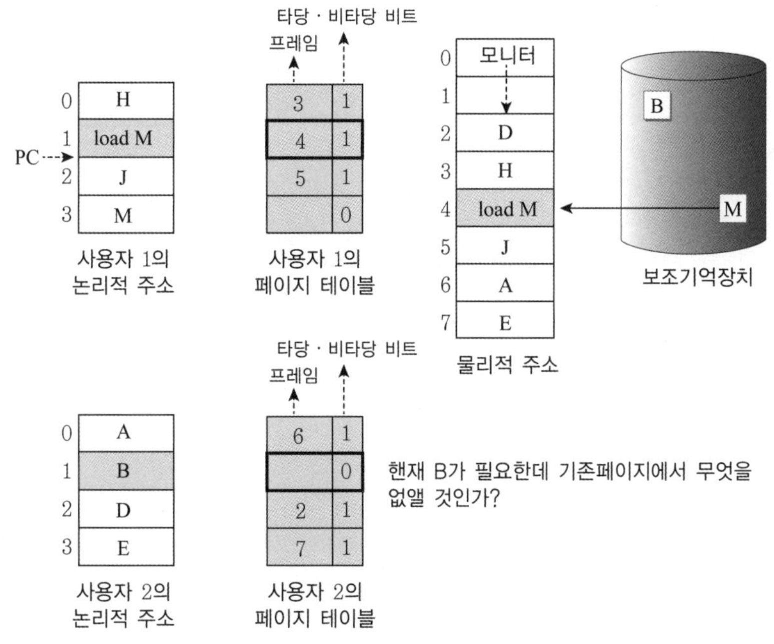

▲ 페이지 대치의 필요성

다음 그림은 페이지 대치 과정을 나타낸다.

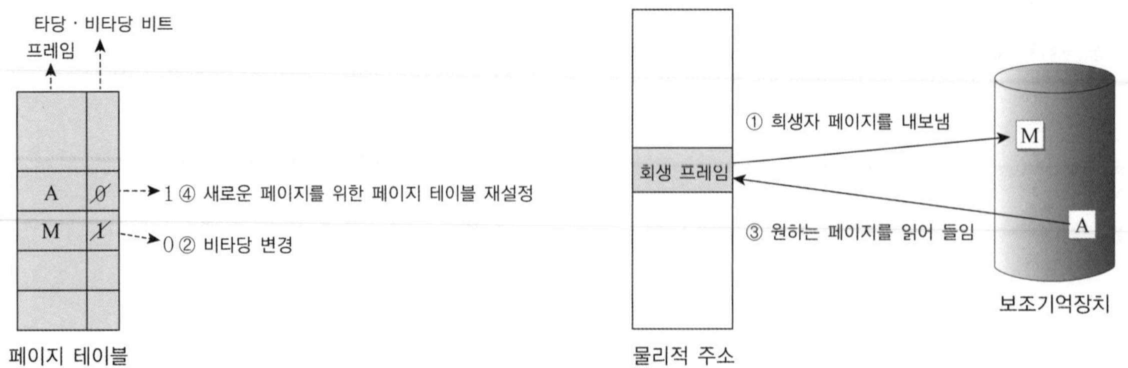

① 프레임 리스트에서 빈 프레임을 찾는데, 빈 프레임이 없으면 현재 사용하지 않는 희생자 프레임을 선정하려고 페이지 대치 알고리즘을 사용한다. 프레임(M)을 선정하면 프레임의 내용을 디스크에 저장하여(스왑아웃) 프레임을 비운다.
② 페이지 테이블의 비타당(0) 비트로 변경하여 페이지가 메모리에 더는 존재하지 않음을 알려주며 프레임을 비운다.
③ 원하는 페이지(A)를 디스크에서 읽어 프레임에 저장한다.
④ 새로운 페이지(A)를 위해 페이지 테이블을 수정한다.

▲ 페이지 대치 과정

다음 그림은 페이지 부재와 프레임 수(물리적 프레임 수)의 관계를 나타낸다. 보통 프레임 수가 증가하면 페이지 부재가 감소한다.

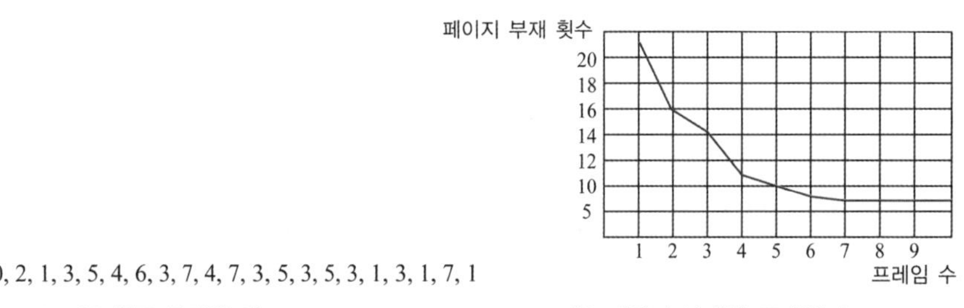

(a) 참조 문자열 예

(b) 페이지 부재와 프레임 수

▲ 페이지 부재와 프레임 수 예

2. 선입 선출 대치 알고리즘(FIFO; First In First Out)

선입 선출 대치 알고리즘은 가장 간단한 알고리즘으로 메모리에 있는 페이지는 모두 선입선출 큐(FIFO queue)가 관리한다. 큐의 헤드 부분에 있는 페이지를 먼저 대치하고, 큐에 있는 페이지가 메모리로 들어갈 때 큐의 끝에 페이지 삽입한다. 큐의 크기는 사용 가능한 메모리 프레임의 수를 나타낸다. 다음 그림은 선입 선출 대치 알고리즘을 나타낸다.

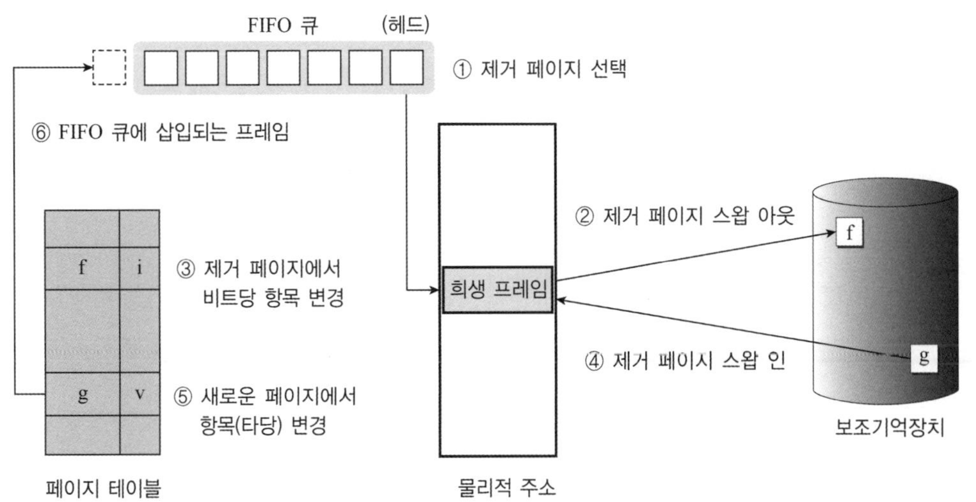

▲ 선입 선출 대치 알고리즘

다음 그림은 선입 선출 대치 알고리즘의 실행 과정을 나타낸다. 시험 문제는 부재(fault) 횟수를 묻는 질문이 자주 출제됨에 유의한다.

1, 2, 3, 2, 1, 5, 2, 1, 6, 2, 5, 6, 3, 1, 3, 6, 1, 2, 4, 3

(a) 참조 문자열 예

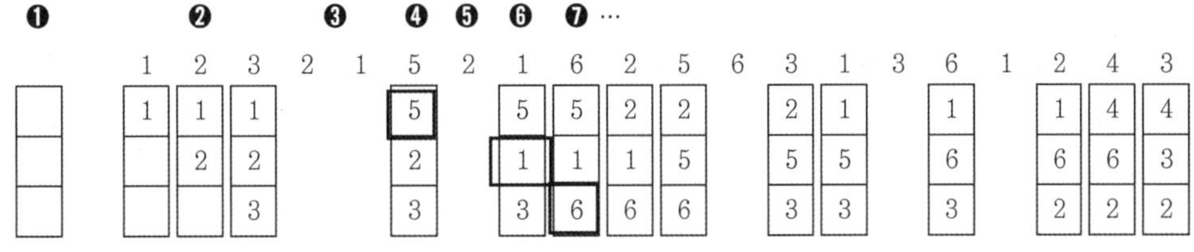

(b) 선입 선출 대치 알고리즘 실행 과정

▲ 선입 선출 대치 알고리즘의 실행

다음 그림은 선입선출 대치 알고리즘의 문제점을 보여 주는 예(벨래디의 변이, 시험 출제)를 나타낸다. 벨래디의 변이(Belady's anomaly)란 (b)와 같이 프레임이 많으면 페이지 부재 횟수가 줄어드는 것과 반대되는 현상이 나타남을 의미한다. 이처럼 할당하는 프레임 수가 증가하면 페이지 부재 비율도 증가 하는 현상을 말한다.

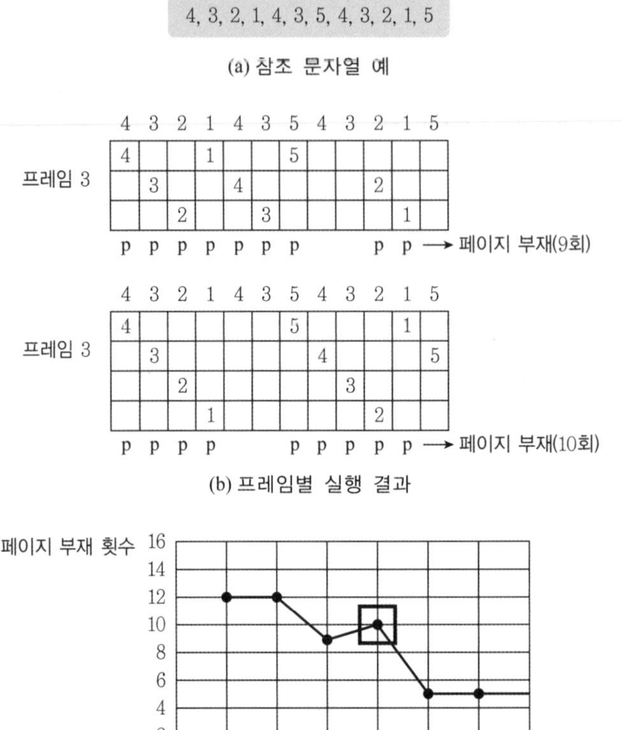

(c) 벨래디의 변이 현상

▲ 선입선출 대치 알고리즘의 문제점을 보여 주는 예

3. 최적 페이지 대치 알고리즘(OPT; OPTimal replacement algorithm)

최적 페이지 대치 알고리즘은 벨래디의 알고리즘을 사용한다(예측 필요). 모든 알고리즘 중 페이지 부재 비율이 가장 낮고, 기본 아이디어는 앞으로 가장 오랫동안 사용하지 않을 페이지를 대치한다. 알고리즘 실행은 특정 알고리즘이 없고, 시험에 출제된다면 문제 조건에 주어질 것이다. 다음 그림은 최적 페이지 대치 알고리즘의 실행을 나타낸다.

1, 2, 3, 2, 1, 5, 2, 1, 6, 2, 5, 6, 3, 1, 3, 6, 1, 2, 4, 3

(a) 참조 문자열 예

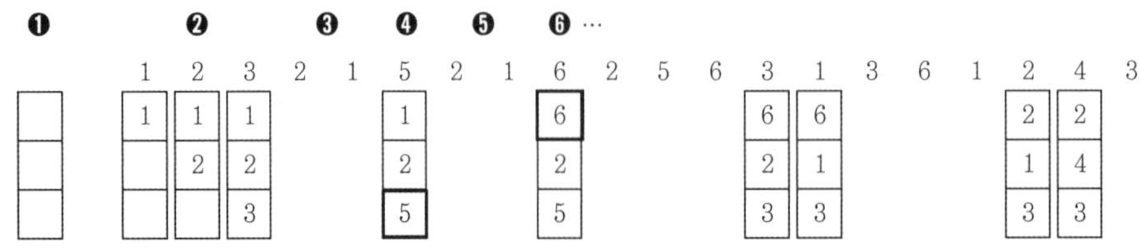

(b) 최적의 페이지 알고리즘 실행 과정

▲ 최적 페이지 대치 알고리즘의 실행

4. 최근 최소 사용(LRU; Least Recently Used) 대치 알고리즘

최근 최소 사용 대치 알고리즘은 프로세스가 가장 최근의 페이지에 액세스했다는 것은 멀지 않아 다시 액세스할 가능성이 있다는 의미이고, 과거 오랫동안 사용하지 않은 페이지로 대치하는 효과로 생각하면 된다. 과거의 데이터를 이용하여 미래를 예측하려는 통계적 개념이고, 메모리의 지역성(locality)을 이용한 알고리즘으로 각 페이지에 마지막으로 사용한 시간을 연관시킨다. 페이지를 대치할 때 오랫동안 사용하지 않은 페이지를 선택하므로 시간적으로 거꾸로 찾는 최적 페이지 대치 알고리즘이라고 할 수 있다(최적의 기준 = 시간). 다음 그림은 최근 최소 사용 알고리즘의 실행을 나타낸다.

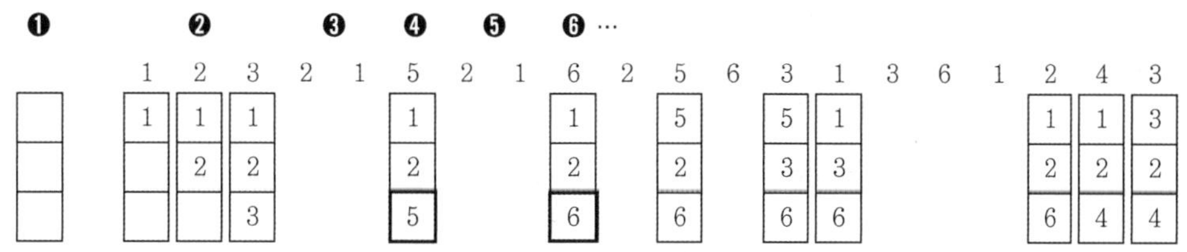

(b) 최근 최소 사용 알고리즘 실행 과정

▲ 최근 최소 사용 알고리즘의 실행

카운터(계수기)를 이용한 순서 결정 방법은 각 페이지 테이블 항목에 사용 시간 레지스터를 연관시키고 프로세서에 논리 클록을 추가한 후 카운터 필드를 덧붙여 프레임 순서를 결정한다. 메모리관리장치(MMU)는 페이지 참조가 있을 때마다 모든 참조의 프로세서 클록을 각 페이지 테이블 항목에 업데이트한다. 페이지를 참조할 때마다 클록은 증가하고, 클록 레지스터의 내용은 페이지의 해당 페이지 테이블에 있는 사용 시간 레지스터에 복사하여 각 페이지의 최후 참조 시간을 갖는다. 다음 그림은 최근 최소 사용 알고리즘 카운터 예를 나타낸다.

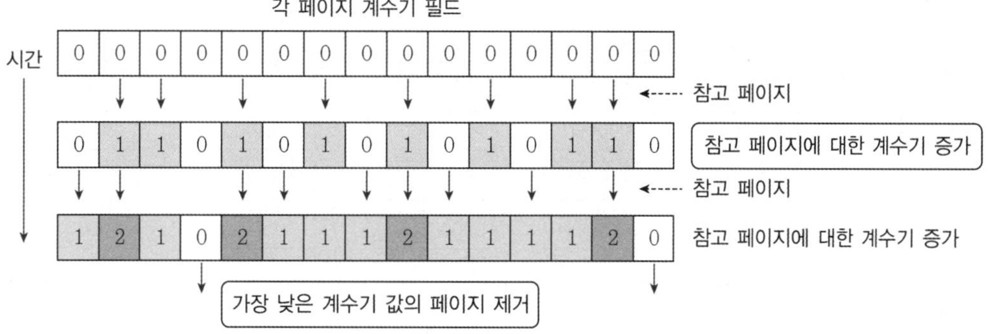

▲ 최근 최소 사용 알고리즘 카운터 예

운영체제 PART 4 해커스공무원 곽후근 컴퓨터일반 기본서 스택을 이용한 순서 결정 방법은 페이지 번호를 스택에 넣어 관리하고 페이지를 참조할 때마다 페이지 번호를 스택의 top에 두어 순서를 결정한다. top에 있는 페이지 번호는 가장 최근에 사용한 페이지가 되고, bottom에 있는 페이지 번호는 가장 늦게 사용한 페이지가 되어 페이지 부재를 일으킬 때 교체한다(시험 문제 자주 출제). 다음 그림은 최근 최소 사용 알고리즘의 스택 사용 예를 나타낸다.

1, 2, 3, 2, 1, 5, 2, 1, 6, 2, 5, 6, 3, 1, 3, 6, 1, 2, 4, 3

(a) 참조 문자열 예

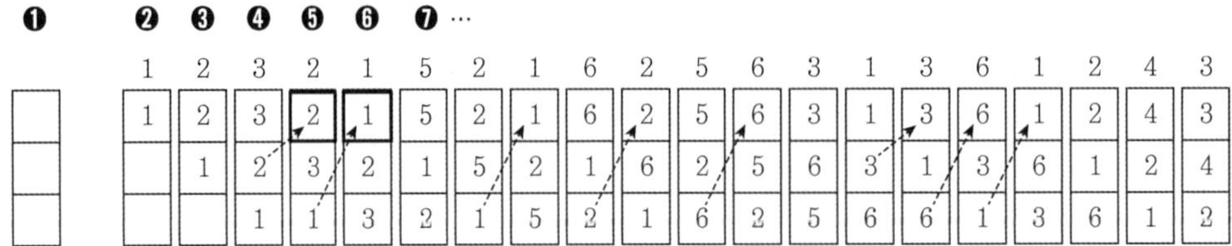

(b) 최근 최소 사용 알고리즘의 스택 사용 과정

▲ 최근 최소 사용 알고리즘의 스택 사용 예

5 최근 최소 사용 근접 알고리즘

1. 참조 비트 알고리즘

대부분 최근 최소 사용 알고리즘을 이용한 페이지 대치에서 하드웨어를 지원하지 않기 때문에 다른 알고리즘(최근 최소 사용 근접 알고리즘)을 사용한다. 처음에 모든 비트는 0으로 초기화한 후 사용자 프로세스를 수행할 때 참조된 각 페이지와 관련된 비트를 1로 변환한다. 저렴한 가격으로 최근 최소 사용 알고리즘을 구현하려고 상당수 시스템이 참조 비트 형태를 지원한다. 다음 그림은 참조 비트 예를 나타낸다.

참조 시기	1단계	2단계	3단계	4단계	5단계
페이지 1	00000000	00000000	10000000	01000000	10100000
페이지 2	00000000	10000000	01000000	10100000	01010000
페이지 3	10000000	11000000	11100000	01110000	00111000
페이지 4	00000000	00000000	00000000	10000000	01000000
페이지 5	00000000	00000000	00000000	00000000	00000000

▲ 참조 비트 예

2. 시계 알고리즘

시계(2차적 기회 대치) 알고리즘은 가장 오랫동안 메인 메모리에 있던 페이지 중 자주 사용하는 페이지의 대치를 방지한다(2차적 기회 제공). 선입선출 대치 알고리즘을 기반으로 구현하기에, 2차적 기회 대치 알고리즘이라고도 한다. 최근 최소 사용 알고리즘과 성능은 비슷하지만 오버헤드가 적다. 각 프레임의 사용 여부를 나타내는 참조 비트를 추가하여 페이지를 메모리 안의 프레임에 처음으로 적재했을 때를 1로 설정한 후 참조할 때마다 다시 1로 설정한다. 프레임들은 원형 버퍼(큐)로 구성되고 각각 포인터를 가지고, 페이지를 교체하면 포인터는 교체된 버퍼의 다음 프레임을 가리키도록 설정한다.

다음 그림은 시계(2차적 기회 대치) 알고리즘을 나타낸다.

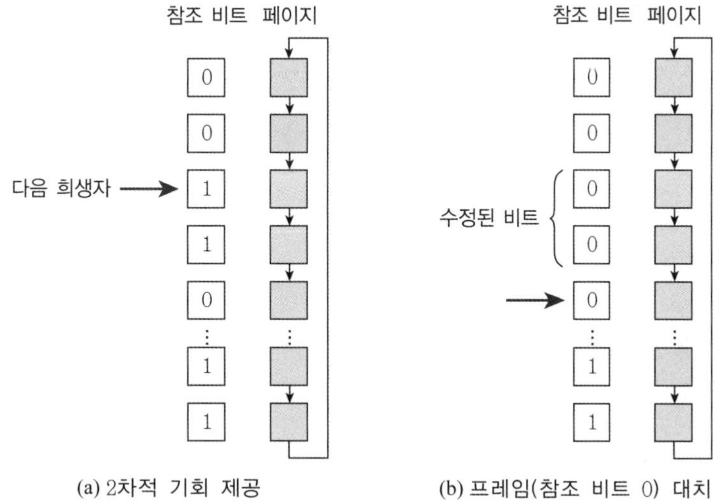

▲ 시계 페이지 대치 알고리즘

다음 그림은 간단한 시계 알고리즘의 예를 나타낸다.

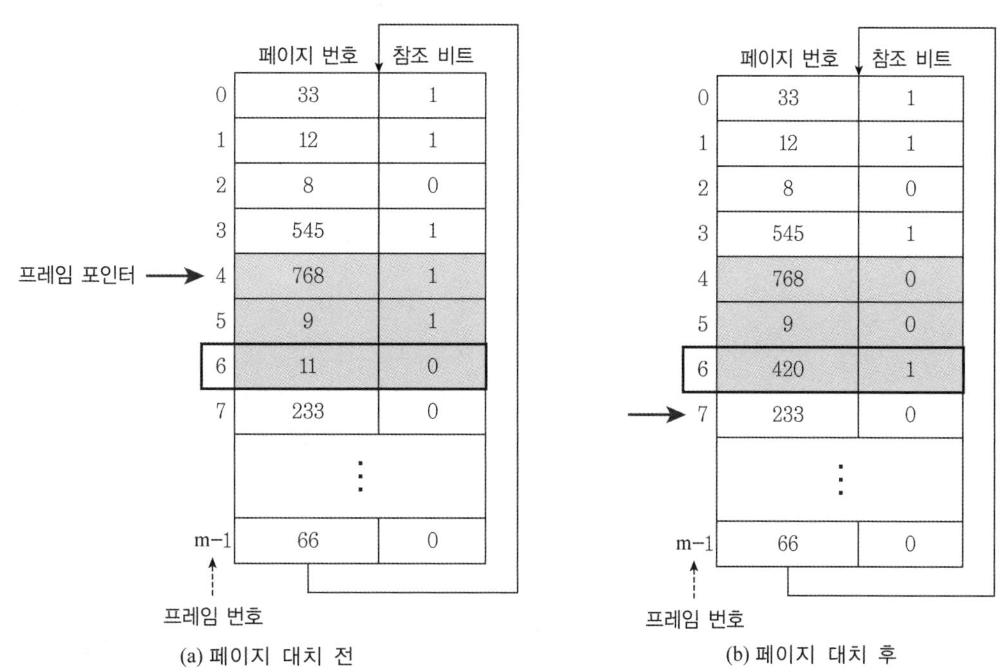

▲ 간단한 시계 알고리즘의 예

다음 그림은 시계 알고리즘(변형된 FIFO)을 수행하는 과정을 나타낸다.

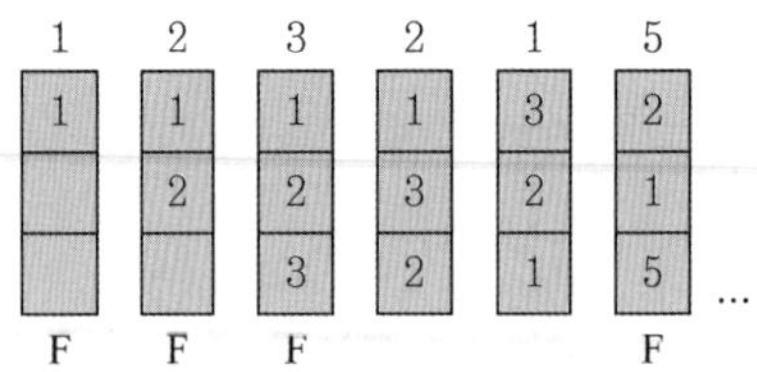

▲ 시계 페이지 대치 알고리즘의 실행

3. NUR 알고리즘

NUR(Not Used Recently) 알고리즘은 최근 사용하지 않는 페이지를 교체하여 낮은 오버헤드로 최근 최소 사용 페이지 교체 전략에 거의 동일하게 대치한다. 최근 사용하지 않는 페이지를 교체하는 방법으로, 최근에 사용하지 않는 페이지들은 가까운 미래에도 사용하지 않을 가능성 높다는 아이디어 바탕으로 한다. 최근 최소 사용 알고리즘과 같이 비트를 2개 추가하고 참조 비트(R)는 해당 페이지의 액세스 여부를 확인해서 최근에 사용한 페이지들을 메모리에 유지한다.

NUR 알고리즘에서 사용하는 페이지 종류는 다음과 같다. 희생할 페이지를 디스크에서 읽은(스왑 인) 후 내용을 수정했다면, 해당 페이지를 먼저 디스크에 복사하여 제거해야 한다. 수정한 페이지는 페이지 부재가 발생하면, 디스크에 두 번 액세스(먼저 복사)하므로 오버헤드 크다. 부담이 적은, 참조나 수정이 없는 페이지를 선택하여 제거한다.

- 0(0, 0): 최근에 사용(참조)하지 않으면서 수정하지도 않은 페이지
- 1(0, 1): 최근에 사용하지는 않았으나, 수정은 한 페이지
- 2(1, 0): 최근에 사용했으나, 수정하지는 않은 페이지
- 3(1, 1): 최근에 사용하고 수정한 페이지

4. LFU 알고리즘

최소 사용 빈도수(LFU; Least Frequently Used) 알고리즘은 각 페이지마다 참조 횟수 카운터가 있으며, 수가 가장 작은 페이지를 대치한다. 프로세스의 초기 단계에서 한 페이지를 많이 사용한 후 다시는 사용하지 않을 때는 곤란하다. 해결책은 카운터를 일정한 시간 간격으로 하나씩 오른쪽으로 이동하여 지수적으로 감소하는 평균 사용 수를 형성하는 것이다.

5. MFU 알고리즘

최대 사용 빈도수(MFU; Most Frequently Used) 알고리즘은 계수가 가장 작은 페이지는 방금 들어와서 아직 사용하지 않았기 때문에 앞으로 사용할 확률이 높다고 가정하여 대치 페이지 후보에서 제외한다. 가장 많이 사용한 페이지, 즉 계수가 높은 페이지를 대치한다. 일반적이지 않다(알고리즘을 구현하는 데 비용이 많고 최적 페이지 대치에 비해 성능이 낮음).

6. 페이지 버퍼링(* 참고)

최근 최소 사용 알고리즘과 시계 알고리즘은 선입선출 대치 알고리즘보다 성능은 좋지만, 복잡성과 페이지 교체로 오버헤드는 더 크다. 페이지 버퍼링은 선입선출처럼 성능이 떨어지는 것을 막으려고 교체 대상으로 선택한 페이지를 즉시 교체하지 않은 채 잠시 동안 메인 메모리에 유지한다. 포인터 리스트 2개를 사용하여 페이지를 관리한다.

다음 그림은 페이지 버퍼링을 나타낸다. 일괄 기록됨에 유의한다.

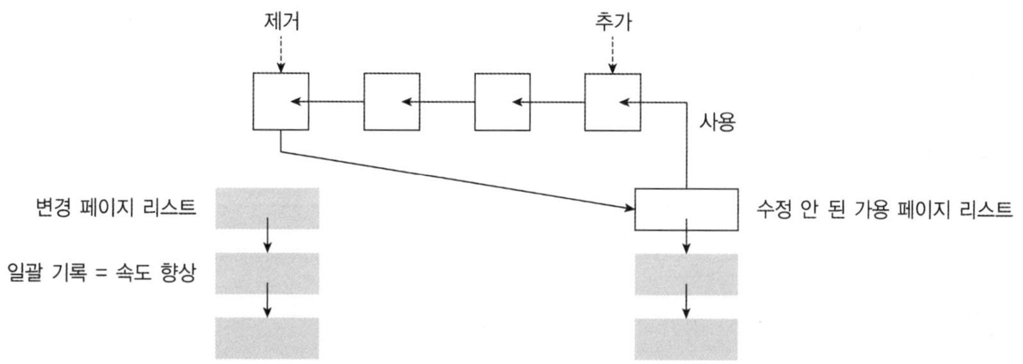

• 수정 안 된 가용 페이지 리스트: 메모리에 적재한 후 수정한 적이 없는 프레임 리스트로, 교체할 필요가 없다.
• 변경 페이지 리스트: 메모리에 적재한 후 수정한 프레임 리스트로, 디스크레 재저장해야 하므로 디스크에 쓰기를 대기한다.

▲ 페이지 버퍼링

6 페이지 대치 알고리즘의 비교(* 참고)

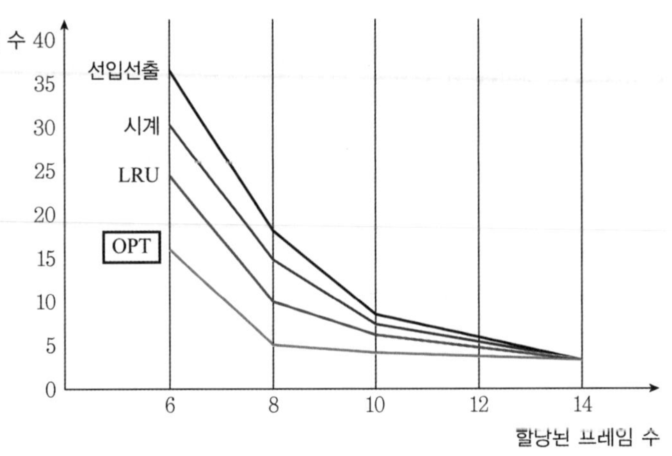

▲ 페이지 대치 알고리즘의 비교

요약정리

페이지 대치 알고리즘

FIFO	벨래디의 변이
OPT	특정 알고리즘이 없음
LRU	카운터, 스택
LRU 근접	• 참조 비트 • NUR • MFU • 시계(2차적 기회 대치) • LFU

주요개념 셀프체크

- 가상 메모리
- 요구 페이징
- 페이지 부재
- 쓰기 복사
- 페이지 대치 - FIFO, OPT, LRU(카운터, 스택), LRU 근접(참조 비트, 시계/2차적 기회, NUR, LFU, MFU)

핵심 기출

1. 3개의 페이지 프레임으로 구성된 기억장치에서 다음과 같은 순서대로 페이지 요청이 일어날 때, 페이지 교체 알고리즘으로 LFU(Least Frequently Used)를 사용한다면 몇 번의 페이지 부재가 발생하는가? (단, 초기 페이지 프레임은 비어 있다고 가정한다) 2014년 국가직

요청된 페이지 번호의 순서: 2, 3, 1, 2, 1, 2, 4, 2, 1, 3, 2

① 4번
② 5번
③ 6번
④ 7번

해설

LFU는 각 페이지마다 참조 횟수 카운터가 있으며, 수가 가장 작은 페이지를 대체하는 것이다. 문제의 조건을 기반으로 페이지 부재 회수(총 5회: 1번째, 2번째, 3번째, 7번째, 10번째)를 표시하면 다음과 같다.

2	3	1	2	1	2	4	2	1	3	2
2	2	2				2			2	
	3	3				4			3	
		1				1			1	

7번째 페이지 부재에서 요청된 페이지가 4일 때 (2, 3, 1) 중 교체 페이지는 참조 횟수를 기반으로 한다. 2는 참조 횟수가 3이고 1은 참조 횟수가 2인데, 3은 참조 횟수가 1이므로 3이 교체된다.

정답 ②

2. 가상기억장치(virtual memory)에 대한 설명으로 가장 옳은 것은? 2015년 서울시

① 가상기억장치를 사용하면 메모리 단편화가 발생하지 않는다.
② 가상기억장치는 실기억장치로의 주소변환 기법이 필요하다.
③ 가상기억장치의 참조는 실기억장치의 참조보다 빠르다.
④ 페이징 기법은 가변적 크기의 페이지 공간을 사용한다.

해설

주소변환 기법은 페이지 테이블을 이용해 논리적 주소를 물리적 주소로 바꿔주는 주소변환 기법이 필요하다.

선지분석

① 메모리 단편화: 페이징에서는 내부 단편화가 발생하고, 세그멘테이션에서는 외부 단편화가 발생한다.
③ 참조 속도: 가상기억장치는 주소변환 기법(주소변환 테이블이 주기억장치 혹은 고속 메모리(캐시)에 있음)을 사용하므로 실기억장치의 참조보다 느리다(주기억 또는 보조기억 참조).
④ 페이징 기법: 해당 설명은 세그멘테이션 기법이고, 페이징 기법은 고정 크기의 페이지 공간을 사용한다.

정답 ②

CHAPTER 08

스래싱(Thrashing)

1 개요

1. 정의

스래싱(thrashing)은 페이지 교환이 계속 일어나는 현상이다. 어떤 프로세스에 프레임이 충분하지 않다면 할당된 프레임을 최소 프레임 수까지 줄일 수 있다 하더라도 실제 사용하는 프레임 수만큼 갖지 못하면 빈번하게 페이지 부재가 발생 가능하다. 기타 자원 부족으로 필요한 연산을 수행할 수 없는 상태가 되면 운영체제는 다른 프로세스에서 자원을 회수하는 등 방법을 이용하여 자원을 확보한나(약순환). 페이징 동작(스왑 인, 스압 아웃), 즉 디스크와 메모리 간에 빈번한 페이지 교환이 발생한다. 모든 페이지를 실제로 사용하고 있어도 페이지를 교환해야 한다면 페이지 부재가 연속해서 발생한다. 프로세스는 계속 페이지를 교환하려고 많은 시간을 낭비하면서 유용한 작업을 느리게 하므로 시스템 성능을 낮추거나 축소를 야기한다. 어떤 프로세스가 프로세스 수행에 보내는 시간보다 페이지 교환에 보내는 시간이 더 길면 '스래싱을 하고 있다'고 표현한다.

2. 스래싱의 발생 원인

너무 많은 다중 프로그래밍, 즉 새로운 프로세스가 늘어나면 프로세스에 고정된 프레임 수가 현재 활동에 충분하지 않으므로 서로 프레임을 빼앗기고 뺏는 과정(지속적인 페이지 부재)을 유지하려고 한다. 또 일부 시스템에서 프로세서 사용률이 낮으면 다중 프로그래밍을 증가해야 한다고 해석하여 더 악화를 야기한다. 그러나 전역 페이지 대치에서는 새로운 프로세스가 수행 중인 프로세스의 페이지를 빼앗아서 수행을 시작하면 더 많은 페이지 부재가 발생한다. 그러므로 각 프로세스는 자신에게 필요한 만큼 프레임을 배당 받지 못하게 된다.

프로세서가 요구하는 최소한의 수보다 페이지 프레임 수가 적으면 적을수록 페이지 부재 비율이 증가한다. 페이지 부재가 발생하면 페이징 처리장치를 사용하려고 프로세스가 대기하기 때문에 준비 큐는 비게 된다. 페이지 부재가 많이 발생할수록 프로세스가 페이징 처리장치를 기다리는 시간은 길어지므로 프로세스의 효율성이 낮아진다. 결국 프로세서의 이용률은 더 낮아지고 프로세서 스케줄러는 이용률을 올리려고 다중 프로그래밍의 정도를 점점 더 높이지만, 프로세스의 실행은 점점 느려진다. 이런 페이지 부재로 프로세서의 이용률이 감소하면 결국 스래싱이 발생한다.

3. 프로세서의 이용률에 따른 스래싱 발생률

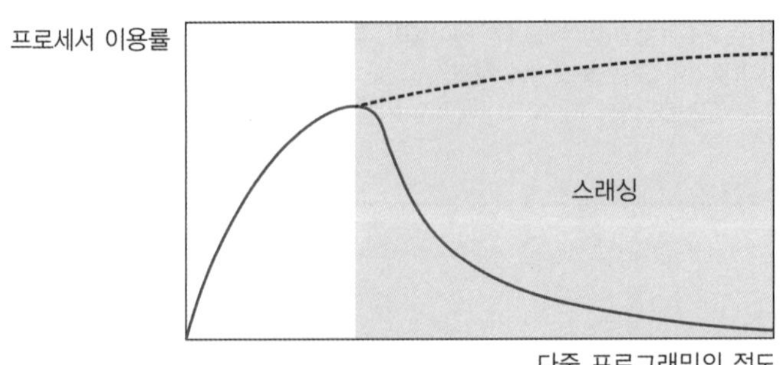

▲ 프로세서의 이용률에 따른 스래싱 발생률

4. 해결 방법

스래싱 해결 방법에는 작업 집합 모델과 페이지 부재 비율이 존재한다. 각각에 대해 설명하면 다음과 같다.

2 작업 집합 모델(WSM; Working Set Model)

1. 개념

작업 집합 모델은 프로세스가 메모리에서 페이지 부재를 가장 최소 비율로 유지하도록 가장 최근의 계산으로 필요한 메모리를 구하는 방법으로 제안된 모델이다. 프로세스가 많이 참조하는 페이지 집합을 메모리 공간에 계속 상주시켜 빈번한 페이지 대치 현상을 줄인다(작업 집합). 프로세스들을 메모리에 저장해야 프로세스를 효율적으로 실행이 가능하다. 그렇지 않으면 빈번한 페이지 대치 작업으로 스래싱이 발생한다. 프로세스의 작업 집합 모델을 구성하려면 작업 집합의 크기를 알아야 하는데, 작업 집합 크기는 작업 집합 창을 이용하여 구한다.

작업 집합 창은 매개변수를 사용하여 정의하며, '현재 시간(t)에서 최근의 일정 시간 단위( )'를 정하여 결정한다. 작업 집합은 가장 최근의 페이지 참조에 있는 페이지 집합이다. 작업 집합 모델 관리 방법은 프로세스의 작업 집합 모델 내의 페이지들, 즉 최근에 참조된 페이지들을 메인 메모리에 유지시켜 프로세스를 빠르게 실행한다. 그리고 새로운 프로세스들은 메인 메모리에 자신들의 작업 집합을 적재할 수 있는 공간이 있을 때만 시작한다.

2. 방법

운영체제가 각 프로세스의 작업 집합을 감시하고 각 프로세스에 작업 집합 크기에 맞는 충분한 프레임을 할당한다. 여분의 페이지 프레임이 있을 때는 준비 상태에 있는 다른 프로세스를 불러들인 후 프레임을 할당하여 다중 프로그래밍의 정도를 증가한다. 다중 프로그래밍의 정도를 계속 증가시켜서 모든 프로세스가 갖는 작업 집합 크기의 합이 전체 유효 프레임 수보다 커지면 잠시 중지시킬 프로세스를 선정하여 페이지를 회수한다. 작업 집합 방법은 가능한 다중 프로그래밍의 정도를 높이면서 스래싱을 방지하는 효과를 제공하여 프로세서의 효율성을 최적화하려고 한다.

해당 방법에서 발생하는 문제는 다음과 같다.

- 우선 작업 집합이 갖는 과거의 참조가 미래의 참조를 항상 보장하지는 않는다.
- 작업 집합 크기와 구성 페이지들은 시간이 경과하면 변한다.
- 각 프로세스에서 작업 집합을 모두 측정한다는 것은 현실적으로 불가능하다.
- 프로세스를 실행하면서 작업 집합을 삭제·추가하기도 하므로 변화가 심하다.
- 각 프로세스가 참조한 페이지 시간과 시간 순서로 된 페이지 큐를 유지해야 하므로 작업 집합으로 메모리를 관리하기가 복잡하다.
- 작업 집합 창의 크기를 나타내는 매개변수의 최적 값이 알려져 있지 않고, 처리하는 프로세스의 성격에 따라 매개변수의 최적 값은 매우 다양하다.

3 페이지 부재 비율

1. 개념

페이지 부재 비율은 스래싱을 예방하는 직접적인 액세스 방법이다. 페이지 환경에서 프로세스의 실행을 측정하는 기준으로 사용한다. 작업 집합 모델은 페이지가 메모리에 액세스할 때 조절하는 반면에, 페이지 부재 비율은 페이지 부재가 발생할 때 조절하여 작업 집합 모델보다 오버헤드가 적다. 스래싱은 페이지 부재에서 발생하므로 페이지 부재 비율 조절이 필요하다. 페이지 부재 비율이 높다는 것은 프로세스에 더 많은 프레임이 필요하다는 의미이고, 페이지 부재 비율이 낮다는 것은 프로세스에 프레임이 너무 많다는 의미이다. 다음 그림은 페이지 부재 비율을 나타낸다. 상한값과 하한값이 있음에 유의한다.

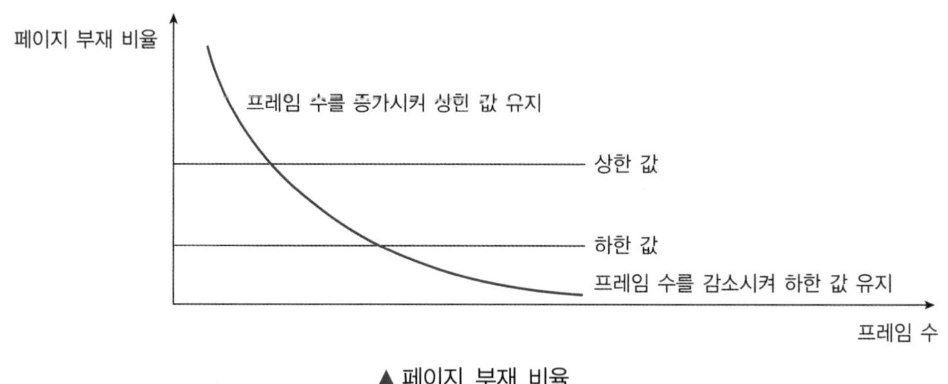

▲ 페이지 부재 비율

2. 방법

페이지 부재 비율의 상한 값과 하한 값 예측 방법은 다음과 같다.

(1) 빈 프레임이 있을 때

페이지 부재 비율이 상한 값을 초과하면 현재 프로세스에 프레임을 할당한다. 페이지 부재 비율이 하한 값 이하로 떨어지면 현재 프로세스의 프레임을 제거한다.

(2) 빈 프레임이 없을 때

페이지 부재 비율이 상한 값을 초과하면 희생(제거)시킬 프로세스 선택하고, 그 프로세스의 실행을 일시 중단한다. 현재 프로세스의 페이지 부재 비율이 하한 값 이하로 떨어지면 현재 프로세스의 프레임을 제거한다.

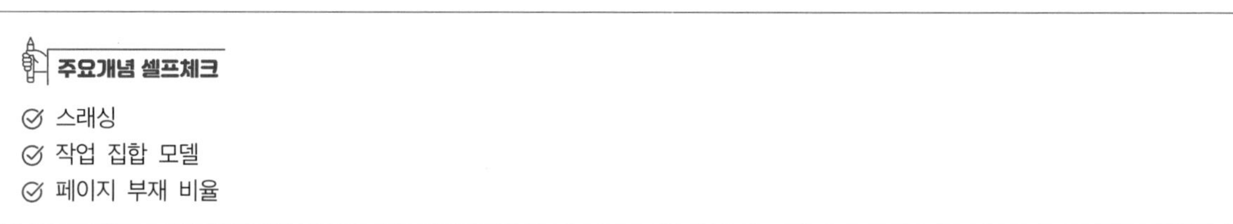

주요개념 셀프체크

- 스래싱
- 작업 집합 모델
- 페이지 부재 비율

핵심 기출

스레싱(Thrashing)에 대한 설명으로 옳지 않은 것은? 2018년 국가직

① 프로세스의 작업 집합(Working Set)이 새로운 작업 집합으로 전이 시 페이지 부재율이 높아질 수 있다.
② 작업 집합 기법과 페이지 부재 빈도(Page Fault Frequency) 기법은 한 프로세스를 중단(Suspend)시킴으로써 다른 프로세스들의 스레싱을 감소시킬 수 있다.
③ 각 프로세스에 설정된 작업 집합 크기와 페이지 프레임 수가 매우 큰 경우 다중 프로그래밍 정도(Degree of Multiprogramming)를 증가시킨다.
④ 페이지 부재 빈도 기법은 프로세스의 할당받은 현재 페이지 프레임 수가 설정한 페이지 부재율의 하한보다 낮아지면 보유한 프레임 수를 감소시킨다.

해설

큰 크기의 작업 집합은 페이지 부재 비율을 감소시켜 다중 프로그래밍 정도를 증가시킬 수 있으나 작업 집합이 매우 큰 경우에는 지역성의 원리가 깨지게 되고 페이지 부재 비율이 증가되어 다중 프로그래밍 정도가 감소한다(페이지 프레임이 큼 → 페이지 부재 빈도에 따라 프레임수 감소 → 다중 프로그램 정도 감소).

선지분석

① 작업 집합 모델은 프로세스가 많이 참조하는 페이지 집합을 메모리 공간에 계속 상주시켜 빈번한 페이지 대치 현상을 줄이는 것이다(지역성의 원리). 만약 새로운 작업 집합으로 전이되면 많이 참조된 페이지가 아니라 새로운 페이지가 작업 집합 내에 존재하므로 페이지 부재율이 높아질 수 있다.
② 프로세스를 중단시키면 프레임을 회수할 수 있으므로 다른 프로세스들의 스래싱을 감소시킬 수 있다.
④ 페이지 부재 빈도 기법은 아래 그림과 같이 현재 페이지 프레임 수가 설정한 페이지 부재율의 하한보다 낮아지면 프레임이 너무 많다는 의미이므로 보유한 프레임 수를 감소시킨다. 반대로 페이지 부재율이 높다는 것은 더 많은 프레임이 필요하다는 의미이므로 프레임 수를 증가시킨다.

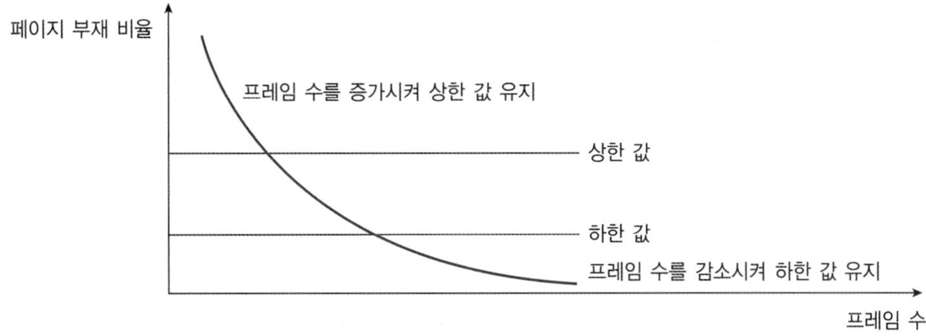

TIP 스래싱이란 페이지 교환이 계속 일어나는 현상이다. 어떤 프로세스에 프레임이 충분하지 않다면 할당된 프레임을 최소 프레임 수까지 줄일 수 있다 하더라도 실제 사용하는 프레임 수만큼 갖지 못하면 빈번하게 페이지 부재가 발생 가능하다.

정답 ③

CHAPTER 09 | 디스크 스케줄링

1 개요

1. 디스크의 구조

다음 그림은 디스크의 구조와 종류를 나타낸다. 디스크(원판)를 교체할 수 있어 필요에 따라 다른 디스크를 장착하여 사용한다.

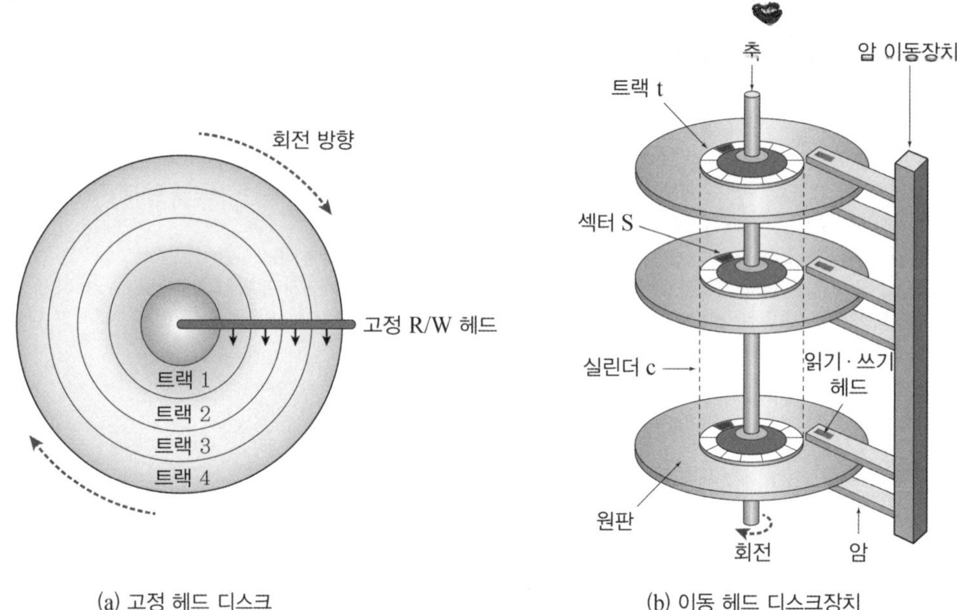

(a) 고정 헤드 디스크 (b) 이동 헤드 디스크장치

▲ 디스크의 종류와 구조

2. 디스크 시스템(* 참고)

디스크 시스템은 다음과 같은 디스크 드라이버, 프로세서, 디스크 제어기로 구분한다.

(1) 디스크 드라이버

구동 모터, 액세스 암 이동장치, 입출력 헤드 부분의 기계적인 부분 담당한다(물리적인 상호작용).

(2) 프로세서

컴퓨터의 논리적인 상호작용, 즉 데이터의 위치(디스크 주소)와 버퍼, 판독, 기록 등을 관리한다.

(3) 디스크 제어기

디스크 드라이버의 인터페이스 역할, 프로세서에서 명령을 받아 디스크 드라이버 동작, 디스크 드라이버는 탐색(seek), 기록, 판독 등 명령을 수행한다.

3. 디스크의 정보

다음과 같은 드라이버 번호, 표면 번호, 트랙 번호 등으로 나누는 디스크 주소로 참조한다.

(1) 트랙(track)

원형 평판 표면에 데이터를 저장할 수 있는 동심원을 가리킨다. 자기장의 간섭을 줄이거나 헤드를 정렬하려고 트랙 사이에 일정한 공간을 두어 트랙을 구분한다.

(2) 실린더(cylinder)

동일한 동심원으로 구성된 모든 트랙, 즉 동일한 위치에 있는 모든 트랙의 집합을 의미한다. 헤드의 움직임 없이 액세스할 수 있는 드라이브의 모든 트랙에 해당한다.

(3) 3섹터(sector)

트랙을 부채꼴 모양으로 나눈 조각을 의미한다. 트랙 내의 정보는 블록(block)을 구성하고, 이 블록이 하드웨어적으로 크기가 고정되었을 때가 바로 섹터이다. 섹터는 데이터 기록이나 전송의 기본 단위로, 일반적으로 512바이트의 데이터 영역으로 구성한다. 섹터는 고유 번호가 있어 디스크에 저장된 데이터의 위치 식별이 가능하다.

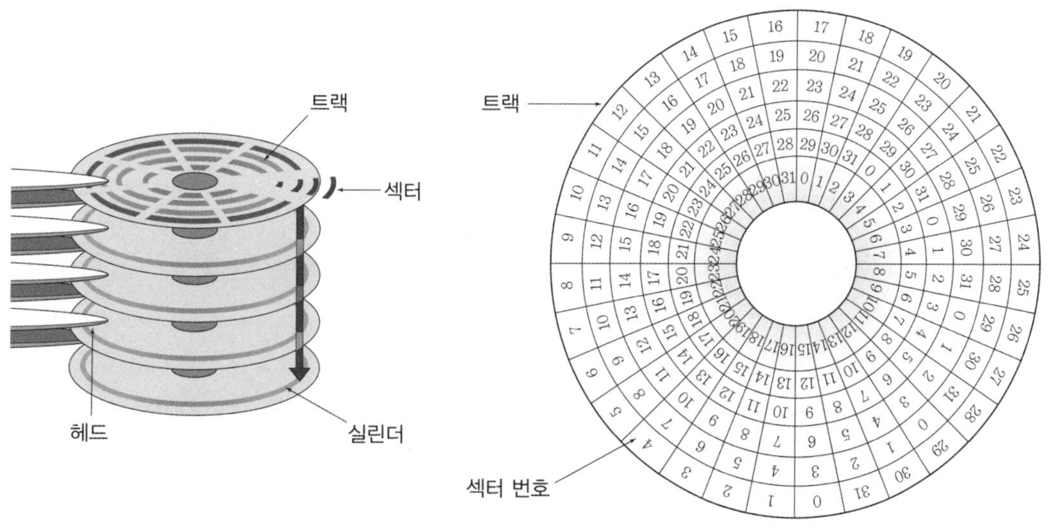

▲ 디스크의 논리적 구조

4. 디스크의 액세스 시간

다음 그림은 디스크 액세스 시간을 나타낸다. 디스크 액세스 시간이란 회전하는 디스크의 섹터를 액세스할 수 있는 시간이고, 탐색 시간/회전지연시간/전송시간으로 구성된다. 탐색 시간이란 시스템이 헤드를 해당 트랙이나 실린더에 위치시켜 디스크의 원하는 섹터에 액세스에 걸리는 시간이고, 디스크의 헤드가 움직이는 시간에 좌우되어 멀리 떨어진 트랙을 탐색할 때 탐색 시간이 길어진다. 회전지연시간은 헤드가 지정된 트랙에 위치해도 원하는 섹터가 입출력 헤드 아래로 회전할 때까지 기다리는 시간이고, 전송시간은 디스크와 메인 메모리 간의 섹터를 주고받는 데 걸리는 시간이다.

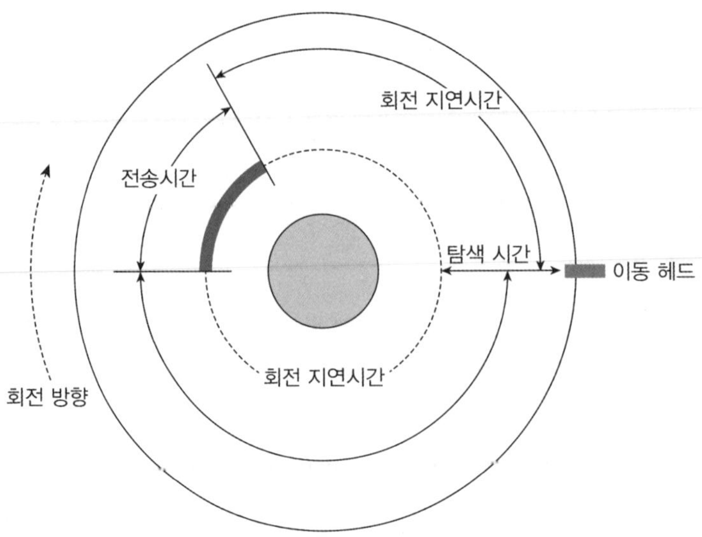

다음 그림은 디스크 액세스 시간을 계산하는 예를 나타내고, 각 계산은 다음과 같다(* 참고).

- 이동 헤드 디스크: 탐색시간 + 회전지연시간 + 전송시간
- 고정 헤드 디스크: 회전지연시간 + 전송시간

- 탐색 시간: 50밀리초
- 회전 지연시간: 16.8밀리초
- 전송시간: 0.00094밀리초/바이트[1KB 전송시간: 0.96256(= 0.00094 × 1.024)]

(a) 탐색 시간, 회전 지연시간, 전송시간 예

- 이동 헤드 디스크의 데이터 액세스 시간 = 50 + 16.8 + 0.96256
- 고정 헤드 디스크의 데이터 액세스 시간 = 16.8 + 0.96256

(b) 디스크 종류에 따른 데이터 액세스 시간

▲ 디스크 액세스 시간을 계산하는 예

5. 디스크 스케줄링의 개념과 종류(* 참고)

입출력장치(디스크 드라이버)의 요청 큐가 포함하는 정보는 다음과 같다.

- 입력 동작인지, 출력 동작인지 하는 정보
- 디스크 주소(구동기, 실린더, 표면, 블록): 여기서 구동기는 구동 모터를 의미하고, 하나의 장치를 제어하거나 조절하는 하드웨어 장치 또는 프로그램
- 메모리 주소
- 전송할 정보의 총량(바이트나 단어의 수)

디스크 스케줄링의 평가 기준은 다음과 같다.

- 처리량: 시간당 처리한 서비스 요청 수
- 탐색 시간: 디스크 헤드(암) 이동 시간
- 평균 반응시간: 요청 후 서비스할 때까지 대기시간
- 반응(응답)시간 변화: 반응시간 예측 정도. 즉, 적절한 시간 안에 서비스하여 요청이 무기한 연기되지 않도록 방지

운영체제는 디스크 액세스 요청을 스케줄하여 디스크를 처리하는 평균 시간을 향상시킨다. 즉, 처리량을 최대화하고 평균 반응시간을 최소화하면서 탐색 시간을 최소화하도록 해야 한다. 시스템 성능은 처리량과 평균 반응시간을 최적화하여 향상시킬 수 있다. 그러나 개별 요청에 지연이 발생할 수 있으므로 시스템 자원을 효과적으로 사용하려면 스케줄링이 필요하다.

2 디스크 스케줄링의 종류

1. 개요

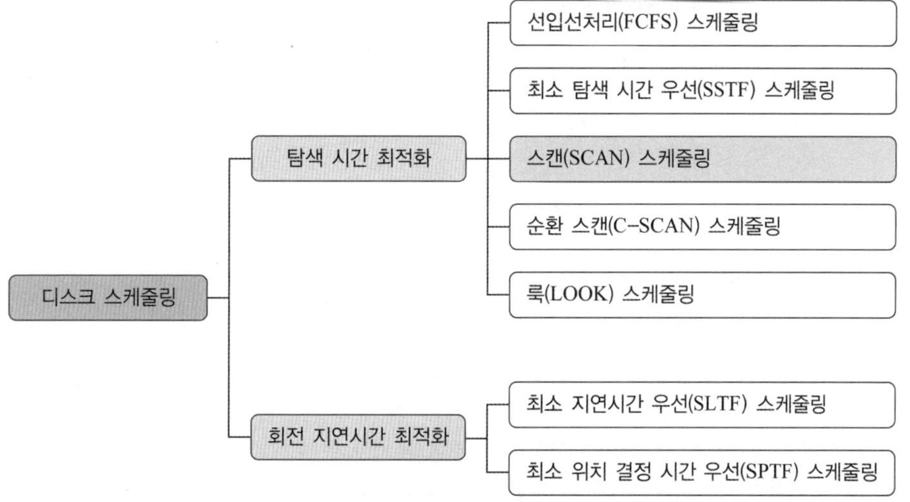

▲ 디스크 스케줄링의 종류

2. 선입선처리 스케줄링(FCFS; First Come First Served)

선입선처리 스케줄링은 요청이 도착한 순서에 따라 처리하는 가장 간단한 스케줄링 알고리즘이다. 프로그래밍이 쉽고, 어떤 요청도 무기한 연기하지 않고, 본질적으로 공평성(공정성)을 유지한다. 디스크 요청이 흩어질 때는 실행 시간 오버헤드가 적다. 그러나 서비스 지연을 감소시키는 요청을 재정렬하지 않아서, 일반적인 임의의 탐색 패턴 결과로 탐색 시간이 증가하면서 처리량이 감소한다는 단점을 가진다. 다음 그림은 선입선처리 스케줄링을 나타낸다(다음과 같은 조건을 가짐에 유의).

- 큐: 46, 110, 32, 52, 14, 120, 36, 96
- 헤드 시작 위치: 50

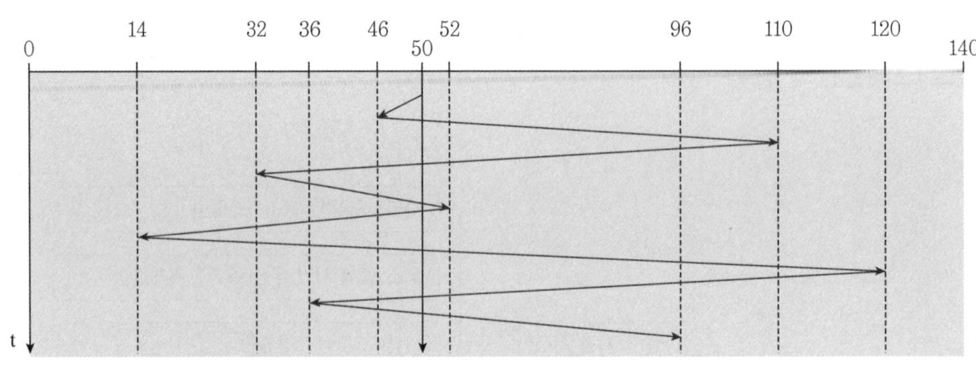

▲ 선입선처리 스케줄링

3. 최소 탐색 시간 우선(SSTF; Shortest Seek Time First)

최소 탐색 시간 우선 스케줄링은 디스크 요청을 처리하려고 헤드가 먼 곳까지 이동하기 전에 현재 헤드 위치에 가까운 모든 요구를 먼저 처리하는 방법이다. 선입선처리와 비교하면 헤드의 이동 거리가 1/3 정도로 트랙 146개를 이동하기 때문에 디스크 서비스 시간을 실질적으로 줄일 수 있다. 최소작업을 우선 수행하므로 디스크 요구의 기아 상태 발생이 가능하다. 그리고 공정성을 보장할 수 없고, 서비스를 무기한 연기할 수 있으며, 응답시간의 높은 분산은 대화형 시스템에서는 받아들일 수 없는 단점을 가진다. 다음 그림은 최소 탐색 시간 우선 스케줄링을 나타낸다(다음과 같은 조건을 가짐에 유의).

- 큐: 46, 110, 32, 52, 14, 120, 36, 96
- 헤드 시작 위치: 50

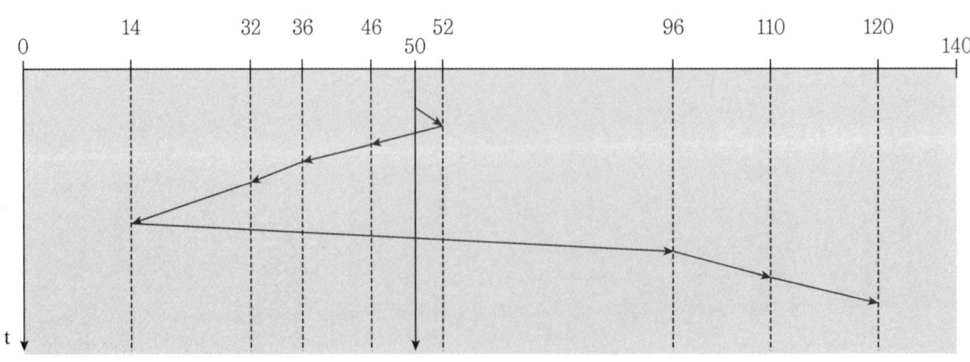

▲ 최소 탐색 시간 우선 스케줄링

4. 스캔(SCAN)

스캔 스케줄링은 요청 큐의 동적 특성을 반영하여 기아 상태를 해결한다. 입출력 헤드가 디스크의 한쪽 끝에서 다른 끝으로 이동하며, 한쪽 끝에 도달했을 때는 역방향으로 이동하면서 요청한 트랙을 처리한다. 다음 그림은 스캔 스케줄링을 나타낸다(다음과 같은 조건을 가짐에 유의).

- 큐: 46, 110, 32, 52, 14, 120, 36, 96
- 헤드 시작 위치: 50

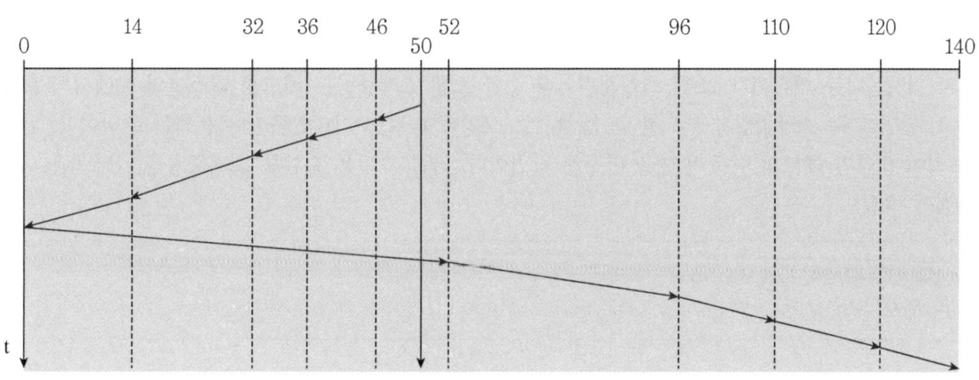

▲ 스캔 스케줄링(안쪽 0 트랙으로 이동)

5. 순환 스캔(C-SCAN, Circular-SCAN)

순환 스캔 스케줄링은 스캔 스케줄링을 변형하여 대기시간을 좀 더 균등하게 처리하는 방법이다. 스캔 스케줄링처럼 헤드는 한쪽 방향으로 이동하면서 요청을 처리하지만, 한쪽 끝에 다다르면 역방향으로 헤드를 이동하는 것이 아니라 다시 처음부터 요청을 처리한다. 처음과 마지막 트랙을 서로 인접시킨 원형처럼 디스크 처리량을 향상하고, 바깥쪽 트랙과 안쪽 트랙을 차별하지 않아 반응시간의 변화를 줄인다. 동일한 실린더(트랙) 요청이 연속적으로 발생하면 처리가 무기한 연기된다. 다음 그림은 순환 스캔 스케줄링을 나타낸다(다음과 같은 조건을 가짐에 유의).

- 큐: 46, 110, 32, 52, 14, 120, 36, 96
- 헤드 시작 위치: 50

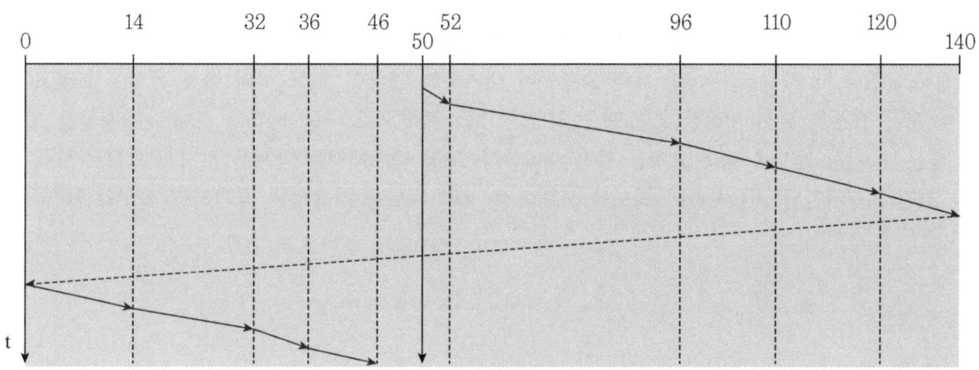

▲ 순환 스캔 스케줄링(바깥쪽 140 트랙으로 이동)

6. N-Step Scan

SCAN 기법을 기초로 하여 어떤 방향의 진행이 시작 될 당시에 대기중이던 요청에 대해서만 서비스하고 진행 도중 도착한 요청들은 반대 방향 진행 때 서비스 하는 기법이다. SSTF나 SCAN기법 보다 응답 시간의 편차가 적으며 특정 방향에 많은 수의 요청이 도착할 경우 반대 방향에서의 무한 지연을 방지하기 위한 기법이다.

7. 룩(LOOK)

스캔 스케줄링이나 순환 스캔 스케줄링은 헤드를 디스크의 끝에서 끝으로 이동하는 원리이다. 보통 헤드는 요청에 따라 각 방향으로 이동하지만, 현재 방향에 더는 요청이 없을 때 이동 방향을 바꿔 서비스를 처리하는데, 스캔 스케줄링과 순환 스캔 스케줄링의 이런 형태를 룩 또는 순환룩이라고 한다. 룩은 진행 방향으로 움직이기 전에, 먼저 요청이 있는지 검사한다는 의미이다. 스캔 스케줄링이나 순환 스캔 스케줄링은 헤드를 디스크의 끝에서 끝으로 이동하는 원리이고, 반면에 룩 스케줄링은 헤드를 각 방향으로 요청에 따르는 거리만큼만 이동하는 원리이다. 현재 방향에서 더는 요청이 없다면 헤드의 이동 방향을 바꾸는 방법이다. 다음 그림은 순환룩 스케줄링을 나타낸다(다음과 같은 조건을 가짐에 유의).

- 큐: 46, 110, 32, 52, 14, 120, 36, 96
- 헤드 시작 위치: 50

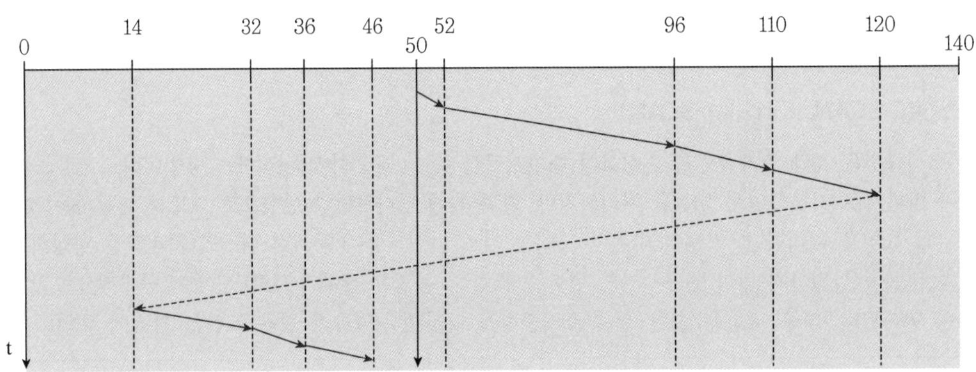

▲ 순환룩 스케줄링(바깥쪽 140 트랙으로 이동)

8. 최소 지연시간 우선(SLTF: Shortest Latency Time First)

최소 지연시간 우선 스케줄링은 모든 요청 중 회전 지연시간이 가장 짧은 요청을 먼저 처리한다. 디스크 헤드가 특정 실린더에 도달했을 때 해당 실린더의 트랙 요청들이 대기하고 있다면, 헤드는 더 이상 움직이지 않고 도착 순서와 관계없이 모든 요청을 우선 처리한다. 트랙을 일정한 수의 블록으로 나눈 섹터를 토대로 요청들을 섹터 위치에 따라 큐에 넣은 후 가장 가까운 섹터 요청을 먼저 처리한다. 고정 헤드에서는 탐색을 하지 않으므로 탐색 시간이 없다. 따라서 회전 지연시간만 지연시간이 되므로 드럼처럼 고정 헤드를 사용하면 효과적인 알고리즘이다.

다음 그림은 최소 지연시간 우선 스케줄링을 나타낸다. 섹터 큐잉(sector queuing) 알고리즘이라고 표현하기도 한다.

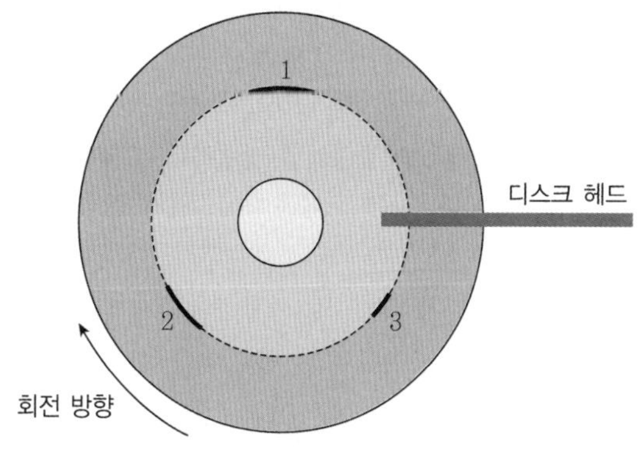

▲ 최소 지연시간 우선 스케줄링

요청이 대기 큐(waiting queue)의 앞부분에 있지 않더라도 헤드가 지나는 섹터 요청을 서비스하여 처리율 향상이 가능하다(섹터 큐잉). 섹터 큐잉은 고정헤드장치에서도 사용하지만 특별한 트랙마다 실린더 내에 처리 요청이 하나 이상일 때는 이동헤드장치에서도 쓸 수 있다. 헤드가 특정한 실린디에 도착하면 헤드를 더 이상 움직이지 않고 모든 실린더 요청을 처리하므로 섹터 큐잉은 동일한 실린더 내에서 다중 요청을 정렬하는 데 사용이 가능하다. 다른 스케줄링 알고리즘과 마찬가지로 섹터 큐잉도 운영체제가 하나 이상의 요청 중에서 헤드 밑에 위치한 첫 번째 요청을 선택해야 효과가 있다. 다음 그림은 섹터 큐의 예를 나타낸다(* 참고).

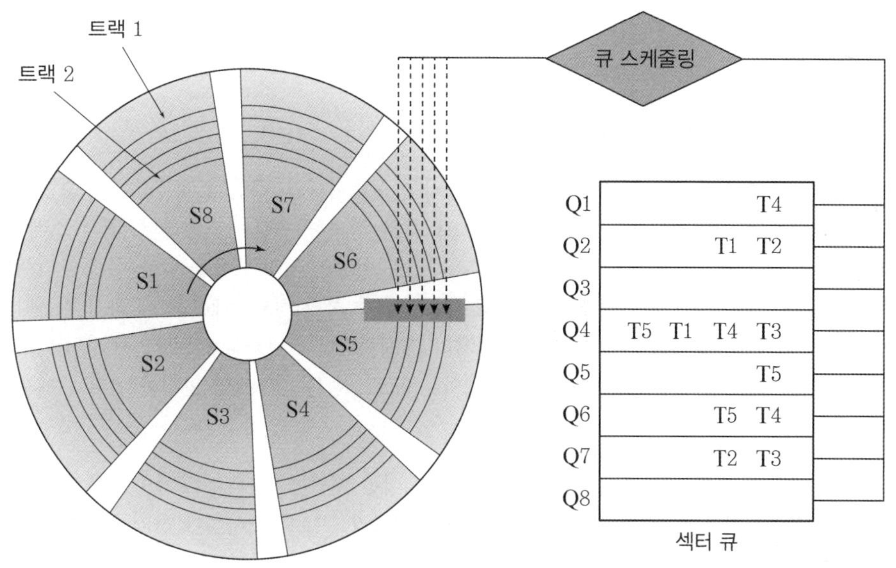

▲ 섹터 큐의 예

9. 최소 위치 결정 시간 우선(SPTF; Shortest Positioning Time First)

최소 위치 결정 시간 우선 스케줄링은 가장 짧은 위치 결정 시간, 즉 탐색 시간과 회전 지연시간의 합이 가장 짧은 요청을 다음 서비스 대상으로 선택한다. 최소 탐색(지연) 시간 우선 스케줄링처럼 처리량이 많고 평균 반응시간 짧지만, 가장 안쪽과 바깥쪽 실린더 요청이 무기한 연기될 가능성이 존재한다. 에센바흐 방법은 탐색 시간과 회전 지연시간을 최적화하려고 한 것으로, 헤드는 순환 스캔 스케줄링처럼 진행하나, 요청과 관계없이 트랙이 한 바퀴 회전할 동안 요청을 처리하도록 재배열하는 알고리즘이다. 다음 그림은 최소 위치 결정 시간 우선 스케줄링을 나타낸다.

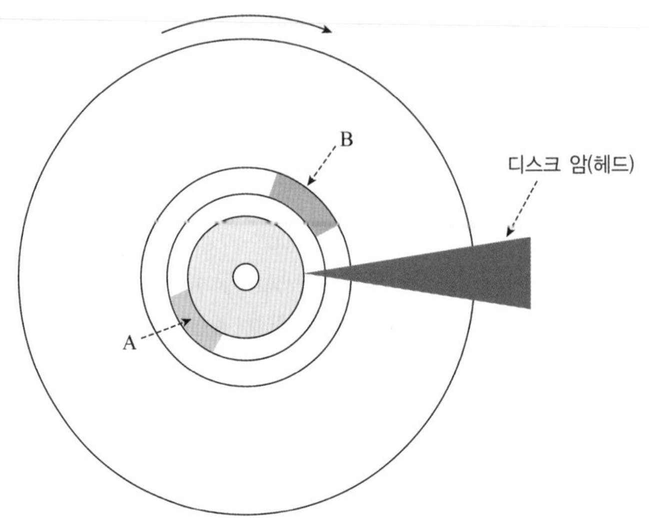

▲ 최소 위치 결정 시간 우선 스케줄링

10. 디스크 스케줄링 알고리즘의 선택(* 참고)

최소 탐색(지연) 시간 우선 스케줄링이 일반적이고 자연스러운 선택이라면, 스캔 스케줄링이나 순환 스캔 스케줄링은 디스크를 많이 사용하는 시스템에 적당하다. 최적 알고리즘을 결정하는 것은 가능하나, 최적 스케줄링에 필요한 계산량 때문에 스캔 스케줄링이나 최소 탐색 시간 우선 스케줄링 이상의 처리 효율을 얻을 수 있을지 평가하기 곤란하다. 스케줄링 알고리즘 성능은 요청의 형태와 수에 좌우하고, 큐가 하나 정도밖에 요청을 하지 않는다면 모든 스케줄링 알고리즘의 효과가 거의 동일하다. 이때는 선입선처리 스케줄링이 적당하다. 디스크 서비스의 요청은 파일 할당 방법에 많은 영향을 주고, 연속적으로 할당된 파일을 읽는 프로그램은 디스크의 인접한 범위 내에서 많은 요청이 발생하여 헤드 이동 제한을 가진다.

링크 파일이나 색인 파일은 블록들이 디스크에 흩어져 헤드의 이동 거리는 길지만, 디스크 상용 효율이 높다(골고루 사용). 모든 파일은 열어야 사용할 수 있고, 파일을 열려면 디렉터리 구조를 조사해야 하기 때문에 디렉터리를 자주 호출한다. 따라서 디렉터리 위치에 따라 이동 거리가 다르다. 디렉터리를 디스크의 양 끝에 두는 것보다는 중간 부분에 두는 것이 디스크 헤드 이동을 줄일 수 있다. 디스크는 컴퓨터의 장치 중에서 가장 속도 느린 장치이고, 메모리와 제어기 캐시 같은 기술이 성능 증가에 도움이 되지만, 전반적으로 시스템 성능은 디스크의 속도와 신뢰성에 좌우한다(가장 느린 놈에 종속, SSD로 대체).

디스크 스케줄링(개인적 의견)

방법	알고리즘	공정	기아
FCFS	요청이 도착한 순서에 따라 처리	○	×
SSTF	현재 헤드 위치에 가까운 모든 요구를 먼저 처리	×	○
Scan	디스크의 한쪽 끝에서 다른 끝으로 이동(역방향)	○	×
C-Scan	디스크의 한쪽 끝에서 다른 끝으로 이동(다시 처음)	○	×
N-step Scan	Scan 기반(진행 도중 도착 요청은 나중에 처리)	○	×
Look	현재 방향에 요청이 없을 때 이동 방향 바꿈(역방향)	○	×
C-Look	현재 방향에 요청이 없을 때 이동 방향 바꿈(다시 처음)	○	×
SLTF	회전 지연 시간이 짧은 요청 처리	○	×
SPTF	탐색 시간과 회전 지연 시간의 합이 짧은 요청 처리	×	○

주요개념 셀프체크

- FCFS vs. SSTF
- Scan vs. Look
- SLTF vs. SPTF

핵심 기출

디스크의 서비스 요청 대기 큐에 도착한 요청이 다음과 같을 때 C-LOOK 스케줄링 알고리즘에 의한 헤드의 총 이동거리는 얼마인가? (단, 현재 헤드의 위치는 50에 있고, 헤드의 이동방향은 0에서 199방향이다) 2014년 서울시

요청대기열의 순서
65, 112, 40, 16, 90, 170, 165, 35, 180

① 388
② 318
③ 362
④ 347
⑤ 412

해설

C-LOOK은 순환 스케줄링에서 현재 방향에 더는 요청이 없을 때, 다시 처음부터 요청을 처리하는 것이다. 해당 조건에 따른 헤드의 이동 거리를 계산하면 다음과 같다. 이를 모두 더하면 318(= 130 + 164 + 24)이 된다.

- 50 → 65 → 90 → 112 → 165 → 170 → 180: 130만큼 이동
- 180 → 16: 164만큼 이동
- 16 → 35 → 40: 24만큼 이동

정답 ②

CHAPTER 10 | IPC

1 개요

IPC는 컴퓨터 체계상의 다른 두 프로세스 사이에서의 정보 교환이다. 초창기 IPC는 주로 하나의 컴퓨터에 2개의 프로세스 간의 구현에 한정되었고, 공유 메모리(Shared Memory)나 파일 체계의 엔트리도 주로 프로세스간의 메시지 교환을 위해 필요한 것이었다. 그러나 현재는 네트워크로 그 개념이 확장되어 클라이언트/서버 컴퓨터의 기반을 구성하고 있다. 이 IPC 기법에는 Shared Memory, Message/Port, Semaphore, Pipe 등이 있다. 즉, 미리 공유된 데이터, 코드, 파일을 통해 서로 통신을 수행한다.

2 IPC 방법

1. 세마포어(Semaphore)

세마포어(Semaphore)는 에츠허르 데이크스트라(Dijkstra)가 고안한, 두 개의 원자적 함수로 조작되는 정수 변수로서, 멀티프로그래밍 환경에서 공유 자원에 대한 접근을 제한하는 방법으로 사용된다. 이는 철학자들의 만찬 문제의 고전적인 해법이지만 모든 교착 상태를 해결하지는 못한다.

세마포어 S는 정수값을 가지는 변수이며, 다음과 같이 P와 V라는 명령에 의해서만 접근할 수 있다(P와 V는 각각 try와 increment를 뜻하는 네덜란드어 Proberen과 Verhogen의 머릿글자를 딴 것이다). P는 임계 구역에 들어가기 전에 수행되고, V는 임계 구역에서 나올 때 수행된다. 이때 변수 값을 수정하는 연산은 모두 원자성을 만족해야 한다. 다시 말해, 한 프로세스(또는 스레드)에서 세마포어 값을 변경하는 동안 다른 프로세스가 동시에 이 값을 변경해서는 안 된다.

2. 신호(Signal)

신호(Signal)는 유닉스, 유닉스 계열, POSIX 호환 운영체제에 쓰이는 제한된 형태의 프로세스 간 통신이다. 신호는 프로세스나 동일 프로세스 내의 특정 스레드로 전달되는 비동기식 통보이다. 이러한 신호들은 1970년대 벨 연구소를 통해 존재한 뒤로 최근의 시기에는 POSIX 표준에 정의되어 있다. 예를 들어, SIGKILL(9번)이라는 신호는 종료를 하라는 신호이다(신호를 무시할 수 없음).

3. 파이프(pipe)

파이프(pipe)는 유닉스 계열 운영체제에서(어느 정도까지는 마이크로소프트 윈도우에서) 제공되는 병행성 메커니즘의 하나로서, 두 프로세스가 생산자-소비자 모델에 따라 통신할 수 있게 해주는 원형 버퍼이다. 즉, 파이프는 한 프로세스가 쓰고 다른 프로세스가 읽는 선입선출 형태의 큐라 할 수 있다. 파이프의 개념은 코루틴(coroutine)으로부터 영향을 받아 만들어졌으며, 운영체제 기술의 발전에 큰 공헌을 하였다. 파이프에는 일정한 크기의 공간이 할당되어 있다. 어떤 프로세스가 파이프에 데이터를 기록하려고 할 때 충분한 공간이 남아있다면 기록이 즉시 수행되겠지만, 공간이 부족하다면 그 프로세스는 차단된다. 이것은 운영체제가 상호배제를 수행한 결과이다. 즉 한 순간에 1개의 프로세스만이 파이프에 접근할 수 있는 것이다.

파이프에는 지명 파이프(named pipe)와 익명 파이프(anonymous pipe) 2종류가 있다. 무명 파이프는 서로 관련된 프로세스들만 공유할 수 있고, 지명 파이프는 관련이 없는 프로세스들도 공유할 수 있다. 명명된 파이프(named pipe) 또는 지명 파이프는 유닉스 및 유닉스 계열의 일반 파이프를 확장 한 것으로, 프로세스 간 통신 기법 중 하나이다. 그 개념은 마이크로소프트 윈도우도 있지만, 의미는 크게 다르다. 일반 파이프는 '파이프'이며, 사용하는 프로세스가 실행 중에만 존재한다. 명명된 파이프는 프로세스가 소멸해도 계속 존재하기 때문에 사용하지 않으면 제거할 필요가 있다. 명명된 파이프는 파일과 같이 취급할 수 있고 프로세스 간 통신(IPC)을 위해 프로세스가 오픈되어 사용한다. 또한 동작에서 명명된 파이프를 FIFO로 부르기도 한다. 정리하면 일반 파이프는 한방향 통신을 수행하고 생성자와 소비자 관계를 가지고, 지명 파이프는 양방향 통신을 수행하고 어떤 관계도 가지지 않는다.

4. 공유 메모리(Shared memory)

공유 메모리(Shared memory)는 컴퓨터 환경에서 여러 프로그램이 동시에 접근할 수 있는 메모리이다. 과다한 복사를 피하거나 해당 프로그램 간 통신을 위해 고안되었다. 환경에 따라 프로그램은 하나의 프로세서에서나 여러 개의 프로세서에서 실행할 수 있다(예를 들어 여러 개의 스레드 간에). 하나의 프로그램 안에서 통신을 위해 메모리를 사용하는 일은 일반적으로 공유 메모리로 부르지 않는다. 공유 메모리에서 상호 배제 구현은 세마포어를 이용한다.

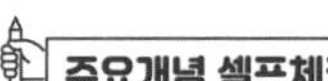

- 세마포어 & 공유 메모리
- 시그널
- 파이프

핵심 기출

UNIX에서의 프로세스 간 통신(interprocess communication)에 대한 설명으로 옳지 않은 것은? 2017년 국가직

① 세마포어(semaphore) 동작은 중단될 수 없는 원자성을 가진다.
② 시그널(signal)은 커널 혹은 프로세스가 다른 프로세스에게 비동기적으로 특정 사건을 통지하는 데 사용된다.
③ 지명 파이프(named pipe)를 통해 통신하는 프로세스 간에는 부모·자식 관계가 요구된다.
④ 공유 메모리(shared memory)에 대한 상호 배제(mutual exclusion)는 운영체제가 보장하지 않는다.

해설

파이프에는 일반(익명) 파이프와 지명 파이프가 존재한다. 일반(익명) 파이프는 한방향 통신을 수행하며, 생성자와 소비자 관계를 가진다. 그리고 지명 파이프는 양방향 통신을 수행하며, 어떠한 관계도 가지지 않는다.

선지분석

① 세마포어 S는 정수값을 가지는 변수이며, P와 V라는 명령에 의해서만 접근할 수 있다. P는 임계 구역에 들어가기 전에 수행되고, V는 임계 구역에서 나올 때 수행된다. 이때 변수 값을 수정하는 연산은 모두 원자성을 만족해야 한다. 다시 말해, 한 프로세스(또는 스레드)에서 세마포어 값을 변경하는 동안 다른 프로세스가 동시에 이 값을 변경해서는 안 된다.
② 신호는 유닉스, 유닉스 계열, POSIX 호환 운영체제에 쓰이는 제한된 형태의 프로세스 간 통신이다. 신호는 프로세스나 동일 프로세스 내의 특정 스레드로 전달되는 비동기식 통보이다. 여기서 특정 사건이란 프로세스 중단 신호 등을 의미한다.
④ 공유메모리의 상호 배제는 사용자가 세마포어 등을 통해 구현해내야 한다.

정답 ③

CHAPTER 11

유닉스(UNIX)

1 개요

1. UNIX Kernel

다음 그림은 UNIX 커널을 나타낸다. 유닉스 커널에 파일 관리, 메모리 관리, 프로세스 스케줄링 등이 존재함에 유의한다.

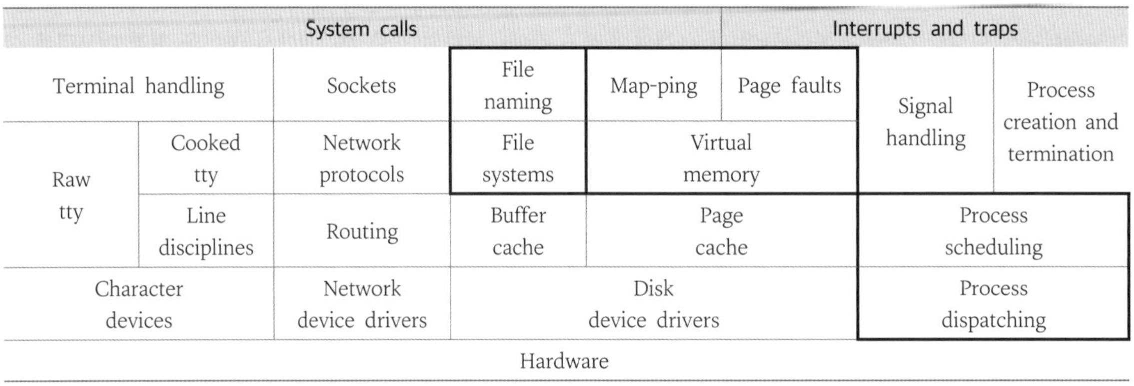

<table>
<tr><td colspan="5">System calls</td><td colspan="3">Interrupts and traps</td></tr>
<tr><td colspan="2">Terminal handling</td><td>Sockets</td><td>File naming</td><td>Map-ping</td><td>Page faults</td><td rowspan="2">Signal handling</td><td rowspan="2">Process creation and termination</td></tr>
<tr><td rowspan="2">Raw tty</td><td>Cooked tty</td><td>Network protocols</td><td>File systems</td><td colspan="2">Virtual memory</td></tr>
<tr><td>Line disciplines</td><td>Routing</td><td>Buffer cache</td><td colspan="2">Page cache</td><td colspan="2">Process scheduling</td></tr>
<tr><td colspan="2">Character devices</td><td>Network device drivers</td><td colspan="3">Disk device drivers</td><td colspan="2">Process dispatching</td></tr>
<tr><td colspan="8">Hardware</td></tr>
</table>

▲ 유닉스 커널

2. 유닉스(UNIX)

AT&T에서 개발한 운영체제로 멀티태스킹이 가능하며 다양한 사용자가 공유할 수 있는 운영체제다. 1969년에 처음 개발되었다. 유닉스 운영체제는 컴퓨터 서버, 워크 스테이션, 휴대용 기기 등에 널리 사용된다. 유닉스는 휴대가 가능하며 멀티태스킹의 특징을 갖도록 디자인되었다. 특히 시분할 방식으로 다중 사용자가 사용할 수 있는 운영체제로 개발되었다. 유닉스 시스템은 일반 텍스트 파일의 저장, 계층적인 파일 시스템 구조, 장치와 프로세스 간 통신을 파일로 취급하는 다양한 콘셉트의 특징을 가지고 있다. 이러한 특징으로 유닉스는 인터넷과 네트워크 발전에 매우 중요한 영향을 미쳤다.

현재 유닉스는 AT&T에서 발전시킨 유닉스 시스템 시리즈와 버클리 대학에서 독자적으로 발전시킨 BSD 유닉스가 있다. 이들 유닉스 운영체제는 같은 유닉스더라도 호환성이 없어 사용자로 하여금 사용의 불편함을 가져왔다. 이러한 불편함은 BSD판과 AT&T의 유닉스가 유닉스 시스템 V3로 통합되면서 다소 나아졌다. 이러한 유닉스의 통합화는 1984년부터 유닉스의 표준화가 시도되면서부터 계속적으로 추진 중에 있다. 이러한 작업을 통해 유닉스간의 호환성이 높아져 문제가 되었던 이식성의 부분에서 많은 점이 나아졌다.

2 특징

1. 다중 프로그래밍

2개 이상의 프로그램을 주기억장치에 기억시키고, 중앙처리장치(CPU)를 번갈아 사용하면서 처리하여 컴퓨터 자원을 최대로 활용하는 처리기법을 말한다. 하나의 프로그램이 처리되다가 주변장치의 처리를 기다리는 시간을 활용하여, 다른 프로그램을 수행하는 방법을 사용한다. 프로그램의 처리 순서는 우선순위에 따라 결정된다.

2. 시스템 호출

시스템 호출(system call)은 운영체제의 커널이 제공하는 서비스에 대해, 응용 프로그램의 요청에 따라 커널에 접근하기 위한 인터페이스이다. 보통 C나 C++과 같은 고급 언어로 작성된 프로그램들은 직접 시스템 호출을 사용할 수 없기 때문에 고급 API를 통해 시스템 호출에 접근하게 하는 방법이다.

3. 아이노드(i-node)

전산학에서 아이노드(i-node)는 UFS와 같은 전통적인 유닉스 계통 파일 시스템에서 사용하는 자료구조이다. 아이노드는 정규 파일, 디렉터리 등 파일 시스템에 관한 정보를 가지고 있다. 파일들은 각자 1개의 아이노드를 가지고 있으며, 아이노드는 소유자 그룹, 접근 모드(읽기, 쓰기, 실행 권한), 파일 형태, 아이노드 숫자(i-node number, i-number, 아이넘버) 등 해당 파일에 관한 정보를 가지고 있다. 파일시스템 내의 파일들은 고유한 아이노드 숫자를 통해 식별이 가능하다. 일반적으로 파일 시스템을 생성할 때 전체 공간의 약 1퍼센트를 아이노드를 위해 할당한다. 아이노드를 위한 공간이 한정되어 있는 만큼 파일시스템이 가질 수 있는 파일의 최대 개수도 한정되어 있다. 그러나 대부분의 경우, 사용자가 느끼기에 거의 무한 개에 가까운 파일을 생성하고 관리할 수 있다.

다음은 아이노드에 포함된 정보를 나타낸다(파일 이름이 없음에 유의). 참고로, 디렉터리는 파일의 이름과 아이노드를 위한 포인터를 가진다.

비트	내용
12 - 15	파일형식(일반, 디렉터리, 문자 또는 블록 특별, 선입선출 파이프)
9 - 11	실행 플래그
8	소유자 읽기 허가
7	소유자 쓰기 허가
6	소유자 실행 허가
5	그룹 읽기 허가
4	그룹 쓰기 허가
3	그룹 실행 허가
2	다른 사용자 읽기 허가
1	다른 사용자 쓰기 허가
0	다른 사용자 실행 허가

- 파일모드: 파일과 관계된 접근과 실행 권한을 저장하는 16비트 플래그
- 링크 수: 이 아이노드에 대한 디렉터리 참조 수
- 소유자 아이디: 파일의 소유자
- 그룹 아이디: 이 파일과 관계된 그룹 소유자
- 파일 크기: 파일의 바이트 수

- 파일 주소: 주소 정보(39바이트)
- 마지막 접근: 마지막으로 파일에 접근한 시각
- 마지막 수정: 마지막으로 파일을 수정한 시각
- 아이노드 수정: 마지막으로 아이노드를 수정한 시각

▲ i-node에 포함된 정보(파일 생성 시간도 포함됨에 유의)

3 종류

1. BSD

다음 그림은 BSD를 정리한 것이다. 현재는 C언어로 작성되었지만, 초창기는 어셈블리 언어로 작성되었다. 그리고 모놀리틱 커널(커널의 중요 기능이 모두 합쳐진 커널)을 사용함에 유의한다. 참고로 마이그로 기널는 커널의 중요 기능이 분리된 커널이다.

BSD

회사 / 개발자	CSRG, 캘리포니아 대학교 버클리
OS 계열	유닉스
상태	다른 파생 상품으로 대체
소스 형태	클로즈드 소스 (역사적) 자유 소프트웨어 (1991년부터 점진적으로)
마지막 버전	4.4-Lite2
마지막 버전 출시일	1995년
사용 가능한 언어	영어
프로그래밍 언어	C
지원되는 플랫폼	PDP-11, VAX. 인텔 80386
커널형태	모놀리틱 커널
기본 UI	명령 줄 인터페이스
라이선스	BSD 허가서

▲ BSD

2. 솔라리스

다음 그림은 솔라리스를 정리한 것이다.

ORACLE°

SOLARIS

회사 / 개발자	오라클
OS 계열	유닉스
상태	개발 중
소스 형태	오픈소스, 클로즈드 소스
마지막 버전	11.4
마지막 버전 출시일	2018년 8월 28일
마케팅 대상	워크스테이션, 서버
사용 가능한 언어	영어
프로그래밍 언어	C, C++
지원되는 플랫폼	SPARC, IA−32, x86−64, 파워 PC (솔라리스 2.5.1 버전에 한함)
커널형태	모놀리식 커널, LKM
기본 UI	자바 데스크톱 시스템, 공통 데스크톱 환경, 그놈
라이선스	다양
웹사이트	http://www.oracle.com/solaris

▲ 솔라리스

주요개념 셀프체크

- 멀티태스킹, 다중 사용자
- 다중 프로그래밍, 시스템 호출
- i-node
- 종류: BSD, 솔라리스

핵심 기출

유닉스 운영체제에 대한 설명으로 옳지 않은 것은? 2018년 국가직

① 계층적 파일시스템과 다중 사용자를 지원하는 운영체제이다.
② BSD 유닉스의 모든 코드는 어셈블리 언어로 작성되었다.
③ CPU 이용률을 높일 수 있는 다중 프로그래밍 기법을 사용한다.
④ 사용자 프로그램은 시스템 호출을 통해 커널 기능을 사용할 수 있다.

해설

BSD 유닉스의 모든 코드는 C 언어로 작성되었다. 그러나 초창기 유닉스의 언어는 어셈블리 언어이다.

선지분석

① 유닉스는 트리 형태의 파일시스템을 가지며, 여러 명의 사용자를 동시에 지원한다.
③ 다중 프로그래밍 기법이란 여러 개의 프로그램들을 동시에 주기억 장치에 적재하여, 한 프로그램이 입출력 등의 작업을 할 때 중앙처리 장치를 쉬게 하지 않고 다른 프로그램을 처리하게 하여 전체적인 처리 속도를 향상시키는 방식이다.
④ 사용자(응용) 프로그램은 시스템 호출(system call)을 통해 커널 기능을 사용할 수 있다. 예를 들어, 사용자 프로그램과 커널 사이에 데이터를 주고받을 때 시스템 호출을 사용할 수 있다.

정답 ②

CHAPTER 12 모바일 운영체제

1 종류

다음은 모바일 운영체제의 종류이다.

- 심비안 재단의 심비안 OS 및 이후 버전 심비안 플랫폼(오픈 퍼블릭 라이선스)
- 구글의 안드로이드(오픈 소스, 아파치)
- 애플의 iOS(클로즈드 소스, 사유)
- 블랙베리의 블랙베리 OS(클로즈드 소스, 사유)
- 마이크로소프트의 윈도우 폰(클로즈드 소스, 사유, 적은 시장 점유율)
- 리눅스 유영체제(비 안드로이드 리눅스 기반 운영체제 기준)
- HP의 웹OS(일부 오픈 소스)
- 삼성전자의 바다(클로즈드 소스, 사유)
- 노키아와 인텔의 미고(오픈 소스, GPL)
- 퀄컴의 BREW
- 삼성전자의 타이젠

2 안드로이드

1. 개요

다음 그림은 안드로이드의 구성 요소(Activity, Service, Broadcast Receiver, Content Provider)를 나타낸다. 각각을 설명하면 다음과 같다.

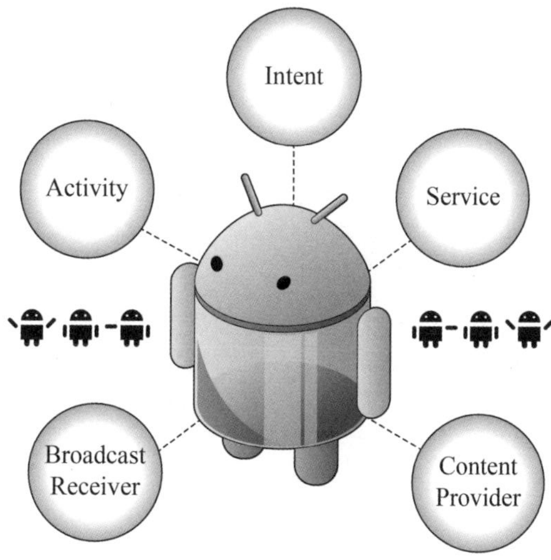

▲ 안드로이드의 구성 요소

2. 액티비티(Activity)

액티비티는 사용자 인터페이스 화면을 말하며 특정 작업을 담당하는 컴포넌트이다. 여기서 특정 작업이라는 말은 UI를 화면에 나타내고 사용자 터치 등의 event를 입력받는 작업을 말한다. 액티비티마다 화면을 가득 채우는 창이 하나씩 주어지며 작은 창으로 만들어 다른 창 위에 띄울 수도 있다. 액티비티를 사용하기 위해서는 manifest.xml 파일에 등록해야 하며 수명주기를 이해하고 있어야 한다.

3. 서비스(Service)

서비스는 백그라운드에서 실행되는 컴포넌트로 오랫동안 실행되는 작업이나 원격 프로세스를 위한 작업을 할 때 사용된다. 사용자 인터페이스를 제공하지 않으며 사용자가 또 다른 어플리케이션으로 전환하더라도 배경에서 계속해서 실행된다. 이외에도, 구성 요소를 서비스에 바인딩하여 서비스와 상호 작용할 수 있으며, 심지어는 프로세스 간 통신(IPC)도 수행할 수 있다. 예를 들어 한 서비스는 네트워크 트랜잭션을 처리하고, 음악을 재생하고 파일 I/O를 수행하거나 콘텐츠 제공자와 상호 작용할 수 있으며 이 모든 것을 배경에서 수행할 수 있다. 핸드폰 화면이 꺼져도 음악이 계속 나와야 하는 음악서비스 어플을 예로 들 수 있다.

4. 방송 수신자(Broadcast Receiver)

방송 수신자는 안드로이드 단말기에서 발생하는 다양한 이벤트/정보를 받고 반응하는 컴포넌트이다. 예를 들면 시스템부팅, 배터리부족, 전화/문자 수신, 네트워크 끊김을 알려주는 것이 방송이다.

5. 콘텐츠 제공자(Content Provider)

콘텐츠 제공자는 구조화된 데이터 세트로의 액세스를 관리한다(개인 연락처 정보). 데이터를 캡슐화하여 데이터 보안을 정의하는 데 필요한 메커니즘을 제공하기도 한다. 콘텐츠 제공자는 한 프로세스의 데이터에 다른 프로세스에서 실행 중인 코드를 연결하는 표준 인터페이스이다. 즉, 콘텐츠 제공자는 데이터를 관리하고 다른 어플리케이션 데이터를 제공하는 컴포넌트이다. 데이터를 다른 애플리케이션과 공유할 생각이 없으면 콘텐츠 제공자를 개발하지 않아도 된다. 그러나, 자체 애플리케이션에서 사용자 지정 검색 제안을 제공하려면 콘텐츠 제공자가 꼭 필요하다. 안드로이드 자체에 내장되어 있는 오디오파일, 동영상, 이미지, 개인 연락처 정보 등을 관리하는 것이 콘텐츠 제공자에 해당한다.

주요개념 셀프체크

- 모바일 운영체제
- 액티비티, 서비스, 방송 수신자, 콘텐츠 제공자

핵심 기출

안드로이드에 대한 설명으로 옳지 않은 것은? 2015년 지방직

① 안드로이드는 구글이 중심이 되어 개발하는 휴대 단말기용 플랫폼이다.
② 일반적으로 안드로이드 애플리케이션의 네 가지 구성요소는 액티비티, 방송 수신자, 서비스, 콘텐츠 제공자이다.
③ 보안, 메모리 관리, 프로세스 관리, 네트워크 관리 등 핵심 서비스는 리눅스에 기초하여 구현되었다.
④ 콘텐츠 제공자는 UI 컴포넌트를 화면에 표시하고, 시스템이나 사용자의 반응을 처리할 수 있다.

해설

콘텐츠 제공자는 해당 설명은 액티비티를 의미하고, 콘텐츠 제공자는 데이터를 관리하고 한 프로세스의 데이터에 다른 프로세스에서 실행 중인 코드를 연결하는 표준 인터페이스이다. 즉, 콘텐츠 제공자는 오디오파일, 동영상, 이미지, 개인 연락처 정보 등을 관리한다.

선지분석

① 안드로이드: 휴대 전화를 비롯한 휴대용 장치를 위한 운영체제와 미들웨어, 사용자 인터페이스 그리고 표준 응용 프로그램을 포함하고 있는 소프트웨어 스택이자 모바일 운영체제이다.
② 구성요소: 안드로이드 애플리케이션의 구성요소는 Activity(액티비티), Service(서비스), Broadcast Receiver(방송 수신자), Content Provider(콘텐츠 제공자)이다.
③ 리눅스: 안드로이드는 리눅스 커널 위에서 동작한다.

정답 ④

CHAPTER 13

그 외

1 파일 구조

1. VSAM(가상 기억 접근 방식)

가상 기억 환경에서 직접 접근과 순차 접근의 2가지 방식으로 기억 장치에 있는 데이터를 읽거나 기록할 수 있게 한다. 1차 색인이 B+ 트리 구조로 구성되고 나무의 노드에 탐색 키, 앞의 부분에 레코드가 배치되어 필요에 따라 보조 기억 장치와 주기억 장치 사이에 데이터의 페이지가 전송된다. 다음 그림은 B+ 트리 구조를 나타낸다.

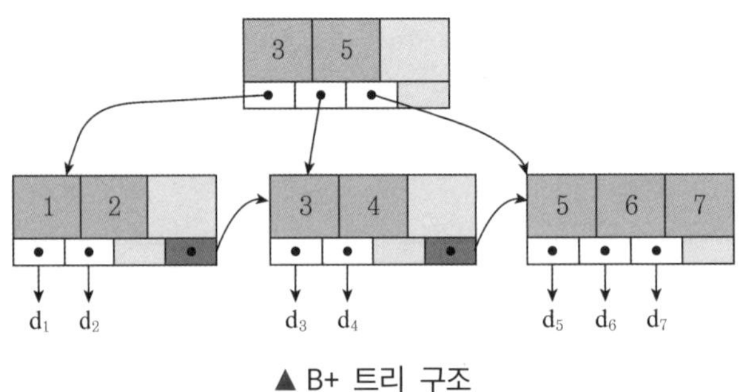

▲ B+ 트리 구조

2. 히프 파일

히프 화일(heap file), 파일 화일(pile file)이라고도 한다. 데이타가 입력되는 순서대로 저장된 파일이다(키 순서와 관계 없음). 레코드에 대한 분석, 분류, 표준화 과정을 거치지 않는다. 필드의 순서, 길이 등에 제한이 없고, 레코드의 길이, 타입이 일정하지 않다. 레코드는 <필드, 값> 쌍들로 구성된다. 다음 그림은 5 개의 레코드 예를 나타낸다.

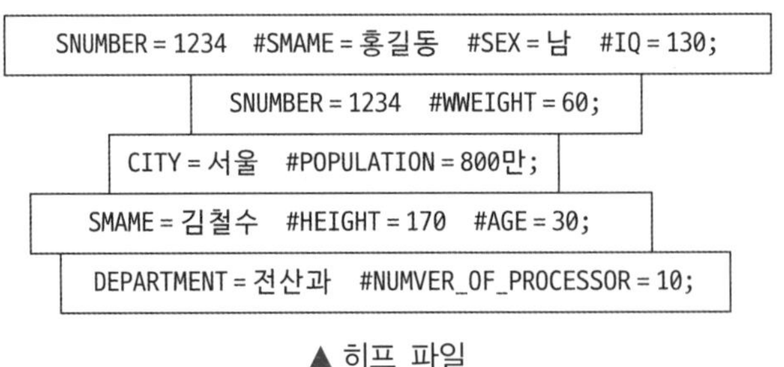

▲ 히프 파일

3. ISAM(색인 순차 접근 방식)

자료를 저장하고 검색하는 방법 중에는 자료의 저장 순서대로 처리하는 방법이 있고, 특정 항목을 이용하여 순서에 관계없이 임의로 처리하는 방법이 있고, 두 가지 방법을 함께 이용하는 방법이 있다. ISAM을 그대로 풀어 보면 색인에 의한 순차처리 방법이라 할 수 있는데, 이는 자료를 순서대로 처리할 수도 있고 특정 항목을 색인으로 하여 순서에 관계없이 처리할 수도 있다는 뜻이다. 지금도 사용하는 파일처리 방법이지만, 데이타베이스 처리방법이 보편화되기 이전에 사용하던 고전적인 파일처리 방법 중에서는 가장 많이 사용하던 방법인데, 이는 하나 이상의 특정 항목을 색인으로 이용하기 때문에 저장된 자료를 빠르고 쉽게 검색할 수 있어 자료처리가 용이하기 때문이다.

ISAM을 적용하는 파일은 색인부, 주저장부, 오버플로부 등 3개의 영역으로 나누어 관리한다. 자료를 새로 저장하면 자료내용은 주저장부에 기록되고 그 자료의 색인은 자료가 기록된 위치와 함께 색인부에 기록된다. 그렇게 저장된 자료를 색인으로 찾으면 먼저 색인부에서 그 자료가 저장된 위치(주소라 함)를 찾은 후에 필요한 자료를 찾아가도록 되어 있다. 자료가 순서대로 저장되지 않기 때문에 저장된 자료의 중간에 위치하게 될 자료를 새로 저장하면, 색인부에서 자료의 위치만 조정한 후에 실제 자료는 오버플로부에 기록된다. 따라서 계속해서 새로운 자료를 많이 저장하게 되면 자료들의 위치가 주저장부와 오버플로부에 무순으로 존재하게 되므로, 읽거나 쓰는 데 시간이 많이 걸리게 된다. 따라서 적정한 기간을 주기로 한번씩 처음부터 자료를 순서대로 읽어서 다른 파일로 옮겼다가, 새로 만들어 주는 재편성 작업이 필요하다.

ISAM의 장점은 자료를 무순으로 저장해도 순서대로 읽거나 색인으로 처리를 할 수 있어 정보관리가 편리하다는 점이지만, 저장용량이 많이 들고, 재편성이라는 작업이 필요하며, 재편성을 적절히 하지 않으면 점차 처리속도가 현저하게 떨어지는 단점이 있다. 어떻든 고전적인 파일처리 방법에서는 가장 이상적인 자료저장과 처리방법이라 모든 컴퓨터에서 이 방법을 사용했으나, 데이타베이스 방법이 보편화 되면서 서서히 그 자리를 내어주고 있다.

4. 순차 파일

키 순차 파일(key-sequenced file)이라고 한다(데이터베이스 저장 방식과 비슷). 저장 장치에서의 레코드 순서와 레코드 리스트의 논리적 순서가 같은 구조의 파일이다. 화일 내에서의 레코드는 키 필드 값에 따라 정렬한다. 모든 레코드는 똑같은 순서의 데이터 필드로 구성한다. 데이터 필드는 파일 설명자에 한 번만 저장하면 된다. 파일에 새로운 레코드를 삽입하거나 삭제하는 경우에 파일 재구성을 수행한다. 다음 그림은 순차 파일을 나타낸다.

학번	이름	나이	본적	성
1243	홍길동	10	서울	남
1257	김철수	20	경기	남
1332	박영희	19	충청	여
1334	이기수	21	전라	남
1367	정미영	20	경상	여
1440	최미숙	21	강원	여

▲ 순차 파일

2 시험에 출제되었던 용어들

1. 기아 상태(starvation)

기아 상태는 작업이 결코 사용할 수 없는 자원을 계속 기다리는 결과(교착 상태)를 예방하려고 자원을 할당할 때 발생(기다림)하는 결과이다. 다음 그림은 식사하는 철학자 예를 나타낸다. 철학자들은 포크 2개로 식사하고, 철학자 5명이 동시에 식사가 불가하다(포크가 10개 필요). 다섯 철학자는 동시에 왼쪽의 포크를 들 수 있으나 오른쪽의 포크는 이미 가져가진 상태이기 때문에 다섯 명 모두가 무한정 서로를 기다리는 교착 상태에 빠지게 될 수 있다. 어떤 경우에는 동시에 양쪽 포크를 집을 수 없어 식사를 하지 못하는 기아 상태가 발생할 수도 있다.

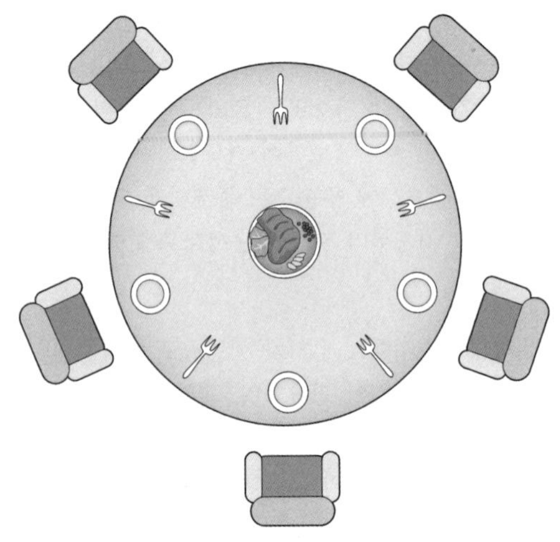

▲ 식사하는 철학자 예

2. 경쟁 상태(race condition)

경쟁상태는 여러 프로세스가 동시에 공유 데이터에 접근 시, 접근 순서에 따라 실행 결과 달라지는 상황을 말한다. 공유데이터에 마지막으로 남는 데이터의 결과를 보장할 수 없는 상황이다. 장치나 시스템이 둘 이상의 연산을 동시 실행 시, 어느 프로세스를 마지막으로 수행한 후 결과를 저장했느냐에 따라 오류가 발생하므로 적절한 순서에 따라 수행해야 한다. 읽기와 쓰기 명령을 거의 동시에 실행해야 한다면, 기본적으로 읽기 명령을 먼저 수행 후 쓰기 명령을 수행한다.

경쟁 상태의 예방을 하기 위해서는 병행 프로세스들을 동기화해야 한다(임계 영역 이용한 상호배제로 구현). 즉, 공유 변수 counter를 사용하여 한 순간에 프로세스 하나만 조작할 수 있도록 해야 하는 부분과 counter 연산하는 부분을 임계 영역으로 설정하여 상호배제하는 방법으로 해결한다.

3. 상호배제(mutual exclusion)

상호배제는 병행 프로세스에서 프로세스 하나가 공유 자원 사용 시 다른 프로세스들이 동일한 일을 할 수 없도록 하는 방법이다. 읽기 연산은 공유 데이터에 동시에 접근해도 문제가 발생하지 않는다.

동기화는 변수나 파일이 프로세스별로 하나씩 차례로 읽거나 쓰도록, 공유 자원을 동시에 사용하지 못하게 실행을 제어하는 방법을 뜻한다. 동기화는 순차적으로 재사용 가능한 자원을 공유하려고 상호작용하는 프로세스 사이에서 나타난다. 동기화로 상호배제를 보장할 수 있지만, 이 과정에서 교착 상태와 기아 상태가 발생할 수 있다(서로 연관되어 있음).

4. Swap space or swap file

스왑파일은 컴퓨터의 실제 메모리, 즉 램의 가상 메모리 확장으로 사용되는 하드디스크 상의 한 공간이다. 스왑파일을 가짐으로써, 컴퓨터 운영체계는 실제보다 더 많은 량의 램을 가지고 있는 것처럼 동작할 수 있다. 램에 있는 것 중 가장 오래 전에 사용되었던 파일들은, 새로운 파일이 램에 들어올 수 있는 공간을 내주기 위해, 다시 필요해질 때까지 하드디스크로 스왑된다. IBM의 OS/390 등과 같은 대형 운영체계에서는, 메모리에서 하드디스크로 한번에 이동하는 단위를 "페이지"라고 부르며, 스왑핑 대신에 "페이징"이라는 용어를 사용하기도 한다. 스왑파일의 장점 중 하나는, 그것이 하나의 연속된 공간으로 구성될 수 있게 됨으로써, 보다 적은 회수의 입출력 연산으로도 한 개의 파일을 완전히 읽거나 쓸 수 있다는 점이다. 일반적으로, 윈도우 기반의 운영체제들 그리고 유닉스 기반의 운영체제들은 기본적으로 일정 크기의 스왑파일을 제공하며, 필요에 따라 사용자나 시스템 관리자가 스왑파일의 크기를 조정할 수 있다.

5. 임계구역

임계 구역(critical section) 또는 공유변수 영역은 병렬컴퓨팅에서 둘 이상의 스레드가 동시에 접근해서는 안되는 공유 자원(자료 구조 또는 장치)을 접근하는 코드의 일부를 말한다. 임계 구역은 지정된 시간이 지난 후 종료된다. 때문에 어떤 스레드(태스크 또는 프로세스)가 임계 구역에 들어가고자 한다면 지정된 시간만큼 대기해야 한다. 스레드가 공유자원의 배타적인 사용을 보장받기 위해서 임계 구역에 들어가거나 나올때는 세마포어 같은 동기화 매커니즘이 사용된다. 다음 그림은 임계구역에 대한 상호배제의 구체적인 예를 나타낸다. 임계자원(critical resource)은 두 프로세스가 동시에 사용할 수 없는 공유 자원이고, 임계영역(critical section)은 임계 자원에 접근하고 실행하는 프로그램 코드 부분이다.

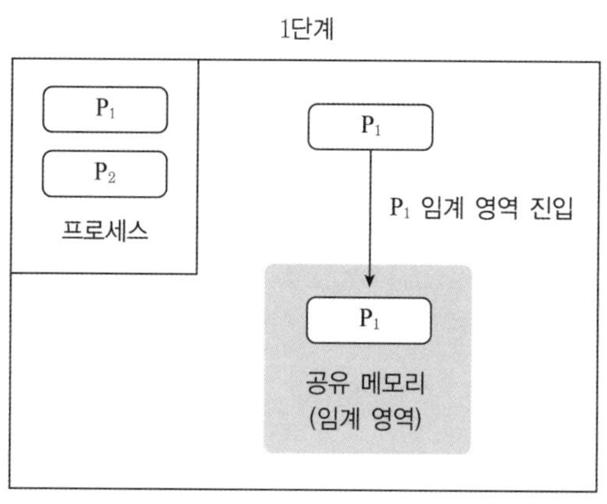

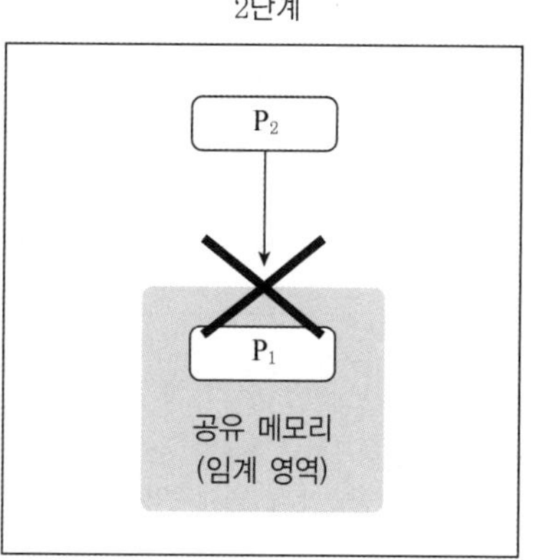

▲ 상호배제의 개념

상호배제의 조건은 다음과 같다.

- 두 프로세스는 동시에 공유 자원에 진입 불가이다.
- 프로세스의 속도나 프로세서 수에 영향 받지 않는다(프로세스들의 상대적인 속도에 대해서는 어떠한 가정도 하지 않음). 여기서 상대적인 속도는 프로세스 처리 속도를 의미한다.
- 공유 자원을 사용하는 프로세스만 다른 프로세스의 차단이 가능하다.
- 프로세스가 공유 자원을 사용하려고 너무 오래 기다려서는 안 된다.

임계 영역을 이용한 상호배제를 이용하여 간편하게 상호배제 구현이 가능하다(자물쇠와 열쇠 관계). 프로세스가 진입하지 못하는 임계 영역(자물쇠로 잠근 상태)을 이용하는 것이다. 어떤 프로세스가 열쇠를 사용할 수 있는지 확인하려고 검사 하는 동작과 다른 프로세스 사용을 금지하는 동작으로 분류한다. 다음 그림은 임계 영역을 이용한 상호배제를 나타낸다.

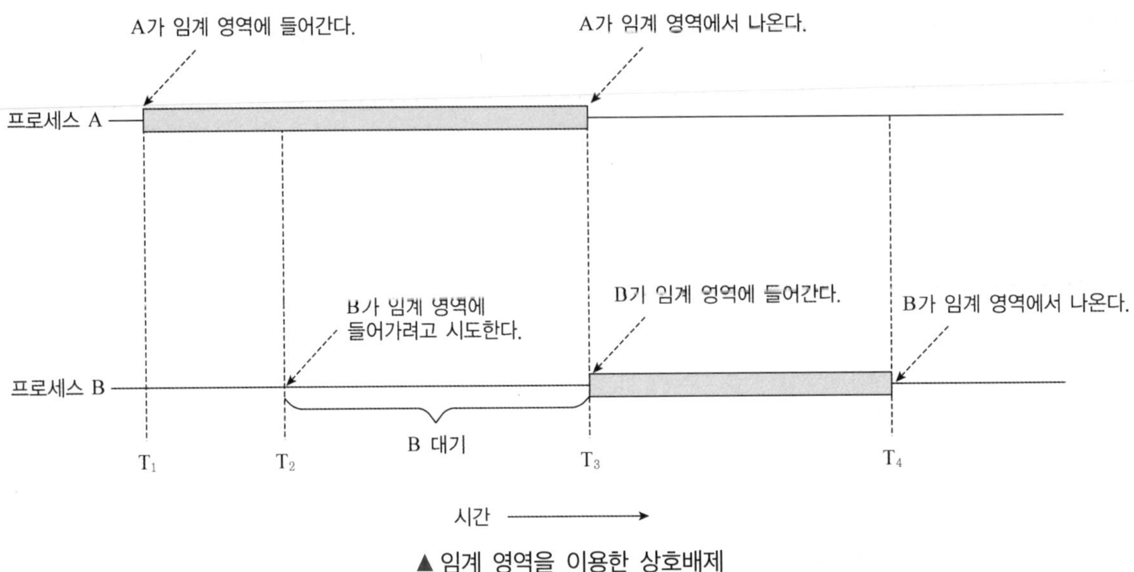

▲ 임계 영역을 이용한 상호배제

6. fork() 함수

fork() 함수는 시스템 콜 함수로서 자식 프로세스를 생성한다. 함수를 호출하고 호출이 성공하면 부모 프로세스와 자식 프로세스의 분기가 발생한다. 함수 호출로부터 얻어진 프로세스 식별자(PID)가 0보다 작으면 자식 프로세스를 만드는 것을 실패한 것이다. 그리고 PID가 0과 같으면 자식 프로세스이고, 0보다 크면 부모 프로세스가 된다. 이때, 중요한 것은 함수 호출이 성공하면 부모와 자식 두 프로세스가 동시에 동작하는 점에 유의한다(국회직 기출에서 확인).

주요개념 셀프체크

- 파일 구조 - VSAM, 히프파일, ISAM, 순차파일
- 기아상태, 경쟁상태, 상호배제, 임계구역

핵심 기출

1. 자식 프로세스를 만들어서 'ls' 프로그램을 수행하도록 하는 아래 C 프로그램에 대한 설명 중 옳지 않은 것은?

2015년 국회직

```
# include <stdio.h>
void main(int argc, char * argv [])
{
  int pid;
  pid = fork();
  if ( ㉠ ) {
    fprintf(stderr, "Fork Failed");
    exit(-1);
  }
  else if ( ㉡ ) execlp("/bin/ls", "ls", NULL);
  else {
    wait(NULL);
    printf("Child Complete");
    exit(0);
  }
}
```

① ㉠에 들어갈 조건은 pid < 0이다.
② ㉡에 들어갈 조건은 pid == 0이다.
③ 부모 프로세스는 자식 프로세스가 종료한 후에만 종료한다.
④ fork가 정상적으로 수행 된다고 가정할 때, 부모 프로세스는 위 프로그램을 수행하는 동안 총 세 번의 시스템 콜을 호출하게 된다.
⑤ 자식 프로세스를 fork한 직후, 부모 프로세스와 자식 프로세스는 위 프로그램의 같은 위치에서부터 동작하게 된다.

해설

부모 프로세스는 2번의 시스템 호출(wait, exit)을 수행한다.

선지분석

①② pid < 0이면 자식 프로세스 생성에 실패한 것이고, pid == 0은 자식 프로세스를 의미하고, pid > 0은 부모 프로세스를 의미한다. // 조건문에서 첫 번째 조건, 두 번째 조건, 세 번째 조건에 해당한다. 참고로, execlp()는 /bin/ls의 ls를 수행하는 것을 의미한다.
③ wait(): 자식 프로세스가 끝날 때까지 기다린다. // 부모 프로세스는 자식 프로세스가 종료한 후에 종료한다.
⑤ pid = fork(): 자식 프로세스를 생성한다. 부모와 자식 프로세스의 분기가 일어난다. 즉, 2개의 프로세스가 존재한다. // 부모 프로세스와 자식 프로세스가 프로그램의 같은 위치에서부터 동작하게 된다.

TIP 원래 fork도 부모 프로세스에 포함되는 시스템 호출인데, 문제의 의도는 하나의 프로세스에서 fork가 발생하여 부모와 자식으로 분리된 것으로 보고 있다. 그러므로 fork 이후에 부모가 수행한 시스템 호출은 2개이다.

정답 ④

2. 파일구조에 대한 설명으로 옳지 않은 것은? 2018년 국가직

① VSAM은 B+ 트리 인덱스 구조를 사용한다.

② 히프 파일은 레코드들을 키 순서와 관계없이 저장할 수 있다.

③ ISAM은 레코드 삽입을 위한 별도의 오버플로우 영역을 필요로 하지 않는다.

④ 순차 파일에서 일부 레코드들이 키 순서와 다르게 저장 된 경우, 파일 재구성 과정을 통해 키 순서대로 저장될 수 있다.

해설

ISAM은 자료를 순서대로 처리할 수도 있고 특정 항목을 색인으로 하여 순서에 관계없이 처리할 수도 있다. ISAM을 적용하는 파일은 색인부(자료의 색인), 주저장부(자료를 새로 저장), 오버플로부(자료의 중간에 새로운 자료를 저장) 등 3개의 영역으로 나누어 관리한다.

선지분석

① VSAM: 가상 기억 환경에서 직접 접근과 순차 접근의 2가지 방식으로 기억 장치에 있는 데이터를 읽거나 기록할 수 있게 한다. 1차 색인이 B+ 드리 구조로 구성되고 트리의 노드에 탐색키, 앞의 부분에 레코드가 배치되어 필요에 따라 보조 기억 장치와 주기억 장치 사이에 데이터의 페이지가 전송된다. 이를 그림으로 나타내면 다음과 같다.

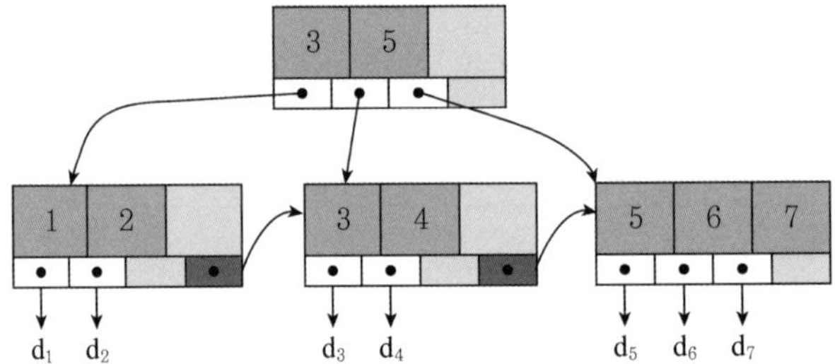

② 히프 파일(Heap file): 데이터가 입력되는 순서대로 저장된 파일이다. 즉, 키 순서와 관계 없다. 레코드에 대한 분석, 분류, 표준화 과정을 거치지 않는다. 필드의 순서, 길이 등에 제한이 없고, 레코드의 길이, 타입이 일정하지 않다. Pile 파일(pile file)이라고도 한다.

④ 순차 파일(Sequential file): 파일 내에서의 레코드는 키 필드 값에 따라 정렬된다. 모든 레코드는 똑같은 순서의 데이터 필드로 구성된다. 파일에 새로운 레코드를 삽입하거나 삭제하는 경우 파일 재구성을 수행한다.

정답 ③

gosi.Hackers.com

PART 5

프로그래밍 언어

CHAPTER 01 개요

1 소스 코드에서 실행 파일이 만들어지는 단계

1. 프리프로세서

전처리기 또는 프리컴파일러는 입력 데이터를 처리하여 다른 프로그램에 대한 입력으로서 사용되는 출력물을 만들어내는 프로그램이다. 여기서 출력물이란 전처리된 형태의 입력 데이터를 말하며 컴파일러와 같은 차후 프로그램들에 쓰인다. 처리할 양과 종류는 전처리기의 본성에 따라 다르며 어떠한 전처리기들은 상대적으로 단순한 문자 치환 및 매크로 확장만 할 수 있는 반면 다른 전처리기들은 성숙한 프로그래밍 언어의 기능을 하기도 한다. 프로프로세시 단계에서 #include와 #define 등이 처리된다.

2. 컴파일러

고급언어로 쓰인 프로그램이 컴퓨터에서 수행되기 위해서는 컴퓨터가 직접 이해할 수 있는 언어로 바꾸어 주어야 한다. 이러한 일을 하는 프로그램을 컴파일러라고 한다. 예를 들어 원시언어가 파스칼(Pascal)이나 코볼(Cobol)과 같은 고급언어이고 목적언어가 어셈블리 언어나 기계어일 경우, 이를 번역해 주는 프로그램을 컴파일러라 한다. 컴파일을 하기 위하여 입력되는 프로그램을 원시 프로그램이라 하고 이 프로그램을 기술한 언어를 원시언어(source language)라 한다. 또 번역되어 출력되는 프로그램을 목적 프로그램이라 하고 이 프로그램을 기술한 언어를 목적언어(object language 또는 target language)라 한다. 한 프로그램을 컴파일하여 목적 프로그램으로 바꾸어 놓으면, 원시 프로그램을 수정하지 않는 한 계속 반복해서 수행할 수 있다.

3. 어셈블러

하드웨어가 직접 이해하여 실행하는 기계어는 일반적으로 비트열 또는 16진수로 표현되기 때문에 인간이 이해하기 어려운 것이다. 그래서 인간이 이해하기 쉽도록 기계어와 거의 1대 1로 대응하는 기호로 표현된 언어로서 어셈블러 언어가 있으며, 어셈블러 언어를 기계어로 번역하는 프로그램을 어셈블러, 번역하는 것을 어셈블리라고 한다. 어셈블러 언어는 기호화되어 있기 때문에 기계어로 직접 프로그래밍하는 것보다도 프로그램의 작성이 용이하며, 또 기계어와 거의 1대 1로 대응하고 있기 때문에 실행 효율이 좋은 프로그램을 기술할 수 있는 특징이 있다. 그러나 기계어에 가깝기 때문에 고급언어(COBOL, FORTRAN 등)로 기술하는 것보다 프로그램이 복잡하게 된다. 이 때문에 어셈블리어로 기술되는 프로그램은 OS(오퍼레이팅 시스템) 등에 한정되어 있는 것이 현실이다.

4. 링커

목적 모듈 간의 상호 참조를 해결하고 가능하면 구성 요소를 재배치함으로써 하나 이상의 별도로 번역된 목적 모듈 또는 로드 모듈로부터 하나의 로드 모듈을 작성하기 위하여 사용되는 컴퓨터 프로그램이다. 링커 단계에서 자신의 프로그램과 미리 컴파일된 라이브러리들이 합쳐진다.

동적 링킹

동적 링크 라이브러리(DLL; dynamic-link library)는 마이크로소프트 윈도우에서 구현된 동적 라이브러리이다. 내부에는 다른 프로그램이 불러서 쓸 수 있는 다양한 함수들을 가지고 있는데, 확장DLL인 경우는 클래스를 가지고 있기도 한다. DLL은 COM을 담는 그릇의 역할도 한다. 사용하는 방법에는 두 가지가 있는데, 묵시적 링킹(Implicit linking)은 실행 파일 자체에 어떤 DLL의 어떤 함수를 사용하겠다는 정보를 포함시키고 운영체제가 프로그램 실행 시 해당 함수들을 초기화한 후 그것을 이용하는 방법이다. 명시적 링킹(Explicit linking)은 프로그램이 실행 중일 때 API를 이용하여 DLL 파일이 있는지 검사하고 동적으로 원하는 함수만 불러와서 쓰는 방법이다. 전자의 경우는 컴파일러가 자동으로 해주는 경우가 많으며, 후자의 경우는 사용하고자 하는 DLL이나 함수가 실행 환경에 있을지 없을지 잘 모르는 경우에 사용된다(때때로 메모리 절약을 위해 쓰이기도 한다).

5. 로더

로더(loader)는 컴퓨터 운영체제의 일부분으로, 하드디스크와 같은 오프라인 저장 장치에 있는 특정 프로그램(대부분의 경우 응용 프로그램이지만, 경우에 따라서는 운영체제 그 자신의 일부가 될 수도 있다)을 찾아서 주기억장치에 적재하고, 그 프로그램이 실행되도록 하는 역할을 담당한다. 적재되는 프로그램은 그 자체로 초기에는 주기억장치에 적재되지 않지만, 필요할 때 적재될 수 있는 요소들을 포함할 수 있다. 멀티태스킹이 지원되는 운영체제에서, 디스패처(dispatcher)라는 프로그램은 서로 다른 태스크들 간에 컴퓨터 CPU의 할당시간을 조절하고, 특정 태스크와 관련된 프로그램이 주기억장치에 있지 않을 때에는 로더를 호출한다.

6. 정리

소스 코드에서 실행 파일이 만들어지는 단계를 정리하면 다음과 같다.

- 첫째: 프리프로세서는 선행처리기로서 컴파일 전에 실행된다.
- 둘째: 컴파일러는 소스 파일을 어셈블리 파일 혹은 이진 파일(실행 파일, 목적 파일)로 만든다.
- 셋째: 어셈블러는 어셈블리 파일을 이진 파일로 만든다.
- 넷째: 링커는 이진 파일과 이진 파일을 결합하여 최종 실행 파일을 만든다.
- 다섯째: 로더는 보조기억장치에 있던 최종 실행 파일을 주기억장치로 올린다(프로세스).

2 소스 코드를 이진 코드로 만드는 방법

1. 컴파일러

원시 프로그램, 고급언어로 작성된 문장을 처리하여 기계어 또는 컴퓨터가 사용할 수 있는 코드(목적 프로그램)으로 번역해주는 프로그램이다. 프로그램 전체를 한꺼번에 번역 후 실행하고, 목적 프로그램 생성으로 메모리를 사용한다. 컴파일러에 의해 번역된 프로그램은 언제든지 실행될 수 있는 실행 가능한 프로그램이다. 번역 속도 느리지만, 실행 속도가 빠르다. 디스크에 저장되고, 특정 시스템에서 번역된 실행파일이 다른 시스템에서는 실행되지 않는다(이식성). 사용 예는 C, 포트란 등이 존재한다.

2. 인터프리터

고급 언어로 작성된 명령문을 한번에 한 줄씩 번역하고 실행하는 프로그램이다. 메모리를 사용하지 않고, 주요 스크립트 언어에서 대부분 사용한다(웹이 작동하는 방식이 전형적인 인터프리터 기법). 목적 프로그램을 생성하지 않고, 배우기 쉽고, 이식성이 뛰어나다. 번역 속도가 빠르고, 실행 속도가 느리다. 프로그램 자체가 공개되고, ROM에 저장된다. 사용 예는 베이식, 자바스크립트, HTML, ASP, PHP, Perl 등이 존재한다.

3. 하이브리드

컴파일 기법과 인터프리트 기법을 모두 사용한다. 사용자에 의해 작성된 프로그램이 컴파일러에 의해 중간코드로 변환되고, 이는 다양한 형태의 서로 다른 시스템에서 인터프리터에 의해 직접 실행된다. 이때, 발생하는 중간코드는 컴퓨터에서 직접 실행될 수 없는 코드로서 컴퓨터 하드웨어에 독립적인 코드이다. 이식성이 뛰어나고, 한번 작성된 프로그램은 어떤 컴퓨터 시스템에서든지 즉시 실행 가능하다. 인터프리트 방식의 단점인 소스프로그램의 공개와 컴파일러 방식의 단점인 특정 컴퓨터에 종속적이라는 단점을 해결한다. 최근의 언어에 주로 사용되고, 사용 예는 JAVA, C# 등이 존재한다.

3 그 외(실행 파일 크기)

실행 파일의 크기는 CPU의 설계 방식[CISC는 명령어의 길이가 짧음(작아짐)], 최적화 옵션(최적화가 될수록 크기가 작아짐), 비트수(비트수가 클수록 크기가 커짐), 동적 링킹(DLL을 사용하면 크기가 작아짐)에 따라 달라지지만, CPU의 동작 클럭 주파수(크기가 아니라 실행 속도와 연관)에는 영향을 받지 않는다.

프로그래밍 언어

구분	내용
소스 코드가 실행되는 과정	• 프리프로세서: 선행처리기, 컴파일 전에 실행 • 컴파일러: 소스 파일 → 어셈블리 파일 혹은 이진 파일 • 어셈블러: 어셈블리 파일 → 이진 파일 • 링커: 이진 파일 + 이진 파일 = 실행 파일 • 로더: 실행 파일을 주기억장치로 적재함
컴파일 방식	• 컴파일러: 한번에, C언어 • 인터프리터: line by line, 파이썬 • 하이브리드: 컴파일러 → 인터프리터, 자바(JVM)

주요개념 셀프체크

- 프리프로세서
- 컴파일러 vs. 어셈블러
- 링커 vs. 로더
- 컴파일러, 인터프리터, 하이브리드

핵심 기출

C 프로그램을 컴파일하면 <보기>와 같은 것들이 실행된다. 이 중 3번째로 실행되는 것은? 2019년 서울시

<보기>
링커(linker), 어셈블러(assembler), 전처리기(preprocessor), 컴파일러(compiler)

① 링커(linker)
② 어셈블리(assembler)
③ 전처리기(preprocessor)
④ 컴파일러(compiler)

해설
C언어를 컴파일하면 전처리기, 컴파일러, 어셈블러, 링커, 로더의 순으로 동작한다. 어셈블러는 어셈블리 언어를 이진 파일로 만든다.

선지분석
소스코드를 실행 파일로 만드는 순서
① 링커: 미리 컴파일한 라이브러리 파일과 이진 파일을 합친다.
③ 전처리기: 컴파일 전에 전처리(#include, #define 등)를 수행한다.
④ 컴파일러: 소스 코드를 어셈블리 언어 혹은 이진 파일로 만든다.

TIP 이외에 로더는 이진 파일을 메모리에 적재한다.

정답 ②

CHAPTER 02

변수

1 개요

1. 변수

변수(variable)란 프로그램에서 일시적으로 데이터를 저장하는 공간이다. 변수는 데이터가 입력되면 어딘가에 저장해야만 다음에 사용할 수 있다(계속 사용). 변수는 이름과 주소를 가진다. 아래의 그림은 변수의 사용 예를 보여준다.

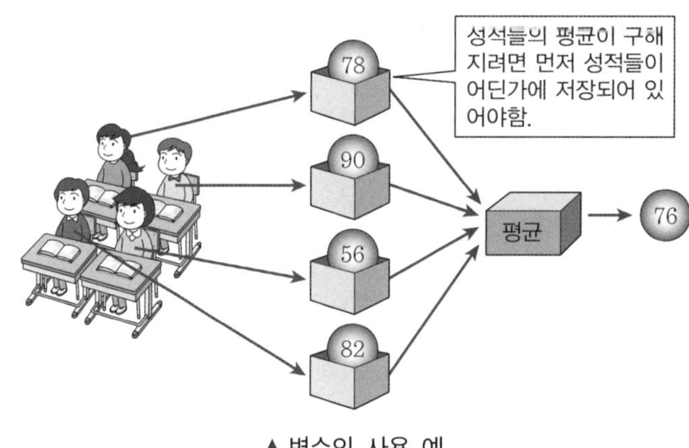

▲ 변수의 사용 예

2. 변수(상자)

변수는 물건을 저장하는 상자와 같다. 다음 그림은 변수를 상자에 비유한 예이다. 변수는 변수의 타입, 변수의 이름, 데이터를 가진다. 또한 변수는 주소를 가지고 포인터를 이용해서 다룬다.

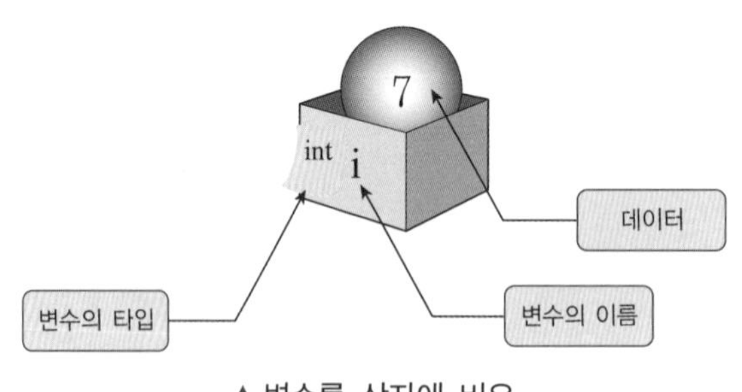

▲ 변수를 상자에 비유

3. 변수가 만들어지는 곳

변수는 주기억장치(메인메모리, RAM)에 만들어진다(컴퓨터구조와 연관됨). 즉, 변수는 메모리상에서 주소를 가진다. 아래의 그림은 변수가 만들어지는 주기억장치를 나타낸다.

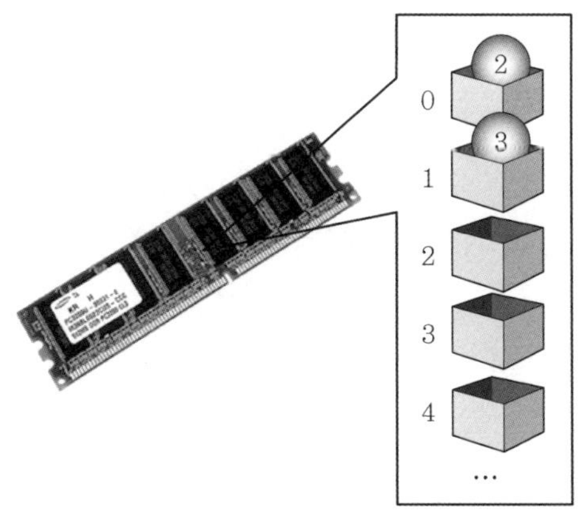

▲ 변수가 만들어지는 주기억장치

4. 변수가 필요한 이유

만약 메모리를 변수처럼 이름을 가지고 사용하지 않고 주소로 사용한다면 "219번지에 0을 대입하라"와 같이 사용할 수 있다. 이것은 충분히 가능하지만 불편하다. 인간은 숫자보다는 기호를 더 잘 기억한다(고급 언어, C언어). 즉, 변수는 우리가 이름을 가진 것과 유사하다. 아래의 그림은 주소와 변수를 나타낸다.

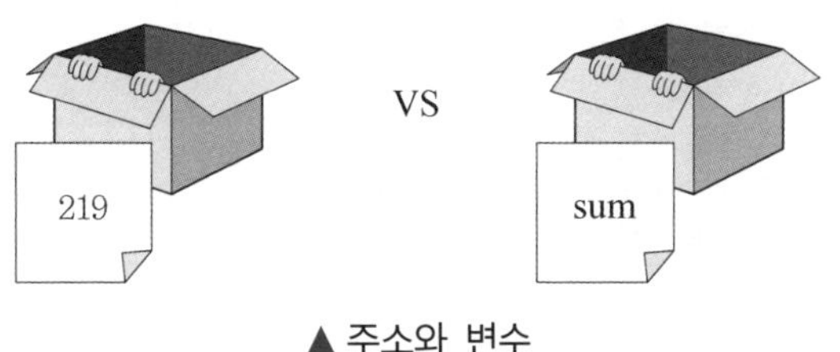

▲ 주소와 변수

2 변수와 상수

1. 변수와 상수

변수(variable)는 저장된 값의 변경이 가능한 공간이다. 예를 들면, i, sum, avg 등을 들 수 있다. 상수(constant)는 저장된 값의 변경이 불가능한 공간이다(메모리 할당은 됨). 예를 들면, 3.14, 100, 'A'(문자), "Hello World!"(문자열) 등을 들 수 있다. 아래의 그림은 변수와 상수를 나타낸다.

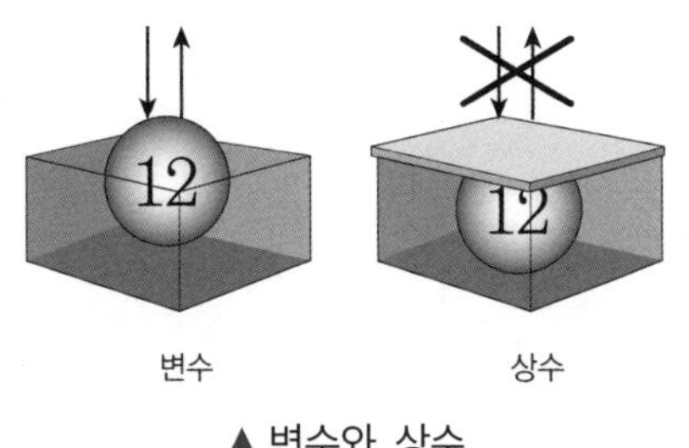

▲ 변수와 상수

2. 상수의 이름

보통 상수는 이름이 없다. 이러한 상수를 리터럴(literal)이라고 한다. 하지만 필요하다면 상수에도 이름을 붙일 수 있다. 이것을 기호 상수라고 한다. #define이라는 프리프로세서(전처리기)를 이용한다(컴파일 전에 미리 수행).

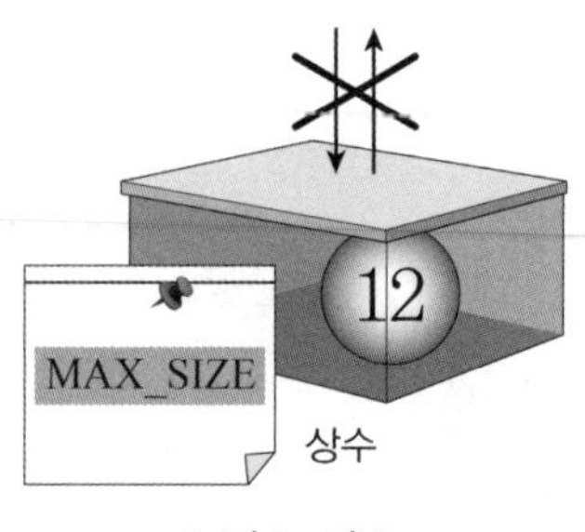

▲ 기호 상수

예제 아래의 예제는 원의 면적을 계산하는 프로그램이다. C언어에 익숙하다면 눈으로 확인하면 되지만, C언어를 잘 모른다면 무료 컴파일러(dev-c++)를 설치하고 실제 실행하자(손으로 확인).

```
#include <stdio.h>
// #define PI 3.141592 (기호 상수)
int main(void)
{
        float rad; // 원의 반지름(변수)
        float area; // 원의 면적(변수)

        printf("원의 면적을 입력하시오:");
        scanf("%f", &rad);

        area = 3.141592 * rad * rad; // 상수
        printf("원의 면적: %f", area);

        return 0;
}
```

```
원의 면적을 입력하시오: 5.0
원의 면적: 78.539803.
```

3 자료형

1. 정의

자료형(data type)은 데이터의 타입(종류)을 나타낸다. 100은 정수형 데이터를 나타내고, 3.141592는 실수형 데이터를 나타낸다. 그리고 'A'는 문자형 데이터를 나타낸다. 아래의 그림은 자료형을 나타낸다.

▲ 자료형

2. 다양한 자료형

다양한 자료형이 필요한 이유는 상자에 물건을 저장하는 것과 같다. 즉, 최적화(optimize)를 하여 낭비를 방지하기 위한 것이다. 아래의 그림은 다양한 자료형이 필요한 이유를 나타낸다.

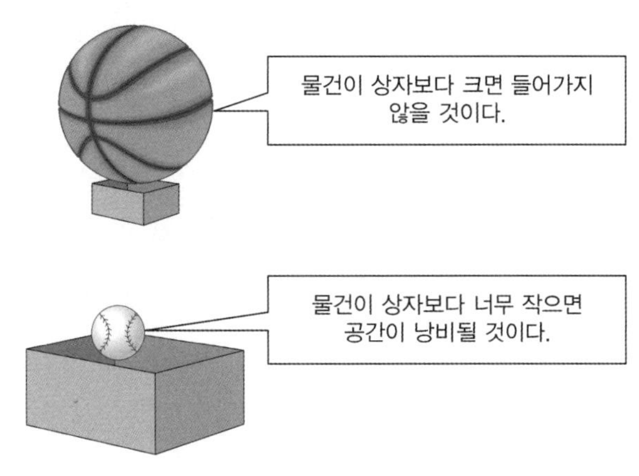

▲ 다양한 자료형이 필요한 이유

3. 자료형의 종류

아래의 표는 자료형의 종류를 나타낸다. short, char, double을 주의 깊게 보기 바란다. 여기서 하나 주의할 점은 아래의 표는 32비트 컴퓨터를 기준으로 한다는 점이다. 만약, 문제의 조건에 64비트 컴퓨터가 나왔다면 아래의 주어진 바이트 수를 모두 2배로 해야 한다.

자료형			설명	바이트수	범위
정수형	부호 있음	short	short형 정수	2	-32768~32767
		int	정수	4	-2147483648~2147483647
		long	long형 정수	4	-2147483648~2147483647
	부호 없음	unsigned short	부호 없는 short형 정수	2	0~65535
		unsigned int	부호 없는 정수	4	0~4294967295
		unsigned long	부호 없는 long형 정수	4	0~4294967295
문자형	부호 있음	char	문자 및 정수	1	-128~127
	부호 없음	unsigned char	문자 및 부호 없는 정수	1	0~255
부동소수점형		float	단일 정밀도 부동소수점	4	1.2E-38~3.4E38
		double	두배 정밀도 부동소수점	8	2.2E-308~1.8E308

4. 자료형의 크기

자료형의 크기는 sizeof 연산자를 이용한다. sizeof 연산자는 바이트 단위로 크기를 반환하는 함수이다. 아래의 표는 sizeof 함수를 나타낸다.

형식	sizeof(변수) sizeof(자료형)

예	sizeof(x) // 변수
	sizeof(10) // 값 (주의)
	sizeof(int) // 자료형
	sizeof(double) // 자료형

예제 다음의 sizeof 함수의 사용 예제를 나타낸다. sizeof 함수의 사용법을 주의 깊게 보기 바란다. 그리고 char, short, double의 바이트 수를 조심한다.

```
#include <stdio.h>
int main(void)
{
	int x;
	printf("변수 x의 크기: %d\n", sizeof(x));
	printf("char형의 크기: %d\n", sizeof(char));
	printf("int형의 크기: %d\n", sizeof(int));
	printf("short형의 크기: %d\n", sizeof(short));
	printf("long형의 크기: %d\n", sizeof(long));
	printf("float형의 크기: %d\n", sizeof(float));
	printf("double형의 크기: %d\n", sizeof(double));
	return 0;
}
```

```
변수 x의 크기: 4
char형의 크기: 1
int형의 크기: 4
short형의 크기: 2
long형의 크기: 4
float형의 크기: 4
double형의 크기: 8
```

5. 변수의 이름짓기

식별자(identifier)는 식별할 수 있게 해주는 이름으로, 변수 이름과 함수 이름에 사용된다. 아래의 그림은 식별자를 나타낸다.

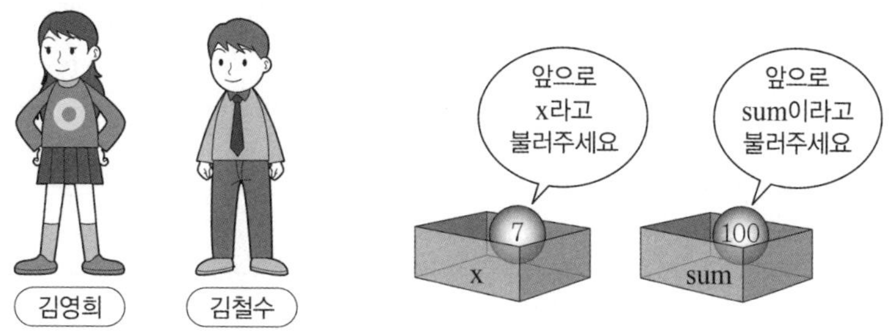

▲ 식별자

6. 식별자를 만드는 규칙

알파벳 문자와 숫자, 밑줄 문자 _로 구성되고, 첫 번째 문자는 반드시 알파벳 또는 밑줄 문자 _로 시작해야 한다. 대문자와 소문자를 구별하고, C 언어의 키워드와 똑같은 이름은 허용되지 않는다. 식별자로 sum, _count, king3, n_pictures는 가능하지만, 2nd_try(숫자로 시작), dollor#(#기호), double(키워드)는 가능하지 않다.

7. 좋은 변수 이름

좋은 변수 이름은 변수의 역할을 가장 잘 설명하는 이름이다(가독성, readability). 밑줄 방식(bank_account) 또는 단어의 첫 번째 글자를 대문자(BankAccount)로 하는 방식을 사용한다.

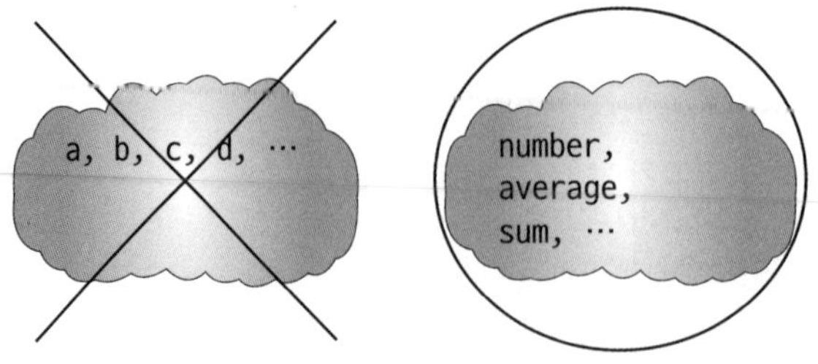

▲ 나쁜 변수와 좋은 변수 이름

8. 키워드

키워드(keyword)는 C언어에서 고유한 의미를 가지고 있는 특별한 단어이고, 예약어(reserved words)라고도 한다. 아래의 표는 키워드를 정리한 것이고, 하나씩 꼼꼼히 읽어보고 모르는 것은 찾아보아야 한다.

auto	double	int	struct
break	else	long	switch
case	enum	register	typedef
char	extern	return	union
const	float	short	unsigned
continue	for	signed	void
default	goto	sizeof	volatile
do	if	static	while

9. 변수 선언

변수 선언은 컴파일러에게 어떤 변수를 사용하겠다고 미리 알리는 것이다(declaration). 컴퓨터 구조 관점에서 보면 변수 선언은 주기억장치에 변수 크기만큼의 기억공간을 할당하는 것이다. 변수 선언은 다음과 같은 형식을 가진다.

```
자료형 변수이름;
```

변수 선언의 예는 다음과 같고, 이를 그림으로 나타내면 다음과 같다.

```
• char c;
• int i;
• double interest_rate;
• int w, h;
```

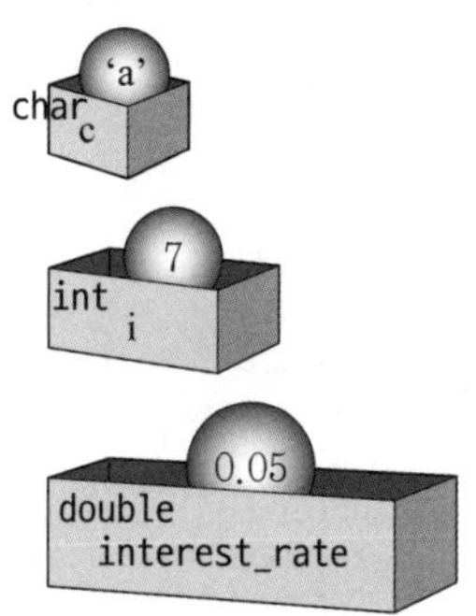

▲변수 선언의 예

10. 변수에 값을 저장하는 방법

```
char c;  // 문자형 변수 c 선언
int i;  // 정수형 변수 i 선언
double interest_rate; // 실수형 변수 interest_rate 선언

c = 'a';  // 문자형 변수 c에 문자 'a'를 대입
i = 60;  // 정수형 변수 i에 60을 대입
interest_rate = 4.9; // 실수형 변수 interest_rate에 4.9를 대입
```

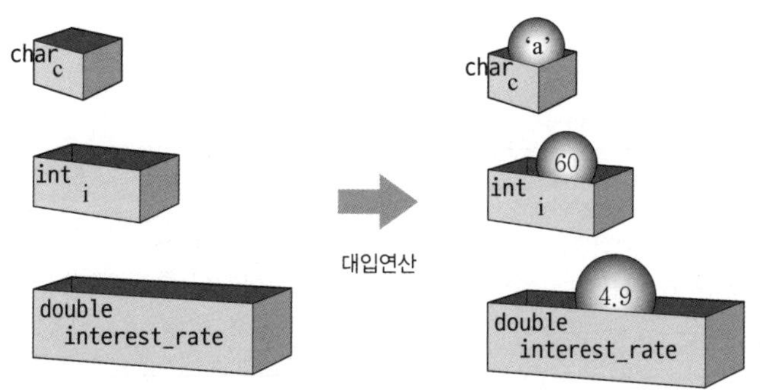

▲변수에 값을 저장

11. 변수의 초기화

자료형 변수이름 = 초기값;

```
• char c ='a';
• int i = 7;
• double interest_rate = 0.05;
```

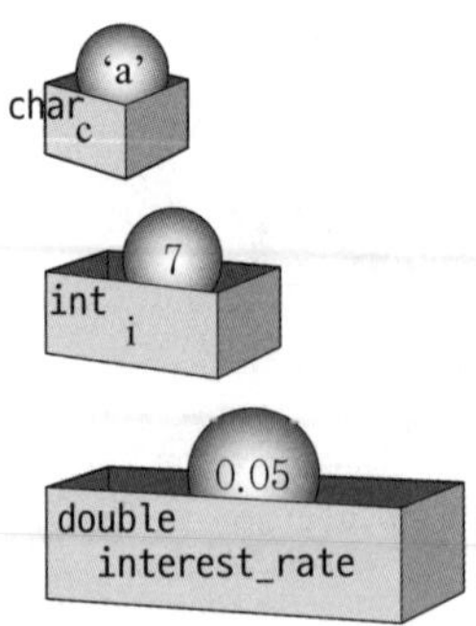

▲ 변수의 초기화

12. 변수 선언 위치

C언어에서 변수는 함수의 첫 부분에서만 선언할 수 있다. 그러나 C++ 또는 자바에서는 함수의 중간에서도 선언할 수 있다. 이를 프로그램 안에서 나타내면 다음과 같다.

```
int main(void)
{
        int index = 0; // 변수 선언
        int count = 0; // 변수 선언
        count = 10; // 일반 문장
        index = 7; // 일반 문장
        int sum; // 오류, 잘못된 변수 선언
        ...
}
```

13. 변수의 사용

변수는 다음과 같이 대입 연산자(=)를 이용하여서 값을 저장한다. 아래의 그림은 변수에 값을 대입하는 것을 나타낸다.

```
int   value;
value = 10; // value가 10이라는 값을 가짐
...
value = 20; // value의 값을 20으로 바꿈
```

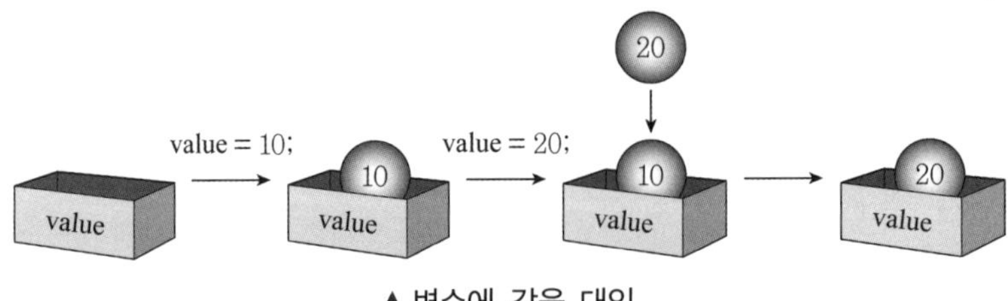

▲ 변수에 값을 대입

변수의 사용은 기초 이론으로 많은 다양한 응용이 가능하다. 예를 들어, 다음과 같이 저장된 값은 변경이 가능하다(변수 = 변수). 어떤 것이 되고, 어떤 것이 안되고는 직접 코딩을 통해 손으로 익혀야 한다. 아래의 그림은 변수에 변수를 대입하는 것을 나타낸다.

```
int value1 = 10;
int value2;
value2 = value1;
```

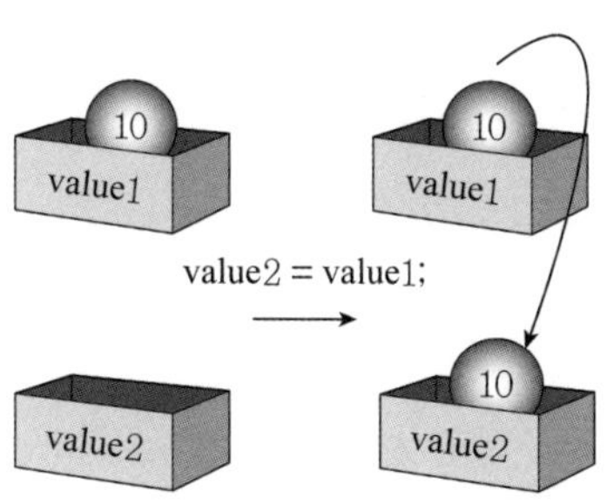

▲ 변수에 변수를 대입

예제 다음 프로그램은 달러화를 입력하면 이를 원화로 환산하는 것을 나타낸다. scanf 함수에서 call-by-reference(참조에 의한 호출)를 사용했는데 이에 대해서는 나중에 자세하게 배운다.

```
#include <stdio.h> // printf, scanf의 함수 원형을 포함시킴
int main(void)
{
        int usd;  // 달러화
        int won;  // 원화

        printf("달러화 금액을 입력하시오: "); // 입력 안내 메시지
        scanf("%d", &usd); // 달러화 금액 입력(& 주소 연산자, call-by-reference)

        won = 1120 * usd; // 원화로 환산(* 곱셈 연산자)
        printf("달러화 %d 달러는 %f원입니다.\n", usd, won); // 계산 결과 출력

        return 0; // 함수 결과값 반환
}
```

```
달러화 금액을 입력하시오: 100
달러화 100달러는 112000원입니다.
```

주요개념 셀프체크

- 변수 vs. 상수
- short, char, double
- 식별자
- 선언, 초기화, 사용

핵심 기출

다음 중 C 프로그래밍 언어의 식별자로 사용할 수 없는 것은? 2016년 서울시

① 3id\

② My_ID

③ __yes

④ K

해설

C언어에서 식별자를 만드는 규칙은 다음과 같다.

- 알파벳 문자와 숫자, 밑줄 문자 _로 구성한다.
- 첫 번째 문자는 반드시 알파벳 또는 밑줄 문자 _로 시작해야 한다(보기의 3id는 숫자로 시작하기 때문에 식별자로 사용할 수 없다).
- 대문자와 소문자를 구별한다.
- C 언어의 키워드와 똑같은 이름은 허용되지 않는다.

정답 ①

CHAPTER 03 수식

1. 수식의 예

아래의 그림은 수식의 예를 보여준다. 수식에서 x*x는 math.h에 정의된 pow 함수를 사용하여 작성해도 된다[x*x와 pow(x, 2)는 같은 의미].

▲ 수식의 예

2. 수식의 정의

수식은 상수, 변수, 연산자의 조합으로 이루어진다. 그리고 수식은 연산자와 피연산자(상수, 변수)로 나누어지고, 결과값을 갖는다. 다음 그림은 수식의 정의를 나타낸다.

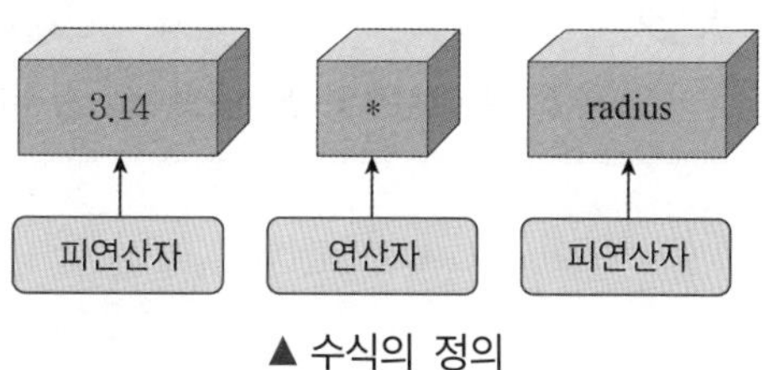

▲ 수식의 정의

3. 간단한 수식

예제 아래의 프로그램은 간단한 수식 예제를 나타낸다. 그리고 이를 그림으로 나타내면 다음과 같다.

```
#include <stdio.h>
int main()
{
        int x=1;
        printf("3+2의 값은 %d\n", 3+2);
        printf("3-2의 값은 %d\n", 3-2);
        printf("x의 값은 %d\n", x);
        printf("x+1의 값은 %d\n", x+1);
        return 0;
}
```

```
3 + 2의 값은 5
3-2의 값은 1
x의 값은 1
x + 1의 값은 2
```

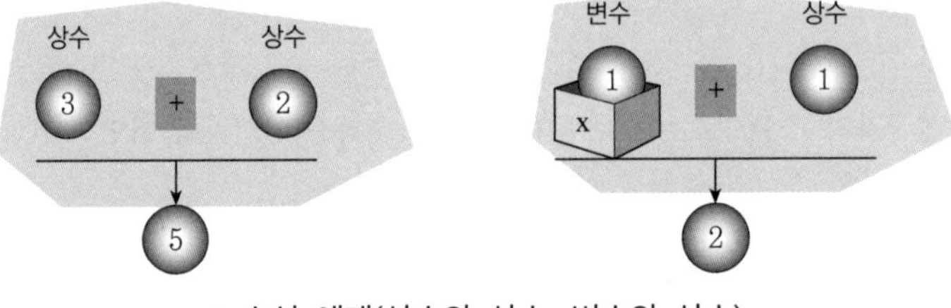

▲ 수식 예제(상수와 상수, 변수와 상수)

4. 기능에 따른 연산자의 분류

아래의 표는 기능에 따른 연산자의 분류를 나타낸다. 표의 내용 중 모르는 것은 찾아서 정리하기 바란다.

연산자의 분류	연산자	의미
대입	=	오른쪽을 왼쪽에 대입
산술	+ - */%	사칙연산과 나머지 연산
부호	+ -	-
증감	+ + - -	증가, 감소 연산
관계	><==!= >= <=	오른쪽과 왼쪽을 비교
논리	&&||!	논리적인 AND, OR, NOT
조건	?	조건에 따라 선택
콤마	,	피연산자들을 순차적으로 실행
비트 단위 연산자	&|^~<<>>	비트별 AND, OR, XOR, NOT, 이동
sizeof 연산자	sizeof	자료형이나 변수의 크기를 바이트 단위로 반환
형변환	(type)	변수나 상수의 자료형을 변환
포인터 연산자	*&[]	주소계산, 포인터가 가리키는 곳의 내용 추출
구조체 연산자	. ->	구조체의 멤버 참조

연산자 우선순위(여러 개의 연산자 중에 먼저 처리되는 순서)를 정리하면 다음과 같다. 나머지 순위에 대해서도 찾아서 정리하기 바란다.

- 1위: ()(호출), [](인덱스), → (간접), (직접), ++, --(후위)
- 2위: ++, --(전위), sizeof, ~, !, -(음수), +(양수), &(주소), *(간접)

5. 피연산자수에 따른 연산자 분류

단항 연산자는 피연산자의 수가 1개를 의미하고, 다음과 같이 사용할 수 있다.

```
++x; 전위(먼저 증가하고 증가된 값을 연산에 사용)
y++; 후위(연산이 먼저 수행되고 나중에 증가)
```

이항 연산자는 피연산자의 수가 2개를 의미하고, 다음과 같이 사용할 수 있다.

```
x + y
x - y
```

삼항 연산자는 피연산자의 수가 3개를 의미하고, 다음과 같이 사용할 수 있다.

```
x ? y : z
```

주요개념 셀프체크

- && vs. &
- || vs. |
- ++x vs. x++

핵심 기출

다음 C 프로그램의 출력 결과로 옳은 것은? 2017년 국회직

```
#include <stdio.h>
int main ()
{
  int i = 3;
  int j = 4;
  if (( ++i > j-- ) && ( i++ < --j )) i = i-- + ++j;
  else j = i-- - --j;
  printf("%d\n", i);
}
```

① 1
② 2
③ 3
④ 4
⑤ 5

해설

```
int i = 3;
int j = 4;
++i > j--; // i가 먼저 증가되어 4가 되고, j는 비교 후에 감소한다. 즉, 4 > 4가 되므로 false가 된다. &&(논리 AND)의 특성상 뒤의 조건을 검사할 필요 없다(컴파일러가 최적화를 수행).
j = i-- - --j; // i가 3으로 바뀐다(j는 관심이 없다).
printf("%d\n", i); // 결론적으로 3이 출력된다.
```

정답 ③

CHAPTER 04 조건

1. 조건문

프로그래밍 언어에서 제어문은 조건문과 반복문이 있다. 아래의 그림은 제어문을 나타낸다.

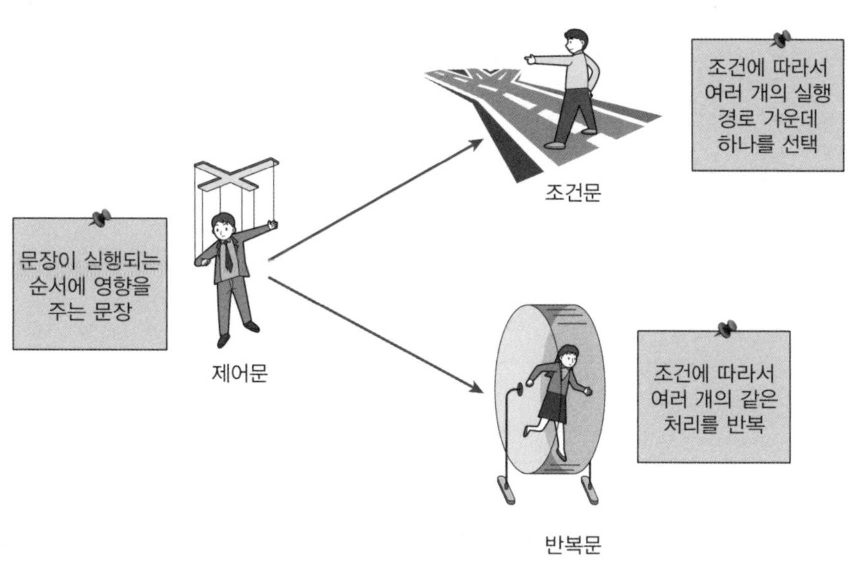

▲ 제어문(조건문과 반복문)

2. 일상생활에서의 조건문의 예

일상생활에서의 조건문의 예는 다음과 같다.

- 만약 비가 오지 않으면 테니스를 친다.
- 만약 결석이 1/3 이상이면 F학점을 받는다.
- 만약 시간이 없는 경우에는 택시를 탄다.
- 만약 날씨가 좋고 공휴일이면 공원에 산책을 간다.
- 만약 점수가 60점 이상이면 합격이고 그렇지 않으면 불합격이다.

프로그래밍 언어에서는 조건문의 만약을 if로 나타낸다. 이는 사람의 언어와 유사함을 알 수 있다. 다음 그림은 조건문을 나타낸다. 프로그래밍 언어는 원래 순차적으로 실행되는데(line by line), 조건문을 사용하게 되면 프로그램의 흐름을 변경할 수 있다.

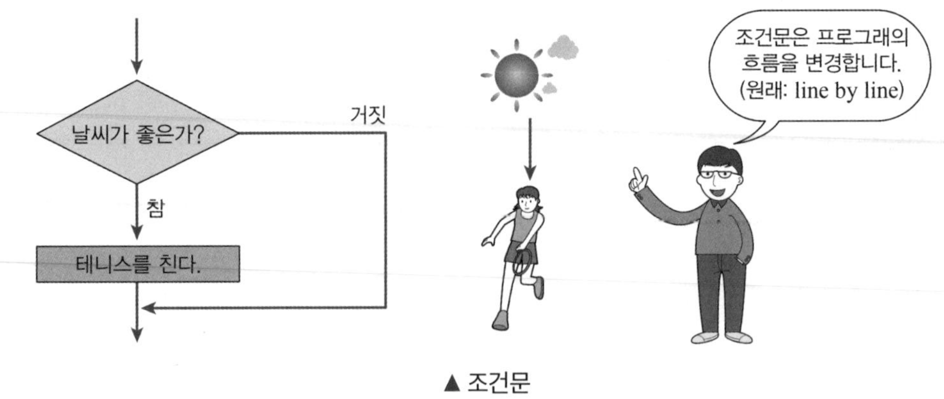

▲ 조건문

3. if 문

if 문은 조건에 따라서 결정을 내리는 경우에 다음과 같이 사용한다. 다음 그림은 if 문을 나타낸다. 조건이 참인 경우에는 문장이 실행되고, 조건이 거짓인 경우에는 문장이 실행되지 않는다.

```
if (조건식) // 조건식이 참(true)으로 계산되면
  문장; // 문장이 실행된다.
```

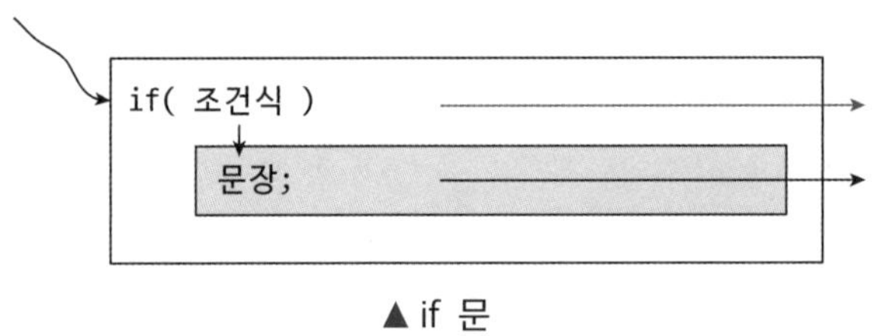

▲ if 문

if 문의 예는 다음과 같다.

```
if (number > 0) // number가 0보다 크면
  printf("양수입니다\n"); // "양수입니다"를 출력한다.
```

if 문이 끝나면 if 문 다음 문장이 실행된다.

```
if (temperature < 0)
  printf("현재 영하입니다.\n"); // 조건이 참일 때만 실행
printf("현재 온도는 %d도 입니다.\n", temperature); // 항상 실행
```

4. 복합문

복합문(compound statement)은 중괄호를 사용하여 문장들을 그룹핑하는 것이고, 블록(block)이라고도 한다. 단일문(single statement) 대신 들어 갈 수 있다. 프로그래밍 언어에서는 이런 식의 응용 조합이 많음에 유의하기 바란다.

```
if(score >= 60)
{ // 조건식이 참이면 2개의 문장이 묶여서 실행된다.
  printf("합격입니다.\n");
  printf("장학금도 받을 수 있습니다.\n");
}
```

5. if-else 문

다음 그림은 if-else 문을 나타낸다. if-else 문은 조건식이 참일 때와 거짓일 때를 구분해서 정의하는 것이다.

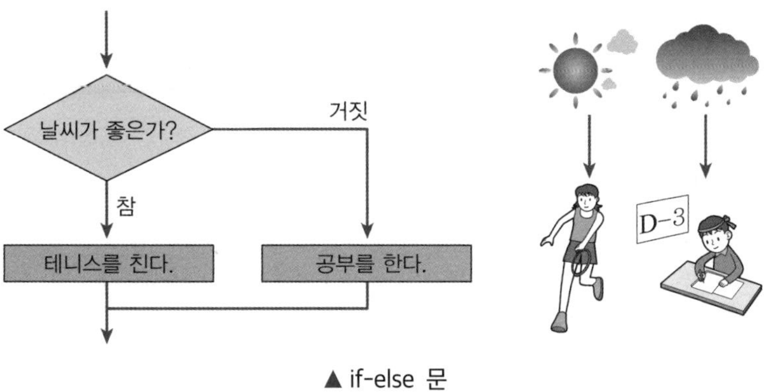

▲ if-else 문

if-else 문은 다음과 같이 작성된다.

```
if(조건식)
  문장1; // 조건이 참이면 실행된다.
else
  문장2; // 조건이 거짓이면 실행된다.
```

단일문을 이용하여 if-else 문을 작성한 예는 다음과 같다.

```
if (score >= 60)
  printf("합격입니다.\n"); // score가 60이상이면 실행
else
  printf("불합격입니다.\n"); // score가 60미만이면 실행
```

복합문을 이용하여 if-else 문을 작성한 예는 다음과 같다.

```
if (score >= 60)
{ // score가 60이상이면 실행
  printf("합격입니다.\n");
  printf("장학금도 받을 수 있습니다.\n");
}
else
{ // score가 60미만이면 실행
  printf("불합격입니다.\n");
  printf("공부하세요.\n");
}
```

6. 복잡한 조건식도 가능

다음은 학점 결정 코드를 나타낸다. 조건식에 논리(AND)를 사용했는데 왼쪽 식이 거짓이면 오른쪽 식에 상관없이 무조건 거짓이 된다(AND의 특성). 그러므로 논리 AND가 나왔을 때 왼쪽식이 참이면 오른쪽 식을 검사하지만, 왼쪽 식이 거짓이면 오른쪽 식을 검사하지 않는다(컴파일러 최적화를 수행).

```
if (score >= 80 && score < 90)
  grade = 'B';
```

다음은 공백 문자들의 개수를 세는 코드를 나타낸다. 조건식에 논리(OR)를 사용했는데 왼쪽 식이 참이면 오른쪽 식에 상관없이 무조건 참이 된다(OR의 특성). 그러므로 논리 OR가 나왔을 때 왼쪽식이 참이면 오른쪽 식을 검사하지 않고, 왼쪽 식이 거짓이면 오른쪽 식을 검사한다(컴파일러 최적화를 수행).

```
if(ch == ' ' || ch == '\n')
  white_space++;
```

7. 중첩 if - 이런 식의 다양한 응용이 가능

중첩 if는 다음과 같이 if 문에 다시 if 문이 포함된다.

```
if(조건식1)
  if(조건식2)
    문장;
```

다음 그림은 if 문과 중첩 if 문을 나타낸다.

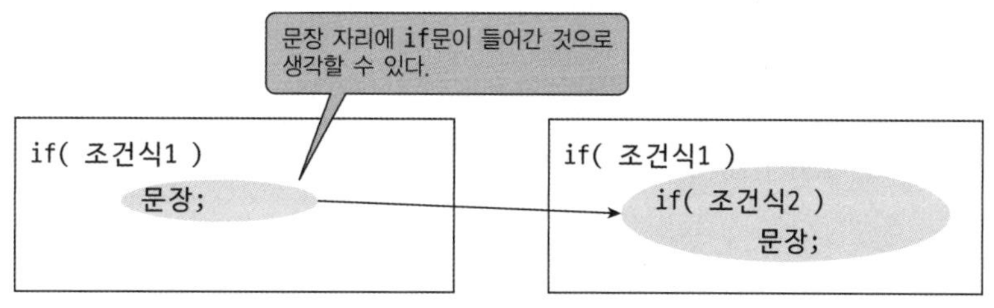

▲ if 문과 중첩 if 문

다음은 if 문안의 문장 자리에 if 문이 들어간 경우를 나타낸다.

```
if(score > 80)
  if(score > 90)
    printf("당신의 학점은 A입니다.\n");
```

다음은 if 문안의 문장 자리에 if-else 문이 들어간 경우를 나타낸다.

```
if( score > 80 )
  if( score > 90 )
    printf("당신의 학점은 A입니다.\n");
  else
    printf("당신의 학점은 B입니다.\n");
```

다음은 if와 else의 매칭 문제를 나타낸다. 그림에서 알 수 있듯이 else 절은 가장 가까운 if 절과 매치된다.

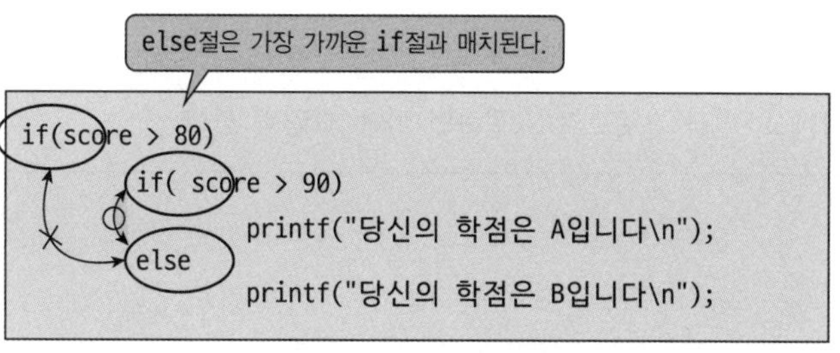

▲ if와 else의 매칭 문제

만약 다른 if 절과 else 절을 매치시키려면 중괄호를 사용하여 블록으로 묶는다.

```
if(score > 80)
{
  if(score > 90)
    printf("당신의 학점은 A입니다.\n");
}
else
  printf("당신의 학점은 A나 B가 아닙니다.\n");
```

다음은 중첩 if를 나타낸다. if-else 절 안에 다른 if-else 절이 포함될 수 있다.

```
if (score > 80)
{
  if (score > 90)
      printf("당신의 학점은 A입니다.\n");
  else
      printf("당신의 학점은 B입니다.\n");
}
else
{
  if (score > 70)
      printf("당신의 학점은 C입니다.\n");
  else
      printf("당신의 학점은 D 또는 F입니다.\n");
}
```

8. 연속적인 if

다음은 연속적인 if를 나타내고, 이를 그림으로 표현하면 다음 그림과 같다.

```
if( 조건식1 )
      문장1;
else if( 조건식2 )
      문장2;
else if( 조건식3 )
      문장3;
else
      문장4;
```

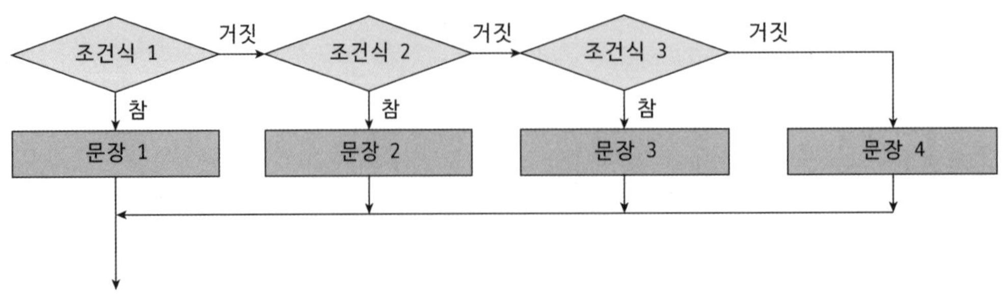

▲ 연속적인 if

다음은 성적을 입력받아서 연속적인 if를 사용하여 학점을 매기는 코드이다.

```
if (score >= 90)
      printf("합격: 학점 A\n");
else if (score >= 80) // score >= 80 && score < 90와 같이 쓸 필요는 없음
     printf("합격: 학점 B\n");
else if (score >= 70)
     printf("합격: 학점 C\n");
else if (score >= 60)
     printf("합격: 학점 D\n");
else
     printf("불합격: 학점 F\n");
```

9. switch 문

switch 문은 여러 가지 경우 중에서 하나를 선택하는데 사용한다. 다음 그림은 switch 문의 예를 나타낸다.

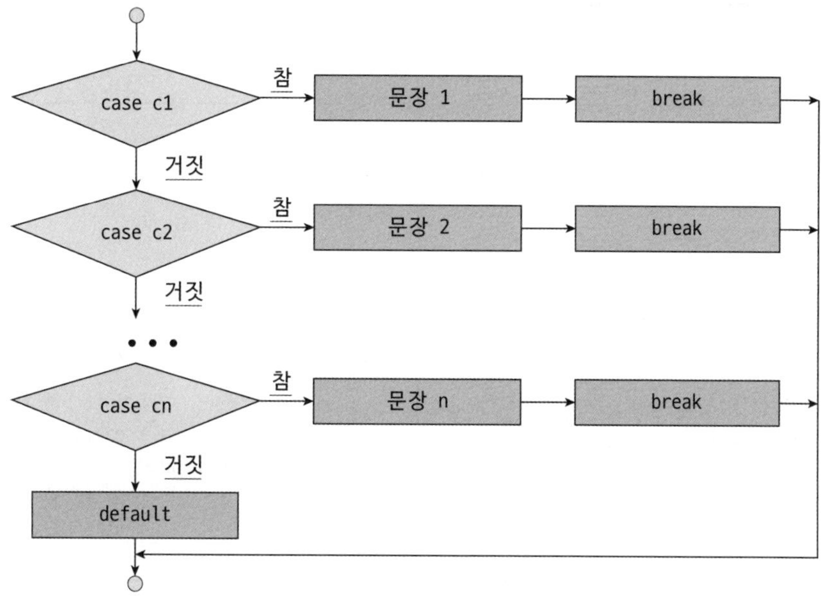

▲ switch 문의 예

다음은 switch 문의 코드를 나타낸다. switch 문은 여러 가지 경우 중에서 하나를 선택하는데 사용한다. 단, c1 등에는 정수만 올 수 있고, break가 없다면 다음 case 문까지 실행하게 된다. 그리고 default가 없다면 예외 사항을 처리할 수 없다.

```
switch(조건식)
{
        case c1:
                문장1;
                break; // c1 case에 대한 실행이 여기서 멈춘다.
        case c2:
                문장2;
                break;
          ...
        case cn:
                문장n;
                break;
        default: // case가 없는 예외 사항을 처리한다.
                문장d;
                break;
}
```

다음은 switch 문과 if-else 문의 비교를 나타낸다.

```
int main(void)
{
  int number;
  scanf("%d", &number);
  if( number == 0 )
      printf("없음\n");
  else if( number == 1 )
      printf("하나\n");
  else if( number == 2 )
      printf("둘\n");
  else
      printf("많음\n");
}
```

```
switch(number)
{
        case 0:
                printf("없음\n");
                break;
        case 1:
                printf("하나\n");
                break;
        case 2:
                printf("둘\n");
                break;
        default:
                printf("많음\n");
                break;
}
```

10. goto 문

goto 문은 조건 없이 어떤 위치로 점프하는 것이다. 코드 해석을 방해하기 때문에 사용하지 않는 것이 좋지만, 거꾸로 코드의 난독화(공격자가 코드를 해석할 수 없게 함)를 위해서는 사용하기도 한다. 다음 그림은 goto 문을 나타낸다.

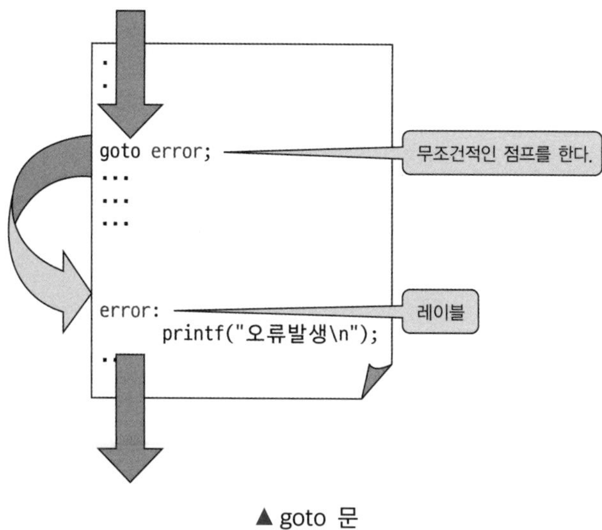

▲ goto 문

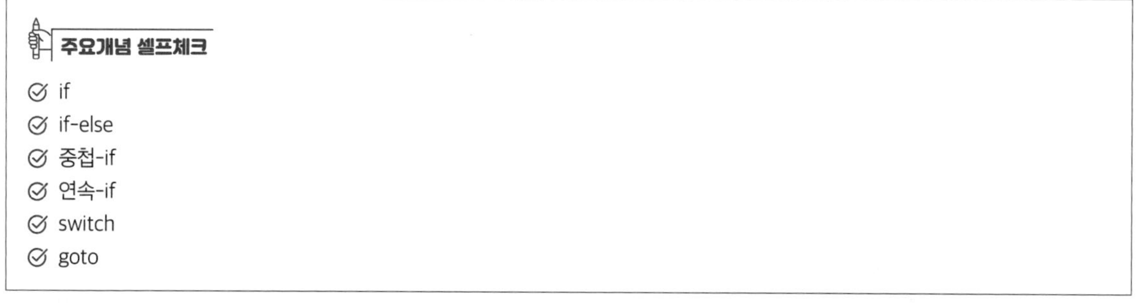

주요개념 셀프체크

- if
- if-else
- 중첩-if
- 연속-if
- switch
- goto

핵심 기출

다음 C 프로그램의 결과로 옳은 것은? 2020년 국가직

```
#include <stdio.h>
int main()
{
          int a, b;
          a = b = 1;

          if (a = 2)
                    b = a + 1;
          else if (a == 1)
                    b = b + 1;
          else
                    b = 10;

          printf("%d, %d\n", a, b);
}
```

① 2, 3
② 2, 2
③ 1, 2
④ 2, 10

해설

```
if (a = 2) // a에 2가 대입되고, if(a)가 되어 조건문이 true가 된다.
(if (2 == a))
b = a + 1; // a가 2이므로 b는 3이 된다.
```

정답 ①

CHAPTER 05 반복

1 개요

반복 구조는 같은 처리 과정을 되풀이하는 것이 필요하기 때문에 사용된다. 학생 30명의 평균 성적을 구하려면 같은 과정을 30번 반복하여야 한다.

프로그램의 흐름을 제어하는 방법은 순차 구조, 선택 구조, 반복 구조가 있다. 순차 구조는 차례대로 실행하는 것이고, 선택 구조는 조건을 검사하여 여러 개의 실행 경로 중에서 하나를 선택하는 것이다. 그리고 반복 구조는 조건이 만족될 때까지 반복하는 것이다. 다음 그림은 이를 나타낸다.

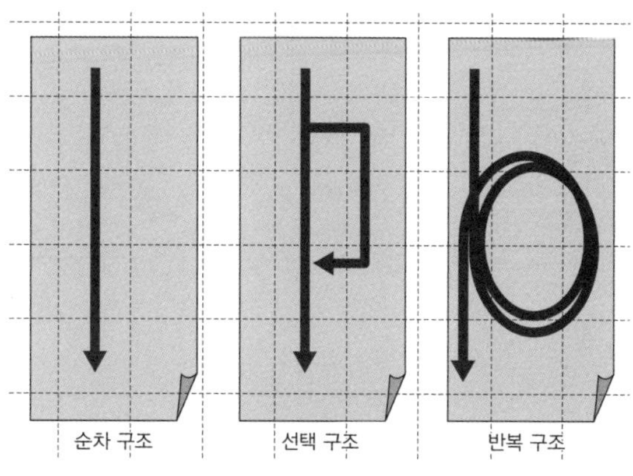

▲ 프로그램 흐름 제어 방법

2 반복문의 종류

반복문의 종류는 while과 for가 있는데 인간의 언어(~하는 동안)와 유사하다. 다음 그림은 반복문의 종류를 나타낸다.

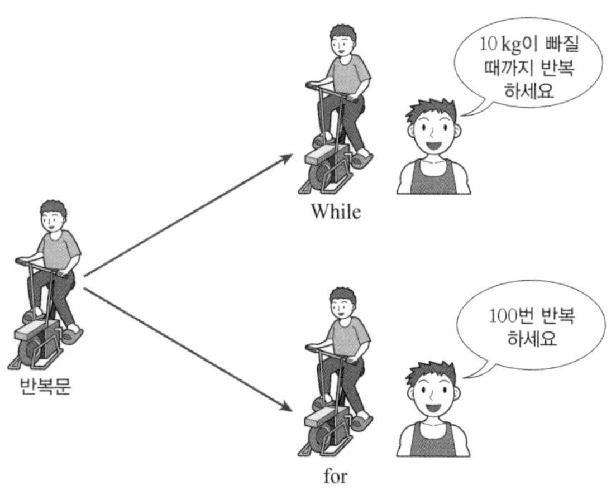

▲ 반복문의 종류

1. while 문

while 문은 주어진 조건이 만족되는 동안 문장들을 반복 실행한다. 이를 그림으로 나타내면 다음과 같다.

```
while (조건식)
  문장;
```

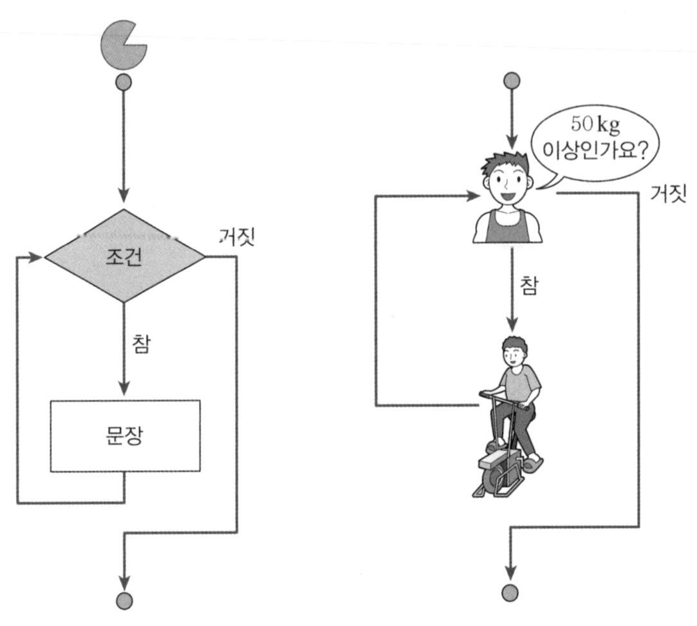

▲ while 문

다음 그림은 if 문과 while 문의 비교를 나타낸다. if 문은 while 문으로 변경할 수 있고(while로 1번 실행), while 문도 if 문으로 변경할 수 있다(if로 반복).

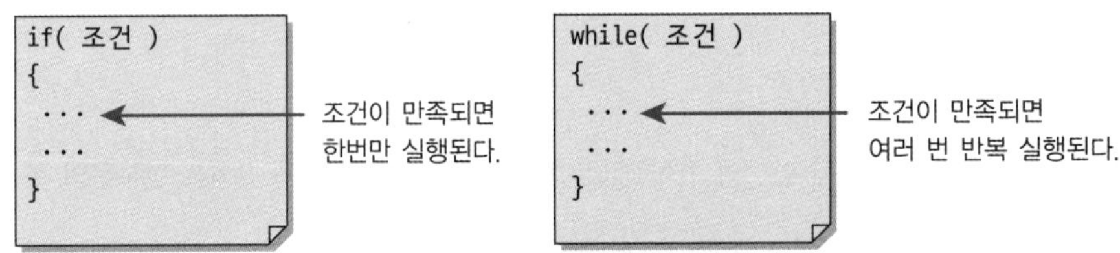

▲ if 문과 while 문의 비교

다음 그림은 do-while 문을 나타낸다. while 문은 조건을 검사하고 실행하지만, do-while 문은 먼저 실행하고 나중에 조건을 검사한다.

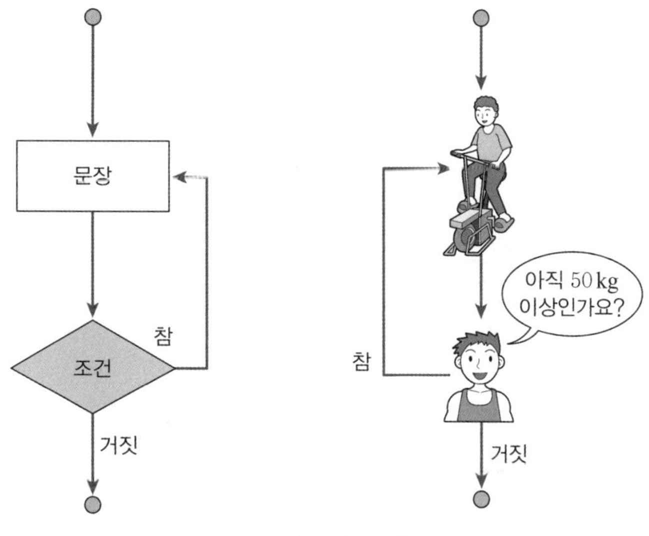

▲ do-while 문

2. for 문

for 문은 정해진 횟수만큼 반복하는 구조이다. 다음 그림은 for 문을 나타낸다.

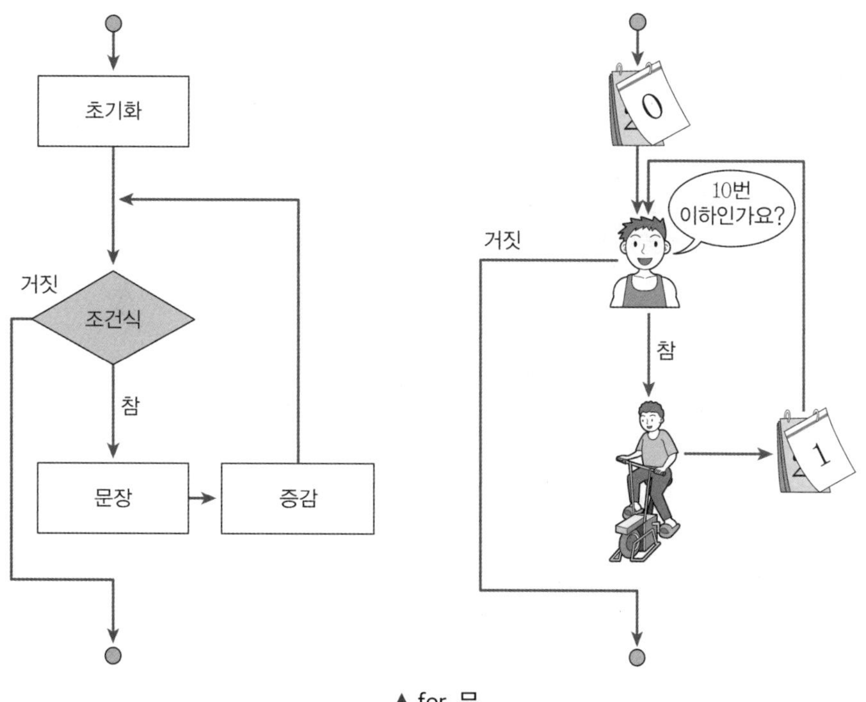

▲ for 문

for 문의 구조는 다음과 같다. 그리고 이를 그림으로 나타내면 다음과 같다.

```
for (초기식; 조건식; 증감식)
  문장;
```

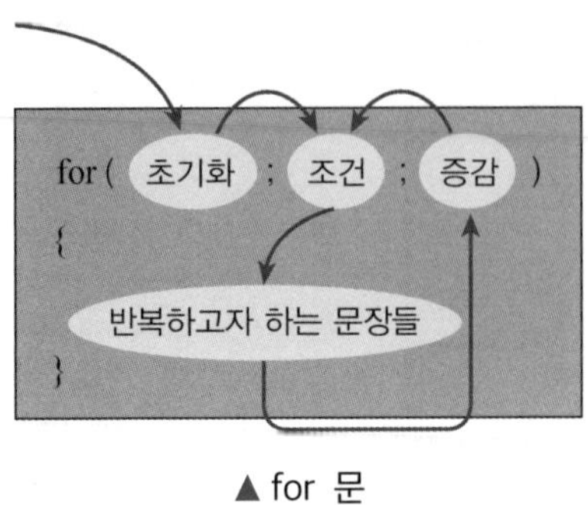

▲ for 문

다음 그림은 while 문과 for 문과의 관계를 나타낸다.

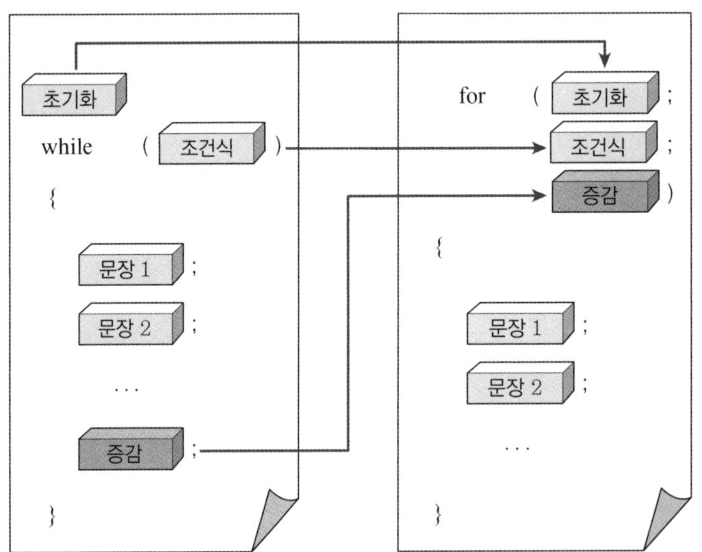

▲ while 문과 for 문과의 관계

3. 중첩 반복문

중첩 반복문(nested loop)은 반복문 안에 다른 반복문이 위치하는 것을 의미한다. 프로그래밍 언어에서는 이런 다양한 응용이 가능하다.

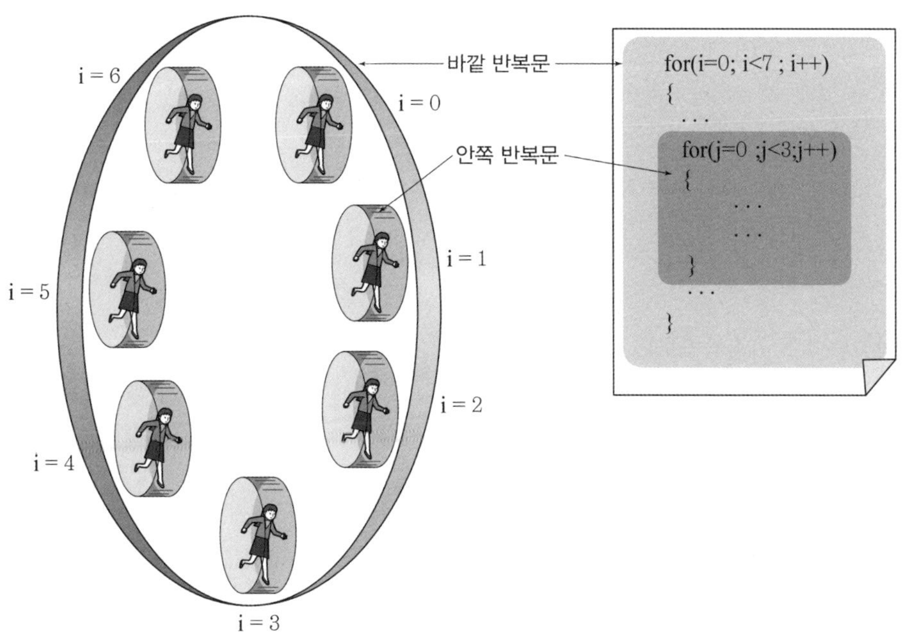

▲ 중첩 반복문

4. break 문

break 문은 반복 루프를 빠져 나오는데 사용된다. 만약, for문이 여러 개면 break 문과 가장 가까이 있는 for 문 하나만을 탈출한다. 다음 그림은 break 문을 나타낸다.

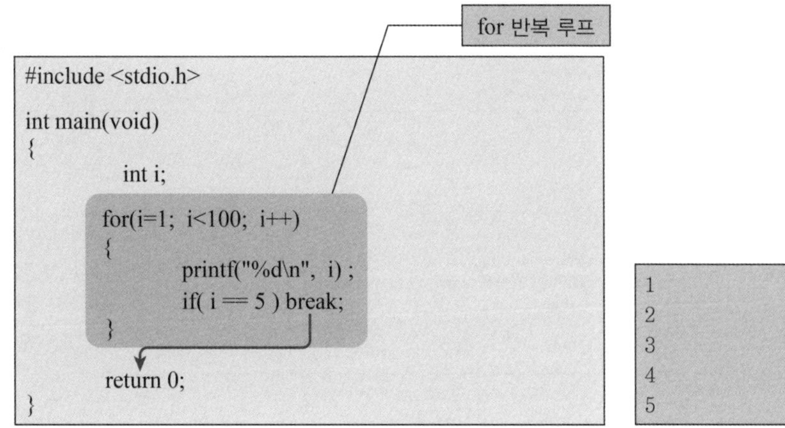

▲ break 문

5. 중첩 반복의 경우에는 goto로 탈출

다음은 중첩 반복의 경우에 이를 탈출하기 위해 goto 문을 사용하는 것을 나타낸다.

```
#include <stdio.h>
int main(void)
{
        int x, y;
        for(y = 1; y < 10000; y++) {
                for(x = 1; x < 50; x++) {
                        if( _cond() ) goto OUT; // 아래의 OUT 레이블로 이동한다.
                        printf("*");
                }
                printf("\n");
        }
OUT: // label(주소를 기호로 표현)
        return 0;
}
```

6. continue 문

continue 문은 현재의 반복을 중단하고 다음 반복을 시작하게 한다. 다음 그림은 이를 나타낸다. 그림에서 알 수 있듯이 continue 문을 만나게 되면 아래의 코드를 실행하지 않고 다시 위의 조건으로 가게 된다.

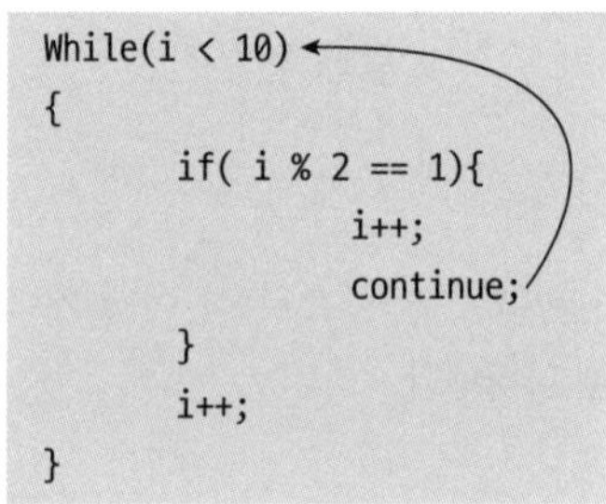

▲ continue 문

주요개념 셀프체크

- while
- do-while
- for
- break, goto
- continue

핵심 기출

다음 C++ 프로그램의 실행결과로 옳은 것은? 2019년 국회직

```
#include <iostream>
using namespace std;

int main()
{
    int x;
    for (x = 1; x <= 7; x++) {
        if (x == 5)
            continue;
        else if (x == 6)
            break;
        cout << x;
    }
    return 0;
}
```

① 123
② 1234
③ 12345
④ 12346
⑤ 12347

해설

if (x == 5) continue; // x가 5일 때, 아래 구문을 수행하지 않고 다시 for 문으로 이동한다.
if (x == 6) break; // x가 6일 때, for 문을 끝낸다.
cout << x; // c언어의 printf와 같은 역할을 수행한다. 위의 조건에 의해 1234만을 출력한다[<<은 C++에서 출력에 사용하기 위해 연산자 오버로딩(operator overloading)을 한 것이다].

정답 ②

CHAPTER 06

함수

1. 함수가 필요한 이유

같은 작업이 되풀이 되는 경우 함수(function)가 필요하다. C언어는 구조적 언어로서 분할 정복(divide and conquer) 방식을 사용한다. 분할 정복이란 큰 문제를 작은 문제로 쪼개서 해결하는 것으로, 작은 문제는 함수로 구현한다. 아래의 그림은 함수가 필요한 이유를 나타낸다. 아래의 그림처럼 중복 또는 반복되는 코드가 있다면 이를 함수로 만들고 호출해서 사용하면 된다.

```
#include <stdio.h>

int main(void)
{
  int i;
  for(i = 0; i < 10; i++)
      printf("*");
  ...
  for(i = 0; i < 10; i++)
      printf("*");
  ...
  for(i = 0; i < 10; i++)
      printf("*");
}
```


▲ 함수가 필요한 이유

위의 예제를 다음 그림과 같이 하나의 함수로 만들 수 있다. 함수는 한번 작성되면 여러 번 사용(호출, call)이 가능하다. 함수를 호출하고 다시 돌아오기 위해서는 복귀 주소를 스택에 저장하는 작업이 필요하다. 이에 대해서는 컴퓨터 구조에서 자세하게 다룬다.

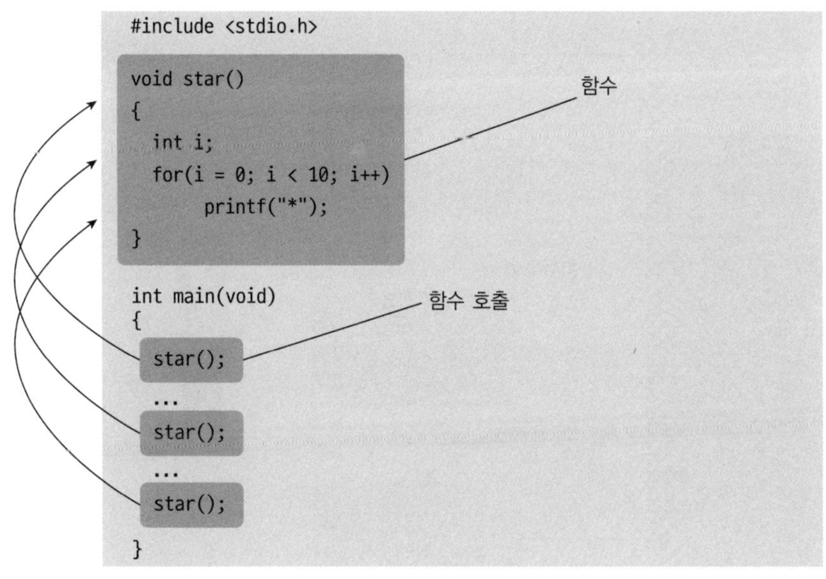

▲ 함수의 사용

2. 함수의 개념

함수(function)는 특정한 작업을 수행하는 독립적인 부분이다. 함수 호출(function call)은 함수를 호출하여 사용하는 것이고, 함수는 입력을 받으며 출력을 생성한다. 단, 입력과 출력이 없을 수도 있다는 것에 주의한다. 아래의 그림은 함수의 개념을 나타낸다.

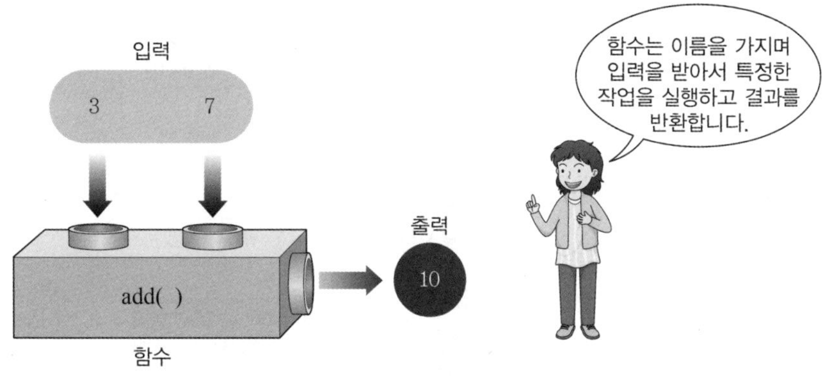

▲ 함수의 개념

프로그램은 여러 개의 함수들로 이루어진다(구조적 언어). 참고로, 구조적 언어에서 발전된 언어는 객체 지향 언어이고, 객체 지향 언어는 캡슐화, 다형성, 상속성을 가진다(나중에 자세하게 다룬다). 프로그램은 함수 호출을 통하여 서로 서로 연결된다. 제일 먼저 호출되는 함수는 main()이다. 프로그램 내에서는 main() 함수가 무조건 1개 있어야 한다(진입 포인트). 다음 그림은 프로그램 내의 함수들의 연결을 나타낸다.

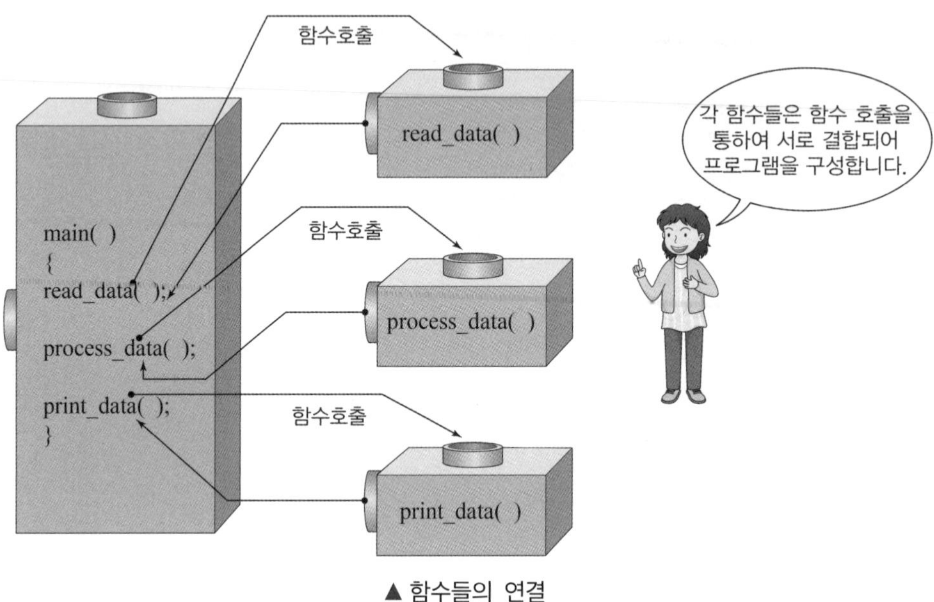

▲ 함수들의 연결

3. 함수의 종류

아래의 그림은 함수의 종류를 나타낸다. 사용자 정의 함수는 사용자(프로그래머)가 작성하는 함수를 의미하고, 라이브러리 함수는 미리 작성된 함수를 의미한다. 예를 들어, 프로그램 내에서 자주 사용하는 printf, scanf는 미리 작성된 라이브러리 함수이다(내가 구현하지 않아도 사용할 수 있음).

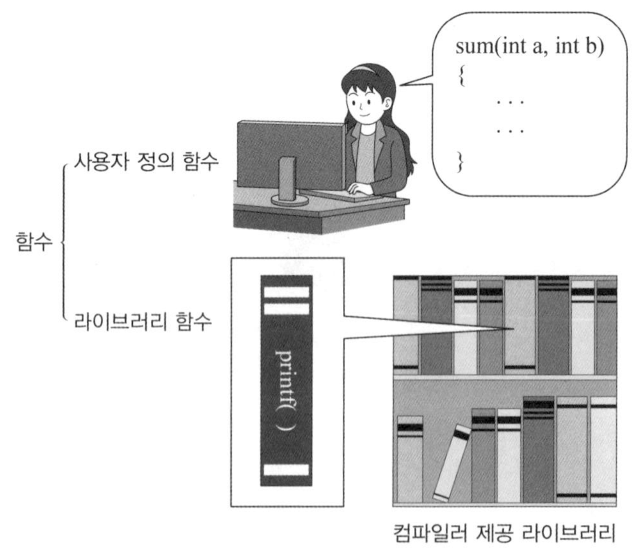

▲ 함수의 종류

4. 함수의 정의

아래의 그림은 함수의 정의를 나타낸다. 함수는 반환형(return type), 함수 헤더(function header), 함수 몸체(function body)를 가지고 있음에 유의한다. 여기서, 반환형에 void를 사용할 수 있고, 이 경우 함수의 끝에서는 return;을 사용해야 한다.

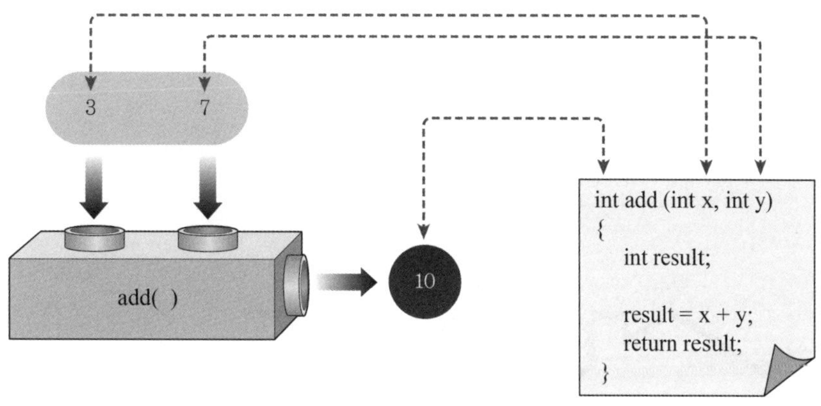

▲ 함수의 정의

다음의 그림은 함수의 구조를 나타낸다.

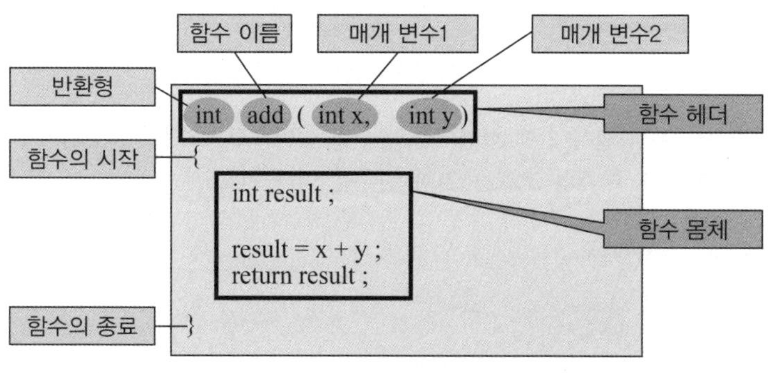

▲ 함수의 구조

5. 변수의 범위-운영체제(전역 - 데이터, 지역 - 스택)

변수의 범위는 함수와 밀접한 연관을 가진다. 지역 변수는 함수 안에서 사용하는 지역적 변수이고, 전역 변수는 함수 밖에서 사용하는 전역적 변수이다. 지역 변수는 함수 안에서만 사용이 가능하고, 전역 변수는 해당 전역 변수가 있는 소스 코드 파일과 다른 파일에서도 참조가 가능하다. 운영체제 관점에서 설명하면 전역 변수는 메모리 중 데이터 영역에 저장되고, 지역 변수는 메모리 중 스택 영역에 저장된다. 아래의 그림은 변수의 범위를 나타낸다.

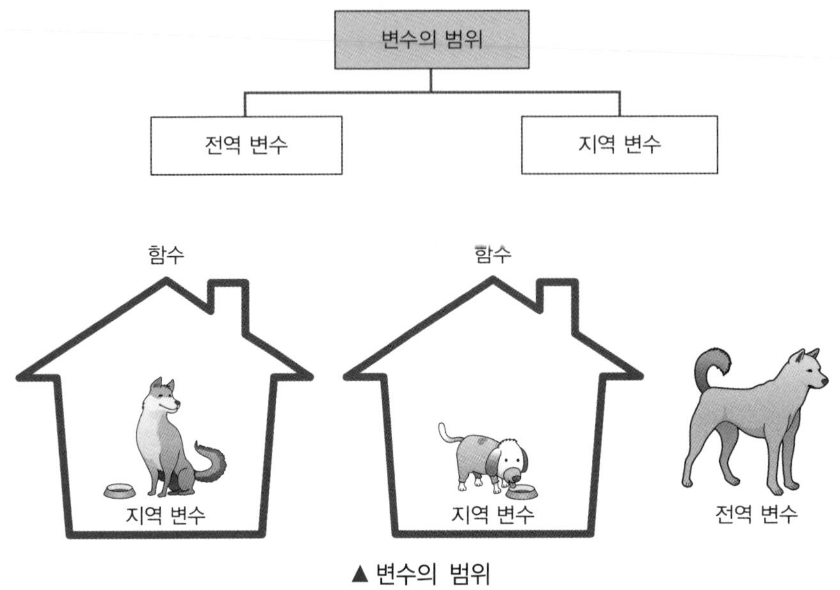

▲ 변수의 범위

지역 변수(local variable)는 함수나 블록 안에 선언되는 변수를 의미하고, 스택에 저장되기 때문에 기본적으로 초기화가 자동적으로 수행되지 않는다. 아래의 코드는 지역 변수를 나타낸다.

```
int compute_sum(int n)
{
        int i, result = 0;

        for(i = 1; i <= n; i++)
                result += i;
        return result;
}
```

지역 변수 (int i, result = 0;)

지역 변수는 여기서 소멸된다. (return result;)

아래의 코드는 지역 변수의 사용 범위를 나타낸다. sub1 함수의 지역 변수 x는 sub2 함수에 영향을 주지 않는다.

```
int sub1()
{
        int x;
        ...
}
void sub2()
{
        printf("%d\n", x); // 컴파일 오류!
}
```

지역 변수 x의 범위 (int sub1()의 { … } 블록)

아래의 코드는 블록 안에서의 지역 변수를 나타낸다. 블록 안의 지역 변수는 블록 안에서만 영향을 갖는다. 즉, 블록을 벗어나면 지역 변수의 영향도 사라진다.

```
int sub1()
{
        int x;                      ← 지역 변수 x의 범위
        while(1)
        {
                int y;              ← 지역 변수 y의 범위
                ...
        }
        ...
}
```

아래의 코드는 지역 변수의 생존 기간을 나타낸다. 지역 변수는 정의된 블록이나 함수 안에서만 생존한다. 이러한 임시적인 생존 기간으로 인해 일반적으로 지역 변수는 스택에 저장된다.

```
int sub()
{
        int i = 0;          ← 지역 변수 생성

        ...
        return result;      ← 지역 변수 소멸
}
```

아래의 코드와 실행 결과는 지역 변수의 초기값을 나타낸다. 지역 변수는 스택에 저장되기 때문에 초기화를 자동으로 수행하지 않는다. 즉, 지역 변수는 초기화가 안되기 때문에 스택에 미리 저장되었던 쓰레기 값을 사용하게 된다.

```
#include <stdio.h>

int main(void)
{
        int temp;           ← 초기화시키지 않으면 쓰레기값

        printf("temp = %d\n", temp);
}
```

실행 결과

```
temp = -858993460
```

아래의 코드는 함수의 매개 변수를 나타낸다. 함수의 매개 변수도 일종의 지역 변수이다. 매개 변수는 함수를 호출할 때 넘어주는 인수 값으로 초기화된다.

```
int inc(int counter)        ← 일종의 지역 변수, 함수 호출시 인수값으로 초기화된다.
{
   counter++;
   return counter;
}
```

아래의 코드는 서로 다른 두 함수에서 같은 이름의 지역 변수가 사용되는 것을 보여준다. 지역 변수는 함수 안에서 사용되기 때문에 아래와 같은 코드가 가능하다(지역 변수의 좋은점).

```
int sub1()
{
        int x = 0;

        ...
}
int sub2()
{
        int x = 0;

        ...
}
```

이름이 같아도 각각 다른 변수이다.

전역 변수(global variable)는 함수의 외부에 선언되는 변수이다. 초기값을 주지 않으면 0이다. 왜냐하면 전역 변수는 메모리 중 데이터 영역에 저장되고, 데이터 영역에서는 초기화가 자동으로 수행되기 때문이다. 아래의 코드는 전역 변수의 사용을 나타낸다.

```
#include <stdio.h>

int global = 123;

void sub1()
{
        printf("%d\n", global);
}

void sub2()
{
        printf("%d\n", global);
}
```

전역 변수

전역 변수는 소스 파일의 어디서나 사용 가능

6. 생존 기간(변수 생성, 변수 소멸)

정적 할당(static allocation)은 static이라는 키워드를 사용해서 정의한다. 정적 변수는 프로그램 실행 시간 동안 계속 유지된다. 지역 정적 변수와 전역 정적 변수가 존재한다. 지역 정적 변수는 함수 안에서 정의되고, 전역 정적 변수는 함수 밖에서 정의된다. 지역 정적 변수와 지역 변수와의 차이점은 지역 정적 변수는 함수의 호출에 무관하게 해당 변수값을 유지하고, 지역 변수는 함수가 호출될 때마다 매번 초기화가 수행된다. 전역 정적 변수와 전역 변수의 차이점은 전역 정적 변수는 자신의 소스 파일을 제외한 다른 소스 파일에서 사용할 없지만, 전역 변수는 다른 소스 파일에서 사용할 수 있다.

자동 할당(automatic allocation)은 auto라는 키워드를 사용하고 일반적으로 생략한다. 블록에 들어갈 때 생성하고, 블록에서 나올 때 소멸한다(일반 지역 변수와 유사).

생존 기간을 결정하는 요인은 변수가 선언된 위치(지역, 전역)와 저장 유형 지정자(static)이다.

저장 유형 지정자는 다음과 같다.

- register: 메모리 중 레지스터를 사용하는 변수를 의미한다.
- static: 지역 정적과 전역 정적이 존재한다.
- extern: 다른 파일의 전역 변수를 사용하겠다는 의미이다.

저장 유형 지정자 중 static은 정적 변수를 나타낸다. 정적 변수는 블록에서만 사용되지만 블록을 벗어나도 자동으로 삭제되지 않는 변수이다. 앞에 static을 붙인다(시험에 자주 출제). static은 메모리 중 데이터 영역에 저장되기 때문에 자동으로 초기화가 수행된다. 아래의 코드는 정적 변수를 나타낸다. 함수가 여러 번 호출되어도 초기화는 처음 한 번만 수행되고 계속 변한 값을 유지하고 있다.

```
void sub()
{
    static int count;      ← 정적 변수
    ....

    return;
}
```

저장 유형 지정자 register는 레지스터(register, 메모리 계층상의 가장 빠른 장치로 컴퓨터 구조에서 배움)에 변수를 저장하는 것을 의미한다. 레지스터에 변수를 저장하기 때문에 빠르게 접근할 수 있지만 많은 변수를 저장할 수는 없다. 다음 그림을 보면 for 문에서 i를 사용하는데 이 경우 자동으로 i가 레지스터에 저장된다. 만약, 강제로 주기억장치에 저장하고 싶다면 volatile이라는 키워드를 사용하면 된다.

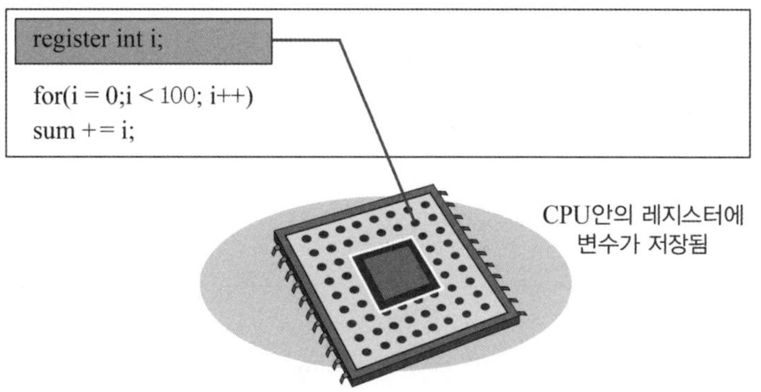

▲ 저장 유형 지정자 register

저장 유형 지정자 중 extern은 컴파일러에게 변수가 현재 범위가 아닌 다른 곳에서 선언되었다는 것을 알린다. 다음 그림은 저장 유형 지정자 extern을 나타낸다.

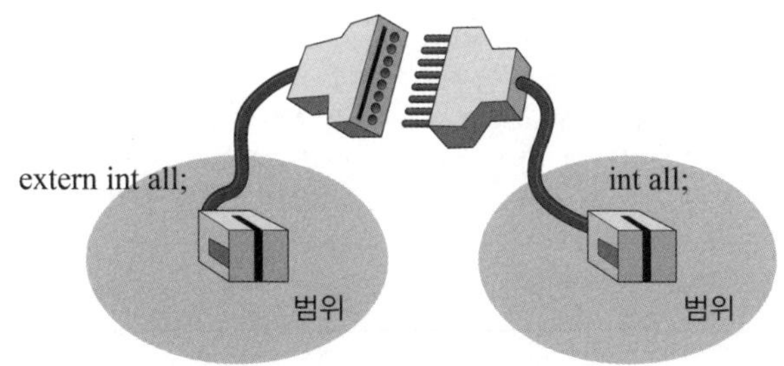

▲ 저장 유정 지정자 extern

저장 유형을 정리하면 다음과 같다.

- 일반적으로는 지역 변수 사용을 권장한다. 전역 변수의 경우 어떤 함수가 언제 변경했는지 알 수가 없다.
- 자주 사용되는 변수는 속도를 위해 레지스터(register) 유형을 사용한다.
- 변수의 값이 함수 호출이 끝나도 그 값을 유지하여야 할 필요가 있다면 지역 정적(static)을 사용한다.
- 만약 많은 함수에서 공유되어야 하는 변수라면 외부 참조(extern) 변수를 사용한다.

주요개념 셀프체크

- 함수
- 호출 & 복귀주소
- 지역 변수 vs. 전역 변수
- 지역 정적 vs. 전역 정적

핵심 기출

다음 C 프로그램의 출력값은? 2017년 국가직

```
#include <stdio.h>
void funCount();
int main(void) {
  int num;
  for(num = 0; num < 2; num++)
    funCount();
  return 0 ;
}
void funCount() {
  int num = 0;
  static int count;
  printf("num = %d, count = %d\n", ++num, count++);
}
```

① num = 0, count = 0
num = 0, count = 1

② num = 0, count = 0
num = 1, count = 1

③ num = 1, count = 0
num = 1, count = 0

④ num = 1, count = 0
num = 1, count = 1

해설

for(num=0; num<2; num++) funCount(); // funCount()를 2번 호출한다.
int num=0; // 지역 변수는 호출될 때마다 초기화된다.
static int count; // 정적 변수는 호출 시에도 값을 유지한다.
printf("num = %d, count = %d\n", ++num, count++); // ++num은 0을 하나 증가시켜 1을 출력하고, count++은 출력 후 증가를 시킨다. num은 매번 초기화되면 첫 번째 호출과 두 번째 호출에서 둘 다 1을 출력하지만, count는 처음에 0을 출력하고 1로 증가하고 해당 값을 두 번째 호출해서도 유지하므로 1을 출력한다.

정답 ④

CHAPTER 07 배열

1 배열의 필요성

1. 개요

학생이 10명이 있고 이들의 평균 성적을 계산한다고 가정하자. 다음 그림은 해당 문제를 풀기 위해 개별 변수를 사용하는 방법과 배열을 사용하는 방법을 나타낸다.

▲ 개별 변수를 사용하는 방법과 배열을 사용하는 방법

2. 배열의 필요성

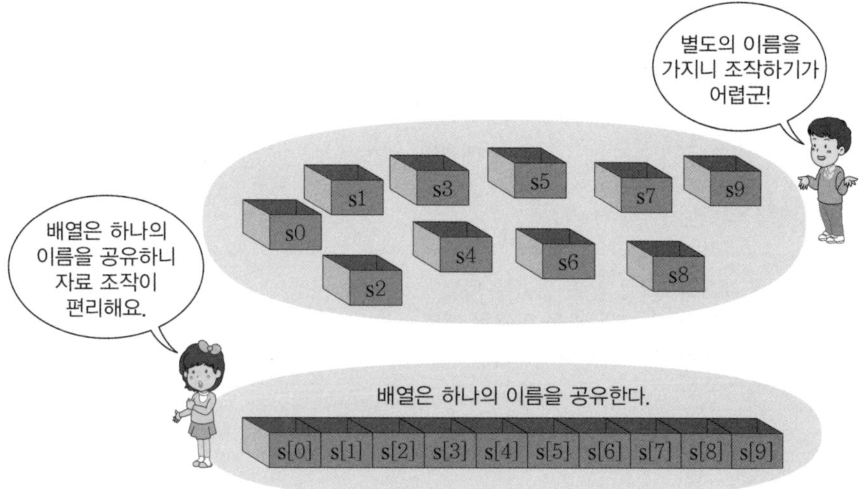

▲ 배열의 필요성

3. 정의

배열(array)은 동일한 타입의 데이터가 여러 개 저장되어 있는 데이터 저장 장소이다(자료구조). 배열 안에 들어있는 각각의 데이터들은 정수로 되어 있는 번호(인덱스)에 의하여 접근한다(중간 데이터의 추가 및 삭제가 어렵다). 배열을 이용하면 여러 개의 값을 하나의 이름으로 처리할 수 있다. 다음 그림은 배열을 나타낸다.

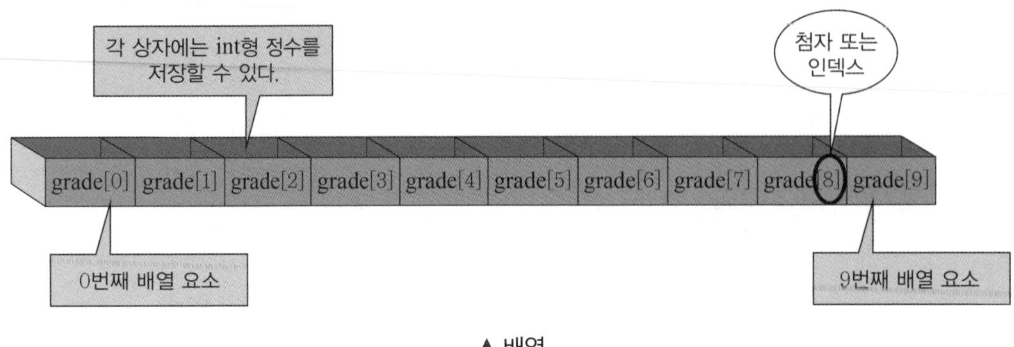

▲ 배열

2 배열의 사용

1. 배열의 선언

다음 그림은 배열의 선언을 나타낸다. 자료형은 배열 원소들이 int형이라는 것을 의미하고, 배열 이름은 배열을 사용할 때 사용하는 이름이 grade라는 것을 의미한다. 그리고 배열 크기는 배열 원소의 개수가 10개라는 것을 나타낸다.

인덱스(첨자)는 항상 0부터 시작한다(0부터 사용해서 인덱스를 더 많이 사용하고, 포인터와 호환 시 일관성을 유지하기 위해).

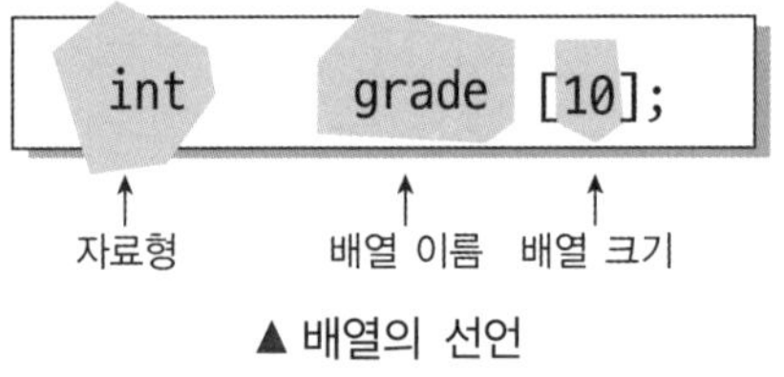

▲ 배열의 선언

다음은 배열의 선언 예를 나타낸다.

```
int   score[60];     // 60개의 int형 값을 가지는 배열 score
float  cost[12];     // 12개의 float형 값을 가지는 배열 cost
char   name[50];     // 50개의 char형 값을 가지는 배열 name
```

2. 배열 원소 접근

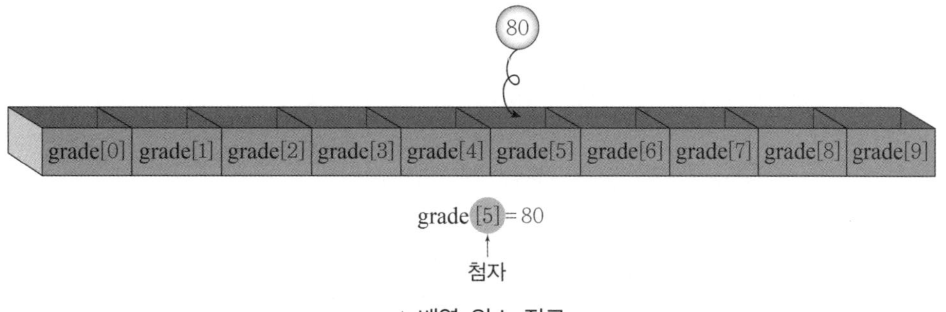

▲ 배열 원소 접근

다음은 배열 원소 접근 예를 나타낸다.

```
grade[0] = 80;        // 0번째 원소에 80을 대입
grade[1] = grade[0]; // 0번째 원소를 1번째 원소로 복사
grade[i] = 100;       // i는 정수 변수(float = error)
grade[i+2] = 100;     // 수식이 인덱스가 된다.
```

3. 잘못된 인덱스 문제

인덱스가 배열의 크기를 벗어나게 되면 프로그램에 치명적인 오류를 발생시킨다(access violation). C에서는 프로그래머가 인덱스가 범위를 벗어나지 않았는지를 확인하고 책임을 져야 한다. 다음의 예와 그림은 잘못된 인덱스의 예를 나타낸다.

```
int grade[5];
...
grade[5] = 60;        // 치명적인 오류!
```

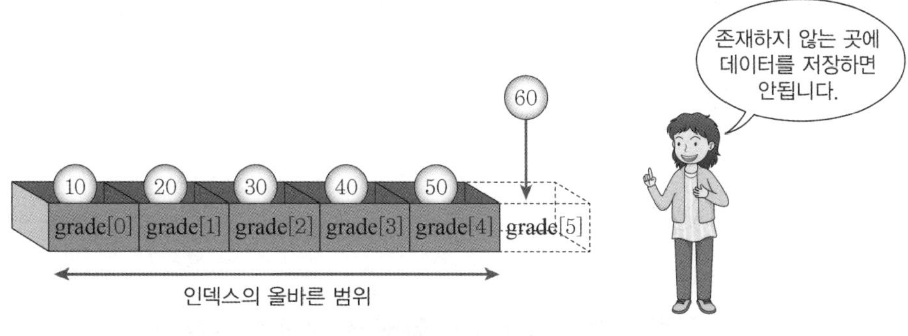

▲ 잘못된 인덱스의 예

4. 배열의 초기화

다음은 다음의 예를 그림으로 나타낸 것이다.

```
int grade[5] = {10,20,30,40,50};
```

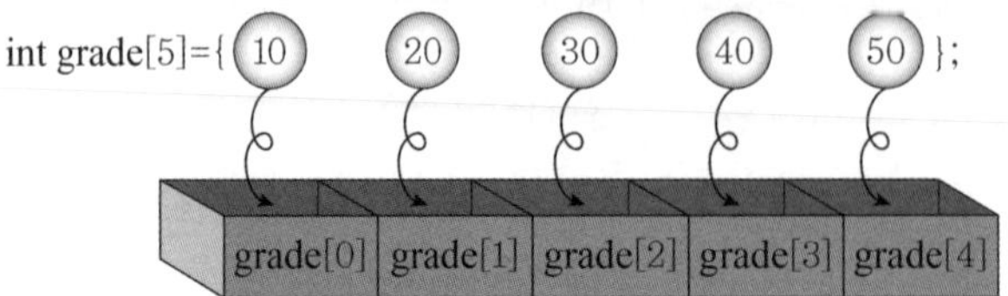

▲ int grade[5] = {10,20,30,40,50};

다음은 다음의 예를 그림으로 나타낸 것이다.

```
int grade[5] = {10,20,30};
```

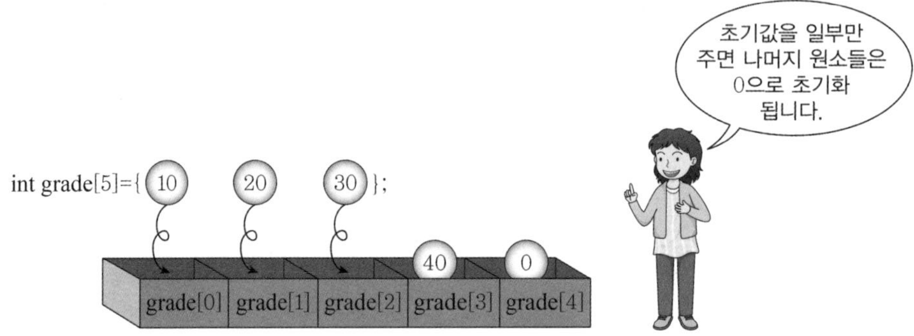

▲ int grade[5] = {10,20,30};

배열의 크기가 주어지지 않으면 자동적으로 초기값의 개수만큼이 배열의 크기로 잡힌다. 다음 그림은 배열의 크기가 주어지지 않은 예를 나타낸다.

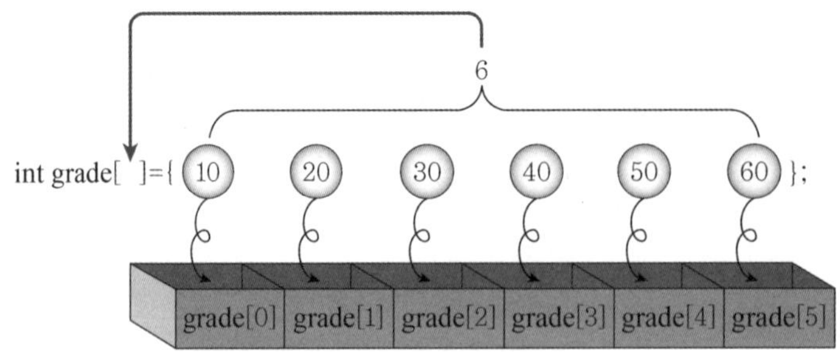

▲ 배열의 크기가 주어지지 않은 예

5. 배열 원소의 개수 계산

다음 그림은 sizeof() 함수를 시용한 배열 원소의 개수 계산을 나타낸다.

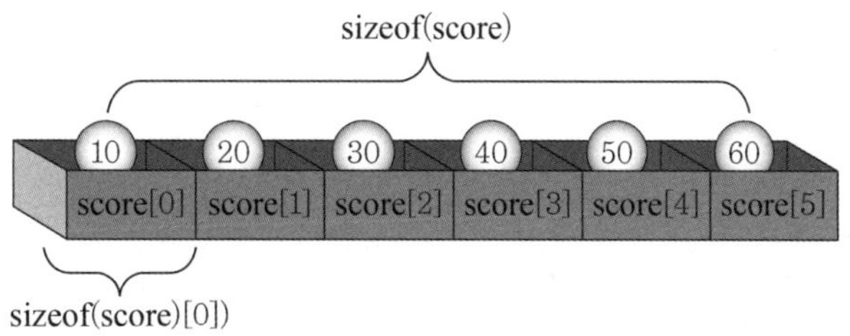

▲ sizeof() 함수를 시용한 배열 원소의 개수 계산

다음은 sizeof() 함수를 시용한 배열 원소의 개수를 계산하는 예제 프로그램을 나타낸다. sizeof() 함수를 이용하면 배열 원소 개수를 자동으로 계산할 수 있음에 유의한다.

```
int grade[] = { 1, 2, 3, 4, 5, 6 };
int i, size;
size = sizeof(grade) / sizeof(grade[0]);
for(i = 0; i < size ; i++)
        printf("%d ", grade[i]);
```

주요개념 셀프체크

- 배열
- 인덱스 문제
- 초기화

핵심 기출

다음 C프로그램을 실행한 결과로 옳은 것은? 2015년 서울시

```
int main(void)
{
  int i;
  char ch;
  char str[7] = "nation";
  for(i = 0; i < 4; i++) {
    ch = str[5-i];
    str[5-i] = str[i]; str[i] = ch;
  }
  printf("%s \n", str);
  return 0 ;
}
```

① nanoit
② nation
③ noitan
④ notian

해설

해당 문제의 경우 패턴만 파악하면 된다. 해당 문제의 패턴은 문자열의 첫 문자와 마지막 문자를 교환하는 것이다. 그리고 문자열의 두 번째 문자와 마지막에서 두 번째 문자를 교환한다. 이를 4번 반복하면 된다.

i = 0 → nation, i = 1 → notian, i = 2 → noitan, i = 3 → notian

정답 ④

CHAPTER 08

포인터

1 개요

1. 정의

포인터(pointer)란 주소를 가지고 있는 변수이다. 포인터를 이용하여 메모리의 내용에 직접 접근할 수 있다(C언어 중 가장 많은 문제가 출제되었음에 유의).

2. 메모리의 구조

변수는 메모리에 저장된다. 메모리는 바이트 단위로 액세스된다. 첫 번째 바이트의 주소는 0, 두 번째 바이트는 1, … 이다. 다음 그림은 메모리의 구조를 나타낸다.

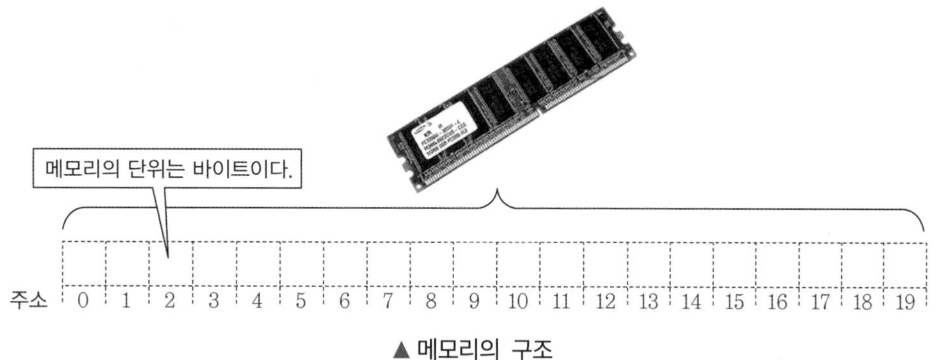

▲ 메모리의 구조

3. 변수와 메모리

변수의 크기에 따라서 차지하는 메모리 공간이 달라진다. char형 변수는 1바이트, int형 변수는 4바이트, …이다. 다음의 예와 그림은 변수와 메모리의 관계를 나타낸다.

```
int main(void)
{
  int i = 10;
  char c = 69;
  float f = 12.3;
}
```

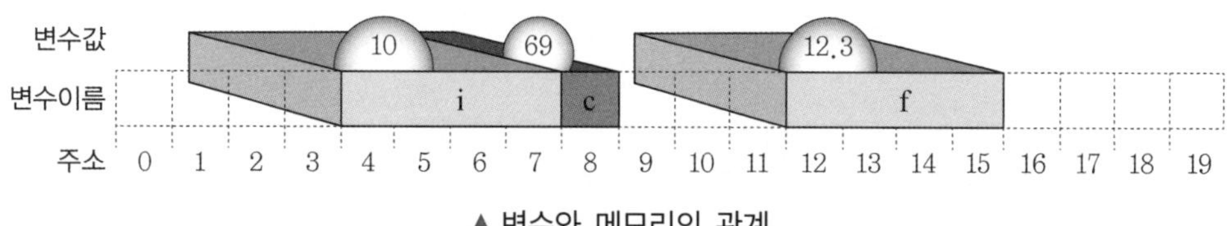

▲ 변수와 메모리의 관계

32bit vs. 64bit computer

32비트 컴퓨터에서는 int가 4바이트이고, 64비트 컴퓨터에서는 int가 8바이트이다. 그러나 아직까지 64비트 컴퓨터를 대상으로 시험 문제가 나온 적이 없음에 유의한다.

4. 변수의 주소

변수의 주소를 계산하는 연산자는 &이고, 변수 i의 주소는 &i로 표현한다. 다음 그림은 변수의 주소를 나타낸다.

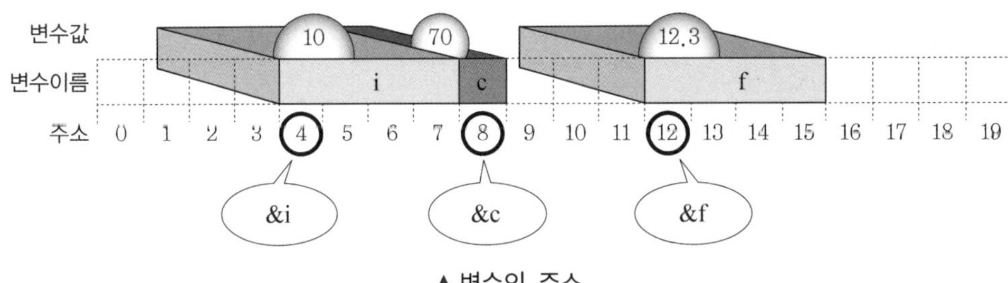

▲ 변수의 주소

다음은 변수의 주소를 나타내는 예제 프로그램이다. 출력된 주소가 증가가 아니라 감소됨을 알 수 있는데, 이는 지역 변수가 스택에 저장되고 스택은 주기억장치의 위(상위 주소)에서 아래(하위 주소)로 감소하기 때문이다.

```
int main(void)
{
        int i = 10;
        char c = 70;
        float f = 12.3;

        printf("i의 주소: %u\n", &i); // 변수 i의 주소 출력
        printf("c의 주소: %u\n", &c); // 변수 c의 주소 출력
        printf("f의 주소: %u\n", &f); // 변수 f의 주소 출력
        return 0;
}
```

```
i의 주소: 1245024
c의 주소: 1245015
f의 주소: 1245000
```

2 포인터의 사용

1. 포인터의 선언

포인터는 변수의 주소를 가지고 있는 변수이다. 포인터 자체의 크기는 4바이트이다(현재 많이 사용되고 있는 64bit 컴퓨터에서는 포인터의 크기가 8바이트이지만, 아직까지 공무원 시험은 예전 4바이트를 고수함). 다음의 예와 다음의 그림은 포인터의 선언을 나타낸다.

```
int i = 10;   // 정수형 변수 i 선언
int *p;       // 포인터의 선언
p = &i;       // 변수 i의 주소가 포인터 p로 대입(p와 i는 운명을 같이 한다)
```

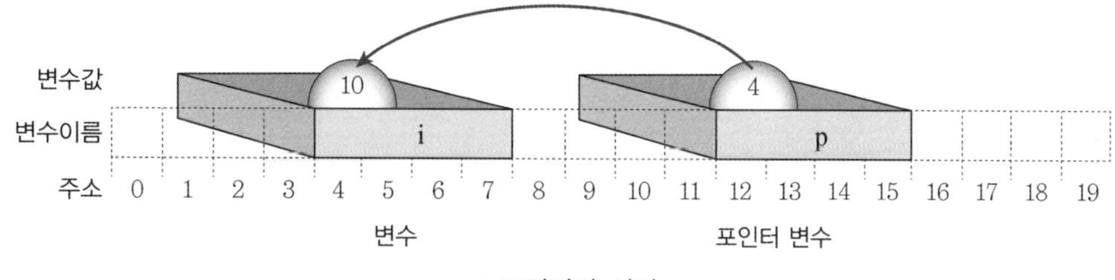

▲ 포인터의 선언

2. 다양한 포인터의 선언

다음의 예와 그림은 다양한 포인터의 선언을 나타낸다.

```
char c = 'A';            // 문자형 변수 c
float f = 37.5;          // 실수형 변수 f
double d = 3.141592;     // 실수형 변수 d

char *pc = &c;           // 문자를 가리키는 포인터 pc
float *pf = &f;          // 실수를 가리키는 포인터 pf
double *pd = &d;         // 실수를 가리키는 포인터 pd
```

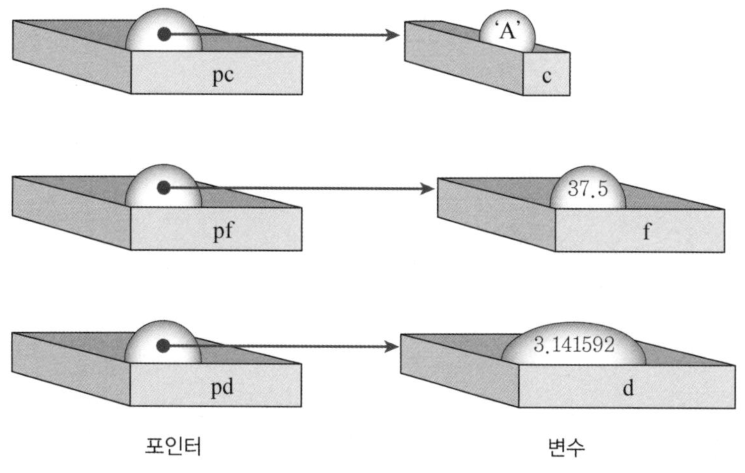

▲ 다양한 포인터의 선언

3. 간접 참조 연산자

간접 참조 연산자 *는 포인터가 가리키는 값을 가져오는 연산자이다. 다음의 예와 그림은 간접 참조 연산자 *를 나타낸다.

```
int i = 10;
int *p;
p = &i;

printf("%d\n", *p); // 10이 출력된다.
```

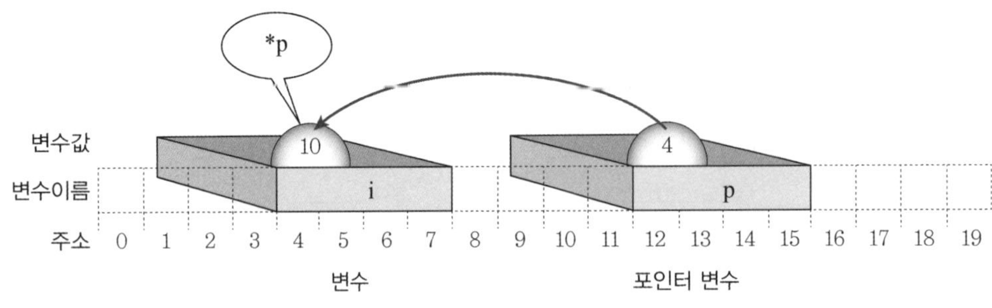

▲ 간접 참조 연산자 *

4. 포인터 연산

포인터의 가능한 연산은 증가, 감소, 덧셈, 뺄셈 연산이다. 증가 연산의 경우 증가되는 값은 포인터가 가리키는 객체의 크기이므로 자신에게 맞는 포인터를 사용해야 한다. 다음의 표는 포인터 타입에 따른 ++연산 후 증가되는 값을 나타낸다. 포인터를 증가시키면 가리키는 대상의 크기만큼 증가된다.

포인터 타입	++연산 후 증가되는 값
char	1
short	2
int	4
float	4
double	8

5. 포인터와 배열

다음의 예는 포인터와 배열을 나타낸다. 예에서 배열 이름 a는 배열의 시작 주소를 나타냄에 유의한다(약속).

```
#include <stdio.h>
int main(void)
{
        int a[] = { 10, 20, 30, 40, 50 };
        printf("&a[0] = %u\n", &a[0]);
        printf("&a[1] = %u\n", &a[1]);
        printf("&a[2] = %u\n", &a[2]);
        printf("a = %u\n", a);
        return 0;
}
```

```
&a[0] = 1245008
&a[1] = 1245012
&a[2] = 1245016
a = 1245008
```

6. 함수 호출시 인수 전달 방법(시험 다수 출제, 정말 중요)

값에 의한 호출(call-by-value)은 C의 기본적인 방법으로 인수의 값만이 함수로 복사된다. 복사본이 전달된다고 생각하면 된다. 참조에 의한 호출(call-by-reference)은 C에서는 포인터를 이용하여 흉내낼 수 있다. 인수의 주소가 함수로 복사된다. 원본이 전달된다고 생각하면 된다.

다음 그림은 값에 의한 호출(call-by-value)을 나타낸다.

▲ 값에 의한 호출

다음 그림은 참조에 의한 호출(call-by-reference)을 나타낸다.

▲ 참조에 의한 호출

7. 포인터 사용의 장점

포인터를 사용하면 연결 리스트나 이진 트리 등의 향상된 자료 구조를 만들 수 있다(자료구조 파트에서 배움). 또한 참조에 의한 호출로서 포인터를 매개 변수로 이용하여 함수 외부의 변수의 값을 변경할 수 있다. 그리고 동적 메모리 할당이 가능하다(기존 배열은 정적 할당). 이때 동적 할당을 위해 malloc()과 free() 함수를 사용한다.

8. 이중 포인터

다음의 예는 이중 포인터를 나타낸다. 이중 포인터는 이중 배열과 비슷하다(시험 출제).

```
#include <stdio.h>
int main()
{
  int *numPtr1; // 단일 포인터
  int **numPtr2; // 이중 포인터
  int num1 = 10;
  numPtr1 = &num1; // num1의 메모리 주소 저장
  numPtr2 = &numPtr1; // numPtr1의 메모리 주소 저장
  printf("%d\n", **numPtr2); // 포인터를 두 번 역참조하여 num1의 메모리 주소에 접근
  return 0;
}
```

주요개념 셀프체크

- 포인터
- & vs. *
- ++ vs. --
- call-by-value vs. call-by-reference
- 이중 포인터

핵심 기출

1. 다음 C 프로그램의 출력 결과로 옳은 것은? 2014년 국가직

```
# include <stdio.h>
void func(int *a, int b, int *c)
{
  int x;

  x = *a;
  *a = x++;
  x = b;
  b = ++x;
  --(*c);
}
int main()
{
  int a, b, c[1];
  a = 20;
  b = 20;
  c[0] = 20;
  func(&a, b, c);
  printf("a = %d b = %d c = %d\n" , a, b, *c);
  return 0;
}
```

① a = 20 b = 20 c = 19
② a = 20 b = 21 c = 19
③ a = 21 b = 20 c = 19
④ a = 21 b = 21 c = 20

해설

함수 호출 시에 call-by-value(값이 복사되므로 main의 값이 바뀌지 않음), call-by-reference(주소가 복사되므로 main의 값이 바뀜)를 묻는 질문이다. a, c는 call-by-reference이고, b는 call-by-value이므로 b(20)는 바뀌지 않는다. func() 내부의 코드를 각각 설명하면 다음과 같다.

```
x = *a; // a의 값을 x에 넣는다. x(20), a(20)
*a = x++; // x의 값을 a에 넣고, 하나 증가시킨다. a(20), x(21)
x = b; // b의 값을 x에 넣는다. x(20), b(20), b는 call-by-value이므로 해당 코드는 무의미하다.
b = ++x; // x를 하나 증가하고 b에 넣는다. b(21), x(21), b는 call-by-value이므로 해당 코드는 무의미하다.
--(*c); // c의 값을 하나 감소한다. c(19)
결국 a(20), b(20), c(19)이다.
```

TIP 코드 해석은 시간 싸움이기 때문에 전체를 해석할 필요가 없고 필요한 부분만 해석하면 된다. 해당 문제에서는 call-by-value는 해석할 필요가 없다. 왜냐하면 값이 바꾸지 않기 때문이다. 만약, call-by-reference가 2개인데 1개만 풀어도 답이 나온다면 굳이 나머지를 풀 필요가 없다.

정답 ①

2. 다음의 C프로그램을 실행한 결과로 옳은 것은? 2014년 서울시

```
void main() {
  int a[4] = {1, 2, 3};
  int *p = a;
  p++;
  *p++ = 10;
  *p += 10;
  printf("%d %d %d₩n", a[0], a[1], a[2]);
}
```

① 1 2 3
② 1 2 10
③ 1 10 10
④ 1 2 13
⑤ 1 10 13

해설

```
*p = a; // a와 p는 운명을 같이한다(서로 같다고 보아도 무방하다).
p; // p는 a[0]의 주소(전체 배열의 주소)를 가리킨다.
p++; // p를 가리키는 주소를 하나 증가한다. a[1]을 가리키게 된다.
*p++ = 10; // 현재 p에 10을 대입하고, p의 주소를 하나 증가한다. a[1]은 10이 되고, p는 a[2]가 된다.
*p += 10; // p에 10을 더한다. a[2]는 3이기 때문에 p는 13(=a[2]+10)이 된다.
결론적으로 a[0]은 1이 되고, a[1]은 10이 되고, a[2]는 13이 된다.
```

정답 ⑤

CHAPTER 09 구조체

1 개요

1. 자료형의 분류

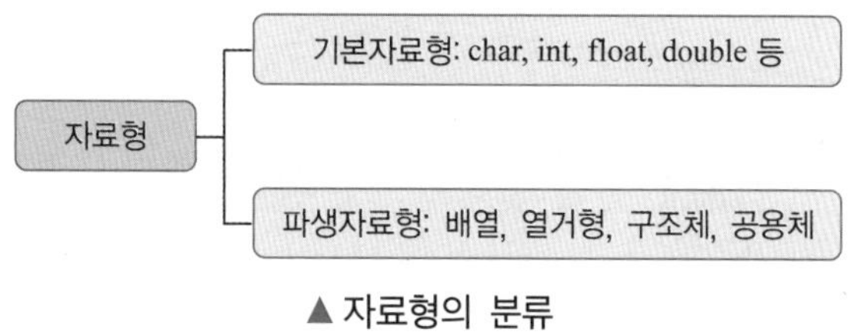

▲ 자료형의 분류

2. 구조체의 필요성

학생에 대한 데이터를 하나로 모으려면 구조체를 사용해야 한다. 모으면 관리하기가 편하다(매개 변수 등으로 전달하기도 편함). 다음 그림은 구조체의 필요성을 나타낸다.

▲ 구조체의 필요성

다음 그림은 학생에 대한 데이터를 구조체로 묶은 것을 나타낸다. 구조체를 사용하면 변수들을 하나로 묶을 수 있다.

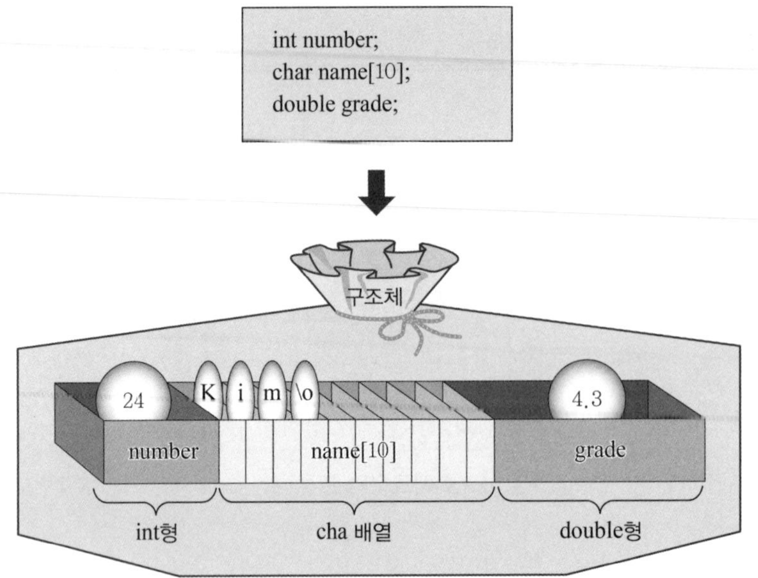

▲ 학생에 대한 데이터를 구조체로 묶은 것

3. 구조체와 배열

다음 그림은 구조체와 배열의 차이점을 나타낸다. 배열은 같은 타입의 집합을 나타내고, 구조체는 다른 타입의 집합을 나타낸다. 구조체에 같은 타입을 넣을 수는 있지만 굳이 그럴 필요는 없다.

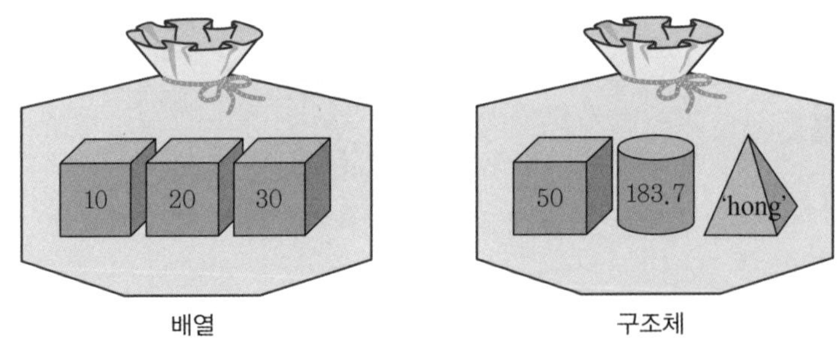

▲ 구조체와 배열의 차이점

2 구조체의 사용

1. 구조체 선언

다음의 예와 그림은 구조체의 선언을 나타낸다.

```
struct 태그 {
        자료형    멤버1;
        자료형    멤버2;
        ...
};
```

태그(tag)

```
struct student {
    int    num;         // 학번
    char   name[10];    // 이름
    double grade;       // 학점
};
```

멤버(member)

▲ 구조체의 선언

구조체 선언은 변수 선언이 아니다. 다음 그림은 이를 나타낸다.

▲ 구조체 선언은 변수 선언이 아님

2. 구조체 변수 선언

구조체 정의와 구조체 변수 선언은 다르다. 다음의 예와 그림은 구조체 변수 선언을 나타낸다. 구조체를 선언할 때 typedef를 사용할 수 있고, 이에 대해서는 나중에 배운다.

```
struct student {
  int num;
  char name[10];
  double grade;
}; // 구조체 정의
int main(void) {
  struct student s1; // 구조체 변수 선언
  ...
}
```

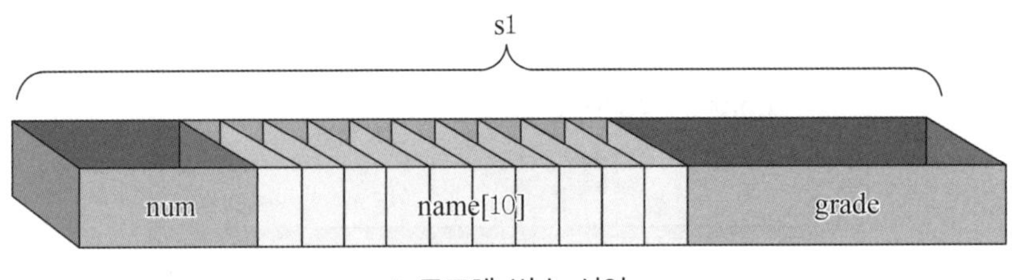

▲ 구조체 변수 선언

3. 구조체의 초기화

구조체는 중괄호를 이용하여 초기값을 나열한다. 다음의 예와 그림은 구조체의 초기화를 나타낸다.

```
struct student {
                    int num;
                    char name[10];
                    double grade;
};
struct student s1 = {24, "Kim", 4.3};
```

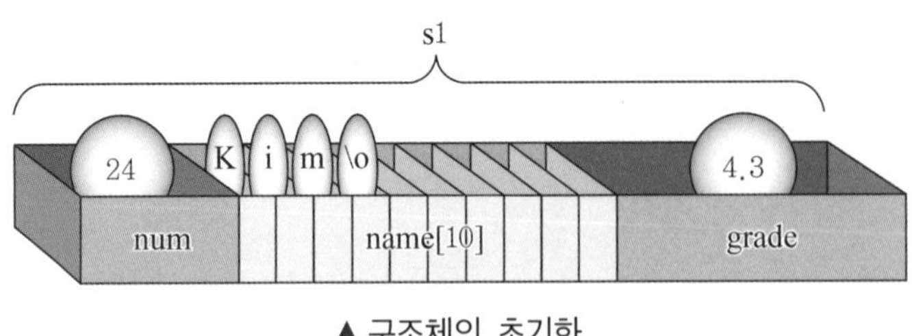

▲ 구조체의 초기화

4. 구조체 멤버 참조

구조체 멤버를 참조하려면 다음과 같이 .연산자를 사용한다. 참고로, 포인터 구조체의 경우에는 → 연산자를 사용한다. 다음의 예는 구조체 멤버 참조를 나타낸다.

```
s1.num = 26;                // 정수 멤버
strcpy(s1.name, "Kim");     // 문자열 멤버
s1.grade = 4.3;             // 실수 멤버
```

3 공용체와 열거형(* 참고)

공용체(union)는 같은 메모리 영역을 여러 개의 변수가 공유한다. 공용체를 선언하고 사용하는 방법은 구조체와 아주 비슷하다. 다음의 예와 그림은 공용체를 나타낸다.

```
union example {
        char c;   // 같은 공간 공유
        int i;    // 같은 공간 공유
};
```

▲ 공용체

열거형(enumeration)이란 변수가 가질 수 있는 값들을 미리 열거해놓은 자료형이다. 예를 들어, 요일을 저장하고 있는 변수는 {일요일, 월요일, 화요일, 수요일, 목요일, 금요일, 토요일} 중의 하나의 값만 가질 수 있다. 다음 그림은 열거형을 나타낸다.

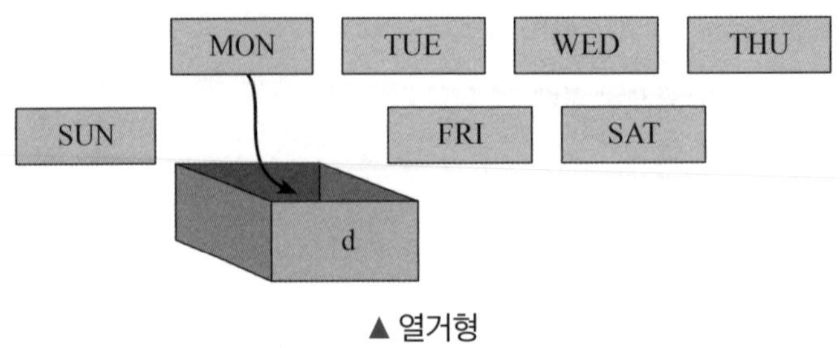

▲ 열거형

나음의 예는 열기형의 선언과 사용을 나타낸다.

```
enum   levels     { low, medium, high };          // 태그 이름과 값들을 나열
int main(void)
{
          enum   levels    english;               // 열거형 변수 선언
          english = high;                         // 변수에 값 대입(2를 대입해도 된다!)
          …
}
```

다음의 예는 열거형 초기화를 나타낸다. 값을 지정하지 않으면 0부터 할당된다.

```
enum levels1 { low, medium, high };     // low=0, medium=1, high=2
enum levels2 { low=1, medium, high };// low=1, medium=2, high=3
enum levels3 { low=10, medium=20, high=30 };
```

주요개념 셀프체크

- 구조체
- 구조체 vs. 배열
- 선언, 초기화, 참조

핵심 기출

다음 C 프로그램의 실행 결과는? 2016년 서울시

```
#include <stdio.h>
struct student {
  char name[20]; // 이름
  int money; // 돈
  struct student* link; // 지기 참조 구조체 포인터 변수
};
int main(void)
{
  struct student stu1 = {"Kim", 90, NULL};
  struct student stu2 = {"Lee", 80, NULL};
  struct student stu3 = {"Goo", 60, NULL};
  stu1.link = &stu2;
  stu2.link = &stu3;
  printf("%s %d₩n", stu1.link->link->name, stu1.link->money);
  return 0;
}
```

① Goo 80
② Lee 60
③ Goo 60
④ Lee 80

해설

stu1.link = &stu2; // stu1.link는 stu2의 주소를 가리킨다.
stu2.link = &stu3; // stu2.link는 stu3의 주소를 가리킨다.
stu1.link → link → name // stu1.link는 stu2이므로 stu1.link->link(= stu2 → link)는 stu3을 가리킨다. 그러므로 stu1.link → link → name(= stu3 → name)은 "Goo"가 된다.
stu1.link → money // stu1.link는 stu2이므로 stu1.link → money(= stu2 → money)는 80이 된다.

정답 ①

CHAPTER 10

문자와 문자열

1 개요

1. 문자 표현 방법

컴퓨터에서는 각각의 문자에 숫자코드를 붙여서 표시한다. 아스키코드(ASCII code)는 표준적인 8비트 문자코드이고, 0에서 127까지의 숫자를 이용하여 문자를 표현한다('A'가 아스키코드로 65라는 사실을 기억해두자). 유니코드(unicode)는 표준적인 16비트 문자코드이고, 전 세계의 모든 문자를 일관되게 표현하고 다룰 수 있도록 설계되었다.

2. 문자 변수와 문자 상수

```
#include <stdio.h>
int main(void)
{
        char code1 = 'A'; // 문자 변수 = 문자 상수
        char code2 = 66;
        printf("code1=%c, code2=%c\n", code1,code2);
        return 0;
}
```

```
code1=A, code2=A
```

3. 아스키 코드 출력

```
#include <stdio.h>
int main(void)
{
        unsigned char code;
        for(code = 32; code < 128; code++)
        {
                printf("아스키 코드 %d은 %c입니다.\n", code, code);
        }
        return 0;
}
```

```
아스키 코드 32은  입니다.
아스키 코드 33은 !입니다.
...
아스키 코드 97은 a입니다.
아스키 코드 98은 b입니다.
아스키 코드 127은 입니다.
```

4. 문자열 표현 방법

문자열(string)은 문자들이 여러 개 모인 것이다. 예를 들면, 다음 그림과 같이 'A'는 문자이고, "Hello"는 문자열이다.

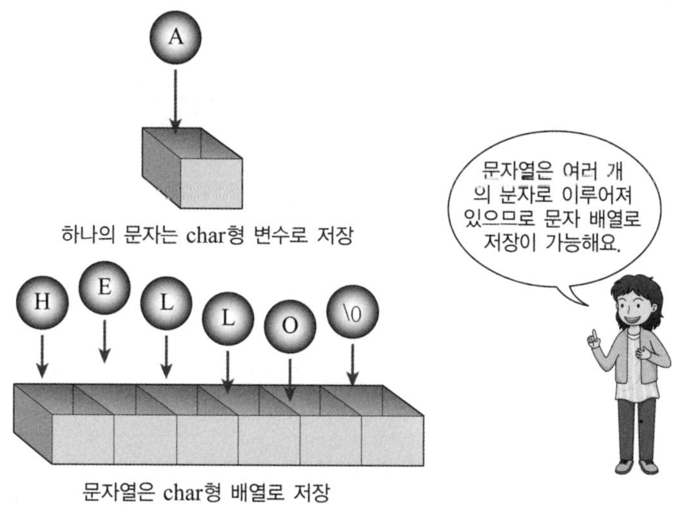

▲ 문자와 문자열

5. 문자열 상수와 변수

문자열 상수는 변경되지 않는 문자열을 저장하고, 예를 들면 "Hello World" 등을 들 수 있다. 문자열 변수는 변경되는 문자열을 저장하고, 예를 들면 char str[100]; 등을 들 수 있다.

6. NULL 문자

NULL 문자는 다음 그림과 같이 문자열의 끝을 나타낸다.

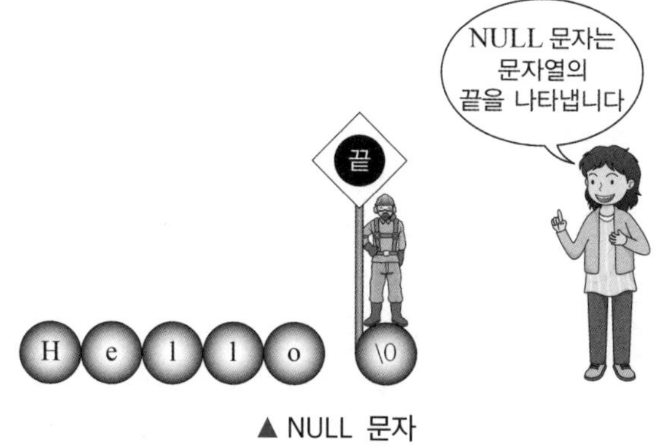

▲ NULL 문자

왜 NULL 문자가 필요한가? 문자열은 어디서 종료되는지 알 수가 없으므로 표시를 해주어야 한다. 다음 그림은 NULL 문자의 필요성을 나타낸다.

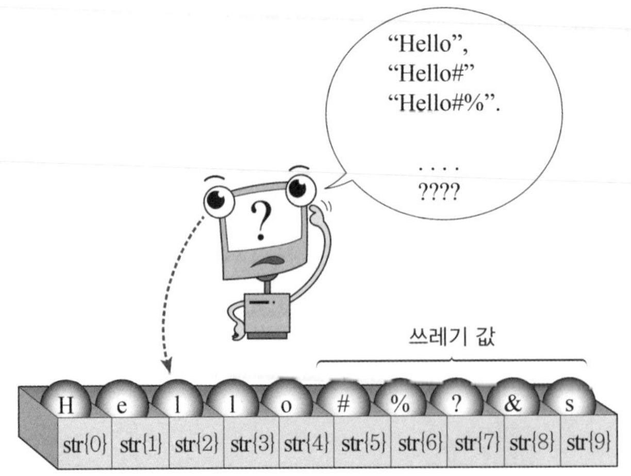

▲ NULL 문자의 필요성

7. 문자 배열의 초기화

문자 배열 원소들을 중괄호 안에 넣어주는 방법은 다음과 같다.

```
char str[6] = {'H', 'e', 'l', 'l', 'o', '\0'};
```

문자열 상수를 사용하여 초기화하는 방법은 다음과 같다.

```
char str[6] = "Hello";
```

만약 배열을 크기를 지정하지 않으면 컴파일러가 자동으로 배열의 크기를 초기화 값에 맞추어 설정한다.

```
char str[] = "C Bible"; // 배열의 크기는 7이 된다.
```

2 문자 및 문자열 입출력 라이브러리

1. 문자 입출력 라이브러리

입출력 함수	설명
int getchar(void)	하나의 문자를 읽어서 반환한다.
void putchar(int c)	변수 c에 저장된 문자를 출력한다.
int getch(void)	하나의 문자를 읽어서 반환한다(버퍼를 사용하지 않음).
void putch(int c)	변수 c에 저장된 문자를 출력한다(버퍼를 사용하지 않음).
scanf("%c", &c)	하나의 문자를 읽어서 변수 c에 저장한다.
printf("%c", c);	변수 c에 저장된 문자를 출력한다.

2. getchar(), putchar()

다음의 예는 getchar(), putchar()를 나타낸다. getchar(), putchar()는 버퍼를 사용함에 유의한다. 예제 프로그램에서 여러 개의 문자를 동시에 입력하면 출력이 어떻게 될지 한번 생각해보자.

```
#include <stdio.h>
int main(void)
{
          int ch;                         // 정수형에 주의
          while(1) {
                    ch = getchar();       // 문자를 입력받는다.
                    if( ch == 'q' ) break;
                    putchar(ch);
          }
          return 0;
}
```

```
A
A
B
B
q
```

3. 문자 입출력 버퍼 - 버퍼링 vs. 스풀링

문자 입출력에는 일반적으로 주기억장치의 버퍼를 사용한다(버퍼링이라고 함). 다음 그림은 이를 나타낸다. 참고로, 스풀링은 보조기억장치의 버퍼를 사용한다(프린터 등이 주로 사용).

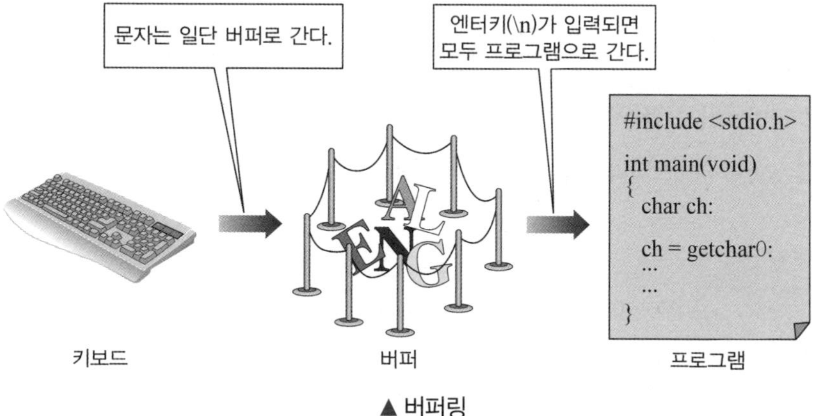

▲ 버퍼링

4. getch(), putch() - 에코도 사용하지 않는다

다음의 예는 getch(), putch()를 나타낸다. getch(), putch()에서는 버퍼와 에코(사용자의 입력 문자를 보여줌)를 사용하지 않음에 유의한다.

```
#include <conio.h>
int main(void)
{
        int ch;                     // 정수형에 주의
        while(1)  {
                ch = getch();        // 문자를 입력받는다.
                if( ch == 'q' ) break;
                putch(ch);
        }
        return 0;
}
```

```
ABCDEFGH
```

5. getch(), getche(), getchar()

다음의 표는 getch(), getche(), getchar()를 정리한 것이다. 프로그래밍을 할 때 용도에 맞는 것을 골라 사용하면 된다. 버퍼가 없이 바로 받으려면 getch()를 사용하면 된다.

구분	헤더파일	버퍼사용여부	에코여부	응답성	문자수정여부
getchar()	<stdio.h>	사용함 (엔터키를 눌러 입력됨)	에코	줄단위	가능
getch()	<conio.h>	사용하지 않음	에코하지 않음	문자단위	불가능
getche()	<conio.h>	사용하지 않음	에코	문자단위	불가능

6. 문자열 입출력 라이브러리 함수

다음의 표는 문자열 입출력 라이브러리 함수를 나타낸다. gets 함수의 경우 오류가 발생하면 null pointer가 리턴됨에 유의한다.

입출력 함수	설명
int scanf("%s", s)	문자열을 읽어서 문자배열 s[]에 저장
ing printf("%s", s)	배열 s[]에 저장되어 있는 문자열을 출력한다.
char *gets(char *s)	한 줄의 문자열을 읽어서 문자 배열 s[]에 저장한다.
int puts(const char *s)	배열 s[]에 저장되어 있는 한 줄의 문자열을 출력한다.

7. scanf(), printf() 문자열 입출력

scanf()의 사용법은 다음의 예와 같다.

```
char str[10];
scanf("%s", str); // 배열 이름 자체가 주소(call-by-reference)
```

scanf()는 다음의 예와 같이 한 번에 두개 이상의 문자열도 받아들일 수 있다.

```
char s1[10];
char s2[10];
char s3[10];
scanf("%s%s%s", s1,s2,s3); // 사용자가 one two three와 같이 입력하면 s1에는 one이, s2에는 two가, s3에는 three가 할당된다.
```

8. gets()와 puts() 문자열 입출력

gets()는 표준 입력으로부터 엔터키가 나올 때까지 한 줄의 라인을 입력한다. 문자열에 줄바꿈 문자('\n')는 포함되지 않으며 대신에 자동으로 NULL 문자('\0')를 추가한다. 입력받은 문자열은 buffer가 가리키는 주소에 저장된다. puts()는 str이 가리키는 문자열을 받아서 화면에 출력한다. NULL 문자('\0')는 줄바꿈 문자('\n')로 변경한다.

9. 문자 처리 라이브러리 함수

다음의 표는 문자 처리 라이브러리 함수를 나타낸다. 문자 처리 라이브러리 함수는 문자를 검사하거나 문자를 변환한다.

함수	설명
isalpha(c)	c가 영문자인가?(a-z, A-Z)
isupper(c)	c가 대문자인가?(A-Z)
islower(c)	c가 소문자인가?(a-z)
isdigit(c)	c가 숫자인가?(0-9)
isalnum(c)	c가 영문자이거나 숫자인가?(a-z, A-Z, 0-9)
isxdigit(c)	c가 16진수의 숫자인가?(0-9, A-F, a-f)
isspace(c)	c가 공백문자인가?(' ')
ispunct(c)	c가 구두점 문자인가?(,, ;, :)
isprint(c)	c가 출력 가능한 문자인가?
iscntrl(c)	c가 제어 문자인가?('\n', '\t', '\v', '\r',)
isascii(c)	c가 아스키 코드인가?
toupper(c)	c를 대문자로 바꾼다.
tolower(c)	c를 소문자로 바꾼다.
toascii(c)	c를 아스키 코드로 바꾼다.

10. 문자열 처리 라이브러리

다음의 표는 문자열 처리 라이브러리를 나타낸다.

함수	설명
strlen(s)	문자열 s의 길이를 구한다.
strcpy(s1, s2)	s2를 s2에 복사한다.
strcat(s1, s2)	s2를 s1의 끝에 붙여 넣는다.
strcmp(s1, s2)	s1과 s2를 비교한다.
strncpy(s1, s2, n)	s2의 최대 n개의 문자를 s1에 복사한다.
strncat(s1, s2, n)	s2의 최대 n개의 문자를 s1의 끝에 붙여 넣는다.
strncmp(s1, s2, n)	최대 n개의 문자까지 s1과 s2를 비교한다.
strchr(s, c)	문자열 s 안에서 문자 c를 찾는다.
strstr(s1, s2)	문자열 s1에서 문자열 s2를 찾는다.

11. 문자열 길이

다음 그림은 문자열 길이를 반환하는 strlen() 함수를 나타낸다. 그리고 strlen() 함수에 대해서 설명하면 다음과 같다.

```
형식: size_t strlen(const char *s); // 예를 들어, size_t는 int를 나타낸다.
설명: 문자열의 길이를 반환한다. NULL문자는 제외된다.
예: int size = strlen("Hello"); // 5를 반환한다.
```

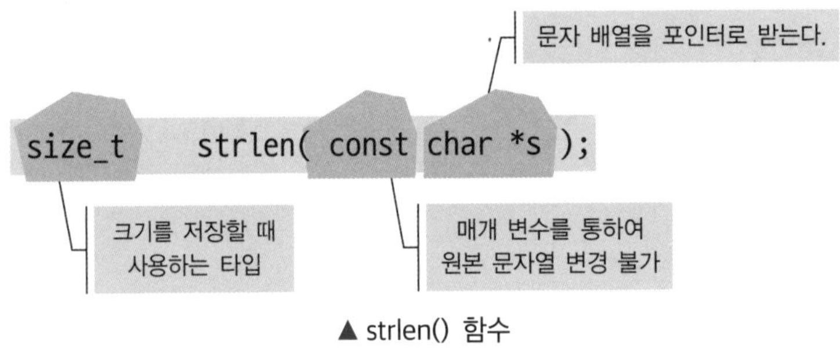

▲ strlen() 함수

12. 문자열 복사 - 버퍼 오버플로우 공격

다음 그림은 문자열을 복사하는 strcpy() 함수를 나타낸다. 그리고 strcpy() 함수에 대해서 설명하면 다음과 같다.

```
형식: char *strcpy(char *dst, const char *src);
설명: src를 dst로 복사한다.
예: char dst[6]; char src[6] = "Hello"; strcpy(dst, src); // "Hello"가 dst로 복사된다.
```

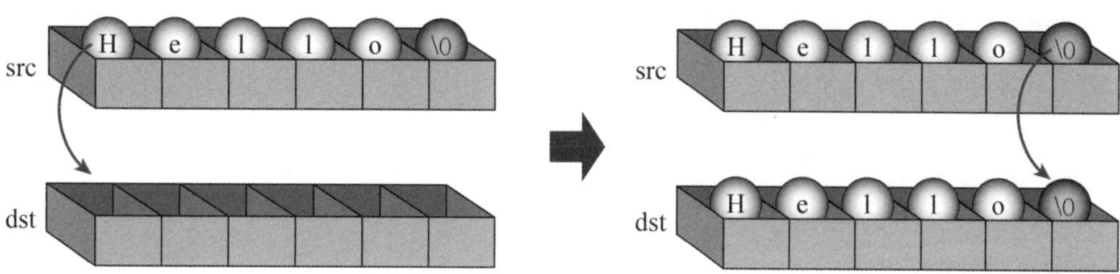

▲ strcpy() 함수

strcpy() 함수를 사용할 때는 2가지를 주의해야 한다. 첫 번째는 버퍼 오버플로우 공격에 취약하다는 것이다. dst는 정해져 있고, src는 얼마나 들어올지 알 수 없으므로 dst의 버퍼를 초과할 수 있고, 이를 주의해야 한다. 해당 공격을 막기 위해 strncpy() 함수를 사용할 수 있다(입력의 개수 제한). 두 번째는 복사 방향에 주의해야 한다. 즉, src(두 번째 인수)에서 dst(첫 번째 인수)로 복사가 되는 것에 유의한다.

13. 문자열 연결

다음 그림은 문자열을 연결하는 strcat() 함수를 나타낸다. 그리고 strcat() 함수에 대해서 설명하면 다음과 같다. strcat() 함수도 버퍼 오버플로우 공격에 취약함에 유의한다.

```
형식: char *strcat(char *dst, const char *src);
설명: src를 dst에 붙인다.
예: char dst[12] = "Hello"; char src[6] = "World"; strcat(dst, src); // dst가
"HelloWorld"가 된다.
```

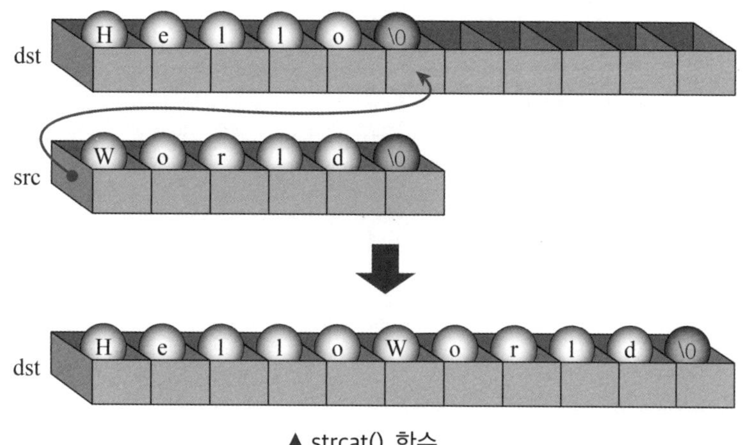

▲ strcat() 함수

14. 문자열 비교

다음의 표는 문자열을 비교하는 strcmp() 함수의 반환값을 정리한 것이다. 그리고 strcmp() 함수의 원형은 다음과 같다. strcmp() 함수는 두 문자열의 단순 비교이므로 버퍼 오버플로우 공격이 발생하지 않음에 유의한다.

```
int strcmp(const char *s1, const char *s2);
```

반환값	s1과 s2의 관계
<0	s1이 s2보다 앞에 있다.
0	s1이 s2와 같다.
>0	s1이 s2보다 뒤에 있다.

15. 문자 검색, 문자열 검색

다음의 예는 문자열에서 문자를 검색하는 strchr() 함수를 나타낸다.

```
char s[] = "language";        // 문자열
char c = 'g';                 // 찾고자 하는 문자
char *p;                      // 문자 포인터
p = strchr(s, c);             // str에서 c를 찾는다.
```

다음의 예는 문자열에서 문자열을 검색하는 strstr() 함수를 나타낸다.

```
char s[] = "A joy story";                  // 입력 문자열
char sub[] = "joy";                        // 찾으려고 하는 문자열
char *p;                                   // 문자 검색 위치 저장 포인터
p = strstr(s, sub);                        // s에서 sub를 찾는다.
```

16. 문자열 토큰 분리

다음의 예는 문자열의 토큰을 분리하는 strtok() 함수를 나타낸다. 예에서, s는 입력 문자열을 나타내고, delimit는 분리자(예를 들어, 스페이스나 탭)를 나타낸다.

```
char *strtok(char *s, const char *delimit);
```

다음은 strtok() 함수가 사용된 예를 나타낸다. 같은 문자열에서 다음 토큰을 얻을 때는 NULL을 기입해야 함에 유의한다.

```
char s[] = "A joy story"; // 입력 문자열

token = strtok(s, " ");                    // " "로 분리된 토큰 "A"를 얻는다.
token = strtok(NULL, " ");                 // " "로 분리된 토큰 "joy"를 얻는다
```

17. 문자열과 수치

다음 그림은 문자열과 수치를 나타낸다. 예를 들어, "36.5"는 문자열이고, 36.5는 수치이다.

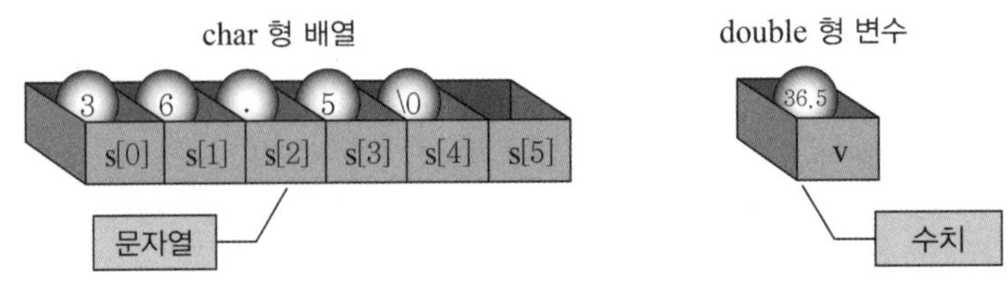

▲ 문자열과 수치

문자열 "36.5"를 수치 36.5로 변경하고 싶은 경우에는 어떻게 할까? 다음의 표와 그림은 문자열과 수치를 서로 변환하는 함수를 나타낸다.

함수	설명
sscanf(s, …)	문자열 s로부터 지정된 형식으로 수치를 읽어서 변수에 저장한다.
sprintf(s, …)	변수의 값을 형식 지정자에 따라 문자열 형태로 문자 배열 s에 저장한다.

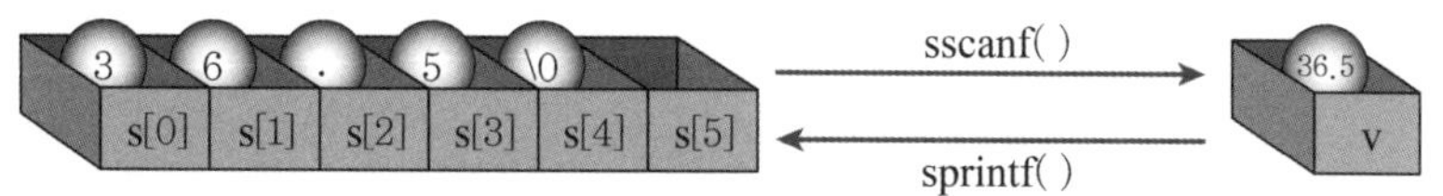

▲ 문자열과 수치를 서로 변환하는 함수

다음의 그림과 표는 문자열을 수치로 변환하는 전용 함수를 나타낸다. 전용 함수는 scanf()보다 크기가 작다(scanf()는 다용도이므로 많은 코드를 포함). stdlib.h에 원형이 정의되어 있으므로 반드시 포함되어야 한다(#include).

함수	설명
int atoi(const char *str);	str을 int형으로 변환한다.
long atoi(const char *str);	str을 long형으로 변환한다.
double atof(const char *str);	str을 double형으로 변환한다.

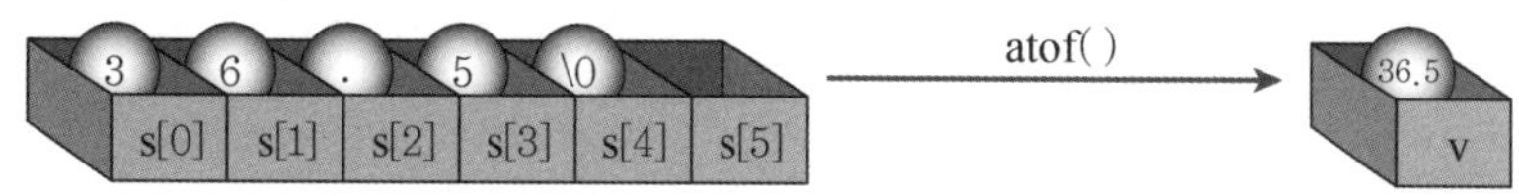

▲ 문자열을 수치로 변환하는 전용함수

3 문자열의 배열

1. 개요

문자열이 여러 개 있는 경우에는 어떤 구조를 사용하여 저장하면 제일 좋을까? 여러 개의 문자 배열을 각각 만들어도 되지만 문자열의 배열을 만드는 것이 여러모로 간편하다. 다음의 예는 크기가 6인 문자열 3개를 저장하는 예를 나타낸다.

```
char s[3][6] = {
          "ini",
          "open",
          "close"
};
```

2. 문자열의 배열

여러 개의 문자열은 2차원 문자 배열에 저장된다. 다음의 예와 그림은 문자열의 배열을 나타낸다.

```
char s[3][6] = {
          "ini",
          "open",
          "close"
};
```

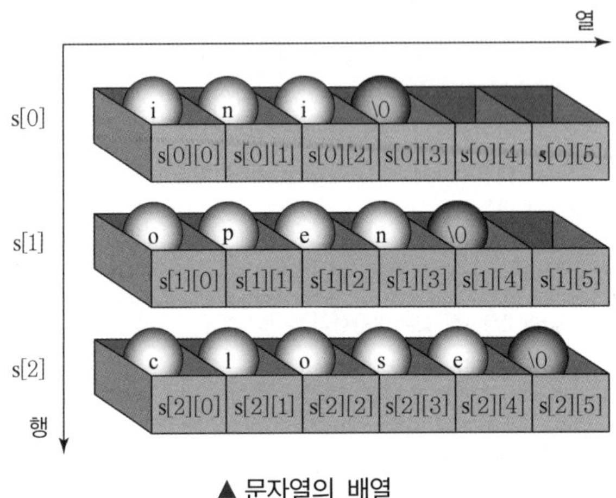

▲ 문자열의 배열

3. 래그드 배열

래그드 배열은 포인터 배열을 선언하여서 문자열 상수를 저장한다(이중 배열과 유사). 문자열 상수를 효율적으로 저장할 수 있다. 다음의 예와 그림은 래그드 배열을 나타낸다.

```
char *fruits[ ] = {
                    "apple",
                    "blueberry",
                    "orange",
};
```

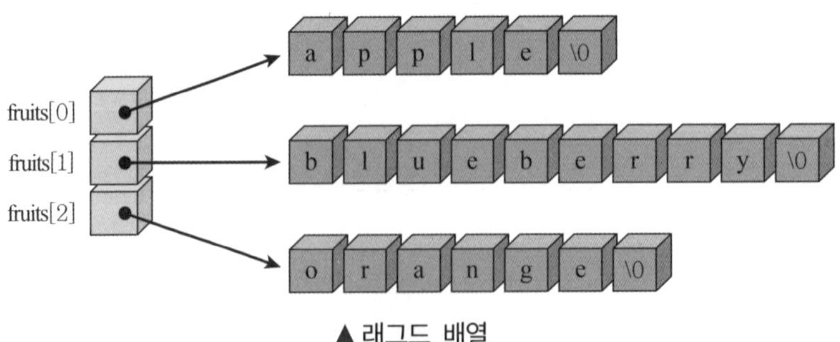

▲ 래그드 배열

CHAPTER 11 표준 입출력과 파일 입출력

1 스트림

1. 스트림의 개념

스트림(stream)은 입력과 출력을 바이트(byte)들의 흐름으로 생각하는 것이다. 다음 그림은 스트림의 개념을 나타낸다.

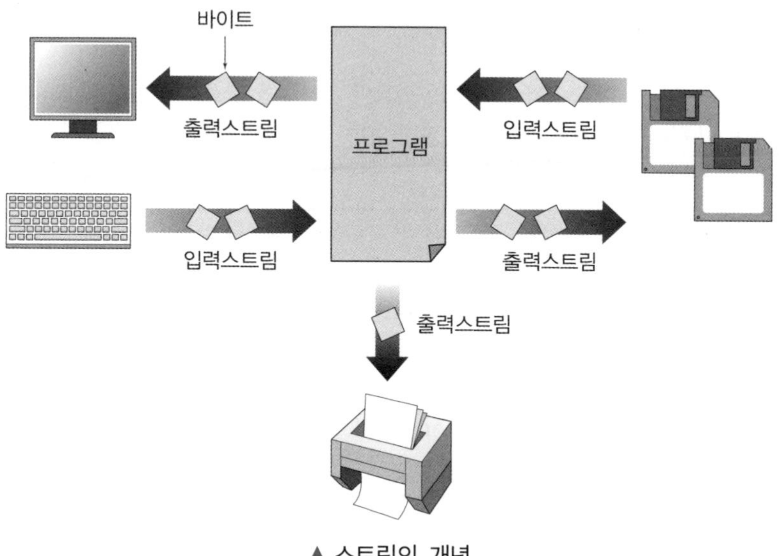

▲ 스트림의 개념

2. 스트림과 파일

스트림은 구체적으로 FILE 구조체를 통하여 구현한다. FILE은 stdio.h에 정의되어 있다. 다음의 예는 FILE 구조체를 나타낸다. 시험을 위해 세부 내용을 알 필요는 없고, 어떤 내용이 있는지 봐두기만 하자.

```
struct _iobuf {
        char *_ptr;
        int   _cnt;
        char *_base;
        int   _flag;
        int   _file;
        int   _charbuf;
        int   _bufsiz;
        char *_tmpfname;
          …
};
typedef struct _iobuf FILE;
```

3. 표준 입출력 스트림

표준 입출력 스트림(standard input/output stream)은 필수적인 몇 개의 스트림을 나타낸다. 프로그램 실행 시에 자동으로 만들어지고 프로그램 종료 시에 자동으로 없어진다(수정 가능). 다음의 표는 표준 입출력 스트림을 나타낸다.

이름	스트림	연결 장치
stdin	표준 입력 스트림	키보드
stdout	표준 출력 스트림	모니터의 화면
stderr	표준 에러 스트림	모니터의 화면

2 입출력 함수의 분류

1. 사용하는 스트림에 따른 분류

입출력 함수를 사용하는 스트림에 따라 분류하면 표준 입출력 스트림을 사용하여 입출력을 하는 함수(표준 스트림)와 스트림을 구체적으로 명시해 주어야 하는 입출력 함수(일반 스트림)로 나눠진다. 다음의 표는 사용하는 스트림에 따른 분류를 나타낸다.

스트림 형식	표준 스트림	일반 스트림	설명
형식이 없는 입출력 (문자 형태)	getchar()	fgetc(FILE *f,…)	문자 입력 함수
	putchar()	fputc(FILE *f,…)	문자 출력 함수
	gets()	fgets(FILE *f,…)	문자열 입력 함수
	puts()	fputs(FILE *f,…)	문자열 출력 함수
형식이 있는 입출력 (정수, 실수, …)	printf()	fprintf(FILE *f,…)	형식화된 출력 함수
	scanf()	fscanf(FILE *f,…)	형식화된 입력 함수

2. 데이터의 형식에 따른 분류

입출력 함수를 데이터의 형식에 따라 분류하면 getchar()나 putchar()처럼 문자 형태의 데이터를 받아들이는 입출력(형식이 없는 입출력)과 printf()나 scanf()처럼 구체적인 형식을 지정할 수 있는 입출력(형식이 있는 입출력)으로 나눠진다. 다음의 표는 데이터의 형식에 따른 분류를 나타낸다.

스트림 형식	표준 스트림	일반 스트림	설명
형식이 없는 입출력 (문자 형태)	getchar()	fgetc(FILE *f,…)	문자 입력 함수
	putchar()	fputc(FILE *f,…)	문자 출력 함수
	gets()	fgets(FILE *f,…)	문자열 입력 함수
	puts()	fputs(FILE *f,…)	문자열 출력 함수
형식이 있는 입출력 (정수, 실수, …)	printf()	fprintf(FILE *f,…)	형식화된 출력 함수
	scanf()	fscanf(FILE *f,…)	형식화된 입력 함수

3. printf()를 이용한 출력

printf()의 원형은 다음과 같다.

```
int printf(char *format, ...);
```

printf()에서 형식 제어 문자열의 구조는 다음과 같다.

```
%[플래그] [필드폭] [.정밀도] [{h ¦ l ¦ L}] 형식
```

% 기호는 형식 제어 문자열의 시작이고, 플래그(flag)는 출력의 정렬과 부호 출력, 공백 문자 출력, 소수점, 8진수와 16진수 접두사를 출력한다. 필드폭(width)과 정밀도(precision)는 데이터가 출력되는 필드의 크기이고, 정밀도는 소수점 이하 자릿수의 개수가 된다.

4. 플래그

printf()의 플래그를 정리하면 다음의 표와 같다. 직접 코딩을 해서 한번 수행해보면 외우지 않아도 된다.

기호	의미	기본값
-	출력 필드에서 출력값을 왼쪽 정렬한다.	오른쪽 정렬된다.
+	결과값을 출력할 때 항상 +와 -의 부호를 붙인다.	음수일 때만 -부호를 붙인다.
0	출력값 앞에 공백 문자 대신에 0으로 채운다. -와 0이 동시에 있으면 0은 무시된다. 만약 정수 출력의 경우, 정밀도가 지정되면 역시 0은 무시된다(예를 들어서 %08.5).	채우지 않는다.
blank(' ')	출력값 앞에 양수나 0인 경우에는 부호 대신 공백을 출력한다. 음수일 때는 -가 붙여진다. +플래그가 있으면 무시된다.	공백을 출력하지 않는다.
#	8진수 출력시에는 출력값 앞에 0을 붙이고 16진수 출력시에는 0x를 붙인다.	붙이지 않는다.

5. 필드폭과 정밀도

다음의 그림은 필드폭과 정밀도를 나타낸다. 필드폭에 소수점을 포함함에 유의한다.

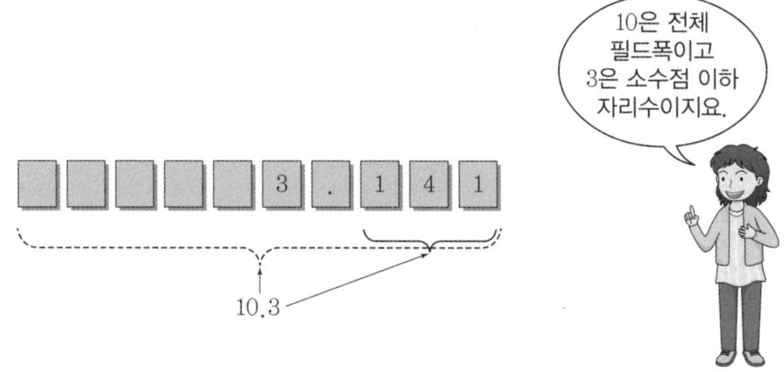

▲ 필드폭과 정밀도

6. 형식

다음의 표는 printf()의 형식을 나타낸다. 표에는 없지만 %n도 존재하고, 해당 형식에서 포맷 스트링 공격이 발생함에 유의한다.

형식 지정자	설명	출력 예
%d	부호 있는 10진수 형식으로 출력	255
%i	부호 있는 10진수 형식으로 출력	255
%u	부호 없는 10진수 형식으로 출력	255
%o	부호 없는 8진수 형식으로 출력	377
%x	부호 없는 16진수 형식으로 출력, 소문자로 표기	fe
%X	부호 없는 16진수 형식으로 출력, 대문자로 표기	FE
%f	소수점 고정 표기 형식으로 출력	123.456
%e	지수 표기 형식으로 출력, 지수 부분을 e로 표시	1.23456e+2
%E	지수 표기 형식으로 출력, 지수 부분을 E로 표시	1.23456E+2
%g	%e형식과 %f형식 중 더 짧은 형식으로 출력	123.456
%G	%E형식과 %f형식 중 더 짧은 형식으로 출력	123.456
%p	포인터 형식으로 출력	-

7. 필드폭

다음은 필드폭에 대한 예제 프로그램과 실행 결과를 나타낸다.

```
#include <stdio.h>

int main(void)
{
        printf("%6d          %6d\n", 1, -1);
        printf("%6d          %6d\n", 12, -12);
        printf("%6d          %6d\n", 123, -123);
        printf("%-6d         %-6d\n", 1, -1);
        printf("%-6d         %-6d\n", 12, -12);
        printf("%-6d         %-6d\n", 123, -123);
        return 0;
}
```

필드폭은 6이고 오른쪽 정렬

필드폭은 6이고 왼쪽 정렬

실행 결과

```
     1          -1
    12         -12
   123        -123
1       -1
12      -12
123     -123
```

8. 정밀도

다음은 정밀도에 대한 예제 프로그램과 실행 결과를 나타낸다.

```
#include <stdio.h>

int main(void)
{
        printf("%10.3f\n", 1.23456789);
        printf("%10.4f\n", 1.23456789);
        printf("%10.5f\n", 1.23456789);
        printf("%3f\n", 1.23456789);
        printf("%4f\n", 1.23456789);
        printf("%5f\n", 1.23456789);
        return 0;
}
```

필드폭은 10이고 소수점 이하는 3자리

소수점 이하는 3자리

실행 결과

```
     1.235
    1.2346
   1.23457
1.235
1.2346
1.23457
```

9. 과학적 표기법 출력

다음은 과학적 표기법 출력에 대한 예제 프로그램과 실행 결과를 나타낸다.

```
#include <stdio.h>

int main(void)
{
        printf("%f\n", 0.00123);          // 0.00123
        printf("%e\n", 0.00123);
        return 0;
}
```

실행 결과

```
0.001230
1.230000e-003
```

10. scanf()를 이용한 입력

scanf() 함수는 문자열 형태의 입력을 사용자가 원하는 형식으로 변환한다. 다음 그림은 scanf() 함수를 나타낸다.

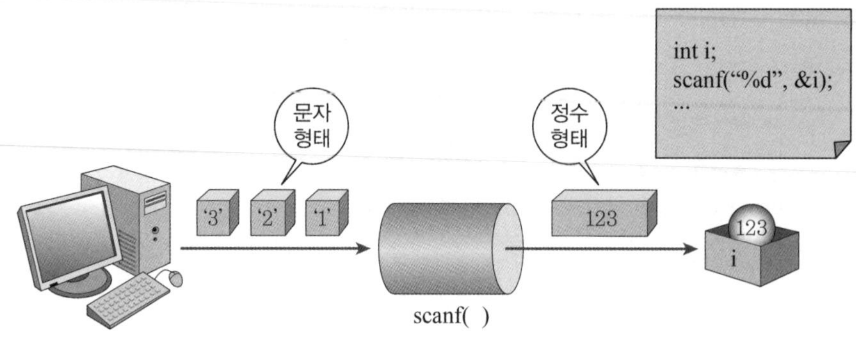

▲ scanf() 함수

scanf()의 형식 제어 문자열은 다음과 같다. *는 현재 입력을 무시하라는 의미이고, 파일에서 하나의 특정한 열만 읽을 때 유용하다. 필드폭은 필드폭 만큼의 문자를 읽어서 값으로 변환한다. 공백 문자로 입력 값을 분리하지 않고서도 여러 개의 값들을 읽을 수 있다.

```
%[*] [필드폭] 형식
```

다음의 예는 필드폭 지정하여 읽기를 나타낸다.

```
#include <stdio.h>

int main(void)
{
	int a, b;

	printf("6개의 숫자로 이루어진 정수를 입력하시오:");
	scanf("%3d%3d", &a, &b);
	printf("입력된 정수는 %d, %d\n", a, b);

	return 0;
}
```

3글자씩 나누어서 읽는다.

실행 결과

```
6개의 숫자로 이루어진 정수를 입력하시오: 456789
입력된 정수는 456, 789
```

다음의 예는 8진수, 16진수 입력을 나타낸다.

```
#include <stdio.h>

int main(void)
{
        int d, o, x;

        scanf("%d %o %x, &d, &o, &x");
        printf("d=%d o=%d x=%d\n", d, o, x);

        return 0;
}
```

실행 결과

```
20
20
20
d=20 o=16 x=32
```

11. 문자와 문자열 입력

다음의 표는 문자와 문자열 관련 형식 지정자를 나타낸다.

분류	형식 지정자	설명
문자형	%c	char형으로 입력 받음
	%s	공백문자가 아닌 문자로부터 공백문자가 나올 때까지를 문자열로 변환하여 입력 받음
	%[abc]	대괄호 안에 있는 문자 a, b, c로만 이루어진 문자열을 읽어 들임
	%[^abc]	대괄호 안에 있는 문자 a, b, c만을 제외하고 다른 문자들로 이루어진 문자열을 읽어 들임
	%[0-9]	0부터 9까지의 범위에 있는 문자들로 이루어진 문자열을 읽어 들임

다음의 예는 문자를 읽는 것을 나타낸다. 스페이스도 하나의 문자로 처리함에 유의한다(아스키 코드 관점에서는 하나의 문자임).

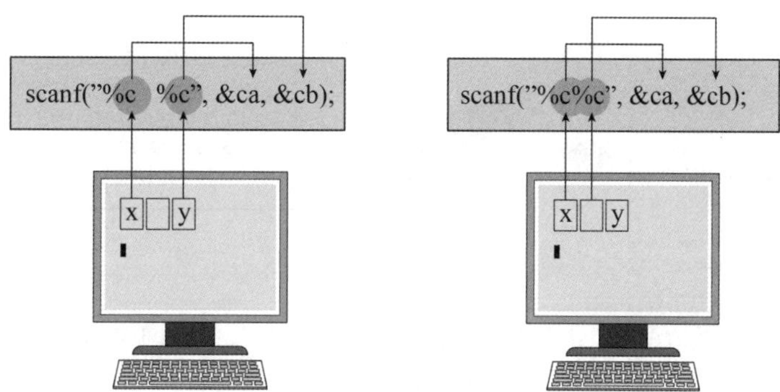

12. scanf() 사용시 주의점

(1) 입력값을 저장할 변수의 주소 전달

```
int i;
scanf("%d", i); // 오류!! (i가 아닌 i의 주소가 전달되어야 함)
```

(2) 배열의 이름 - 배열을 가리키는 포인터

```
int str[40];
scanf("%s", str); // 올바름 (포인터로 간주)
scanf("%s", &str); // 오류!! (주소의 주소이므로 이중 포인터로 간주)
```

(3) 충분한 공간 확보

```
int str[40];
scanf("%s", str); // 입력된 문자의 개수가 39를 초과하면 치명적인 오류 발생한다(buffer overflow 공격
발생).
```

(4) 줄바꿈 문자 사용

scanf()의 형식 제어 문자열의 끝에 줄바꿈 문자 '\n'을 사용하는 것은 해당 문자가 반드시 입력되어야 한다는 의미이다(사용하지 말아야 함).

```
scanf("%d\n", &i);// 잘못됨!!
```

3 파일

1. 파일이 필요한 이유

다음 그림은 파일이 필요한 이유를 나타낸다. 파일은 어떤 데이터의 영구 저장을 위해 사용함에 유의한다.

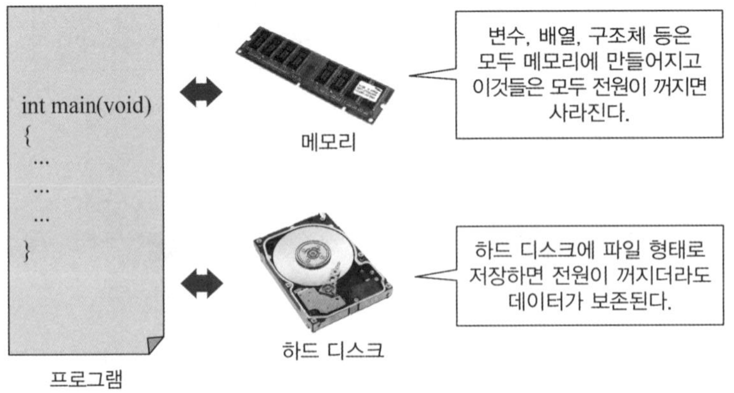

▲ 파일이 필요한 이유

2. 파일의 개념

C에서의 파일은 일련의 연속된 바이트이고, 모든 파일 데이터들은 결국에는 바이트로 바뀌어서 파일에 저장된다. 이들 바이트들을 어떻게 해석하느냐는 전적으로 프로그래머의 책임이다. 파일에 4개의 바이트가 들어 있을 때 이것을 int형의 정수 데이터로도 해석할 수 있고 아니면 float형 실수 데이터로도 해석할 수 있다. 다음 그림은 파일의 개념을 나타낸다.

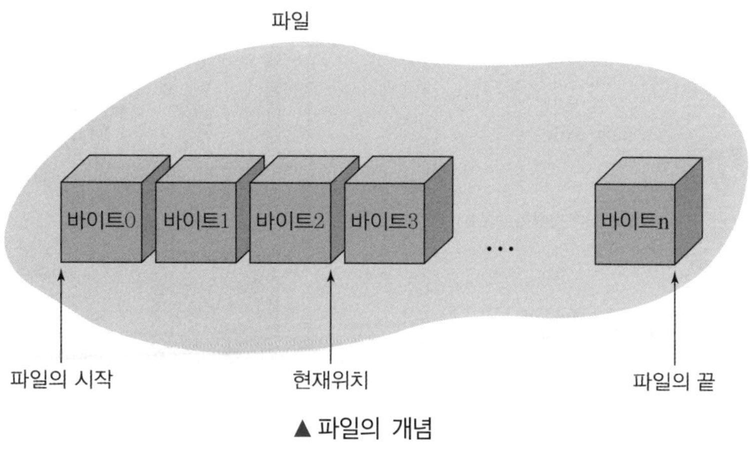

▲ 파일의 개념

3. 텍스트 파일(text file)

텍스트 파일은 사람이 읽을 수 있는 텍스트가 들어 있는 파일이다. 예를 들면, C 프로그램 소스 파일이나 메모장 파일이다. 텍스트 파일은 아스키 코드를 이용하여 저장하고, 연속적인 라인들로 구성된다. 다음 그림은 텍스트 파일을 나타낸다.

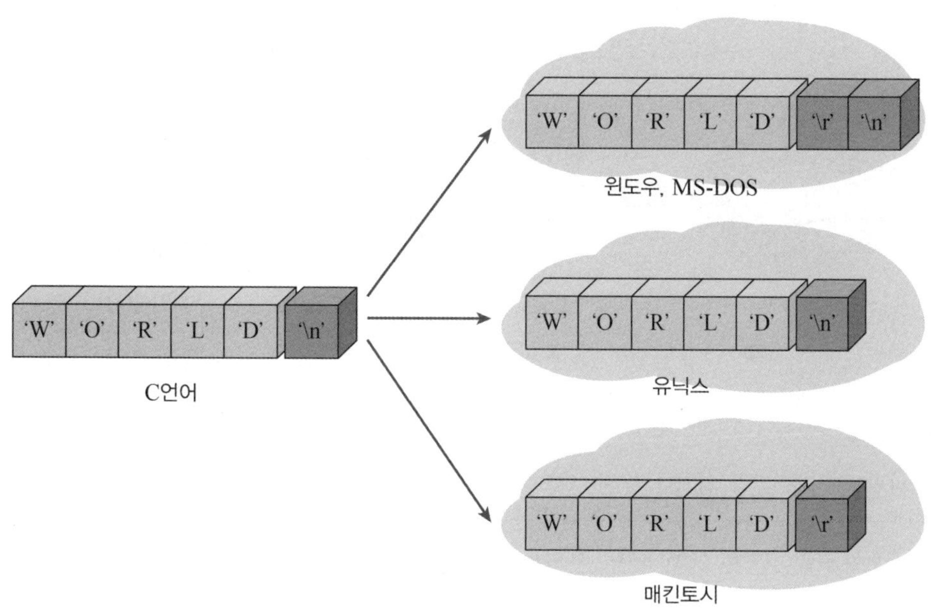

▲ 텍스트 파일

4. 이진 파일(binary file)

이진 파일은 사람이 읽을 수는 없으나 컴퓨터는 읽을 수 있는 파일이고, 이진 데이터가 직접 저장되어 있는 파일이다. 이진 파일은 텍스트 파일과는 달리 라인들로 분리되지 않는다. 모든 데이터들은 문자열로 변환되지 않고 입출력되고, 특정 프로그램에 의해서만 판독이 가능하다. 예를 들어, C 프로그램 실행 파일, 사운드 파일, 이미지 파일 등을 들 수 있다. 다음 그림은 텍스트 파일과 이진 파일을 나타낸다.

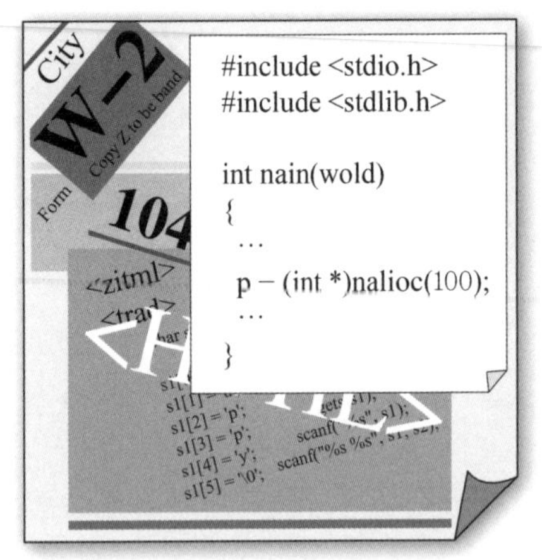

텍스트 파일: 문자로 구성된 파일

이진 파일: 데이터로 구성된 파일

▲ 텍스트 파일과 이진 파일

5. 파일 처리의 개요

파일을 다룰 때는 반드시 다음 그림과 같은 순서를 지켜야 한다. 디스크 파일은 FILE 구조체를 이용하여 접근하고, FILE 구조체를 가리키는 포인터를 파일 포인터(file pointer)라고 한다.

▲ 파일 처리 순서

6. 파일 열기

파일 열기는 파일에서 데이터를 읽거나 쓸 수 있도록 모든 준비를 마치는 것이다. 다음과 같은 함수를 사용한다.

```
FILE *fopen(const char *name, const char *mode)
```

첫 번째 매개 변수인 name은 파일의 이름을 의미하고, 두 번째 매개 변수인 mode는 파일을 여는 모드를 의미한다.

실제 사용 방법은 다음과 같다.

```
FILE *fp;
fp = fopen("test.txt", "w");
```

7. 파일 모드

다음의 표는 파일 모드를 정리한 것이다.

모드	설명
"r"	읽기 모드로 파일을 연다.
"w"	쓰기 모드로 파일을 생성한다. 만약 파일이 존재하지 않으면 파일이 생성된다. 파일이 이미 존재하면 기존의 내용이 지워진다.
"a"	추가 모드로 파일을 연다. 만약 똑같은 이름의 기존의 파일이 있으면 데이터가 파일의 끝에 추가된다. 파일이 없으면 새로운 파일을 만든다.
"r+"	읽기와 쓰기 모드로 파일을 연다. 파일이 반드시 존재하여야 한다.
"w+"	읽기와 쓰기 모드로 파일을 연다. 만약 파일이 존재하지 않으면 파일이 생성된다. 파일이 존재하면 새 데이터가 기존 파일의 데이터를 덮어 쓰게 된다.
"a+"	읽기와 추가 모드로 파일을 연다. 만약 똑같은 이름의 기존의 파일이 있으면 데이터가 파일의 끝에 추가된다. 읽기는 어떤 위치에서나 가능하다. 파일이 없으면 새로운 파일을 만든다.
"b"	이진 파일 모드로 파일을 연다.

다음 그림은 파일 모드 중 r, w, a를 정리한 것이다.

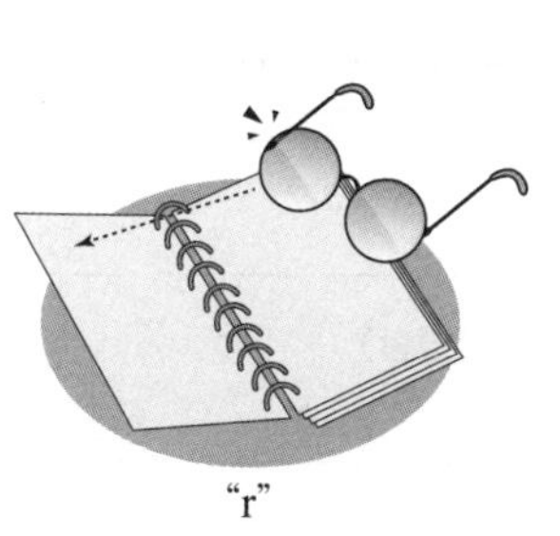

"r"

파일의 처음부터 읽는다.

"w"

파일의 처음부터 쓴다.
만약 파일이 존재하면
기존의 내용이 지워진다.

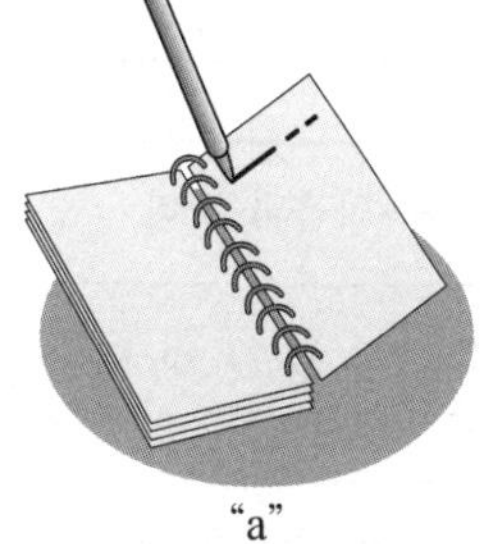

"a"

파일의 끝에 쓴다.
파일이 없으면 생성된다.

▲ 파일 모드 중 r, w, a

8. 파일 닫기와 삭제

파일을 닫는 함수는 다음과 같다.

```
int fclose( FILE *stream );
```

파일을 삭제하는 함수의 실제 사용 예는 다음과 같다.

```
int remove(const char *path)
```

```
#include <stdio.h>
int main( void )
{
        if( remove( "abc.txt" ) == -1 )
                printf( "abc.txt를 삭제할 수 없습니다.\n" );
        else
                printf( "abc.txt를 삭제하였습니다.\n" );

        return 0;
}
```

9. 파일 입출력 함수

다음의 표는 파일 입출력 라이브러리 함수를 나타낸다. 크게 나누면 텍스트 입출력 함수와 이진 데이터 입출력으로 나눌 수 있다.

종류	설명	입력 함수	출력 함수
문자 단위	문자 단위로 입출력	int fgetc(FILE*fp)	int fputc(int c, FILE*fp)
문자열 단위	문자열 단위로 입출력	char *fgets(char*s, int n, FILE*fp)	int fputs(const char*s, FILE*fp)
서식화된 입출력	형식 지정 입출력	ing fscanf(FILE*fp, …)	int fprintf(FILE*fp, …)
이진 데이터	이진 데이터 입출력	fread()	fwrite()

문자 입출력 함수는 다음과 같다.

```
int fgetc( FILE *fp ); // fp -> int (파일 포인터 fp로부터 받아 int에 저장함)
int fputc( int c, FILE *fp ); // c -> fp
```

문자열 입출력 함수는 다음과 같다.

```
char *fgets( char *s, int n, FILE *fp ); // fp -> s, n을 문자열 크기를 의미함
int fputs( char *s, FILE *fp ); // s -> fp
```

10. 형식화된 출력과 입력

다음은 형식화된 출력 함수와 실제 사용 예제를 나타낸다. %d와 같은 특정한 형식을 지정하여 파일에 출력할 수 있다.

```
int fprintf( FILE *fp, const char *format, ...);
```

```
int i = 23;
float f = 1.2345;
FILE *fp;

fp = fopen("abc.txt", "w");

if( fp != NULL )
         fprintf(fp, "%10d %16.3f", i, f);

fclose(fp);
```

다음은 형식화된 입력 함수와 실제 사용 예제를 나타낸다.

```
int fscanf( FILE *fp,  const char *format, ...);
```

```
int i;
float f;
FILE *fp;

fp = fopen("abc.txt", "r");

if( fp != NULL )
         fscanf(fp, "%d %f", &i, &f);

fclose(fp):
```

11. 이진 파일 쓰기와 읽기

다음 그림은 텍스트 파일과 이진 파일의 차이점을 나타낸다. 텍스트 파일은 모든 데이터가 아스키 코드로 변환되어서 저장되고, 이진 파일은 컴퓨터에서 데이터를 표현하는 방식 그대로 저장된다.

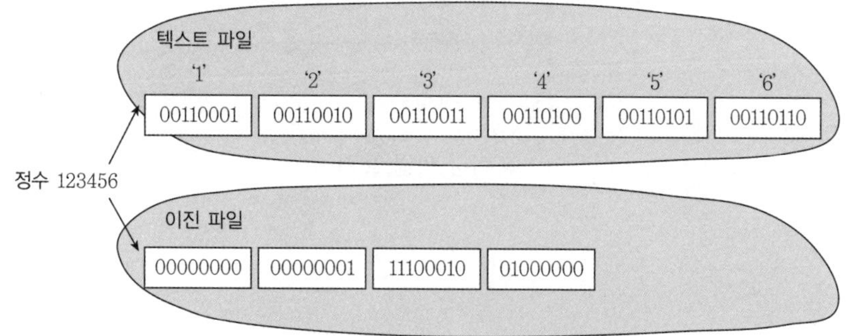

▲ 텍스트 파일과 이진 파일의 차이점

다음의 예는 이진 파일의 생성을 나타낸다.

```
int main(void)
{
        FILE *fp = NULL;

        fp = fopen("abc.txt", "rb");

        if( fp == NULL )
                printf("이진 파일 열기에 실패하였습니다.\n");
        else
                printf("이진 파일 열기에 성공하였습니다.\n");

        if( fp != NULL ) fclose(fp);
}
```

다음의 표는 이진 파일의 파일 모드를 나타낸다.

파일 모드	설명
"rb"	읽기 모드+이진 파일 모드
"wb"	쓰기 모드+이진 파일 모드
"ab"	추가 모드+이진 파일 모드
"rb+"	읽고 쓰기 모드+이진 파일 모드
"wb+"	쓰고 읽기 모드+이진 파일 모드

다음의 예와 그림은 이진 파일 쓰기를 나타낸다.

```
size_t    fwrite( void *buffer,    size_t size,    size_t count,   FILE *fp);
```

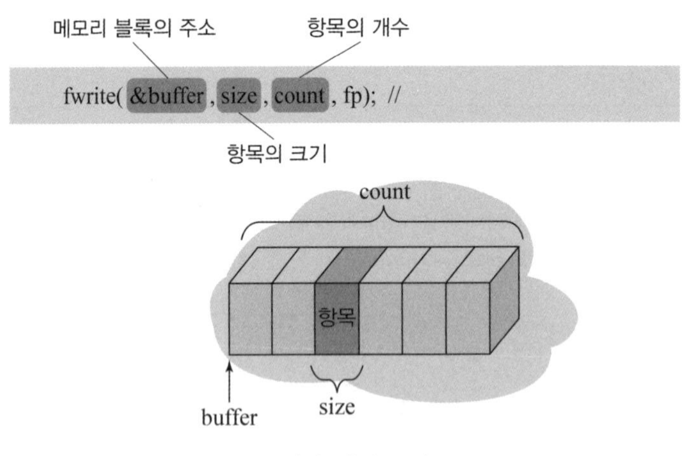

▲ 이진 파일 쓰기

12. 버퍼링

fopen()을 사용하여 파일을 열면, 버퍼가 자동으로 만들어진다. 버퍼는 파일로부터 읽고 쓰는 데이터의 임시 저장 장소로 이용되는 메모리의 블록이다. 디스크 드라이브는 블록 단위 장치이기 때문에 블록 단위로 입출력을 해야만 가장 효율적으로 동작한다. 1024바이트의 블록이 일반적이고, 파일과 연결된 버퍼는 파일과 물리적인 디스크 사이의 인터페이스로 사용된다. 다음 그림은 버퍼링을 나타낸다.

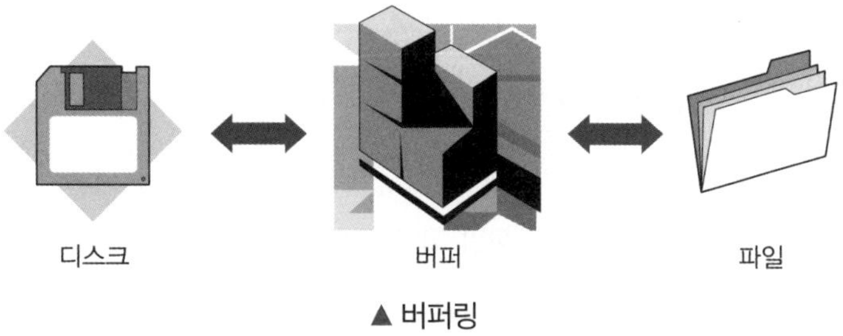

▲ 버퍼링

13. 임의 접근 파일

순차 접근(sequential access) 방법은 데이터를 파일의 처음부터 순차적으로 읽거나 기록하는 방법이고, 임의 접근(random access) 방법은 파일의 어느 위치에서든지 읽기와 쓰기가 가능한 방법이다. 다음 그림은 순차 접근과 임의 접근을 나타낸다.

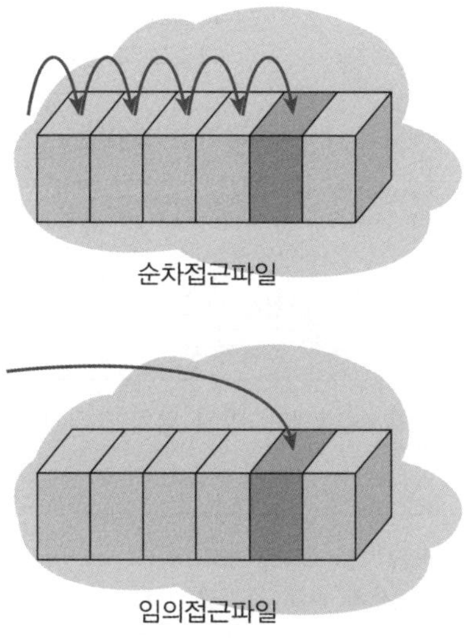

▲ 순차 접근과 임의 접근

임의 접근 파일은 파일 위치 표시자를 이용한다. 파일 위치 표시자는 읽기와 쓰기 동작이 현재 어떤 위치에서 이루어지는 지를 나타낸다. 강제적으로 파일 위치 표시자를 이동시키면 임의 접근이 가능하다. 다음 그림은 파일 위치 표시자를 나타낸다.

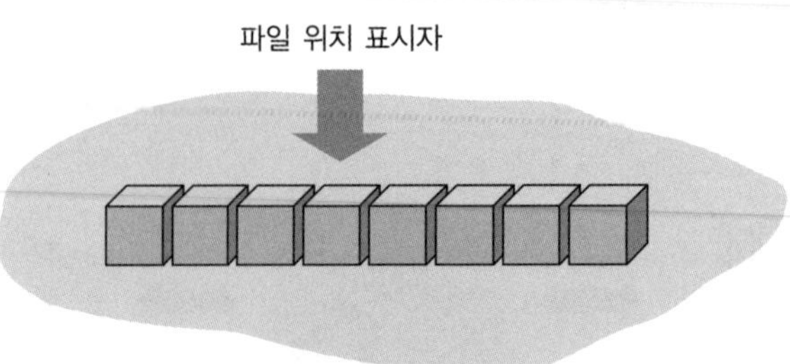

▲ 파일 위치 표시자

다음은 임의 접근 관련 함수(fseek)와 실제 예는 다음과 같다.

```
int fseek(FILE *fp, long offset, int origin);
```

```
fseek(fp, 0L, SEEK_SET);                        // 파일의 처음으로 이동
fseek(fp, 0L, SEEK_END);                        // 파일의 끝으로 이동
fseek(fp, 100L, SEEK_SET);                      // 파일의 처음에서 100바이트 이동
fseek(fp, 50L, SEEK_CUR);                       // 현재 위치에서 50바이트 이동
fseek(fp, -20L, SEEK_END);                      // 파일의 끝에서 20바이트 앞으로 이동
fseek(fp, sizeof(struct element), SEEK_SET);    // 파일의 처음에서 구조체만큼 이동
```

다음의 표는 fseek의 origin에 들어갈 수 있는 상수를 정리한 것이다.

상수	값	설명
SEEK_SET	0	파일의 시작
SEEK_CUR	1	현재 위치
SEEK_END	2	파일의 끝

다음은 임의 접근 관련 함수(rewind, ftell)를 나타낸다. 파일 위치 표시자를 초기화하고 현재 위치를 알아내는 함수들이다.

```
void rewind(FILE *fp); // 파일 위치 표시자를 0으로 초기화
long ftell(FILE *fp); // 파일 위치 표시자의 현재 위치를 반환
```

CHAPTER 12

자바

1 배열

다음의 프로그램은 Cir 객체 5개를 가지는 배열을 생성하고, Cir 객체의 반지름을 0에서 4까지 각각 지정한 후 면적을 출력하는 예제를 나타낸다.

```
class Cir {
        int radius;
        public Cir(int radius) { // public은 외부에서 접근이 가능함을 의미
                this.radius = radius; // this는 자기 자신을 가리키는 객체
        }
        public double getArea() {
                return 3.14*radius*radius;
        }
}

public class CirArray {
        public static void main(String[] args) { // static은 실행 전에 생성된 것을 의미(프로그램 내에서
오직 하나)
                Cir [] c;
                c = new Cir[5]; // 전체 배열 생성

                for(int i=0; i<c.length; i++) // length는 자바에서 자동으로 주어짐
                        c[i] = new Cir(i); // 개별 객체 생성, 생성자 호출

                for(int i=0; i<c.length; i++)
                        System.out.print((int)(c[i].getArea()) + " "); // 멤버함수 호출
        }
}
```

```
0 3 12 28 50
```

2 자바 인터페이스 (vs. 추상 클래스)

1. 개요

자바 인터페이스는 상수와 추상 메소드로만 구성된다. 즉, 변수 필드가 없다(추상 클래스와 다른 점). 다음은 인터페이스 선언을 나타낸다. interface 키워드로 선언됨에 유의한다.

```
interface PInterface { // public interface로서 public 생략 가능
        int BUTTONS = 20; // 상수 필드 선언, public static final로서 public static final 생략 가능, final은 프로그램 중간에 BUTTONS의 값이 바뀌지 않음을 의미
        void sendCall(); // 추상 메소드, abstract public으로서 abstract public 생략 가능, abstract는 구체적인 구현이 없음을 의미
        void receiveCall(); // 추상 메소드
}
```

자바 인터페이스의 특징은 다음과 같다.

- 상수와 추상 메소드로만 구성된다.
- 메소드는 public abstract 타입으로 생략 가능하다.
- 상수는 public static final 타입으로 생략 가능하다(static은 모든 객체에 하나라는 의미).
- 인터페이스의 객체 생성이 불가하다(추상 클래스와 같은 점).

```
new PInterface(); // 오류. 인터페이스의 객체를 생성할 수 없다.
```

2. 인터페이스 상속

인터페이스 간에 상속이 가능하다(추상 클래스와 같은 점). 인터페이스를 상속하여 확장된 인터페이스 작성이 가능하다. 다음의 예와 같이 extends 키워드로 상속을 선언한다.

```
interface MPInterface extends PInterface {
        void sendSMS();              // 새로운 추상 메소드 추가
        void receiveSMS();           // 새로운 추상 메소드 추가
}
```

인터페이스 다중 상속을 허용한다(추상 클래스와 다른 점). 다음의 예는 인터페이스 다중 상속을 나타낸다.

```
interface MPInterface extends PInterface, MP3Interface {
        ......
}
```

3. 인터페이스 구현

인터페이스 구현에서는 인터페이스를 상속받아 모든 추상 메소드를 구현한 클래스를 선언한다(추상 클래스와 같은 점). 다음의 예와 같이 implements 키워드로 인터페이스를 구현한다. 여러 개의 인터페이스 동시 구현도 가능하고, 클래스 상속과 인터페이스 구현을 동시에 할 수 있다.

```
class FPhone implements MPInterface { // 인터페이스 구현
        // MobilePhoneInterface의 모든 메소드 구현
        public void sendCall() { … }
        public void receiveCall() { … }
        public void sendSMS() { … }
        public void receiveSMS() { … }

        // 다른 메소드 추가 가능
        public int getButtons() { … }
}
```

3 예외 처리

1. throw 문

throw 문은 예외를 발생시킨다. 작성 방법은 다음과 같다. throw 문이 실행되면 명시된 예외클래스의 객체가 생성되고 해당 예외가 발생한다.

```
throw new 예외클래스이름(매개변수);
```

다음 프로그램은 throw 문의 예를 나타낸다.

```
int money, price, num;
try  {
        // 금액과 책의 가격을 입력 받아 money와 price에 저장한다
             ...
        if (price == 0)
           throw new Exception("예외 발생: 책의 가격이 0이다!");
        num = money / price;
        System.out.println("책들의 최대 권수: " + num);
}
catch (Exception e) {
     System.out.println(e.getMessage( ));
     System.out.println("예외 처리: 책의 가격은 0보다 커야 한다.");
}
```

프로그램 실행 결과는 입력 받은 책의 가격이 0인 경우 Exception 예외를 발생시킨다. 이 때 "예외 발생: 책의 가격이 0이다!"라는 문자열을 넘겨준다. 예외가 발생하면 catch 블록을 수행한다. 이 때 e.getMessage( )는 "예외 발생: 책의 가격이 0이다!"라는 문자열을 반환한다. 해당 출력 결과는 아래와 같다.

```
금액을 입력하세요: 10000
책의 가격을 입력하세요: 0
예외 발생: 책의 가격이 0이다!
예외 처리: 책의 가격은 0보다 커야 한다.
```

2. try-catch-finally문

예외 처리는 발생한 예외에 대해 개발자가 작성한 프로그램 코드에서 대응하는 것이다. 다음 그림과 같은 try-catch-finally문을 사용하고, finally 블록은 생략 가능하다.

```
try  {
     예외가 발생할 가능성이 있는 실행문(try 블록)
}
catch  (처리할 예외 타입 선언)  {
     예외 처리문(catch 블록)
}
finally  {
     예외 발생 여부와 상관없이 무조건 실행되는 문장(finally 블록)   } 생략 가능
}
```

▲ try-catch-finally문

다음 그림은 예외가 발생하지 않는 경우와 발생한 경우 제어의 흐름을 나타낸다. 발생한 예외가 catch()의 처리할 예외 타입과 일치하는 catch 블록 실행이 실행된다. 즉, 발생된 예외 클래스에 따라 여러 개의 catch() 블록이 있을 수 있음에 유의한다.

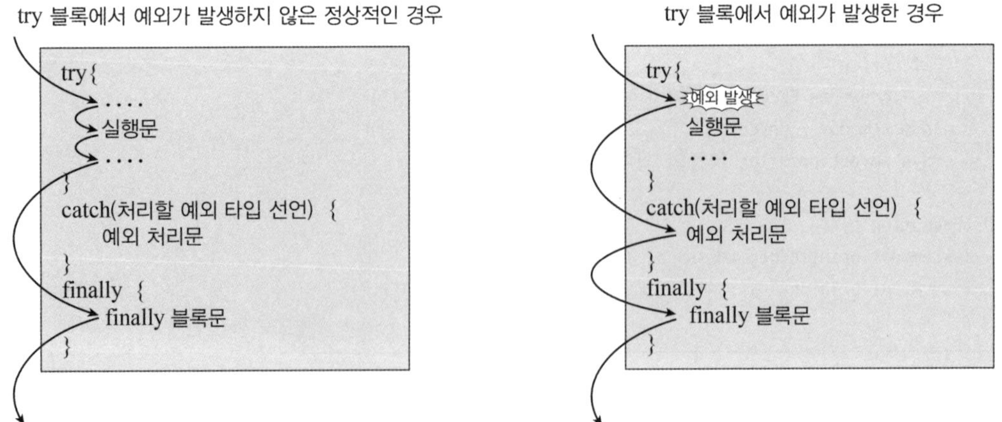

▲ 예외가 발생하지 않는 경우와 발생한 경우 제어의 흐름

4 가비지

1. 개요

가비지는 가리키는 레퍼런스가 하나도 없는 객체이고, 더 이상 접근할 수 없어 사용할 수 없게 된 메모리이다. 가비지 켈렉션는 자바 가상 기계(JVM)의 가비지 컬렉터가 자동으로 가비지 수집 및 반환 하는 것을 의미한다. 다음 그림은 가비지를 나타낸다.

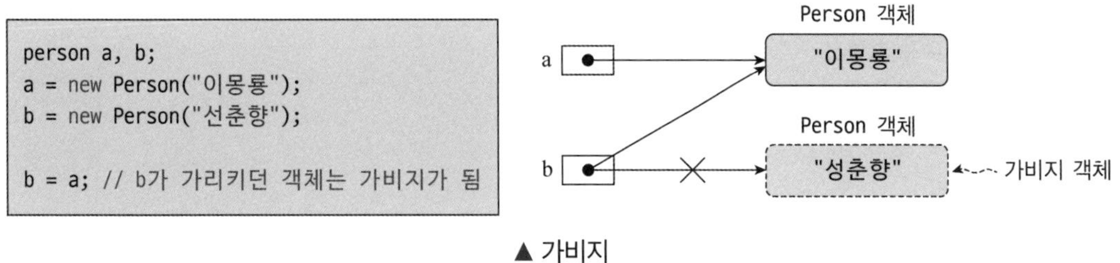

▲ 가비지

2. 가비지의 발생

다음 프로그램은 가비지의 발생 예제를 나타낸다.

```
public class GarbageEx {
        public static void main(String[] args) {
                String a = new String("Good");
                String b = new String("Bad");
                String c = new String("Normal");
                String d, e;
                a = null;
                d = c;
                c = null;
        }
}
```

다음 그림은 프로그램 실행 후의 가비지를 나타낸다.

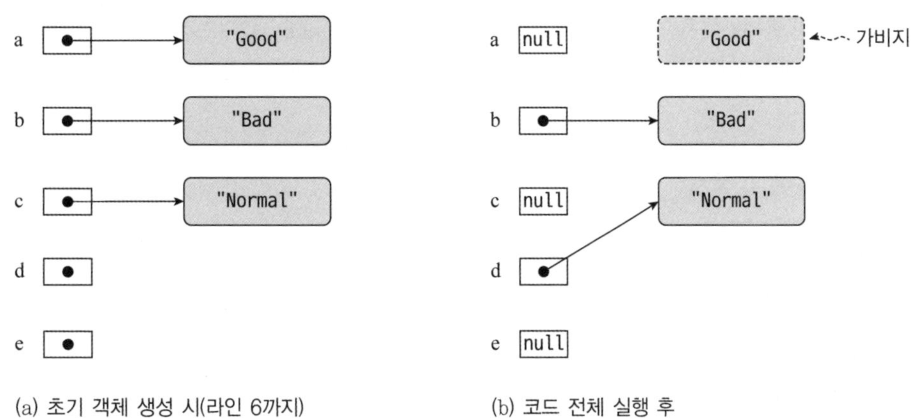

▲ 프로그램 실행 후의 가비지

3. 가비지 컬렉션

가비지 컬렉션은 자바 가상 기계(JVM)가 가비지를 자동으로 회수하는 것을 나타낸다. 가용 메모리 공간이 일정 이하로 부족해질 때 가비지를 수거하여 가용 메모리 공간으로 확보한다. 가비지 컬렉터(garbage collector)에 의해 자동으로 수행된다.

강제 가비지 컬렉션 수행은 System 또는 Runtime 객체의 gc() 메소드를 호출한다. 이 코드는 자바 가상 기계에 강력한 가비지 컬렉션을 요청한다. 그러나 자바 가상 기계가 가비지 컬렉션 시점을 전적으로 판단한다.

```
System.gc(); // 가비지 컬렉션 작동 요청
```

5 접근 지정자

1. 개요

자바의 접근 지정자는 private, protected, public, 디폴트(접근지정자 생략) 4가지가 존재한다.

접근 지정자의 목적은 클래스나 일부 멤버를 공개하여 다른 클래스에서 접근하도록 허용한다. 객체 지향 언어의 캡슐화 정책은 멤버를 보호하는 것이고(정보 은닉), 접근 지정은 캡슐화에 묶인 보호를 일부 해제할 목적으로 사용된다. 접근 지정자에 따른 클래스나 멤버의 공개 범위는 다음 그림과 같다.

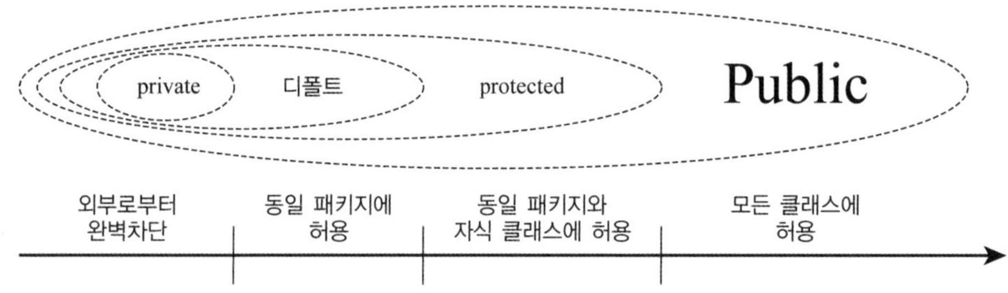

▲ 접근 지정자에 따른 클래스나 멤버의 공개 범위

2. 클래스 접근지정

클래스 접근지정은 다른 클래스에서 사용하도록 허용할지를 지정한다. public 클래스는 다른 모든 클래스에게 접근을 허용하고, 디폴트 클래스(접근지정자 생략)는 package-private라고도 하고 같은 패키지의 클래스에만 접근을 허용한다.

```
public class A { // public 클래스
…………
}
class B { // 디폴트 클래스
…………
}
```

다음 그림은 public 클래스와 디폴트 클래스의 접근 사례를 나타낸다.

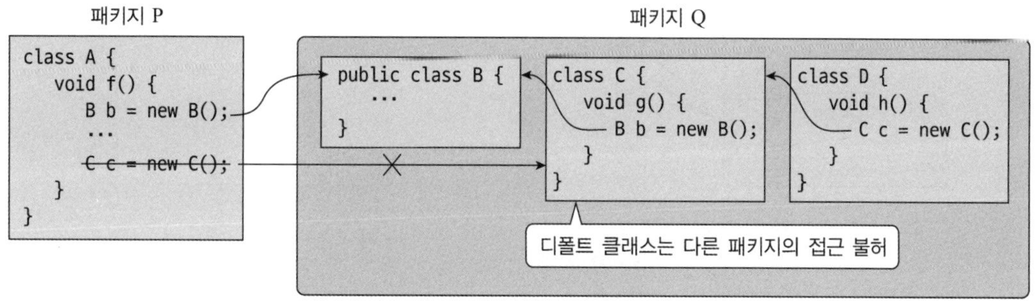

▲ public 클래스와 디폴트 클래스의 접근 사례

3. 멤버 접근 지정

public 멤버는 패키지에 관계없이 모든 클래스에게 접근을 허용하고, private 멤버는 동일 클래스 내에만 접근을 허용한다. 상속 받은 서브 클래스에서 접근이 불가능하다. protected 멤버는 같은 패키지 내의 다른 모든 클래스에게 접근을 허용하고, 상속 받은 서브 클래스는 다른 패키지에 있어도 접근이 가능하다. 디폴트(default) 멤버는 같은 패키지 내의 다른 클래스에게 접근을 허용한다. 다음의 표는 멤버 접근 지정을 나타낸다.

멤버에 접근하는 클래스	멤버의 접근 지정자			
	private	디폴트 접근 지정	protected	public
같은 패키지의 클래스	×	○	○	○
다른 패키지의 클래스	×	×	×	○
접근 가능 영역	클래스 내	동일 패키지 내	동일 패키지와 자식 클래스	모든 클래스

다음 그림은 멤버 접근 지정 사례를 나타낸다. 각각 public, private, 디폴트, protected 접근 지정 사례를 나타낸다.

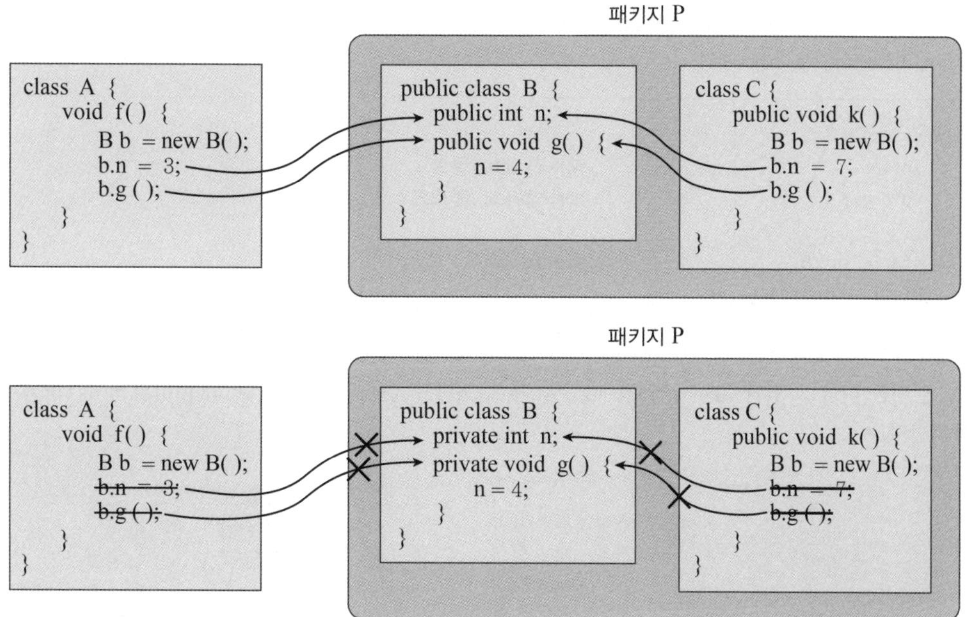

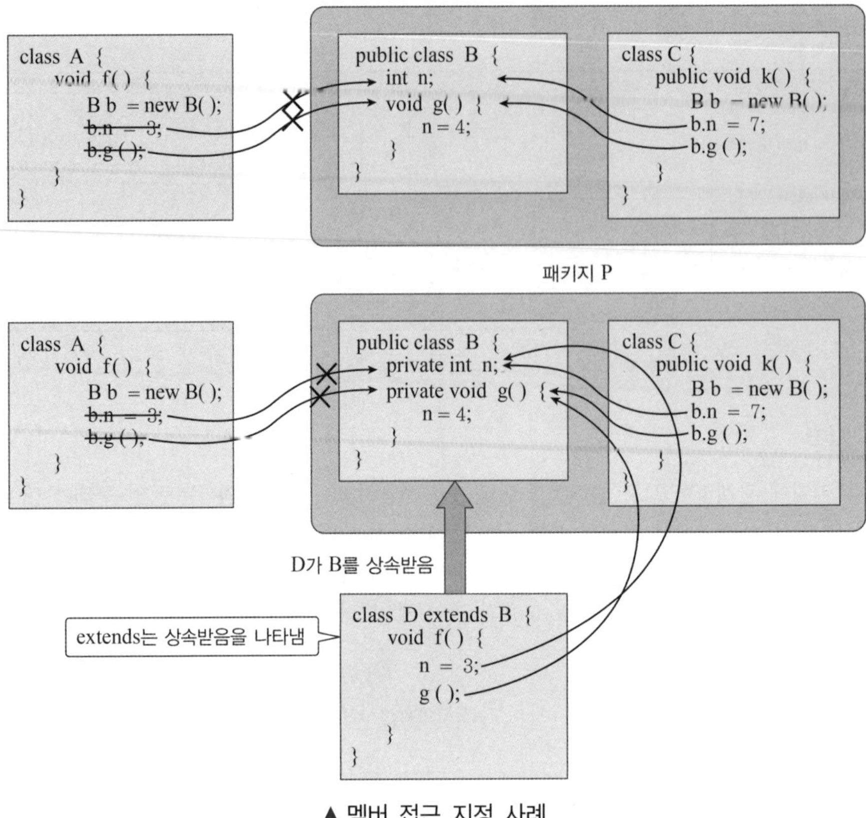

▲ 멤버 접근 지정 사례

6 static 멤버

1. 개요

다음은 static 멤버 선언을 나타낸다.

```
class StaticSample {
        int a;                      // non-static 필드
        void g() {...}              // non-static 메소드

        static int b;               // static 필드
        static void f() {...}               // static 메소드
}
```

non-static 멤버는 다음 그림과 같이 객체가 생성될 때 객체마다 생긴다. 객체마다 n, g(n)의 non-static 멤버들이 생김에 유의한다.

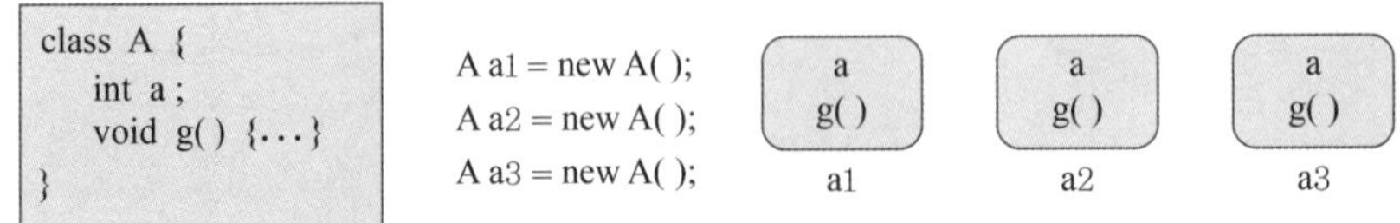

▲ non-static 멤버

static 멤버는 다음 그림과 같이 클래스 당 하나만 생성되고, 객체들에 의해 공유된다. StaticSample의 어떤 객체가 생기기 전에도 static 멤버는 생성되어 있음에 유의한다.

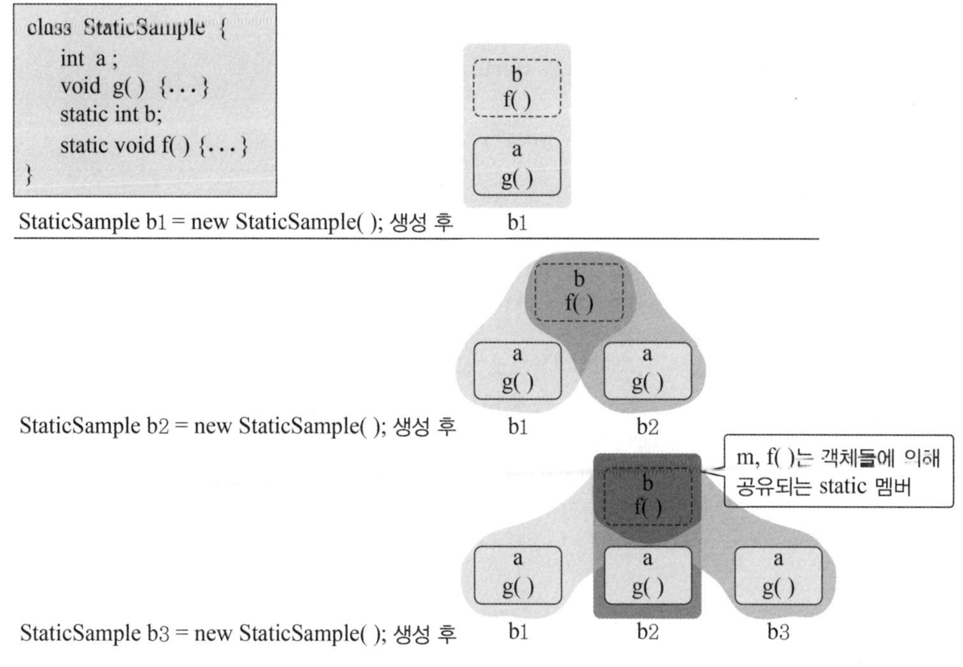

▲ static 멤버

다음의 표는 static 멤버와 non-static 멤버 특성을 정리한 것이다.

구분	non-static 멤버	static 멤버

선언	`class Sample {`
	`  int a;`
	`  void g() {...}`
	`}`
		`class Sample {`
		`  static int b;`
		`  static void g() {...}`
		`}`

공간적 특성	• 멤버는 객체마다 별도 존재 • 인스턴스 멤버라고 부름	• 멤버는 클래스당 하나 생성 • 멤버는 객체 내부가 아닌 별도의 공간에 생성 • 클래스 멤버라고 부름
시간적 특성	• 객체 생성 시에 멤버 생성됨 • 객체가 생길 때 멤버도 생성 • 객체 생성 후 멤버 사용 가능 • 객체가 사라지면 멤버도 사라짐	• 클래스 로딩 시에 멤버 생성 • 객체가 생기기 전에 이미 생성 • 객체가 생기기 전에도 사용 가능 • 객체가 사라져도 멤버는 사라지지 않음 • 멤버는 프로그램이 종료될 때 사라짐
공유의 특성	• 공유되지 않음 • 멤버는 객체 내에 각각 공간 유지	동일한 클래스의 모든 객체들에 의해 공유됨

2. static 멤버 사용

static 멤버는 다음과 같이 클래스 이름으로 접근이 가능하다.

```
StaticSample.b = 3;         // 클래스 이름으로 static 필드 접근
StaticSample.f();           // 클래스 이름으로 static 메소드 호출
```

그리고 static 멤버는 다음과 같이 객체의 멤버로 접근이 가능하다.

```
StaticSample b1 = new StaticSample();

b1.b = 3;                   // 객체 이름으로 static 필드 접근
b1.f();                     // 객체 이름으로 static 메소드 호출
```

그러나 non-static 멤버는 다음과 같이 클래스 이름으로 접근이 안 된다.

```
StaticSample.a = 5;         // n은 non-static이므로 컴파일 오류
StaticSample.g();           // g()는 non-static이므로 컴파일 오류
```

3. static의 활용

static은 전역 변수와 전역 함수를 만들 때 활용한다(동적 바인딩이 적용되지 않음에 유의). 그리고 공유 멤버를 만들고자 할 때 사용한다. static으로 선언한 멤버는 클래스의 객체들 사이에 공유된다.

7 final

1. 클래스와 메소드

final 클래스는 다음과 같이 더 이상 클래스 상속이 불가능하다.

```
final class FClass {
.....
}
class DerivedClass extends FClass { // 컴파일 오류
.....
}
```

final 메소드는 다음과 같이 더 이상 오버라이딩이 불가능하다.

```
public class SClass {
protected final int finalMethod() { … }
}

class SubClass extends SClass {
protected int finalMethod() { … } // 컴파일 오류, 오버라이딩 할 수 없음
}
```

2. final 필드

final 필드는 다음과 같이 상수를 선언할 때 사용한다.

```
class SClass {
public static final double PI = 3.14;
}
```

상수 필드는 다음과 같이 선언 시에 초기 값을 지정하여야 한다. 그리고 상수 필드는 실행 중에 값을 변경할 수 없다.

```
public class FFieldClass {
  final int ROWS = 10; // 상수 정의, 이때 초기 값(10)을 반드시 설정

  void f() {
    int [] intArray = new int [ROWS]; // 상수 활용
    ROWS = 30; // 컴파일 오류 발생, final 필드 값을 변경할 수 없다.
  }
}
```

8 오버로딩과 오버라이딩

1. 개요

다음의 표는 오버로딩과 오버라이딩을 정리한 것이다.

비교 요소	메소드 오버로딩	메소드 오버라이딩
선언	같은 클래스나 상속 관계에서 동일한 이름의 메소드 중복 작성	서브 클래스에서 슈퍼 클래스에 있는 메소드와 동일한 이름의 메소드 재작성
관계	동일한 클래스 내 혹은 상속 관계	상속 관계
목적	이름이 같은 여러 개의 메소드를 중복 선언하여 사용의 편리성 향상	슈퍼 클래스에 구현된 메소드를 무시하고 서브 클래스에서 새로운 기능의 메소드를 재정의하고자 함
조건	메소드 이름은 반드시 동일함. 메소드의 인자의 개수나 인자의 타입이 달라야 성립	메소드의 이름, 인자의 타입, 인자의 개수, 인자의 리턴 타입 등이 모두 동일하여야 성립
바인딩	정적 바인딩. 컴파일 시에 중복된 메소드 중 호출되는 메소드 결정	동적 바인딩. 실행 시간에 오버라이딩된 메소드 찾아 호출

2. 동적 바인딩

다음 프로그램은 일반적인 경우의 메소드 호출을 나타낸다.

```
public class AObject {
        protected String name;
        public void paint() {
                draw();
        }
        public void draw() {
                System.out.println("A Object");
        }
        public static void main(String [] args) {
                AObject a = new AObject();
                a.paint();
        }
}
```

```
A Object
```

위의 프로그램에서 a.paint()를 호출하면 다음 그림과 같은 순서로 호출이 발생한다.

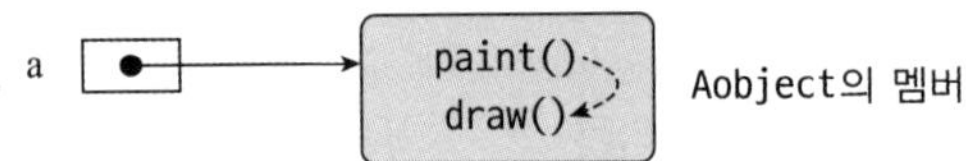

▲ 일반적인 경우의 메소드 호출

다음 프로그램은 상속 관계에서의 메소드 호출을 나타낸다. 상속 관계에서는 오버라이딩(overriding) 메소드가 항상 호출됨에 유의한다.

```
class AObject {
        protected String name;
        public void paint() {
                draw();
        }
        public void draw() {
                System.out.println("A Object");
        }
}
public class BObject extends AObject {
        public void draw() {
                System.out.println("B Object");
        }
        public static void main(String [] args) {
                AObject b = new BObject();
                b.paint();
        }
}
```

```
B Object
```

위의 프로그램에서 b.paint()를 호출하면 다음 그림과 같은 순서로 호출이 발생한다. SubperObject의 draw()가 아닌 SubObject의 draw()가 호출됨에 유의한다. 이를 동적 바인딩(미리 함수 호출이 결정된 것이 아니라 실행 시간에 함수 호출이 결정)이라고 한다.

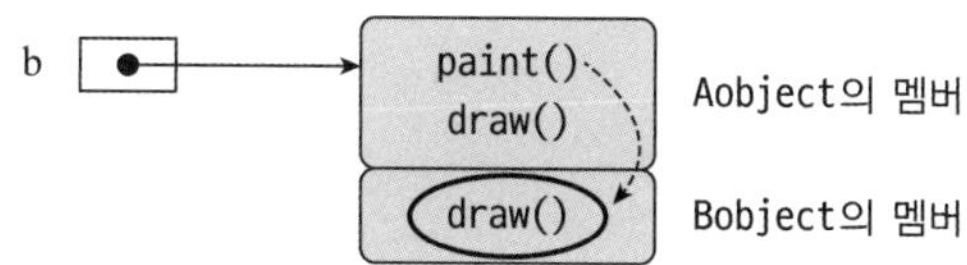

▲ 상속 관계에서의 메소드 호출

9 상속

1. 개요

다음의 그림은 상속의 필요성을 나타낸다. 상속이 없는 경우 중복된 멤버를 가진 4 개의 클래스를 사용해야 하는 반면, 상속을 이용한 경우 중복이 제거되고 간결해진 클래스 구조를 가짐에 유의한다.

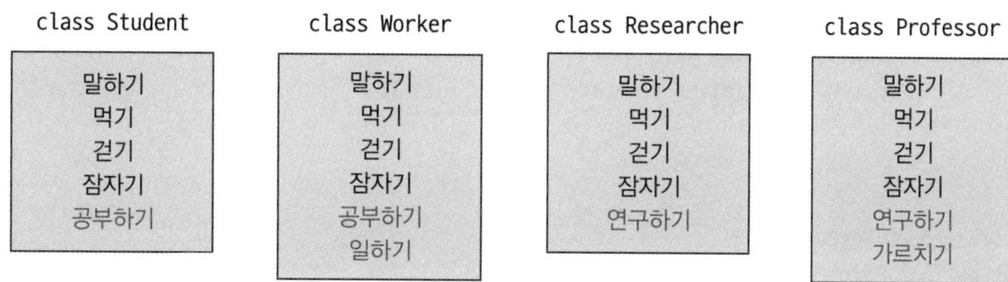

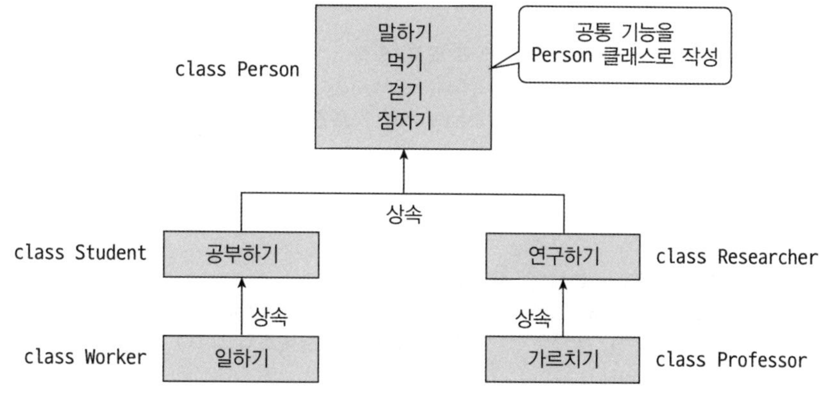

▲ 상속의 필요성

2. 상속 선언

상속은 다음과 같이 extends 키워드로 선언한다. 부모 클래스를 물려받아 확장한다는 의미이다. 부모 클래스는 슈퍼 클래스(super class)이고, 자식 클래스는 서브 클래스(sub class)이다. CPoint는 Point를 물려받으므로, Point에 선언된 필드와 메소드 선언이 필요 없음에 유의한다.

```
class Point { // 부모 클래스
        int x, y;
…
}

class CPoint extends Point { // Point를 상속받는 ColorPoint 클래스 선언(자식)
…
}
```

다음은 (x, y)의 한 점을 표현하는 Point 클래스와 이를 상속받아 점에 색을 추가한 CPoint 클래스를 나타낸다.

```
class Point {
        private int x, y; // 한 점을 구성하는 x, y 좌표
        void set(int x, int y) {
                this.x = x; this.y = y;
        }
        void showPoint() { // 점의 좌표 출력
                System.out.println("(" + x + "," + y + ")");
        }
}

// Point를 상속받은 ColorPoint 선언
class CPoint extends Point {
        private String color; // 점의 색
        void setColor(String color) {
                this.color = color;
        }
        void showColorPoint() { // 컬러 점의 좌표 출력
                System.out.print(color);
                showPoint(); // Point의 showPoint() 호출
        }
}

public class CPointEx {
        public static void main(String [] args) {
                Point p = new Point();          // Point 객체 생성
                p.set(1, 2);                    // Point 클래스의 set() 호출
                p.showPoint();

                CPoint cp = new CPoint();
                cp.set(3, 4);                   // Point 클래스의 set() 호출
                cp.setColor("red");                     // ColorPoint의 setColor() 호출
                cp.showColorPoint();            // 컬러와 좌표 출력
        }
}
```

```
(1,2)
red(3,4)
```

슈퍼 클래스 객체와 서브 클래스의 객체는 별개이고, 서브 클래스 객체는 슈퍼 클래스 멤버를 포함한다. 다음 그림은 서브 클래스의 모양을 나타낸다.

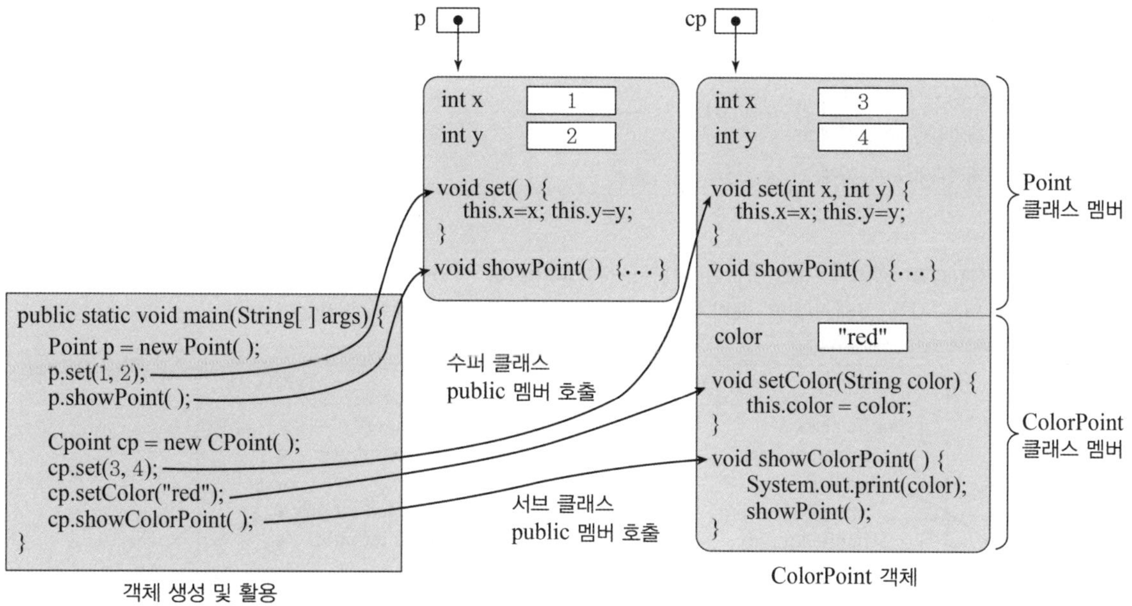

▲ 서브 클래스의 모양

3. 서브 클래스에서 슈퍼 클래스 멤버 접근(private, default)

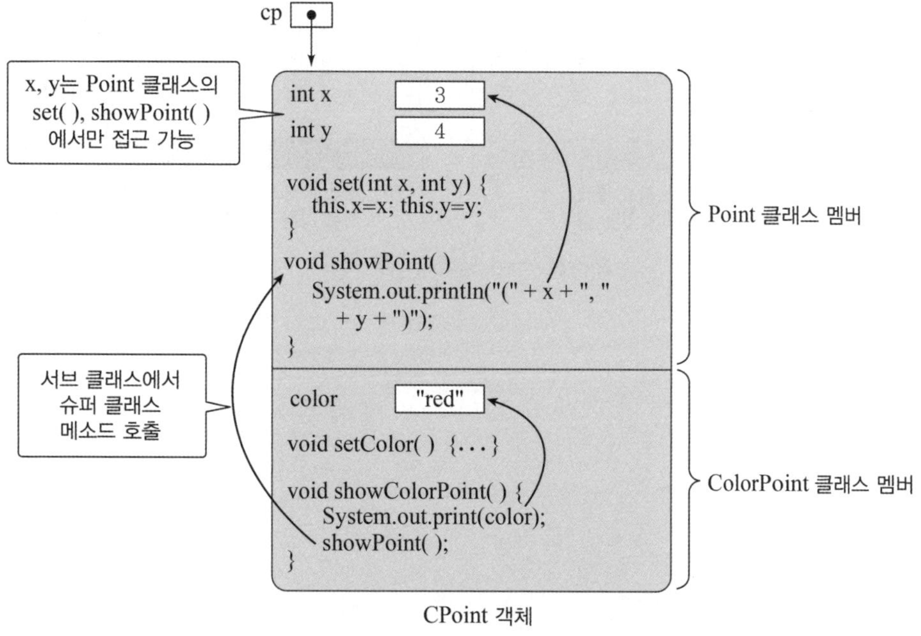

▲ 슈퍼 클래스의 멤버에 대한 서브 클래스의 접근

슈퍼 클래스의 private 멤버는 서브 클래스에서 접근할 수 없고, 슈퍼 클래스의 디폴트 멤버는 서브 클래스가 동일한 패키지에 있을 때 접근 가능하다. 슈퍼 클래스의 public 멤버는 서브 클래스는 항상 접근 가능하고, 슈퍼 클래스의 protected 멤버는 같은 패키지 내의 모든 클래스 접근을 허용한다. 그리고 패키지 여부와 상관없이 서브 클래스는 접근 가능하다. 다음의 표는 슈퍼 클래스 멤버의 접근 지정자를 나타낸다.

슈퍼 클래스 멤버에 접근하는 클래스 종류	슈퍼 클래스 멤버의 접근 지정자			
	private	디폴트	protected	public
같은 패키지의 클래스	×	○	○	○
다른 패키지의 클래스	×	×	×	○
같은 패키지의 서브 클래스	×	○	○	○
다른 패키지의 서브 클래스	×	×	○	○

(○는 접근 가능함을, ×는 접근 불가능함을 뜻함)

다음 그림은 protected 멤버에 대한 접근을 나타낸다(default와의 차이점에 유의). 같은 패키지의 모는 클래스에세 허용하고, 상속되는 서브 클래스(같은 패키지든 다른 패키지든 상관없음)에게 허용한다.

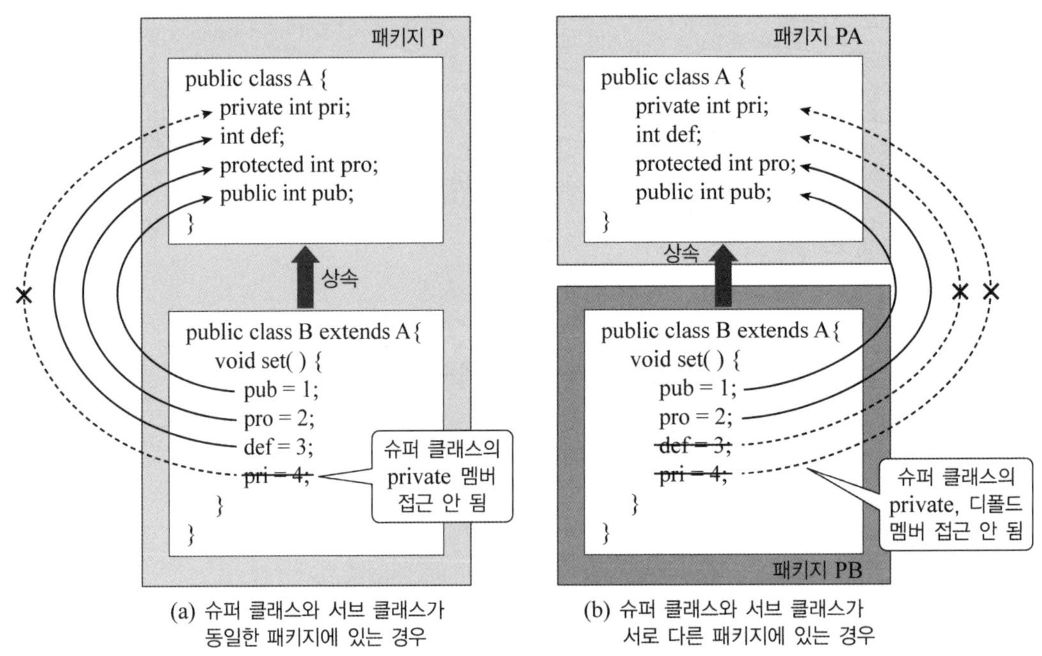

▲ protected 멤버에 대한 접근

4. 서브 클래스와 슈퍼 클래스의 생성자 선택

슈퍼 클래스와 서브 클래스는 각각 여러 개의 생성자 작성이 가능하다. 서브 클래스의 객체가 생성될 때 슈퍼 클래스 생성자 1개와 서브 클래스 생성자 1개가 실행된다(약속). 서브 클래스의 생성자와 슈퍼 클래스의 생성자가 결정되는 방식은 다음과 같다.

- 개발자의 명시적 선택: 서브 클래스 개발자가 슈퍼 클래스의 생성자를 명시적으로 선택한다. super() 키워드를 이용하여 선택한다.
- 컴파일러가 기본생성자 선택: 서브 클래스 개발자가 슈퍼 클래스의 생성자를 선택하지 않는 경우로써, 컴파일러가 자동으로 슈퍼 클래스의 기본 생성자를 선택한다(default).

다음 그림은 컴파일러에 의해 슈퍼 클래스의 기본 생성자가 묵시적으로 선택한 경우를 나타낸다. 개발자가 서브 클래스의 생성자에 대해 슈퍼 클래스의 생성자를 명시적으로 선택하지 않은 경우이다(default).

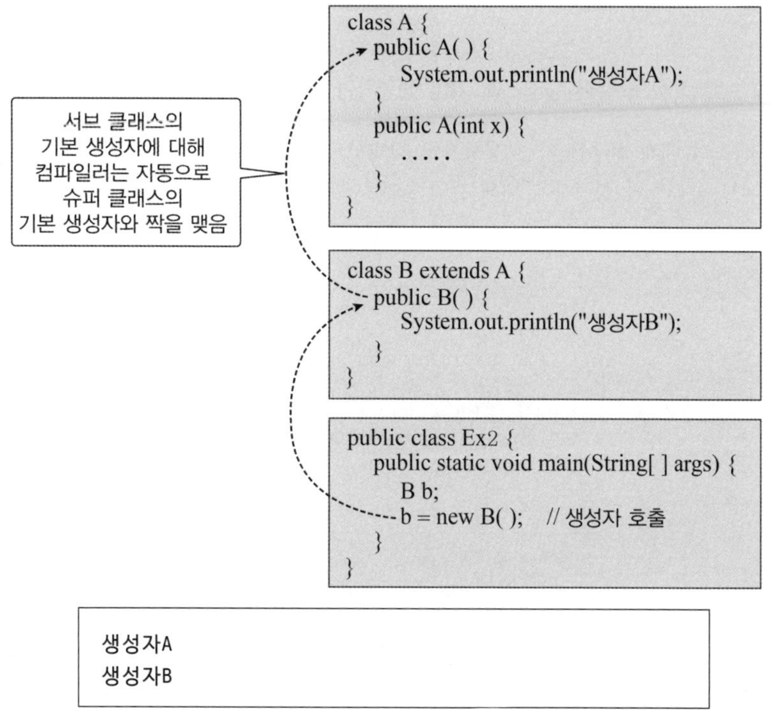

▲ 컴파일러에 의해 슈퍼 클래스의 기본 생성자가 묵시적 선택

다음 그림은 슈퍼 클래스에 기본 생성자가 없어 오류가 난 경우를 나타낸다. 실제 컴파일을 하면 다음과 같은 오류 메시지가 발생함을 알 수 있다.

```
"Implicit super constructor A() is undefined. Must explicitly invoke another constructor"
```

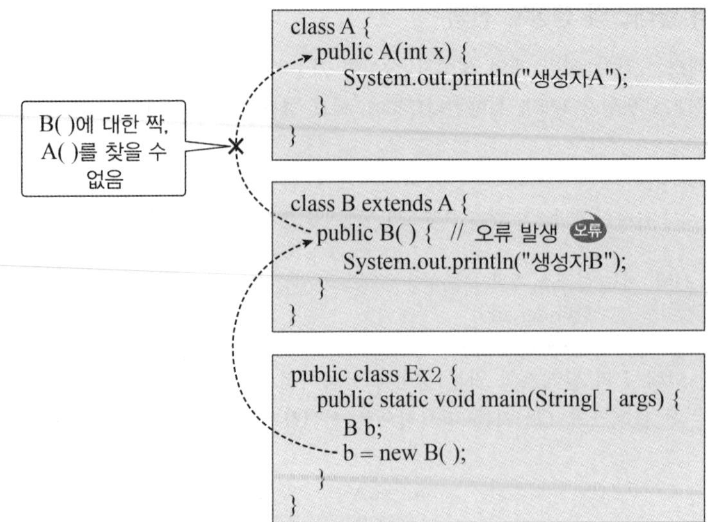

▲ 슈퍼 클래스에 기본 생성자가 없어 오류 난 경우

다음 그림은 서브 클래스의 매개 변수를 가진 생성자에 대해서도 슈퍼 클래스의 기본 생성자가 자동 선택하는 것을 나타낸다. 개발자가 서브 클래스의 생성자에 대해 슈퍼 클래스의 생성자를 명시적으로 선택하지 않은 경우를 나타낸다(default).

```
class A {
    public A( ) {
        System.out.println("생성자A");
    }
    public A(int x) {
        System.out.println("매개변수생성자A");
    }
}
```

```
class B extends A {
    public B( ) {
        System.out.println("생성자B");
    }
    public B(int x) {
        System.out.println("매개변수생성자B");
    }
}
```

```
public class Ex3 {
    public static void main(String[ ] args) {
        B b;
        b = new B(5);
    }
}
```

```
생성자A
매개변수생성자B
```

▲ 서브 클래스의 매개 변수를 가진 생성자에 대해서도 슈퍼 클래스의 기본 생성자가 자동 선택

super()는 서브 클래스에서 명시적으로 슈퍼 클래스의 생성자를 선택하여 호출하고, 사용 방식은 다음과 같다. 인자를 이용하여 슈퍼 클래스의 적당한 생성자를 호출하여야 하고, 반드시 서브 클래스 생성자 코드의 제일 첫 라인에 와야 함에 유의한다.

```
super(parameter);
```

다음의 프로그램은 super()로 슈퍼 클래스의 생성자를 명시적으로 선택한 사례를 나타낸다.

```
class A {
    public A( ) {
        System.out.println("생성자A");
    }
    public A(int x) {
        System.out.println("매개변수생성자A" + x);
    }
}
```

```
class B extends A {
    public B( ) {
        System.out.println("생성자B");
    }
    public B(int x) {
        super(x);   // 첫 줄에 와야 함
        System.out.println("매개변수생성자B" + x);
    }
}
```

```
public class Ex4 {
    public static void main(String[ ] args) {
        B b;
        b = new B(5);
    }
}
```

```
매개변수생성자A5
매개변수생성자B5
```

10 추상 클래스

1. 추상 메소드와 추상 클래스

추상 메소드(abstract method)는 다음과 같이 abstract로 선언된 메소드로 메소드의 코드는 없고 원형만 선언된 것을 의미한다(구현 없음).

```
public abstract String Name(); // 추상 메소드
public abstract String fail() { return "Good Bye"; } // 추상 메소드 아님. 컴파일 오류
```

추상 클래스(abstract class)는 다음과 같이 추상 메소드를 가지며 abstract로 선언된 클래스와 추상 메소드 없이 abstract로 선언한 클래스를 의미한다.

```
// 추상 메소드를 가진 추상 클래스
abstract class Shape {
        Shape() { ... }
        void area() { ... }

        abstract public void draw(); // 추상 메소드
}
```

```
// 추상 메소드 없는 추상 클래스
abstract class Component {
        String name;
        void load(String name ) {
                this.name= name;
        }
}
```

```
class A { // 오류. 추상 메소드를 가지고 있으므로 abstract로 선언되어야 함
        abstract void f(); // 추상 메소드
}
```

2. 인스턴스 생성 불가

추상 클래스는 온전한 클래스가 아니기 때문에 다음과 같이 인스턴스를 생성할 수 없다. 컴파일을 수행하면 다음과 같은 컴파일 오류 메시지가 발생한다.

```
Unresolved compilation problem: Cannot instantiate the type Shape
```

```
Component p;               // 오류 없음. 추상 클래스의 레퍼런스 선언
p = new Component();       // 컴파일 오류. 추상 클래스의 인스턴스 생성 불가
Shape obj = new Shape();   // 컴파일 오류. 추상 클래스의 인스턴스 생성 불가
```

3. 상속과 구현

추상 클래스를 상속받으면 다음과 같이 추상 클래스가 되고, 서브 클래스도 abstract로 선언해야 한다.

```
abstract class A { // 추상 클래스
        abstract int add(int x, int y); // 추상 메소드
}
abstract class B extends A { // 추상 클래스
        void print() { System.out.println("B"); }
}
```

```
A a = new A(); // 컴파일 오류. 추상 클래스의 인스턴스 생성 불가
B b = new B(); // 컴파일 오류. 추상 클래스의 인스턴스 생성 불가
```

서브 클래스에서 다음과 같이 슈퍼 클래스의 추상 메소드를 구현한다(오버라이딩). 추상 클래스를 구현한 서브 클래스는 추상 클래스 아님에 유의한다.

```
class C extends A { // 추상 클래스 구현. C는 정상 클래스
        int add(int x, int y) { return x+y; } // 추상 메소드 구현. 오버라이딩
        void print() { System.out.println("C"); }
}
…
C c = new C(); // 정상
```

4. 목적

추상 클래스의 목적은 다음 그림과 같이 상속을 위한 슈퍼 클래스로 활용하는 것이다. 서브 클래스에서 추상 메소드를 구현하여 다형성을 실현한다(오버라이딩).

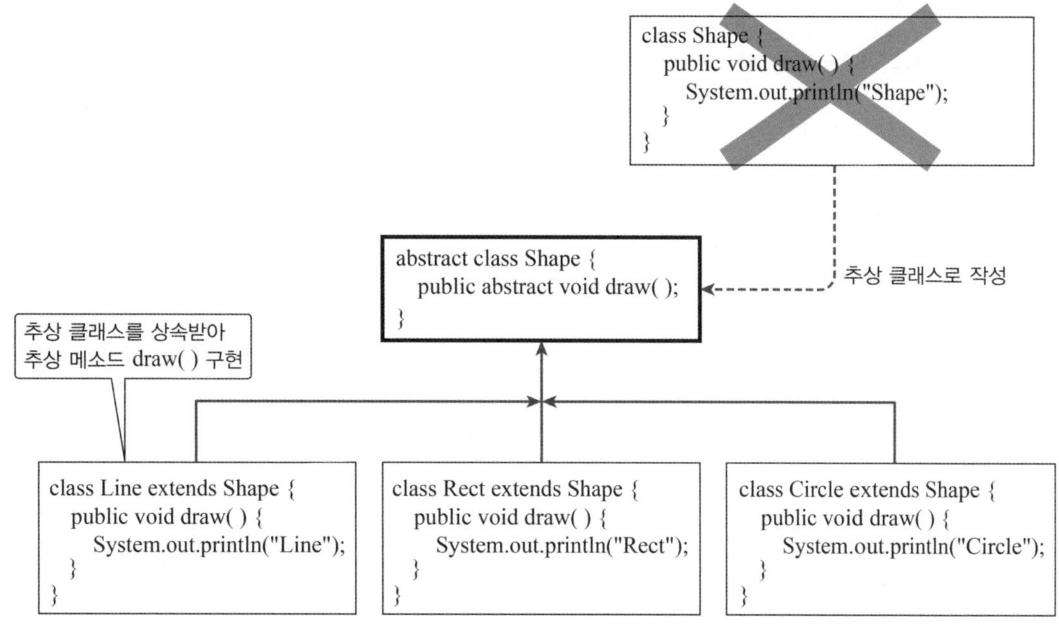

▲ 추상 클래스의 목적

주요개념 셀프체크

- 인터페이스 vs. 추상클래스
- throw, try-catch-finally
- 가비지
- 접근지정자 - private, default, protected, public
- static vs. non-static
- final - 클래스, 메소드, 필드
- 오버로딩 vs. 오버라이딩
- 상속 - private, default, protected, public
- 생성자 - 기본 vs. super

핵심 기출

1. 다음 Java 프로그램의 출력 결과는? 2017년 지방직

```
class Foo {
  public int a = 3;
  public void addValue(int i) {
    a = a + i;
    System.out.println("Foo : "+ a + " " );
  }
  public void addFive() {
    a += 5;
    System.out.println("Foo : "+ a + " " );
  }
}
class Bar extends Foo {
  public int a = 8;
  public void addValue(double i) {
    a = a + (int)i;
    System.out.println("Bar : "+ a + " " );
  }
  public void addFive() {
    a += 5;
    System.out.println("Bar : "+ a + " " );
  }
}
public class Test {
  public static void main(String [] args) {
    Foo f = new Bar(); f.addValue(1);
    f.addFive();
  }
}
```

① Foo : 4
Foo : 9

② Bar : 9
Foo : 8

③ Foo : 4
Bar : 13

④ Bar : 9
Bar : 14

해설

> class Bar extends Foo // Bar는 Foo로부터 상속을 받는다.
> Foo f = new Bar(); // Bar 객체를 만들어 Foo 객체에 대입한다. Bar는 Foo를 상속받았기 때문에 이런 식의 상속이 가능하다. 이때 f에서의 호출은 default로 Foo의 함수를 대상으로 한다(동적 바인딩은 예외이다).
> f.addValue(1); // addValue에 들어간 인자(parameter)가 double이 아니라 int이기 때문에 Foo의 addValue()가 호출된다. 만약, Bar에도 double이 아닌 int를 인자로 받는 함수가 있었다면 동적 바인딩(실행 시간에 호출할 함수를 결정)에 의해 Bar의 addValue()가 호출될 것이다(4 = 3 + 1).
> f.addFive(); // 동일한 원형을 가지는 함수가 Foo와 Bar에 동시에 있으므로, 동적 바인딩을 통해 Bar 객체의 addFive가 사용된다(13 = 8 + 5).

정답 ③

2. 다음 Java 프로그램의 출력 값은? 2018년 국가직

```
class Super {
  Super() {
    System.out.print( ' A ' ) ;
  }
  Super(char x) {
    System.out.print(x) ;
  }
}
class Sub extends Super {
  Sub () {
    super() ;
    System.out.print( ' B ' ) ;
  }
  Sub(char x) {
    this() ;
    System.out.print(x) ;
  }
}
public class Test {
  public static void main(String [] args) {
    Super s1 = new Super('C');
    Super s2 = new Sub('D');
  }
}
```

① ABCD ② ACBD
③ CABD ④ CBAD

해설

Super s1 = new Super('C'); // Super 클래스의 생성자 Super(char x)가 호출되므로 'C'가 출력된다. Super()는 인자가 없으므로 호출되지 않는다. 생성자 호출 시 매개변수의 유무에 주의하여야 한다.
Super s2 = new Sub('D'); // Sub 클래스의 생성자 Sub(char x)가 호출된다(매개변수의 유무에 주의). Sub(char x)에는 this()가 있는데 이는 자신의 생성자 Sub()를 호출한다(매개 변수의 유무에 주의). Sub()에는 super()가 있는데 이는 자신의 부모 클래스인 Super 클래스의 생성자 Super()를 호출한다(여기서 'A'가 출력된다). super() 후에는 'B'가 출력된다. Sub() 후에는 'D'가 출력된다.
이들을 순서대로 출력하면 "CABD"가 된다.

TIP 해당 프로그램에서 this는 자신의 객체를 나타내고, this()는 자신의 생성자 호출을 나타낸다. 또한 super()는 부모 클래스의 생성자를 호출하는 데 매개변수의 유무에 따라 적절한 부모 클래스의 생성자를 호출하면 된다.

정답 ③

3. 다음 프로그램의 A3 클래스에서 사용될 수 있는 객체 변수들로 옳은 것만을 모두 고르면? 2021년 국회직

```
public class A1 {
  public int x;
  private int y;
  protected int z;
    …
 }
public class A2 extends A1 {
  protected int a;
  private int b;
    …
 }
public class A3 extends A2 {
  private int q;
    …
 }
```

① x, q
② x, y, b, q
③ x, y, z, q
④ x, z, a, q
⑤ x, y, z, a, b, q

해설

x // public 이므로 어디에서든 접근이 가능하다.
z, a // protected 이므로 자식 클래스에서 접근이 가능하다.
q // private는 자신의 클래스에서 접근이 가능하다.

선지분석
① z, a가 없다.
②③⑤ 부모 클래스의 private인 y는 자식 클래스에서 접근할 수 없다.

정답 ④

CHAPTER 13 언어 종류

1. C#

모든 것을 객체로 취급하는 컴포넌트 프로그래밍언어로, 시샵(C-sharp)이라고 발음한다. 2000년 6월 마이크로소프트가 닷넷(.NET) 플랫폼을 위해 개발하였다. C++(시플러스플러스)에 기본을 둔 언어로, 비주얼베이직이나 자바(Java)와도 비슷하다. 따라서 비주얼베이직과 자바 · C++ 등의 장점을 지닌다. 곧 비주얼 언어가 가진 사용자 친화성, C++의 객체지향성, 자바의 분산환경처리에 적합한 다중성 등을 모두 지니는 컴포넌트 기반의 소프트웨어 개발 패러다임을 반영한다.

웹을 통해 정보와 서비스를 교환하고, 개발자들이 이식성(portability) 높은 응용프로그램들을 만들어 낼 수 있게 고안되었다. 즉, 이 프로그래밍언어를 사용하면 대대적인 개정 없이도 하나 이상의 OS(운영체제)에서 사용될 수 있는 응용프로그램들을 만들어낼 수가 있다. 따라서 프로그래머가 별도의 코드를 만들지 않고서도 새로운 제품이나 서비스를 빠르고 값싸게 시장에 내놓을 수 있게 된다.

2. Java

자바는 시스템 및 어플리케이션 개발자들에게 익숙하도록 C/C++과 유사한 문법을 가지고 있는 반면 C++에 비해 단순하고 효율성을 높이기 위해 여러 기능이 추가되었다. 네트워크 기능이 기본으로 탑재되도록 설계되었으며 하드웨어 아키텍처(컴퓨터 시스템의 물리적 구성요소와 그 상호 관계)에 중립적이고 안전하게 실행되는 언어를 목표로 개발되었다. 자바는 "write once, run anywhere"라는 슬로건 하에, 한 번 구현한 코드를 플랫폼에 독립적으로 사용할 수 있도록 특별히 설계되었다. 일반적으로 컴퓨터 프로그램은 사람이 이해하기 쉬운 고급 프로그래밍 언어를 사용해 작성되고 컴파일 과정을 통해 특정 CPU(중앙처리장치)에서 실행 가능한 기계어 코드로 변환된다. 하지만 자바 프로그램은 명령어 집합을 나타내는 한두 바이트의 코드인 바이트코드(Java bytecode)라는 특수한 바이너리 형태로 컴파일 된 후, 자바 가상 머신(JVM, Java Virtual Machine) 상에서 실행된다. JVM은 자바 프로그램을 실행하기 위한 가상의 기계를 소프트웨어로 구성한 것으로, 자바 바이트코드를 CPU나 운영체제(OS)에 관계없이 동일한 형태로 실행시킨다.

3. 스크립트 언어

스크립트 언어(scripting language)란 컴퓨터 프로그래밍 언어로서 응용 소프트웨어를 제어한다. 스크립트 프로그래밍 언어라고도 한다. 스크립트 언어는 응용 프로그램과 독립하여 사용되고 일반적으로 응용 프로그램의 언어와 다른 언어로 사용되어 최종사용자가 응용 프로그램의 동작을 사용자의 요구에 맞게 수행할 수 있도록 해준다. 스크립트(scripts)는 연극 용어인 스크립트에서 유래되었으며 초창기 스크립트 언어는 배치언어(batch languages) 또는 작업제어 언어(job control language)라고도 불리었다. 대표적인 스크립트 언어에는 자바스크립트, Perl, PHP, 파이썬, 루비, Tcl, 유닉스 쉘 스크립트, VBscript 등이 존재한다.

4. C++

C++는 흔히 객체지향적 언어라고 한다. 객체 지향 프로그래밍은 새로운 방식의 프로그래밍 접근 방법이다. 프로그래밍이 탄생한 이후로 그 방식은 많은 변화를 겪었는데, 프로그래밍이 현격하게 다른 변혁을 겪을 때마다 새로운 접근 방식이 나타나 프로그래머가 그 전 단계보다 훨씬 더 복잡해진 프로그램을 처리할 수 있도록 도왔다. 예전의 구조적인 프로그래밍은 복잡한 프로그램 작성 시 프로그램의 규모가 일정 한계를 넘으면 가끔씩 실패하는 경우를 제외하고 상당히 우수한 기능을 해왔지만 그 보다 좀 더 복잡한 프로그램을 쓸 수 있는 새로운 프로그래밍 방식이 필요했다. 그래서 탄생한 것이 객체 지향 프로그래밍이다. 이는 구조적인 프로그래밍에서 사용되는 개념들을 최대한 활용하여 종전과는 다른 방식으로 이러한 개념을 엮어내는 역할을 한다. C의 대부분의 특징을 포함하고 있으므로 시스템 프로그래밍에 적합할 뿐만 아니라 클래스, 연산자 중복, 가상 함수 등과 같은 특징을 갖추고 있어 객체 지향 프로그래밍에 적합하다. 또한 C와 일치하는 부분이 C++를 널리 대중적인 언어가 되는 데 도움을 주었다.

5. 객체 지향 언어

대표적인 객체 지향 언어에는 시뮬라 67, 스몰토크, 비주얼 베이직 닷넷, 오브젝티브-C, C++, C#, 자바, 객체지향 파스칼, 델파이, 파이썬, 펄, 루비, 액션스크립트, ASP, 스위프트 등이 존재한다.

6. LISP

LISP는 List processing의 약어로 인공지능지향의 프로그램언어로 리스트형식(자료 구조)으로 된 데이터를 처리하도록 설계된 프로그래밍 언어이다. LISP는 1950년대 후반에 미국 MIT공대 매카시 등에 의해 인공지능용 언어로 고안되었고, 컴퓨터에 의한 정리의 증명이나 기호처리를 비롯해 의미론, 정보검색, 인공지능 등의 분야에서 널리 이용되는 프로그램 언어다. LISP는 식의 전개, 인수분해를 비롯해 기호 그대로의 미분, 적분수식 처리가 가능하며 정리증명, 게임문제, 자연어처리 등 인공지능문제의 처리와 고급언어의 개발에 적합한 프로그램이다. 객체지향 언어가 아님에 유의한다.

7. JSP

자바 서버 페이지(Java Server Pages, JSP)는 HTML내에 자바 코드를 삽입하여 웹 서버에서 동적으로 웹 페이지를 생성하여 웹 브라우저에 돌려주는 언어이다. Java EE 스펙 중 일부로 웹 애플리케이션 서버에서 동작한다(server-side scripting). 자바 서버 페이지는 실행시에는 자바 서블릿으로 변환된 후 실행되므로 서블릿(자바를 사용하여 웹페이지를 동적으로 생성하는 서버측 프로그램 혹은 그 사양)과 거의 유사하다고 볼 수 있다. 하지만, 서블릿과는 달리 HTML 표준에 따라 작성되므로 웹 디자인하기에 편리하다. 1999년 썬 마이크로시스템즈에 의해 배포되었으며 이와 비슷한 구조로 PHP, ASP, ASP.NET 등이 있다. 아파치 스트럿츠나 자카르타 프로젝트의 JSTL 등의 JSP 태그 라이브러리를 사용하는 경우에는 자바 코딩없이 태그만으로 간략히 기술이 가능하므로 생산성을 높일 수 있다.

8. ASP

액티브 서버 페이지(Active Server Page, 과거 명칭은 클래식 ASP/Classic ASP, ASP 클래식/ASP Classic)는 마이크로소프트사에서 동적으로 웹 페이지들을 생성하기 위해 개발한 서버 측 스크립트 엔진이다(server-side scripting). ASP 2.0은 6개의 내장 객체들을 제공한다(Application, ASPError, Request, Response, Server, Session). 예를 들어, Session은 페이지 간의 변수의 상태를 유지하는 쿠키 기반의 세션을 나타낸다. 동적 스크립팅 엔진의 컴포넌트 객체 모델(COM) 지원은 ASP 웹사이트들이 DLL들 같은 컴파일 된 라이브러리들을 함수처럼 접근 가능하게 해 준다. ASP.NET이 ASP를 대체하고 있다.

주요개념 셀프체크

- C# vs. Java
- C++, LISP
- 스크립트언어 vs. 객체지향언어
- JSP vs. ASP

핵심 기출

프로그래밍 언어에 대한 설명으로 옳지 않은 것은? 2014년 지방직

① C#은 .NET 프레임워크(framework)에서 동작하는 소프트웨어의 개발을 지원하는 언어이다.
② Java는 C++의 특징인 클래스에서의 다중 상속과 포인터를 지원하는 간결한 언어이다.
③ JavaScript, PHP 및 Ruby는 스크립트 언어이다.
④ C++는 다형성, 오버로딩, 예외 처리와 같은 객체지향(object-oriented) 프로그래밍의 특징을 가진 언어이다.

해설

Java는 다중 상속과 포인터를 지원하지 않는다(C++에서는 지원한다). 자바는 단일 상속과 레퍼런스라는 개념을 지원한다. 레퍼런스는 포인터보다 조금 넓은 의미의 개념이다.

선지분석

① C#: 모든 것을 객체로 취급하는 컴포넌트 프로그래밍언어이다(닷넷 프레임워크에서 사용). 이 프로그래밍언어를 사용하면 대대적인 개정 없이도 하나 이상의 OS(운영체제)에서 사용될 수 있는 응용프로그램들을 만들어낼 수가 있다. .NET(닷넷) framework는 웹 개발과 응용 프로그램의 개발을 분리하지 말자는 개념에서 나온 것이다.
③ 스크립트 언어: 컴퓨터 프로그래밍 언어로서 따로 컴파일 과정이 필요 없고 응용 소프트웨어를 제어한다. 응용 프로그램과 독립하여 사용되고 일반적으로 응용 프로그램의 언어와 다른 언어로 사용되어 최종사용자가 응용 프로그램의 동작을 사용자의 요구에 맞게 수행할 수 있도록 해준다.
④ C++: C의 대부분의 특징을 포함하고 있으므로 시스템 프로그래밍에 적합할 뿐만 아니라 클래스, 연산자 중복(오버로딩), 가상함수(오버라이딩) 등과 같은 특징을 갖추고 있어 객체 지향 프로그래밍에 적합하다.

정답 ②

CHAPTER 14 그 외

1. 오토마타

다음의 표는 DFA(결정적 유한 오토마타)와 NFA(비결정적 유한 오토마타)를 비교한 것이다. 여기서, 오토마타(automata)는 컴퓨터 구조, 컴파일러 설계 등에 사용하는 중요한 요소를 의미한다.

구분	DFA	NFA
다음 상태	결정	선택
상태 전이	입력 유관	입력 무관
변환	NFA	DFA
언어	정규 언어	정규 언어

다음의 그림은 촘스키에 의한 언어의 분류를 나타낸다. 유한 오토마타(컴퓨터 프로그램과 전자 논리회로 설계에 사용, 유한한 개수의 상태를 가지며 한 번에 오직 하나의 상태만을 가짐)는 정규 언어[정규 표현식을 이용하여 표현할 수 있는 형식 언어(특정한 법칙들에 따라 적절하게 구성된 문자열들의 집합)]를 인식하고, push-down 오토마타(컴퓨터 과학에서 스택을 사용하여 어떤 작업이 한 요인 때문에 정지될 시 그 요인을 음식점의 식기 분출 기계처럼 밀어내리는 역할을 함)가 문맥 자유 언어(문법과 의미를 서로 분리시켜 구문을 형식화시킴, 프로그래밍 언어 또는 통신 프로토콜의 구문 문법(여러 문법 이론과 모형을 포괄하는 명칭)에 사용됨)를 인식한다.

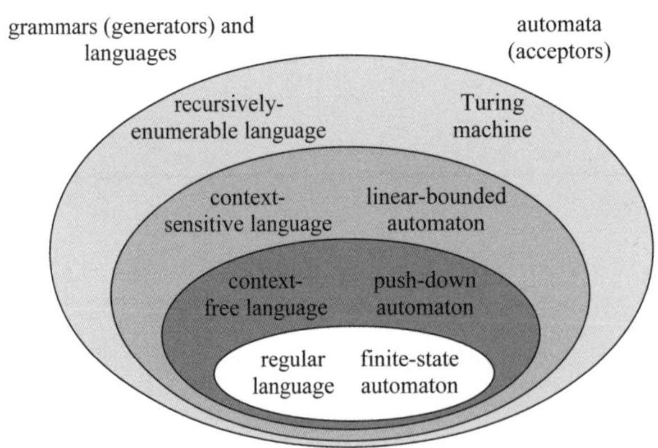

▲ 촘스키에 의한 언어의 분류

2. Nassi-Schneiderman chart(나씨-슈나이더만 차트)

다음 그림은 Nassi-Schneiderman chart(나씨-슈나이더만 차트)를 나타낸다. 논리 표현을 중심으로 하는 기법으로 흐름도(Flowchart)로 변환 가능하며, 구조적 코딩에 매우 유용하다.

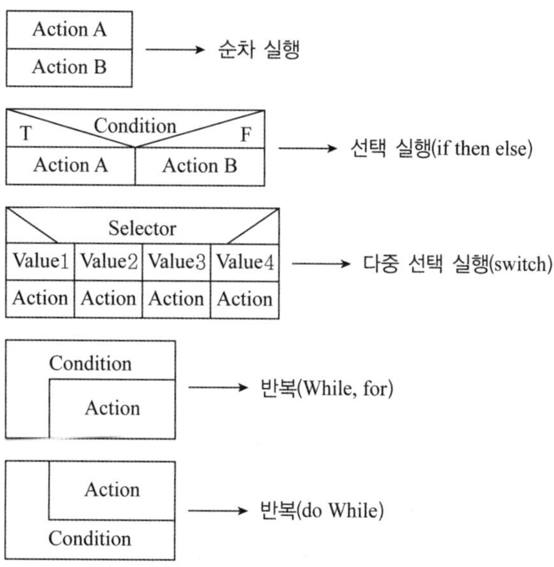

▲ Nassi-Schneiderman chart(나씨 - 슈나이더만 차트)

다음의 그림은 나씨-슈나이더만 차트의 실제 사용 예를 나타낸다.

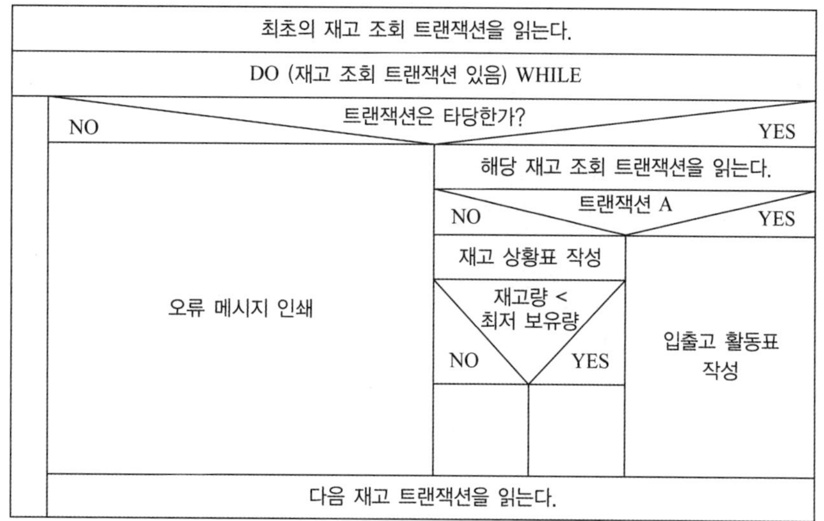

▲ 나씨 - 슈나이더만 차트의 실제 사용 예

다음의 표는 알고리즘 표현을 위한 기법간 비교를 나타낸다.

구분	나씨 슈나이더만 도표	흐름도(Flow Chart)	슈도코드(Pseudo code)
개념	사각형 박스로 선택, 조건, 반복의 구조적 흐름을 표현	사각형으로 작업, 마름모로 조건, 화살표로 데이터 흐름을 표현	단순 텍스트와 들여쓰기를 이용하여 알고리즘을 상세 표현
장점	표준화 가능	로직의 대표적 표현	세부적 표현 가능
단점	수직적 확장	표현의 다양성, 복잡성	사람마다 다른 표현

핵심 기출

나시 - 슈나이더만(N-S) 차트의 반복(While) 구조에 대한 표현으로 가장 옳은 것은? 2018년 서울시

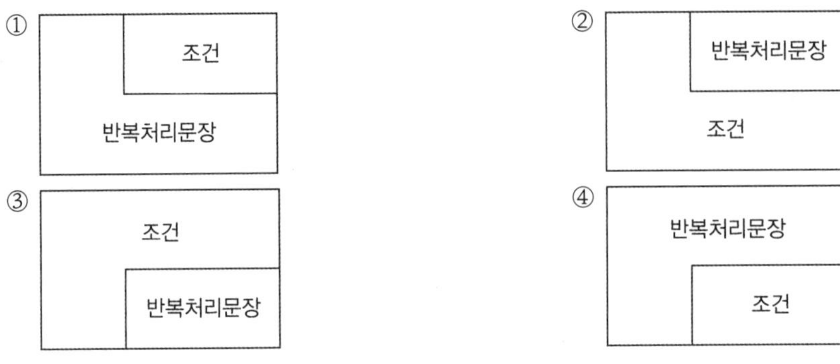

해설

나시-슈나이더만 차트는 사각형 박스로 선택, 조건, 반복의 구조적 흐름을 표현한다. 장점은 표준화가 가능하다는 점이고, 단점은 알고리즘이 복잡하면 수직적으로 확장한다는 것이다. 다음은 나시-슈나이더만 차트를 나타낸다.
4번째 그림을 보면 반복이 Condition(조건)과 Action(반복처리문장)으로 구성됨을 알 수 있다.

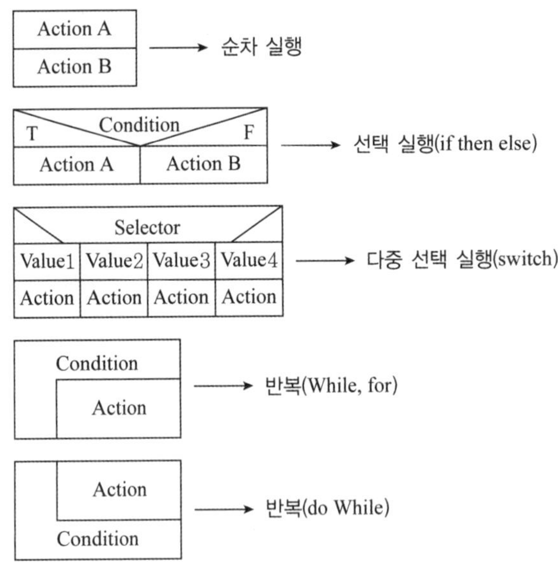

정답 ③

해커스공무원

곽후근 컴퓨터일반

기본서 | 1권

초판 2쇄 발행 2024년 5월 8일
초판 1쇄 발행 2022년 7월 15일

지은이	곽후근 편저
펴낸곳	해커스패스
펴낸이	해커스공무원 출판팀
주소	서울특별시 강남구 강남대로 428 해커스공무원
고객센터	1588-4055
교재 관련 문의	gosi@hackerspass.com 해커스공무원 사이트(gosi.Hackers.com) 교재 Q&A 게시판 카카오톡 플러스 친구 [해커스공무원 노량진캠퍼스]
학원 강의 및 동영상강의	gosi.Hackers.com
ISBN	1권: 979-11-6880-530-9 (14560) 세트: 979-11-6880-529-3 (14560)
Serial Number	01-02-01

해커스공무원

곽후근 컴퓨터일반

기본서 | 1권

공무원 합격의 확실한 해답!

해커스공무원 곽후근 컴퓨터일반 교재

해커스공무원
곽후근 컴퓨터일반
기본서 (세트)

정가 **44,000**원 (전 2권)

14560
9 791168 805309
ISBN 979-11-6880-530-9
ISBN 979-11-6880-529-3 (세트)